DIRECCIÓN Y SUPERVISIÓN GENERAL
Luis Roberto Barone

DIRECCIÓN EDITORIAL
Carlos Eduardo Rodríguez

DIRECCIÓN DE OBRA
Marta Lucía Ghiglioni

DIRECCIÓN DE ARTE
Claudio Daniel González

DIRECCIÓN DE PRODUCCIÓN
Susana Silvia Luna

Colaboraciones especiales
Prof. María Amalia Fones - Prof. Silvia Maturana - Prof. Sandra Fabiana Teira - Prof. Silvia Tombesi

Ilustraciones especiales
Ana Favazza - Jorge Mercado - Víctor Páez - Carlos Valle

Supervisión ejecutiva de la presente edición
Marta Natalia Stradella

Corrección de la obra
Silvia Tombesi

Diagramación digital de la obra
Pablo Gabriel González - Julieta Soledad Rodríguez - Marta Natalia Stradella - Juliana Torres

Departamento de publicidad y marketing

Dirección creativa
Carlos Alberto Cuevas

Dirección de marketing y comunicación
Ana María Pereira

Dirección de arte
Armando Andrés Rodríguez

Equipo editorial

Diagramación digital
Úrsula Aurelia Buono - Carolina Catz
Natalia Soledad Donamaria - Vanesa Elizabeth Hirsch
Andrea Lucía Lescinskas - Yamila Naddeo - Andrea Pires
Florencia Santoro - Pablo Vega Avendaño

Supervisión ejecutiva editorial
Marcela Verónica Codda - Silvia Inés Maturana
Laura Alejandra Romaniello - Marta Natalia Stradella

Coordinación y compaginación de edición
Gabriela Andrea Fazzito - Analía Natalia Piedrabuena
Adriano Luciano Prandi - Juliana Torres

Dirección comercial
Luis Mariano Barone

Secretaría comercial
Raúl Oscar Calcaterra - Diego Javier Delgado
Marta Elizabeth Dellisanti - Claudio Alberto Guerreiro
Armando Benjamín López - Irma Beatriz Pedraza

Dirección administrativa
María Luján Barone - Juana Antonia Rivas

Secretaría administrativa
Fernando Barone - Julieta Soledad Rodríguez

Tráfico editorial
Coordinación: Luis Alberto Rubio
José Oscar Garay - Leonardo Gastón Herrera
Ulises Darío Parente - Adrián Antonio José Pilla

Tráfico de producción
Sergio Martín Caruso - Liliana Ester Cuevas
Emilsa del Valle Sosa

Realizado y editado en **Argentina**
Impreso en U.S.A.

Todos los derechos reservados

© **CULTURAL LIBRERA AMERICANA S.A.**
Grupo Clasa - Buenos Aires - Rep. Argentina

Presente edición
© **ARQUETIPO GRUPO EDITORIAL S. A.**
Montevideo - Rep. Oriental del Uruguay

Enciclopedia
Temática Ilustrada

A modo de presentación

Como en otras ocasiones, queremos compartir con nuestro público los atributos fundamentales de una nueva realización editorial, pensada en las necesidades de los estudiantes y en los requerimientos de la enseñanza básica. Nos respalda una amplia experiencia en publicaciones educativas.

- La Enciclopedia que presentamos constituye un excelente material para el estudio, la investigación y las actividades que niños y jóvenes deben llevar a cabo durante el año escolar.

- En un único cuerpo, nuestros lectores encontrarán los datos precisos para todas las áreas en que se distribuyen actualmente los contenidos de la enseñanza básica. Para facilitar el acceso a la información, los temas fueron organizados de acuerdo con el desarrollo curricular que se plantea en la actualidad. Otro aspecto que hemos cuidado es el lenguaje, que está expresado en el nivel cognoscitivo de nuestros jóvenes lectores, para que la lectura no presente dificultades y sea de rápida comprensión.

- Los contenidos, además de adecuarse a los requerimientos de la escuela, son de suma actualidad y abarcan tanto los aspectos informativos como formativos, porque estamos convencidos de que una buena educación es una educación integral, que apunta al conocimiento y a la creación de valores que mejoren la convivencia.

- Como complemento del texto, se ha utilizado un amplio repertorio de recursos didácticos: esquemas, gráficos, recuadros, redes conceptuales, dibujos y fotos. Cada uno cumple con un objetivo, como resumir la información en los conceptos principales, producir flujos de datos, aportar aspectos desde diferentes puntos de vista, enriquecer y complementar lo que se expone. La organización gráfica de este variado material le da a la obra un carácter dinámico y le permitirá a nuestros lectores captar lo general para poder profundizar en lo particular.

Como conclusión, queremos transmitirles nuestra confianza en esta obra, porque en su realización pusimos en juego una larga trayectoria y la responsabilidad con que abordamos las publicaciones educativas. Estamos seguros que la Enciclopedia que presentamos será de permanente consulta y colaborará con padres y docentes en la tarea de educar con éxito a las generaciones futuras.

Los editores

Índice de la obra

Biología - Ecología

Descubrir
el valor de
la relación con
nuestro medio
ambiente es
conocer el lugar
que los seres vivos
ocupamos
en el cosmos.

LOS ORGANISMOS

Nuestro planeta está poblado por millones de organismos con diferentes grados de complejidad. En la actualidad, se agrupa a los seres vivos en cinco reinos distintos. ¿Vamos a conocerlos?

Aportes científicos

Allá por el siglo XVII, un estudioso inglés, llamado *John Ray*, estableció un concepto básico para clasificar los distintos organismos que pueblan el planeta. Esta palabra clave fue **especie**, y la definió como *"el conjunto de seres vivos procedentes de ancestros comunes, que se parecen entre sí y son capaces de cruzarse entre ellos, dando lugar a nuevos individuos"*. Un siglo más tarde, el botánico sueco *Carlos de Linneo* y el investigador inglés *Carlos Darwin* realizaron sistematizaciones más específicas de los vegetales, el primero, y de los animales, el segundo. Ya en el siglo XX, en 1969, el biólogo norteamericano *Whittaker*

Carlos Darwin.

profundizó aún más estas clasificaciones y estableció que los seres vivos podían agruparse en **cinco reinos distintos**. Para ello, primero, buscó las semejanzas y diferencias entre los seres vivos.

¿Qué es un ser vivo?

Todos los seres vivos presentan ciertas **características comunes** que determinan su condición de tales. Ellas son:
• están formados por **células**;
• están **organizados**;
• requieren **energía**, tanto para producir sustancias imprescindibles para la vida, como para garantizar el correcto funcionamiento de los aparatos y sistemas que poseen;
• cumplen un ciclo de vida, **nacen**, **crecen** (cada ser vivo alcanza un nivel de desarrollo propio al de su especie), **se reproducen** y **mueren**;
• tienen la **capacidad de adaptarse** al medio que los rodea y a las condiciones que requiere su propio organismo.

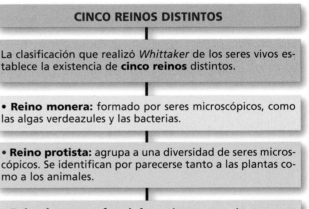

CINCO REINOS DISTINTOS

La clasificación que realizó *Whittaker* de los seres vivos establece la existencia de **cinco reinos** distintos.

• **Reino monera:** formado por seres microscópicos, como las algas verdeazules y las bacterias.

• **Reino protista:** agrupa a una diversidad de seres microscópicos. Se identifican por parecerse tanto a las plantas como a los animales.

• **Reino hongos o fungi:** formado por organismos semejantes a las plantas pero que carecen de clorofila. Son incapaces de producir su propio alimento. Viven a expensas de otros seres vivos.

• **Reino vegetal:** formado por los vegetales capaces de fabricar su propio alimento. Poseen clorofila.

• **Reino animal:** integrado por organismos incapaces de producir sus alimentos, pero con capacidad para desplazarse. Se subdividen en dos grandes grupos según tengan o no columna vertebral: *vertebrados* e *invertebrados*.

Con anterioridad a esta división, se consideraba otra que sólo contemplaba el reino vegetal por un lado y el animal por otro.

REINO MONERA •	
ALGAS VERDEAZULES *	Ej.: spirulina, rivularia.
BACTERIAS	Ej.: bacilos, vibrios.

REINO PROTISTA •	
ALGAS UNICELULARES *	Ej.: diatomeas, chlamydomas.
PROTOZOOS	Ej.: paramecio, trypanosoma.

Referencias:
• : organismos inferiores.
* : plantas criptógamas (sin flores).

REINO HONGO O FUNGI •*	
HONGOS	Ej.: champiñón, seta agaricácea.
LÍQUENES	Ej.: cladonia, usnea.
MOHOS	Ej.: penicillium, evonymus.

REINO VEGETAL

PLANTAS CELULARES * •	Talofitas	Algas pluricelulares	Ej.: lechuga de mar, laminaria.
	Briofitas	Musgos - Hepáticas	Ej.: riccia, funicularia.
PLANTAS VASCULARES	* Pteridofitas (plantas sin flor)	Ej.: helecho, cola de caballo.	
	Fanerógamas (plantas con flor)	Gimnospermas	Ej.: pino, cedro, araucaria.	
		Angiospermas	Dicotiledóneas	Ej.: ceibo, rosa, poroto.
			Monocotiledóneas	Ej.: maíz, lirio, orquídea.

REINO ANIMAL

INVERTEBRADOS Ausencia de columna vertebral	Poríferos		Ej.: esponjas.
	Braquiópodos		Ej.: cranias, lingulas.
	Briozoarios		Ej.: reteporas, escaras.
	Equinodermos	Asteroideos	Ej.: estrellas de mar.
		Crinoideos	Ej.: lirios de mar.
		Equinoideos	Ej.: erizos de mar.
		Holoturioideos	Ej.: pepinos de mar.
		Ofiurioideos	Ej.: estrellas quebradizas.
	Celenterados	Antozoos	Ej.: anémonas marinas.
		Hidrozoos	Ej.: hydras (pólipos), obelias (medusas).
		Escifozoos	Ej.: aguamares (medusas).
	Platelmintos	Turbelarios	Ej.: planarias.
		Trematodos	Ej.: fasciola.
		Cestodos	Ej.: tenias.
	Anélidos	Poliquetos	Ej.: nereis.
		Oligoquetos	Ej.: lombrices de tierra.
		Hirudíneos	Ej.: sanguijuelas.
		Arquianélidos	Ej.: pequeños gusanos marinos.
	Artrópodos	Arácnidos	Ej.: escorpiones, arañas.
		Crustáceos	Ej.: langostinos, cangrejos.
		Miriápodos	Ej.: milpiés, ciempiés.
		Insectos	Ej.: piojos, cucarachas. moscas.
	Moluscos	Cefalópodos	Ej.: sepias, pulpos.
		Gasterópodos	Ej.: caracoles, babosas terrestres.
		Lamelibranquios	Ej.: mejillones, tiñuelas.
VERTEBRADOS	Peces	Osteíctios	Ej.: anguilas, esturiones.
		Condrictios	Ej.: rayas, tiburones.
	Anfibios	Ápodos	Ej.: cecílidos.
		Urodelos	Ej.: tritones, salamandras.
		Anuros	Ej.: sapos, ranas.
	Reptiles	Saurios	Ej.: salamandras, tritones.
		Quelonios	Ej.: tortugas (terrestres y acuáticas).
		Cocodrilos	Ej.: cocodrilos, caimanes.
		Ofidios	Ej.: pitones, boas, culebras.

VERTEBRADOS Presencia de columna vertebral	Aves	Gaviformes	Ej.: colimbos.
		Esfenisciformes	Ej.: pingüinos.
		Procelariformes	Ej.: albatros.
		Pelecaniformes	Ej.: pelícanos, alcatraces.
		Ciconiformes	Ej.: garzas, cigüeñas.
		Anseriformes	Ej.: patos, cisnes.
		Falconiformes	Ej.: águilas, cóndores.
		Galliformes	Ej.: gallinas, perdices.
		Gruiformes	Ej.: rascones, grullas.
		Caradriformes	Ej.: chorlitos, chozas.
		Columbiformes	Ej.: tórtolas, palomas.
		Sitaciformes	Ej.: loros, guacamayos.
		Cuculiformes	Ej.: cucos, correcaminos.
		Estrigiformes	Ej.: mochuelos, lechuzas.
		Caprimulgiformes	Ej.: chotacabras.
		Apodiformes	Ej.: colibríes, pájaros-mosca.
		Trogoniformes	Ej.: tocororos.
		Coliformes	Ej.: aves ratón.
		Coraciformes	Ej.: abejarrucos, martines.
		Piciformes	Ej.: tucanes.
		Paseriformes	Ej.: mirlos, tordos.
		Apterigiformes	Ej.: kivis.
		Estrutioniformes	Ej.: avestruces.
		Reiformes	Ej.: ñandúes.
		Tinamiformes	Ej.: martinetas, inambúes.
		Podicipediformes	Ej.: zampullines, somormujos.
		Casuariformes	Ej.: emúes, casuarios.
	Mamíferos	Monotremas	Ej.: ornitorrincos.
		Marsupiales	Ej.: canguros, zarigüeyas.
		Maldentados	Ej.: osos hormigueros, armadillos.
		Insectívoros	Ej.: musarañas, topos.
		Folidotos	Ej.: pangoline.
		Primates	Ej.: lémures, monos, hombres.
		Tubulidentados	Ej.: oricteropo.
		Carnívoros	Ej.: felinos, perros, zorros, osos.
		Sirénidos	Ej.: dugongs, manatíes.
		Dermópteros	Ej.: colugos o "lemures voladores".
		Quirópteros	Ej.: murciélagos, vampiros.
		Roedores	Ej.: ratas, castores, ardillas.
		Lagomorfos	Ej.: conejos, liebres.
		Cetáceos	Ej.: ballenas, delfines, marsopas.
		Artiodáctilos	Ej.: hipopótamos, cerdos, camellos.
		Perisodáctilos	Ej.: caballos, cebras, rinocerontes.
		Hiracoideos	Ej.: damanes.
		Proboscídeos	Ej.: elefantes africano e indio.
		# Sirénidos	Ej.: focas, leones marinos, morsas.

Referencias:
#: de la familia
pinnípedos.

Las células

—— Base de lo vivo ——

Aproximadamente cuatro millones de especies de seres vivos pueblan nuestro planeta. Cada uno de ellos se distingue por presentar diferencias en su aspecto, en su forma, en sus funciones y en su comportamiento. Sin embargo, todos poseen un nivel básico de organización. A simple vista, los tejidos parecen ser una materia continua. Pero, contando con la ayuda de un microscopio, veremos que todo tejido está formado por pequeñísimas partículas: **las células**.
La **célula** es la porción más pequeña de materia que puede tener existencia propia. Un ser vivo puede estar formado por una sola célula o por millones de ellas. Algunas células pueden ser observadas a simple vista, como, por ejemplo, el huevo sin cáscara del avestruz; a este tipo se las conoce como células **macroscópicas**. Otras, en cambio, son tan pequeñas que sólo pueden ser vistas con ayuda del microscopio, de allí que se las denomine **microscópicas**. Las células presentan diferentes formas, tamaños y colores. Algunas se modifican a lo largo de la vida. Generalmente, estas características están íntimamente relacionadas con la función que cumplen.

– Por el número de células –

Los seres vivos pueden estar constituidos por una o más células. En función del número en que éstas se presentan en los organismos, se los puede dividir en: **unicelulares** y **pluricelulares**.
Los seres vivos formados por una célula única se llaman **unicelulares**. En estos casos, el protoplasma de la única célula

La célula es la unidad estructural básica de todos los organismos vivos, excepto los virus. Las células fueron descubiertas por *Robert Hooke* en 1665, pero *Schleiden* y *Schwann* fueron los primeros en proponer una teoría clara sobre las células, en 1839, asegurando que todos los seres vivientes son celulares.

que forma el cuerpo tiene a su cargo la realización de todas las funciones vitales. Además cada estructura dentro de la célula cumple una función específica. Tal es el caso de los **protozoos**, que forman parte del *zooplancton* (*zoo*: animal; *plancton*: conjunto de pequeños organismos que viven suspendidos en el agua formando colonias); y las **algas unicelulares**, que conforman el *fitoplancton* (*fito*: vegetal). Estas algas son capaces de elaborar sus alimentos por fotosíntesis; constituyen, entonces, el primer eslabón de las cadenas alimentarias acuáticas.
Los organismos **pluricelulares** son complejos, constituidos por muchas células agrupadas que se organizan formando **tejidos**. En estos organismos las células se especializan en diferentes funciones. Esto se llama **división de trabajo**. Son ejemplos: un *perro*, un *árbol*, una *hormiga*, entre muchos otros.

—— Partes de una célula ——

En todas las células se observan tres partes bien diferenciadas.
• Una **membrana plasmática**

que las rodea y limita.
• Un **citoplasma** viscoso, más denso que el agua, en el que se observa un gran número de **organoides** que se ubican entre la membrana plasmática y el núcleo.
• Un **núcleo** con forma más o menos esférica que, generalmente, se encuentra en el centro de la célula. Ahora bien, como buenos científicos, vamos a describir detenidamente lo que observamos en cada una de estas partes.

AMEBA

Pseudópodos

TRIPANOSOMA

PARAMECIO

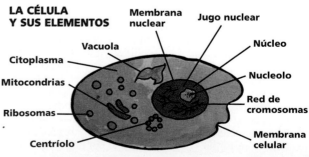

LA CÉLULA Y SUS ELEMENTOS

- Membrana nuclear
- Jugo nuclear
- Vacuola
- Citoplasma
- Núcleo
- Mitocondrias
- Nucleolo
- Ribosomas
- Red de cromosomas
- Centríolo
- Membrana celular

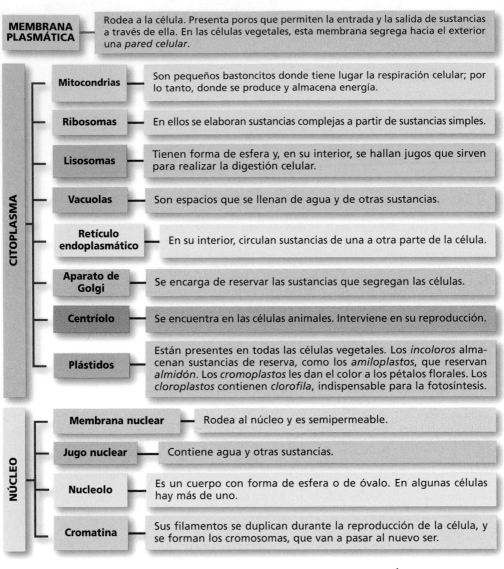

| MEMBRANA PLASMÁTICA | Rodea a la célula. Presenta poros que permiten la entrada y la salida de sustancias a través de ella. En las células vegetales, esta membrana segrega hacia el exterior una *pared celular*. |

CITOPLASMA

Mitocondrias	Son pequeños bastoncitos donde tiene lugar la respiración celular; por lo tanto, donde se produce y almacena energía.
Ribosomas	En ellos se elaboran sustancias complejas a partir de sustancias simples.
Lisosomas	Tienen forma de esfera y, en su interior, se hallan jugos que sirven para realizar la digestión celular.
Vacuolas	Son espacios que se llenan de agua y de otras sustancias.
Retículo endoplasmático	En su interior, circulan sustancias de una a otra parte de la célula.
Aparato de Golgi	Se encarga de reservar las sustancias que segregan las células.
Centríolo	Se encuentra en las células animales. Interviene en su reproducción.
Plástidos	Están presentes en todas las células vegetales. Los *incoloros* almacenan sustancias de reserva, como los *amiloplastos*, que reservan *almidón*. Los *cromoplastos* les dan el color a los pétalos florales. Los *cloroplastos* contienen *clorofila*, indispensable para la fotosíntesis.

NÚCLEO

Membrana nuclear	Rodea al núcleo y es semipermeable.
Jugo nuclear	Contiene agua y otras sustancias.
Nucleolo	Es un cuerpo con forma de esfera o de óvalo. En algunas células hay más de uno.
Cromatina	Sus filamentos se duplican durante la reproducción de la célula, y se forman los cromosomas, que van a pasar al nuevo ser.

— Dos clases de células

Las *bacterias*, los *virus* y las *algas verdeazules* (integrantes del reino *Monera*) son seres unicelulares procariotas. ¿Por qué? Porque están conformados por **células procariotas**. Éstas carecen de membrana nuclear y orgánulos citoplasmáticos. Los restantes organismos vivientes están constituidos por **células eucariotas**. A éstas comúnmente se las llama **"células completas"**. Las células procariotas son más pequeñas que las eucariotas. Todas las células contienen material genético en forma de ADN, el cual controla las actividades celulares. En las eucariotas, está dentro del núcleo. Todas contienen citoplasma, en el cual se encuentran varios *organelos*, y está rodeado por una *membrana plasmática*. Ésta controla la entrada y salida de sustancias.

— Vegetales y animales —

Tanto a nivel morfológico como funcional, las **células vegetales** y las **células animales** presentan características comunes. Ambas emplean las **mitocondrias** para llevar a cabo la respiración celular y así obtener energía. También utilizan la **membrana plasmática** para permitir el paso de determinadas sustancias y compuestos químicos hacia el interior o el exterior. No obstante, notamos a simple vista que los vegetales y los animales son diferentes, lo cual se debe a que sus células presentan diferencias. En general, nos llaman la atención los colores de los vegetales: verde, rojo, pardo, amarillo, etc. Éstos se deben a la presencia de pigmentos característicos de dicho reino, como ser la **clorofila**. Dichos pigmentos se encuentran contenidos en estructuras especiales llamadas **plástidos**, de forma más o menos globosa. Estos organoides celulares también pueden poseer **almidón**, **proteínas**, **aceites**, etc., y son exclusivos de dichos seres vivos. Otra característica importante es la presencia de una gran **vacuola** de reserva que ocupa del 80 % al 90 % del volumen celular total. En ella se encuentran diversos componentes, como agua, sales, azúcares, etc. En los animales, dichas estructuras están ausentes, salvo en los **protozoos**. Pero cabe aclarar que éstos no se incluyen en el reino animal sino dentro del reino protista. Las **células vegetales** y **procariotas** están rodea-

CÉLULA VEGETAL	CÉLULA ANIMAL
La forma y el tamaño de la célula dependen de la pared celular.	La forma y el tamaño están, en parte, dados por el citoesqueleto.
Autótrofa.	Heterótrofa.
Productora.	Consumidora.
Con gran cantidad de plástidos como: cloroplastos (clorofila), amiloplastos (almidón), cromoplastos (carotenos, ficoeritrina, ficocianina), oleoplastos (lípidos), proteoplastos (proteínas).	Sin plástidos o estructuras que permitan acumular pigmentos y otras sustancias.
Con deposiciones en forma de cristal en el citoplasma.	Sin cristales en el citoplasma.
Presentan vacuolas de gran tamaño.	No presentan vacuolas.
Generalmente almacenan almidón.	Almacenan glucógeno.
Las células se dividen por tabicamiento.	Las células se dividen por estrangulamiento.

das por **paredes celulares** rígidas. Precisamente, la **pared celular** presente en las células vegetales típicas es otra distinción importante, ya que en los animales está ausente. Dicha estructura confiere forma y tamaño a la masa protoplasmática y constituye el "esqueleto" de la planta. En los animales existe un componente celular que está ausente en los vegetales, el **centríolo**. Éste interviene en la división celular que se lleva a cabo por estrangulamiento de la célula madre.

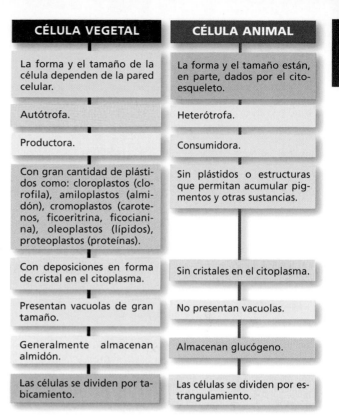

Referencias de la célula vegetal: 1. Vacuola - 2. Citoplasma - 3. Mitocondria - 4. Ribosoma - 5. Aparato de Golgi - 6. Membrana celular - 7. Cloroplasto - 8. Retículo endoplasmático - 9. Membrana nuclear - 10. Núcleo - 11. Nucleolo

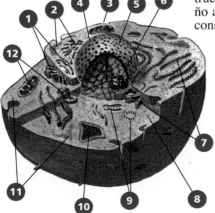

Referencias de la célula animal: 1. Aparato de Golgi - 2. Retículo endoplasmático - 3. Membrana celular - 4. Membrana nuclear - 5. Núcleo - 6. Nucleolo - 7. Retículo endoplasmático rugoso - 8. Citoplasma - 9. Centríolos - 10. Lisosomas - 11. Ribosomas - 12. Mitocondrias

¿Cómo se organizan las células?

Un trabajo coordinado

Las células de los organismos pluricelulares se reparten las tareas para poder llevar a cabo las funciones vitales. Por eso estas células se agrupan con otras iguales y se especializan para cumplir eficientemente con dicha labor. Conozcamos cómo se organizan estas pequeñas en acción…

Cuando nos referimos a un *plan de organización*, estamos intentando establecer la forma que guardan en su distribución las partes que conforman a un vegetal o a un animal.

Veamos cómo se organizan las células que conforman a un organismo pluricelular.

• **Células:** cada una representa una *unidad de vida*.

• **Tejidos:** son la reunión de células semejantes, destinadas a cumplir una determinada función. Por ejemplo: tejidos musculares.

• **Órganos:** son las "piezas" o partes de un organismo, formadas por los tejidos. Por ejemplo: músculos dorsales.

• **Aparatos y sistemas:** son las formas en que los órganos se agrupan para realizar las distintas funciones. Por ejemplo: sistema ósteo-artro-muscular.

• **Organismo:** es cada ser vivo, porque está organizado, y su organización controla y permite que funcione, es decir, que viva.

Un organismo puede cumplir con sus funciones vitales gracias al trabajo coordinado de células, tejidos, sistemas y aparatos.

¿Cómo están organizadas las plantas?

CÉLULA VEGETAL **TEJIDOS VEGETALES** Colénquima

Parénquima

ÓRGANOS VEGETALES Esclerénquima

INDIVIDUO VEGETAL

Hoja

Raíz

Tallo

¿Cómo están organizados los animales?

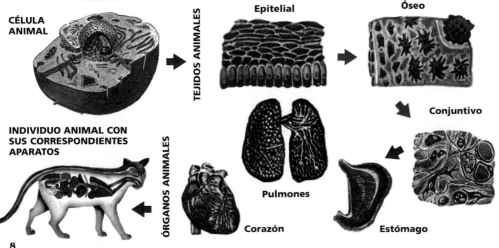

CÉLULA ANIMAL

TEJIDOS ANIMALES — Epitelial — Óseo

Conjuntivo

INDIVIDUO ANIMAL CON SUS CORRESPONDIENTES APARATOS

ÓRGANOS ANIMALES

Pulmones

Corazón

Estómago

EL REINO MONERA

— Las algas verdeazules —

Pueden ser unicelulares pero, generalmente, la superposición de células conforma filamentos a veces ramificados. Esta estructura recibe el nombre de **talo**. La composición celular es simple: al igual que las bacterias, no presentan núcleo ni otros corpúsculos celulares. Son seres **procariotas**. También se las llama **cianófitos**.

¿CÓMO SE ALIMENTAN?

Las **algas verdeazules** poseen *clorofila*, por la cual pueden realizar fotosíntesis y fabricar sus alimentos. Numerosas **bacterias** que viven en el agua y en el suelo se alimentan de restos de animales y plantas. Transforman los compuestos orgánicos en sustancias químicas simples, que luego son utilizadas por otros organismos, como las plantas. Estas bacterias reciben el nombre de *descomponedores*.

—— Las bacterias ——

Las **bacterias** son tan pequeñas (apenas tienen milésimas de mm), que sólo es posible observarlas al microscopio. Están formadas por una única célula (**unicelulares**) y **no tienen clorofila**. A pesar de su tamaño, las bacterias poseen una estructura bastante compleja, compuesta por:
• **cápsula o vaina**;
• **pared celular**;
• **flagelos**;
• **membrana plasmática**;
• **laminillas y mesosoma**;
• **ribosomas**;
• **material genético**.

—— Clases de bacterias ——

Las bacterias presentan formas distintas; de acuerdo con ellas

DOS MANERAS DE RESPIRAR

Las bacterias, a diferencia de otros seres vivos, pueden vivir en presencia o ausencia de oxígeno. Por esta condición se las denomina *organismos aeróbicos* (respiran en presencia de oxígeno) o *anaeróbicos* (respiran en ausencia de oxígeno).

se las puede clasificar en **cuatro categorías**:
• **cocos o micrococos:** tienen forma de esfera y miden aproximadamente 1 micra. Pueden permanecer aisladas o en grupos;
• **bacilos:** su aspecto es similar al de un bastón y producen gran cantidad de enfermedades;
• **vibrios:** se parecen a una coma ortográfica;
• **espirilos o espiroquetas:** su forma es similar a un rizo.

LAS BACTERIAS "BUENAS"

Además de limpiar el planeta, al transformar las sustancias orgánicas en sustancias simples, hay bacterias que cumplen un papel muy importante en la naturaleza. El **nitrógeno** es un elemento indispensable para los seres vivos, pero de muy difícil obtención, aunque forma parte del aire. Por suerte, algunas bacterias transforman el nitrógeno del aire en sales minerales, que son absorbidas por las plantas, y de ellas pasan a otros organismos.

Algunos vegetales, como los frijoles, poseen numerosas colonias de bacterias fijadoras de nitrógeno en sus raíces.

Las bacterias que viven en los intestinos de los animales herbívoros los ayudan a digerir la celulosa de las hierbas.

Existen bacterias nocivas (a veces mortales) para los seres vivos; pero también hay otras que cumplen funciones sorprendentes en beneficio de la vida.

Virus de *Ébola*.

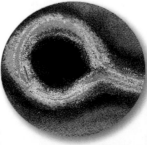

Vista de un *cianófito* marino, en el que puede observarse el talo.

EL REINO PROTISTA

Reúne las algas unicelulares y los protozoos, que se desarrollan en ambientes húmedos o líquidos.

¿Qué son los protozoos?

Son **organismos unicelulares** que aparecieron en una época muy temprana de la historia de nuestro planeta.

Para desarrollarse y sobrevivir, necesitan ambientes muy húmedos o líquidos. Habitan en aguas dulces o saladas.

Clasificación de protozoos

Podemos diferenciar **cuatro grandes grupos** de protozoos.

• **Los flagelados** presentan una o varias prolongaciones en forma de pelos (**cilios**) que utilizan especialmente para movilizarse.

Algunos poseen **clorofila**, razón por la cual ciertos autores los consideran vegetales. El *Trypanosoma gambiense* es un flagelado parásito que, inoculado por la picadura de la *mosca tsé-tsé* en otro organismo animal, provoca la **enfermedad del sueño**.

¡CUÁNTAS ESPECIES!

Se conocen unas 20.000 especies diferentes de protozoos, pero permanentemente se descubren otras nuevas.

Muchas de ellas se agrupan, formando colonias.

Algunas especies son parásitas (se nutren de las sustancias que producen otros seres vivos, sobre los que viven adheridas).

Otras se alimentan de bacterias, algas, etc.

Diatomeas de agua dulce (algas unicelulares), cuya reproducción suele ser asexual, por bipartición.

• **Los sarcodinos** se movilizan mediante unas prolongaciones que presenta su cuerpo celular (*el citoplasma*).

Estas prolongaciones se llaman **pseudópodos** (significa *falsos pies*). A este grupo pertenecen las *amebas,* los *helizoos,* los *radiolarios* y los *foraminíferos.*

• **Los esporozoos** abarcan numerosas especies parásitas. Algunas son inofensivas; otras, en cambio, provocan enfermedades. El *plasmodium,* inoculado por el mosquito anófeles, produce el **paludismo** o **malaria**.

• **Los ciliados** forman el grupo más evolucionado. El ciliado más conocido es el *paramecio.* Su forma es semejante a la de la suela de una zapatilla. Los paramecios tienen una estructura celular más compleja. Poseen un **orificio oral**, otro **anal**, dos **núcleos** (*macronúcleo*, que organiza el metabolismo, y *micronúcleo*, encargado de dirigir la reproducción), **vacuolas digestivas** (son como pequeñísimos "estómagos"), **vacuolas pulsátiles** (tienen la capacidad de contraerse y expulsar el líquido intracelular excedente como si se tratase de bombas), y **cilios** (son como pelitos que rodean el cuerpo del paramecio –*cilium* en latín significa *pestaña*–, que le permiten un fácil y rápido desplazamiento, a menudo en zigzag).

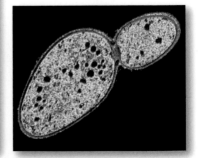

Reproducción de los protozoos

Casi todos los protozoos, entre ellos el *paramecio*, se reproducen por *división simple*; se reparte el citoplasma en dos partes, aproximadamente iguales, entre las dos células hijas. (Los núcleos y demás orgánulos también se dividen y se distribuyen entre estas últimas.)

– Las algas unicelulares –

Numerosas algas sólo son visibles mediante el microscopio. Se trata de diminutas células vegetales, en su mayoría componentes del **plancton** *(fitoplancton)*. El hábitat más común es el agua.

Se cree que las algas fueron los primeros protistas que poblaron las tierras. Las más antiguas se remontan a 2.000 millones de años.

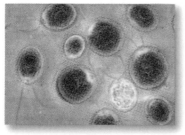

Tipo de alga unicelular llamada clorófila dulceacuícola.

¿VEGETALES O ANIMALES?

Existen organismos unicelulares que poseen características animales y vegetales a la vez; la **euglena** es uno de ellos.

Posee clorofila contenida en numerosos cloroplastos distribuidos en todo su citoplasma, lo que le permite fabricar alimentos, tal como las plantas; pero también puede absorber partículas de alimento disueltas en el agua. Por eso se la considera *protozoo flagelado* y también *alga unicelular*. ¡Qué ingeniosa!

Ciclo de vida de un alga unicelular

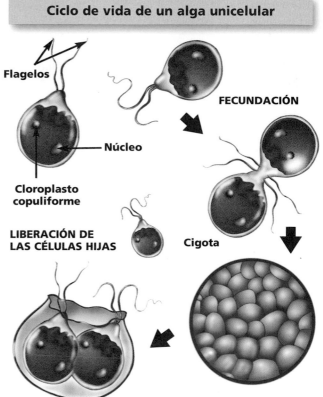

Flagelos

Núcleo

Cloroplasto copuliforme

FECUNDACIÓN

LIBERACIÓN DE LAS CÉLULAS HIJAS

Cigota

En los orígenes del planeta, las algas –mediante el proceso de fotosíntesis– modificaron la atmósfera (en ese entonces, rica en *hidrógeno, metano y amoníaco)* por la actual.

Por eso las algas fueron y son sumamente importantes en el mantenimiento del equilibrio ecológico de la biosfera.

De ellas depende toda la actividad marina, ya que **son los únicos organismos marinos que producen materia viva**.

El estudio de los microorganismos (microbiología) por medio de instrumentos –como el microscopio– y técnicas –como el cultivo– fue fundamental para el desarrollo de la ciencia y de la medicina. El primero que fabricó potentes lupas y microscopios fue el holandés Antonie van Leeuwenhoek (1632-1723), que además realizó descripciones y dibujos de diversos protozoarios.

EL REINO FUNGI

Reúne a los líquenes y a los hongos, que son parte importante de la naturaleza, ya que descomponen los restos de plantas y animales.

Los hongos

La característica que los distingue es que **no son autótrofos** (no fabrican su propio alimento), ya que carecen de pigmentos fotosintéticos. Se nutren a partir de las sustancias orgánicas que fabrican otros seres vivos, por ello se los llama **saprófitos**.

Eligen lugares fríos y húmedos, donde abunda materia orgánica, para desarrollarse. También podemos verlos crecer sobre la fruta o verdura podrida, como un manto de polvo verde. Cuando tienen esta forma, se los llama **mohos**.

— Estructura de — los hongos

Los hongos pueden ser **unicelulares**, como las *levaduras*, o **pluricelulares**, como los *hongos* que forman sombreros (también llamados *"setas"*). Son de consistencia esponjosa, de color variado (nunca verde). El cuerpo de los hongos está formado por delgados filamentos, llamados **hifas**, compuestos por células dispuestas en hilera. Cada una de estas células presenta una pared rica en **glucanos** y **quitina** (como en los *insectos*). Esta composición de la pared celular les permite a lo hongos mantenerse erguidos. Las hifas en conjunto conforman el **micelio** del hongo. En el micelio pueden distinguirse dos partes, una *subterránea*, los **rizoides**, y otra *aérea*, el **esporangio**. Durante el período de formación del micelio, puede observarse la presencia de un *brote globoso* cubierto por una membrana llamada **velo**. A medida que el hongo va creciendo, se forma el **pie**; como consecuencia de este estiramiento, el velo se rompe y se forma el esporangio. Algunos restos del velo quedan en el pie y dan origen a una estructura llamada **anillo**.

Reproducción de los hongos

Los hongos pueden reproducirse de dos formas:
• **asexual**: los esporangios liberan esporas que se reproducen vegetativamente y dan un nuevo hongo;
• **sexual**: si observamos la cara inferior del esporangio, notaremos que existen unas laminillas dispuestas en forma radial. En ellas, las hifas forman estructuras estériles, llamadas *paráfisis*, y reproductoras, los *basidios* o esporas. Éstos cubren toda la superficie de las *hifas*, dando origen al **himenio**. Los basidios en general son cuatro, y su aspecto es distinto entre sí. Cada basidio es una especie de *"gameta"* que, al germinar, dará una hifa y se reiniciará el ciclo.

Ciclo de vida del hongo

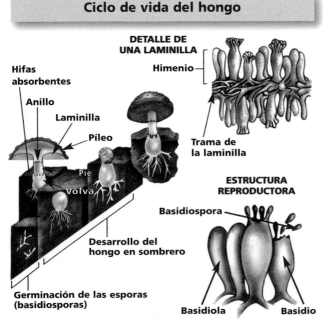

DETALLE DE UNA LAMINILLA

Himenio

Hifas absorbentes

Anillo

Laminilla

Píleo

Pie

Volva

Trama de la laminilla

ESTRUCTURA REPRODUCTORA

Basidiospora

Desarrollo del hongo en sombrero

Germinación de las esporas (basidiosporas)

Basidiola

Basidio

Algunos hongos son comestibles, como los champiñones, pero otros son venenosos.

— Los líquenes —

Sobre los troncos, rocas desnudas y otras superficies silvestres, solemos encontrar líquenes. Éstos, si bien no son exigentes en cuanto al sustrato sobre el cual habitan, sí lo son respecto a las impurezas de la atmósfera.

Tienen la capacidad de soportar grandes variaciones de temperatura y humedad. Pero... ¿qué son?

Los **líquenes son asociaciones simbióticas entre un hongo y un alga verdeazul**. ¿Qué tipo de asociación es ésta? La *simbiosis* es una relación de beneficio mutuo; en este caso, el alga elabora sustancias orgánicas útiles para el hongo, y éste absorbe agua y sales del suelo, útiles para el alga.

Así, los líquenes son una **mezcla de filamentos fúngicos** (del hongo) **y algas**. La estructura vegetativa, el **talo**, de los líquenes representa, por consiguiente, un consorcio que llega a adquirir independencia morfológica y fisiológica.

-Características- de los líquenes

El talo de un liquen puede adoptar distintos aspectos: **gelatinoso**, **seco**, **homogéneo**, etc. Dadas estas características estructurales,

después de las lluvias los líquenes se desecan con rapidez, lo que les impide dedicar largos períodos de tiempo a la actividad fotosintética.

En los líquenes gelatinosos, el aprovisionamiento de agua lo realiza el alga; en cambio, en los restantes, esta tarea es realizada por unas *hifas fúngicas* especiales (presentan una membrana gruesa e *higroscópica*).

— Funciones del liquen —

Las hifas fúngicas liberan una serie de ácidos que atacan las rocas o el suelo formando **sales minerales**.

Así, el alga dispone de agua y sales minerales que, junto con el dióxido de carbono del aire y a la luz solar, le permiten realizar la **fotosíntesis**. A partir de ella, el alga elabora una serie de sustancias orgánicas, parte de las cuales aprovecha el hongo para su desarrollo.

¿DÓNDE HABITAN?

Los líquenes no son exigentes en cuanto al sustrato al que se fijan, pero sí lo son respecto a las impurezas de la atmósfera. Es frecuente encontrarlos adheridos a troncos, rocas desnudas o simplemente al suelo, en zonas de grandes variaciones de temperatura y humedad.

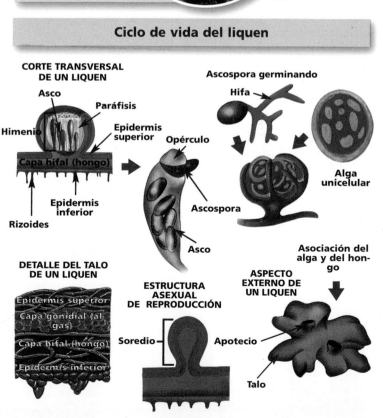

Ciclo de vida del liquen

CORTE TRANSVERSAL DE UN LIQUEN
- Asco
- Paráfisis
- Himenio
- Epidermis superior
- Capa hifal (hongo)
- Epidermis inferior
- Rizoides

Ascospora germinando
- Hifa
- Opérculo
- Alga unicelular
- Ascospora
- Asco

DETALLE DEL TALO DE UN LIQUEN
- Epidermis superior
- Capa gonidial (algas)
- Capa hifal (hongo)
- Epidermis inferior

ESTRUCTURA ASEXUAL DE REPRODUCCIÓN
- Soredio

Asociación del alga y del hongo
ASPECTO EXTERNO DE UN LIQUEN
- Apotecio
- Talo

EL REINO VEGETAL

Reúne a una gran variedad de organismos pluricelulares cuya característica es la elaboración de su alimento.

La fotosíntesis

Las plantas son los únicos seres vivos capaces de producir su propio alimento por medio de un proceso llamado **fotosíntesis**. Debido a ello, son llamados **productores** o *autótrofos*.

Para ello, toman las sales minerales disueltas en agua a través de la raíz.

En las plantas superiores, esta solución se llama **savia bruta** y circula por los vasos del tallo hasta las hojas. Estos órganos poseen unos pigmentos verdes, llamados **clorofila**, que captan la energía lumínica del sol.

Gracias a esta energía, combi- nan el **dióxido de carbono** –que toman del aire– y las **sales minerales** absorbidas por la raíz, y forman la **glucosa**, un azúcar simple que constituye su alimento. Como resultado de la fotosíntesis, las plantas eliminan **oxígeno**, gas fundamental para todos los seres vivos.

En las plantas superiores, la *glucosa* o **savia elaborada** es transportada por los vasos cribosos o liberianos a todas las partes del vegetal.

Parte de los azúcares se transforman en **almidón**, que es almacenado en las hojas, en la raíz o en el tallo como alimento de re- serva. Éste puede ser utilizado para nutrir las semillas en desarrollo o para mantener viva la planta durante el invierno y ayudarla a crecer en la primavera. Además sirve de alimento para los animales herbívoros y los seres humanos.

La respiración

La respiración es la función que permite liberar la energía encerrada en los alimentos. Las plantas toman el **oxígeno (O)** del medio en que habitan a través de sus órganos. El oxígeno llega a cada célula y libera la energía de los alimentos para que la planta cumpla con sus funciones vitales (crecer, reproducirse, realizar la fotosíntesis, etc.). Como resultado de la oxidación de los alimentos, se producen **dióxido de carbono (CO_2)** y agua (H_2O), que son eliminados al exterior.

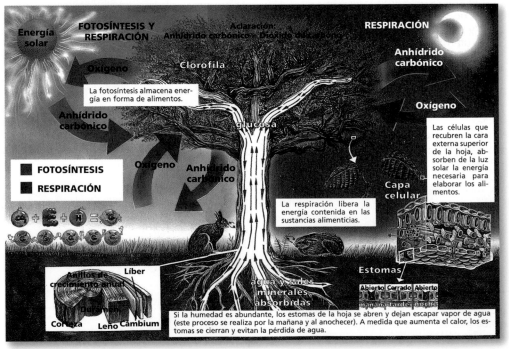

FOTOSÍNTESIS Y RESPIRACIÓN

Aclaración: Anhídrido carbónico = Dióxido de carbono

Energía solar

RESPIRACIÓN

Anhídrido carbónico

Oxígeno

Clorofila

La fotosíntesis almacena energía en forma de alimentos.

Anhídrido carbónico

glucosa

Oxígeno

Las células que recubren la cara externa superior de la hoja, absorben de la luz solar la energía necesaria para elaborar los alimentos.

■ FOTOSÍNTESIS
■ RESPIRACIÓN

Oxígeno

Anhídrido carbónico

La respiración libera la energía contenida en las sustancias alimenticias.

Capa celular

Estomas

Anillos de crecimiento anual

Líber

Líber

Duramen

Corteza

Leño

Cámbium

agua y sales minerales absorbidas

Abierto Cerrado Abierto
mañana tarde noche

Si la humedad es abundante, los estomas de la hoja se abren y dejan escapar vapor de agua (este proceso se realiza por la mañana y al anochecer). A medida que aumenta el calor, los estomas se cierran y evitan la pérdida de agua.

Las algas pluricelulares

—— Verdes y pardas ——

Las algas pluricelulares o eucariotas forman parte del reino vegetal por presentar una estructura más compleja que las unicelulares. Forman parte de este reino las **algas verdes** o *clorófitos* (algunas especies); las *pardas* o *feófitos*, y las **rojas** o *rodófitos*. Podemos encontrarlas en medios de agua dulce o marinos.

—— Estructura y reproducción ——

Las algas pluricelulares presentan tres características esenciales:

- las células que las conforman son **eucariotas** (tienen un núcleo verdadero y presentan **cloroplastos**);
- los **cloroplastos** contienen **clorofila** asociada a diversos pigmentos, esto les permite llevar a cabo la *fotosíntesis*;
- no tienen ni raíz, ni tallo, ni hojas; su aparato vegetativo es un **talo**.

Las algas pluricelulares pueden reproducirse:

- de **forma asexuada**, a partir de esporas se produce la multiplicación vegetativa del talo;
- de **forma sexuada**, las esporas se comportan como *gametos*.

—— Importancia de las algas ——

Algunas algas rojas están cubiertas por sustancias gelatinosas llamadas *agares*, *carragenos* y *gelanos*, que son productos que se utilizan con diversos propósitos.

El *agar*, por ejemplo, se emplea para cultivar microbios en los laboratorios. El *carrageno*

Algunas algas rojas están cubiertas por sustancias gelatinosas llamadas *agares*, *carragenos* y *gelanos*.

Otras acumulan carbonato de calcio en la superficie celular, lo que las vuelve duras y quebradizas.

En estas condiciones se transforman en los elementos más importantes para la formación de los arrecifes de coral.

sirve para espesar el yogur y los helados.

Las algas rojas acumulan carbonato de calcio en la superfi-cie celular, lo que las vuelve duras y quebradizas. Esto las convierte en los elementos más importantes para la formación de los arrecifes coralinos.

Ejemplar de lechuga de mar, una de las especies más conocidas de los clorófitos.

ALGAS PLURICELULARES

Los clorofitos o algas verdes

Bajo este nombre se agrupan alrededor de 8.000 especies, que pueden subdivirse en tres categorías: *cigofitos*, *euclorofitos* y *carofitos*. Uno de los ejemplares más conocidos de las algas verdes es la lechuga de mar (*ulva*), que presenta un cuerpo aplastado en forma de hoja, adaptado para flotar.

Los rodofitos o algas rojas

Incluyen alrededor de 600 géneros, subdivididos en dos tipos: *protoflorofitos* y *florofitos*. Habitan en las profundidades marinas. El pigmento que les da la coloración es la *ficoeritrina*. Presentan también pigmentos azules. Este conjunto de pigmentos les permite captar la luz a grandes profundidades.

Los feofitos o algas pardas

Agrupan 16.000 especies subdivididas en *propirrofitos*, *pirrofitos*, *crisofitos* y *feofitos*. Deben su color al pigmento *fucoxantina*. La pared celular presenta una sustancia gomosa llamada *algina*, que les otorga elasticidad. Son las que comúnmente se denominan *algas marinas*.

Los musgos y las hepáticas

Briofitas

Los musgos y las hepáticas conforman el fílum de las *briofitas*. Son de tamaño pequeño y habitan en medios terrestres, preferentemente húmedos. Presentan una estructura vegetativa sencilla, conformada por talluelos y hojuelas, pero sin raíces ni flores.

Los musgos

Los **musgos** son pequeñas plantas que eligen para desarrollarse lugares húmedos y sombríos. Son de color verde. Crecen sobre las rocas, en los tejados, en los muros o al pie de los árboles.

La estructura vegetativa de los musgos es muy sencilla. No presentan tejidos de conducción y los órganos son poco evolucionados. Están compuestos por una **masa de células poco diferenciadas**.

Las partes que conforman la estructura son tres.

• **Rizoides:** son filamentos ramificados y tubulares, cuya función es mantener erguido al musgo y absorber las sustancias nutritivas. Equivalen a las raíces de las plantas vasculares.

• **Talluelo:** es verde y cilíndrico. Representa al tallo en las plantas vasculares.

• **Hojuelas:** presentan una sola capa de células, son verdes y alargadas. Se asemejan a las hojas en las plantas vasculares.

Debido a las ausencia de vasos

Por su aspecto exterior, las hepáticas pueden dividirse en dos categorías:

Hepáticas con hojas

Se asemejan a los musgos. Presentan un tallo vestido de hojas sin nervaduras, insertas oblicuamente en dos filas laterales.

Hepáticas con talo

Similares a algunas algas verdes. El talo generalmente es aplanado.

conductores (xilema y floema) y de tejido de sostén, los musgos alcanzan apenas una altura máxima de 60 cm. La reproducción es alternante, una **fase asexual** y otra **sexual**. En su ciclo de vida se observa la presencia de un **embrión**.

– Las hepáticas –

Al igual que los musgos, las **hepáticas** poseen rizoides. Por medio de ellos, absorben, por ósmosis, el agua y las sales minerales del suelo. Éstos recorren el cuerpo de la hepática por el proceso de difusión. Como este proceso es lento, las hepáticas permanecen siempre pequeñas.

Ciclo de vida del musgo

REPRODUCCIÓN ASEXUAL

REPRODUCCIÓN SEXUAL

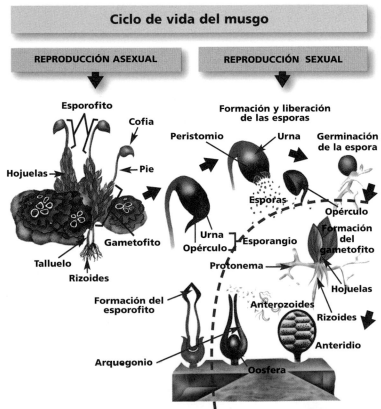

Esporofito
Cofia
Hojuelas
Pie
Peristomio
Urna
Germinación de la espora
Formación y liberación de las esporas
Esporas
Opérculo
Formación del gametofito
Urna
Opérculo
Esporangio
Gametofito
Protonema
Hojuelas
Talluelo
Rizoides
Formación del esporofito
Anterozoides
Rizoides
Anteridio
Arquegonio
Oosfera

Los helechos

— Criptógamas —

Constituyen el grupo más importante de las *pteridofitas*. Son plantas vasculares que presentan raíces, tallos y hojas, pero carecen de flores (son *criptógamas*). Los primeros helechos que poblaron el planeta se remontan a 500 millones de años atrás.

Existe una inmensa variedad de helechos, cada una de ellas difiere de la otra. Algunos son **epífitos** (viven sobre otras plantas pero sin ser parásitos). Otros son **acuáticos** y viven flotando libremente o arraigados en el lodo con sus hojas flotando. También se cuentan los que crecen sobre las rocas o únicamente en las cavidades de las piedras calizas.

— **Estructura de un helecho** —

La estructura vegetativa de un helecho está formada por:
- **raíz fibrosa**, que presenta formaciones tuberosas que almacenan las sustancias de reserva;
- **tallo**, con aspecto de **rizoma** subterráneo o rastrero que puede disponerse horizontal al suelo, erguido, oblicuo o trepador;

- **hojas compuestas**, que presentan **folíolos** o *pinas* dispuestas a los lados del **raquis** o eje de la hoja.

— **Su reproducción** —

Si observan el envés de una hoja de helecho, notarán la presencia de pequeños sacos pegados a ella; son los **esporangios**. Éstos se reúnen en grupos, llamados **soros**, y dentro de ellos se ubican las **esporas**. Ellas son las encargadas de llevar a cabo la reproducción en las plantas criptógamas.

En los helechos, la **reproducción** es **alternante** (dos formas distintas y sucesivas). Una de las fases es la **asexual**, que se realiza por **esporas**; la otra es la **sexual**, que se ejecuta mediante **gametas masculinas y femeninas**, respectivamente.

Los helechos crecen en una gran variedad de ambientes y se adaptan a condiciones muy difíciles, aunque la mayoría crece en los bosques tropicales.

Ciclo de vida del helecho

REPRODUCCIÓN SEXUAL

REPRODUCCIÓN ASEXUAL

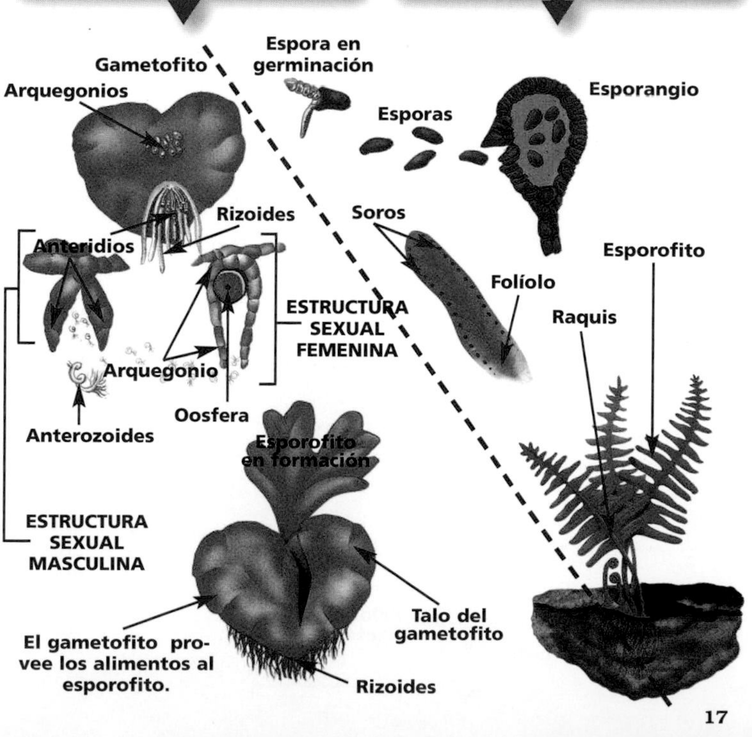

Gametofito
Espora en germinación
Arquegonios
Esporas
Esporangio
Rizoides
Soros
Esporofito
Anteridios
Folíolo
Raquis
ESTRUCTURA SEXUAL FEMENINA
Arquegonio
Oosfera
Anterozoides
Esporofito en formación
ESTRUCTURA SEXUAL MASCULINA
Talo del gametofito
El gametofito provee los alimentos al esporofito.
Rizoides

Plantas con flores

— Fanerógamas —

También llamadas *espermatófitas*, estas plantas vasculares se caracterizan por presentar **tallo**, **hoja**, **raíz**, **tejidos de conducción**, **embrión** y **flor**.

Según el sitio en el que se desarrolla la semilla, estos vegetales pueden subdividirse en *gimnospermas* y *angiospermas*. Los invitamos a iniciar una investigación...

Su estructura

Las fanerógamas o vegetales superiores se caracterizan por presentar **células diferenciadas**, que conforman el **tejido vascular**, dividido en **xilema** y **floema**. El tejido vascular transporta agua y nutrientes a través de la planta, y también le otorga rigidez y sostén.

— Clases de fanerógamas —

De acuerdo con el lugar donde la semilla se desarrolla, las fanerógamas se subdividen en:
• **gimnospermas** (las semillas se desarrollan fuera del ovario, como en el caso de las *coníferas)*;
• **angiospermas** (las semillas crecen en el interior del ovario y pueden presentar un cotiledón o dos). En función de esto se subdividen en **monocotiledóneas** (un cotiledón), como el *lirio*, el *tulipán*, etc.; y **dicotiledóneas** (dos cotiledones), como el *nenúfar*, el *cactos*, etc.

— Tres partes básicas —

En la estructura de las fanerógamas, se observan tres órganos importantes: **raíz**, **tallo** y **hoja**.
La **raíz** cumple varias funciones: **fijación** al suelo, **absorción** y **transporte** de agua y sales, y **almacenamiento** de sustancias nutritivas en algunos casos.
El **tallo** sostiene las **hojas**, las **flores** (órganos reproductores) y los **frutos** (que contienen las simientes de una futura planta). Posee vasos por los cuales circula la savia bruta y la savia elaborada. La **hoja**, de forma plana y color generalmente verde, participa en procesos vitales para la planta, como la **fotosíntesis**.

Las orquídeas son angiospermas monocotiledóneas.

Aspecto general de una planta vascular

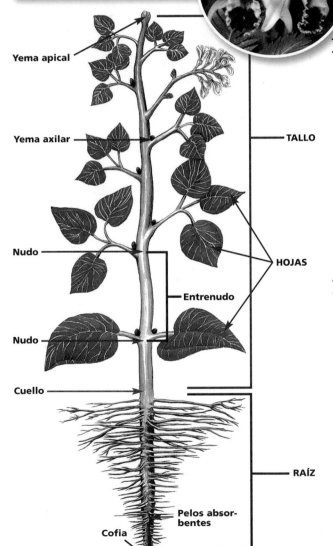

- Yema apical
- Yema axilar
- Nudo
- Entrenudo
- Nudo
- Cuello
- TALLO
- HOJAS
- RAÍZ
- Pelos absorbentes
- Cofia

TEJIDOS VEGETALES

Tejidos de crecimiento (meristema primario y secundario)	**Meristema primario**	Produce nuevas células para que el tallo y la raíz crezcan. Se ubica en las yemas de las ramas y en los extremos de la raíz.
	Meristema secundario	Llamado *cambium*, aparece en las plantas adultas y se encarga de aumentar el grosor de la planta. Se ubica en el interior del tallo y la raíz.
Tejidos de fabricación de alimento y almacenamiento (parénquima)	**Parénquima clorofílico**	Contiene gran número de cloroplastos que realizan la fotosíntesis. Se encuentra en los tallos jóvenes y en las hojas.
	Parénquima de reserva	Almacena sustancias que la planta aprovecha en procesos como la germinación.
	Parénquima aerífero	Constituye el aparato de ventilación de las plantas.
	Parénquima acuífero	Constituye una reserva de agua para plantas que viven en medios secos.
Tejidos de sostén (colénquima - esclerénquima - prosénquima) Son los encargados de formar el "esqueleto" de la planta.	**Colénquima**	Se encuentra en las plantas jóvenes y las herbáceas.
	Esclerénquima	Está formado por células llgnificadas. Forma los vasos leñosos y la madera de arbustos y árboles.
	Prosénquima	Posee fibras flexibles y resistentes, características de plantas como el cáñamo.
Tejidos protectores (epidérmico y suberoso)	**Tejido epidérmico**	Se encuentra en la superficie externa de los vegetales. Protege a la planta de la pérdida excesiva de agua. Sus células elaboran una cera impermeable llamada *cutina*, que se esparce por la parte externa de las hojas. Presenta *estomas*, aberturas por donde se produce el intercambio de gases. En algunas plantas, el tejido epidérmico presenta pelos, que protege a la planta del frío o contiene jugos irritantes.
	Tejido suberoso	Se encuentra en tallos y raíces. Está formado por capas de células muertas que provienen del *cambium*. Forma la corteza de los árboles.
Tejidos de conducción (floema y xilema) Transportan los líquidos por el interior de la planta.	**Floema**	Es un tejido que forma tubos con células vivas, llamados *vasos cribosos*. Por ellos circulan los alimentos desde las hojas hasta todas las partes de la planta.
	Xilema	Está formado por células muertas. Forma haces que reciben el nombre de *vasos liberianos*, por donde circula la savia bruta (agua y sales minerales).

La raíz y sus partes

Presenta de abajo hacia arriba cinco zonas diferenciadas. Veamos cuáles son.

• **Cofia:** tiene la forma de un dedal y cumple con la función de proteger la raíz del desgaste que supone avanzar creciendo a través del suelo.

• **Zona de crecimiento:** posee un grupo de células especiales que se dividen constantemente y producen el alargamiento de la raíz longitudinalmente (a lo largo).

• **Zona de alargamiento y diferenciación:** tiene células que se alargan y se diferencian para cumplir distintas funciones. En esta zona se distinguen tres capas: protodermis, meristema primario y procámbium.

• **Zona pilífera:** está constituida por pequeños pelos radiculares que, al incrementarse la superficie de contacto, por medio de ósmosis, facilitan la absorción del agua y las sales del medio ambiente.

• **Cuello:** última porción de la raíz, donde empieza el tallo de la planta.

La estructura de la raíz

Si realizáramos un corte transversal, podríamos distinguir varias capas de afuera hacia adentro:

• la **epidermis o rizodermis**, que protege la raíz y donde se encuentran los pelos absorbentes;

• la **exodermis**, que suple a la rizodermis cuando mueren sus células;

Los árboles y gran parte de los arbustos presentan tallos leñosos. Se caracterizan porque su superficie no es verde brillante debido a la acumulación de tejido suberoso o secundario.

• la **corteza**, con tejido paranquemático, donde se almacenan las sales y el agua;

• la **endodermis**;

• el **periciclo**, un cilindro donde se disponen, a modo de haz radial, los vasos conductores formados por el **floema** y el **xilema**. El **cámbium**, formado por tejido embrionario, interviene en la formación de células lignificadas y de *líber*, que se encuentra en las raíces más gruesas.

El tallo

Cumple dos **funciones** muy importantes:

• **sostiene** las hojas, las flores y los frutos, y otorga al vegetal resistencia mecánica;

• **transporta** las sales minerales desde la raíz a las hojas, y el alimento elaborado desde las hojas a toda la planta.

Para lograr el sostén, el tallo cuenta con troncos leñosos, formados con células que se impregnan de *lignina*, lo cual les da solidez y resistencia. De esta manera, cuando el tallo se ramifica para orientar hojas, flores y frutos, puede soportar el peso de los mismos y la acción del clima. En su interior se disponen los vasos del **xilema** y el **floema**, por los que circula la savia. También es importante como órgano almacenador de agua, como la *elodea*, o de alimento, como la *papa*. Normalmente los tallos tienen reservas en el **parénquima cortical**. En las plantas acuáticas, el tallo puede desarrollar un parénquima aerífero (con espacios llenos de aire) para permitir la flotación. El tallo crece a partir del ápice vegetativo de la yema embrionaria, en sentido opuesto a la raíz. Suele estar ramificado y puede ser macizo o hueco. Se orienta de modo que las hojas reciban la mejor exposición al sol y a los gases atmosféricos, para que se puedan realizar la fotosíntesis y la respiración.

Corte longitudinal de la raíz

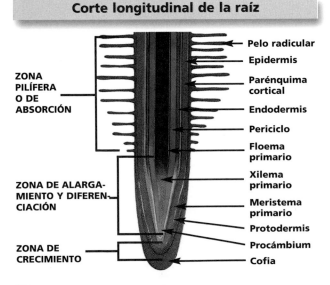

ZONA PILÍFERA O DE ABSORCIÓN

ZONA DE ALARGA-MIENTO Y DIFEREN-CIACIÓN

ZONA DE CRECIMIENTO

- Pelo radicular
- Epidermis
- Parénquima cortical
- Endodermis
- Periciclo
- Floema primario
- Xilema primario
- Meristema primario
- Protodermis
- Procámbium
- Cofia

Las hojas

Son los **órganos foliáceos** que presentan las plantas superiores.

Su tarea es vital para todos los seres vivos, ya que constituyen verdaderos **pulmones**, a la vez que uno de los más completos **laboratorios** de la naturaleza. En efecto, su principal función es la concreción de la **fotosíntesis**, para la cual están dotadas de **cloroplastos**.

Las hojas presentan diversas partes.

• **Limbo o lámina:** porción fina que generalmente se ubica perpendicularmente a los rayos lumínicos. Puede ser *simple* o *compuesto;* en este último caso, constituido por varias láminas, cada una de ellas en forma de hoja, pero sin vaina ni estípulas. La **lámina** funciona como una **fábrica** de azúcares, permite el **intercambio** gaseoso y la transpiración. Está cubierta por una fina capa cerosa acelular, llamada **cutícula**, la cual tiene la función de evitar la deshidratación.

• **Pecíolo:** pequeña columna carnosa de aspecto cilíndrico, semejante a un cabito, que une la hoja al tallo. Precisamente, el ángulo que se forma entre el pecíolo y el tallo se llama **axila**, y en dicha zona se ubican las **yemas** **axilares**. Su función es la de facilitar a la hoja la percepción de la mayor energía lumínica posible. Por el pecíolo se introducen los **vasos cribosos** o **liberianos** –que conducen la savia bruta– y parten los vasos leñosos –que transportan la savia elaborada–; estos vasos se ramifican en el limbo dando origen a las **nervaduras**.

• **Nervaduras:** especie de venas ramificadas, constituidas por xilema y floema, que **transportan** agua hasta la lámina y azúcares hacia el tallo.

• **Vaina o base foliar:** porción en que el pecíolo se ensancha junto al tallo.

La flor

La flor constituye el **conjunto de órganos reproductores de las plantas fanerógamas**.

Estas atractivas estructuras se forman a partir de **yemas** que se encuentran en el extremo de las ramas, en las axilas de las hojas. Se podría interpretar que la flor es una **yema** que no desarrolló sus **entrenudos**, por lo cual sus **hojas** quedaron muy próximas unas de otras.

Cuando una planta fanerógama se desarrolla, cada hoja de las

Las hojas tienen diversas formas y tamaños. Pueden ser compuestas (formadas por varios lóbulos) o simples. Sus bordes pueden ser lisos o irregulares.

yemas floríferas da origen a una parte de la flor y se modifica para constituir las **piezas florales**.

A su vez, las **piezas florales** con iguales características –estructurales y funcionales– se agrupan para constituir los **ciclos florales**. Por ejemplo, los **pétalos** (piezas florales) forman la **corola** (ciclo floral).

El **tallo** que sostiene las flores se llama **pedúnculo**, y el punto de unión de la flor con el pedúnculo se conoce con el nombre de **bráctea**.

El **pedúnculo** separa a la flor

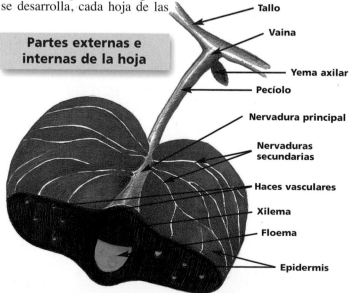

Partes externas e internas de la hoja

- Tallo
- Vaina
- Yema axilar
- Pecíolo
- Nervadura principal
- Nervaduras secundarias
- Haces vasculares
- Xilema
- Floema
- Epidermis

del tallo (con el fin de destacar más a aquélla) y gracias a él llega la savia a los tejidos.

El extremo superior del pedúnculo, o sea la porción más cercana a la flor, está dilatado y se abre en un **receptáculo**.

— Sus órganos — sexuales

Cuando la flor comienza a desarrollarse, se producen, a partir de la yema, las **hojas florales** dispuestas en círculos concéntricos o en espiral alrededor del eje central de la yema.

Las **flores compuestas** o *hermafroditas* son las que cuentan con *estructura sexual masculina y femenina*. Estas flores presentan **cuatro verticilios** o **ciclos florales** de hojas transformadas: son el **cáliz**, la **corola** (ambos constituyen el *perianto* o *ciclo estéril*), el **androceo** y el **gineceo**.

La primera estructura que se forma es el **cáliz** (éste es el ciclo más externo), formado por unas pequeñas hojas verdes poco transformadas, de aspecto resistente, llamadas **sépalos** (ubicadas sobre el **receptáculo**). La principal función de este ciclo es proteger a la flor en desarrollo.

Por encima de los sépalos están los **pétalos**, hojas más transformadas, generalmente coloridas y firmes. Éstos forman la **corola** (**segundo ciclo floral**). Cumplen la función de **atraer** a los *insectos polinizadores*. Con este fin –además de los vistosos colores–, presentan **glándulas nectaríferas** en su base (llamada **nectario**, pues se encarga de producir **néctar** para atraer químicamente a los insectos).

El **cáliz** y la **corola** forman el **perianto**. Éste protege las estructuras sexuales que se encuentran en el interior.

El **tercer ciclo floral** recibe el nombre de **androceo** (es el **último en las flores masculinas**).

Se halla formado por hojas muy transformadas, los **estambres**, reducidas casi exclusivamente a su nervadura central, que en la terminación presentan un doble ensanchamiento, las **anteras**. Éstas presentan dos receptáculos, los **sacos polínicos** o **tecas**, que fabrican el **polen** (células masculinas de la flor).

El **cuarto ciclo** de las flores completas se llama **gineceo** o **pistilo** (**tercero y último en las flores femeninas**), formado por hojas transformadas llamadas **carpelos**.

Éstos, al soldarse entre sí, conforman el **ovario**, que se prolonga a modo de tubo dando origen al **estilo**. Éste se ensancha formando un embudo llamado **estigma**, el cual se halla recubierto por una sustancia viscosa y azucarada.

En el interior del **ovario** se alojan el o los óvulos, uno por cada **carpelo**.

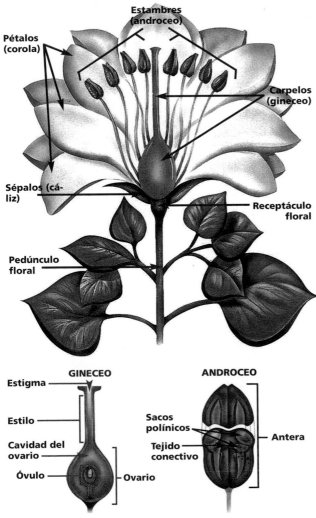

Pétalos (corola)

Estambres (androceo)

Carpelos (gineceo)

Sépalos (cáliz)

Receptáculo floral

Pedúnculo floral

GINECEO

Estigma

Estilo

Cavidad del ovario

Óvulo

Ovario

ANDROCEO

Sacos polínicos

Tejido conectivo

Antera

EL REINO ANIMAL

— Clases de animales —

En nuestro planeta existen millones de organismos diferentes, desde los más sencillos y simples hasta los más complejos.

Podemos decir que aquellos animales que poseen semejanzas estructurales y funcionales pertenecen a un mismo grupo. Pero, por supuesto, nunca un grupo es totalmente homogéneo. En términos generales, los animales se clasifican en dos grandes grupos.

• **Vertebrados:** formado por todos aquellos animales que presentan columna vertebral.

• **Invertebrados:** integrado por animales que carecen de columna vertebral.

Sin embargo, la diversidad de los seres vivos es tal, que resulta necesario clasificarlos en grupos menores, de acuerdo con sus características y afinidades.

Abarca una gran diversidad de seres vivos que presentan características comunes, a pesar de ser tan diferentes, y que pueblan todos los rincones de nuestro planeta.

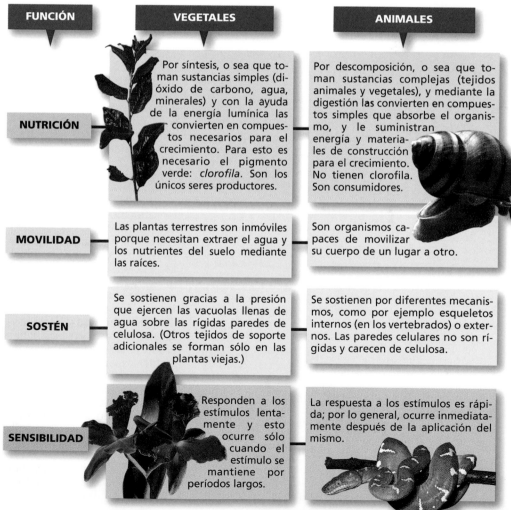

FUNCIÓN	VEGETALES	ANIMALES
NUTRICIÓN	Por síntesis, o sea que toman sustancias simples (dióxido de carbono, agua, minerales) y con la ayuda de la energía lumínica las convierten en compuestos necesarios para el crecimiento. Para esto es necesario el pigmento verde: *clorofila*. Son los únicos seres productores.	Por descomposición, o sea que toman sustancias complejas (tejidos animales y vegetales), y mediante la digestión las convierten en compuestos simples que absorbe el organismo, y le suministran energía y materiales de construcción para el crecimiento. No tienen clorofila. Son consumidores.
MOVILIDAD	Las plantas terrestres son inmóviles porque necesitan extraer el agua y los nutrientes del suelo mediante las raíces.	Son organismos capaces de movilizar su cuerpo de un lugar a otro.
SOSTÉN	Se sostienen gracias a la presión que ejercen las vacuolas llenas de agua sobre las rígidas paredes de celulosa. (Otros tejidos de soporte adicionales se forman sólo en las plantas viejas.)	Se sostienen por diferentes mecanismos, como por ejemplo esqueletos internos (en los vertebrados) o externos. Las paredes celulares no son rígidas y carecen de celulosa.
SENSIBILIDAD	Responden a los estímulos lentamente y esto ocurre sólo cuando el estímulo se mantiene por períodos largos.	La respuesta a los estímulos es rápida; por lo general, ocurre inmediatamente después de la aplicación del mismo.

Los invertebrados

Briozoarios y braquiópodos

Los **briozoarios** son animales invertebrados, de pequeño porte, que habitan en el agua. Habitualmente se los encuentra fijados a un sustrato, conformando colonias. Superficialmente se asemejan a los *celenterados*, pero presentan mayor complejidad estructural. Poseen **tentá-** culos ciliados que emplean para alimentarse, **ano** y una **cavidad** interpuesta entre la piel y el tubo digestivo. Carecen de sistema circulatorio y de segmentos o anillos. Las *reteporas*, *escaras*, *bugulas* y *cristatelas* son distintas especies de esta categoría.

La categoría **braquiópodos** comprende a los invertebrados marinos (*lingulados*) que viven sostenidos firmemente a los sustratos de aguas poco profundas. Superficialmente, se asemejan a los moluscos bivalvos, pero las val-

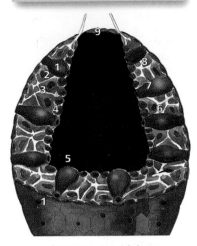

Referencias: 1.- Poro inhalante; 2.- Mesoglea; 3.- Espícula; 4.- Coanocito; 5.- Atrio; 6.- Amebocito; 7.- Porocito; 8.- Pinacocito; 9.- Ósculo.

vas se ubican dorsal y ventralmente (mientras que en los bivalvos la localización es lateral). En eras geológicas pasadas, constituyeron un grupo numeroso; en la actualidad, su número se ha reducido.

Hablemos de las esponjas

La estructura de las esponjas es muy simple: **carecen de aparatos y órganos**, pero presentan células que llevan a cabo las funciones vitales. Están formadas por millones de **células superpuestas** que les otorgan las más variadas formas, desde simples esferas o cilindros hasta vistosos arbustos de bellos colores. Se conocen más de 20.000 especies, y algunas alcanzan un gran porte. Todas tienen **poder de regeneración**. Para alimentarse, las esponjas hacen circular agua por sus poros, y un sistema de canales internos filtra partículas microscópicas de alimento (bacterias, algas microscópicas y residuos orgánicos). Se **reproducen sexual y asexualmente**.

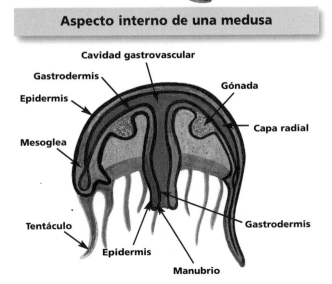

Anémonas marinas.

Estrella de mar.

Aspecto interno de una medusa

Cavidad gastrovascular

Gastrodermis

Epidermis

Gónada

Capa radial

Mesoglea

Tentáculo

Gastrodermis

Epidermis

Manubrio

— Platelmintos — y anélidos

Comúnmente se suele unir a estos dos grupos de invertebrados bajo el nombre de **gusanos**. Si bien cada uno de ellos presenta características morfológicas que establecen diferencias, existen algunas semejanzas, como la presencia de una musculatura altamente desarrollada que hace posible su desplazamiento.

Los **platelmintos** son gusanos de cuerpo alargado, aplanado (de aquí su nombre), blando y no segmentado. Entre sus características morfológicas, podemos destacar las siguientes.

• Poseen **simetría bilateral**.

• Carecen de celoma y de sistema sanguíneo. El intestino, cuando lo hay, suele ser ramificado y con una sola abertura (la boca), así como una **faringe de succión**.

• La excreción la efectúan por medio de **protonefridios**.

• La reproducción se realiza mediante un complejo sistema **hermafrodita**.

• La respiración es **cutánea** (el cuerpo aplanado favorece el intercambio de gases) o **difusa**.

• Son de **vida libre** o **parasitaria**.

• Se dividen en tres clases: **turbelarios** (como la *planaria*), **trematodos** (como la *fasciola*) y **cestodos** (como la *tenia*).

Los **anélidos** son gusanos de cuerpo cilíndrico. Presentan sistemas corporales más desarrollados que los de los platelmintos. Podemos mencionar como características generales de este grupo, las siguientes.

• El cuerpo está cubierto por una delgada **cutícula**.

• Se los llama **"gusanos metamerizados"**, porque presentan el cuerpo dividido en segmentos parecidos (o metámeros), tanto externa como internamente.

• El primer segmento del cuerpo conforma la cabeza, y el último contiene el ano.

• Son de **consistencia blanda** y no poseen exoesqueleto ni endoesqueleto.

• La mayoría tiene cerdas quitinosas organizadas en segmentos o **quetas**, que facilitan la locomoción.

• La pared corporal contiene capas longitudinales y circulares de músculos, y la cavidad corporal es un **celoma** que aísla el intestino de la pared del cuerpo.

• Son **hermafroditas**, pero se reproducen sexualmente por **fecundación cruzada**.

• Presentan **simetría bilateral**.

• El intestino atraviesa longitudinalmente la totalidad del cuerpo.

• Los sistemas **nervioso** y **circulatorio** están bien desarrollados, como también los **nefridios** para la excreción.

• Se dividen en cuatro categorías: **poliquetos** (como el *nereis*), **oligoquetos** (como la *lombriz de tierra*), **huridíneos** (como las *sanguijuelas*) y **arquianélidos** (como los *pequeños gusanos marinos*).

—— Los artrópodos ——

Los artrópodos presentan características generales comunes a todos los grupos.

• Poseen simetría bilateral.

• Patas formadas por segmentos articulados.

• Los apéndices están especializados para cumplir distintas funciones: *captura de alimentos*, *locomoción*, *reproducción*, etc.

• Los movimientos del cuerpo dependen de **músculos** relacionados con las placas articuladas del exosqueleto.

• El **corazón** es contráctil (posee capacidad para contraerse), derivado del vaso sanguíneo dorsal.

• El **sistema nervioso** está organizado como en los anélidos, pero con el cerebro más diferenciado.

• El **tubo digestivo** es completo, especialmente el **aparato bucal**.

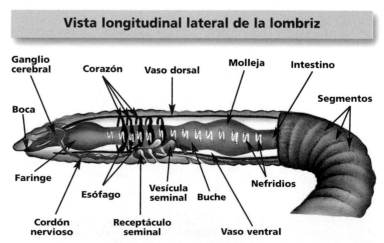

Vista longitudinal lateral de la lombriz

Ganglio cerebral · Corazón · Vaso dorsal · Molleja · Intestino · Segmentos · Boca · Faringe · Esófago · Cordón nervioso · Vesícula seminal · Receptáculo seminal · Buche · Nefridios · Vaso ventral

		quelicerados	→	escorpiones arácnidos
Los artrópodos se dividen en:		mandibulados	→	crustáceos insectos miriápodos

Artrópodo quelicerados

• Los quelicerados poseen el cuerpo dividido en dos regiones: *prosoma* (con patas marchadoras) y *opistoma* (con apéndices modificados).
• No tienen antenas.
• El primer par de apéndices son los **quelíceros**, el segundo par son los **pedipalpos** (éstos tienen función prensora) y luego siguen cuatro pares de **patas marchadoras** (todos ubicados en el prosoma).
• El opistoma posee trece segmentos y otro llamado **telson**.

Los apéndices de estos segmentos están reducidos o muy modificados.
• Generalmente, el segundo segmento del opistoma es el *somita genital* (lleva los gonoporos), y los restantes llevan apéndices modificados para la respiración, convertidos en branquias, "pulmones" o tráqueas.
• Existen 100.000 especies de quelicerados.

Artrópodos mandibulados

Presentan características diferentes según el hábitat que ocupan.

• En el medio acuático
Se encuentra el grupo de los **crustáceos**, cuya respiración es **branquial**.
• Poseen cinco pares de apéndices cefálicos: dos pares de antenas, mandíbulas y dos pares de maxilas.
• Generalmente presentan el cuerpo dividido en **cabeza**, **tórax** y **abdomen**.
• El último segmento del cuerpo (llamado *telson)* tiene el ano y no lleva apéndices.

• En el medio terrestre
Aquí descubrimos a los **miriápodos** y los **insectos**.
• Los **miriápodos** tienen el cuerpo dividido en **cabeza** y **tronco**; este último con numerosos segmentos y un par de apéndices en todos ellos, excepto en el último.
• Generalmente no se diferencia el tórax del tronco.
• En la región abdominal del tronco, los segmentos pueden tener uno o dos pares de patas.
• Poseen un par de antenas, mandíbulas, dos pares de maxilas (el segundo par a veces está ausente o es sustituido por patas).
• La respiración es traqueal.
• Los **insectos** tienen el cuerpo dividido en **cabeza**, **tórax** y **abdomen**.
• La cabeza está compuesta por seis segmentos, con antenas, mandíbulas, dos pares de maxilas y labio.
• El tórax cuenta con tres segmentos, tres pares de patas marchadoras, uno o dos pares de alas y dos pares de espiráculos (aberturas que comunican con las tráqueas).
• El abdomen tiene once segmentos, sin apéndices locomotores y con ocho pares de espiráculos. Pueden tener apéndices modificados para la reproducción.
• La respiración, al igual que en los miriápodos, es **traqueal**.
• La fecundación es interna y el desarrollo es externo, con metamorfosis gradual (directa e incompleta) o brusca (indirecta y completa).
• Cuentan con múltiples **aparatos bucales** *(masticadores, suctores, picadores, lamedores).*

Vista longitudinal lateral de la araña

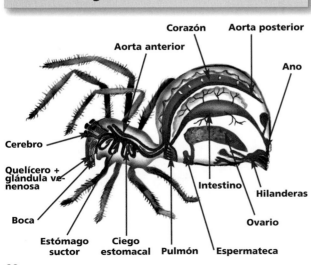

Corazón
Aorta posterior
Aorta anterior
Ano
Cerebro
Quelícero + glándula venenosa
Intestino
Hilanderas
Boca
Ovario
Estómago suctor
Ciego estomacal
Pulmón
Espermateca

Los moluscos

Veamos las características generales de estos invertebrados.
• Presentan **cabeza definida** y **órganos sensoriales cefálicos**.
• La pared del cuerpo es musculosa y gruesa.
• El **celoma** o cavidad corporal está reducido.
• La parte ventral del cuerpo posee un **pie musculoso** que emplean, en general, para la locomoción.
• El cuerpo se encuentra envuelto por una membrana llamada **manto**.
• El manto es el encargado de elaborar el **esqueleto externo** o **caparazón**, característico en algunos moluscos (como el *caracol*, la *ostra*, etc.)
• El caparazón presenta tamaños y formas diversas. Está constituido por **carbonato de calcio**

Los sistemas de órganos del pulpo

Referencias: 1.- Buche; 2.- Cavidad paleal; 3.- Caparazón reducido; 4.- Estómago; 5.- Corazón; 6.- Bolsa de la tinta; 7.- Ano; 8. Ciego; 9.- Sifón; 10.- Pico; 11.- Cerebro; 12.- Glándula de veneno.

y, en muchos casos, se encuentra recubierto interiormente por una bella sustancia que emite reflejos luminosos: el **nácar**.
• Poseen **cavidad paleal**. Se ubica entre la conchilla y la masa visceral.
Su función es generalmente respiratoria y se comunica al exterior mediante un orificio respiratorio.
• Cuentan con sistemas de órganos, y el sistema circulatorio está provisto de un **corazón verdadero**, formado por dos aurículas y un ventrículo.
• El aparato digestivo, generalmente, consta de boca, esófago, estómago, intestino y orificio anal.
Casi todos poseen **rádula**, que es una especie de dentadura de finos y potentes dientecillos.
• Se dividen en tres subgrupos: **cefalópodos**, **gasterópodos** y **pelecípodos** o **lamelibranquios**.

CARACTERÍSTICAS	CEFALÓPODOS	GASTERÓPODOS	PELECÍPODOS
Ejemplos	Calamar, pulpo, etc.	Caracol, babosa, etc.	Almeja, mejillón, ostra, etc.
Hábitat	Marino.	Marino, de agua dulce o terrestre.	Marino o de agua dulce.
Forma del pie	Forma de embudo (sifón).	Forma de suela, reptante, grande y ancho.	Forma de hacha o lengua.
Tipo de locomoción	Propulsión a chorro.	Reptación.	Propulsión a chorro, salto o de vida fija.
Forma y función del caparazón	Puede ser reducido e interno (sostén) o estar dotado de cámaras y ser externo (protección del cuerpo). Puede estar ausente.	Es espiralado y protege las vísceras del cuerpo.	Está formado por dos valvas unidas en la región dorsal y protege totalmente al cuerpo.
Forma del cuerpo	Alargado en dirección dorsal.	Aplanado en dirección dorsoventral.	Comprimido lateralmente.
Desarrollo de la cabeza	Muy desarrollado y con ojos.	Con relativo desarrollo y con ojos u ocelos en la base de los tentáculos.	Muy rudimentario.
Presencia de tentáculos	8 a 10 tentáculos que se forman a partir del pie y la cabeza. Son prénsiles.	Con 1 ó 2 pares de tentáculos en la cabeza, derivando sólo de ésta. Son sensoriales.	No poseen.
Tipo de respiración	Branquial.	Generalmente pulmonar.	Branquial.

Los vertebrados

— En general —

Estos animales presentan varias características.
• Son cordados (presencia de *cuerda dorsal*) con cráneo y cerebro.
• El cuerpo se encuentra dividido en segmentos de diferente aspecto y está organizado en: cabeza, tronco (algunos con extremidades) y cola.
• La *notocorda* presente en el embrión es reemplazada posteriormente por la columna vertebral, aunque pueden persistir algunos restos de ella (en peces cartilaginosos).
• Poseen sexos separados.
• Tienen simetría bilateral, es decir, se puede dividir el cuerpo en dos mitades (derecha e izquierda) idénticas.
• El nivel de organización presenta sistemas de órganos, que se encuentran relacionados entre sí para cumplir determinadas funciones.
• Su cuerpo es alargado y se distinguen en él un extremo anterior y otro posterior, una porción dorsal y otra ventral, y dos lados (izquierdo y derecho).
• Los sistemas nervioso y circulatorio se ubican dorsalmente.
• El sistema digestivo se ubica en la parte media.

— Los peces —

Aproximadamente 450 millones de años atrás, estos organismos fueron los primeros vertebrados que poblaron las aguas del planeta. Posteriormente evolucionaron y algunos grupos primitivos se extinguieron. En la actualidad se cuentan 20.000 especies diversificadas en todos los ambientes acuáticos. Se dividen en dos clases: los peces cartilaginosos o *condrictios* y los óseos u *osteoíctios*.

• Para su locomoción emplean **aletas**.
• La forma del cuerpo es **hidrodinámica** o **fusiforme** (de *huso*).
• La **epidermis** está formada por muchas capas de **células** y **glándulas** productoras de *mucus*.
• Debajo de la fina epidermis, poseen **escamas dérmicas**.
• Cuentan con **pigmentos**, que les proporcionan coloración.
• Respiran mediante **branquias**.
• Poseen unas estructuras óseas y móviles que recubren las branquias, denominados **opérculos**, importantes para la respiración.
• El **corazón** presenta dos cavidades: una aurícula y un ventrículo.
• El **sistema excretor** está formado por un par de **riñones**; cada uno vierte la orina producida en un conducto renal que desemboca en un seno urogenital (a él también llegan las gametas).
• La **circulación** es cerrada, simple y completa.
• En cuanto a la reproducción, generalmente son **ovulíparos** con **fecundación externa**.
• Cuentan con dos tipos de **esqueletos**: **axial** y **apendicular**.
• Teniendo en cuenta la composición de su esqueleto, se dividen en dos grandes grupos: **óseos** u **osteíctios** y **cartilaginosos** o **condrictios**.
• La temperatura del cuerpo es variable (*poiquilotermos*).
• A simple vista se distinguen en ellos dos estructuras sensoriales: los **ojos** y la **línea lateral** (para detectar los cambios de temperatura, salinidad y presión del agua). Presentan además **bulbo olfativo**, **botones gustativos**, **oídos** e infinidad de **receptores táctiles**.
• Los peces óseos presentan una **vejiga natatoria** que les permite realizar el movimiento ascendente y descendente en el agua.

Aspecto interno de un pez óseo

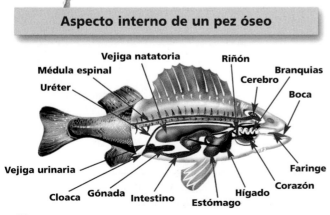

Vejiga natatoria
Médula espinal
Uréter
Riñón
Branquias
Cerebro
Boca
Vejiga urinaria
Cloaca
Gónada
Intestino
Estómago
Hígado
Corazón
Faringe

La respiración

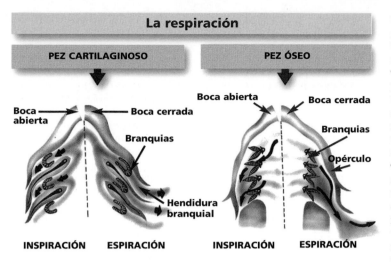

PEZ CARTILAGINOSO

Boca abierta — Boca cerrada

Branquias

Hendidura branquial

INSPIRACIÓN   ESPIRACIÓN

PEZ ÓSEO

Boca abierta   Boca cerrada

Branquias

Opérculo

INSPIRACIÓN   ESPIRACIÓN

La respiración de los peces

Los **peces** respiran extrayendo el **oxígeno** del agua por medio de sus **branquias**. El agua es aspirada por la **boca**; simultáneamente, el **opérculo** se cierra para prevenir que el agua se salga. Después cierra la boca y los músculos de los lados de la boca, de la faringe y de la cavidad opercular se contraen para bombear el agua hacia dentro, sobre las branquias, y luego hacia fuera a través del opérculo. Algunos peces se limitan a nadar con la boca abierta, de manera que el agua siga fluyendo a través de las branquias.

Los anfibios

Las especies que integran este grupo están adaptadas para vivir alternativamente en el medio acuático y en el terrestre. Incluye a las **ranas**, los **sapos**, los **tritones** y las **salamandras**. Sus características taxonómicas son las siguientes.
• Son vertebrados **terrestres**, en general **cuadrúpedos**, de tamaño mediano o pequeño.
• Poseen **piel húmeda**, sin escamas ni pelos (se dice que son *"de piel desnuda"*).
• La respiración puede llevarse a cabo por diversos sistemas: *piel, mucosa bucal, pulmones* o

branquias. Pero la **respiración pulmonar** es la de mayor importancia.
• Son **poiquilotermos**; esto significa que *no pueden regular la temperatura corporal, entonces dependen estrictamente de la temperatura ambiente;* por eso son llamados animales de *"sangre fría"*.
• El **corazón** se encuentra dividido en tres cámaras (dos *aurículas* y un *ventrículo*).
• A lo largo de su desarrollo, sufren una **metamorfosis comple-**

ta, atraviesan varios grados larvales acuáticos hasta llegar a adultos terrestres.
• Las **ranas** y los **sapos adultos** presentan cuerpo rechoncho sin cola, patas posteriores largas y fuertes, ojos grandes y saltones.
• Los **tritones** y las **salamandras adultas** tienen cuerpo alargado y cola bien desarrollada, patas relativamente cortas y del mismo tamaño. Algunas especies de este orden tienen patas minúsculas, branquias externas en lugar de pulmones, y pasan toda su vida en el agua.
• Se dividen en tres grupos principales: **ápodos**, **urodelos** y **anuros**.

Anfibios ápodos

Las especies del grupo **ápodos** tienen for-

Vista ventral de una rana

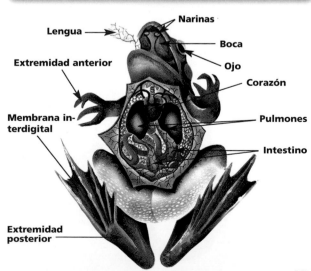

Lengua

Extremidad anterior

Membrana interdigital

Extremidad posterior

Narinas

Boca

Ojo

Corazón

Pulmones

Intestino

ma de gusano o serpiente, **no tienen patas** (*a:* sin; *podos:* pies), ni cintura pélvica y pectoral, y tampoco ojos. Poseen aproximadamente 200 vértebras; pueden tener escamas dérmicas.

Son acuáticos o terrestres (como la mayoría de los anfibios). Son de este grupo las *cecilias.*

Anfibios urodelos

Los **urodelos** poseen su cuerpo diferenciado en **cabeza**, **tronco** y **cola**. Las patas anteriores y las posteriores tienen un desarrollo similar.

Cuentan con **branquias** y/o **pulmones** durante toda su vida y, mayormente, son de vida **acuática**. Pertenecen a este grupo los *tritones, salamandras, águilas de fondo* (carecen de patas posteriores) y *perros de agua.*

Anfibios anuros: ranas y sapos

Estos animales **no tienen cola** pero **sí cabeza y tronco**, las patas posteriores son largas y diferenciadas de las anteriores, la **respiración** es **variada** (pulmonar, cutánea y bucofaríngea), y son de vida acuática o terrestre. En el extremo posterior del tronco, se encuentra la **cloaca**; éste *es el orificio a través del cual se desechan los excrementos y se liberan las gametas.* Los *sapos, ranas* y *escuerzos,* pertenecen al grupo de los *anuros.*

Los reptiles

Fueron los primeros vertebrados que se adaptaron a tierra firme.

Sus características taxonómicas son las siguientes.

• Al igual que los anfibios, son **poiquilotermos** (de "sangre fría").

• Presentan **tamaños** muy **variados**. El **cuerpo** tiende a ser **delgado**, salvo las tortugas, que tienen el tronco y el abdomen voluminosos.

• Pueden o no tener **patas** (cuatro extremidades) con cinco dedos y uñas.

• La **piel** tiene pocas glándulas y está provista de estructuras córneas, como escamas, placas o escudos, que protegen al animal de la deshidratación y de los enemigos.

• El **cráneo** es una estructura compacta y capsular.

• La **cabeza** también es **compacta**, cubierta generalmente de escamas. Posee dos orificios nasales, dos ojos, dos oídos y una boca amplia (a veces extensible), provista de dientes o transformada en pico córneo afilado.

• Los **ojos** generalmente poseen párpados y son más móviles que en los anfibios.

• Los **dientes** son **verdaderos**; no obstante, generalmente los renuevan durante toda su vida.

• El **corazón** tiene dos aurículas y un ventrículo (éste se encuentra dividido parcialmente por una pared, que puede llegar a ser casi completa y determinar así dos ventrículos).

• Respiran mediante **pulmones**.

• La **fecundación** es **interna**, generalmente pone huevos (con cáscara).

• La mayoría pone huevos de textura *coriácea,* aunque algunos incuban los huevos dentro del cuerpo y paren a las crías. En síntesis, pueden ser **ovíparos**, **ovovivíparos** y **vivíparos**.

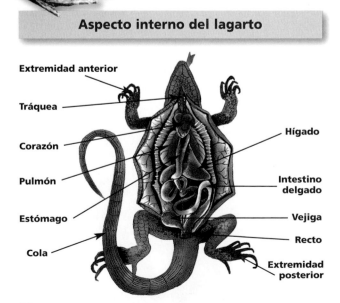

Aspecto interno del lagarto

Extremidad anterior

Tráquea

Corazón

Pulmón

Estómago

Cola

Hígado

Intestino delgado

Vejiga

Recto

Extremidad posterior

Distintos criterios para clasificarlos

La clasificación más común de los reptiles comprende cuatro grandes grupos: los **saurios** (lagartos), los **ofidios** (serpientes), los **quelonios** (tortugas) y los **cocodrilos**. No obstante, existe otro sistema clasificatorio, que los divide también en cuatro grupos pero con dos variantes: los **quelonios**, los **cocodrilos**, los **escamosos** y las **tuataras**. El grupo de los **escamosos** está representado por los *lagartos* y las *serpientes;* y el de las **tuataras**, en cambio, está formado por una sola especie, la *tuatara,* que es un tipo de lagarto.

También podemos considerar cinco grupos, dividiendo a los escamosos en ofidios y saurios, e integrando como quinto grupo a las tuataras.

Adaptación de los reptiles

Los reptiles fueron los primeros vertebrados que se adaptaron para conquistar el medio terrestre de manera completa, a tal punto que no necesitaron del medio acuático para la reproducción o su desarrollo (como los anfibios). A continuación, les presentamos una lista con las adap-

taciones más importantes que sufrieron para vivir exitosamente en el hábitat terrestre.

• La **cubierta** del cuerpo, córnea y seca, protege contra la desecación y el esfuerzo mecánico.

• Desarrollo del **amnios** (membrana embrionaria), que permite la diferenciación del **huevo** fuera del agua, y la presencia de **cáscara**.

• La tendencia a la formación de **dos ventrículos** evita la mezcla de sangre y asegura un intercambio más eficiente.

• Desarrollo de un sistema respiratorio **pulmonar** más complejo. Los pulmones presentan un mayor plegamiento interno que en los anfibios, lo cual determina una mayor superficie de intercambio gaseoso.

• Las extremidades convertidas en **patas andadoras** mantienen el cuerpo alejado del suelo.

• Deposición de **huevos** en **galerías** excavadas en el suelo.

• Presencia de formas especiales para capturar a las presas *(veneno* y *fotorrecepción* de presas).

• Capacidad para habitar en ambientes extremadamente secos, como los desiertos.

CARACTERÍSTICAS	QUELONIOS	ESCAMOSOS	COCODRILOS	TUATARAS
EXTREMIDADES	"Columnares" con dedos y/o membranas o aletas.	Con cuatro extremidades. Sin extremidades en las serpientes.	Con cuatro extremidades.	Con cuatro extremidades.
FORMA DEL CUERPO	Aplanada.	Cilíndrica o comprimida lateralmente.	Deprimida dorsoventralmente.	Tendencia a comprimirse lateralmente.
TEGUMENTO	Forma parte del caparazón (escudos).	Con escamas, placas, cuernos, etc.	Escudos córneos fuertes, con osificación dérmica.	Con escamas pequeñas.
HÁBITAT	Terrestre, acuático o anfibio.	Terrestres, anfibios, pocas formas acuáticas.	Agua dulce (pocos son marinos).	Terrestre.

Las aves

Poseen cuatro extremidades: las anteriores transformadas en alas, y las posteriores

(patas) diseñadas para correr, nadar, trepar y apresar. Respiran por medio de pulmones.

Sus características taxonómicas son las siguientes.

• La **piel** está recubierta de **plumas**. Éstas son necesarias para la regulación de la temperatura corporal y también para el vuelo.

• Las aves **carenadas** presentan **huesos** que carecen de médula ósea y son huecos.

• El **corazón** presenta dos aurículas y dos ventrículos con tabique auriculoventricular completo.

• La respiración es **pulmonar**.

• Los pulmones presentan **sacos aéreos** accesorios, que almacenan oxígeno para luego ser utilizado durante el vuelo. Hay **sacos aéreos** (también llamados *neumáticos*) incluso en los huesos de las alas.

• Excretan **ácido úrico**, que se forma en el hígado y luego es transportado a través de la sangre hacia los riñones, los que se encargan de su eliminación.

• La **fecundación** es **interna** y son **ovíparos**. Los **huevos**, que poseen cáscara y amnios, son incubados por los padres.

• Carecen de útero; sus conductos urinarios y genitales desembocan directamente en la **cloaca** (que es la parte terminal del intestino).

• Poseen **buche**, el cual les permite almacenar alimentos.

• Son **homeotermas**.

• Presentan la **musculatura pectoral** muy desarrollada (diseñada para el vuelo), al igual que el tamaño del **cerebro**.

• La forma del cuerpo es **aerodinámica**.

• Los sentidos más desarrollados son la **vista** y la **audición**.

• Las mandíbulas forman un **pico** y **no tienen dientes**.

• Los picos y las patas varían según la alimentación y la forma de vida.

Características de las plumas

Las aves tienen el privilegio de ser los únicos animales que poseen **plumas**. Estas plumas están adaptadas a funciones particulares: las **pennas**, compuestas por las **remeras**, constituyen planos de sustentación; las **timoneras** de la cola dirigen el curso del vuelo; las **cobertoras** o **cobijas** recubren todo el cuerpo (las que cubren la cara se llaman **perdas**); y el **plumón** (ubicado debajo de las cobertoras) constituye un excelente aislante térmico. Generalmente, las emplean para volar, pero algunas especies se valen de ellas para mantenerse a flote en el agua. El **plumaje** está **impermeabilizado** por una sustancia aceitosa que segrega una glándula situada en la base de la cola y que la misma ave se encarga de esparcir con su pico.

El color del **plumaje** está determinado por dos pigmentos principales: la **melanina** (determina los colores negro y pardo) y los **carotenos** (para la gama de colores del amarillo al rojo). Otro factor que influye es la refracción de la luz.

Vista interna de una paloma

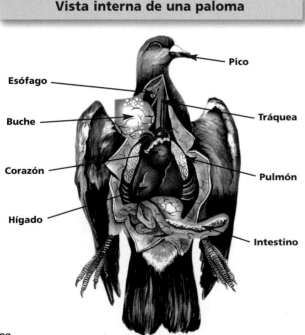

Esófago

Buche

Corazón

Hígado

Pico

Tráquea

Pulmón

Intestino

El vuelo

Para las aves, volar es un duro **trabajo** que les exige mucho esfuerzo. El despegue es lo que más **energía** les demanda, pero una vez en el aire pueden economizarla planeando. Una de las características más llamativas de un ave en pleno vuelo es su enorme **quilla**. Ésta es la parte más saliente del esternón, a la que van fijados los músculos de las alas.

La alimentación de las aves

Dentro de la gran variedad de especies, hay aves *herbívoras* (consumidoras de primer orden) y *carnívoras* (consumidoras de segundo y tercer orden, se alimentan de animales herbívoros o carnívoros).

Entre las del primer orden, encontramos a las *granívoras*, que se alimentan de granos y semillas y las *frugívoras*, que comen frutas. Entre las de segundo orden, están las *insectívoras*, que comen insectos y sus larvas, gusanos y lombrices, etc.

Entre las de órdenes superiores, encontramos las *carnívoras*, que se alimentan de peces, pequeños roedores, otras aves, etc.; las *carroñeras*, que comen carne de animales muertos, y las *omnívoras*, que comen de todo.

El hábitat de las aves

Todos los animales se adaptan al hábitat en que viven y van modificando sus

El pelícano sobrevuela el agua para capturar pequeños peces con su pico, que le sirve de cuchara.

Pico útil para extraer el polen de las flores.

PATA ANISODÁCTILA (propia de las aves carroñeras).

Pico apropiado para desgarrar frutas y carnes.

PATA PALMÍPEDA (típica de las aves nadadoras).

características de acuerdo con las necesidades que les plantea el medio.

Algunas aves han perdido totalmente la capacidad de vuelo, desarrollando, en cambio, la de **correr** a gran velocidad (como el *avestruz* o el *ñandú*) o la de **nadar** (como el *pingüino*). También hay *aves trepadoras* (*pájaro carpintero, loros, cotorras, tucanes, pirinchos*); **aves que caminan dando pasos** (*gallina, pato, perdiz, pavo*), y

aves que caminan dando saltos (*canario* y otros pajaritos pequeños).

Este pájaro obtiene parte de su alimento del polen de las flores.

— Los mamíferos —

Son los vertebrados terrestres más evolucionados. Sus características taxonómicas son las siguientes.

• Alimentan a sus crías con **leche** segregada por sus **mamas** (glándulas mamarias).

• Tienen el cuerpo cubierto de **pelos**, aunque en algunos casos (como en los *cetáceos)* éstos son escasos.

• El **corazón** tiene **cuatro cavidades** y su **sistema circulatorio** es **doble**.

• A diferencia de las

Este roedor es uno de los mamíferos más pequeños.

aves, tienen **oído externo**, la **orina** es **líquida** en vez de sólida y el **arco aórtico** se ubica a la izquierda.

• Poseen **vejiga urinaria**.

• Respiran por medio de **pulmones**.

• Presentan **genitales externos**, pero la **fecundación**, en la mayoría de los casos, es **interna**.

• Casi todos son **vivíparos**. Esto quiere decir que estos animales crecen en el interior del cuerpo de la madre hasta alcanzar un grado avanzado de desarrollo. La única excepción son los miembros del orden de los **monotremas** *(ornitorrinco)*, que son ponedores de huevo (**ovíparos**).

• Durante el desarrollo del embrión, se forman **amnios** y **alantoides** (membranas embrionarias protectoras), y la mayoría desarrolla **placenta**.

• Poseen **glándulas sudoríparas**, **sebáceas** y **mamarias**.

• En la porción anterior de la tráquea, poseen un órgano llamado **laringe**, el cual se especializa como **aparato fonador**.

• Son **homeotermos** *(homoiotérmicos);* significa que la temperatura del cuerpo se mantiene siempre igual (constante) y generalmente por encima de la ambiental, en vez de ajustarse a ella.

• El **tamaño** del cuerpo es muy

Vista ventral de un conejo

Referencias: 1.- Corazón; 2.- Pulmones; 3.- Hígado; 4.-Diafragma; 5.- Estómago; 6.- Intestino delgado; 7.- Intestino grueso.

variado, pero existe una tendencia al aumento de tamaño.

• Tienen menor cantidad de **dientes** que los reptiles, pero son más **especializados** en relación con el tipo de alimento consumido.

• Todos presentan los mismos **huesos** con diferentes formas o grados de desarrollo.

• La cavidad del cuerpo se encuentra dividida por el **diafragma muscular**, y el esqueleto se divide en **cabeza**, **tronco** y **extremidades**.

• Son **expertos en locomoción**. Cuentan con **cuatro extremidades**, adaptadas al medio (terrestre, acuático o aéreo), generalmente con **cinco dedos**. Algunos tienen **cola**.

• Presentan **variedad** en cuanto a los **hábitats** que ocupan (esto tiene que ver con la forma de alimentación y locomoción).

• Son los animales con **cerebro de mayor desarrollo**.

Los osos son mamíferos carnívoros, como muestra su dentadura.

LOS MAMÍFEROS RUMIANTES

¿Qué significa que un animal es *rumiante*? Que *rumia*, o sea, que deglute la hierba, que va a parar primero al estómago. Allí el alimento fermenta y vuelve nuevamente a la boca, donde es triturado. La comida —masticada por segunda vez— se dirige entonces a otros compartimientos, donde termina el proceso de digestión.

Son rumiantes la *vaca*, el *ciervo*, la *jirafa*, etc.

Los sentidos de los mamíferos

Una de las razones del éxito alcanzado por todos los mamíferos son los **sentidos**: *vista, olfato, gusto, oído y tacto*, cada cual adaptado según las necesidades.

• La **vista** es sumamente importante para los *animales nocturnos*, por eso poseen este sentido muy desarrollado (la cantidad de células visuales por cada célula nerviosa es mucho mayor que en los animales diurnos). Lógicamente, los *animales subterráneos*, como los *topos*, poseen ojos muy reducidos y de escasa visión. *Nosotros* dependemos de nuestro sentido de la **vista**; pero igual existen otros mamíferos que tienen una vista mucho más aguda. Por ejemplo, el *tigre* tiene 2.660 células visuales por cada célula nerviosa de la reti-

na, mientras *nosotros* sólo 132. No obstante los *primates, lémures* y *hombres* somos el principal grupo con visión en color; ya que la mayor parte de los mamíferos ven el mundo en blanco y negro.

• En el caso del **olfato**, la percepción de los olores depende de la extensión del **epitelio olfatorio**, ubicado en las **fosas nasales** o *cavidad nasofaríngea*. Los *mamíferos marinos* y los *primates*, como el *hombre*, tienen escaso sentido del olfato. *Nosotros* tenemos 4,8 cm^2 de epitelio olfatorio provisto de 500 mil células olfatorias; en cambio, los *perros* poseen 119 cm^2 de epitelio olfatorio con 224 millones de células olfatorias. Debido a esto, es natural que los perros tengan una capacidad superior para detectar olores. Las *ballenas*, por ejemplo, no tienen olfato.

• En cuanto al **oído**, lo que nos permite captar los sonidos es el pabellón externo (¡la oreja!). Para mejorar su objetivo, algunos animales mueven sus orejas orientándolas hacia el lugar de donde proviene el sonido.

Los *murciélagos*, por su parte, "ven" por medio de **ondas sonoras** (se forman una *imagen sonora* al recibir el eco de sus propios chillidos).

• El **tacto** es importante para todos los mamíferos, pero para algunos más que para otros: el *ornitorrinco*, uno de los mamíferos más primitivos, busca su comida removiendo el fondo de ríos y arroyos, y la descubre al **tacto** gracias a la sensibilidad de su pico.

LOS MAMÍFEROS UNGULADOS

Los mamíferos ungulados son aquellos que caminan sobre sus uñas. Son unguladas las especies de los mamíferos *artiodáctilos, perisodáctilos, hiracoideos* y *proboscídeos*.

En el caso de los *équidos* (familia de mamíferos pertenencientes al orden de los perisodáctilos), todos ellos caminan apoyándose sobre un solo dedo. Este dedo está muy desarrollado y se encuentra protegido por una uña muy compacta y dura, llamada casco. Los cascos de las extremidades delanteras son más largos que los de las traseras.

Contra el desgaste causado por los suelos duros y pedregosos, se protege a los équidos domesticados (caballos, asnos, mulas) con herraduras de hierro.

LA CONTINUIDAD DE LA VIDA

Todos los organismos buscan perpetuarse a través del tiempo para subsistir como especie. Para cumplir con esta etapa del ciclo de la vida, se valen de distintas maneras, según sea su morfología.

La reproducción

Es una de las funciones y características de los seres vivos.

Consiste en la producción de nuevas generaciones a partir de uno o dos organismos. Mediante esta función, animales, plantas y seres de otros reinos se aseguran la supervivencia. Hay dos tipos de reproducción: sexual y asexual. En la reproducción asexual, llamada también vegetativa, los individuos producen copias de sí mismos. Este tipo de reproducción es propia de bacterias, algas, musgos, hongos, protozoarios, celenterados, y también de algunas plantas vasculares. En la reproducción sexual, intervienen dos individuos, uno con caracteres sexuales femeninos y otro con caracteres sexuales masculinos. La unión de una célula sexual femenina con una masculina da origen a un embrión que, al crecer, constituirá un nuevo individuo.

La reproducción vegetal

Diferentes procesos

Los vegetales superiores pueden reproducirse de tres formas distintas.
• **Sexual:** a partir de la unión de dos células sexuales distintas (una femenina y otra masculina), se constituyen nuevos seres.
• **Asexual:** no hay intervención de células sexuales; el nuevo ser se gesta a partir de alguna porción del cuerpo de otro vegetal.
• **Alternante:** cuando se combinan la reproducción sexual con la asexual.

En las plantas con flores

Las flores no son un simple elemento decorativo de las plantas. Ellas están destinadas a cumplir el ciclo de reproducción de una planta. Su fin es la **perpetuidad de la especie**. Pero, para que se lleve a cabo

1- Mariposas y colibríes colaboran en la polinización.
2- Polinización ornitófila.
3- Polinización entomófila.

la **fertilización** y se formen las semillas, los **granos de polen**, ubicados en las **anteras** (estructura sexual masculina), deben lle-

Algunas plantas poseen flores masculinas y femeninas. En las llamadas hermafroditas, los dos órganos sexuales se encuentran en la misma flor.

gar hasta el **estigma** (estructura sexual femenina).

Los caminos del polen

El transporte del grano de polen desde la antera del estambre hasta el estigma del carpelo se denomina **polinización**. Este trabajo pueden realizarlo la misma flor, el viento, el agua, los pájaros, los insectos o el hombre. De acuerdo con cómo y quiénes lo realicen, recibe un nombre particular. Veámoslo...
Cuando la flor se poliniza y fecunda a sí misma, realiza **autopolinización**, *polinización directa o autógama*. Con ella se asegura la producción de la semilla, pero también se producen plantas con menor capacidad de adaptación, por lo que en muchas especies existen mecanismos que impiden la autopolinización y promueven la **polinización cruzada** (ya sea *biótica o abiótica)*, propia de las flores cerradas, como las *violetas de primavera*, y de algunas *flores hermafroditas*.

Es la que se produce a través de factores abióticos.

POLINIZACIÓN CRUZADA, NATURAL O HETERÓGAMA

ABIÓTICA

Anemófila: se da por medio del **viento**, y las plantas así polinizadas tienen flores de escasa fragancia, con estigmas largos y livianos. Por ejemplo: *pastos* y *coníferas.*

Hidrófila: se produce por medio del **agua**, sobre todo en algunas *malezas* de pantanos y en las plantas acuáticas. Por ejemplo: *vallisneria.*

BIÓTICA

Se produce cuando las plantas **atraen** a los insectos (**moscas, mariposas, abejas, abejorros**, etc.) o a los pájaros, con los brillantes colores de sus flores, un perfume agradable y con el néctar, rico en azúcar.

Entomófila (por **insectos**).

Ornitófila (por **pájaros**). En estos tipos de polinización, el polen es escaso y adherente. Los insectos y pájaros visitan distintas flores para satisfacer su nutrición y así van cargándose de polen involuntariamente. Al visitar otras flores, ese polen queda adherido a los estigmas.

La **acción del hombre** también puede determinar la polinización: cuando corta los estambres maduros y los golpea sobre el estigma, produce una **polinización artificial**.

— El grano de polen —

¿Alguna vez sacudieron una flor madura? (Los que no, no pierdan tiempo y... ¡a probar!) Observarán que la flor desprende un polvillo amarillo... ¡el **polen**! Éste se encuentra formado por centenares de **granos de polen**, cuyo tamaño oscila entre 0,01 y 0,025 cm de diámetro. El polen es muy nutritivo: contiene albúmina, azúcares y grasas.

El **grano de polen** presenta dos membranas: la **exina** y la **intina**. La **exina** es una cubierta protectora rígida e inflexible, cuyas espinas permiten la fijación del grano de polen sobre la superficie del gineceo. Se halla cubierta por papilas y perforada por poros. Por su parte, la **intina** es elástica y en el momento de la fecundación sale por algún poro de la exina para formar el *tubo polínico.*

El grano de polen contiene, en su interior, dos células: una **vegetativa** y otra **generativa**. La mayor de las dos, la **vegetativa**, forma el tubo polínico; la **generativa**, más pequeña, da origen a las gametas masculinas, llamadas **núcleos espermáticos**, que permitirán la reproducción.

Vista externa e interna de un grano de polen

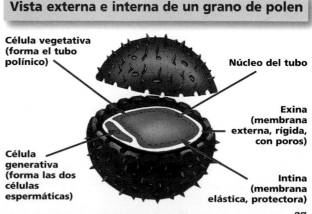

Célula vegetativa (forma el tubo polínico)

Núcleo del tubo

Exina (membrana externa, rígida, con poros)

Célula generativa (forma las dos células espermáticas)

Intina (membrana elástica, protectora)

La fecundación

El **polen** queda adherido al **estigma** maduro, crece y forma una prolongación: el **tubo polínico**. Éste atraviesa el **pistilo** y penetra en el **óvulo** por la **micrópila** (pequeño conducto formado por la interrupción de los tegumentos del óvulo).

El **tubo polínico** —que lleva en su extremo las **gametas masculinas** o **anterozoides**, producidas al dividirse el núcleo de la **célula generativa**— al llegar al **óvulo** se abre, y los dos **núcleos espermáticos** o **anterozoides** ingresan en el saco embrionario.

Uno de los **anterozoides** se une con la **gameta femenina** u **oosfera** y forma la **célula huevo** o **cigoto**.

El otro **núcleo espermático** se une con los **núcleos polares**.

Como resultado de la **doble fecundación,** se forman el **embrión** y el **albumen** (sustancia de reserva proveniente de la segunda unión).

A partir del **óvulo fecundado** y maduro, se forma la **semilla**. Y los tegumentos del óvulo dan origen a los **tegumentos de la semilla**, llamados **testa** y **tegmen**. En el interior de dichas estructuras (las cuales tienen función protectora), encontramos el **embrión** y la sustancia de reserva o **albumen**.

La **función** del **albumen** es proveer **alimentos** al embrión durante sus primeras etapas de desarrollo, hasta formar una planta de vida independiente. La **función** del **embrión** es dar origen a los órganos de las plantas. Al mismo tiempo que se forma la semilla, las paredes del ovario se modifican para formar el **fruto**.

Durante la maduración de la semilla, el albumen puede quedar fuera del embrión o, a medida que se forma, se almacena dentro del *primer par de hojas del embrión* (**cotiledones**). Por otra parte, durante la **maduración del fruto** los *pétalos, sépalos* y *estambres* se marchitan, como así también el *estilo* y el *estigma*. Sólo pueden quedar parte de los estambres y, en muchos casos, los sépalos permanecen intactos (*frutilla*).

Angiospermas – y gimnospermas

• Las **angiospermas** (como el *nogal*, la *acacia,* el *olmo,* etc.) poseen flores cuyos carpelos se cierran formando un **ovario** y dentro de él se encuentran los **óvulos**.

• Las **gimnospermas** (como la *araucaria,* el *pino,* el *cedro,* el *abeto,* el *ciprés,* etc.) poseen **carpelos abiertos**, es decir que *no tienen ovario*, puesto que los carpelos no se cierran y, en consecuencia, los **óvulos** están **expuestos** o **desnudos**. Las flores son **unisexuales** y forman **conos**, también llamados **estróbilos**.

La germinación

Las plantas se multiplican por medio de **frutos** y **semillas**. El **fruto** es el órgano que procede de la flor fecundada. En su interior se encuentran las **semillas**. El fruto las protege hasta que llega el momento de la **germinación**, nom-

---

El proceso de fecundación (en la flor del ciruelo)

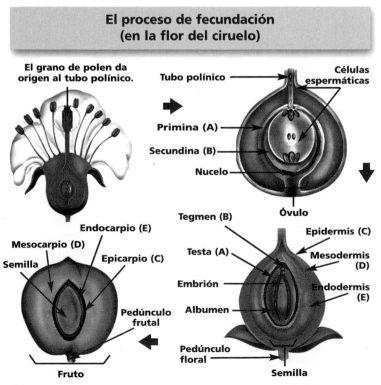

El grano de polen da origen al tubo polínico.

Tubo polínico

Células espermáticas

Primina (A)

Secundina (B)

Nucelo

Óvulo

Tegmen (B)

Epidermis (C)

Testa (A)

Mesodermis (D)

Embrión

Endodermis (E)

Albumen

Pedúnculo floral

Semilla

Endocarpio (E)

Mesocarpio (D)

Epicarpio (C)

Semilla

Pedúnculo frutal

Fruto

bre que recibe el **crecimiento del embrión**, que se encuentra dentro de la semilla. La semilla posee un **tegumento**, que protege al embrión hasta que las condiciones ambientales son propicias para la germinación. El **embrión** está formado por la **radícula**, el **talluelo**, la **gémula** y uno o varios **cotiledones**. La **radícula** es la porción que, al desarrollarse, forma la raíz. El **talluelo** dará origen al tallo, en tanto que la **gémula** constituye la zona de formación de las hojas. Los **cotiledones** son hojas embrionarias que luego desaparecen. Durante la **germinación**, el embrión crece y se transforma en una plántula que emerge de la semilla y se

asoma al espacio exterior. Permanece en su condición de plántula hasta adquirir la posibilidad de nutrirse por sí misma.

— Dispersión de frutos — y semillas

Tanto frutos como semillas presentan distintos aspectos morfológicos, que tienen relación con la forma de dispersión. Estas adaptaciones responden a poder asegurar la propagación y perpetuidad de la especie. La dispersión del fruto y la semilla, al igual que la *polinización*, puede producirse por la intervención de distintos factores: **abióticos** (como por ejemplo el *viento* y el *agua*) o

bióticos (como los *animales* y *el hombre*). Algunos frutos y semillas presentan **pelos largos y sedosos**, como las semillas de *algodón* o del *palo borracho*.
Otros, en cambio, muestran **pelos cortos**, como los *sauces*, *plátanos* y *totoras*.
Las de los *cardos* presentan **hilos** o **"villanos"** que están orientados en todos los sentidos y les permiten "volar".
La semilla de la *lechuga*, el *diente de le-*

Paso a paso... la germinación del poroto

1.º día: Los tegumentos de la semilla se ablandan y rasgan. Lo primero que sale del embrión es la radícula o raíz definitiva, para lograr el anclaje del sustrato y la absorción de agua y sales, con el fin de asegurar el crecimiento y la transformación del embrión. Los cotiledones son blanquecinos y permanecen unidos por la presencia de los tegumentos.

4.º día: La raíz presenta pequeñas ramificaciones, que le permiten afirmarse al suelo.
Los tegumentos se rompen más y, en consecuencia, los cotiledones se separan un poco.

8.º día: El hipocótile se eleva más y hace que los cotiledones queden fuera de la tierra; por esta particularidad, la germinación se llama epigea. Las primeras hojas son más grandes y verdes, y la raíz está más desarrollada. Los cotiledones son verdeamarillentos y, en la medida en que el color verde se intensifique, podrán realizar la fotosíntesis.

11.º día: Ambos cotiledones son de color verde y tienen la sustancia de reserva bastante consumida. Cuando se agoten totalmente las reservas de los cotiledones, seguirán fotosintetizando por un tiempo y luego se marchitarán y caerán. Ahora la parte del tallo que más creció es la ubicada por arriba de los cotiledones o epicótile. En el ápice de esta parte se observan la yema apical y dos hojas simples. El alimento de la planta proviene de la fotosíntesis realizada por las hojas y las zonas verdes del tallo.

6.º día: La raíz está más ramificada. El hipocótile (que es la porción del tallo que más desarrollo adquirió) eleva a los cotiledones (los cuales aún conservan restos de tegumento). Entre ellos aparece la gémula con sus primeras hojas.

Cotiledones
Epicótile

Tegumento
Gémula
Talluelo
Radícula

Hipocótile
Raíz definitiva

ón y la *radicheta* presentan **manojos** o **penachos de pelos**.
Los frutos *del arce*, del *olmo*, de la *tipa*, y las semillas de los *pinos* y otras *coníferas* tienen extensiones en forma de **"alas"**, que cumplen la función de *"aparato de vuelo"*. Existen otras semillas, muy pequeñas y livianas, como las de la *campanilla*, que son transportadas por el viento sin necesidad de adaptaciones. Asimismo, hay ciertas plantas de la familia de los *guisantes*, como las *arvejas*, que poseen **vai-**

nas que explotan cuando el sol las reseca, esparciendo así sus semillas por el aire.
Hay frutos que tienen *tegumentos duros e impermeables,* que les permiten permanecer un largo tiempo en el agua, sin que las semillas mueran. Otros presentan **envolturas**, como los frutos de los *cocoteros,* que les permiten flotar y consiguen ser llevados por el agua sin que las semillas mueran. Las *plantas anfibias* simplemente dejan caer sus semillas para que sean llevadas por el agua.
Las semillas de ciertas plantas están rodeadas de **bayas** de color y sabor atractivos. Estos frutos (como los *cítricos)* sirven de **alimento** a los animales. Entonces es común que algunas de esas semillas pasen por los aparatos digestivos de estos anima-

les sin sufrir daño alguno. Luego, al ser eliminadas con los excrementos, caen al suelo y germinan. Éste es el caso de las semillas del *saúco* o *liga*.
Algunos frutos presentan adaptaciones –como *pelos* y *barbas*– que les permiten **adherirse** al cuerpo de los animales, para así ser transportados. Por ejemplo, las *gramíneas,* como la *cebada silvestre,* la *cola de zorro.*
Hay frutos que tienen **espinas** con puntas encorvadas que, como verdaderos ganchos, se fijan sobre los animales, como los *abrojos, chamicos, cuernos del diablo.*
Otras plantas poseen sus frutos y semillas cubiertos de *sustancias viscosas* por las que se **pegan** sobre los animales (por ejemplo, *muérdago, llantén, salvia,* etc.).

La germinación del grano de maíz

7.º día: El tamaño del grano de maíz se reduce a medida que se consume la sustancia de reserva. A partir de la base del tallo, comienzan a desarrollarse raíces adventicias o fibrosas. Por otra parte, la raíz primitiva creció más y posee mayor número de ramificaciones. Las hojas son de mayor tamaño.

10.º día: La raíz primitiva desaparece y es reemplazada por las raíces definitivas, que son fibrosas (éstas permitirán absorber el agua y los minerales del suelo). El grano de maíz se redujo totalmente. La plántula obtenida presenta un tallo con nudos y entrenudos. De los nudos parten hojas sin pecíolo (envainadoras). En el ápice del tallo se distingue la yema de crecimiento. El cotiledón no se observó nunca fuera de la tierra; se llama germinación hipogea.

1.º día: En las envolturas protectoras del grano no se produjo ningún cambio. La radícula o raíz primitiva crece hacia afuera del grano de maíz.

3.º día: El cotiledón no se ve. La raíz primitiva crece más y permite fijar el embrión al suelo, y así puede absorber agua y sales. Se pueden ver las primeras hojas.

5.º día: La raíz primitiva presenta varias ramificaciones. La plántula posee un tallo corto. Las hojas son pequeñas, angostas y alargadas.

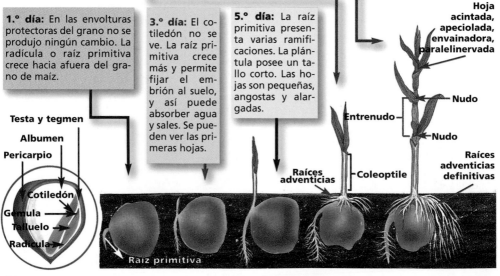

Hoja acintada, apeciolada, envainadora, paralelinervada

Nudo

Entrenudo

Nudo

Raíces adventicias definitivas

Raíces adventicias

Coleoptile

Testa y tegmen
Albumen
Pericarpio
Cotiledón
Gémula
Talluelo
Radícula

Raíz primitiva

La reproducción animal

— Diferentes formas —

En la tierra, en el agua o en el aire, los animales se encuentran y generan más vida. Es el instinto la causa que los conduce a reproducirse, una vez llegada la madurez sexual, con el fin supremo de perpetuar la especie.

Sin embargo, no todos lo hacen de la misma forma... En el reino animal la reproducción puede realizarse de distintas formas. Éstas pueden clasificarse en dos tipos básicos: **asexual** y **sexual**. En la primera –**reproducción asexual**–, la descendencia se orgina a partir de una sola célula. En la **reproducción sexual**, es necesario que intervengan dos células sexuales, una masculina y otra femenina. A su vez, cada una de ellas presenta distintas modalidades. ¿Las vemos?

— La reproducción asexual —

Una de las variantes de la forma de *reproducción asexual* es la **gemación**, como en el caso de la *hydra*. Este tipo de reproducción puede sintetizarse en tres etapas.
1.° Una pequeña proyección de tejido, **yema**, se forma en la pared del progenitor.
2.° Esta yema se desarrolla hasta transformarse en un nuevo ser.
3.° Este individuo se desprende del cuerpo del progenitor para vivir en forma independiente.
La **partenogénesis**, otra de las formas de reproducción asexual, tiene lugar a partir de los *óvulos* –células femeninas– que, sin entrar en contacto con las células masculinas, inician el proceso de gestación del embrión del nuevo ser. Un ejemplo de este tipo de reproducción es el de las abejas, en la que los huevos no fecundados

de ellas dan origen a los *zánganos*.
Comúnmente este proceso se alterna con el de reproducción sexual.

— La regeneración —

Otra de las modalidades de la reproducción asexual es la **regeneración**, en la que ciertos tejidos u órganos dañados o que se han perdido pueden volver a crecer.
Este tipo de reproducción tiene lugar en la mayoría de los *animales invertebrados*. Por ejemplo, en las *lombrices de tierra*,

al dividirse en dos, la parte que posee la cabeza se regenera en su totalidad. En los *animales vertebrados*, la regeneración es fundamental en la restauración de órganos dañados, sean éstos externos o internos.

Reproducción asexual de la hidra

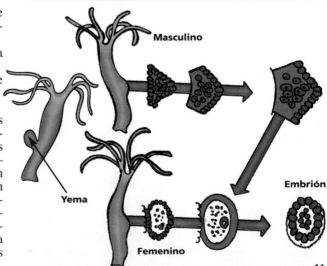

Masculino

Yema

Femenino

Embrión

- La reproducción sexual

Para que la **reproducción sexual** pueda concretarse, es necesario contar con un macho y una hembra. Cada uno de ellos cuenta con órganos sexuales, llamados *gónadas*, en donde se producen, por *meiosis*, las células sexuales, *gametas*.

Las gónadas masculinas se denominan *testículos* y producen *espermatozoides*. Las femeninas son los *ovarios* y producen *óvulos*.

Cuando el núcleo del espermatozoide se une con el núcleo del ovario, en el proceso conocido como **fecundación**, se origina una nueva célula llamada **cigoto**. A partir de él y tras sucesivas divisiones (*mitosis*), se forma un nuevo ser.

Este tipo de reproducción es característico en la mayoría de los animales y presenta ciertas particularidades según el nivel evolutivo de las especies.

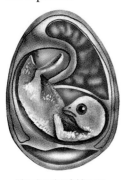

Vista interior del huevo.

MARSUPIALES Y MONOTREMAS

Los *marsupiales*, como los canguros y koalas, son mamíferos que se caracterizan por presentar una fecundación interna; las hembras poseen un útero, y el desarrollo de las crías es intrauterino. Sin embargo, éstas son dadas a luz antes de completar su desarrollo. Para alcanzar la madurez, las madres los llevan en el vientre en una bolsa o **marsupio**.

En cuanto a los *monotremas*, orden de los mamíferos formado por tres especies, se caracterizan por desarrollarse de forma similar a las aves, ya que son los únicos mamíferos que *ponen huevos*. Éstos son incubados y, al cabo de dos semanas, nace la cría, que es alimentada por la leche materna que mana de unos poros dilatados que presenta la hembra en su piel. El *ornitorrinco* y el *equidna* son ejemplos de ello.

Así, la fecundación en algunos animales es **externa**, como por ejemplo en los peces.

En otros es **interna**, y el desarrollo del cigoto puede producirse fuera del cuerpo de la hembra (como en las *aves*) o en el interior de ésta (como en los *mamíferos*).

- La fecundación externa -

Generalmente las hembras de los animales acuáticos, como los peces y los anfibios, depositan sus huevos en el agua, y el macho coloca sobre ellos los espermatozoides para fecundarlos.

A este tipo de fecundación se la denomina **externa**, y los animales que la llevan a cabo se llaman **ovulíparos**.

- La fecundación interna -

Cuando los animales conquistaron el medio terrestre, debieron, entre otras cosas, adaptar las modalidades de fecundación a las condiciones que imponía ese medio. Así se pasó de la fecundación externa a la **fecundación interna**.

La mayoría de las especies animales, incluyendo al hombre, adoptaron esta forma para reproducirse. En la fecundación interna, el macho deposita los espermatozoides en el interior de los órganos reproductores de la hembra.

Para esta modalidad de fecundación, los seres vivos tuvieron, además, que desarrollar órganos especializados: el **pene** en los machos y la **vagina** en las hembras.

- El desarrollo del huevo -

Tras la fecundación, se produce el desarrollo del cigoto.

Esta etapa puede dividirse en fases.

En la primera de ellas, el cigoto, tras sucesivas divisiones celulares, se transforma en embrión; por eso esta fase se denomina **embriogénesis**.

En ella se originan los tres tejidos fundamentales del embrión: el **ectodermo** (tejido externo); el **mesodermo** (tejido intermedio) y el **endodermo** (tejido interno).

Tras la embriogénesis, se produce la transformación del embrión en **feto**. Esta fase se llama **organogénesis**, y en ella los tejidos del embrión comienzan a formar órganos y sistemas del feto.

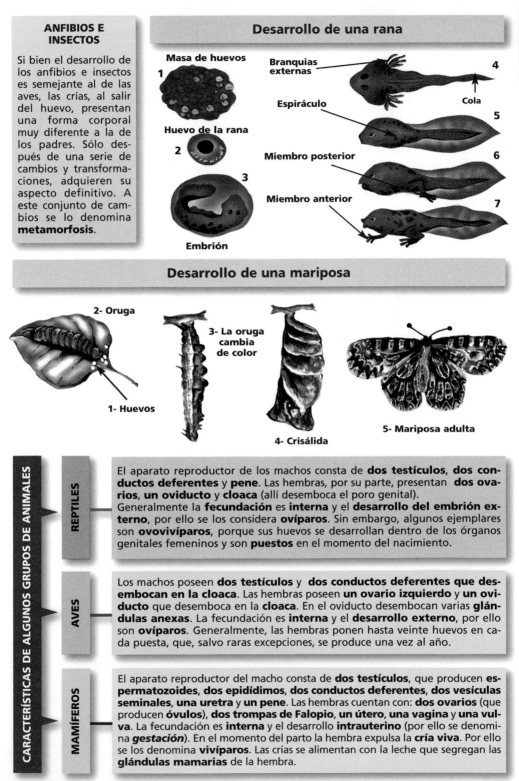

ANFIBIOS E INSECTOS

Si bien el desarrollo de los anfibios e insectos es semejante al de las aves, las crías, al salir del huevo, presentan una forma corporal muy diferente a la de los padres. Sólo después de una serie de cambios y transformaciones, adquieren su aspecto definitivo. A este conjunto de cambios se lo denomina **metamorfosis**.

Desarrollo de una rana

Masa de huevos

1

Branquias externas

4

Espiráculo

Cola

5

Huevo de la rana

2

Miembro posterior

6

3

Miembro anterior

7

Embrión

Desarrollo de una mariposa

2- Oruga

3- La oruga cambia de color

1- Huevos

5- Mariposa adulta

4- Crisálida

CARACTERÍSTICAS DE ALGUNOS GRUPOS DE ANIMALES

REPTILES

El aparato reproductor de los machos consta de **dos testículos**, **dos conductos deferentes** y **pene**. Las hembras, por su parte, presentan **dos ovarios**, **un oviducto** y **cloaca** (allí desemboca el poro genital). Generalmente la **fecundación** es **interna** y el **desarrollo del embrión externo**, por ello se los considera **ovíparos**. Sin embargo, algunos ejemplares son **ovovivíparos**, porque sus huevos se desarrollan dentro de los órganos genitales femeninos y son **puestos** en el momento del nacimiento.

AVES

Los machos poseen **dos testículos** y **dos conductos deferentes que desembocan en la cloaca**. Las hembras poseen **un ovario izquierdo** y **un oviducto** que desemboca en la **cloaca**. En el oviducto desembocan varias **glándulas anexas**. La fecundación es **interna** y el **desarrollo externo**, por ello son **ovíparos**. Generalmente, las hembras ponen hasta veinte huevos en cada puesta, que, salvo raras excepciones, se produce una vez al año.

MAMÍFEROS

El aparato reproductor del macho consta de **dos testículos**, que producen **espermatozoides**, **dos epidídimos**, **dos conductos deferentes**, **dos vesículas seminales**, **una uretra** y **un pene**. Las hembras cuentan con: **dos ovarios** (que producen **óvulos**), **dos trompas de Falopio**, **un útero**, **una vagina** y **una vulva**. La fecundación es **interna** y el desarrollo **intrauterino** (por ello se denomina **gestación**). En el momento del parto la hembra expulsa la **cría viva**. Por ello se los denomina **vivíparos**. Las crías se alimentan con la leche que segregan las **glándulas mamarias** de la hembra.

EL MEDIO Y LOS SERES VIVOS

El planeta que habitamos está conformado por subsistemas que son fundamentales para el establecimiento de la vida en todas sus manifestaciones.

La biosfera

La unidad biológica de mayor amplitud, en la que se establece una estrecha relación entre los seres vivos y la hidrosfera, la geosfera y la atmósfera se llama **biosfera**. Ésta ocupa una delgada capa del planeta que va desde

los 3.300 m de profundidad hasta los 5.000 m de altura. En este espacio ideal los seres vivos encuentran lo necesario para desarrollarse, multiplicarse y relacionarse entre sí y con otros elementos abióticos. La **biosfera** comprende la totalidad de los espacios habitables de la Tierra y los organismos que se encuentran en ellos.

— La hidrosfera —

El **agua de mar**, las **aguas continentales**, el **agua del suelo o edáfica**, los **hielos continentales** o los **casquetes polares** son **medios para el desarrollo de la vida**.
Gran número de especies viven en el agua u obtienen alimentos del medio acuático.
Si consideramos la teo-

ría que sostiene que el agua fue la cuna de la vida, podremos establecer la importancia de este elemento para los **seres vivos**, tanto a nivel estructural como a nivel funcional.

La litosfera

En una porción de la capa superficial de la *geosfera*, llamada *litosfera*, se asientan una gran diversidad de **seres vivos**.
El **suelo** da anclaje a las raíces de las **plantas**. De él obtienen agua y sales minerales para poder fabricar compuestos orgánicos que les permiten llevar a cabo el proceso de *fotosíntesis*. También gran cantidad de **organismos terrestres**, desde los pequeños *invertebrados* a los grandes *mamíferos*, eligen este medio como hábitat.

La atmósfera

En la porción inferior de la capa más baja de la atmósfera, la **troposfera**, tiene lugar el desarrollo de la vida.
Gracias a la **capa de ozono** (ubicada entre los 30 y los 50 km de altura), que protege al planeta de los efectos nocivos del Sol, es posible la vida en la Tierra. El **oxígeno**, el **dióxido de carbono**, el **agua** y el **nitrógeno**, presentes en la composición de la atmósfera, resultan elementos imprescindibles para que los **seres vivos** realicen procesos vitales como *fotosíntesis*, *respiración* y *formación de proteínas*. Además, el **agua atmosférica** (producto del ciclo del agua) contribuye a mantener el **equilibrio hídrico** de los ecosistemas.

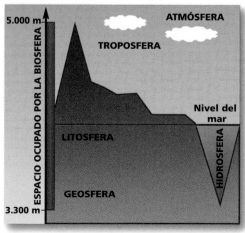

La *biosfera* está integrada por la *capa inferior de la atmósfera* (TROPOSFERA), la *capa superficial de la geosfera* (LITOSFERA) y una *parte de la hidrosfera*.

Diagrama:
ESPACIO OCUPADO POR LA BIOSFERA
5.000 m — ATMÓSFERA / TROPOSFERA / Nivel del mar / LITOSFERA / HIDROSFERA / GEOSFERA — 3.300 m

El agua y la vida

Un elemento fundamental

El **agua** es una de las sustancias esenciales para la vida en la Tierra. Constituye unos de los elementos más importantes en la composición de los organismos vivientes, influye en el clima y permite la disolución de los alimentos. Es el hábitat de numerosas especies animales y vegetales. Los seres humanos buscan asentarse, generalmente, a orillas de los ríos o en las costas del mar, para tener acceso al agua, que les brinda alimento, sacia su sed, facilita las comunicaciones, favorece los cultivos y presta energía a sus industrias.

En la naturaleza

El **agua** es la única sustancia que, en la naturaleza, existe en cantidades importantes en los tres estados: **sólido**, **líquido** y **gaseoso**. Recorre un ciclo que comprende la evaporación en la superficie de los océanos, la formación de las nubes, la lluvia y el retorno a los mares por medio de los ríos. El 97 % del agua es salada. Y el 75 % del agua dulce se encuentra en forma de hielo.

Depósito de calor

El **agua** modera el clima, pues absorbe el calor del mediodía y lo restituye a la noche. La masa de agua de los océanos es un gigantesco receptor de calor, que luego es dispersado por el planeta gracias a las corrientes marinas.

Por ejemplo, las corrientes cálidas provenientes de latitudes ecuatoriales dispersan el calor acumulado hacia los polos.

En los animales de sangre caliente, la circulación mantiene una temperatura uniforme en todo el cuerpo.

Los órganos no están expuestos a enfriamientos bruscos porque más de la mitad de su peso es agua, depósito de calor.

UN DELICADO EQUILIBRIO

Para vivir, los seres vivos necesitan una cantidad constante de agua. Todo organismo cuenta con sistemas de regulación que le permiten mantener el volumen y la composición de los líquidos orgánicos en un nivel aceptable. Cuando, por alguna razón, esa cantidad aumenta o disminuye, su vida está en peligro. En las plantas, la cantidad de agua es controlada por los poros o estomas de sus hojas. Cuando el agua de la planta aumenta, los estomas se agrandan para permitir una mayor transpiración. Si disminuye, los estomas se cierran. El ser humano ingiere agua a través de los alimentos y las bebidas, y la elimina por medio del sudor, la respiración y la excreción (orina y materia fecal).

En la nutrición

Los seres vivos asimilan los alimentos a través de membranas. Para que esta asimilación sea posible, se encuentran disueltos: las raíces de los vegetales y los intestinos de los animales sólo absorben **soluciones**. De allí, el lugar de privilegio del agua en la alimentación, pues no existe ningún compuesto químico que disuelva más sustancias que ella.

El agua es, además, el vehículo que transporta los alimentos a cada célula del cuerpo. Por ejemplo, el agua asciende hasta las hojas de las plantas, aun de las altísimas sequoias, que pueden alcanzar los 100 metros de altura.

En animales y vegetales

La presión del agua les da forma a las plantas jóvenes y carnosas, y rellena sus hojas y tallo. Esta función es particularmente importante en las plántulas, que todavía no han llegado a elaborar sus tejidos de sostén. Cada una de las células de los animales contiene de un 70 a un 80 % de agua. Su presencia permite que se lleven a cabo todas las funciones celulares y facilita el transporte de sustancias y las combinaciones entre ellas.

Los animales dependen del agua no solamente por este motivo; muchos habitan en medios acuosos y la necesitan para reproducirse, como los peces, anfibios y reptiles, entre otros. Los animales también transpiran, por lo cual deben ingerir cantidades considerables de agua, ya sea la que contienen en los alimentos o, directamente, bebiéndola.

¿POR QUÉ ES TAN IMPORTANTE EL AGUA?

- Modera el clima.
- Es el solvente de las sustancias alimenticias que son absorbidas por el organismo.
- Transporta los nutrientes a todas las células de un organismo.
- Forma la mayor parte de los seres vivos.
- Brinda elasticidad a los tejidos.
- Proporciona forma y sostén a los vegetales jóvenes.
- Amortigua los cambios climáticos.

El suelo y la vida

Sostén de la vida

El suelo es la capa superficial de la corteza terrestre. Sobre él se desarrollan numerosos organismos vegetales y animales. Su espesor varía desde unos pocos cen-

LOS AGENTES DE TRANSFORMACIÓN

Los vientos, las lluvias, los océanos, los glaciares y los cursos de agua dulce son algunos de los agentes o fuerzas que desgastan el suelo. Se los denomina *agentes de erosión*. Existen otros factores, llamados *agentes de meteorización*, como la humedad, los cambios de temperatura, la acción de los seres vivos que rompen y ablandan las rocas firmes dejando un manto de residuos fáciles de erosionar.

tímetros hasta algunos metros.
El suelo se forma a partir de la desintegración de las rocas. Cuando una roca es

HUMUS
ARCILLA
LIMO
ARENA FINA
ARENA GRUESA
GRABA
ROCA MADRE

afectada por la humedad, los cambios de temperatura o el accionar de los seres vivos, se fragmenta o desintegra en pequeños trozos de minerales.
Este proceso se conoce con el nombre de **meteorización** y es el paso inicial en la conformación del suelo. Posteriormente, esos fragmentos de minerales se mezclan con restos orgánicos, aire y agua, y conforman el suelo.

Una composición equilibrada

La composición ideal de un suelo vegetal maduro debe contemplar 50 % de arena, 25 % de arcilla, 15 % de cal y 10 % de humus o restos orgánicos. Para que ese suelo sea considerado **fértil**, debe incluir también minerales disueltos –calcio, fósforo, potasio, magnesio, nitrógeno– y presentar óptimas condiciones de humedad y aireación.

Tipos de suelo

Según el predominio de los componentes, existen distintos tipos de suelos: *fértil o humífero*, *pantanoso* o *arcilloso* y *árido* o *desértico*. En el suelo **fértil** puede advertirse una gran capa de humus. Es idóneo para toda clase de cultivos y para el desarrollo de especies animales y vegetales. El suelo **pantanoso** dificulta el paso del agua y da lugar al crecimiento de una vegetación específica, adaptada a esas condiciones. El suelo **desértico** no retiene en absoluto el agua.

En el suelo encontramos dos componentes vitales, como el aire y el agua.
El agua habitualmente se encuentra formando parte de las napas subterráneas, o bien está retenida en las partes superficiales del suelo. El aire, por su parte, permite el desarrollo de la vida en las primeras capas del suelo, debido a su importancia en el proceso de oxigenación.

La relación suelo-vegetal

El **suelo** suministra una base sólida para que los vegetales puedan fijarse a él; además provee a las plantas el agua y los minerales necesarios para elaborar sus alimentos.

Una condición importante para que se produzca el crecimiento de una planta es que el suelo posea cantidades suficientes de sustancias nutritivas. Éstas se obtienen a partir de la descomposición del *humus*, por lo cual la presencia de bacterias y hongos es imprescindible para llevarla a cabo. Desde ya que un suelo que no contiene humus impedirá el desarrollo de la vida vegetal. Ninguna planta crecerá y prosperará en dicho suelo, pobre en minerales (nutriente fundamental de los vegetales).

La relación suelo-animal

El **suelo**, además de contener descomponedores (bacterias y hongos) y permitir el desarrollo de las plantas, posee gran cantidad de *lombrices*, *insectos* y *roedores* diversos. Su actividad excavadora permite remover el suelo, manteniéndolo aireado y aportando sustancias que formarán parte del humus.

Las lombrices, por ejemplo, pueden encontrarse en un *acre* de suelo (equivalente a 40 áreas) en una cantidad de 50.000; y en el curso de una estación de cultivo suelen ingerir 18 toneladas de tierra, la cual trituran y depositarán, posteriormente, en la superficie del

suelo. Finalmente, cabe destacar la gran cantidad de animales que viven sobre el suelo, modificando su superficie y aportando materiales que constituirán el humus; tal es el caso de las *aves*, los *mamíferos*, los *reptiles*, etc.

Las lombrices se encuentran en el suelo, en grandes cantidades. Allí realizan una acción beneficiosa: comen tierra y arrastran hojas delante de sí a través de las galerías que construyen.
Con ello airean y ablandan el suelo, favoreciendo la formación de humus.

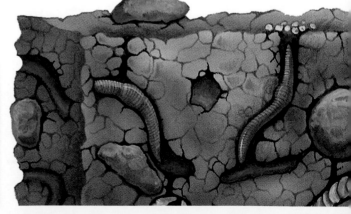

El aire y la vida

- Su importancia -

El aire, aunque no lo vemos, está en todas partes. Está dentro y fuera de nosotros, en la tierra y en el agua. Es un elemento vital, ya que sin él sería imposible la existencia de los animales y plantas.

Es en la atmósfera donde se producen ciclos fundamentales para todos los organismos. Además, muchas especies lo utilizan para moverse de un lugar a otro.

¿Qué es el aire?

El **aire** es una mezcla de gases de particulares características, pues la proporción en que se encuentran sus distintos componentes principales (oxígeno, nitrógeno y gases nobles) permanece constante. El ai-

LA COMBUSTIÓN

La combustión es la combinación de un combustible con el oxígeno. Los desechos son vapor de agua, dióxido de carbono y, en algunos casos, cenizas y otros gases. Un combustible puede arder con mayor intensidad en oxígeno puro, ya que en el aire el oxígeno está diluido en otros gases. El oxígeno puro, a altas temperaturas, quema el acero (un alambre de hierro arde violentamente en una campana de oxígeno).

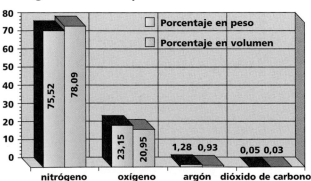

re contiene también, en proporciones variables, dióxido de carbono, vapor de agua y óxidos de nitrógeno. Además, en la atmósfera hay partículas sólidas, como el polvo, las cenizas de erupciones volcánicas, desechos industriales y microorganismos. Estas partículas se transforman en núcleos de condensación del agua, ayudando así a la formación de las nubes.

El aire se mueve

El **aire atmosférico** está permanentemente en movimiento. Su circulación contribuye a la dispersión de insectos y semillas. Los **vientos** producen la emigración de insectos y aves. La acción de los vientos puede ser benéfica, como cuando produce lluvias que favorecen el crecimiento de los vegetales; o cuando derriba árboles en un bosque y produce materia orgánica que se descompone y enriquece el suelo. A veces, la acción del viento es desfavorable, como cuando traslada los organismos a ambientes menos propicios.

La importancia del oxígeno

No podríamos vivir sin el oxígeno del aire, porque lo necesitamos para respirar. Nuestros tejidos no pueden utilizar otros gases como comburente. El nitrógeno, por ejemplo, debe ser obtenido de nuestros alimentos, donde por lo general está combinado con carbono, oxígeno e hidrógeno. La mucosa pulmonar es húmeda; el oxígeno y pequeñas cantidades de otros gases, especialmente el dióxido de carbono, se disuelven en esta humedad, y así atraviesan la mucosa para llegar a los capilares sanguíneos de los alvéolos pulmonares. En la sangre hay una sustancia (hemoglobina) que se combina con el oxígeno. La hemoglobina transporta el oxígeno a todos los tejidos del cuerpo, que lo utilizan para quemar azúcar, grasas o proteínas y producir energía. Siempre hay oxígeno disuelto en el agua. Los peces lo extraen del agua que pasa por sus agallas o branquias. También los insectos necesitan oxígeno, aunque carezcan de pulmones. Sus cuerpos están perforados por "tráqueas", que llevan el oxígeno directamente de los estigmas exteriores a los tejidos

¿Cuál es la composición del aire seco?

Gráfico de barras con los valores:
- nitrógeno: 75,52 (Porcentaje en peso); 78,09 (Porcentaje en volumen)
- oxígeno: 23,15 (Porcentaje en peso); 20,95 (Porcentaje en volumen)
- argón: 1,28 (Porcentaje en peso); 0,93 (Porcentaje en volumen)
- dióxido de carbono: 0,05 (Porcentaje en peso); 0,03 (Porcentaje en volumen)

Leyenda: □ Porcentaje en peso □ Porcentaje en volumen

En la atmósfera también pueden encontrarse vestigios de neón, helio, metano, criptón, óxido nitroso, hidrógeno, ozono y xenón. Todos ellos juntos se hallan en el aire sólo en una proporción del 0,0027 % del volumen total.

LOS ECOSISTEMAS

¿Y qué es un ecosistema?

Las comunidades animales y vegetales forman junto con el lugar en que viven un **ecosistema**. Los seres vivos (*componentes o factores bióticos*, o sea, que tienen vida) están relacionados entre sí, pero también se relacionan con el ambiente en el que habitan. Éste está integrado por los *componentes o factores abióticos* (o sea, que no tienen vida): agua, aire, luz, humedad, suelo, etc. Un ecosistema, entonces, se conforma por **la suma de los componentes bióticos y los abióticos, que confluyen en determinada área geográfica.**

Dijimos que un ecosistema está constituido por componentes naturales, como los seres vivos (animales y vegetales) y el medio ambiente que actúa sobre ellos. Estos componentes forman un ecosistema natural. Pero, cuando el hombre se instala en él, introduce un componente cultural y lo transforma en un ecosistema humano. Por eso, es muy importante informarnos bien antes de actuar contra los componentes naturales del ecosistema. La acción del hombre como modificador del medio puede ser positiva o negativa. De él depende que no se rompa el maravilloso equilibrio de la naturaleza.

¿Qué entendemos por biotopo?

Denominamos *biotopo* al conjunto de factores abióticos que componen un ecosistema. Si tomamos como ejemplo un ecosistema acuático, decimos que su biotopo está formado por: el *agua*, que constituye el sustrato principal y está sujeto a modificaciones (crecientes, sequías, lluvias, etc.); el *aire* disuelto en el agua; el *sol*, que provoca cambios de temperatura, evaporación de las aguas, humedad, etc.; y el *lugar geográfico*, es decir, la latitud y la altitud.

¿Qué es un hábitat?

Se llama *hábitat* al lugar donde vive una especie, por ejemplo: una laguna, cuevas de montaña, intestino de cucaracha (para organismos parásitos) o zonas costeras. De este modo, una comadreja, un zorro y una víbora comparten igual hábitat terrestre.

¿Y el nicho ecológico?

La función que desempeña una especie en relación con su alimentación, repro-

Todo ambiente natural tiene una dinámica propia porque en él se establecen interrelaciones entre los elementos que lo componen.

FACTORES BIÓTICOS

Las plantas, los animales, los hongos, las bacterias.

+

FACTORES ABIÓTICOS

El suelo, la luz, el agua, el aire, la temperatura, las precipitaciones.

=

ECOSISTEMA

Es la suma de los factores bióticos (relacionados entre sí) más los factores abióticos (que tienen influencia sobre aquéllos).

ducción, comportamiento, es el *nicho ecológico*. Especies de igual hábitat tienen nichos diferentes. Por ejemplo, peces carnívoros que se desplazan por medio de la natación comparten el nicho ecológico con medusas, que obtienen su alimento por filtración, más cangrejos y caracoles herbívoros.

Esta ave tiene su hábitat en la vegetación baja de los ríos.

Un **individuo** es un ser vivo. Puede estar formado por una sola célula, como la ameba, o por asociaciones de células. Por eso se dice que **la célula es la unidad primigenia de todo ser vivo**.

➡️

Los **individuos** nunca están aislados. Necesitan agruparse con otros de su misma especie para poder desarrollarse. Esta agrupación se llama **población**. Las poblaciones conviven con otras en un área determinada y se relacionan entre sí, formando una **comunidad**.

➡️

Un **ecosistema** comprende una o más comunidades que están en un mismo ambiente natural.

➡️

La **biosfera** abarca todos los ecosistemas que hay en nuestro planeta.

— Distribución de la población

Los miembros de una población se **distribuyen** o ubi-

can en un área de distintas formas.

• **Distribución uniforme:** los individuos mantienen entre sí una distancia más o menos homogénea. Por ejemplo, en las regiones áridas, las plantas se ubican conservando una distancia pareja unas con otras. Esto se debe a la escasez de nutrientes. Manteniendo esa disposición, todas se aseguran aprovechar equitativamente el alimento disponible.

• **Distribución al azar:** los individuos se disponen en cualquier sitio. Esto se hace visible en las zonas donde abundan los nutrientes y las posibilidades de obtenerlos son excelentes para todos los individuos.

• **Distribución agrupada:** muchos individuos se agrupan, conformando colonias o "grandes familias" en zonas determinadas, que generalmente son las que ofrecen mejores recursos. Esto es común en los organismos gregarios.

– Factores de crecimiento –

Diversos factores contribuyen para que una población incremente el número de individuos o disminuya.

Entre los que contribuyen con el **crecimiento** de una población, se cuentan los siguientes.

• **Natalidad:** es el número de nacimientos por unidad de tiempo. Por ejemplo, 200 nacimientos por año.

• **Inmigración:** es el número de individuos que ingresan a una población en un período determinado, provenientes de otras zonas. Por ejemplo, en el decenio 1980-1990, alrededor de 300 elefantes llegaron a Etiopía, provenientes de Zaire.

Los factores que provocan la disminución de una población son varios.

• **Mortalidad:** es el número de muertes que se producen por unidad de tiempo. Por ejemplo, 300 tigres muertos por año.

• **Emigración:** es la cantidad de individuos que abandonan una población. Por ejemplo, 450 gaviotas abandonaron la Antártida en el último año.

Población de ciervos.

El equilibrio natural

Funciones vitales

Todos los seres vivos realizamos funciones que nos permiten mantenernos: respiramos, nos alimentamos, eliminamos desechos, etc. Sin embargo, el tipo de alimentación no es el mismo en todos los casos: hay organismos que producen su propio alimento, otros consumen sólo vegetales, otros solamente carne, y hay quienes comen una y otra cosa...

Productores

Las plantas son los únicos organismos capaces de fabricar alimento partiendo de componentes abióticos. Toman dióxido de carbono del aire, agua y sales minerales del suelo y, con la ayuda de la energía solar, producen su propio alimento. Por eso se las llama **organismos productores**.

Descomponedores

Son los hongos y las bacterias microscópicas que se encargan de transformar los desechos de los organismos y los animales y plantas muertas en elementos simples (sales minerales) que vuelven al suelo (y que serán transformados nuevamente en alimento por las plantas).

Consumidores

Se llama así a los organismos que no producen su propio alimento, sino que se alimentan de otros seres vivos. Hay animales que se alimentan exclusivamente de vegetales (como la liebre, la jirafa, el conejo, el caballo, la vaca, etc.) y por eso reciben el nombre de **herbívoros** (del latín *herba*, "hierba", y *vo-*

La acción de los hongos y las bacterias favorece la descomposición de restos vegetales y animales, contribuyendo a la formación de humus.

ro, "comer"); son *consumidores de primer orden*. Otros animales (como el zorro, el águila, el león y otros) se alimentan de carne. Se llaman **carnívoros** y son *consumidores de segundo orden*, si comen animales herbívoros; o de *tercero* o *cuarto orden*: por ejemplo, la lechuza, que se come al sapo (consumidor de segundo orden) es un *consumidor de tercer orden*; a su vez, el parásito (que le chupa la sangre a la lechuza) es un *consumidor de cuarto orden*. Un tercer grupo de animales lo forman los **omnívoros** (del latín *omnis:* "todo"), que comen tanto carne como ve-

getales. Son consumidores de primero y segundo o tercer orden a la vez (además del hombre, son omnívoros el perro, algunos monos, algunas aves, etc.).

Consumidores 2.° orden

Consumidores 3.° orden

Productor

Consumidores 1.° orden

Consumidores 2.° orden

Consumidores 2.° y 3.° orden

Consumidores 1.° orden

51

— Pirámides ecológicas —

Otra forma de representar las **cadenas alimentarias o tróficas** es a través de diagramas en forma de pirámides, llamadas *pirámides ecológicas*. En las mismas, cada nivel trófico (eslabón) ocupa un escalón, el primero de los cuales, ubicado en la base, se destina al productor, es decir, a los vegetales. Existen distintos tipos de pirámides: de la *energía*, de *números* y del *peso vivo* o de la *biomasa*.

En el último escalón, los consumidores 2.° reciben un mínimo porcentaje de la energía producida por el vegetal.

CONSUMIDOR 2.°

En el 2.° escalón, los consumidores primarios (herbívoros) captan el 10 % de la energía de los productores y de esa energía almacenan el 10 % (que será aprovechado por el nivel siguiente) y pierden el 90 % restante en forma de energía calórica.

CONSUMIDOR 1.°

En el 1.° escalón, los vegetales captan el 100 % de la energía lumínica. Mediante la fotosíntesis, la transforman en *energía química* y almacenan el 10 % (que será aprovechado por el consumidor 1.°). El 90 % restante lo liberan en forma de *energía calórica*.

PRODUCTORES

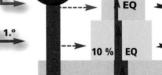

ENERGÍA LUMÍNICA

EQ — 90 % EC

10 % EQ — 90 % EC

10 % EQ — 90 % EC

EC: Energía calórica
EQ: Energía química

Cada nivel trófico pierde (en forma de energía calórica) el 90 % de la energía que recibe y sólo le transfiere el 10 % al nivel siguiente.

PIRÁMIDE DE NÚMEROS

En esta pirámide se representa la cadena alimentaria según la *cantidad de individuos* que posea, la cual disminuye a medida que se asciende de nivel. Los organismos se ubican en pisos, según sus niveles tróficos, siempre a partir de los PRODUCTORES.

CONS. 2. - - - - **5.000 RANAS**

CONSUMID. 1.° - - - - **50.000 INSECTOS**

PRODUCTORES - - - - **100.000 PLANTAS**

En este caso, 100.000 plantas sirven de alimento a 50.000 insectos, los cuales son comidos por 5.000 ranas.

RANAS - - - - **3.000 kg**

INSECTOS - - - - **10.000 kg**

HIERBAS - - - - **50.000 kg**

En este caso, 50.000 kg de vegetales son comidos por 10.000 kg de insectos, los cuales alimentan 3.000 kg de ranas.

PIRÁMIDE DE LA BIOMASA*

Esta pirámide es similar a la de números, sólo que se tiene en cuenta el "peso vivo" de los organismos de cada nivel trófico.

* La biomasa es la materia de los seres vivos.

Relaciones entre los seres vivos

¿Cuáles son?

En la naturaleza, los seres vivos no viven aislados, sino que se relacionan con otros seres vivos, la *biocenosis*, y también con los factores no vivos que conforman el medio ambiente, el *biotopo*. ¿Vemos qué tipo de relación pueden establecer?

- **De competencia. Es la relación entre dos o más seres vivos, de igual o de diferente especie, que se disputan una misma cosa.** Por ejemplo, dos ciervos compitiendo por la hembra, o dos semillas o plantas que se disputan el espacio, la luz, el agua para crece.

- **De mutualismo. Se da entre los seres vivos de diferente especie cuando éstos se asocian (a veces en forma obligada y permanente), se ayudan y pueden ayudar mutuamente a otro, que no puede vivir en forma independiente.** Por ejemplo, la asociación de los hongos y las algas que da origen a los líquenes (mutualismo obligado). Estas formaciones recubren troncos y ramas de árboles, brindándoles protección.

- **De predación. Se establece entre dos individuos de diferentes especies, cuando uno de ellos, el *predador* o *depredador*, captura al otro y se alimenta de él.** El zorro es predador de la liebre (ya que la captura, la mata y se alimenta de ella). El oso es predador de los peces.

- **De comensalismo. Es la relación entre dos seres vivos de diferente especie, en la cual uno se beneficia y el otro ni se beneficia ni se perjudica.** Es un ejemplo de comensalismo la *rémora*, que se adhiere con su ventosa al tiburón, sin sustraerle nada; lo que hace es trasladarse con mayor facilidad y ahorrar energía. O el caso de los *gorriones*, que aprovechan el nido que abandonaron los horneros.

- **De parasitismo. Puede ocurrir entre dos seres vivos de diferente especie, cuando uno de ellos, el *parásito*, se beneficia directamente del otro, que se perjudica.** Son ejemplos de parasitismo: los *mosquitos*, *piojos*, *pulgas*, *garrapatas*, etc.

- **De necrofagia. Es la relación que establece un ser vivo con otro muerto, para alimentarse de él.** A los animales necrófagos se los llama también *carroñeros* (porque se alimentan de carroña, materia en descomposición). Por ejemplo, la *hiena*, que come restos de otros animales.

¿Cómo se relacionan los seres vivos con el biotopo o medio ambiente?

- Tomando de él los elementos que necesitan para vivir (agua, aire, luz, minerales, etc.).
- Modificándolo con su presencia o actividad (un bosque, por ejemplo, cambia el suelo y el clima de una región).
- Actuando sobre el aire (como lo hacen los animales que de él toman oxígeno y le devuelven dióxido de carbono; o las plantas verdes, que toman dióxido de carbono y devuelven oxígeno).
- Actuando sobre el suelo (*aireándolo*, como hacen las lombrices; *fertilizándolo*, con los excrementos; *evitando la erosión*, como lo hacen las plantas) y sobre el clima.

Cíclos ecológicos

– Variaciones de – los ecosistemas

Todas las comunidades de organismos que se encuentran en permanente interacción con el medio, sufren paulatinamente cambios. Esa sucesión de transformaciones determina los ciclos ecológicos.

Observando detenidamente el comportamiento de los componentes de un ecosistema, notaremos que la actividad en éste no es permanente, varía de acuerdo con determinados factores; en relación con ello, cabe aclarar que esas variaciones se producen con cierta regularidad, hecho que determina la *naturaleza cíclica* de los ecosistemas. Un ejemplo de ello sería el incremento y

la disminución periódicos de las poblaciones. Imaginemos que la población de conejos de un ecosistema aumentara hasta llegar al hacinamiento. Esto bastaría para provocar la aparición de muchísimos depredadores y favorecer la explosión de enfermedades y la propagación de microbios y bacterias. Paralelamente a ello, el aumento poblacional traería aparejada la falta de alimento y de cobijo, provocando un alerta ecológico. Este peligro ecológico de la población, al llegar a su nivel más bajo, determina el inicio de un nuevo ciclo.

– Los ciclos astronómicos –

Las posiciones de la Tierra y de la Luna respecto del Sol determinan el día y la noche, las estaciones del año, los meses lunares, etc. Estos fenómenos constituyen para la ecología los **ciclos astronómicos**.

Los permanentes cambios en cuanto a la duración e intensidad de la luz –que se nos hacen visibles en los días, las noches y las estaciones– obedecen al tipo de órbita (elíptica) que describe la Tierra al girar alrededor del Sol y al movimiento de rota-

ción. Otro de los factores para tener en cuenta en los ciclos astronómicos es la recepción de la radiación solar por parte de la superficie terrestre, que decrece del Ecuador hacia los polos; no se produce de manera **homogénea**. Esto obedece, en primer lugar, al ángulo de incidencia de la radiación; en segundo término, a las medidas de la superficie en que se expande la radiación (mayor en los polos que en el Ecuador) y, por último, a la densidad de las capas de la atmósfera que debe traspasar la radiación.

–– Los ciclos vitales ––

La metamorfosis que va sufriendo un organismo desde el momento de su concepción, hasta lograr su desarrollo completo, se conoce como **ciclo vital**.

También se encuadran bajo esta denominación los diversos cambios que se producen en el ambiente en que se desarrolla un individuo, determinando una serie de ajustes internos en los organismos.

–Los ritmos circadianos –

Los cambios que se producen en los seres vivos durante el día y con regularidad se denominan **ritmos circadianos** (circadiano: círculo de un día). Pensemos, por ejemplo, en nuestra actividad diaria: por la mañana, al levantarnos, desayunamos; luego, al mediodía, almorzamos; por la tarde, merendamos, y por la noche, cenamos. Este ciclo circadiano se completa con las ocho horas de sueño (lo mínimo necesario de descanso para un ser humano). Lo mismo les ocurre a los girasoles, que se mueven de acuerdo con la posición del Sol, y a los animales con sus períodos de vigilia y sueño.

Los ciclos astronómicos influyen sobre los hábitos de los animales y el comportamiento de las plantas.

Los ciclos infradianos

Aquellos ciclos que se producen cada mes o cada año se denominan **ciclos infradianos**, como por ejemplo el aspecto que toma un bosque de hojas caducas según la estación del año, o el ciclo menstrual de la mujer y de ciertos mamíferos.

Los ciclos biogeoquímicos

De los elementos químicos que se encuentran en la naturaleza, algunos son esenciales para la vida, por lo cual se los llama **biogénicos**. Los principales son el *hidrógeno*, el *oxígeno*, el *carbono* y el *nitrógeno*. Y de menor importancia, los siguientes: *azufre*, *fósforo*, *calcio*, *magnesio*, *potasio*, *cloro*, *sodio*, *magnesio*, *potasio*, *cloro*, *sodio*, *hierro*, *cinc*, *cobre*, etc.
Los elementos biogénicos circulan en la materia de los seres vivos a través de las redes tróficas, y también son liberados en la atmósfera, en el suelo y en el agua. Cumplen así los **ciclos biogeoquímicos**.

En las nubes se visualiza la condensación.

El ciclo del agua

El calentamiento que provocan los rayos del Sol en los océanos, produce **evaporación**. El vapor de agua sube por causa de los vientos y las corrientes de aire cálido (ascendentes).
Parte del vapor de agua se **condensa** y regresa directamente al océano en forma de **lluvia**. Y a la tierra, en forma de **lluvia** o **nieve** (precipitación).

CONDENSACIÓN: durante este proceso, el agua en estado gaseoso pasa al líquido y se forman las nubes.

VAPOR DE AGUA: el agua pasa al estado gaseoso como consecuencia de la evaporación, transpiración y combustión.

FUSIÓN: el calor funde los hielos y se forman los ríos.

TRANSPIRACIÓN: el agua en estado líquido, contenida en las plantas, pasa al estado gaseoso.

PRECIPITACIÓN: las nubes generan lluvias y nevadas.

COMBUSTIÓN: cuando se combinan el oxígeno con un combustible, se forma vapor de agua.

TRANSPIRACIÓN y EXCRECIÓN: los animales eliminan el agua de su cuerpo por medio de la transpiración y la orina.

EVAPORACIÓN: el calor evapora las aguas y forma las nubes.

ABSORCIÓN: las plantas absorben agua del suelo.

DESCOMPOSICIÓN: hongos y bacterias degradan restos orgánicos y producen agua en estado gaseoso.

FILTRACIÓN Y DRENAJE: una parte del agua contenida en el suelo queda retenida en la porción superior del mismo; la restante forma la capa de agua subterránea.

El ciclo del oxígeno

De los gases que componen el aire, es el **oxígeno** el que tiene mayor importancia para la vida. Las plantas y los animales lo toman de la atmósfera para llevar a cabo el proceso de respiración. También lo combinan con alimentos dentro del organismo, para liberar la energía necesaria para vivir. Durante el proceso de **fotosíntesis**, las plantas producen grandes cantidades de **oxígeno**, elemento vital para los seres vivos.

Parte de él lo emplean para sí mismas, pero el resto lo liberan a la atmósfera y queda a disposición de los animales que lo necesitan para respirar. El oxígeno se renueva continuamente gracias a la actividad de los vegetales. Éstos, a su vez, dependen de la energía solar.

A la combinación química del oxígeno con un cuerpo se la denomina **oxidación**. Si de la oxidación se libera calor, recibe otro nombre, **combustión**.

En una combustión, el elemento que arde se denomina **combustible**, y el que facilita la combustión, **comburente**.

Un ejemplo típico de combustión es una *fogata*, en la que el *oxígeno* es el comburente, y la *leña*, el combustible

El ciclo del carbono

El **carbono** es el elemento básico de todos los compuestos orgánicos (*materia viva*). Los vegetales verdes lo emplean, combinado con el hidrógeno del agua, para formar *almidones*, *azúcares* y *grasas*. Posteriormente, los tejidos animales absorben el **carbono** a través de los alimentos.

La cantidad de carbono es limitada, por ello permanentemente debe ser **reciclado**. El **carbono**

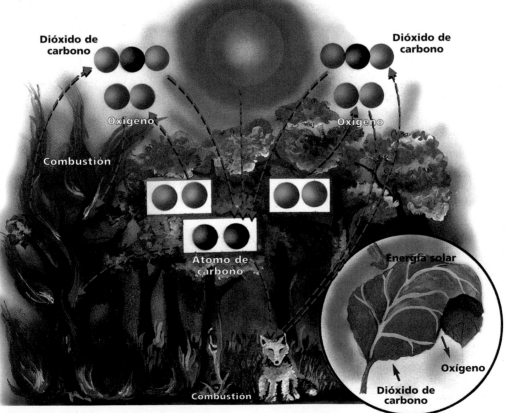

de la biosfera está circulando continuamente entre la **materia muerta** y **la viva**. Las plantas verdes (*organismos autótrofos*, los únicos capaces de fabricar su propio alimento) fijan el **carbono** de la atmósfera a través del proceso de fotosíntesis. Así, el carbono pasa a formar parte del "peso vivo" (*biomasa*) de los vegetales y de los seres *heteró-*

trofos (todos aquellos organismos, desde los hongos al ser humano, que no poseen clorofila y que se alimentan con materia orgánica sintetizada por los vegetales). A través del proceso de respiración y del de descomposición que efectúan los animales y los hongos y bacterias, respectivamente, el **carbono** es liberado a la atmósfera en forma de

dióxido de carbono. El hecho mismo de que el carbono del aire se encuentre en forma de dióxido de carbono significa que los ciclos del carbono están íntimamente entrelazados, logrando entre ambos un equilibrio.

Reserva de CO₂ en la atmósfera

CO₂= Dióxido de carbono

CO₂ asimilado por los vegetales

CO₂ exhalado por los animales

CO₂ producido por la combustión

CO₂ liberado durante la putrefacción

Compuestos minerales del carbono

Respuestas al medio

—— Los tropismos ——

Las respuestas a diferentes estímulos, como la gravedad, la luz, el agua, el calor, entre otros, en los vegetales superiores, se denominan **tropismos**. Los **movimientos** de las plantas se dirigen en uno u otro sentido, aproximándose (**tropismo positivo**) o alejándose (**tropismo negativo**) del estímulo, en procura de la conservación de la vida. Los **tropismos** condicionan el crecimiento de las plantas, porque les permiten obtener el **agua**, la **luz** y el **aire** para su nutrición.

Los tropismos varían su nombre de acuerdo con el estímulo.
• **Geotropismo:** influencia por la gravedad de la Tierra.

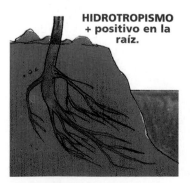

HIDROTROPISMO + positivo en la raíz.

• **Fototropismo:** sensibilidad a la luz.
• **Hidrotropismo:** sensibilidad al agua.
• **Quimiotropismo:** sensibilidad por determinadas sustancias. Decimos que algunos hongos son *quimiotrópicos* porque sus hifas crecen hacia una determinada fuente de alimento.
• **Tigmotropismo:** sensibilidad al contacto con superficies sólidas, o al tacto, por ejemplo los zarcillos de las plantas trepadoras.

— Los taxismos —

Denominamos **taxismos** a los movimientos innatos, inevitables, que se cumplen siempre en una misma dirección, condicionados por el estímulo que los provoca, y que se producen en los *animales inferiores*. Pueden ser **negativos** o **positivos**. Los clasificamos del modo siguiente.

• **Geotaxismo:** hay animales que responden a la **fuerza de gravedad** en forma positiva *(lombriz de tierra)* o negativa *(polillas)*.

• **Fototaxismo:** hay animales que reaccionan frente a un **estímulo luminoso** positivo *(polillas)* o negativo *(lombriz de tierra)*.

• **Quimiotaxismo:** hay animales que responden frente a un **estímulo químico** (como las *moscas*, que buscan la carne orientadas por el olor, o las *abejas*, que buscan las flores orientadas por el co-

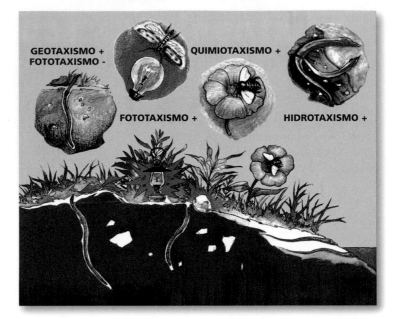

GEOTAXISMO +
FOTOTAXISMO -

QUIMIOTAXISMO +

FOTOTAXISMO +

HIDROTAXISMO +

lor y el olor; ambos, ejemplos positivos).

• **Hidrotaxismo:** es una variante de quimiotaxismo; aquí el estímulo es el agua (por ejemplo, los *insectos acuáticos* que intentan volver al agua cuando se los saca de ella).

• La *drosera* o *atrapamoscas* encierra al insecto que se posa sobre ella.

OTROS MOVIMIENTOS

• La *sensitiva* cierra sus hojas al menor contacto.

• El *trébol* de día tiene sus hojas abiertas, por la noche las cierra.

GEOTROPISMO
+ positivo en la raíz.
- negativo en el tallo y las hojas.

DOS GRANDES AMBIENTES

– Diferentes ecosistemas –

Las tierras emergidas, los cauces de agua (como ríos, lagos y lagunas) y los mares y océanos están poblados por numerosas especies animales y vegetales. Las orillas –límites entre el agua y la tierra– son zonas de transición donde se produce un intercambio de energía entre diferentes comunidades. De acuerdo con estos ambientes, vamos a investigar dos grandes ecosistemas –acuáticos y terrestres– y las comunidades de las costas y orillas.

En el planeta existen grandes ecosistemas y otros más pequeños incluidos en ellos. Las superficies emergidas de las tierras y las aguas son los ambientes donde se desarrollan unos y otros.

Ecosistemas acuáticos

— Inmensos y pequeños —

Los ecosistemas acuáticos comprenden los **océanos** y las **aguas continentales**. Los ecosistemas de aguas continentales abarcan *lagos*, *lagunas*, *ríos* y también toda cavidad donde se acumula agua (el hueco de un árbol, un recipiente con plantas o flores, un charco, etc.). Como vemos, pueden ser muy grandes o muy pequeños.

—————— Zonación ——————

El agua es uno de los principales componentes abióticos de los ecosistemas acuáticos. De acuerdo con la profundidad del cauce de agua, presentan diferentes **zonas** o **estratos**. Así, un lago de más de 50 metros de profundidad o un mar pueden presentar, de la superficie al fondo, distintas zonas habitadas por diferentes especies. En cauces de poca profundidad, no hay diferenciación en estratos. Esta caracterización de un cuerpo de agua de acuerdo con sus estratos se denomina **zonación**, y es muy importante para comprender las redes tróficas o alimentarias. Si tomamos en cuenta la **luz solar**, en los mares y los lagos profundos se diferencian **tres zonas**:
• una zona **eufótica o fótica**, muy iluminada, que se extiende desde la superficie hasta los 30 a 100 metros de profundidad;
• una zona **disfótica**, con poca luz, que se extiende desde los 30/100 metros hasta los 200/500 metros de profundidad;
• una zona **afótica**, sin luz, que se extiende desde la zona anterior hasta el fondo.
En cada una de estas zonas se desarrollan distintos organismos, como vemos en el esquema que figura abajo.

ZONAS

Las zonas son las siguientes.

• **Muy iluminada** (eufótica o fótica). Productores: algas, bacterias fotosintetizadoras y plantas. Consumidores: herbívoros y carnívoros.

• **Con poca luz** (disfótica). Pocos vegetales y herbívoros. Consumidores de segundo, tercero y cuarto orden.

• **Sin luz** (afótica). Animales que se alimentan de detritos y restos de organismos muertos.

Ecosistemas acuáticos
- Marinos → (Océanos y mares) → Región pelágica (mar abierto)
- → Región litoral (la más cercana al mar)
- De estuario → Desembocadura de los ríos en el mar
- De aguas continentales → Sistemas lóticos (aguas corrientes) → Ríos
- → Sistemas lénticos (aguas relativamente quietas o estancadas) → Lagos, lagunas, bañados, esteros y charcos

– La temperatura –

La **temperatura** del agua influye sobre los seres vivos y sobre otros factores ecológicos, como la densidad del agua y la cantidad de gases disueltos en ella. Los **peces** son animales de sangre fría, es decir, experimentan los mismos cambios térmicos que ocurren a su alrededor. Por lo tanto, los cambios de temperatura les pueden provocar alteraciones en las funcio-

Algunos organismos del bentos tienen poderosos aparatos de fijación.

nes vitales. Por esa causa, la temperatura de las aguas hace que las especies acuáticas se distribuyan en diferentes regiones.

La salinidad

El agua de mar y de ciertas aguas continentales es una verdadera solución de sales nutritivas. La cantidad de las sales disueltas en un determinado volumen de agua constituye la **salinidad**. Por ejemplo, el mar contiene 35 partes de sal por cada 1.000 partes de agua. Por lo tanto, la salinidad promedio del mar es de **35 por mil**. Algunos organismos no pueden soportar una disminución de la salinidad y, por lo tanto, viven alejados de la desembocadura de los grandes ríos (que vierten en el mar el agua dulce). Otros, en cambio, se adaptan fácilmente a los cambios de salinidad (los seres vivos que habitan en los estuarios).

Las corrientes

Gran parte del agua del planeta está siempre en movimiento y determina la existencia y distribución de las especies acuáticas. Cuando decimos "agua en movimiento", nos referimos a las olas, las mareas y las corrientes.

Hay organismos que han desarrollado esqueletos externos muy resistentes u órganos de fijación al suelo muy poderosos, para poder resistir el embate de las **olas** sobre la costa. De este modo, evitan ser arrastrados o triturados por la potencia del agua.

Las **mareas** tienen mucha influencia en los ecosistemas litorales, ya que los seres vivos adaptan sus conductas alimentarias a la sucesión de *pleamares* (mareas altas) y *bajamares* (mareas bajas).

Las **corrientes marinas** modifican la salinidad y la temperatura del agua y, por lo tanto, influyen en las migraciones de peces.

Los habitantes de los ríos, como peces, algas y caracoles, han desarrollado mecanismos para no ser arrastrados por las corrientes.

PLANCTON		
FITOPLANCTON		Organismos microscópicos que realizan la fotosíntesis: algas.
Conjunto de organismos que viven suspendidos en el agua y se dejan transportar por las corrientes.	**ZOOPLANCTON**	Animales que viven flotando o nadando, y son arrastrados por las corrientes: *microcrustáceos, tunicados, medusas, larvas* y *huevos* de peces, de crustáceos, de moluscos, etc. Los animales que se desplazan sobre la superficie del agua (aprovechando la tensión superficial) forman parte del *neuston*, como los *Halobates*, una especie de insectos.

NECTON — Animales que se desplazan independientemente de los movimientos del agua, como olas o corrientes: *peces, moluscos, crustáceos* y *mamíferos marinos*.

BENTOS — Animales y vegetales que se arrastran o viven fijos en los sustratos del fondo o de las orillas: *esponjas, corales, erizos, ostras, caracoles, nautilos, algas*, vegetación emergente y sumergente, etc.
Los organismos que se adhieren a un sustrato (rocas, muelles, etc.) se designan con el nombre de *perifiton*.

Ecosistemas marinos

Todos los seres vivos que habitan en los ecosistemas marinos dependen de la producción de materia del **fitoplancton**. Este grupo cumple un ciclo, con un período de abundancia y uno de disminución. El **zooplancton**, el **necton**, el **bentos** y las **aves** forman el grupo de **consumidores** primarios, secundarios, terciarios, cuaternarios, etc.

Los **animales que viven en la zona abisal** son únicamente carnívoros, ya que en esas profundidades no hay vida vegetal. Los **depredadores** (es decir, los que salen a cazar) tienen mandíbulas poderosas, fuertes dientes y estómagos con capacidad de dilatación, lo que les permite ingerir presas de un volumen mayor que el de ellos. También hay animales que se alimentan de los desechos que caen de la superficie, o de los detritos.

Por último, están las **bacterias descomponedoras**, que convierten los restos orgánicos en sales minerales, que luego subirán a las zonas menos profundas.

o se desplazan por su superficie poseen **mecanismos de flotación o natación** que les permiten pasar la mayor parte de su existencia en el seno de las aguas, sin hundirse. Para flotar, algunos incorporan **burbujas de aire o gases** a su cuerpo. Los peces poseen **vejiga natatoria**. Gracias a este órgano, no caen al fondo ni son arrastrados hacia arriba, sino que gozan de equilibrio y pueden utilizar todas sus energías para moverse horizontalmente. La **natación** les permite a muchas especies desplazarse independientemente de las corrientes marinas y las olas. Algunos animales utilizan cilias, tentáculos, antenas y patas como **órganos natatorios**. Los peces poseen aletas, un sistema de propulsión y una forma que los hace hábiles nadadores. **Los peces que viven en regiones poco iluminadas** poseen, en general, el dorso y los flancos de color oscuro, a diferencia de los peces de aguas superficiales, que presentan colores claros, de la gama del azul y del amarillo. En los crustáceos predominan el azul intenso y el rojo.

EL NECTON MARINO

El **necton** está integrado por animales nadadores, de talla considerable, que se desplazan cómodamente cerca de la costa o en mar abierto.

Los animales más abundantes son: **crustáceos** (*camarones* y *langostinos*), **cefalópodos** (pulpos, calamares), **peces cartilaginosos** (*tiburones* y *rayas*), **peces óseos** (atunes, bacalaos, arenques, salmones, lenguados), **reptiles** (tortugas, anguilas), **aves anfibias** (pingüinos) y **mamíferos anfibios** (ballenas, delfines, morsas, lobos y leones de mar).

——— Adaptación al mar ———

energía Los organismos que nadan libres en el mar

gaviotas petreles **pingüinos**

algas

zooplancton

ballenas

anchoítas langostinos

otros peces

merluzas

delfines lobos marinos

orcas

NIVEL DE PRODUCTORES | **NIVEL DE CONSUMIDORES** | **NIVEL DE CAZADORES**

De aguas continentales

Lagos y lagunas

En estos ecosistemas (pertenecientes al *sistema léntico*) hay un permanente intercambio entre los seres vivos acuáticos, los terrestres (de las orillas) y las aves. Veamos sus características...

• El **plancton** está formado por minúsculos organismos que flotan y se desplazan por el movimiento del agua.

El **fitoplancton** está constituido por algas *microscópicas*. Estos vegetales cumplen una doble función: son la base alimentaria de los animales que viven dentro del agua, y el oxígeno que producen durante la fotosíntesis purifica las aguas. El **zooplancton** está formado por larvas de celenterados, pequeños artrópodos y otros **animales pequeñísimos**.

• El **neuston** está formado por animales que viven y se desplazan en la superficie, generalmente *insectos*.

• Las **plantas acuáticas** poseen diferentes características. Algunas tienen las raíces adheridas al fondo arenoso o fangoso. Forman una *vegetación emergente* cuando sus tallos y hojas sobresalen de la su-

LOS PECES DE AGUA DULCE

Los **peces** de agua dulce (anguila, tenca, rutilo, escardinio, perca, salmón, carpa, trucha, etc.) están magníficamente preparados para la vida subacuática. Su coloración es muy particular: el dorso es pardusco y de tonos apagados, de modo que desde arriba se los confunde con el agua turbia y el fondo oscuro de la laguna o del río; los costados y el vientre son plateados y brillantes, para confundirse con los reflejos de luz de la superficie. Así, se mimetizan con el ambiente y evitan a sus depredadores.

perficie del agua. En cambio, algunas están totalmente *sumergidas*. También hay *plantas flotantes*. Estas plantas acuáticas sirven de refugio a invertebrados y peces pequeños y son depósito de huevos.

• El **necton** está representado por los **peces de agua dulce**: *anguila, tenca, rutilo, escardinio, perca, salmón, carpa, trucha*, entre otros. Estas especies están preparadas para la vida submarina.

Nadan gracias a los poderosos músculos que flexionan lateralmente el cuerpo, transmitiendo un movimiento a la cola, que los impulsa hacia adelante. Las aletas se utilizan principalmente para equilibrar, girar y frenar.

• El **perifiton** está constituido por organismos microscópicos, como *algas*, *bacterias*, *hongos* y *protozoarios*, que se adhieren a rocas y plantas.

• El **bentos** está conformado por los organismos que viven en el fondo, como ciertos *crustáceos*, *gusanos* y *larvas de insectos*.

Entre un medio y otro

Los **anfibios** son los animales que pertenecen a una comunidad de transición. Es decir, pueden vivir en el agua y en la tierra alternativamente. También reciben este nombre los vegetales que pueden adaptarse a ambos medios.

Las plantas y los animales acuáticos brindan alimento durante casi todo el año. Por ejemplo, las hierbas acuáticas, flotantes o sumergidas, las plantas de la orilla, las ranas, los peces, las larvas de insectos y los moluscos proporcionan comida a muchos pájaros.

Algunas especies (como el *carricero* común o el *escribano palustre*) encuentran refugio y seguridad entre la densa vegetación de la orilla y allí es donde construyen sus nidos y crían sus polladas, porque están a salvo de predadores como zorros y halcones.

HABITANTES DE LAS ORILLAS

En las orillas de lagos y lagunas se desarrolla una increíble variedad de formas de vida. Éstas constituyen una comunidad de transición. Cada una de las especies que la conforman presenta adaptaciones para alternar entre la vida acuática-terrestre o acuática-aérea.

La **rana** –habitante de lagos, lagunas y charcos– es el anfibio más conocido. Su tronco es robusto. Los miembros anteriores presentan cuatro dedos libres y los posteriores, más largos y musculosos, terminan en cinco dedos unidos por una gran membrana. Esto lo convierte en una gran nadadora. Algunos **mamíferos** tienen hábitos acuáticos y son grandes nadadores también. Es el caso de la *nutria* y el *castor* que habitan en regiones de baja temperatura. Estos animales tienen dos características que los hacen aptos para la natación: la cola larga y aplanada, y los dedos de las patas posteriores unidos por membranas.

Ecosístemas terrestres

Según el hábitat

En nuestro planeta descubrimos diversos paisajes, todos ellos caracterizados por los componentes orgánicos e inorgánicos que contienen. Las distintas comunidades de vida se adaptan al hábitat para poder sobrevivir, según las posibilidades que el medio les brinda. Analicemos juntos qué ocurre con las comunidades terrestres. Los biotopos terrestres se han clasificado, por sus características comunes, en **praderas**, **selvas**, **bosques**, **desiertos** y **montes**. Las diferencias entre ellos traen aparejadas las distinciones que hay entre las comunidades vegetales y animales tanto en su morfología como en sus hábitos.

Adaptación de los animales

Los primeros animales que comenzaron a vivir en la tierra necesitaron un aparato motriz o locomotor. Éste a su vez debía reunir ciertas condiciones que respondieran a las particularidades del medio (los suelos pantanosos son muy distintos a los desérticos). De acuerdo con esas condiciones, algunos animales están adaptados para la marcha, otros para la carrera y –a veces– para la natación y el vuelo. Muchos animales llegan a adoptar la forma y el color semejante al ambiente que los rodea, lo cual les permite ocultarse con facilidad de sus perseguidores (como por ejemplo *cebras*, *leopardos*, *ti-*

UNA VARIEDAD DE ESPECIES

El medio terrestre está habitado por una gran diversidad de especies.
Entre las que pertenecen al reino animal se cuentan:
• los **reptiles**: tortugas, lagartos, serpientes, cocodrilos;
• los **mamíferos**: zorros, tigres, caballos, leones, monos, jirafas, los animales domésticos y nosotros, los seres humanos;
• algunas clases de **aves**: como gallina, gallo, pavo real, etc;
• algunas clases de **invertebrados**: anélidos (distintos tipos de gusanos), moluscos (caracoles, babosas), artrópodos (arácnidos e insectos).
También las especies del reino fungi como las del reino vegetal se desarrollan en el medio terrestre, entre ellas citamos:
• **hongos**, **líquenes** y **mohos**;
• plantas **talofitas** y **briofitas** (musgos, hepáticas);
• plantas **pteridofitas** (helechos) y **fanerógamas** (pino, cedro, ceibo, rosas, maíz, orquídea, etc.).

gres, *serpientes*, etc.). Otros, como algunos insectos, presentan el color de las plantas que abundan en la región en que viven. Por su parte, la tortuga y el oso se adaptan a la escasez de alimento hibernando.

Adaptación de los vegetales

Los vegetales terrestres, aunque son muy parecidos entre sí, también muestran adaptaciones, ya sea en el tipo de raíz, el tallo o las hojas. Las plantas terrestres se encuentran adaptadas para captar la mayor cantidad de energía posible emanada de la gran fuente natural que constituye el Sol.

Biomas	Ubicación	Clima	Flora	Fauna
Zonas polares	La **región ártica** en el N (Polo Norte) y la **región antártica** en el S (Polo Sur).	Inviernos intensamente fríos (hasta -50 °C en la zona ártica y -88 °C en la Antártida).	Plantas enanas que crecen aisladas, algas, musgos y líquenes.	En el ártico se pueden avistar patos, ocas, lobos árticos, gaviotas polares y los famosos osos polares. En el litoral antártico se encuentran pingüinos, petreles, cormoranes, gaviotas y skúas, orcas, cachalotes, ballenas azules, focas, lobos, elefantes y leopardos marinos, tiburones, brótolas, bacalaos.
Tundra	Regiones árticas que se encuentran entre el límite septentrional de los bosques y el meridional de los hielos perpetuos.	Temperaturas extremadamente bajas (la media anual oscila entre los -15 y 5 °C).	Acacias, abedules, sauces, rododendros, líquenes y juncias.	Zorros, alces, renos, lemmings, liebres árticas, lobos, linces, osos polares, buey almizclero, bisonte (hoy extinguido en Europa y con representatividad reducida en América del Norte), búho nival, ánsar, colimbo.
Bosque de coníferas	Inmediatamente por debajo de la tundra.	Inviernos intensamente fríos; veranos templados.	Abetos y pinos.	Castores, martas, alces, osos pardos.
Bosque templado de hojas caducas	Al sur de la zona de coníferas (zonas templadas del hemisferio Norte).	Pluviosidad regular (750-1.500 mm anuales) y temperaturas moderadas.	Árboles caducifolios como arces, hayas, olmos, avellanos y robles.	Aves, roedores, ciervos, jabalíes y osos.
Bosque subtropical de hojas perennes	Inmediatamente por debajo del bosque templado de hojas caducas.	Húmedo y cálido. Lluvias abundantes y uniformes (caen unos 2.000 mm al año) y temperaturas relativamente elevadas (de 20 °C promedio) con escasas variaciones entre invierno y verano.	Pino común o pinus, abeto, ciprés, tejo, tuya, araucaria y eucaliptos.	Mono, koala, coatí, yaguareté, puma y variedad de aves.
Bosque tropical de hojas caducas	Este del río Indo, sur del Himalaya y del río Yangtsé, Filipinas, Mar de la Sonda.	Lluvias frecuentes (la precipitación anual es de hasta 2.000 a 4.000 mm), calor húmedo (clima monzónico).	Vegetación tupida y frondosa, lianas y epífitas.	Águila arpía, murciélagos, monos, víboras y coloridas mariposas.
Bosque tropical arbustivo	Nordeste de Brasil, oeste de Bolivia, noroeste de India, centro-este de África.	Tropical húmedo.	Arbustos, maleza y árboles jóvenes (boj, enebros, etc.). Hierbas, gramíneas, helechos, líquenes, musgos y hongos.	Roedores, reptiles e insectos.
Pradera	Se desarrolla donde la pluviosidad es insuficiente para mantener el bosque.	Moderadamente húmedo, con lluvias que oscilan entre 250 y 750 mm anuales.	Casi inexistente. Se reduce a campos de cultivo cerealero y de pastoreo de ganado.	Topos, vizcachas, maras, armadillos, cuises, mulitas, comadrejas, zorros, lagartijas, ñandúes, perdices, lechuzas, martinetas, teros, chajás, chimangos, horneros, benteveos, etc.
Sabana	Regiones en las que se presentan las cuatro estaciones bien diferenciadas.	Va de seco a húmedo (el arco de precipitaciones va de 800 a 1.600 mm anuales).	Árboles de hojas caducas, como pequeñas acacias umbelíferas y enormes baobabs. También hay cierta dominancia arbustiva. Las gramíneas son las plantas que mejor prosperan.	Antílopes, cebras, gacelas, jirafas, rinocerontes, elefantes, avestruces, búfalos y gran cantidad de aves e insectos.

BIOMAS MUNDIALES				
Biomas	**Ubicación**	**Clima**	**Flora**	**Fauna**
Chaparral	Costas del mar Mediterráneo.	Temperatura agradable durante la mayor parte del año. Los inviernos suelen ser cortos y no demasiado fríos; los veranos son cálidos sin exageración.	*Matas leñosas (chaparros) de encina o roble.* Hay árboles de mediano tamaño, como *olivos, naranjos, limoneros, laureles, mirtos y cipreses.*	*Aves y pequeños mamíferos.*
Desierto	Ocupa más del 14 % de la superficie terrestre.	Árido; llueve con irregularidad (el promedio anual de precipitaciones es inferior a 250 mm).	*Palmeras, cactos, ágaves o pitas, arbustos espinosos.*	*Ratones, conejos, lagartijas, iguanas, culebras, llamas, camellos, zorros, lobos.*
Montañas	Cordones montañosos de América, Asia y África.	Frío. Al ascender, la temperatura desciende, el aire está rarificado y seco, y la falta de humedad hace que el aire no pueda retener el calor.	Cambia en relación con la altitud. Encontramos *helechos, árboles de hojas grandes y caducas, coníferas de hojas perennes y pequeñas plantas y arbustos enanos.*	Sólo pueden sobrevivir animales de temperatura constante, como las aves y los *mamíferos.* Se observan *cabras, ovejas, lobos, felinos, ardillas, marmotas, conejos, liebres y cóndores.*

El planeta en peligro

— El equilibrio natural —

El conjunto que conforman los seres vivos con los elementos inertes de la naturaleza funciona desde hace aproximadamente 5.000 millones de años en perfecta armonía.

La aparición del ser humano sobre el planeta es relativamente nueva si la comparamos con otros seres vivos, por ello es fundamental que éste valore el equilibrio alcanzado por la naturaleza. Sin embargo, en la actualidad parecen creer que la Tierra es una fuente inagotable de recursos. Así talan indiscriminadamente los bosques, contaminan el aire y el agua con los desechos industriales, sobreexplotan los suelos, cazan indiscriminadamente especies animales, emplean irracionalmente recursos del medio para construir objetos, que luego, al cabo de poco tiempo, se convierten en residuos. Con esta actitud altera el natural equilibrio de los ciclos de la naturaleza y no permite que la Tierra se recupere de los daños sufridos. Las personas deben comprender que los mares, los océanos, los ríos, los lagos, la atmósfera, el suelo, los vegetales, los animales son **recursos naturales** que, una vez agotados, resulta prácticamente imposible recuperar, al menos en corto tiempo.

Todos los seres humanos compartimos un mismo hábitat, nuestro planeta, la Tierra. No estamos solos en ella, convivimos con otros seres vivos: millones de especies animales y vegetales que se relacionan entre sí y con el medio ambiente, el agua, el aire y el suelo –los tres elementos fundamentales para la vida–. La alteración de alguno de esos elementos quiebra el armonioso equilibrio natural que existe entre el medio ambiente y los seres vivos.

RECURSOS NATURALES

Son todos los materiales que la humanidad toma del medio y aprovecha para vivir.

RENOVABLES

Los que, una vez empleados, pueden reemplazarse en un período relativamente corto. Por ejemplo: el agua, el aire, etc.

NO RENOVABLES

Los que, una vez utilizados, resulta casi imposible reemplazar, ya que para que se formen requieren muchísimos años. Por ejemplo: los árboles (de los que se obtiene papel, leña, madera, etc.), el petróleo, etc.

– La destrucción – del suelo

El **suelo** es uno de los recursos más utilizados por la humanidad para satisfacer sus necesidades. Pero actualmente hay una gran extensión que ha perdido o está perdiendo su capa fértil. Este **proceso de empobrecimiento de los suelos** se denomina **desertificación**. Veamos algunas de las causas de la desertificación.

• La **tala de árboles** para obtener materias primas (madera y leña) aumenta la erosión del suelo por efecto del sol, el viento y el agua. Este problema es ma-

EL AIRE SE CONTAMINA

Por contaminantes sólidos → Partículas de polvo provenientes de cualquier tipo de combustión.

Por contaminantes líquidos y gaseosos → Fábricas y automóviles expulsan vapores y gases tóxicos.

Por la tala de los bosques → Disminuye la cantidad de oxígeno que elaboran los árboles. Varía el clima.

Se destruye la capa de ozono: los gases clorofluorocarbonados (CFCs) empleados en aerosoles, refrigeradores, etc., escapan a la atmósfera y liberan el cloro que destruye la capa de ozono.

Se produce el efecto invernadero: la acumulación de gas carbónico en la atmósfera produce el calentamiento de la Tierra.

Se genera la lluvia ácida: distintas sustancias nocivas originadas por fábricas o automóviles llegan a la atmósfera, donde, por la humedad y las radiaciones solares, se transforman en ácido y se precipitan hacia la Tierra contaminando las aguas y el suelo.

CONSECUENCIAS

yor en las selvas tropicales y subtropicales porque la capa fértil es muy delgada y, al talar los árboles, es arrastrada fácilmente por las lluvias.

• El **impacto de las actividades agrícola-ganaderas** produce daños irreversibles en el equilibrio de los suelos, que se agotan y dejan de ser productivos por la utilización de técni-

cas inadecuadas y el uso de maquinaria agrícola.

La contaminación

Puede definirse como todo cambio que altera y perjudica las características físicas, químicas o biológicas del aire, el suelo o el agua, afectando nocivamente la vida humana o de las demás especies o deteriorando los recursos naturales. Se produce cuando un elemento extraño, llamado **contaminante**, se introduce en cualquier medio (aire, suelo o agua) y altera la composición natural de éste. Los elementos contaminantes pueden clasificarse en dos grupos.

• **No degradables:** permanecen inalterables a lo largo del tiempo. Por ejemplo, los compuestos químicos o restos industriales.

• **Degradables:** pueden transformarse en sustancias propias del medio, particularmente a través

CONSECUENCIAS DE LA DEFORESTACIÓN

La tala de árboles no sólo perjudica al suelo sino que produce enormes desequilibrios.
Veamos algunos de ellos.
• Se intensifica la erosión del suelo.
• Se producen la colmatación de los ríos, grandes inundaciones, sequías permanentes.
• Disminuye la evaporación del agua de la superficie de las hojas.
• Disminuye la transpiración de las hojas.
• Se altera el ciclo hidrológico.
• Se incrementa el dióxido de carbono en la atmósfera.
• Se producen cambios climáticos.
• Disminuye el oxígeno en la atmósfera.
• Se pierde biodiversidad.

de la acción de los seres vivos.
Por ejemplo, la acumulación
de materia orgánica es degradada por las bacterias.

— La contaminación del aire

Cuando distintos contaminantes provenientes de los automóviles o de las plantas fabriles ingresan a la atmósfera, alteran su composición y ocasionan serios problemas.
Entre ellos, el exceso de dióxido de carbono (CO_2), de dióxido de sulfuro (SO_2) o el temible *smog*. También la tala indiscriminada de los bosques ocasiona la disminución de oxígeno, vital para los seres vivos.

— La contaminación del agua

Ríos, lagos, lagunas, aguas subterráneas, mares y océanos no escapan a los efectos de la contaminación. Tarde o temprano, los residuos de la actividad humana e industrial finalmente van a parar a los ríos y, a través de éstos, al mar.

Caño de desagüe arrojando aguas poluidas con sustancias químicas.

En las aguas corrientes habitan microorganismos (las bacterias) capaces de degradar los residuos orgánicos, pero si éstos son muy abundantes las bacterias no pueden descomponerlos y las aguas se contaminan.

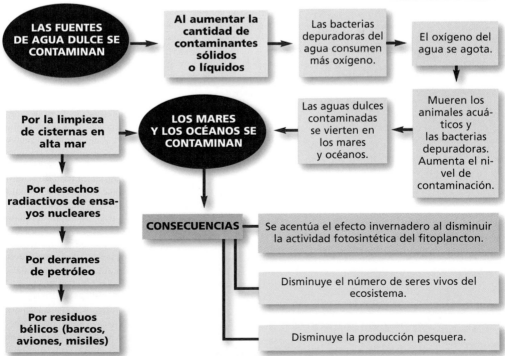

LAS FUENTES DE AGUA DULCE SE CONTAMINAN → Al aumentar la cantidad de contaminantes sólidos o líquidos → Las bacterias depuradoras del agua consumen más oxígeno. → El oxígeno del agua se agota.

↓

Mueren los animales acuáticos y las bacterias depuradoras. Aumenta el nivel de contaminación.

Las aguas dulces contaminadas se vierten en los mares y océanos. ←

Por la limpieza de cisternas en alta mar → LOS MARES Y LOS OCÉANOS SE CONTAMINAN ←

Por desechos radiactivos de ensayos nucleares

CONSECUENCIAS — Se acentúa el efecto invernadero al disminuir la actividad fotosintética del fitoplancton.

Por derrames de petróleo

Disminuye el número de seres vivos del ecosistema.

Por residuos bélicos (barcos, aviones, misiles)

Disminuye la producción pesquera.

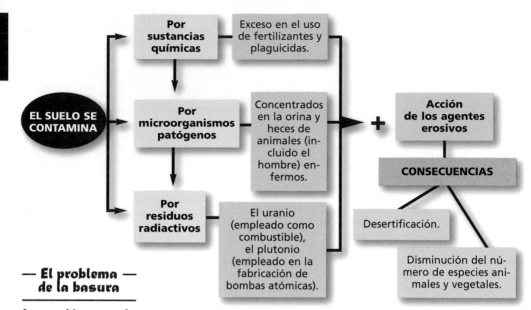

EL SUELO SE CONTAMINA

Por sustancias químicas → Exceso en el uso de fertilizantes y plaguicidas.

Por microorganismos patógenos → Concentrados en la orina y heces de animales (incluido el hombre) enfermos.

Por residuos radiactivos → El uranio (empleado como combustible), el plutonio (empleado en la fabricación de bombas atómicas).

+ Acción de los agentes erosivos

CONSECUENCIAS

Desertificación.

Disminución del número de especies animales y vegetales.

— El problema — de la basura

Los volúmenes de basura que se generan diariamente en las ciudades son enormes. A veces, se producen más residuos sólidos que los que se pueden recolectar y eliminar.
La acumulación crea graves problemas de salud. Entonces, la solución para la basura es eliminarla. ¿Cómo se hace?
Los métodos más conocidos para deshacerse de los residuos son: la incineración, el relleno sanitario y el reciclado.
Pero, aun así, no se puede decir

LA BASURA PUEDE TRATARSE POR

RECICLADO: la materia prima (papel, latas, vidrio, etc.) de diversos desechos se emplea en la fabricación de nuevos insumos.

RELLENO SANITARIO: se emplea la basura para rellenar terrenos bajos, inundables.

INCINERACIÓN: la basura se quema.

VENTAJAS
• Disminuye el volumen de los desperdicios.
• Se ahorra combustible.

DESVENTAJAS:
• Se contamina la atmósfera.

VENTAJAS
• Disminuye costos al aportar materia prima.
• No contamina.
• Disminuye un volumen considerable de basura.

VENTAJAS
• Es económico.
• Reduce gran volumen de desechos.

DESVENTAJAS
• Se desperdician materiales que podrían reciclarse.
• Puede contaminar las napas de agua.

que se haya solucionado completamente el problema de la contaminación ambiental. En muchos lugares los residuos son transportados en camiones abiertos. No se tratan especialmente los residuos industriales antes de quemarlos. Tampoco se separan los residuos patológicos (que provienen de los hospitales).

Cuerpo humano

A través de
estas páginas,
nos internaremos
en el conocimiento
de esta maravillosa
"máquina",
su organización
y funciones.

FUNCIONES DE LA CÉLULA

La célula, como todo organismo vivo, cumple una serie de funciones que conforman el metabolismo celular. Ellas son: nutrición, relación y reproducción.

Cuando las sustancias ingresan

La entrada de sustancias a la célula se realiza a través de la **membrana plasmática**. Como algunas sustancias traspasan la membrana con mayor facilidad que otras, se dice que es **semipermeable**, o de **permeabilidad selectiva**.

—El interior de la célula: ¡todo un laboratorio!

Las sustancias que ingresan al **citoplasma** pueden ser utilizadas en diferentes funciones metabólicas, como la **digestión**, la **respiración** y la **síntesis de proteínas**. Pero, para ello, es necesario que el laboratorio interior de la célula se ponga en acción. Veamos cómo lo hace… Las grandes moléculas que no pueden pasar directa-

mente a formar parte de los componentes de la célula, previamente son transformadas en moléculas más simples, mediante el proceso de **digestión celular**.
Una vez simplificadas, las moléculas pueden incorporarse al citoplasma, vale decir, son asimila-

Nutrición

mantiene la célula con vida.

Relación

vincula la célula con el medio.

Reproducción

perpetúa la especie celular.

das. De este modo, estas sustancias simples se encuentran ya en condiciones de ser utilizadas por la célula como fuente de energía en la respiración, o bien como material para la síntesis de otras sustancias.
Ahora bien, mediante el proceso de **respiración**, las células utilizan el **oxígeno** para liberar la energía almacenada en los alimentos. Pero ¿cómo se produce?
La glucosa es la principal sustancia utilizada como fuente de energía en la respiración celular.
Ésta se combina con el oxígeno dentro de las **mitocondrias** y produce la **oxidación** (combustión lenta) de las sustancias orgánicas.
El resultado es la formación de **dióxido de carbono** y **agua**, y la liberación de una parte de energía química; la porción restante queda almacenada en las mitocondrias y puede ser utilizada en la síntesis, el transporte interno o la entrada de sustancias al citoplasma, la eliminación de desechos o secreciones al medio, y la reproducción del protoplasma.
En cuanto al **dióxido de carbono**, es eliminado en la respiración a través de la membrana plasmática; el agua es utilizada en parte por la célula y el excedente es eliminado junto con el dióxido de carbono.
La última de las funciones metabólicas es la **síntesis de proteínas**.
La misma célula se encarga de fabricar las proteínas que necesita, a partir de los **aminoácidos** (sustancias inorgánicas) asimilados.
Este proceso está controlado por el **ADN** (ácido desoxirribonucleico), que rige todas las actividades que realiza la célula y

Esquema del proceso digestivo de la célula

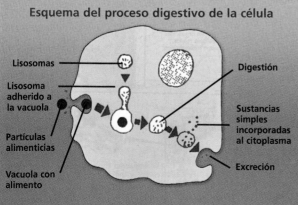

Lisosomas

Lisosoma adherido a la vacuola

Partículas alimenticias

Vacuola con alimento

Digestión

Sustancias simples incorporadas al citoplasma

Excreción

se encuentra en el núcleo. Los aminoácidos se transforman en proteínas en el interior de los ribosomas.

—— Las células se —— reproducen

Las células se reproducen y dan origen a células hijas mediante un proceso de división. Existen tres tipos de división celular.

- **Directa**. Este tipo de división sólo tiene lugar en células muy sencillas, por ejemplo, bacterias, que carecen de un núcleo diferenciado.
El **protoplasma** se estrangula y **el material celular se reparte entre las células hijas**.
- **Indirecta** (también llamada **mitosis**). Es la forma más común de división celular, y tiene lugar en células somáticas (del cuerpo), que presentan doble número de cromosomas (*diploides*).
Consiste en duplicar y distribuir los cromosomas en los núcleos de las dos células resultantes.
De esta manera, las células hijas mantienen el mismo número de cromosomas que la célula de origen.
- **Reduccional** (también llamada **meiosis**). Da origen a los gametos (óvulos y espermatozoides).
Mientras que en la mitosis las células hijas son diploides, en la meiosis quedan con la mitad del número de cromosomas de la especie, es decir, son *haploides*.
En la **fecundación**, las células haploides se unen, y recomponen en la célula huevo o cigota el número cromosómico de la especie.
Y ahora, por todo lo que hemos investigado, podemos decir, como expertos científicos, que la célula es la unidad funcional de todo ser vivo. ¿No les parece?

REPRODUCCIÓN CELULAR INDIRECTA O MITOSIS

1- INTERFASE

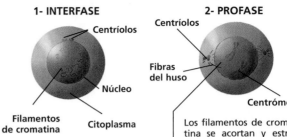

Centríolos

Núcleo

Filamentos de cromatina

Citoplasma

Los filamentos de cromatina —formados por ADN— se duplican en el interior del núcleo de la célula. Entretanto, en el citoplasma, los centríolos se dividen y se alejan entre sí.

2- PROFASE

Centríolos

Fibras del huso

Centrómero

Los filamentos de cromatina se acortan y estrechan para dar origen a los cromosomas, que constituyen dos filamentos idénticos unidos por un centrómero. Paralelamente, los centríolos se ubican en los polos opuestos de la célula a través de un huso que se origina entre ellos.

3- METAFASE

Los cromosomas se ubican en una línea. La célula ya está lista para dividirse en dos "células hijas". Cada una de ellas tendrá una copia de ADN.

4- ANAFASE

Los centrómeros se escinden y el número de cromosomas de la célula se duplica a medida que el citoplasma se estrangula. Al mismo tiempo, las fibras del huso se acortan y empujan a centrómeros y cromosomas hacia polos opuestos.

5- TELOFASE

Membrana nuclear

Citoplasma

Centríolos

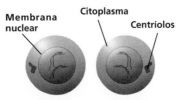

Finalmente, la célula queda dividida en dos "células hijas". Cada una de ellas presenta un número idéntico de cromosomas, formados por delgados filamentos de cromatina. En cada célula, se observa la presencia de una membrana nuclear.

Los cromosomas

Se ubican en el núcleo celular. Cada célula posee 46 cromosomas. Ellos contienen la información que la célula necesita para cumplir con las funciones vitales.

Núcleo celular

Puede presentar forma esférica, aplanada, de óvalo, etc. En él se distinguen:
- **Membrana nuclear:** rodea al núcleo; es semipermeable.
- **Jugo nuclear:** en él se halla la **cromatina** y el o los **nucleolos**. Cuando una célula se prepara para reproducirse, los filamentos de la cromatina se duplican y forman cuerpos compactos, **los cromosomas**. El **nucleolo**, es un cuerpo con forma de esfera o de óvalo. En algunas células hay más de uno.

Formando tejidos

En el cuerpo humano se distinguen básicamente cuatro tipos principales de tejidos que conforman todos los órganos.
Ellos son:
• tejido epitelial,
• tejido conectivo,
• tejido muscular,
• tejido nervioso.

El tejido epitelial

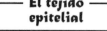

El tejido epitelial cumple con la función de protección; por ello, sus células

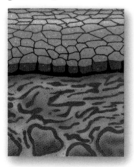

Esquema que muestra los estratos del tejido epitelial.

se ubican bien juntitas. De acuerdo con el lugar del cuerpo en que esté ubicado, recibe distintos nombres: **epidermis**, **endotelio** y **epitelio**.
El primero —epidermis— conforma la superficie exterior del cuerpo. Este tejido se halla expuesto a un desgaste permanente; por eso está conformado por numerosas capas o estratos (epitelio estratificado).
Las células de la superficie se deshidratan por falta de humedad, mueren y se desprenden. Para evitar quedarnos sin ellas, las células de la capa inferior se reproducen constantemente. Las células nuevas se trasladan hacia la superficie y reemplazan a las muertas.
Cuando sufrimos quemaduras o rasguños, muchas de nuestras células de la epidermis mueren; en consecuencia, el proceso que hemos descripto se produce de la misma forma, con el fin de sustituir las células perdidas.
El **endotelio** recubre el interior del corazón y los vasos sanguíneos.
El **epitelio** envuelve el interior de los órganos de los aparatos digestivo, respiratorio, urinario y reproductor. Generalmente, está conformado por una sola capa de células (epitelios simples).
En algunos casos, como en el intestino, el epitelio cumple una doble función: además de proteger, absorbe sustancias. Otras veces, este tejido cumple una función secretora, como en el caso del epitelio de la tráquea o de las glándulas.

El tejido conectivo

El tejido conectivo tiene por función unir a los restantes tejidos de nuestro cuerpo. Está formado por: células, fibras y sustancia intercelular.
De acuerdo con el espacio y las características que presenta la sustancia intercelular, puede establecerse una subdivisión del tejido conectivo. Vamos a verlo.
• **Tejido conectivo adiposo:** la mayor parte de las células que lo conforman acumulan grasa. La sustancia intercelular es muy poca; dentro de ella se encuentran las fibras.
Este tejido se halla principalmente en el abdomen y en las nalgas.
• **Tejido cartilaginoso:** la sustancia intercelular se parece a un plástico duro y resistente. Tiene por función recubrir la superficie de los huesos que intervienen en las articulaciones, el pabellón de la oreja y las aletas de la nariz.
• **Tejido conectivo laxo:** la sustancia intercelular es abundante. Células y fibras se presentan en número semejante. Este tejido se ubica debajo de

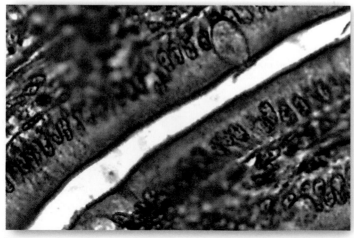

Corte transversal del íleon (porción del intestino delgado) en el que puede observarse la constitución del epitelio. En este caso, el tejido cumple una doble función: proteger y absorber sustancias.

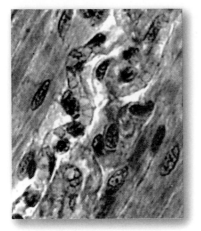

Esta microfotografía nos muestra la estructura de la fibra muscular lisa.

más amplia. Las miofibrillas —pequeñas fibras dispuestas longitudinalmente— se encuentran en el citoplasma.

Este tipo de tejido se halla en las vísceras y en los vasos sanguíneos. La contracción de las células se produce involuntariamente.

• **Tejido muscular estriado:** conforma los músculos que se disponen en los huesos, llamados músculos esqueléticos.

Las fibras son anchas y bastante largas (aproximadamente 40 mm).

Cada célula cuenta con numerosos núcleos, y las miofibrillas son estriadas y se disponen en forma transversal. La contracción de sus fibras se produce voluntariamente.

• **Tejido muscular cardíaco:** está formado por células similares a las del tejido muscular estriado; sin embargo, su contracción es involuntaria. Presenta un solo núcleo central.

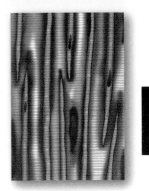

Tejido muscular.

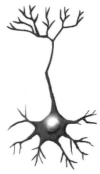

Neurona.

los epitelios, circundando músculos, nervios y vasos sanguíneos.

• **Tejido fibroso denso:** presenta pocas células y numerosas fibras. Constituyen la dermis —capa profunda de la piel— y los tendones, que fijan los músculos a los huesos.

• **Tejido hemopoyético:** su función es fabricar las células de la sangre (glóbulos rojos, glóbulos blancos y plaquetas). Lo encontramos en el interior de algunos huesos: costillas, vértebras, extremidades y los huesos del cráneo.

• **Tejido óseo:** las células tienen numerosas prolongaciones que se interconectan. La sustancia intercelular es de mayor solidez que la del tejido cartilaginoso. Su dureza se debe a la presencia de sales de calcio.

—— El tejido muscular ——

El tejido muscular está formado por células que tienen gran capacidad para contraerse (acortarse). El aspecto de éstas es alargado, razón por la cual se las denomina **fibras**. Puede subdividirse en tres categorías.

• **Tejido muscular liso:** las fibras tienen aspecto alargado y sus extremos son finos. El núcleo se dispone en la porción

—— El tejido nervioso ——

El tejido nervioso está formado por células especializadas en la recepción de estímulos (frío, calor, presión, luz, etc.), llamadas **neuronas**. Éstas responden a los estímulos a través de una onda de excitación, llamada impulso nervioso, que transmite a otras células.

Tejido conectivo.

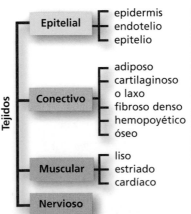

Tejidos:
- Epitelial
  - epidermis
  - endotelio
  - epitelio
- Conectivo
  - adiposo
  - cartilaginoso o laxo
  - fibroso denso
  - hemopoyético
  - óseo
- Muscular
  - liso
  - estriado
  - cardíaco
- Nervioso

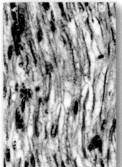

Corte longitudinal de un nervio, en el que se observa la conformación del tejido nervioso.

LA RESPIRACIÓN

La respiración nos permite obtener el oxígeno necesario para oxidar los alimentos, conseguir energía y eliminar los desechos en forma de dióxido de carbono y agua.

¿Cómo respiramos?

Tomamos el aire por la *nariz*, o por la *boca*, y éste viaja atravesando la parte superior de la *faringe* y la *laringe*, y se comunica con la *tráquea*, que tiene unas ramificaciones (*bronquios, bronquiolos* y *bronquiolitos*) que penetran en los

Durante la ejecución de ciertos ejercicios físicos respiramos más rápido y profundamente para tomar más oxígeno, y así producir mayor cantidad de energía.

pulmones. Al final de cada bronquiolito hay un *saco* o *alvéolo pulmonar*, que presenta el aspecto

de celdillas parecidas a las esponjas.

Cuando tomamos el aire, *inspiramos*: la caja torácica se expande, porque los músculos levantan las costillas, el *diafragma baja* y los pulmones se llenan de aire.

Cuando expulsamos el aire, *espiramos*: la caja torácica vuelve a su tamaño anterior, el diafragma sube y los pulmones se comprimen sacando el aire al exterior.

Inspiración y espiración

La ventilación de los pulmones se adecua a las necesidades del organismo, gracias a la acción de un centro nervioso situado en el bulbo raquídeo: el *centro respiratorio*.

- - - - - - - - - - -

Para *inspirar*, el diafragma se aplasta y se contrae, y las costillas se mueven hacia arriba y hacia afuera. Esto hace que aumente el espacio dentro de la cavidad torácica y que la presión del aire dentro de la misma sea inferior a la externa. El aire ingresa, entonces, rápidamente, para ocupar el lugar disponible dentro de los pulmones.

La *espiración* es un acto sobre todo pasivo. Se produce cuando el diafragma se relaja y sube, y las costillas se desplazan hacia abajo y adentro. El espacio de la cavidad torácica disminuye y el aire es expulsado hacia afuera. Los pulmones del ser humano adulto tienen una capacidad de alrededor de 3 litros de aire, pero sólo se intercambia medio litro en cada movimiento respiratorio.

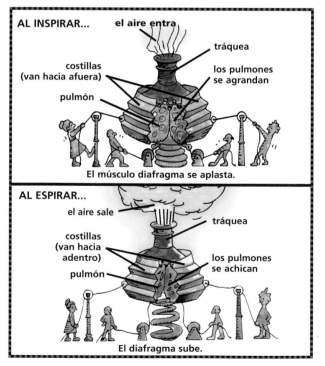

AL INSPIRAR...
- el aire entra
- tráquea
- costillas (van hacia afuera)
- los pulmones se agrandan
- pulmón

El músculo diafragma se aplasta.

AL ESPIRAR...
- el aire sale
- tráquea
- costillas (van hacia adentro)
- los pulmones se achican
- pulmón

El diafragma sube.

El intercambio gaseoso

Al respirar, tomamos aire, nos quedamos con el oxígeno y devolvemos dióxido de carbono y vapor de agua.

Este intercambio de gases se produce dentro de los *sacos alveolares*, que mantienen el aire separado de la sangre por una delgadísima membrana, a través de la cual la sangre captura el oxígeno (como si fuera un sediento en el desierto) y deja el gas carbónico que traía.

La **sangre** *oxigenada* es la arterial (de color rojo brillante), que al recorrer el cuerpo suministra oxígeno a las células y se carga de desechos. La sangre con desechos es la *venosa* (de color rojo azulado).

El órgano que posibilita el pasaje de la sangre venosa a la arterial es el **corazón**.

EL INTERCAMBIO GASEOSO EN LOS TEJIDOS

El oxígeno se filtra por las paredes capilares hacia las células. Ellas necesitan del oxígeno para obtener energía. En tanto, el dióxido de carbono realiza un recorrido inverso, de los tejidos a la sangre y, de allí, a los pulmones, donde es expelido.

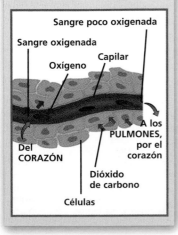

Sangre poco oxigenada

Sangre oxigenada

Oxígeno

Capilar

A los PULMONES, por el corazón

Del CORAZÓN

Dióxido de carbono

Células

RESPIRAR EN LAS PROFUNDIDADES

Un buzo no puede descender a las profundidades acuáticas más de 30 ó 40 metros. Más allá, al aumentar la presión, el intercambio de gases que se produce en los pulmones es alterado: aumentan el oxígeno y el nitrógeno en la sangre y los tejidos.

Un sistema de defensa

Por nuestra nariz y nuestra boca entran junto con el aire muchísimas partículas de polvo, donde se mezclan impurezas de todo tipo (esporas de hongo, granos de polen, diversos microbios). ¿Cómo se defiende nuestro organismo? ¿Qué hace para que el aire llegue limpio a los pulmones? Sencillamente, posee un sistema que atrapa y evacúa estas partículas. Para ello, nuestras vías respiratorias están cubiertas en su interior (la mucosa) por un epitelio formado por células ciliadas y no ciliadas. Éstas producen *mucus* o moco, donde se adhieren las partículas. Los cilios se mueven coordinadamente en forma de látigo y desplazan las capas superiores del moco y las partículas adheridas a él hacia la laringe, donde son expulsadas. En los alvéolos pulmonares hay células llamadas *macrófagos*, que engullen las partículas de polvo más pequeñas.

Además, el tejido epitelial es rico en vasos sanguíneos que transportan células de defensa.

En esta microfotografía, se distinguen los dos tipos de células que revisten la tráquea. En color amarillo anaranjado y con forma de copa, se distinguen las células caliciformes, que segregan una mucosidad y atrapan el polvo que ingresa con el aire. En color verde amarillento y con forma de cilios, se observan las células ciliadas, cuya función es movilizar la mucosidad que segregan las células caliciformes, cuando tosemos.

FLUJO DEL OXÍGENO

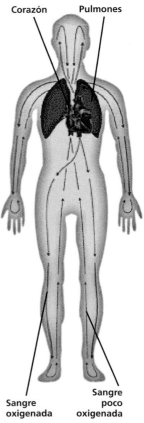

Corazón   Pulmones

Sangre oxigenada

Sangre poco oxigenada

EL SISTEMA RESPIRATORIO

LA NARIZ

En este órgano se inicia el aparato respiratorio. Su función es proteger a los pulmones de la acción de sustancias nocivas que se encuentran en el aire inspirado, mediante unos pelillos. En el interior de la nariz se ubican las *fosas nasales*, que calientan y humedecen el aire. La *cavidad nasal* se halla recubierta por una *membrana mucosa* especial.

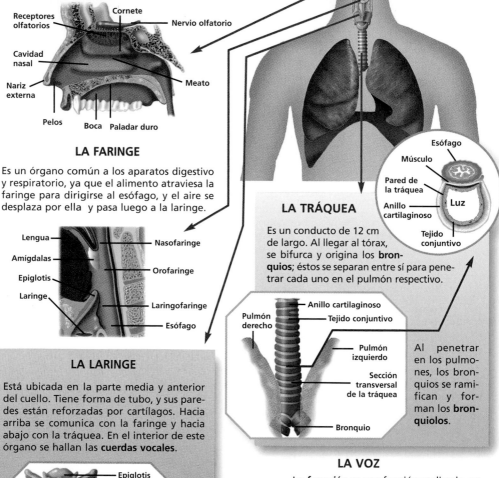

LA FARINGE

Es un órgano común a los aparatos digestivo y respiratorio, ya que el alimento atraviesa la faringe para dirigirse al esófago, y el aire se desplaza por ella y pasa luego a la laringe.

LA TRÁQUEA

Es un conducto de 12 cm de largo. Al llegar al tórax, se bifurca y origina los **bronquios**; éstos se separan entre sí para penetrar cada uno en el pulmón respectivo.

Al penetrar en los pulmones, los bronquios se ramifican y forman los **bronquiolos**.

LA LARINGE

Está ubicada en la parte media y anterior del cuello. Tiene forma de tubo, y sus paredes están reforzadas por cartílagos. Hacia arriba se comunica con la faringe y hacia abajo con la tráquea. En el interior de este órgano se hallan las **cuerdas vocales**.

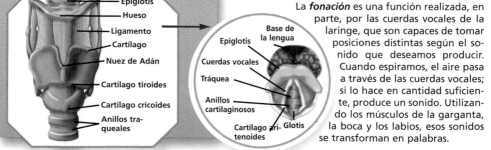

LA VOZ

La *fonación* es una función realizada, en parte, por las cuerdas vocales de la laringe, que son capaces de tomar posiciones distintas según el sonido que deseamos producir. Cuando espiramos, el aire pasa a través de las cuerdas vocales; si lo hace en cantidad suficiente, produce un sonido. Utilizando los músculos de la garganta, la boca y los labios, esos sonidos se transforman en palabras.

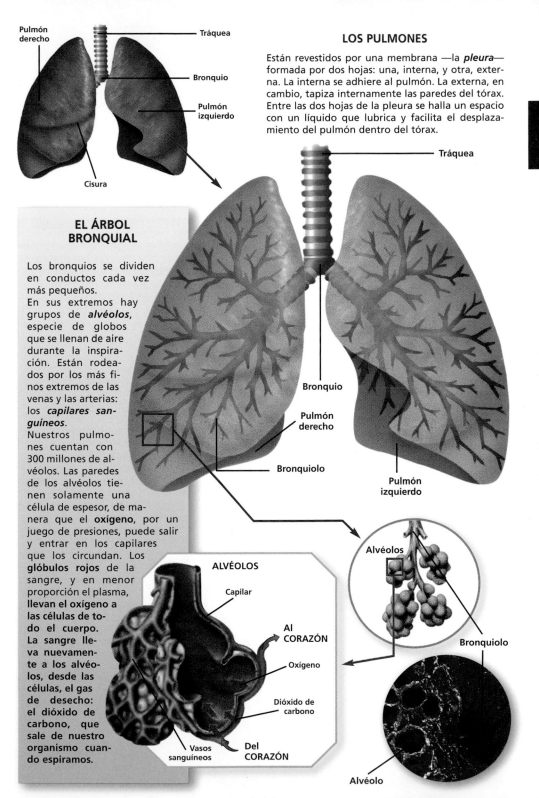

Pulmón derecho

Tráquea

Bronquio

Pulmón izquierdo

Cisura

LOS PULMONES

Están revestidos por una membrana —la *pleura*— formada por dos hojas: una, interna, y otra, externa. La interna se adhiere al pulmón. La externa, en cambio, tapiza internamente las paredes del tórax. Entre las dos hojas de la pleura se halla un espacio con un líquido que lubrica y facilita el desplazamiento del pulmón dentro del tórax.

Tráquea

EL ÁRBOL BRONQUIAL

Los bronquios se dividen en conductos cada vez más pequeños.

En sus extremos hay grupos de *alvéolos*, especie de globos que se llenan de aire durante la inspiración. Están rodeados por los más finos extremos de las venas y las arterias: los *capilares sanguíneos*.

Nuestros pulmones cuentan con 300 millones de alvéolos. Las paredes de los alvéolos tienen solamente una célula de espesor, de manera que el **oxígeno**, por un juego de presiones, puede salir y entrar en los capilares que los circundan. Los **glóbulos rojos** de la sangre, y en menor proporción el plasma, **llevan el oxígeno a las células de todo el cuerpo.** La sangre lleva nuevamente a los alvéolos, desde las células, el gas de desecho: el dióxido de carbono, que sale de nuestro organismo cuando espiramos.

Bronquio

Pulmón derecho

Bronquiolo

Pulmón izquierdo

Alvéolos

Bronquiolo

ALVÉOLOS

Capilar

Al CORAZÓN

Oxígeno

Dióxido de carbono

Vasos sanguíneos

Del CORAZÓN

Alvéolo

77

Trastornos en el sistema respiratorio

Por nuestro sistema respiratorio ingresa el **aire**, que contiene *partículas de polvo, sustancias químicas, esporas de hongos, granos de polen, microbios, bacterias y virus*. Por lo tanto, está expuesto a posibles **infecciones**. Si bien algunas de las partículas quedan en las cavidades nasales, la tráquea o los bronquios, algunas llegan a los alvéolos pulmonares y sobreviven a la acción de las defensas. Por ejemplo, los virus,

EL RONQUIDO Y EL HIPO

El ronquido es producido por vibraciones del velo del paladar cuando pasa el aire que entra y sale durante los movimientos respiratorios. El hipo, en cambio, lo causa una contracción violenta del diafragma, de modo que el aire penetra a golpes. El sonido es provocado por las cuerdas vocales, que se cierran repentinamente.

¿POR QUÉ ES PERJUDICIAL RESPIRAR POR LA BOCA?

Las *fosas nasales tienen estructuras especiales* para modificar el aire que inspiramos:
• *Los cornetes*, que actúan como *"radiadores"* de la nariz, humedeciendo y entibiando el aire que entra.
• *Pelitos* llamados *cilias* que, al moverse, limpian de impurezas el aire. De esta manera, por la nariz, el aire entra *limpio* y *tibio*. ¿Comprendes ahora por qué es perjudicial respirar por la boca?

¿CÓMO RESPIRAMOS ANTES DE NACER?

Mientras los bebés están en el vientre de su madre, obtienen el oxígeno a través de la placenta, un órgano que se desarrolla a partir de tejidos maternos y del embrión, y que contiene vasos sanguíneos de ambos. El oxígeno llega al bebé por el cordón umbilical.

debido a su gran variedad, dificultan la acción del sistema inmunológico. Y es así como nos enfermamos. Las afecciones más comunes son el **resfriado** y la **gripe**, que producen la irritación o inflamación de las vías respiratorias. El **cigarrillo** es factor de riesgo para el sistema respiratorio, ya que irrita y estrecha las vías respiratorias, dificultando el paso del aire. También destruye las cilias que cubren los bronquios y los bronquiolos y son las que ayudan a que las partículas nocivas sean expulsadas de los pulmones. Además, el humo del cigarrillo contiene gran cantidad de sustancias químicas que los irritan.

RESPIRAR EN LAS ALTURAS

A nivel del mar, el aire contiene un 21 % de oxígeno, pero este porcentaje disminuye a medida que aumenta la altura. Pasando los 3.000 metros, se produce en el organismo humano el "apunamiento", que provoca aumento de la frecuencia respiratoria, aceleración del ritmo cardíaco, mareos, dolores de cabeza y vómitos. El corazón late más rápidamente para oxigenar los órganos, y el organismo comienza a producir más glóbulos rojos para facilitar el transporte de oxígeno.

LA CIRCULACIÓN

——— Funciones ———

El aparato circulatorio es un sistema formado por tubos cerrados (**arterias**, **venas** y **capilares**) por los que circula la **sangre** impulsada por el **corazón**, que actúa como una bomba.

Sus principales funciones son:
* Suministrar a todas las células el alimento necesario para su consumo.
* Liberarlas de los productos de desecho.
* Transportar las hormonas y otras sustancias de regulación del organismo.
* Llevar sustancias que nos inmunizan contra enfermedades.

—Dos circuitos—

El camino que efectúa la sangre en nuestro cuerpo se realiza en dos circuitos.
* **Circulación menor** (el recorrido es: **corazón - pulmones - corazón**).
* **Circulación mayor** (el recorrido es: **corazón - células del cuerpo - corazón**).

El aparato circulatorio permite que la sangre lleve a todas las células las sustancias que necesitamos, retire las que no sirven, las de desecho, y las conduzca a los órganos de excreción.

* El trabajo que efectúa el corazón en sólo una hora alcanzaría para levantar un peso de una tonelada a un metro de altura.
* Las venas tienen válvulas que le permiten a la sangre circular en un sentido e impiden su retroceso hacia el corazón.
* El ritmo del movimiento del corazón de una persona adulta en actividad normal es de 70 latidos por minuto.
* En todos los seres vivos (aun los unicelulares), existe una circulación interna que les permite mantener su organismo.
  Cada pulsación (que se puede percibir aplicando el dedo sobre la arteria radial que está en la parte interna de la muñeca) corresponde a un latido, que es una contracción del corazón.
* El infarto de miocardio se produce por el insuficiente riego de sangre de las arterias sobre el propio músculo cardíaco. Esto hace que parte del tejido muera. Si el infarto es muy extenso, puede producirse un paro cardíaco.
* El corazón comienza a funcionar mucho antes de nuestro nacimiento, a los pocos días de la concepción, y sólo se detiene con la muerte.

EL RECORRIDO DE LA SANGRE

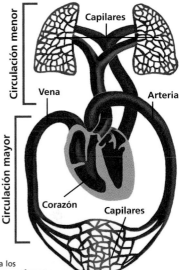

Circulación menor — Capilares — Vena — Arteria — Circulación mayor — Corazón — Capilares

Cuando realizamos una actividad, la sangre afluye en mayor cantidad a los órganos que están desarrollando mayor esfuerzo.

¿Cómo funciona el corazón?

El corazón tiene cuatro cavidades, (un ventrículo y una aurícula de cada lado).

Ambos lados funcionan como dos *bombas de presión sincronizadas* y envían sangre a dos **circuitos** distintos del sistema circulatorio.

La mitad derecha describe el circuito llamado de **circulación menor**: bombea la sangre pobre en oxígeno que recibe de todo el cuerpo hasta los pulmones, para oxigenarla.

El **lado izquierdo** del corazón recibe la sangre de color rojo brillante, *cargada de oxígeno*, que viene de los pulmones, y la bombea hacia todo el cuerpo (circuito de circulación mayor).

La sangre sale a través de la **arteria aorta**, que es como un gran tubo.

La aorta se ramifica en otros "tubos" más pequeños, que son también arterias, y luego en los **vasos capilares**. Éstos comunican las arterias con las venas.

SÍSTOLE Y DIÁSTOLE

El período en que aurículas y ventrículos contraen el espacio interior se denomina **sístole**. Hay un período de sístole **auricular** y otro **ventricular**.

Al finalizar la sístole, los tejidos musculares se aflojan, reposando, en tanto reciben nuevamente la afluencia de sangre. Éste período de reposo se denomina **diástole**.

Todo este trabajo realizado en conjunto por el corazón recibe el nombre de **ritmo cardíaco**, cuya duración es de 8 décimas de segundo.

¿Qué pasa con la sangre usada?

Las células de los tejidos absorben el oxígeno y los alimentos que transporta la sangre y eliminan dióxido de carbono y otros desechos. La sangre, entonces, se torna más oscura y regresa al corazón (a su **lado derecho**) por medio de otros tubos, llamados **venas**. Entonces, el lado derecho del corazón bombea hacia los pulmones la sangre "usada", que es conducida hasta ellos por una arteria especial, la **arteria pulmonar**.

¿Y qué pasa con los pulmones?

En los pulmones, la sangre recibe oxígeno fresco y adquiere otra vez un color rojo brillante, propio de la sangre oxigenada. Después, a través de la **vena pulmonar**, vuelve al lado izquierdo del corazón, desde donde es bombeada nuevamente a todo el cuerpo.

Y así sucede una y otra vez. La sangre hace este viaje cientos de veces al día, durante todos los días.

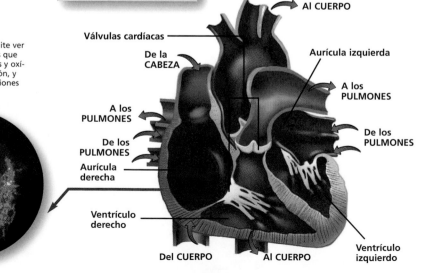

Una angiografía permite ver los vasos sanguíneos que transportan nutrientes y oxígeno hacia el corazón, y detectar así las oclusiones vasculares.

Al CUERPO

Válvulas cardíacas

De la CABEZA

Aurícula izquierda

A los PULMONES

A los PULMONES

De los PULMONES

De los PULMONES

Aurícula derecha

Ventrículo derecho

Del CUERPO

Al CUERPO

Ventrículo izquierdo

La composición de la sangre

La **sangre** contiene un líquido amarillo pálido, el **plasma**, en el que se encuentran suspendidos los **glóbulos rojos**, los **glóbulos blancos** y las **plaquetas**. Transporta oxígeno, sustancias nutritivas, dióxido de carbono y otros productos residuales, hormonas y vitaminas.

Sección del húmero

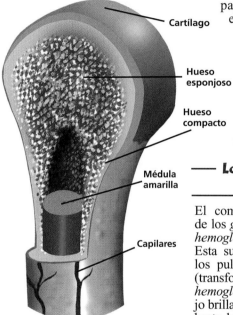

Cartílago

Hueso esponjoso

Hueso compacto

Médula amarilla

Capilares

La sangre se forma en la médula ósea (parte esponjosa) de algunos huesos. Sólo el esternón, los huesos del cráneo, las costillas, el hueso ilíaco y las cabezas de los huesos de los miembros contienen médula ósea (roja). Ésta está formada por células sanguíneas y por células adiposas.

Las plaquetas

Son los componentes más pequeños de la sangre. Son fragmentos diminutos de células rotas de la médula ósea. Desempeñan un papel protagónico en la coagulación, junto con una de las proteínas del plasma, la **fibrina**. La sangre tarda en coagular entre 3 y 6 minutos.

Se solidifica en bandas de fibrina, donde se mezclan plaquetas y glóbulos.

Los glóbulos blancos o leucocitos

Son células muy especiales, que destruyen microbios y gérmenes nocivos, ingiriéndolos por fagocitosis.

Es decir, cumplen un papel fundamental en la defensa de nuestro organismo. A tal punto nos defienden, que se multiplican, aumentando su número, cuando existen infecciones o procesos inflamatorios.

Los glóbulos rojos

El componente principal de los *glóbulos rojos* es la *hemoglobina*.

Esta sustancia se une en los pulmones al oxígeno (transformándose en *oxihemoglobina*, de color rojo brillante) y lo transporta hasta las células de nuestro cuerpo, donde lo cede (convirtiéndose nuevamente en hemoglobina).

Glóbulos rojos

Plaquetas

Plasma

Pared de un vaso sanguíneo

Glóbulos blancos

Glóbulo rojo

Arriba, las plaquetas. A la izquierda, glóbulos blancos o leucocitos.

EL SISTEMA CIRCULATORIO

LOS VASOS SANGUÍNEOS

Los **vasos o conductos** por los que la sangre fluye hacia el corazón se llaman **venas**. Los que salen del corazón se llaman **arterias**.

La pared interna de los vasos sanguíneos está formada por una sola capa de células, lo que permite que la sangre fluya mejor.

Microfotografía de los vasos sanguíneos.

Vasos de la cabeza y el cuello

Vasos del tórax

Vasos del brazo

Vasos del abdomen inferior

Vena cava superior

Corazón

Vasos del antebrazo

Arteria pulmonar

Venas pulmonares

Vasos de la pierna

Vena cava inferior   Aorta

Vasos de la muñeca y la mano

Vasos del muslo

Aorta

EL CORAZÓN

Es un músculo fuerte, hueco y elástico. Está situado en el tórax, por encima del diafragma, dentro de una especie de bolsita de paredes muy finas. Se trata del **pericardio**, entre cuyas paredes circula líquido.

Vena cava superior

Vasos del tobillo y del pie

Tronco pulmonar

Vasos sanguíneos

Vena pulmonar

Vena cava inferior

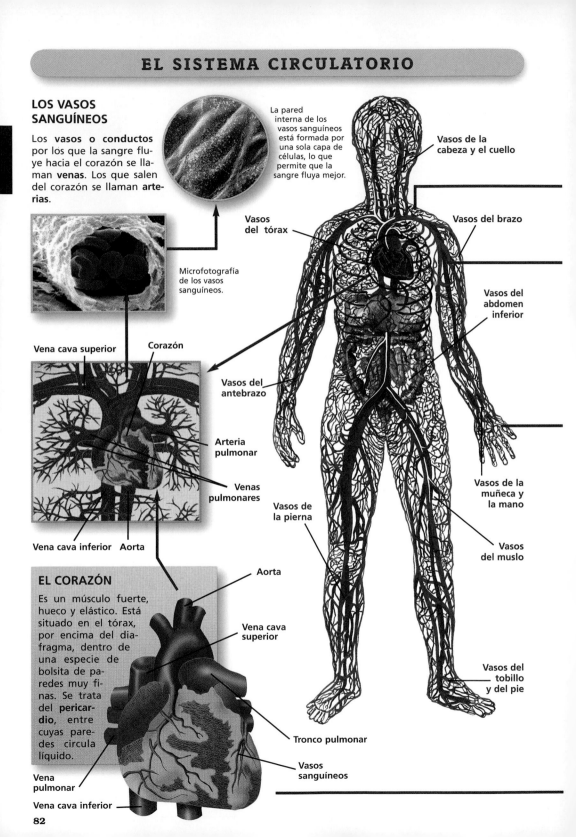

LAS VENAS

Estos vasos sanguíneos son más delgados y menos flexibles que las arterias, ya que están sometidos a menor presión. Se ocupan de llevar sangre al corazón.
Alojan hasta el 65 % de la totalidad de la sangre del cuerpo. Cuentan con válvulas que evitan el retroceso del flujo sanguíneo a causa de la acción gravitatoria.

Microfotografía de una vena.

LAS ARTERIAS

Tienen paredes fuertes y elásticas. Estas condiciones facilitan que puedan adaptarse a las variaciones que se producen en el flujo sanguíneo. Transportan sangre oxigenada del corazón a los tejidos.

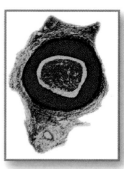

Microfotografía de una arteria.

Los cortes superficiales afectan sólo los capilares.

LOS CAPILARES

Las **ramificaciones de los vasos** se hacen cada vez más delgadas, hasta convertirse en el microscópico sistema de **capilares**. Sus paredes, de solamente una célula de grosor, permiten el pasaje del oxígeno y nutrientes de la sangre a los tejidos, y el pasaje del dióxido de carbono y otros residuos de los tejidos a la sangre.

Microfotografía de un capilar.

Células del corazón.

El músculo cardíaco es uno de los 3 tipos de músculos del cuerpo. Sólo se encuentra en el corazón. Sus fibras son estriadas. Se contrae automáticamente, según un ritmo propio, para que la sangre llegue a todos los tejidos. Es infatigable.

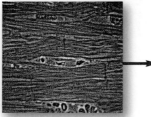

EL PULSO ARTERIAL

Cada sístole ventricular origina una onda de presión que se propaga a través de todas las arterias y origina su dilatación. Al comprimir una arteria contra un hueso, se perciben suaves golpes causados por esa dilatación.

En los albores del siglo XXI, y pese a los avances de la medicina, las enfermedades cardiovasculares son uno de los factores de mortandad más importante. Ello obedece, en gran medida, a las tensiones, a la falta de ejercicio, a la mala alimentación y al exceso de vida sedentaria. La práctica diaria de ejercicios físicos disminuye el riesgo de contraer enfermedades cardíacas.

Trastornos en el sistema circulatorio

Los hábitos de vida actual, muy sedentaria, con una gran dosis de tensión y mala alimentación ingerida a destiempo o en exceso, y el cigarrillo son factores que han hecho aumentar el número de personas que contraen **enfermedades cardiovasculares**.

Las más frecuentes son la **hipertensión** (cuando la presión sanguínea alcanza valores superiores a los normales) y la **aterosclerosis**.

¿Cómo se pueden prevenir? Los médicos aconsejan limitar el consumo de comidas con grasas, fundamentalmente las sólidas —como la mantequilla, la de la carne de cerdo o cordero, el tocino—, ya que aumentan el colesterol y ponen en riesgo la vida.

En cambio, es aconsejable consumir frutas y verduras.

También hay que darle importancia al ejercicio físico. Su práctica diaria asegura el buen funcionamiento del sistema circulatorio y la posibilidad de tener un corazón sano.

¿QUÉ ES LA PRESIÓN ARTERIAL?

Es la fuerza que ejerce la sangre contra las paredes de las arterias. Esta presión varía con la edad, el sexo y el endurecimiento de las arterias, que disminuye la elasticidad y aumenta la presión. También influyen las emociones, los ejercicios físicos, las comidas abundantes, las distintas horas del día.

La presión arterial se divide en:
• *Máxima* o *sistólica:* depende de la presión transmitida a la sangre por los ventrículos. Es de 110-120 mm Hg.
• *Mínima* o *diastólica:* depende de la elasticidad arterial, del estado de contracción de las arteriolas y del volumen sanguíneo. Es de 70-90 mm Hg.

La presión arterial sufre alteraciones.

¿DÓNDE TOMAMOS EL PULSO ARTERIAL?

Tomar el pulso arterial requiere una técnica sencilla pero muy valiosa, porque nos permite saber si el corazón está funcionando normalmente o no. Para ello, podemos elegir varios puntos del cuerpo, como la cara interna de la muñeca, la sien o un costado del cuello, entre otros.

¿CÓMO PROCEDEMOS?

• Apoyamos los dedos índice y mayor sobre el punto elegido, presionando suavemente.

• Si percibimos suaves golpecitos (latidos), significa que el corazón está funcionando.

• Si queremos saber si el pulso es normal, contamos la cantidad de latidos que percibimos en un minuto.

LA DIGESTIÓN

Comer es placentero e indispensable. Como todos los seres vivos –y como consumidores que somos–, necesitamos nutrientes para obtener energía vital.

¿Qué es?

La digestión es un proceso que *comienza cada vez que comemos algo*, o sea, cada vez que ingerimos un alimento. El proceso consiste en *transformar los alimentos en sustancias más simples*, que puedan ser absorbidas por las paredes del intestino y de los vasos sanguíneos. Así, los alimentos llegan a la sangre para viajar hasta cada célula de nuestro cuerpo.

¿Dónde se realiza este proceso?

Se realiza en las diferentes **cavidades y conductos del tubo digesti-** vo: la *boca* (situada en la cara), la *faringe* (situada en el cuello), el *esófago* (en el tórax), el *estómago*, el *intestino delgado* e *intestino grueso* (situados en la región abdominal).

Además, intervienen en el proceso diversas **glándulas**: las **salivales**, el **hígado**, el **páncreas**.

Todas estas cavidades, conductos y glándulas forman el llamado *aparato digestivo*.

Empieza el viaje

La digestión comienza en la **boca**, donde los alimentos sólidos son cortados y triturados por los **dientes**.

Luego, los masticamos mientras se mezclan con la *saliva* (líquido que segregan las glándulas salivales).

De este modo, se forma una pasta llamada **bolo alimenticio**. Éste es empujado por la lengua hacia la *faringe* (los líquidos que ingerimos pasan directamente a la faringe); de la faringe, el bolo alimenticio pasa al *esófago* y de allí al *estómago*.

En el estómago

Éste posee **músculos** que "baten" el bolo alimenticio y **células** que segregan el *jugo gástrico* (o digestivo), que ayuda a ablandarlo más y más. Así, el bolo alimenticio se convierte en una masa cremosa, casi líquida, llamada *quimo*. El quimo es enviado por el estómago al **duodeno** (primera porción del intestino delgado) en pequeñas cantidades.

En el intestino delgado

Aquí, el quimo pasa entre tres y cuatro horas avanzando lentamente mientras se mezcla con diversos jugos: el *jugo intestinal* (producido por el mismo duodeno), la *bilis* (producida por el hígado) y el *jugo pancreático* (producido por el páncreas).
¡Atención! Ahora ocurre algo muy importante: la papilla blanda que se forma (¡imagínense, con tanto jugo!) circula por el *intestino delgado, y las células de sus paredes absorben algunas sustancias, que pasan enseguida a la sangre... y así a todo el cuerpo.

Sigue el "viaje"

Todas las sustancias que no han sido absorbidas llegan al intestino grueso, cuya función es *absorber el agua y algunos minerales*, que también pasan al torrente sanguíneo. Así se mantiene la *hidratación* del cuerpo. ¡Importantísimo también!

El "tramo" final

Otros movimientos hacen que el resto de las sustancias (lo que no se utiliza) sea llevado hacia la última porción del intestino grueso: el **recto**.
Desde allí será expulsado al exterior a través de un orificio: el **ano**.

DIGERIR ES TRANSFORMAR

Los alimentos poseen sustancias muy necesarias para nuestro organismo: vitaminas, sales minerales, proteínas, lípidos o grasas.
Por medio de la digestión, algunas sustancias se degradan en componentes menores (moléculas sencillas). Eso es posible por la acción de las **enzimas**, secretadas a lo largo del tubo digestivo. Gracias a ellas, las **proteínas** se transforman en **aminoácidos**, los **hidratos de carbono** en **monosacáridos** y las **grasas** en **ácidos grasos** y **glicerol**. Estas moléculas sencillas pasan a la sangre a través de las paredes del intestino delgado, que presentan numerosos repliegues, llamados **vellosidades**. Cada vellosidad contiene sangre y linfa, encargadas de llevar los nutrientes a cada una de las células del cuerpo.

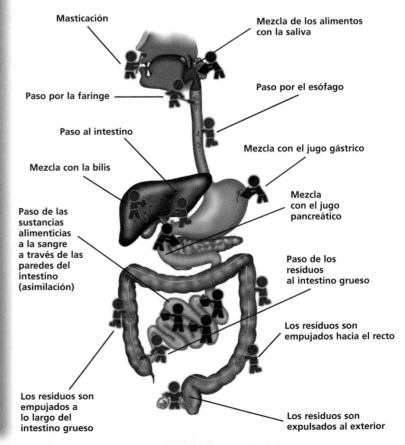

Masticación

Mezcla de los alimentos con la saliva

Paso por la faringe

Paso por el esófago

Paso al intestino

Mezcla con el jugo gástrico

Mezcla con la bilis

Mezcla con el jugo pancreático

Paso de las sustancias alimenticias a la sangre a través de las paredes del intestino (asimilación)

Paso de los residuos al intestino grueso

Los residuos son empujados hacia el recto

Los residuos son empujados a lo largo del intestino grueso

Los residuos son expulsados al exterior

La dentadura

_____ Los dientes y _____
sus partes

Los dientes son piezas duras que se implantan en los alvéolos de los maxilares y sirven para masticar los alimentos. Cada diente está formado por una **raíz**, que queda cubierta por las encías, y una parte externa llamada **corona**. Está constituido por una capa de sustancia dura, o **marfil**, que recubre otra capa ósea de estructura laminar, o **cemento**. En su interior se encuentra un espacio ocupado por venas, arterias y nervios, que constituyen la llamada **pulpa** dentaria. En la corona, la capa de marfil está cubierta por una sustancia protectora: el **esmalte**.

_____ Para cada diente, _____
una función

Anteriormente dijimos que la principal función de los dientes es la masticación, es decir, desgarrar y triturar los alimentos. Por eso, cada uno de ellos tiene una forma particular, adaptada a la función que realiza: así, los **incisivos**, de corona estrecha y cortante, son los dientes que cortan los alimentos; los **caninos** (comúnmente llamados "colmillos") tienen la corona puntiaguda y son útiles para desgarrar; finalmente, los **molares**, de corona ancha y con abultamientos, están diseñados de esta forma para triturar los alimentos. Existen dos clases de molares: premolares, con dos abultamientos, y molares, con cuatro.

_____ ¿Cuántos dientes _____
tenemos?

El conjunto conformado por nuestros dientes recibe el nombre de **dentadura**. Cuando somos pequeños, tenemos la de-

nominada _dentadura de leche_, que está compuesta por veinte piezas, situadas diez en cada mandíbula y distribuidas del siguiente modo: cuatro incisivos, adelante; dos caninos, uno a cada lado de los incisivos, y cuatro molares, situados dos a cada lado de los caninos.

Los dientes de leche van cayendo entre los seis y los ocho años, y son sustituidos paulatinamente por otros dientes que constituyen la dentadura definitiva. Cuando somos adultos, nuestra dentadura cuenta con 32 piezas, 16 en cada mandíbula, que se distribuyen así: cuatro incisivos, dos caninos, cuatro premolares y seis molares. Los dos últimos molares son las llamadas _muelas del juicio_,

y son las que aparecen más tarde, en general entre los 20 y los 30 años de edad, pero pueden crecer a una edad mucho más avanzada.

A

Caninos

Incisivos   Molares

B   Muelas
del juicio

Labio   Frenillo
superior   del labio

Encía   Campanilla

Amígdalas

Dientes

Frenillo
del labio

Raíz

Lengua   Orificios
C   por donde
sale la saliva

Corona   Esmalte

Pulpa

Capa
ósea o
cemento

D

Incisivos Caninos   Molares

A. En este esquema, pueden observarse los dientes de la primera dentición (los marcados). Por debajo de ellos (en rojo y blanco), la dentadura definitiva.
B. Dentición adulta o definitiva.
C. Esquema de la cavidad bucal vista de frente.
D. Corte transversal de una muela.

EL SISTEMA DIGESTIVO

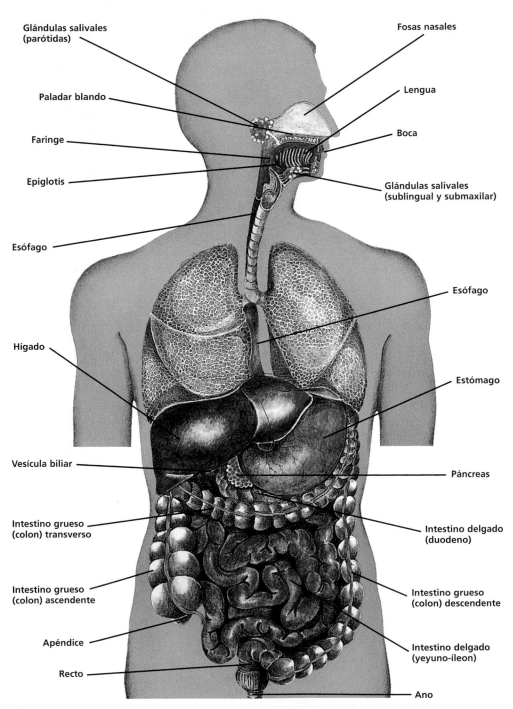

Glándulas salivales
(parótidas)

Paladar blando

Faringe

Epiglotis

Esófago

Hígado

Vesícula biliar

Intestino grueso
(colon) transverso

Intestino grueso
(colon) ascendente

Apéndice

Recto

Fosas nasales

Lengua

Boca

Glándulas salivales
(sublingual y submaxilar)

Esófago

Estómago

Páncreas

Intestino delgado
(duodeno)

Intestino grueso
(colon) descendente

Intestino delgado
(yeyuno-íleon)

Ano

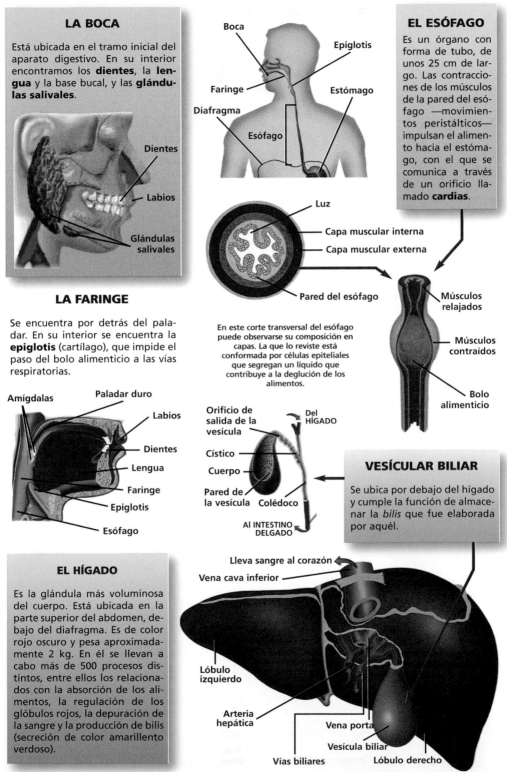

LA BOCA

Está ubicada en el tramo inicial del aparato digestivo. En su interior encontramos los **dientes**, la **lengua** y la base bucal, y las **glándulas salivales**.

Dientes

Labios

Glándulas salivales

Boca

Epiglotis

Faringe

Estómago

Diafragma

Esófago

EL ESÓFAGO

Es un órgano con forma de tubo, de unos 25 cm de largo. Las contracciones de los músculos de la pared del esófago —movimientos peristálticos— impulsan el alimento hacia el estómago, con el que se comunica a través de un orificio llamado **cardias**.

Luz

Capa muscular interna

Capa muscular externa

Pared del esófago

En este corte transversal del esófago puede observarse su composición en capas. La que lo reviste está conformada por células epiteliales que segregan un líquido que contribuye a la deglución de los alimentos.

Músculos relajados

Músculos contraídos

Bolo alimenticio

LA FARINGE

Se encuentra por detrás del paladar. En su interior se encuentra la **epiglotis** (cartílago), que impide el paso del bolo alimenticio a las vías respiratorias.

Amígdalas

Paladar duro

Labios

Dientes

Lengua

Faringe

Epiglotis

Esófago

Orificio de salida de la vesícula

Del HÍGADO

Cístico

Cuerpo

Pared de la vesícula

Colédoco

Al INTESTINO DELGADO

VESÍCULAR BILIAR

Se ubica por debajo del hígado y cumple la función de almacenar la *bilis* que fue elaborada por aquél.

EL HÍGADO

Es la glándula más voluminosa del cuerpo. Está ubicada en la parte superior del abdomen, debajo del diafragma. Es de color rojo oscuro y pesa aproximadamente 2 kg. En él se llevan a cabo más de 500 procesos distintos, entre ellos los relacionados con la absorción de los alimentos, la regulación de los glóbulos rojos, la depuración de la sangre y la producción de bilis (secreción de color amarillento verdoso).

Lleva sangre al corazón

Vena cava inferior

Lóbulo izquierdo

Arteria hepática

Vena porta

Vesícula biliar

Vías biliares

Lóbulo derecho

EL ESTÓMAGO

Es la porción más dilatada del tubo digestivo. Tiene una capacidad de 1.500 cm³.
Las células de la cara interna de este órgano segregan jugo gástrico. Está ubicado por detrás de las costillas, curvado hacia la derecha y hacia atrás.
Se encuentra separado del esófago por un anillo muscular llamado cardias.

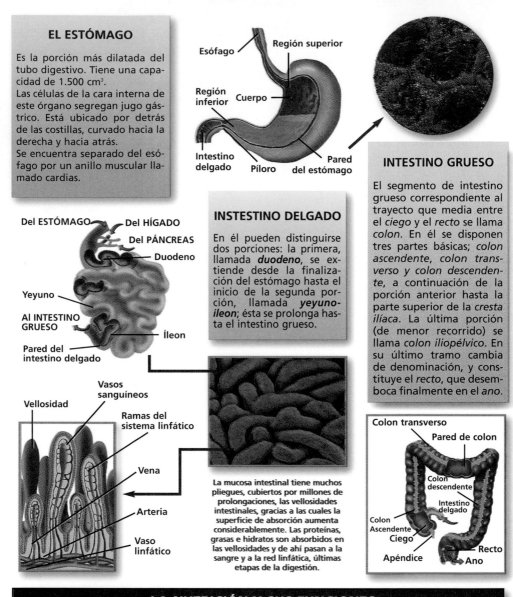

Esófago
Región superior
Región inferior
Cuerpo
Intestino delgado
Píloro
Pared del estómago

INTESTINO GRUESO

El segmento de intestino grueso correspondiente al trayecto que media entre el *ciego* y el *recto* se llama *colon*. En él se disponen tres partes básicas; *colon ascendente*, *colon transverso* y *colon descendente*, a continuación de la porción anterior hasta la parte superior de la *cresta ilíaca*. La última porción (de menor recorrido) se llama *colon iliopélvico*. En su último tramo cambia de denominación, y constituye el *recto*, que desemboca finalmente en el *ano*.

Del ESTÓMAGO
Del HÍGADO
Del PÁNCREAS
Duodeno
Yeyuno
Al INTESTINO GRUESO
Íleon
Pared del intestino delgado

INSTESTINO DELGADO

En él pueden distinguirse dos porciones: la primera, llamada **duodeno**, se extiende desde la finalización del estómago hasta el inicio de la segunda porción, llamada **yeyuno-íleon**; ésta se prolonga hasta el intestino grueso.

Vellosidad
Vasos sanguíneos
Ramas del sistema linfático
Vena
Arteria
Vaso linfático

La mucosa intestinal tiene muchos pliegues, cubiertos por millones de prolongaciones, las vellosidades intestinales, gracias a las cuales la superficie de absorción aumenta considerablemente. Las proteínas, grasas e hidratos son absorbidos en las vellosidades y de ahí pasan a la sangre y a la red linfática, últimas etapas de la digestión.

Colon transverso
Pared de colon
Colon descendente
Intestino delgado
Colon Ascendente
Ciego
Apéndice
Recto
Ano

LA NUTRICIÓN Y SUS FUNCIONES

Ingestión	Es el momento en que se elige, se prepara y se ingiere el alimento.
Digestión	Es el conjunto de procesos físico-químicos por medio de los cuales se transforman los alimentos en sustancias que pueden ser absorbidas por el organismo.
Asimilación (anabolismo)	Proceso por el cual esas sustancias simples se transforman en sustancias complejas de la materia viva.
Desasimilación (catabolismo)	Consiste en la producción de energía por oxidación o hidrólisis de algunas sustancias (grasas y glúcidos, principalmente).
Excreción	Es la expulsión al exterior de las sustancias que resultan de la desasimilación.

LA EXCRECIÓN

Desechos, afuera

Las células de nuestro cuerpo trabajan constantemente. Cada una de ellas es como un pequeñísimo laboratorio donde se realizan diversos y complicados procesos químicos.

Como resultado de toda actividad (especialmente la que se desarrolla durante la digestión y la respiración), quedan diversas sustancias de desecho, las que son "recogidas" por la sangre para ser eliminadas de diferentes modos. Por ejemplo, el *agua*, el *amoníaco*, la *urea*, el *óxido de carbono*, el *ácido úrico* y la *creatinina*.

Algunas de estas sustancias, la urea por ejemplo, son nocivas para el organismo. Otras, como el agua, no lo son; pero, cuando se encuentran en cantidades superiores a la que el organismo requiere para funcionar bien, es necesario eliminarlas.

Para separar de la sangre todas estas sustancias de desecho, tenemos en nuestro cuerpo diversos órganos que, en conjunto, forman el **aparato excretor**. De modo que la excreción es la **expulsión al exterior de los desechos producidos por la actividad celular.** Por lo general, creemos que dicha función es exclusiva del **aparato urinario**; en realidad, éste sólo se ocupa de eliminar la orina producida por los riñones.

El **aparato digestivo**, el **respiratorio** y las **glándulas sudoríparas** también realizan dicha función. ¿Cómo? Contribuyendo a eliminar el exceso de agua contenida en el organismo, ya sea por medio de las heces fecales, en forma de vapor (al espirar) o por el sudor.

Los riñones y las funciones reguladoras

Los riñones, además de ser órganos excretores, **regulan la composición del medio interno**, es decir, de la sangre y de los líquidos corporales.

Pero… ¿en qué consiste esta función reguladora?

Veamos tres ejemplos:

- Cuando ingerimos mucha agua, los riñones eliminan el exceso y producen, por ese motivo, mayor cantidad de orina.
- En caso de **hemorragia** (excesiva pérdida de sangre), el organismo pierde gran cantidad de líquido. La disminución del agua corporal determina que los riñones la retengan al dismi-

nuir la filtración y, por consiguiente, el volumen de orina eliminado se reduce considerablemente.

- En verano, el funcionamiento de los riñones disminuye, ya que la mayor eliminación de agua se realiza a través de la **piel**.

De esta manera, los riñones adecuan su actividad a las necesidades corporales y mantienen igual la cantidad de agua que hay en la sangre. Esta función reguladora también se establece en relación con las **sales** y la **glucosa**.

Las personas que sufren de diabetes tienen permanentemente un alto nivel de glucosa (azúcares) en la sangre y, por eso, la excretan, en gran cantidad, con la orina.

> Consiste en la eliminación de los desechos que resultan del metabolismo, para conseguir el equilibrio homeostático del cuerpo.

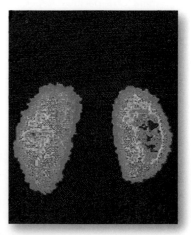

Mediante una gammagrafía, los médicos pueden apreciar las modificaciones de la función renal.

¿Qué es la homeostasis?

Ya dijimos que el riñón regula el medio interno, gracias a su capacidad para eliminar o retener los componentes de la sangre, de acuerdo con las necesidades orgánicas.

A pesar de la permanente entrada y salida de sustancias al organismo y de los continuos cambios del ambiente externo, el medio interno (nuestro organismo) se mantiene constante. Esta

Para que las células puedan llevar a cabo las distintas funciones vitales, las condiciones internas del organismo deben ser estables. Esto se logra mediante el proceso de homeostasis. Cuando se produce alguna alteración que tiende a romper dicho equilibrio, el *cerebro* envía mensajes para corregirlas.

Hipófisis

Hipotálamo

Riñones

Los riñones filtran sangre y extraen constantemente de ella los productos de desecho. La sangre llega a los riñones por las arterias. Éstas pueden apreciarse mediante un estudio llamado *angiografía*, que se realiza inyectando una sustancia de contraste en la circulación arterial para poder observarlas.

UN POCO DE TODO

- Las glándulas sudoríparas tienen una función excretora y otra, muy importante, que es la de regular la temperatura del cuerpo.
- Una persona adulta tiene unos dos millones de glándulas sudoríparas en los ocho metros cuadrados de superficie de su piel.
- En las palmas de las manos llega a haber hasta 465 glándulas sudoríparas por centímetro cuadrado.
- Un adulto elimina, aproximadamente, un litro y medio de orina por día.
- El sudor y la orina están casi totalmente formados por agua, y contienen sólo pequeñas proporciones de sustancias de desecho.
- La cantidad de sudor que elimina una persona depende de la temperatura de su cuerpo. En un clima benigno y con actividad física normal, elimina unos tres litros diarios; en un clima muy caluroso y con actividad física intensa, puede perder hasta diez litros.
- Los estados emocionales intensos (miedo, angustia, ansiedad) provocan un aumento de la eliminación de sudor y orina.
  ¿Nunca tuviste ganas de hacer "pipí", justo cuando tenías que enfrentar una situación difícil? ¿Y alguna vez, durante un examen, no sentiste que te transpiraban mucho las palmas de las manos? ¡Ahora ya sabes por qué!

tendencia del organismo a conservar la uniformidad o estabilidad de su medio interno se llama **homeostasis** (*homois*, "sin cambio"; *stasis*, "permanecer"). La homeostasis es, entre otras cosas, una consecuencia de la acción reguladora del riñón.

El sudor es un líquido segregado por las glándulas sudoríparas, que se encuentran diseminadas por nuestro cuerpo. Es incoloro porque está formado por un 99 % de agua, un 1 % de sales, y restos de urea y otros componentes orgánicos.

¿Cómo se forma la orina?

La orina es un líquido de color amarillo, más denso que el agua, en cuya composición intervienen **sustancias orgánicas e inorgánicas**. Las primeras son el *agua*, las *sales minerales* y el *amoníaco*; las segundas, la *urea*, el *ácido úrico* y los *pigmentos urinarios*. Se produce en los nefrones de los riñones, a partir de la sangre, por medio de 3 procesos.

• **Filtración**. La sangre entra al *glomérulo* por la *arteriola aferente* y se filtra a través de las paredes permeables de la *cápsula de Bowman*.
El líquido filtrado pasa al *túbulo*, conteniendo los componentes del plasma, con excepción de las proteínas y de las células sanguíneas (glóbulos rojos, blancos y plaquetas), que no pasan. El líquido filtrado, que contiene el agua, las sales y la glucosa del plasma, llega al túbulo por la elevada presión san-

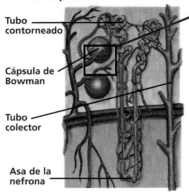

Ovillo capilar

Tubo contorneado

Cápsula de Bowman

Tubo colector

Asa de la nefrona

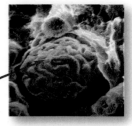

Microfotografía que muestra el interior de un nefrón, en el que puede apreciarse un ovillo capilar.

EL COLOR DE LA ORINA

La orina es un líquido de color amarillento claro, con una densidad un poco mayor que la del agua. Su color se debe a los pigmentos de *urocromo* y *urobilina*.

guínea que hay en la arteriola.
• **Reabsorción**. A medida que el líquido filtrado circula por el *nefrón*, los elementos útiles que contiene son reabsorbidos en el interior de los *túbulos* y devueltos al torrente sanguíneo. Normalmente, se reabsorbe el 100 % de la glucosa, las hormonas y las vitaminas, elementos que son devueltos a la sangre. Por eso,

ninguna de estas sustancias constituyen componentes normales de la orina.
• **Secreción**. Algunas sustancias no útiles para el organismo (y que no filtraron pero deben eliminarse) son forzadas a pasar al *túbulo*, con gasto de energía. Estas sustancias, que se eliminan por secreción, son la *urea*, el *ácido úrico* y la *creatinina*. Luego de estos tres procesos, el líquido será verdaderamente orina.

CONTENIDO DE 1.000 GRAMOS DE ORINA NORMAL		
SUSTANCIAS INORGÁNICAS	Agua	955,0 g
	Cloruro de sodio	10,0 g
	Fosfatos, carbonatos y otras sales	2,0 g
SUSTANCIAS ORGÁNICAS	Urea	20,0 g
	Ácido úrico	0,5 g
	Otras sustancias (pigmentos, etc.)	12,5 g
TOTAL		**1.000,0 g**

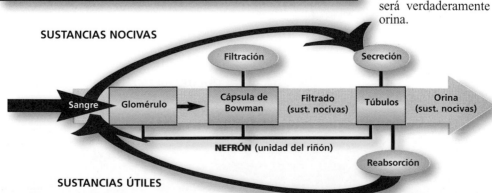

SUSTANCIAS NOCIVAS

Filtración

Secreción

Sangre → Glomérulo → Cápsula de Bowman → Filtrado (sust. nocivas) → Túbulos → Orina (sust. nocivas)

NEFRÓN (unidad del riñón)

Reabsorción

SUSTANCIAS ÚTILES

EL SISTEMA EXCRETOR

LAS GLÁNDULAS SUDORÍPARAS

Distribuidas por todo el cuerpo, se ubican en mayor proporción en las palmas de las manos, plantas de los pies, frente, tronco y axilas. La parte secretora de estas glándulas, que se presenta en forma arrollada, de ovillo, se encuentra en la dermis. De ella sale un estrecho y largo tubo que desemboca en la superficie de la epidermis. Las **glándulas sudoríparas** desempeñan un papel fundamental en el mantenimiento de la temperatura corporal constante, pues el **sudor** contribuye a mantener la piel fría. En cambio, su función excretora resulta poco relevante si la comparamos con el funcionamiento renal, pues a través del sudor se elimina una pequeña cantidad de residuos metabólicos.

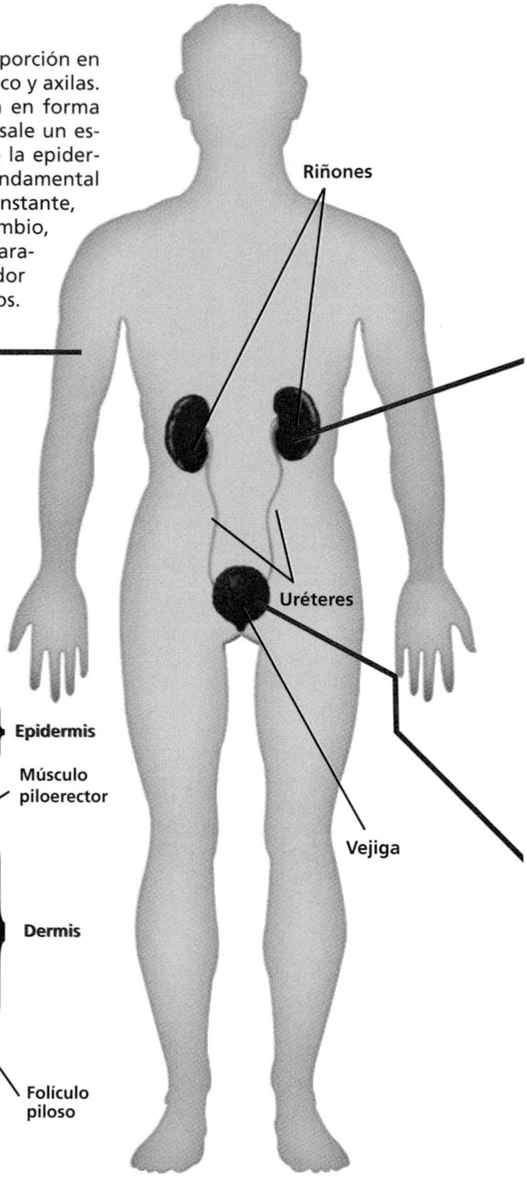

LA PIEL

Por ella también eliminamos desechos. Posee terminaciones nerviosas, vasos sanguíneos, pelos, y glándulas sebáceas y sudoríparas.

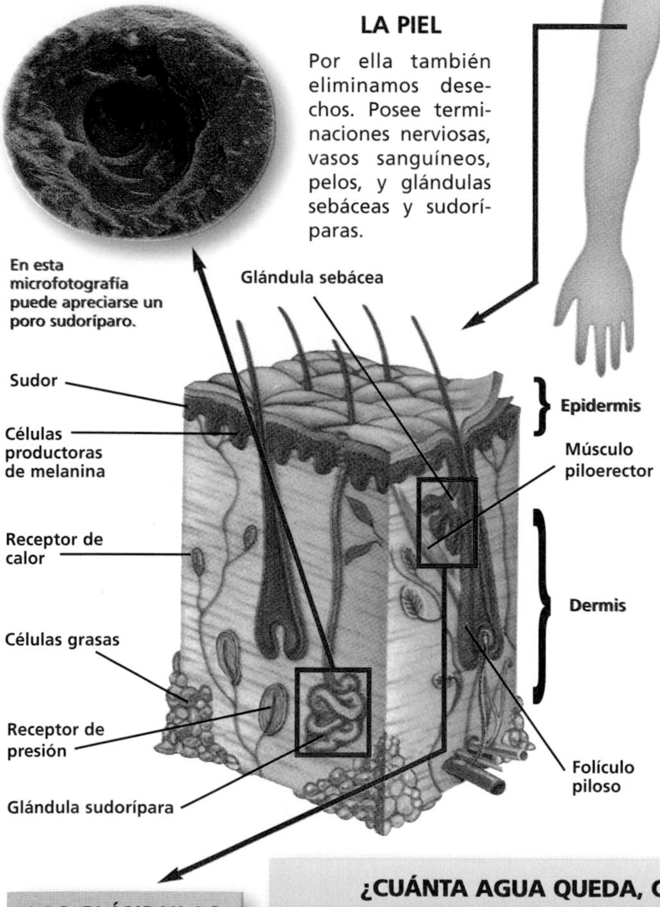

En esta microfotografía puede apreciarse un poro sudoríparo.

Riñones

Sudor

Células productoras de melanina

Glándula sebácea

Epidermis

Músculo piloerector

Receptor de calor

Dermis

Células grasas

Receptor de presión

Glándula sudorípara

Folículo piloso

Uréteres

Vejiga

LAS GLÁNDULAS SEBÁCEAS

Se encargan de producir el sebo o grasa. Se hallan en la dermis y desembocan en la base de los pelos.

¿CUÁNTA AGUA QUEDA, CUÁNTA AGUA SALE?

Mientras que los riñones filtran a diario entre 170 y 180 litros diarios de sangre, la cantidad de orina que eliminamos, en el mismo tiempo, oscila entre 1 y 1,5 litros. La cantidad de agua y sales reabsorbidas depende de la necesidad del organismo. Por ejemplo, cuando ingerimos una cantidad abundante de líquido, los riñones reabsorben poca agua en relación con la ingerida y, como consecuencia, eliminamos una mayor cantidad de orina, la cual resulta muy diluida.

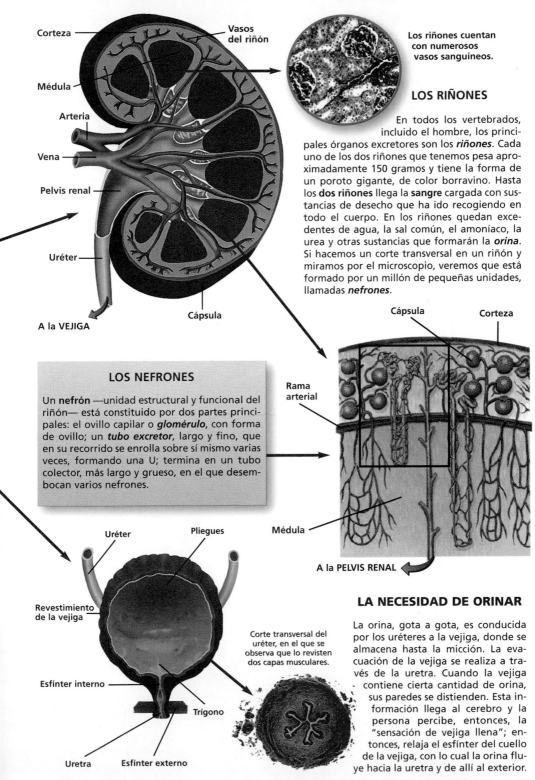

Corteza

Vasos del riñón

Médula

Arteria

Vena

Pelvis renal

Uréter

A la VEJIGA

Cápsula

Los riñones cuentan con numerosos vasos sanguíneos.

LOS RIÑONES

En todos los vertebrados, incluido el hombre, los principales órganos excretores son los *riñones*. Cada uno de los dos riñones que tenemos pesa aproximadamente 150 gramos y tiene la forma de un poroto gigante, de color borravino. Hasta los **dos riñones** llega la **sangre** cargada con sustancias de desecho que ha ido recogiendo en todo el cuerpo. En los riñones quedan excedentes de agua, la sal común, el amoníaco, la urea y otras sustancias que formarán la *orina*. Si hacemos un corte transversal en un riñón y miramos por el microscopio, veremos que está formado por un millón de pequeñas unidades, llamadas *nefrones*.

Cápsula

Corteza

LOS NEFRONES

Un **nefrón** —unidad estructural y funcional del riñón— está constituido por dos partes principales: el ovillo capilar o *glomérulo*, con forma de ovillo; un *tubo excretor*, largo y fino, que en su recorrido se enrolla sobre sí mismo varias veces, formando una U; termina en un tubo colector, más largo y grueso, en el que desembocan varios nefrones.

Rama arterial

Médula

A la PELVIS RENAL

Uréter

Pliegues

Revestimiento de la vejiga

Corte transversal del uréter, en el que se observa que lo revisten dos capas musculares.

Esfínter interno

Trígono

Uretra

Esfínter externo

LA NECESIDAD DE ORINAR

La orina, gota a gota, es conducida por los uréteres a la vejiga, donde se almacena hasta la micción. La evacuación de la vejiga se realiza a través de la uretra. Cuando la vejiga contiene cierta cantidad de orina, sus paredes se distienden. Esta información llega al cerebro y la persona percibe, entonces, la "sensación de vejiga llena"; entonces, relaja el esfínter del cuello de la vejiga, con lo cual la orina fluye hacia la uretra y de allí al exterior.

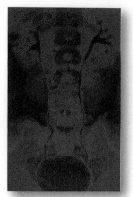

Para poder observar en detalle los riñones por medio de una radiografía, es necesario inyectar en la sangre una sustancia de contraste que sea filtrada y eliminada por el riñón. Este estudio permite alertar sobre posibles anomalías renales.

PARA RECORDAR

- El consumo excesivo de sal, picantes, condimentos y carnes rojas, que producen urea, es contraproducente para los riñones.
- Saltar desde sitios altos, correr sobre superficies duras y hacer esfuerzos exagerados puede perjudicarlos.

Trastornos del aparato urinario

Ya vimos que la función de los riñones es mantener la regulación del medio interno. Cuando falla en el cumplimiento de ésta, aparece un síndrome denominado **"uremia"**, que es una intoxicación causada por sustancias nocivas que no se eliminan.

Sus síntomas son letargo, anorexia, náusea y vómito, confusión mental, espasmos musculares, convulsiones y, finalmente, coma.

Este problema puede originarse **en los riñones**, **en las vías urinarias** o **en otros órganos** que no forman el sistema urinario.

A veces ocurre que no llega sangre a los riñones o llega a muy baja presión, por lo que no se puede elaborar orina. Esto puede ser causado por grandes hemorragias, quemaduras, infecciones o intoxicaciones graves, grandes traumatismos, operaciones quirúrgicas importantes, etc.

Algunas afecciones perturban la formación normal de orina. Si bien se la elimina, se trata de una orina de "mala calidad", que no se adapta a las exigencias del organismo. Esta incapacidad de producir una orina normal hace que se produzcan, por ejemplo, deshidratación o retención de urea, ácido úrico y creatinina.

También aparece uremia cuando se obstruyen, total o parcialmente, las vías urinarias por cálculos o tumores.

ANALIZANDO LA ORINA

El análisis de orina, que parece de rutina cuando los médicos quieren saber cómo estamos, permite comprobar no sólo el funcionamiento del riñón y sus conductos, sino también el de los sistemas endocrino, metabólico y circulatorio. Una prueba es el examen de las **características físicas**, como el color y la densidad, los **elementos sólidos** que contiene, o las **características químicas** (contenido de sustancias disueltas). Por ejemplo, el oscurecimiento excesivo de la orina es consecuencia de su concentración por fiebre alta, diarrea o vómito, o una enfermedad cardíaca. Un color muy claro demuestra inflamación del riñón o diabetes.

La presencia de sangre puede deberse a daños en el riñón o lesiones en la vejiga. En la diabetes, es notable la cantidad de azúcar disuelta en la orina. También se incrementa cuando hay una intoxicación con metales pesados, como el plomo. Cuando los leucocitos (que normalmente se encuentran en número reducido) aumentan y hay bacterias, según el examen microscópico, la causa puede ser una infección activa en algún lugar del aparato urinario.

EL SOSTÉN Y EL MOVIMIENTO

Un sistema con muchas piezas

El **sistema óseo-artro-muscular** está integrado por los **huesos**, los **ligamentos**, los **cartílagos** y los **músculos**. Veamos qué funciones cumple.

Los **huesos** son piezas óseas, resistentes y duras, que se relacionan entre sí. El conjunto de huesos se llama **esqueleto**. Una de sus funciones es sostener las partes blandas del cuerpo. Es decir, sin él nuestro cuerpo no tendría consistencia, nos pareceríamos a un flan o una gelatina.

También forma cavidades donde se alojan importantes y delicados órganos (corazón, pulmones, encéfalo).

Los **músculos** cubren casi totalmente el esqueleto (salvo parte del cráneo); sus extremos se insertan en los huesos. Son la parte activa del sistema: como se contraen y se relajan, actúan como verdaderas *palancas* y mueven a los huesos (cada movimiento es el resultado de la contracción y la relajación simultá-

nea de los pares de músculos intervinientes). El sistema óseo-artro-muscular, además, determina la talla y modela el cuerpo.

El esqueleto

El esqueleto está compuesto por 206

¿QUÉ ES LA OSIFICACIÓN?

Entre la cabeza ósea y el cuerpo de los huesos, se encuentra una fina lámina de **cartílago**.
Sus células se dividen constantemente dando origen a un nuevo cartílago, que es reemplazado por un hueso. Este proceso recibe el nombre de **osificación**.

El sistema óseo-artro-muscular sostiene nuestro cuerpo, protege órganos vitales y permite que nos movamos.

huesos. Para dar un orden y poder abordar su estudio más detalladamente, podemos dividirlo en:
- esqueleto de la cabeza;
- esqueleto del tronco;
- **esqueleto de las extremidades, subdividido en el que corresponde a las superiores y el de las inferiores**.

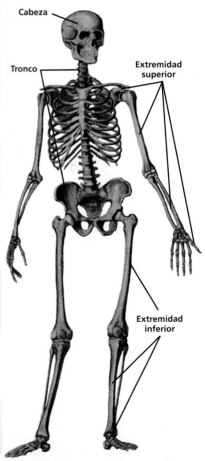

Cabeza

Tronco

Extremidad superior

Extremidad inferior

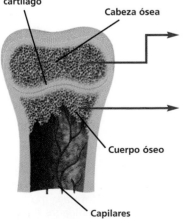

Lámina de cartílago

Cabeza ósea

Cuerpo óseo

Capilares

El cartílago es el material que constituye el esqueleto del feto, antes del nacimiento. Es reemplazado en forma gradual por el hueso.

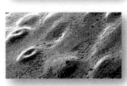

La capa externa de un hueso está formada por columnas sólidas de material óseo. Cubre el cuerpo de los huesos de las extremidades.

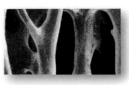

El hueso esponjoso, o capa interna, presenta pequeñas cavidades ocupadas por vasos sanguíneos, grasa y médula ósea.

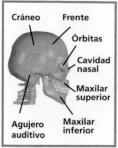

Cráneo · Frente · Órbitas · Cavidad nasal · Maxilar superior · Maxilar inferior · Agujero auditivo

Esqueleto de la cabeza

Tiene 22 huesos: 8 forman una caja, el **cráneo**, que protege los principales órganos del sistema nervioso, y 14 forman la **cara**.

Esqueleto del tronco

En el tronco está la columna vertebral, formada por 33 vértebras: *7 cervicales, 12 dorsales, 5 lumbares, 5 sacras* (soldadas y que forman un solo hueso) y *4 coccígeas* (también soldadas entre sí y muy pequeñas). Sobre cada vértebra dorsal se articulan las *costillas*, que se unen por delante del *esternón*.

Las vértebras dorsales, las costillas y el esternón forman una gran caja: el **tórax**, que protege el corazón, los pulmones, el esófago y la tráquea.

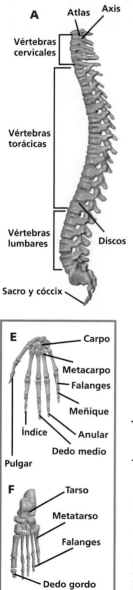

A — Atlas · Axis · Vértebras cervicales · Vértebras torácicas · Vértebras lumbares · Discos · Sacro y cóccix

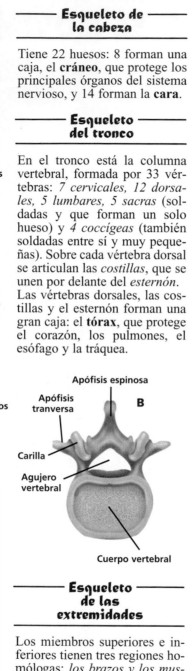

B — Apófisis espinosa · Apófisis tranversa · Carilla · Agujero vertebral · Cuerpo vertebral

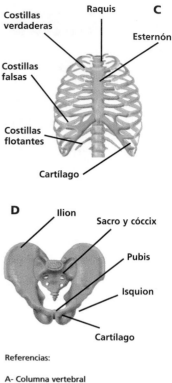

C — Costillas verdaderas · Raquis · Esternón · Costillas falsas · Costillas flotantes · Cartílago

D — Ilion · Sacro y cóccix · Pubis · Isquion · Cartílago

Referencias:

A- Columna vertebral
B- Vista inferior de una vértebra
C- Costillas
D- Cintura pélvica
E- Huesos de la mano
F- Huesos del pie

E — Carpo · Metacarpo · Falanges · Meñique · Índice · Anular · Dedo medio · Pulgar

F — Tarso · Metatarso · Falanges · Dedo gordo

Esqueleto de las extremidades

Los miembros superiores e inferiores tienen tres regiones homólogas: *los brazos y los muslos, los antebrazos y las piernas, las manos y los pies*.

Tanto el brazo como el muslo están formados por un solo hueso: el **húmero** y el **fémur**, respectivamente.

El antebrazo y la pierna están formados por dos huesos cada uno: el **cúbito** y el **radio**, y la **tibia** y el **peroné**, respectivamente.

En la mano se diferencian 3 regiones: **carpo**, **metacarpo** y **dedos**, equivalentes al **tarso**, **metatarso** y **dedos** de los pies. La configuración de los dedos de los pies y de las manos es distinta.

Los miembros superiores se unen al tronco mediante la **cintura escapular** (hombro), formada por la **clavícula** y el **omóplato** o *escápula*.

Los miembros inferiores lo hacen mediante la **cintura pélvica** (cadera), formada por tres huesos planos soldados entre sí y que forman la *pelvis*. (Ver ilustración del sistema ósteo-artro-muscular.)

Las articulaciones

Los huesos, al formar el esqueleto, están adheridos unos a otros en forma más o menos flexible, por medio de las **articulaciones**. Cada vez que realizamos un movimiento, como flexionar el brazo o pegar un puntapié, las articulaciones trabajan. Desde el punto de vista de la movilidad y la unión, las articulaciones pueden clasificarse en tres categorías:
* **móviles** o *diartrosis*;
* **semimóviles** o *anfiartrosis*;
* **inmóviles** o *sinartrosis*.

Composición de una diartrosis típica

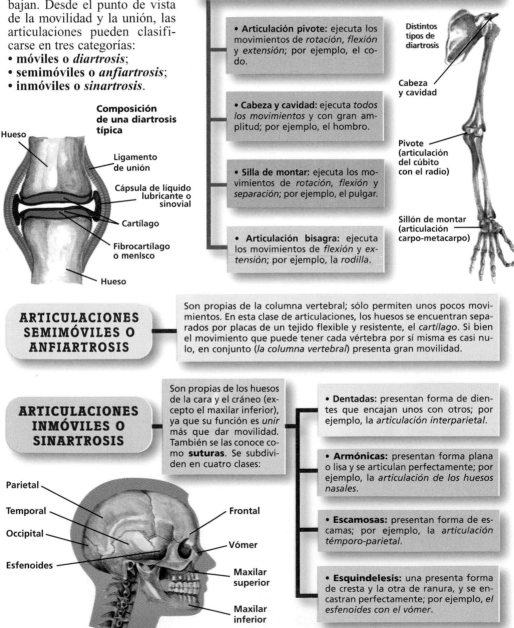

Hueso

Ligamento de unión

Cápsula de líquido lubricante o sinovial

Cartílago

Fibrocartílago o menisco

Hueso

ARTICULACIONES MÓVILES O DIARTROSIS

Corresponden fundamentalmente al esqueleto de los miembros. Son muy flexibles, ya que en el interior se encuentran una cavidad y una membrana lubricada que facilitan el movimiento. Los huesos que intervienen en este tipo de articulación están unidos por **ligamentos**, que evitan la dislocación. Se subclasifican en cuatro categorías, según el grado de movilidad:

* **Articulación pivote:** ejecuta los movimientos de *rotación, flexión* y *extensión*; por ejemplo, el codo.

* **Cabeza y cavidad:** ejecuta *todos los movimientos* y con gran amplitud; por ejemplo, el hombro.

* **Silla de montar:** ejecuta los movimientos de *rotación, flexión* y *separación*; por ejemplo, el pulgar.

* **Articulación bisagra:** ejecuta los movimientos de *flexión* y *extensión*; por ejemplo, la *rodilla*.

Distintos tipos de diartrosis

Cabeza y cavidad

Pivote (articulación del cúbito con el radio)

Sillón de montar (articulación carpo-metacarpo)

ARTICULACIONES SEMIMÓVILES O ANFIARTROSIS

Son propias de la columna vertebral; sólo permiten unos pocos movimientos. En esta clase de articulaciones, los huesos se encuentran separados por placas de un tejido flexible y resistente, el *cartílago*. Si bien el movimiento que puede tener cada vértebra por sí misma es casi nulo, en conjunto (*la columna vertebral*) presenta gran movilidad.

ARTICULACIONES INMÓVILES O SINARTROSIS

Son propias de los huesos de la cara y el cráneo (excepto el maxilar inferior), ya que su función es *unir* más que dar movilidad. También se las conoce como **suturas**. Se subdividen en cuatro clases:

* **Dentadas:** presentan forma de dientes que encajan unos con otros; por ejemplo, la *articulación interparietal.*

* **Armónicas:** presentan forma plana o lisa y se articulan perfectamente; por ejemplo, la *articulación de los huesos nasales.*

* **Escamosas:** presentan forma de escamas; por ejemplo, la *articulación témporo-parietal.*

* **Esquindelesis:** una presenta forma de cresta y la otra de ranura, y se encastran perfectamente; por ejemplo, *el esfenoides con el vómer.*

Parietal

Temporal

Occipital

Esfenoides

Frontal

Vómer

Maxilar superior

Maxilar inferior

Función de los músculos

Son los encargados del movimiento de nuestro cuerpo. Provocan el funcionamiento de las articulaciones.

A diferencia de otros tejidos del cuerpo, el que conforma los músculos presenta una propiedad que lo distingue: es el único capaz de **acortarse** (para tirar del hueso y provocar el movimiento) y de **relajarse** (para colocar nuevamente el hueso en el lugar inicial).

Esto es posible porque los músculos están formados por **fibras** (conjunto de **células mo-**

MÚSCULO CARDÍACO

Sólo se encuentra en el corazón. Es infatigable. Sus fibras son estriadas en toda su longitud. Se contrae automáticamente según un ritmo propio (aproximadamente 70 contracciones por minuto) a fin de bombear sangre a todos los tejidos.

LA MUSCULATURA Y EL MOVIMIENTO

Glúteo contraído

Músculo de la cadera relajado

Bíceps relajado

Extensión y flexión de la pierna sobre el muslo.

Músculo de la cadera contraído

Cuádriceps relajado

Glúteo relajado

Bíceps contraído

Cuádriceps contraído

Extensión y flexión del brazo sobre el antebrazo.

Tríceps contraído

Bíceps contraído

Tríceps relajado

Bíceps relajado

toras). Cuando el cerebro envía un impulso de movimiento, éste se transmite a través de los **nervios**.

Cada una de las fibras musculares recibe el impulso y se contrae, provocando el movimiento del hueso.

¿Todos los músculos son iguales?

¡Por supuesto que no! Nuestro cuerpo realiza dos clases de **movimientos**: los **voluntarios** y los **involuntarios**.

Los primeros los efectuamos cuando queremos caminar, hablar, practicar deportes, etc.; en fin, son todos los movimientos que dependen de nuestra voluntad; en éstos intervienen los **músculos rojos o estriados** (hay un caso en que estos músculos realizan movimientos involuntarios: los movimientos reflejos, por ejemplo, cuando nos golpean en la rodilla).

Los movimientos involuntarios o automáticos son los que realizan el corazón, el estómago, el intestino, las arterias, etc. En este tipo de movimientos intervienen los **músculos lisos** o de la vida vegetativa (de color rosa pálido, excepto el corazón, que es de color rojo oscuro).

En el cuerpo humano hay unos 450 músculos estriados y sólo unos 50 lisos.

Los músculos por regiones

Podemos distribuir los músculos según la parte del cuerpo en
la que se insertan.

Músculos de la cabeza: son
numerosos y variados en cuanto a la forma y a la ubicación.
Cumplen diversas funciones,
como la masticación, la gesti-
culación, la apertura y el cierre
de los ojos y de la boca.

Músculos del cuello: son fuertes y potentes. Entre las funciones que cumplen podemos citar
la sujeción de la cabeza y el
movimiento de la misma en

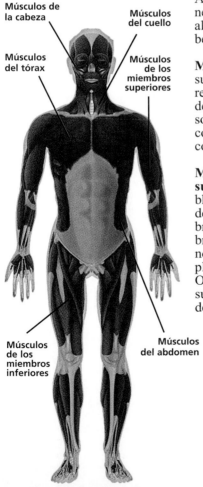

Músculos de
la cabeza

Músculos
del cuello

Músculos
del tórax

Músculos
de los
miembros
superiores

Músculos
de los
miembros
inferiores

Músculos
del abdomen

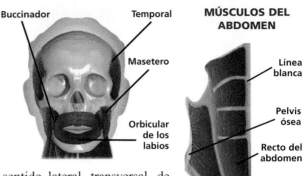

Buccinador

Temporal

Masetero

Orbicular
de los
labios

sentido lateral, transversal, de
giro y de estiramiento.

Músculos del tórax: cumplen
un rol importante en el proceso
de respiración, facilitando la
contracción y expansión de la
caja torácica.
Además, contribuyen a sostener la columna y participan de
algunos movimientos de la cabeza.

Músculos del abdomen: entre
sus funciones se destacan la de
recubrir y proteger las vísceras
del abdomen, facilitar el proceso de excreción y contribuir
con algunos movimientos de la
columna.

**Músculos de las extremidades
superiores:** son los responsables de la movilidad del brazo y
del antebrazo. Unos actúan sobre las articulaciones del hombro, el codo o la muñeca. Algunos permiten movimientos amplios de extensión y flexión.
Otros nos permiten realizar
suaves movimientos, como el
de escribir o dibujar.

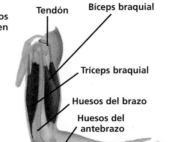

Tendón

Bíceps braquial

Tríceps braquial

Huesos del brazo

Huesos del
antebrazo

MÚSCULOS DEL ABDOMEN

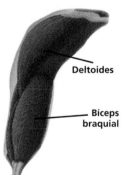

Línea
blanca

Pelvis
ósea

Recto del
abdomen

Oblícuo
interno

MÚSCULOS DE LAS EXTREMIDADES SUPERIORES

Deltoides

Bíceps
braquial

MÚSCULOS DE LAS EXTREMIDADES INFERIORES

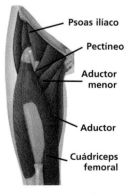

Psoas ilíaco

Pectíneo

Aductor
menor

Aductor

Cuádriceps
femoral

Los músculos de las extremidades
son rojos o estriados.

EL SISTEMA ÓSTEO-ARTRO-MUSCULAR

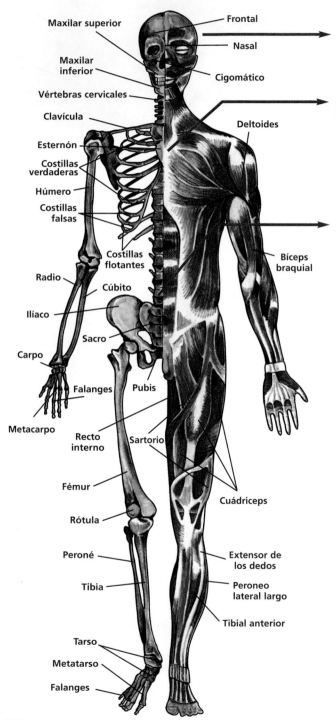

Maxilar superior

Frontal

Nasal

Maxilar inferior

Cigomático

Vértebras cervicales

Clavícula

Deltoides

Esternón

Costillas verdaderas

Húmero

Costillas falsas

Costillas flotantes

Bíceps braquial

Radio

Cúbito

Ilíaco

Sacro

Carpo

Falanges

Pubis

Metacarpo

Recto interno

Sartorio

Fémur

Cuádriceps

Rótula

Peroné

Extensor de los dedos

Tibia

Peroneo lateral largo

Tibial anterior

Tarso

Metatarso

Falanges

Músculos de la cara. Comprenden los faciales o miméticos y los de la masticación.

Músculos del tórax. Están divididos en dos regiones: costal y anterocostal. La primera comprende cuatro músculos: intercostal, supracostal, infracostal y triangular del esternón. La segunda comprende los pectorales (mayor y menor), el subclavio y el serrato mayor.

Músculos del abdomen. Comprenden 4 áreas: anterolateral, posterior, inferior y superior.

LOS TENDONES

Se asemejan a cuerdas inextensibles; son de color blanco y están formados por **fibras de colágeno**. Por medio de ellos los músculos se insertan en el hueso. Cuando el músculo se contrae, tira del hueso por medio del tendón.

El tendón más grande de nuestro cuerpo es el **de Aquiles**. A través de éste, los músculos posteriores de la pierna se insertan en el tobillo.

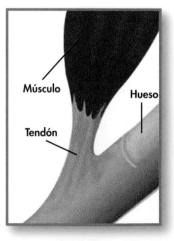

Músculo

Hueso

Tendón

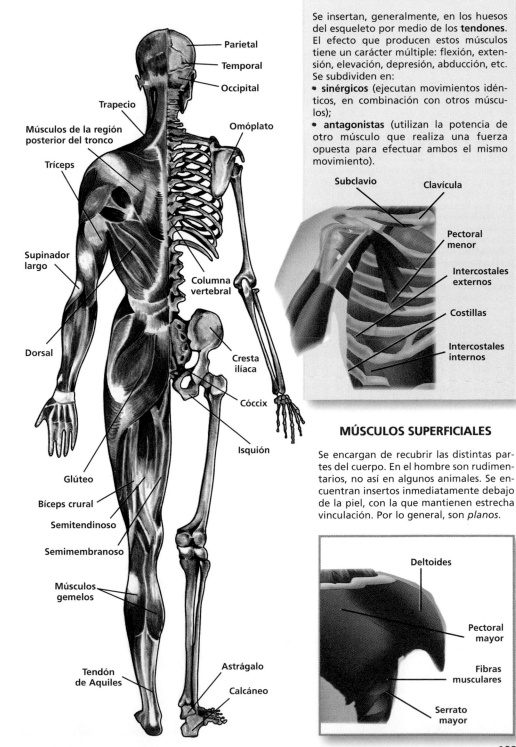

Parietal

Temporal

Occipital

Trapecio

Músculos de la región
posterior del tronco

Omóplato

Tríceps

Supinador
largo

Columna
vertebral

Dorsal

Cresta
ilíaca

Cóccix

Isquión

Glúteo

Bíceps crural

Semitendinoso

Semimembranoso

Músculos
gemelos

Tendón
de Aquiles

Astrágalo

Calcáneo

MÚSCULOS PROFUNDOS

Se insertan, generalmente, en los huesos del esqueleto por medio de los **tendones**. El efecto que producen estos músculos tiene un carácter múltiple: flexión, extensión, elevación, depresión, abducción, etc. Se subdividen en:
- **sinérgicos** (ejecutan movimientos idénticos, en combinación con otros músculos);
- **antagonistas** (utilizan la potencia de otro músculo que realiza una fuerza opuesta para efectuar ambos el mismo movimiento).

Subclavio

Clavícula

Pectoral
menor

Intercostales
externos

Costillas

Intercostales
internos

MÚSCULOS SUPERFICIALES

Se encargan de recubrir las distintas partes del cuerpo. En el hombre son rudimentarios, no así en algunos animales. Se encuentran insertos inmediatamente debajo de la piel, con la que mantienen estrecha vinculación. Por lo general, son *planos*.

Deltoides

Pectoral
mayor

Fibras
musculares

Serrato
mayor

PARA TENER HUESOS Y MÚSCULOS SANOS

Como siempre, la dieta alimenticia es un factor fundamental: debe contener suficientes vitaminas, proteínas, calcio, fósforo, flúor y todos los minerales que participan en la generación de nuestro tejido óseo.

Entre las vitaminas, la D tiene un lugar destacado. ¿Dónde la encontramos? En la leche y sus derivados. Pero no basta con consumirla: para que nuestro organismo la asimile, tenemos que "tomar sol". Esto significa caminar o realizar actividades al aire libre en los días despejados o seminublados. Y, ya que hablamos de "actividades", es muy bueno realizar ejercicios moderados o deportes al aire libre, en forma regular.

Por último, adoptemos posturas correctas y evitemos levantar pesos de manera incorrecta.

Trastornos en el sistema ósteo–artro–muscular

Las afecciones de nuestro aparato locomotor pueden originarse en factores internos o externos a nuestro organismo. Veamos algunas de ellas.

Las fracturas

Muchas veces, los golpes y las caídas fuerzan hasta el límite la resistencia de los huesos, produciendo **fracturas**. La fractura es la pérdida de la unidad estructural del hueso. Puede ser transversal, oblicua, con varios fragmentos o con formación de esquirlas o astillas. Cuando no hay rotura de piel, es cerrada. Cuando la piel se rompe, exponiendo el hueso roto al exterior, se trata de una fractura abierta. ¿Cómo se trata la fractura? Primero, colocando los fragmentos fracturados correctamente, sin desviaciones (*reducción*). Luego hay que inmovilizarlos por medio de *férulas* o tablillas, enyesado o por la colocación de piezas metálicas (tornillos especiales, clavos, etc.). El resto lo hace el mismo hueso, que se regenera a través de un proceso que se denomina *osteogénesis*.

Cuidemos la postura

La **desviación de la columna vertebral** es producida por diversas enfermedades, pero también por posturas inadecuadas o por transportar pesos excesivos. La obesidad, la menopausia, las profesiones que obligan a permanecer de pie períodos prolongados de tiempo producen afecciones en la columna vertebral y las extremidades inferiores.

El pie plano

El pie normal se apoya en el suelo por su talón, su borde ex-

terior y su parte anterior. El pie plano, en cambio, consiste en una **relajación de la bóveda plantar**, y se llega, en casos extremos, a apoyar toda la planta del pie. Este trastorno, que a su vez acarrea problemas en la columna, puede ser hereditario o por las mismas causas que señalamos en el caso anterior.

La osteoporosis

La disminución de la sustancia proteica fundamental y la aparición de espacios anormales en los huesos se conocen como *osteoporosis*. Puede originarse por desnutrición, por desórdenes hormonales después de la menopausia (en las mujeres) y, en general, por la vejez.

LA COORDINACIÓN Y LA RESPUESTA

— El sistema nervioso —

Este sistema está formado por los centros nerviosos y los nervios. ¿Y cuáles son los centros nerviosos? Son éstos: el cerebro, el cerebelo, el bulbo raquídeo y la médula espinal. Los tres primeros, juntos, conforman el **encéfalo** (que está ubicado dentro del cráneo). La **médula espinal**, en cambio, se halla alojada a lo largo de la columna vertebral, dentro de un conducto especial llamado **conducto raquídeo** (*raquis*, en griego, significa "espinazo").

Los nervios son como cordoncitos fibrosos que parten desde estos centros y llegan a todas partes de nuestro cuerpo. Algunos conducen hasta los centros nerviosos toda la información sensorial (nervios sensitivos) y otros transmiten hasta los músculos y glándulas las "órdenes" del cerebro para que se pongan en movimiento (nervios motores). Además, a cada lado de la columna vertebral hay dos "cordones" que presentan, de tanto en tanto, unos abultamientos llamados *ganglios*. De estos ganglios parten nervios mixtos (sensitivos-motores). Ellos actúan (independientemente de nuestra voluntad) sobre los diferentes órganos de nuestro cuerpo. Un dato importante: llamamos **sistema nervioso central** o cerebro espinal al que forman el encéfalo y la médula espinal. Y al

Para que nuestro organismo funcione en forma armónica y coordinada, es fundamental la acción del sistema nervioso, que controla los cambios en el medio interno y externo.

conjunto de nervios que no obedecen a nuestra voluntad lo llamamos **sistema del gran simpático**.

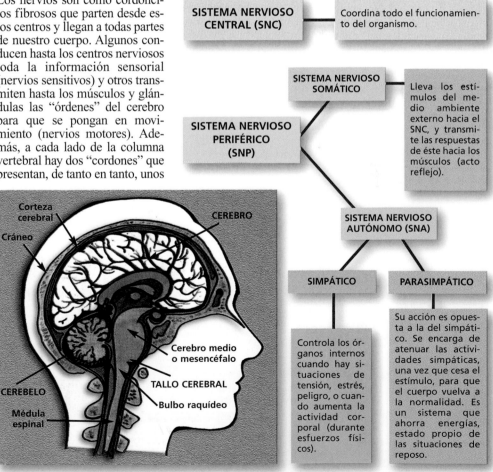

SISTEMA NERVIOSO CENTRAL (SNC) — Coordina todo el funcionamiento del organismo.

SISTEMA NERVIOSO PERIFÉRICO (SNP)

SISTEMA NERVIOSO SOMÁTICO — Lleva los estímulos del medio ambiente externo hacia el SNC, y transmite las respuestas de éste hacia los músculos (acto reflejo).

SISTEMA NERVIOSO AUTÓNOMO (SNA)

SIMPÁTICO — Controla los órganos internos cuando hay situaciones de tensión, estrés, peligro, o cuando aumenta la actividad corporal (durante esfuerzos físicos).

PARASIMPÁTICO — Su acción es opuesta a la del simpático. Se encarga de atenuar las actividades simpáticas, una vez que cesa el estímulo, para que el cuerpo vuelva a la normalidad. Es un sistema que ahorra energías, estado propio de las situaciones de reposo.

Corteza cerebral
Cráneo
CEREBRO
Cerebro medio o mesencéfalo
TALLO CEREBRAL
Bulbo raquídeo
CEREBELO
Médula espinal

— Las neuronas —

Son la **unidad estructural del sistema nervioso**. Estas células se encargan de transportar los **impulsos nerviosos** (mensajes eléctricos). La unión de varias de ellas da origen a un **nervio**. El tamaño de las neuronas es **variable**. En nuestro cuerpo hay **tres tipos de neuronas**: **sensoriales**, **motoras** y de **asociación** o **interneuronas**. Cada una de ellas desempeña una función distinta.

ESTRUCTURA DE LAS NEURONAS

Están compuestas por el *cuerpo o soma neuronal*, las *dendritas* y el *axón*. Las *dendritas* son *fibras nerviosas* que transportan el impulso nervioso hacia el cuerpo celular. Los *axones* también son fibras nerviosas, más largas que las dentritas. Transmiten los impulsos nerviosos vitales.

— El impulso nervioso —

El **impulso nervioso** es una **señal eléctrica que se expande a lo largo de la superficie de la neurona**. Cuando una neurona no recibe ningún impulso, se encuentra en estado de reposo. Sin embargo, una neurona nunca se encuentra en estado de reposo absoluto. Aunque no esté produciendo impulsos, realiza otras actividades, por ejemplo, el pasaje de sustancias a través de la membrana. Las neuronas son capaces de responder a muchos estímulos sucesivos. Sin embargo, si los estímulos ocurren muy rápidamente, unos después de otros, las neuronas no pueden responder.

— ¿Cómo trabaja el sistema nervioso? —

El sistema nervioso es el encargado de controlar todos nuestros actos: los **voluntarios** y los **involuntarios o reflejos**. Los movimientos voluntarios son los que **deseamos** realizar. Escribir es un acto voluntario. En este caso, primero pensamos que queremos escribir. Seguidamente, realizamos dicho acto a medida que **el cerebro** envía impulsos a través de los nervios hasta la mano. Estos impulsos fijan la mano y controlan su desplazamiento a lo largo de la hoja. Por el contrario, reaccionar ante un pinchazo es un acto involuntario o **acto reflejo**. Imaginemos que accidentalmente nos pinchamos con una aguja. Inmediatamente, los receptores allí ubicados reciben el estímulo y envían unos impulsos a lo largo de las **neuronas sensoriales** hasta la médula espinal. En tal punto las **neuronas de asociación** se ocupan de cambiar el impulso de las neuronas sensoriales en impulsos de las neuronas motoras. Éstas envían impulsos nerviosos a los músculos de la mano, para que se deslice fuera del alcance de la aguja. Todo esto sucede a una velocidad increíble.

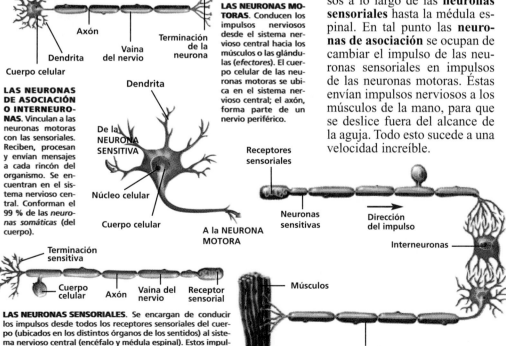

Axón

Terminación de la neurona

Vaina del nervio

Dendrita

Cuerpo celular

LAS NEURONAS DE ASOCIACIÓN O INTERNEURONAS. Vinculan a las neuronas motoras con las sensoriales. Reciben, procesan y envían mensajes a cada rincón del organismo. Se encuentran en el sistema nervioso central. Conforman el 99 % de las *neuronas somáticas* (del cuerpo).

Dendrita

De la NEURONA SENSITIVA

Núcleo celular

Cuerpo celular

A la NEURONA MOTORA

LAS NEURONAS MOTORAS. Conducen los impulsos nerviosos desde el sistema nervioso central hacia los músculos o las glándulas (*efectores*). El cuerpo celular de las neuronas motoras se ubica en el sistema nervioso central; el axón, forma parte de un nervio periférico.

Receptores sensoriales

Neuronas sensitivas

Dirección del impulso

Interneuronas

Músculos

Neuronas motoras

Terminación sensitiva

Cuerpo celular

Axón

Vaina del nervio

Receptor sensorial

LAS NEURONAS SENSORIALES. Se encargan de conducir los impulsos desde todos los receptores sensoriales del cuerpo (ubicados en los distintos órganos de los sentidos) al sistema nervioso central (encéfalo y médula espinal). Estos impulsos están vinculados con sensaciones y percepciones como, por ejemplo, el dolor o la luz.

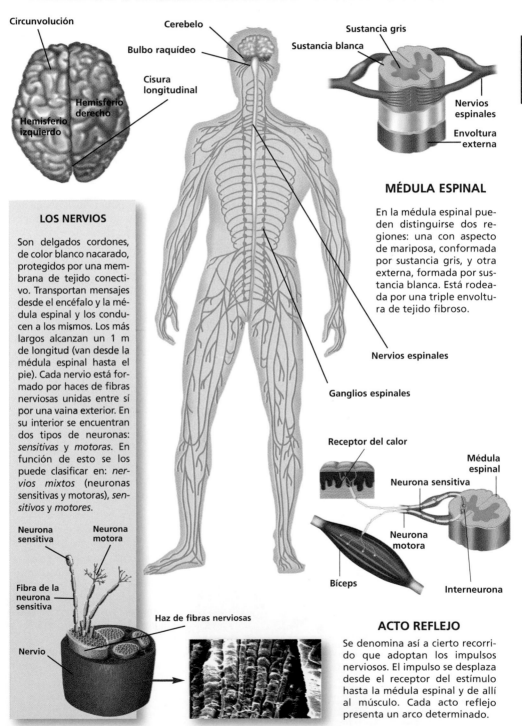

Circunvolución

Cerebelo

Bulbo raquídeo

Cisura longitudinal

Hemisferio derecho

Hemisferio izquierdo

Sustancia gris

Sustancia blanca

Nervios espinales

Envoltura externa

MÉDULA ESPINAL

En la médula espinal pueden distinguirse dos regiones: una con aspecto de mariposa, conformada por sustancia gris, y otra externa, formada por sustancia blanca. Está rodeada por una triple envoltura de tejido fibroso.

Nervios espinales

Ganglios espinales

LOS NERVIOS

Son delgados cordones, de color blanco nacarado, protegidos por una membrana de tejido conectivo. Transportan mensajes desde el encéfalo y la médula espinal y los conducen a los mismos. Los más largos alcanzan un 1 m de longitud (van desde la médula espinal hasta el pie). Cada nervio está formado por haces de fibras nerviosas unidas entre sí por una vaina exterior. En su interior se encuentran dos tipos de neuronas: *sensitivas* y *motoras*. En función de esto se los puede clasificar en: *nervios mixtos* (neuronas sensitivas y motoras), *sensitivos* y *motores*.

Receptor del calor

Médula espinal

Neurona sensitiva

Neurona motora

Bíceps

Interneurona

Neurona sensitiva

Neurona motora

Fibra de la neurona sensitiva

Nervio

Haz de fibras nerviosas

ACTO REFLEJO

Se denomina así a cierto recorrido que adoptan los impulsos nerviosos. El impulso se desplaza desde el receptor del estímulo hasta la médula espinal y de allí al músculo. Cada acto reflejo presenta un arco determinado.

El sistema nervioso central

• El **encéfalo** forma parte del sistema nervioso central y constituye el principal centro de control del organismo. Está protegido por los huesos del cráneo. Se distinguen en él tres regiones: el *cerebro*, el *cerebelo* y el *tronco cerebral*.

En su interior se encuentran 100.000 millones de células. Cada una de ellas está conectada con otras 1.000 ó 10.000 células del resto del cuerpo.

• La **corteza** cerebral es la responsable de todas las demostraciones de *inteligencia* o de *instinto*. Está conformada por *materia gris*. Esta sustancia contiene los cuerpos celulares de las neuronas en conjunto con numerosas dendritas y axones que no tienen mielina. En la materia gris las neuronas interaccionan unas con otras.

• El **cerebro** ocupa casi la totalidad de la *cavidad craneal* y constituye la parte anatómica más importante, compleja y voluminosa del sistema nervioso. Controla el cuerpo, los actos, las sensaciones y las palabras, recibe información de todas las partes del cuerpo, las procesa y envía mensajes a los músculos para que se pongan en acción. Una vista superior

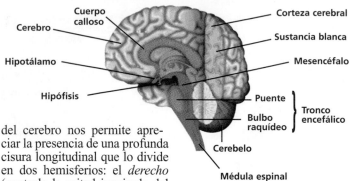

del cerebro nos permite apreciar la presencia de una profunda cisura longitudinal que lo divide en dos hemisferios: el *derecho* (controla la mitad izquierda del cuerpo) y el *izquierdo* (controla la mitad derecha).

• El **cerebelo** ocupa la parte posterior e inferior de la cavidad craneana; posee forma de elipse, aplastada desde arriba hacia abajo, y con su diámetro mayor en sentido transversal. Consta de tres partes: *lóbulo medio* y dos *hemisferios cerebrales* o *lóbulos laterales*. Su principal función es *mantener el sentido del equilibrio*.

• El **bulbo raquídeo**, también llamado *médula oblonga*, presenta forma de cono truncado invertido; se ubica en el área inmediata inferior al agujero occipital. En él se elaboran las **respuestas inconscientes** (*actos reflejos*) que controlan en forma involuntaria los ritmos respiratorio y cardíaco, la masticación y otros actos.

El sistema nervioso periférico

• El **sistema nervioso periférico** está compuesto por el conjunto de haces de fibras nerviosas sensoriales y motoras. Se subdivide en el *sistema somático* y el *sistema autónomo*.

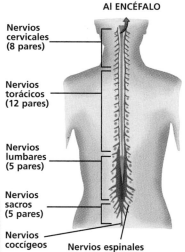

• El **sistema somático** está formado por *12 pares de nervios craneales*, *31 pares de nervios espinales* y *numerosos ganglios*. Todos los conocimientos conscientes del ambiente externo y todas las actividades motoras, para hacer frente al ambiente, funcionan a partir del sistema somático.

En muchas actividades se utilizan cascos para proteger la cabeza (y, por supuesto, el cerebro) de golpes y accidentes.

• El **sistema autónomo** controla casi la totalidad de las respuestas o actos involuntarios de los órganos internos (corazón, pulmones). Se subdivide en el **sistema nervioso simpático** y el **sistema**

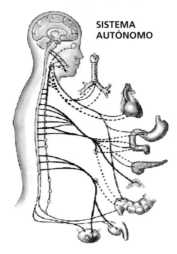

SISTEMA AUTÓNOMO

nervioso parasimpático. El primero (*simpático*) controla el funcionamiento de los órganos internos cuando se producen situaciones de tensión y se incrementa la actividad. Por ejemplo, estimula los latidos del corazón, eleva la presión sanguínea, dilata las pupilas, la tráquea y los bronquios, etc. El *parasimpático* realiza una actividad antagónica a la del sistema simpático. Se ocupa de normalizar las funciones del cuerpo. La actividad conjunta de ambos subsistemas contribuye al mantenimiento del equilibrio del cuerpo u *homeostasis*.

USO, ABUSO Y ADICCIÓN

La adicción al tabaco y al alcohol es causante de enfermedades que pueden llevar a la muerte. El alcohol tiene efectos secundarios de riesgo, como la posibilidad de accidentes que pueden provocar los conductores que lo consumen. En el caso de las drogas ilícitas, algunas producen adicciones de muy difícil tratamiento, por la dependencia física que tiene el adicto.

Los efectos de las drogas en el sistema nervioso

¿Qué es una droga? Para la Organización Mundial de la Salud (OMS), *una droga es una sustancia que produce un cambio en nuestro organismo*. Desde este punto de vista, además de las drogas que se utilizan en los medicamentos, se consideran como tales las sustancias que se encuentran en el *té*, el *café*, la *yerba mate*, el *alcohol*, el *tabaco*, etc. Por ejemplo, el té y el café contienen cafeína, que es un *estimulante* de la corteza cerebral. Es decir, aumenta la actividad del sistema nervioso. La nicotina, que contiene el humo del cigarrillo, también es un estimulante. El alcohol etílico, presente en las bebidas alcohólicas y los licores, es un *depresivo*: disminuye la actividad del sistema nervioso. Las píldoras para dormir y los *ansiolíticos* son recetados para diversas alteraciones del sistema nervioso. Todas las drogas mencionadas son consideradas legales, es decir, su venta es lícita. Pero hay un grupo de sustancias cuyo consumo y venta están prohibidos por muchos gobiernos.

Un sistema nervioso en equilibrio

Los factores sociales tienen gran incidencia en las alteraciones del sistema nervioso. Los problemas laborales, la falta de dinero para vivir dignamente, la prolongación de la jornada de trabajo, la falta de ocio son factores de enfermedades nerviosas.
Lo social modifica las relaciones en la familia y aumenta las causas de los trastornos. Si bien

no hay una fórmula única para mejorar la vida, ocuparse en actividades que tienen que ver con el placer y la práctica de ejercicios físicos es muy importante para evitar alteraciones del sistema nervioso.

El exceso de trabajo y las preocupaciones pueden provocar severas alteraciones en el sistema nervioso como, por ejemplo, el *estrés*.

LOS SENTIDOS

Los estímulos externos son captados por receptores que se encuentran individualmente en todo el cuerpo o se hallan en estructuras conocidas como órganos sensoriales.

Visión: retina del ojo.

Cinco buenos receptores

El medio que nos rodea está emitiendo estímulos constantemente. Luz, sonido, olor, sabor se perciben por medio de los **órganos sensoriales** o **sentidos**, que están localizados en la cabeza: los ojos, los oídos, las fosas nasales y la lengua. Por otra parte, estímulos como un pinchazo, el contacto con una superficie rugosa, el calor o el frío se perciben a lo largo de toda la superficie corporal (la **piel**).

Poseemos, entonces, cinco sentidos: **vista**, **oído**, **olfato**, **tacto** y **gusto**.

Los órganos sensoriales se componen de células especializadas en recibir estímulos de un mismo tipo (las células auditivas captan las ondas sonoras; las visuales, la luz, etc.).

Oído: células del caracol.

Olfato: células olfatorias de las fosas nasales.

Gusto: botones gustativos de la lengua.

Tacto: corpúsculos táctiles de la piel.

Tomemos por ejemplo el sentido de la vista, que se localiza en el ojo. Las que reciben los estímulos son células de dos tipos, que forman la retina: los **bastones**, sensibles a la luz, y los **conos**, que detectan los

Vista de las hojas de una mimosa sensitiva. Este particular ejemplar del reino vegetal también reacciona frente a ciertos estímulos. Por ejemplo, en estado natural, si no capta la presencia de algún individuo a su alrededor, sus hojas se muestran totalmente abiertas (foto superior); sin embargo, basta tocarla o que la planta presienta el peligro, para que sus hojas se cierren por completo, adoptando la forma de espigas (foto inferior).

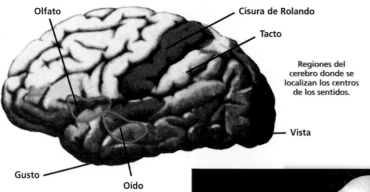

Olfato

Cisura de Rolando

Tacto

Regiones del cerebro donde se localizan los centros de los sentidos.

Vista

Gusto

Oído

Es decir, la sensación se produce en el cerebro.

Un ejemplo más: cuando saboreamos un helado, el gusto que sentimos se asocia con la lengua, pero, en realidad, es el cerebro el que "traduce" la información que recibió.

colores. Estas células mandan al cerebro los impulsos nerviosos. ¿Y qué hace el cerebro? Interpreta los datos enviados por los receptores (o sea, los bastones y los conos). O, dicho de otro modo, el cerebro registra la percepción. Lo mismo pasa con los demás sentidos: los receptores –las células de los órganos sensoriales– convierten los estímulos en impulsos nerviosos y los transmiten a los correspondientes centros cerebrales, donde son recibidos y transformados en impresiones conscientes.

La piel se considera un órgano. Gracias a las terminaciones nerviosas que posee, podemos percibir las cosas del mundo exterior, tanto las agradables y benéficas, como las desagradables, que nos avisan de los peligros.

UN POCO DE TODO

- La piel de un ser humano mide 16.000 cm².
- Los sonidos que mejor capta el oído humano son los de las vocales —a, e, i, o, u— porque se propagan más fácilmente en el aire.
- Los receptores gustativos requieren una proporción 25 mil veces mayor de una sustancia para saborearla, que los receptores olfativos para olerla.
- Los ojos del ser humano tienen la capacidad de distinguir unos 8 millones de matices de los diferentes colores.
- La falta de vitamina A provoca trastornos en la piel, el cabello y las uñas.
- El pelo no tiene vida, ya que las células vivas de la raíz van muriendo a medida que el pelo crece. Ésta es la causa por la cual su corte es indoloro.
- Los sonidos de intensidad superior a los 100 decibeles (db) son capaces de provocar dolor al oyente. La exposición reiterada a ruidos de este tipo puede dañar la estructura del oído y llegar a producir sordera parcial o total.
- Las lágrimas proporcionan una corriente continua de humedad. Son salinas y bactericidas.
- La mayoría de las personas puede distinguir unos 4.000 olores diferentes.
- Ninguno de los sentidos del ser humano es capaz de percibir los rayos ultravioletas. Cuando, al tomar sol, las células de la piel se exponen a esos rayos, tratan de defenderse con un pigmento especial, que no los deja pasar a las capas más profundas. Pero el cerebro no registra esa operación.
- A veces, cuando los pájaros tienen el pico abierto, pero no escuchamos nada... ¡cantan! Lo que ocurre es que la frecuencia del sonido que emiten es muy alta y el oído humano no está diseñado para registrarla.
- Las ondas de radio y televisión, los rayos X y la radiactividad se han identificado y utilizado por medio de aparatos; pero los sentidos de los seres humanos no los perciben.

— La audición —

El oído es el órgano de la audición y del equilibrio. Se divide en tres partes.

- **El de transmisión**, constituido por el **oído externo**; está formado por la **oreja** (la parte que se ve) y el **conducto auditivo externo**.

- **El de acomodación** es el **oído medio**, constituido por la caja del **tímpano**, en cuyo interior hay una cadena de **huesecillos articulados** (los más pequeños del cuerpo humano), el **martillo**, el **yunque** y el **estribo**.

- **El de recepción** es el **oído interno**, cavidad ósea en cuyo interior se halla el **caracol**, que está lleno de líquido acuoso y de muchísimas conexiones nerviosas. El oído permite recibir las ondas sonoras y transmitirlas, convertidas en estímulos, al cerebro. Pero, si bien ésta es su función principal, no es la única. El oído interno tiene tres sistemas sensoriales: el de la **audición** y dos órganos del **equilibrio** que nos permiten **mantenernos de pie y recu-**

perarlo cuando estamos a punto de caer. **También nos permiten volver la cabeza y agacharnos** sin perder la estabilidad.

¿Cómo se produce la audición?

Los sonidos viajan por el aire como ondas y llegan a nuestros oídos. Estas ondas siguen su re-

corrido por el *conducto auditivo externo* hasta el *tímpano* y lo hacen vibrar. Estas vibraciones son transmitidas a los huesecillos del oído medio (*martillo*, *yunque* y *estribo*).
El estribo golpea sobre la *ventana oval* y produce el movimiento de las moléculas del fluido de la *cóclea* o *caracol*. Estas vibraciones son captadas por el *órgano de Corti* (donde hay células receptoras), y allí se transforman en impulsos nerviosos que son enviados al cerebro –más precisamente al lóbulo temporal–, que los procesa y los codifica.
El mecanismo de la audición no sólo nos permite apreciar la diferencia entre distintos sonidos, sino también la intensidad de éstos.
El *sistema vestibular* es además fundamental para poder mantener el equilibrio, ya que envía impulsos nerviosos al cerebelo, que es el encargado de dar las órdenes para corregir nuestro movimientos.

OÍDO	EXTERNO	Oreja, conducto auditivo externo.
	MEDIO	Martillo, yunque y estribo.
	INTERNO	Caracol.

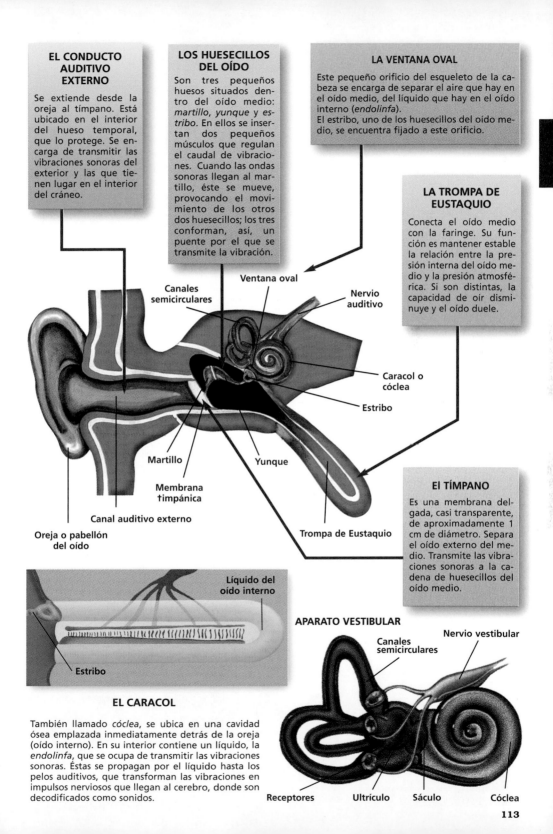

EL CONDUCTO AUDITIVO EXTERNO

Se extiende desde la oreja al tímpano. Está ubicado en el interior del hueso temporal, que lo protege. Se encarga de transmitir las vibraciones sonoras del exterior y las que tienen lugar en el interior del cráneo.

LOS HUESECILLOS DEL OÍDO

Son tres pequeños huesos situados dentro del oído medio: *martillo*, *yunque* y *estribo*. En ellos se insertan dos pequeños músculos que regulan el caudal de vibraciones. Cuando las ondas sonoras llegan al martillo, éste se mueve, provocando el movimiento de los otros dos huesecillos; los tres conforman, así, un puente por el que se transmite la vibración.

LA VENTANA OVAL

Este pequeño orificio del esqueleto de la cabeza se encarga de separar el aire que hay en el oído medio, del líquido que hay en el oído interno (*endolinfa*).
El estribo, uno de los huesecillos del oído medio, se encuentra fijado a este orificio.

LA TROMPA DE EUSTAQUIO

Conecta el oído medio con la faringe. Su función es mantener estable la relación entre la presión interna del oído medio y la presión atmosférica. Si son distintas, la capacidad de oír disminuye y el oído duele.

Canales semicirculares

Ventana oval

Nervio auditivo

Caracol o cóclea

Estribo

Martillo

Yunque

Membrana timpánica

Canal auditivo externo

Oreja o pabellón del oído

Trompa de Eustaquio

El TÍMPANO

Es una membrana delgada, casi transparente, de aproximadamente 1 cm de diámetro. Separa el oído externo del medio. Transmite las vibraciones sonoras a la cadena de huesecillos del oído medio.

Líquido del oído interno

Estribo

EL CARACOL

También llamado *cóclea*, se ubica en una cavidad ósea emplazada inmediatamente detrás de la oreja (oído interno). En su interior contiene un líquido, la *endolinfa*, que se ocupa de transmitir las vibraciones sonoras. Éstas se propagan por el líquido hasta los pelos auditivos, que transforman las vibraciones en impulsos nerviosos que llegan al cerebro, donde son decodificados como sonidos.

APARATO VESTIBULAR

Canales semicirculares

Nervio vestibular

Receptores

Utrículo

Sáculo

Cóclea

La vista

El **sentido de la vista** está integrado por los **ojos**, por las **vías ópticas** y por la representación que se produce en la corteza cerebral.

El **ojo** funciona como una cámara fotográfica, y los párpados, las pestañas y las cejas cumplen la función de protegerlo.

Las **lágrimas** cumplen igual tarea, manteniéndolo permanentemente limpio y destruyendo los microbios por medio de la **lisozima**, que es una sustancia antiséptica que se utiliza en los laboratorios como antibiótico.

¿Cómo vemos?

La misión del ojo es permitir la visión. Esto se logra cuando la luz pasa a través de unas estructuras

ANOMALÍAS EN LA VISIÓN

- La *miopía* se produce cuando las imágenes se forman por delante de la retina. Se corrige con lentes bicóncavas.
- El *astigmatismo* se da cuando la córnea presenta una curvatura desigual en los diferentes planos. Por ejemplo, en lugar de ver el número 52, se ve 25. Se corrige con lentes cilíndricas, pulidas en forma despareja, para compensar los desniveles de la córnea.
- La *presbicia* es la pérdida de elasticidad del cristalino. Se presenta comúnmente entre los ancianos.
- El *estrabismo* es un defecto en las contracciones de los músculos del ojo, por lo cual la visión no es perfecta.
- El *daltonismo* consiste en la confusión de los colores rojo y verde. Es hereditario y no tiene cura.

transparentes y llega a una capa sensible (la *retina*).

Allí se provoca una descarga de impulsos nerviosos que viajan a través de los nervios ópticos hasta el cerebro, generando imágenes vivas, con movimiento, color y *significado* para nuestra mente.

El **cerebro** es, pues, el encargado de interpretar las imágenes que percibimos.

Los seres humanos vemos *por medio de los ojos*, pero, en realidad, vemos *en nuestro cerebro*. Cada ojo ve una imagen un poco diferente que el otro. El cerebro es el encargado de unir las dos imágenes y darnos una más completa.

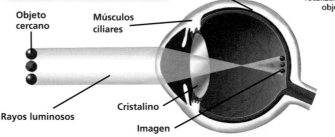

El cristalino es una lente biconvexa, transparente y elástica, que está fijada por medio de los músculos ciliares. Éstos controlan el cristalino, permitiéndole cambiar de forma, para focalizar un objeto.

Objeto cercano

Músculos ciliares

Retina

Rayos luminosos

Cristalino

Imagen

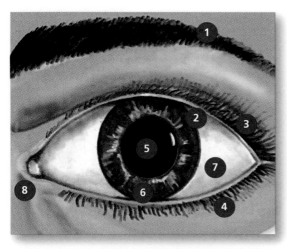

Referencias: 1-ceja, 2-párpado superior, 3- pestañas, 4- párpado inferior, 5- iris, 6- pupila, 7- blanco del ojo, 8- lagrimal.

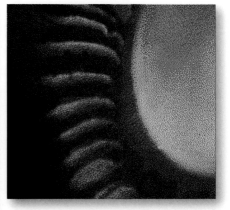

Cuando los músculos ciliares se contraen, el cristalino se vuelve más ancho y aplanado, lo que le permite enfocar objetos distantes. Cuando se relajan, el cristalino se pone más grueso y curvo, y puede enfocar objetos cercanos.

LA CÓRNEA

Es una superficie transparente que mide aproximadamente 1,5 cm de diámetro. Presenta forma convexa. Se ubica en la parte anterior del globo ocular. Al igual que la lente de una cámara fotográfica, inicia el proceso visual refractando los rayos de luz para que se ordenen de determinada manera.

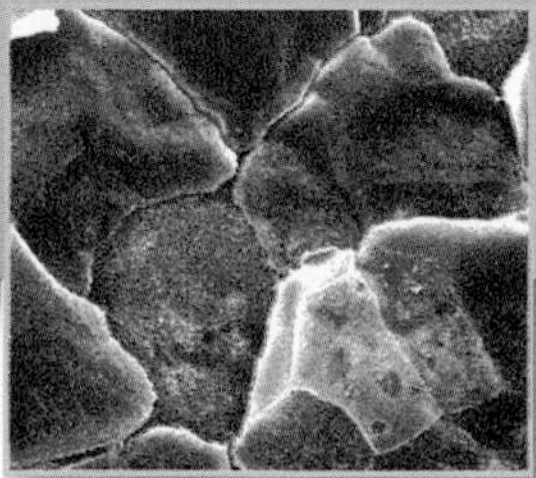

EL IRIS

Es la parte situada alrededor de la pupila. Contiene un pigmento marrón, verde o azul, que les da el color a los ojos. Está rodeado por un músculo (*esfínter*), que regula el diámetro de la pupila y, por lo tanto, la cantidad de luz que penetra en el ojo. Este ajuste sirve para lograr la definición de los objetos que observamos (*enfocar*).

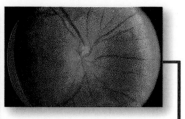

El punto ciego es el sitio en el que el nervio óptico se une a la retina. Los vasos que irrigan la retina entran y salen por él.

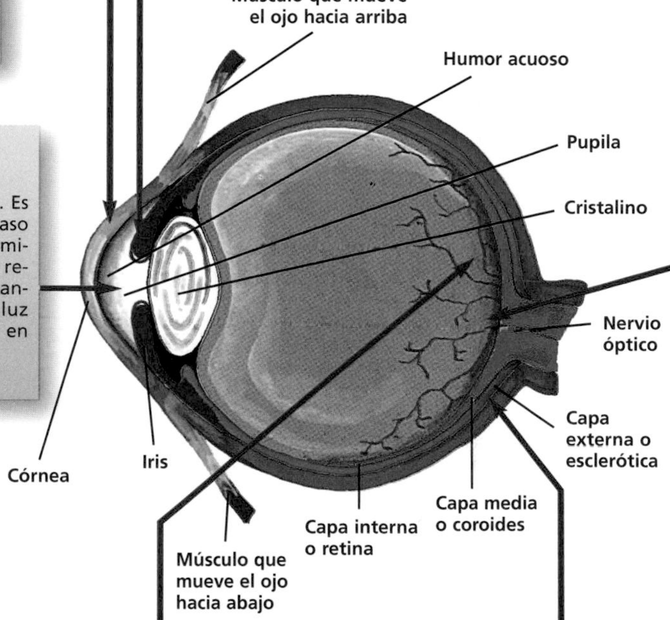

LA PUPILA

Se encuentra en el centro del iris. Es una abertura que posibilita el paso de la luz hacia adentro. El iris permite agrandar o contraer la pupila, regulando así la cantidad de luz que entra en el ojo.

Músculo que mueve el ojo hacia arriba

Humor acuoso

Pupila

Cristalino

Nervio óptico

Capa externa o esclerótica

Córnea

Iris

Capa interna o retina

Capa media o coroides

Músculo que mueve el ojo hacia abajo

LA RETINA

Es la capa más interna del ojo, donde se ubican las células fotorreceptoras. Algunas trabajan con luz brillante y hacen posible la visión de color: **conos**. Otras se adaptan a la luz tenue y no detectan el color: **bastones o bastoncillos**. Los dos tipos de células forman sinapsis con neuronas sensoriales, cuyos axones conforman el **nervio óptico**.

La fóvea es el área ubicada en el centro de la retina. Está irrigada por gran cantidad de vasos sanguíneos. En el centro de su estructura presenta células especializadas, los conos. Es la encargada de la *visión en detalle*.

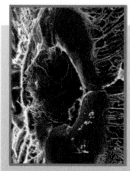

LA ESCLERÓTICA

Es una capa de fibras de tejido conectivo, que le da dureza y protección al ojo.

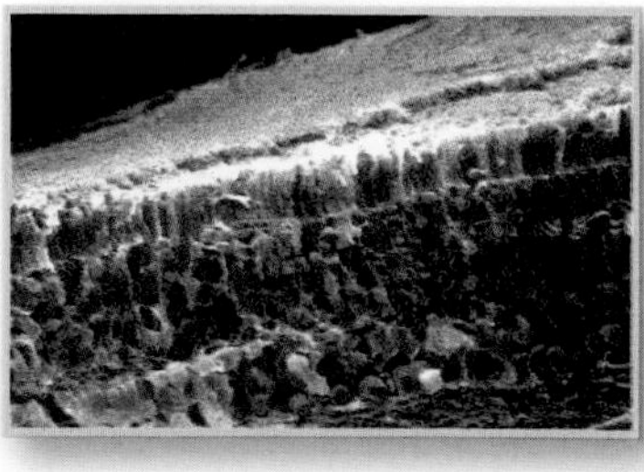

-La sensibilidad- y el tacto

La sensibilidad es el resultado de la transmisión de los impulsos nerviosos al cerebro, desde la superficie corporal (sensibilidad superficial) y desde los músculos, articulaciones y órganos internos del cuerpo (sensibilidad profunda). El sentido del tacto reside en la piel, que recubre todas las partes externas del cuerpo.

El **sentido del tacto** abarca cinco sensaciones: *tacto, presión, dolor, frío* y *calor*. La sensibilidad superficial se recoge en las **terminaciones nerviosas** de la piel (que pueden ser libres, como las que captan las sensaciones dolorosas y no tienen un receptor específico, o terminar en forma de corpúsculos o receptores específicos que transmiten el frío, el calor, el tacto y la presión). Los receptores para el dolor son las **dendritas** de las neuronas sensoriales. Los receptores para el tacto son los llamados **corpúsculos de Meissner**. Los cambios de presión son detectados por los **corpúsculos de Pacini**, los cuales se ubican en una zona de la piel más profunda que los del tacto. Esto le permite a una persona distinguir entre un toque leve en la piel y un presión fuerte.

La piel también contiene receptores separados para detectar calor (**corpúsculos de Ruffini**) y frío (**corpúsculos de Krause**).

De las **terminaciones sensoriales**, los estímulos se transmiten a los **nervios sensitivos** hasta las **células nerviosas de la médula espinal** y, de allí, pasan al **cerebro**, donde se convierten

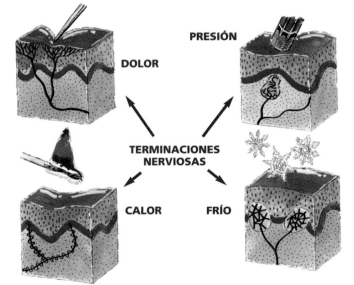

DOLOR

PRESIÓN

TERMINACIONES NERVIOSAS

CALOR

FRÍO

en impresiones conscientes. Gracias a la **sensibilidad superficial**, recibimos la información del mundo externo. De este modo, actúa como una **señal de alarma** (sobre todo mediante el dolor), que nos avisa de posibles ataques externos o alteraciones en el organismo.

La **sensibilidad profunda** es la que **nos da la idea de la posición y el movimiento de los músculos y articulaciones, y del funcionamiento de los órganos internos**.

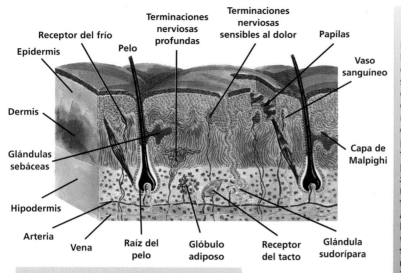

Receptor del frío
Epidermis
Pelo
Terminaciones nerviosas profundas
Terminaciones nerviosas sensibles al dolor
Papilas
Vaso sanguíneo
Dermis
Glándulas sebáceas
Capa de Malpighi
Hipodermis
Arteria
Vena
Raíz del pelo
Glóbulo adiposo
Receptor del tacto
Glándula sudorípara

EL PELO

Nuestra piel está cubierta de pelos. El que cubre la cabeza se llama *cabello*; el que cubre el resto del cuerpo recibe el nombre de *vello*. Cada pelo se origina a partir de una estructura profunda de la piel, el *folículo piloso*. El pelo está formado por una parte terminal llamada *bulbo*; continúa en la *raíz* y el *tallo* o *vaina*. El movimiento del pelo se debe a un músculo que se inserta en el bulbo y que se llama *erector* u *horripilador*. Cada pelo está bordeado por *glándulas sebáceas*. A partir de los folículos pilosos, sus células se multiplican en el extremo del folículo y empujan el pelo hacia afuera. A medida que va creciendo, el pelo se recubre de *queratina*, una sustancia resistente.

¿CÓMO ES LA PIEL?

Está compuesta por dos capas superpuestas. La capa exterior se llama *epidermis* y está formada por células muertas y endurecidas, insensibles a los estímulos externos. La capa interna es la *dermis*. Está formada por células vivas, nutridas por vasos sanguíneos y recorridas por las terminaciones nerviosas que las hacen muy sensibles. Esta capa contiene, además, la raíz de los pelos y las glándulas.

Microfotografía de un corte transversal de la piel.

UN ÓRGANO MUY PARTICULAR

- La piel envuelve y da forma al cuerpo.
- Sirve para mantener estable la temperatura del cuerpo, para eliminar calor y refrescarlo cuando hace falta.
- Una persona adulta tiene cerca de ocho metros cuadrados de piel.
- La **epidermis**, que es la parte superficial de la piel, se cambia cada 27 días. Este cambio es paulatino y las células muertas se eliminan en el baño diario y con el roce que produce la ropa.
- Las palmas de las manos y las plantas de los pies son las zonas que tienen mayor cantidad de glándulas sudoríparas (alrededor de 460 por centímetro cuadrado).
- El grosor de la piel es de 1 a 2 milímetros. La de los párpados es la más fina (0,5 mm) y la de la planta de los pies puede llegar a 6 ó 7 mm.
- El color de la piel está determinado por la cantidad de *melanina* que se encuentre en la epidermis. La melanina es un *pigmento* que nos protege de las radiaciones ultravioletas nocivas que provienen del Sol.

El gusto y el olfato

El sentido del gusto y del olfato se encuentran íntimamente relacionados. Para poder percibir el sabor de una sustancia, ésta debe disolverse en la boca. Lo mismo ocurre con los olores: para poder percibirlos, las sustancias que los provocan deben liberar partículas volátiles que se adhieran a la superficie de nuestras fosas nasales.

La percepción del sabor

Las **papilas** y los **corpúsculos gustativos**, receptores del gusto, están conectados a una red de **fibras nerviosas** que transmiten los impulsos nerviosos al cerebro. Éstos llegan al cerebro por separado, pero él los integra y nos da la información precisa de los distintos sabores.

En la interpretación de los sabores también interviene el olor que despiden los alimentos y que en algunas ocasiones confunden al cerebro. Los impulsos captados y enviados por un lado de la lengua son interpretados por el lado opuesto del cerebro. Esta mecánica se debe a que las fibras nerviosas se cruzan en la médula.

La lengua

• **La lengua** es una estructura muscular sujeta a la parte posterior de la boca y limitada en sus movimientos por un *frenillo* que la recorre por la línea media inferior. La punta está libre y puede efectuar varios movimientos. Está permanentemente humedecida por *saliva*.

Está revestida por una finísima membrana, llamada *mucosa lingual*, que presenta pequeñas protuberancias, las *papilas*.

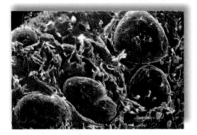

En esta microfotografía se pueden apreciar los dos tipos de papilas que hay en la lengua. Las filiformes, con aspecto de cono, no presentan corpúsculos gustativos, pero contribuyen a la información del contenido de la boca. Las fungiformes son redondas y anchas, y presentan corpúsculos gustativos.

Tanto el sentido del gusto como el del olfato son "químicos". Esto quiere decir que solamente registran sabores u olores si una partícula sólida se disuelve en la saliva, o una gaseosa lo hace en la mucosa nasal.

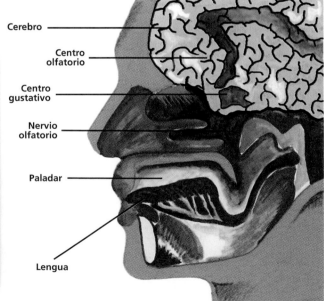

Cerebro

Centro olfatorio

Centro gustativo

Nervio olfatorio

Paladar

Lengua

- **Las papilas** son pequeñas protuberancias que recubren toda la superficie de la lengua. En su interior se encuentran los **corpúsculos gustativos**, encargados de detectar los sabores. Existen distintos tamaños de papilas (agrupadas según sus semejanzas); cada una de ellas presenta distintos corpúsculos.

- Hay aproximadamente unos 10.000 **corpúsculos gustativos**. Se los agrupa en cuatro categorías distintas, según el sabor que detectan: *dulce*, *salado*, *ácido* o *amargo*. Son los encargados de enviar los impulsos al cerebro.

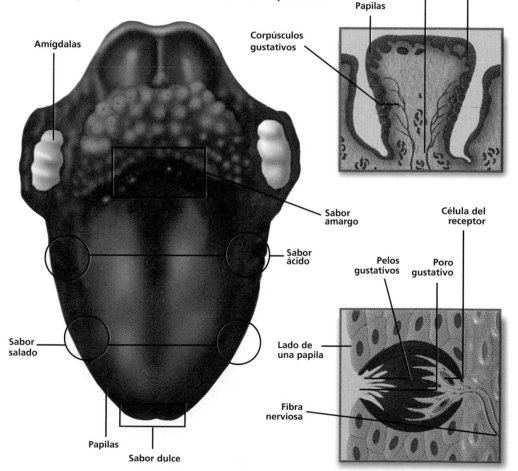

Amígdalas

Corpúsculos gustativos

Papilas

Superficie superior de la lengua

Fibras nerviosas

Sabor amargo

Sabor ácido

Sabor salado

Lado de una papila

Papilas

Sabor dulce

Fibra nerviosa

Célula del receptor

Pelos gustativos

Poro gustativo

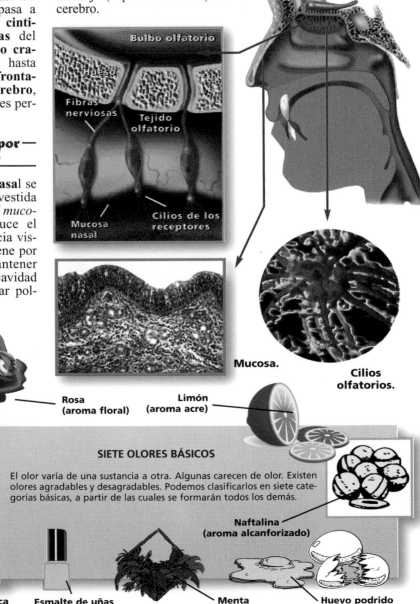

La percepción del olor

Cuando inspiramos aire, éste pasa sobre las membranas olfatorias, donde los compuestos químicos volátiles estimulan la células receptoras olfatorias. La información pasa a los **bulbos** y **cintillas olfatorias** del **primer nervio craneal**, que va hasta los **lóbulos frontales del cerebro**, donde el olor es percibido.

La nariz por dentro

La **cavidad nasal** se encuentra revestida por una *pared mucosa* que produce el *moco* (sustancia viscosa). Éste tiene por función mantener húmeda la cavidad nasal y atrapar pol-vo, suciedad y partículas nocivas para que no penetren en los pulmones.

Los **receptores olfatorios** son los encargados de detectar los olores. La nariz posee unos 20 millones de ellos; cada uno termina en una pequeña estructura, los *cilios*. Éstos recogen los estímulos olorosos y envían un mensaje (*impulso nervioso*) al cerebro.

En el momento en que inspiramos por la nariz, los receptores olfatorios detectan olores y envían al encéfalo impulsos. La agudeza olfativa se incrementa por la inhalación, que expone a los receptores a un olor mucho más intenso que el normal.

Bulbo olfatorio

Hueso

Fibras nerviosas

Tejido olfatorio

Mucosa nasal

Cilios de los receptores

Mucosa.

Cilios olfatorios.

Rosa (aroma floral)

Limón (aroma acre)

SIETE OLORES BÁSICOS

El olor varía de una sustancia a otra. Algunas carecen de olor. Existen olores agradables y desagradables. Podemos clasificarlos en siete categorías básicas, a partir de las cuales se formarán todos los demás.

Naftalina (aroma alcanforizado)

Raíz de angélica (aroma almizclado)

Esmalte de uñas (aroma etéreo)

Menta (aroma mentolado)

Huevo podrido (aroma pútrido)

LA REGULACIÓN DEL ORGANISMO

Glándulas y hormonas

Así como las máquinas necesitan ciertos fluidos para funcionar, nuestro cuerpo también necesita algunas sustancias para su normal desempeño. Ellas son **las hormonas**, que son segregadas por las **glándulas endocrinas**. Su función es contribuir, junto con la acción del riñón y del sistema neurovegetativo, al mantenimiento de la *homeostasis* (el medio interno estable). Por ejemplo, controlan el crecimiento y la reproducción. En los animales, regulan funciones como la metamorfosis de los anfibios o la muda de los reptiles.

El transporte de las hormonas

Las principales **glándulas endocrinas** son la **hipófisis**, la **tiroides**, las **paratiroides**, las **suprarrenales**, el **páncreas**, los **ovarios**, los **testículos** y la **placenta**.
Estas glándulas producen hormonas y las liberan al **sistema circulatorio**. Éste se encarga de transportarlas hacia las células de los tejidos, donde ejercen su efecto. Las hormonas presentan la particularidad de **re-**

La adrenalina es una hormona que secretan las glándulas suprarrenales, ubicadas en la parte superior de los riñones. Generalmente, esta hormona se libera en los momentos de tensión y durante el ejercicio vigoroso.

El conjunto de las glándulas encargadas de regular los órganos y sus funciones conforma el sistema endocrino.

conocer las células sobre las que deben actuar, ya que estas células cuentan con receptores específicos para cada hormona.

Un mecanismo inteligente

En condiciones normales, las glándulas segregan la cantidad de hormonas que el organismo requiere en cada momento. El mecanismo que regula la mayor o menor producción de una hormona es su concentración en la circulación sanguínea. Si la cantidad presente es elevada, se producirá menor cantidad en la glándula, y viceversa.

El *sistema hormonal* o endocrino es el conjunto de glándulas encargado de segregar las sustancias químicas llamadas *hormonas*, cuya presencia modifica el comportamiento de ciertas células y determina reacciones químicas necesarias para el funcionamiento del organismo.

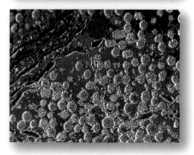

En esta microfotografía de las hormonas que secreta la hipófisis, puede apreciarse el núcleo celular (esfera anaranjada). De él se desprenden los glóbulos de las hormonas (en color rosado) que se verterán en el resto del organismo.

Las glándulas endocrinas

No poseen conducto excretor que lleve el producto elaborado al exterior o a uno de los órganos internos, como sucede, por ejemplo, con las glándulas sudoríparas.

Las hormonas se vierten en la corriente sanguínea, razón por la cual reciben el nombre de *endocrinas*. Las glándulas que presentan conducto reciben el nombre de *exocrinas y no pertenecen a este sistema*.

Las más importantes

• La **hipófisis**, también llamada **pituitaria**, está ubicada en la base del cerebro. Su lóbulo anterior segrega seis hormonas diferentes, mientras que el posterior libera dos y el intermedio sólo una.

Estas hormonas controlan las actividades de otras glándulas, por eso se la conoce como *glándula maestra*. Una de las sustancias que produce estimula el crecimiento de los huesos, los músculos y otros tejidos.

• La **tiroides** produce la única hormona que tiene yodo: **la tiroxina**. Esta hormona contribuye a controlar la producción de energía del cuerpo y a hacer que los

EL RECORRIDO DE LAS HORMONAS

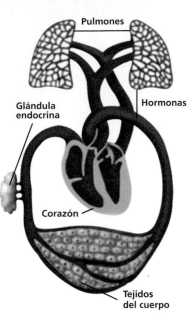

Pulmones

Glándula endocrina

Hormonas

Corazón

Tejidos del cuerpo

tejidos adquieran la forma apropiada.

• El **timo** es un órgano de color pardo grisáceo ubicado en el pecho, sobre el corazón, detrás del esternón.

Regula un área del metabolismo y tiene participación en el proceso de osificación. Se reduce notablemente a partir de los 15 años.

• Las **glándulas suprarrenales** están ubicadas sobre los riñones. Una de las hormonas que producen es la *adrenalina*, que generalmente se libera en momentos de tensión.

Su acción consiste en aumentar la rapidez de los latidos del corazón, incrementar la oxigenación y el volumen de sangre que fluye al cerebro y a los músculos.

Veamos las **funciones de otras hormonas**: estimular la producción de glucosa, aumentando la energía en momentos de tensión; reducir las inflamaciones; estimular la absorción de sodio hacia la sangre.

• El **páncreas** está ubicado en la porción superior del abdomen, inmediatamente detrás del estómago. Presenta tejidos exocrinos y endocrinos. Los endocrinos secretan dos hormonas, **insulina** y **glucagón**, encargadas de controlar los niveles de glucosa en el cuerpo. Esta función es vital, ya que la glucosa es el combustible para órganos y tejidos.

• Los **ovarios**, ubicados a cada lado del útero, producen dos hormonas: el **estrógeno** y la **progesterona**.

El primero estimula el desarrollo de los órganos reproductores femeninos y las características sexuales femeninas secundarias, como el desarrollo de los senos y el ensanchamiento de la pelvis en las niñas, durante la pubertad. La progesterona prepara a la pared interna del útero para recibir el huevo fecundado y facilitar su crecimiento.

• Los **testículos**, ubicados en el interior del escroto, producen **testosterona**, que estimula el desarrollo de los órganos reproductores y las características sexuales masculinas, como el crecimiento de vello en la cara y el desarrollo de una voz varonil durante la pubertad.

La hipófisis segrega la somatotropina, hormona del crecimiento.

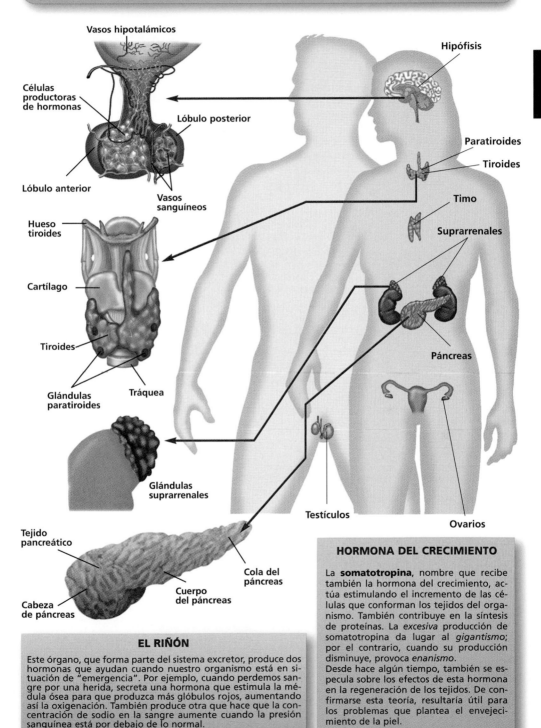

Vasos hipotalámicos

Hipófisis

Células productoras de hormonas

Lóbulo posterior

Paratiroides

Tiroides

Lóbulo anterior

Vasos sanguíneos

Timo

Hueso tiroides

Suprarrenales

Cartílago

Tiroides

Páncreas

Glándulas paratiroides

Tráquea

Glándulas suprarrenales

Testículos

Ovarios

Tejido pancreático

Cola del páncreas

Cuerpo del páncreas

Cabeza de páncreas

EL RIÑÓN

Este órgano, que forma parte del sistema excretor, produce dos hormonas que ayudan cuando nuestro organismo está en situación de "emergencia". Por ejemplo, cuando perdemos sangre por una herida, secreta una hormona que estimula la médula ósea para que produzca más glóbulos rojos, aumentando así la oxigenación. También produce otra que hace que la concentración de sodio en la sangre aumente cuando la presión sanguínea está por debajo de lo normal.

HORMONA DEL CRECIMIENTO

La **somatotropina**, nombre que recibe también la hormona del crecimiento, actúa estimulando el incremento de las células que conforman los tejidos del organismo. También contribuye en la síntesis de proteínas. La *excesiva* producción de somatotropina da lugar al *gigantismo*; por el contrario, cuando su producción disminuye, provoca *enanismo*.
Desde hace algún tiempo, también se especula sobre los efectos de esta hormona en la regeneración de los tejidos. De confirmarse esta teoría, resultaría útil para los problemas que plantea el envejecimiento de la piel.

Trastornos del sistema endocrino

Como vimos hasta aquí, las glándulas son indispensables para el equilibrio de nuestro organismo. Por eso, el mal funcionamiento de una de ellas puede producir la falta o el exceso de una hormona y, por lo tanto, provocar trastornos y enfermedades que deben ser tratadas. Consideremos algunos ejemplos.

• Si la **glándula pituitaria** segrega poca cantidad de la hormona del **crecimiento**, puede haber una forma de **enanismo**. En cambio, si la cantidad es elevada, la persona con ese trastorno puede padecer **gigantismo** o **acromegalia**, que consiste en un crecimiento desmesurado de la mandíbula inferior.

• Cuando **la tiroides trabaja excesivamente (hipertiroidismo)**, provoca nerviosismo extremo, sudoración y pérdida de peso, acompañados de un hambre voraz. También se manifiestan palpitaciones y debilidad muscular. Generalmente, la tiroides se agranda, lo que se conoce como "bocio", trastorno que se aprecia a simple vista como un ensanchamiento del cuello. **¿Qué ocurre cuando la tiroides trabaja poco?** Este fenómeno, conocido como **hipotiroidismo**, produce una lentitud general del metabolismo, que se caracteriza por cansancio, debilidad, sensibilidad al frío y estreñimiento, y una actividad mental y física reducida. Otros síntomas son sordera, dolores musculares difusos, pérdida de cabello y ronquera en la voz.

• La **excesiva producción de hormonas por parte de las glándulas paratiroides** produce descalcificación ósea y disminución de la excitabilidad de los músculos.

• La enfermedad conocida como *diabetes mellitus* es producto de uno de los trastornos más frecuentes del **páncreas**. ¿En qué consiste? En una **falta de secreción de insulina**, sustancia que permite que los azúcares sean absorbidos y utilizados por las células. Cuando esto no ocurre, los azúcares se acumulan en la sangre y son excretados por los riñones. Es por eso que los diabéticos presentan azúcar en la orina. El trastorno contrario es la *hipoglucemia*, que es producida por una **excesiva secreción de insulina**. Esto produce una deficiencia de azúcar en la sangre, que afecta al cerebro, lo que hace que no pueda funcionar correctamente.

PRINCIPALES GLÁNDULAS ENDOCRINAS HUMANAS		
GLÁNDULA	**HORMONA**	**ACCIÓN**
HIPÓFISIS	DEL CRECIMIENTO	Contribuye en el crecimiento de huesos y músculos.
	PROLACTINA	Influye en el crecimiento de las mamas y en la producción de leche durante la lactancia.
	FOLÍCULO ESTIMULANTE	Favorece el desarrollo de los folículos.
	LUTEINIZANTE	Incita el desarrollo del cuerpo lúteo.
	TIROTROPA (TSH)	Estimula la secreción de la tiroides.
	ADRENOCORTICOTROPA	Insta la secreción de las glándulas suprarrenales.
	ANTIDIURÉTICA (ADH)	Aumenta la reabsorción renal.
	OXITOCINA	Estimula la contracción del útero durante el parto.
TIROIDES	TIROXINA	Estimula el metabolismo celular.
	CALCITONINA	Disminuye el calcio en la sangre.
PARATIROIDES	PARATOHORMONA	Aumenta el nivel de calcio en la sangre.
SUPRARRENALES	ALDOSTERONA	Contribuye en la regulación de la concentración salina.
	CORTISOL	Incita el metabolismo de la glucosa.
	ADRENALINA	Moviliza las reservas de energía para reaccionar ante emergencias.
	NORADRENALINA	Produce efectos similares a los de la adrenalina.
PÁNCREAS	INSULINA	Controla el nivel de azúcar.
	GLUCAGÓN	Aumenta el nivel de azúcar.
ÓRGANOS REPRODUCTORES	ANDRÓGENOS	Determina los caracteres masculinos.
	ESTRÓGENOS	Determina los caracteres femeninos.
	PROGESTERONA	Prepara el organismo para el embarazo y el parto.

LA REPRODUCCIÓN HUMANA

La madurez sexual

El ser humano, al llegar a la madurez, está capacitado para reproducirse sexualmente; esto ocurre por la **fusión de las gametas** (*óvulos* y *espermatozoides*) formadas en los órganos genitales.

El hombre cuenta para ello con **un aparato reproductor masculino**, y la mujer con un **aparato reproductor femenino**.

Como en todos los mamíferos, en el ser humano la fecundación es interna, con el fin de asegurar la unión de las gametas y el éxito del desarrollo del embrión dentro del cuerpo materno. Pero… vayamos por partes.

El aparato reproductor masculino

El aparato reproductor masculino está formado por **dos glándulas sexuales**, llamadas **testículos**, que cumplen la función de originar las células sexuales o **gametas masculinas**, denominadas **espermatozoides**. Una membrana fibrosa, de color blanco, recubre los testículos y forma "celdas", ocupadas por **tubos seminíferos**. En ellos se almacenan los espermatozoides antes de comenzar su recorrido por el **conducto deferente**. Este conducto mide entre 35 y 45 centímetros de longitud, y atraviesa todo el sistema hasta llegar a la cavidad abdominal, donde se une con la **uretra** (tubo que se extiende desde la vejiga urinaria hasta el exterior, y **es común a los aparatos reproductor y urinario**). Antes que la unión del conducto deferente-uretra se produzca, los espermatozoides quedan suspendidos en un líquido proveniente de las vesículas seminales. Ese líquido se llama **semen** o **esperma**; su color es blanco amarillento, de aspecto semifluido, y **contiene gran cantidad de espermatozoides** y sustancias químicas que lo protegen de los ácidos de la uretra y del aparato reproductor femenino. En la última porción, la uretra corre por el interior del órgano reproductor externo o **pene**. El semen, que contiene los espermatozoides, es expulsado por el orificio urogenital, situado en el extremo del pene.

Su carácter fundamental es la perpetuación de la especie a través del tiempo y del espacio. De este modo, aseguramos nuestra supervivencia.

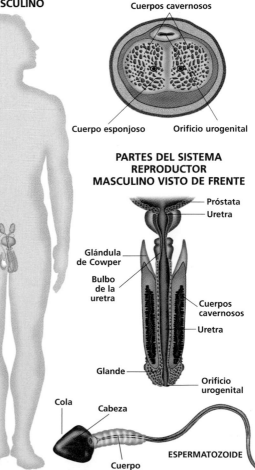

UBICACIÓN DEL SISTEMA REPRODUCTOR MASCULINO

CORTE TRANVERSAL DEL PENE

Cuerpos cavernosos

Cuerpo esponjoso

Orificio urogenital

PARTES DEL SISTEMA REPRODUCTOR MASCULINO VISTO DE FRENTE

Próstata

Uretra

Glándula de Cowper

Bulbo de la uretra

Cuerpos cavernosos

Uretra

Glande

Orificio urogenital

Cola

Cabeza

Cuerpo

ESPERMATOZOIDE

125

El aparato reproductor femenino

El aparato reproductor femenino está ubicado en la cavidad pelviana y constituido por **dos ovarios**, donde se forman los **óvulos** o **gametas femeninas**. Los **ovarios** tienen forma ovalada, parecida a una almendra; son de color grisáceo y aspecto granuloso. Si hiciéramos un corte longitudinal de ellos, veríamos que en su interior se hallan abundantes células de distintos tamaños, llamadas **folículos**. Cada mes, un folículo de cada ovario madura y comienza a crecer hasta sobresalir de la superficie del ovario; en ese momento se rompe y deja salir de su interior un óvulo. Éste proceso se llama **ovulación**. El óvulo liberado es recibido por las **trompas de Falopio**, una derecha y otra izquierda, donde puede ser fecundado por un espermatozoide. Ambas trompas desembocan en el **útero** o **matriz**, situado en la parte inferior y central de la pelvis. Está formado internamente por un tejido: el **endometrio**. La función que cumple el útero es la de **albergar y proteger el embrión durante su desarrollo** y hasta el momento de su expulsión. El útero se comunica al exterior por medio de un tubo muscular, llamado **vagina**. Ésta constituye el receptáculo en el cual es introducido el pene, que deposita los espermatozoides en el cuerpo femenino. El conjunto de órganos sexuales externos de la mujer forman la **vulva**, situada entre las caras internas de los muslos. Está formada por dos pliegues de piel externos, los **labios mayores** y los **labios menores**; en la unión anterior de estos últimos se aloja el **clítoris**. Detrás de él se abren los orificios urinario y genital. Este último está protegido por una delgada membrana llamada *himen*.

UBICACIÓN DEL SISTEMA REPRODUCTOR FEMENINO

SISTEMA REPRODUCTOR FEMENINO VISTO DE FRENTE

Trompa de Falopio

Ovario

Cuerpo del útero

Cuello del útero

Vagina

CICLO OVÁRICO

Durante este ciclo, por acción de las *gonadotropinas* (hormonas), comienzan a madurar varios folículos del ovario, los cuales crecen y se desarrollan. Generalmente, uno solo alcanza el estado de **folículo de Graaf**. Esto ocurre en 14 días, aproximadamente, al cabo de los cuales, el folículo maduro se rompe y deja en libertad al **óvulo**. El folículo roto se convierte en el **cuerpo lúteo** o **cuerpo amarillo** (glándula endocrina), que produce *progesterona*, hormona que ayuda a mantener la gestación. Si no se produce la fecundación del óvulo, el cuerpo lúteo desaparece, y así comenzará un nuevo ciclo.

CICLO ENDOMETRIAL

En el trancurso de la ovulación, el **endometrio** crece, se llena de vasos sanguíneos y produce sustancias nutritivas, que preparan el ambiente para el desarrollo del embrión durante la *gestación*. Si se produce la fecundación del óvulo, el embrión se implanta en el endometrio. Si no ocurre esto, el endometrio se desprende parcialmente, dando origen a la **menstruación**. El ciclo es simultáneo con el ciclo ovárico y tiene la duración de 28 días, aproximadamente.

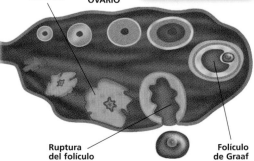

Cuerpo lúteo o amarillo

OVARIO

Ruptura del folículo

Folículo de Graaf

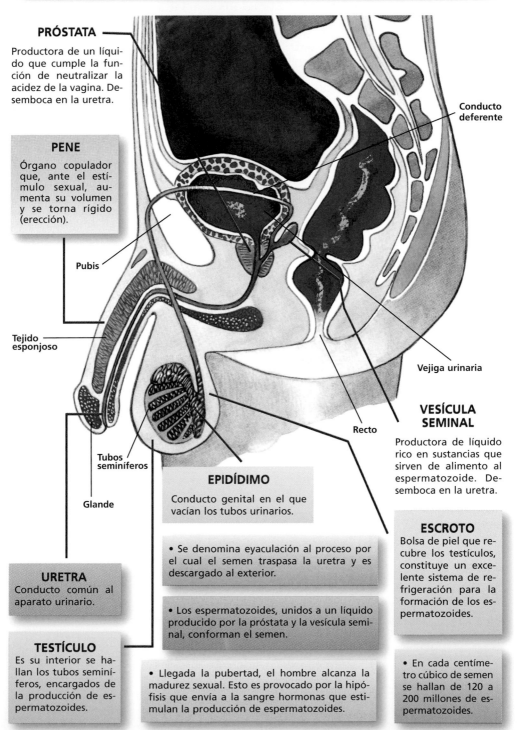

PRÓSTATA
Productora de un líquido que cumple la función de neutralizar la acidez de la vagina. Desemboca en la uretra.

Conducto deferente

PENE
Órgano copulador que, ante el estímulo sexual, aumenta su volumen y se torna rígido (erección).

Pubis

Tejido esponjoso

Vejiga urinaria

Tubos seminíferos

Glande

Recto

VESÍCULA SEMINAL
Productora de líquido rico en sustancias que sirven de alimento al espermatozoide. Desemboca en la uretra.

EPIDÍDIMO
Conducto genital en el que vacían los tubos urinarios.

ESCROTO
Bolsa de piel que recubre los testículos, constituye un excelente sistema de refrigeración para la formación de los espermatozoides.

URETRA
Conducto común al aparato urinario.

• Se denomina eyaculación al proceso por el cual el semen traspasa la uretra y es descargado al exterior.

• Los espermatozoides, unidos a un líquido producido por la próstata y la vesícula seminal, conforman el semen.

TESTÍCULO
Es su interior se hallan los tubos seminíferos, encargados de la producción de espermatozoides.

• Llegada la pubertad, el hombre alcanza la madurez sexual. Esto es provocado por la hipófisis que envía a la sangre hormonas que estimulan la producción de espermatozoides.

• En cada centímetro cúbico de semen se hallan de 120 a 200 millones de espermatozoides.

EL SISTEMA REPRODUCTOR FEMENINO

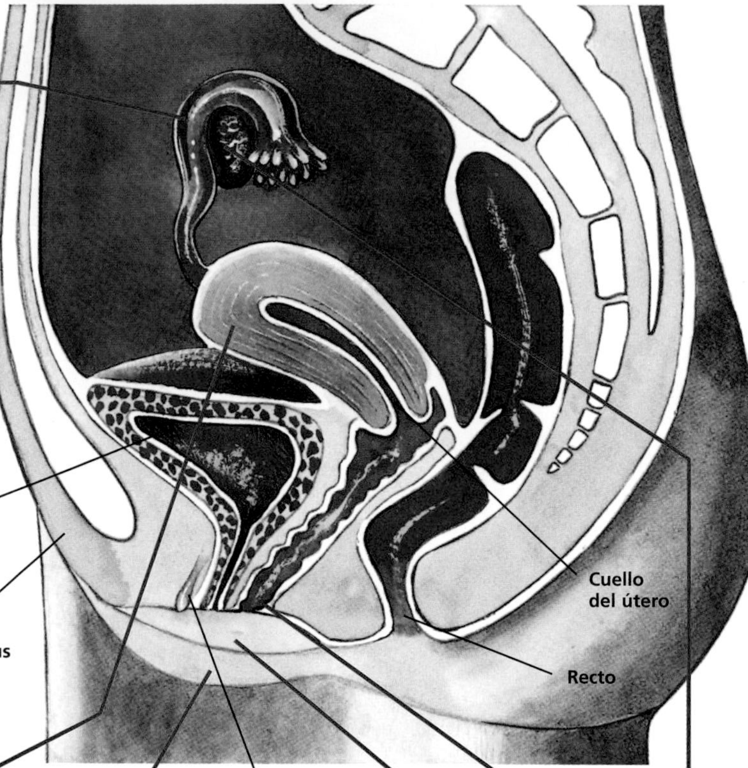

TROMPA DE FALOPIO

Conducto ubicado en la parte superior del útero (uno de cada lado). Se comunica con los ovarios. Constituye la ruta para el recorrido del semen y en ella se produce la fertilización.

Vejiga urinaria

Monte de Venus

Cuello del útero

Recto

Clítoris

ÚTERO

También llamado matriz. En él se produce el desarrollo del huevo o cigoto, llamado feto. Presenta paredes musculares muy gruesas, que permiten dar cabida al feto a medida que va formándose y facilitan la expulsión de éste en el momento del nacimiento.

LABIO MAYOR

Órgano sexual externo que forma parte de la vulva, constituido por pliegues de piel. Su función consiste en proteger las partes internas de lesiones.

• Cuando no se produce la fecundación, el óvulo es expulsado junto con el endometrio (tejido rico en vasos sanguíneos) en el proceso llamado menstruación.

• Las mamas también forman parte del aparato reproductor femenino, ya que están destinadas a la nutrición del recién nacido.

• El aparato reproductor femenino puede dividirse en dos partes: una externa, formada por los labios mayores, los labios menores y el clítoris, que cumplen la función de protección; y otra interna, constituida por los órganos alojados en el abdomen.

OVARIOS

Tienen el tamaño de una aceituna. Son los encargados de producir una gran cantidad de óvulos.

VAGINA

Tubo muscular de unos 20 cm. Durante el acto sexual, el hombre deposita el semen en ella.

LABIO MENOR

Ubicados entre el labio mayor. Su función es la de protección.

La fecundación

Durante el acto sexual, el *semen* es depositado en la *vagina*, los espermatozoides inician el recorrido por el interior de ésta y atraviesan el *útero*, hasta llegar a las trompas de Falopio. Sin embargo, de los doscientos millones de espermatozoides que contiene el semen (por cm^3), sólo algunos logran alcanzar las trompas.

El *cuello uterino* está provisto de un *tapón mucoso*, que se reblandece para ceder el paso a los espermatozoides en el momento en que el óvulo es expulsado por el ovario (ovulación). Pero un solo espermatozoide es el que logra unirse al óvulo. Esta unión es llamada **fecundación**. A partir de este momento, la membrana del óvulo se cierra, impidiendo el paso de otros espermatozoides. La célula que resulta de esta unión se llama **cigoto**.

Un asombroso crecimiento

Una vez que se forma el *huevo fecundado* o *cigoto*, éste comienza a dividirse en más y más células, pasando por varios estadios, hasta formar el embrión. A los 5 ó 6 días, el embrión se instala en el *útero* o *matriz* (nidación), donde se nutre y crece hasta formarse completamente. Este período es la **gestación**.

Con una parte del útero y del embrión, se forma y desarrolla la placenta, que tiene una gran cantidad de vasos sanguíneos y está unida al embrión por el cordón umbilical. A través de la placenta, el embrión recibe *alimentos* y *oxígeno*, y elimina los desechos de la actividad celular. Desde la octava semana hasta el final del embarazo, el nuevo ser en formación se denomina feto. Llegadas las 38 semanas de gestación, el nacimiento puede producirse en cualquier momento.

Mes a mes, uno de los ovarios libera un óvulo maduro. Este proceso se conoce con el nombre de **ovulación**. El óvulo se conduce hacia la trompa de Falopio, donde puede ser fecundado por un espermatozoide.

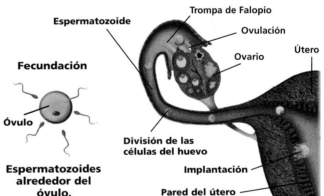

Trompa de Falopio
Espermatozoide
Ovulación
Ovario
Útero
Fecundación
Óvulo
División de las células del huevo
Espermatozoides alrededor del óvulo.
Implantación
Pared del útero

Aproximadamente 36 horas después de producida la fecundación, las células del huevo o cigota comienzan a dividirse: primero en dos, luego en cuatro, en ocho, y finalmente en 16. Finalmente, el huevo desarrolla un líquido central y se fija a las paredes del útero.

Ovulación
Óvulo
Ovario
Fimbrias
Trompa de Falopio

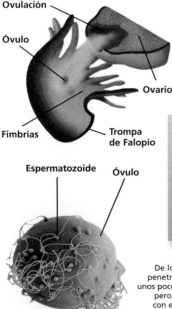

Espermatozoide
Óvulo

Entendemos por **fecundación** a la fusión de los espermatozoides con los óvulos, para dar origen a un nuevo individuo que reunirá las características hereditarias de los padres. Este nuevo individuo necesita, como término óptimo, nueve meses para su completo desarrollo; este período se llama **gestación.**

De los 200 ó 300 millones de espermatozoides que penetran en el aparato reproductor femenino, apenas unos pocos logran llegar al óvulo. Nadan alrededor de éste, pero sólo uno consigue fecundarlo. Éste se fusiona con el núcleo, mientras que la membrana del óvulo impide el ingreso de otro espermatozoide.

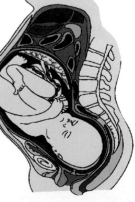

El nacimiento

A los nueve meses de embarazo, aproximadamente, el nuevo ser está en condiciones de nacer. Ha llegado el momento del **parto**: la expulsion del bebé por las vías genitales. La mamá sentirá que las **contracciones del útero** –que tienen como objetivo dilatar el **cuello del útero** para que pueda pasar el bebé– se hacen más intensas y continuas. Luego, se produce la rotura de la **bolsa de agua** (**amnios**) que lo rodea, y el **líquido amniótico** contenido en ella es eliminado.

El bebé es empujado hacia el conducto vaginal por la presión que ejercen las paredes musculares del útero. Esta última etapa, denominada **expulsión**, finaliza con la salida del nuevo ser al exterior a través de la **vulva**. Poco después se expulsa la placenta y las membranas ovulares, proceso que se llama **alumbramiento.**

La alimentación del recién nacido

El **mejor alimento** para el bebé es la **leche materna**: completa,

EL REFLEJO DE SUCCIÓN

Apenas nacido, el bebé manifiesta su **instinto de conservación** a través de la **succión**. Suele ocurrir que ya en las primeras horas de vida, al acercar un dedo a la boquita del niño, éste inicia un movimiento con su lengua y labios al que llamamos **reflejo de succión**. La succión es, además, un importante medio de relación del bebé, es una forma de conocerse a sí mismo (cuando lleva sus manitos a la boca) y de conocer el medio que lo rodea (cuando lleva cualquier objeto a la boca). Mediante la succión, el recién nacido siente segura su supervivencia y una **agradable sensación de bienestar**. Para succionar, el bebé adapta sus labios al pecho materno o a la tetina del biberón; con la lengua, los presiona sobre el paladar, de forma tal que dirige el contenido hacia su garganta, donde lo deglute.

insustituible y nutritiva, además provee de **defensas** (**anticuerpos**) contra ciertas enfermedades.

Durante el embarazo, el **pecho materno** experimenta una **serie de cambios** destinados a preparar las **glándulas mamarias** para la elaboración de leche. Estas transformaciones se evidencian en el **aumento de tamaño** y la **turgencia** de los pechos. Estos cambios se producen por la influencia de unas **hormonas** que elaboran la *hipófisis* y los *ovarios*. Su acción permite que, a pocas horas de nacido el bebé, las glándulas mamarias **segreguen leche**.

El estímulo que representa la **succión** del niño es fundamental para estimular la producción de leche materna.

LAS CUATRO ETAPAS DEL PARTO

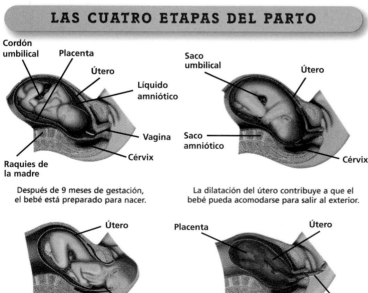

Cordón umbilical
Placenta
Útero
Líquido amniótico
Vagina
Cérvix
Raquies de la madre

Después de 9 meses de gestación, el bebé está preparado para nacer.

Saco umbilical
Útero
Saco amniótico
Cérvix

La dilatación del útero contribuye a que el bebé pueda acomodarse para salir al exterior.

Útero
Vagina

Las contracciones empujan al bebé fuera del útero, hacia la vagina. Primero se libera la cabeza y luego el resto del cuerpo.

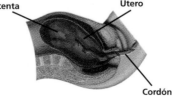

Placenta
Útero
Cordón

Una vez cortado el cordón umbilical, la placenta se separa de las paredes del útero y es expulsada.

• Cuando la gestación llega a su fin, la placenta comienza a envejecer y disminuyen los niveles de progesterona, dando origen a las contracciones del útero.

• Después del parto, el útero —que se había dilatado para contener al feto— comienza a recuperar su tamaño normal. Este proceso se conoce como **puerperio** o **dieta**, y dura unas 6 semanas.

• El ombligo es la cicatriz que nos queda del cordón umbilical. Éste es cortado por el médico o la persona que asiste el parto cuando nacemos. La parte que queda unida a nosotros se cae a los pocos días y nos deja este "recuerdo" imborrable.

LA HERENCIA BIOLÓGICA

Los famosos cromosomas

De nuestro padres heredamos la forma de la cara, la nariz, el color de los ojos y el cabello, y una multiplicidad de caracteres que nos hacen personas singulares. También heredamos tendencia a contraer ciertas enfermedades. ¿Por qué ocurre esto? Veamos...

Cada célula de nuestro cuerpo posee **46 cromosomas** distribuidos en **23 pares**, salvo las células sexuales (óvulos y espermatozoides), que sólo tienen un juego de cromosomas (23 cromosomas en total). Los cromosomas son muy importantes porque **portan la información genética de la persona** y, por lo tanto, son los responsables de la herencia.

¿Qué sucede en la fecundación? Cuando el óvulo y el espermatozoide se fusionan, cada uno aporta una serie de 23 y, por lo tanto, el nuevo ser tendrá dos juegos de cromosomas en sus células, uno que proviene de la madre, y otro, del padre. Cada persona recibe entonces información genética de ambos progenitores.

Los pares de cromosomas iguales se denominan **homólogos**.

Unidades de información

Cada uno de los caracteres hereditarios que presenta una persona, una planta o un animal está determinado por un **gen**. Los genes se encuentran en los cromosomas y son fragmentos de ADN que determinan las características estructurales y funcionales de los organismos.

La información que contiene un gen sobre un carácter deter-

Aquellos factores que determinan las características morfológicas, fisiológicas y de comportamiento de un ser humano constituyen la herencia biológica.

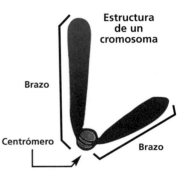

Estructura de un cromosoma

Brazo

Centrómero

Brazo

El número de cromosomas es variable según la especie, pero es constante en todos los individuos de una misma especie.

minado (por ejemplo, el color de ojos de una persona) se llama **alelo**. Cada célula tiene dos alelos (informaciones) para cada gen.

Los alelos pueden ser iguales (por ejemplo, los dos llevan información para que los ojos sean de color castaño) o diferentes (uno porta información de color castaño y el otro de color celeste).

En este caso, el que se manifiesta se denomina **alelo dominante**, y el que no se manifiesta, **alelo recesivo**.

Si los dos alelos tienen la misma fuerza, el resultado es una mezcla de ambos.

La célula que presenta dos series de cromosomas se denomina **diploide**. La célula que presenta una sola serie recibe el nombre de **haploide**.

Todas las células de un organismo poseen la misma información genética en las cadenas de ADN (ácido desoxirribonucleico) de sus cromosomas.

— Homocigota o — heterocigota

Un ser vivo es llamado **puro** u **homocigota** cuando los genes que transmiten sus células sexuales son idénticos, es decir, **dos carac-**

La **herencia** es el conjunto de rasgos morfológicos (color de pelo, de ojos, de piel, etc.), fisiológicos (adaptaciones) y, en el caso del hombre, psicológicos (memoria, carácter, inteligencia) que se transmite de padres a hijos. Generalmente, entre padres e hijos encontramos un parecido muy estrecho, pero que no depende de la nutrición ni del desarrollo muscular. En el hombre también influye la cultura, ya que, si bien la capacidad mental es heredada, la medida en la que ella se desarrolla está relacionada con factores del medio ambiente, la enseñanza y la experiencia.

teres dominantes o **dos caracteres recesivos**, que se grafican con la misma letra, **mayúscula** para los **dominantes (AA)** y **minúscula** para los **recesivos (aa).** Si dichos genes no son iguales, es decir que hay un **gen dominante y otro rece-** sivo **(Aa)**, se lo denomina **heterocigota** o **híbrido genético.** Entre los individuos **heterocigotas** puede establecerse una subdivisión: **monohíbrido** (heterocigota para un solo carácter) o **dihíbrido** (heterocigota para dos caracteres).

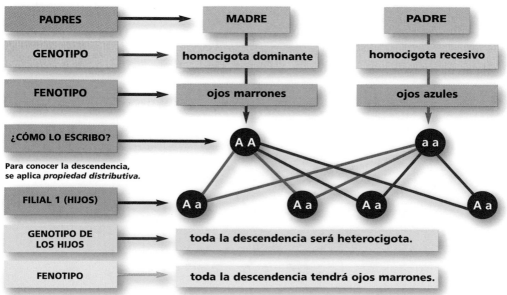

PADRES	→	MADRE		PADRE
GENOTIPO	→	homocigota dominante		homocigota recesivo
FENOTIPO	→	ojos marrones		ojos azules
¿CÓMO LO ESCRIBO?	→	A A		a a

Para conocer la descendencia, se aplica *propiedad distributiva*.

FILIAL 1 (HIJOS)	→	A a	A a	A a	A a
GENOTIPO DE LOS HIJOS	→	toda la descendencia será heterocigota.
FENOTIPO	→	toda la descendencia tendrá ojos marrones.

¿A qué llamamos dominancia?

Pese a que la contribución genética de ambos padres es igual, en muchos casos, los hijos suelen parecerse más a un padre que al otro. Este fenómeno se conoce como **dominancia**. Ésta puede ser **completa** o **incompleta**. Veamos dos ejemplos:

• Si los padres, uno con pelo negro (AA) y otro con pelo rubio (aa), se entrecruzan, los descendientes tendrán pelo negro (AA); ahora bien, en

DOMINANCIA INCOMPLETA RELACIÓN 1:2:1

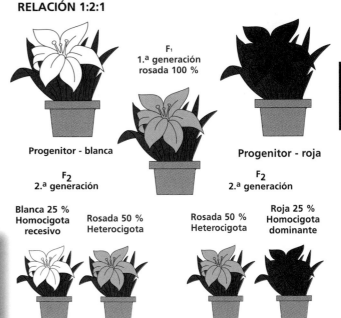

F₁
1.ª generación
rosada 100 %

Progenitor - blanca

Progenitor - roja

F₂
2.ª generación

F₂
2.ª generación

Blanca 25 %
Homocigota
recesivo

Rosada 50 %
Heterocigota

Rosada 50 %
Heterocigota

Roja 25 %
Homocigota
dominante

los descendientes de estos hijos se observará la relación 3 a 1, es decir, habrá tres individuos con pelo negro y uno con vestigios de pelo rubio. Esto constituye un ejemplo de **dominancia completa**.

• Hablamos de **dominancia incompleta** cuando los hijos presentan un aspecto (fenotipo) intermedio entre el de los padres. Por ejemplo, si del

cruzamiento de un individuo de pelo negro con otro de pelo blanco, nace un individuo de pelo gris. Esto nos indica que **el gen no es completamente dominante sobre el recesivo**.

– La segregación – de caracteres

Cuando se forman las gametas, el número cromosómico, que es diploide, pasa a ser haploide (se divide por la mitad). Cada cromosoma lleva los mismos caracteres que su homólogo; cuando éstos se separan durante la **meiosis**, se produce la **segregación de caracteres**, que posteriormente se recombinarán al unirse las gametas.

EL PADRE DE LA GENÉTICA

Gregorio Mendel (1822-1884), abad de origen austríaco, matemático, físico y biólogo, es considerado el padre de la genética, ya que, tras realizar experimentos con arvejas, logró determinar con exactitud las leyes de la herencia que llevan su nombre. En 1868, estas teorías fueron publicadas en su país, pero no despertaron interés alguno. Después de treinta años, otros científicos llegaron a las mismas conclusiones, y sólo entonces los trabajos de Mendel fueron reconocidos y pasaron a denominarse **leyes cuantitativas** o **leyes de Mendel**. Éstas estudian la proporción en que se transmiten los caracteres de padres a hijos, a través de las variaciones.

Las leyes de Mendel

1) Ley de dominancia: en la primera generación, se obtienen todos los descendientes con el carácter dominante.
2) Ley de disyunción de caracteres: en la segunda generación, la dominancia no es completa, porque en una cuarta parte de los descendientes aparece el carácter recesivo.
3) Ley de la independencia de los caracteres: establece que cada carácter es transmitido independientemente de los otros.

¿Qué es el crossing-over?

El *crossing-over* o **recombinación genética** es el **intercambio de material genético entre los cromosomas homólogos**, es decir que un cromosoma puede intercambiar genes con su homólogo y al concluir el proceso no presentar los mismos genes que al inicio de la actividad. En otras palabras, se produce un intercambio entre los lugares determinados del cromosoma donde se encuentran los genes.

Cuando el número de cromosomas varía

La **alteración en el número cromosómico** se denomina **disyunción**. Es decir, un par de cromosomas, que durante la meiosis se dividen normalmente, en ciertos casos no lo hacen, y pasan juntos a una misma célula. Ello origina que las gametas que se forman presenten un cromosoma más o uno menos que lo normal, y provoca alteraciones en el cariotipo. Algunos ejemplos de estas alteraciones son:

• **El síndrome de Turner**, en el que el número de cromosomas es 45, uno menos que el normal (44 cro-mosomas normales y 1 cromosoma sexual X). Provoca, sólo en las mujeres, baja estatura, déficit mental, ausencia de caracteres sexuales secundarios.

• **El síndrome de Down**, en el que el número de cromosomas es 47 (45 cromosomas, 3 en el par 21 y dos cromosomas sexuales XX o XY), uno más que el normal. Provoca un retardo mental profundo, rostro chato, ojos "chinos", orejas pequeñas, nuca plana y corta, dedos y manos cortos. Puede darse en hombres y en mujeres.

¿Nena o varón?

En la **mujer**, **los cromosomas sexuales son idénticos** y se denominan **XX**; en el **varón**, en cambio, sólo encontramos **un cromosoma X**, mientras que el otro se denomina **Y**, y éste es mucho más pequeño y con pocos genes o ninguno.

Ahora bien, si pensamos un poco podremos determinar que los **óvulos** tienen un **cromosoma X**, mientras que los **espermatozoides** pueden tener un **cromosoma X** o uno **Y**.

La fecundación de un óvulo con cromosoma **X** por un espermatozoide con cromosoma **Y** origina un individuo de **sexo masculino**, es decir, **XY**.

La fecundación de un óvulo con cromosoma X por un espermatozoide con cromosoma X origina un individuo de **sexo femenino**, **XX**. Vale decir, entonces, que es el hombre quien determina el sexo del nuevo individuo.

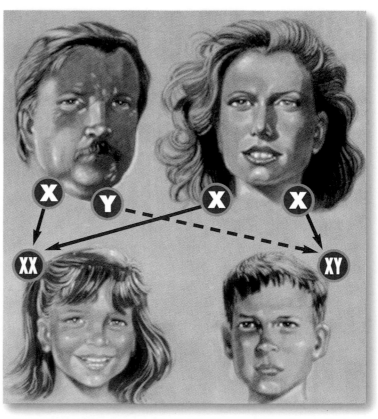

En este dibujo podemos observar la determinación del sexo en el género humano. Son los cromosomas sexuales masculinos los que establecen el sexo en la célula huevo o cigoto.

Crecimiento y desarrollo del ser humano

En el crecimiento y el desarrollo de los seres humanos intervienen dos factores fundamentales: por un lado, los caracteres hereditarios y, por el otro, la influencia del medio ambiente. Ambos, según se den, pueden favorecer o perjudicar al individuo y alterar, o no, su equilibrio.

El crecimiento

Se conoce con el término de **crecimiento** al **aumento gradual y progresivo de un individuo**. Este proceso se caracteriza por ser cuantitativo (aumenta la cantidad) y, por lo tanto, mensurable, es decir que podemos medirlo por el peso, la estatura, el volumen, el perímetro cefálico, etc.

El desarrollo

Llamamos **desarrollo** a la **sucesiva incorporación de funciones y conductas**, como consecuencia de la interacción del individuo con el medio que lo rodea. Este proceso se aprecia por la calidad y, por eso, es más difícil de percibir.

Para estar sanos

Para que un ser humano se desarrolle sanamente, es imprescindible que exista una estrecha armonía entre el crecimiento y el desarrollo.
Los factores que lo determinan son:
- Formación de una pareja sana (lo que se establece a través del examen prenupcial).
- Control médico mensual durante el embarazo.
- Atención institucional del parto.
- Una adecuada alimentación materno-infantil.
- Vivienda y vestimenta adecuadas.
- Control pediátrico periódico del niño (en el que deben consignarse peso, talla, reflejos, hábitos posturales).
- Cumplimiento del calendario de vacunación.
- Estímulo y desarrollo de los hábitos de higiene.

Para estar en armonía

Aquellos factores que se relacionan con la vida psíquica, moral y espiritual del individuo son los que determinan un desarrollo armónico:
- Decisiva influencia de la pareja armónicamente constituida y madura.
- Correcto y adecuado desempeño de los roles familiares.
- Papel relevante de la escuela en la formación del niño y del adolescente, según los períodos de madurez.

Para tener en cuenta

Los **caracteres hereditarios**, que en muchos casos determinan enfermedades en el nuevo ser, y el **ambiente** en que se desarrolla, que puede favorecer o perjudicar al individuo y alterar su normal equilibrio, deben tenerse en cuenta para que el crecimiento y el desarrollo de una persona sean normales.

135

Los ácidos nucleicos

Se encuentran en el interior de cada célula de nuestro cuerpo y desempeñan una función muy importante: son los responsables químicos de la herencia.

— Como largas — cintas

Los cromosomas contienen en su interior, entre otros elementos, un ácido nucleico.

Existen **dos tipos** diferentes de estos: el **ácido ribonucleico** o **ARN** (también se lo conoce como **RNA**) y el **ácido desoxirribonucleico** o **ADN (DNA)**. Fueron descubiertos en 1870 por el bioquímico suizo Friedrich Meischer.

Los ácidos nucleicos son moléculas grandes (macromoléculas) y complejas, que poseen hidrógeno, oxígeno, nitrógeno, carbono y fósforo. Su forma se asemeja a la de unas cintas muy largas, en las que, por tramos regulares, se repite la misma estructura. Estas estructuras conforman las unidades de las cintas y se llaman **nucleótidos**. Cada nucleótido, a su vez, está constituido por una molécula de ácido fosfórico y un azúcar simple al que se le suma una **molécula orgánica cíclica** muy compleja, con átomos de nitrógeno, llamada **base cíclica nitrogenada**. Existen cinco clases de bases nitrogenadas: **Adenina (A)**, **Guanina (G)**, **Citosina (C)**, **Timina (T)** y **Uracilo (U)**.

Los ácidos nucleicos, **ADN** y **ARN**, se diferencian entre sí por el azúcar que los compone; en el caso del primero, el azúcar es la **desoxirribosa**; en el segundo, el azúcar es la **ribosa**.

	ADN	ARN
Sinónimos	Ácido desoxirribonucleico (DNA)	Ácido ribonucleico (RNA)
Unidad química base	Nucleótidos	Nucleótidos
Azúcar	Desoxirribosa	Ribosa
Forma	Filamentos	Gránulos esféricos
Distribución en la naturaleza	Presente en todos los seres vivos, excepto en algunos virus bacterianos.	Presente en todos los seres vivos, salvo algunos virus.
Ubicación celular	Núcleo: 99 % de los cromosomas	Citoplasma: 90 % de los ribosomas.
Cantidad	Constante para cada especie.	Varía según la síntesis de proteínas.
Origen	De otra molécula de ADN.	Proviene del ADN.
Otras características	Base química de los genes.	Existen distintos tipos: (*)
Importancia	Responsables químicos de la herencia.	

(*) **ARN ribosómico:** participa de la síntesis de proteínas.
ARN mensajero: conduce la información genética del núcleo al citoplasma.
ARN de transferencia: conduce los aminoácidos hacia el lugar donde se realiza la síntesis de proteínas.

Gramática

Nuestra lengua es
sumamente rica.
Su estudio
te ayudará a
ampliar tus
capacidades
comunicativas.

COMUNICACIÓN Y LENGUAJE

El lenguaje humano, que surgió como una necesidad de comunicación, fue una adquisición fundamental para el desarrollo de las diferentes sociedades.

Una necesidad social

Los seres humanos somos sociales. ¿Por qué? Porque necesitamos relacionarnos unos con otros para poder vivir.

Nuestros antepasados prehistóricos se reunieron en pequeños grupos, parecidos a las familias, llamados *clanes*, y en grupos más grandes, las *tribus*. Por lo tanto, en esa vida social, surgió la necesidad de dar a conocer y requerir informaciones, expresar sentimientos... Es decir, necesitaron comunicar y comunicarse.

Así nació el lenguaje humano, del cual nunca sabremos cómo era; pero sí sabemos que era por medio de **sonidos**, como ahora, ya que el hombre y la mujer tienen un aparato fonador, que les permite hablar. ¿Y ahora?

El **lenguaje oral** sigue siendo la forma más generalizada de **comunicación**, y desde que nacemos nuestras familias y nuestra comunidad nos enseñan a usar la **lengua** o **idioma** que le es propia.

Con ella podemos **dialogar** con las demás personas. Esto significa transmitir lo que nos pasa, aconsejar, contar, manifestar emociones y sentimientos, pedir información...

En la escuela aprendemos el **lenguaje escrito**, que es utilizado ampliamente

Prácticamente, en cualquier situación humana está presente la comunicación. Incluso, cuando estamos solos, nos hablamos por medio de los pensamientos, que siempre son verbales.

Desde que nacemos, las palabras acompañan cada acto. De este modo, nuestros padres intentan enseñarnos la magia de sus significados.

para transmitir y recibir información, pero también para emocionarse y disfrutar, como en la literatura.

¡Cuántas formas de comunicarnos!

Ya en los tiempos prehistóricos, los hombres trataron de comunicarse de otras maneras; por ejemplo, dibujando en las cavernas escenas de caza.

Sin embargo, no todos usaron el lenguaje de la misma forma. Separadas geográficamente, cada comunidad fue creando su **lengua** o **idioma**. Para transmitir mensajes a larga distancia, también emplearon instrumentos de percusión y de viento, y hasta señales de humo...

Finalmente, como un estado posterior, nació el lenguaje escrito, formado por signos gráficos.

¿Qué es la comunicación

Lucas está transmitiendo una información. Es la fuente desde donde ha partido esa información y, por lo tanto, es el **emisor**.

Lo que dice Lucas es el **mensaje**. Para transmitirlo ha utilizado un **sistema** de signos orales –en este caso, la lengua– que constituye el **código**. La destinataria de ese mensaje es Nadia. Ella, dentro del proceso de comunicación, es el **receptor**.

Para que los sonidos que emite Lucas lleguen a Nadia, es necesario que haya aire, porque es el medio en el cual se expanden las ondas sonoras. El aire constituye el **canal**, el medio físico por el cual se transmite el mensaje. Hay dos elementos más que tenemos que tener en cuenta en la comunicación: el **referente**, que es el hecho de la realidad al que se refiere el mensaje, y las **circunstancias**, es decir, el tiempo y el lugar en los que se produce el hecho comunicativo.

Entonces, los elementos de la comunicación son:

El hecho de la realidad a la que se refiere el mensaje.

REFERENTE

| EMISOR | CANAL | MENSAJE | CANAL | RECEPTOR |

Codifica el mensaje en un sistema de símbolos o signos.

CÓDIGO

Decodifica el mensaje.

El mensaje está expresado en un sistema de símbolos o signos.

CIRCUNSTANCIAS

El tiempo y el lugar en que se produce la comunicación.

Nadia, te conviene copiar el archivo...

En esta situación encontramos dos circuitos de comunicación. Uno es el que se establece entre los dos jóvenes. El otro, entre ellos y la información de la red.

El proceso de comunicación es dinámico, cambiante y continuo. Cada uno de sus elementos influye sobre los demás, es decir, interaccionan.

En el caso de los medios masivos de comunicación, como la prensa escrita, la televisión o la radio, el receptor no es individual sino **social**. Los mensajes van dirigidos a personas desconocidas que forman parte de un grupo social, una comunidad, los habitantes de una ciudad o de todo un país. Actualmente, con los **satélites de comunicación y la Internet**, se pueden recibir mensajes, en imágenes y sonidos, de todo el mundo. En el proceso de comunicación que establece la televisión, las imágenes visuales se codifican en ondas eléctricas que son transformadas en rayas y puntos por el aparato receptor y así forman una imagen equivalente a la emitida.

¿Qué es el lenguaje?

Estuvimos hablando de comunicación, del código lingüístico y no lingüístico. Ahora vamos a precisar un poco más qué es el **lenguaje**.

El color rojo del semáforo es un **signo** que significa "¡alto!". En la emisión "¡alto!" de una persona, encontramos casi el mismo significado o contenido, y está expresado por un signo que es la *palabra*.

Esta posibilidad de expresar contenidos por medio de **signos** es una condición del lenguaje llamada *primera articulación.*

En el caso de la palabra "alto", podemos encontrar elementos menores, **a, l, t** y **o**, que no están relacionados con el contenido, no son signos. Pero con ellos podemos formar un nuevo signo, por ejemplo "talo".

Esta posibilidad de partir un signo, portador de un contenido, en unidades menores es la segunda condición del lenguaje, llamada *segunda articulación*.

En el caso del semáforo, el color rojo no se puede dividir en unidades menores ni formar nuevos signos. Por lo tanto, tenemos dos formas de comunicación pero sólo una es un **lenguaje**.

Las unidades menores en que se puede dividir un signo son los **sonidos**, en el caso del lenguaje oral, y las **letras**, en el caso del lenguaje escrito. Con un número pequeño de ellos podemos construir todos los mensajes que queramos, y en eso radica la maravilla del lenguaje humano.

La lengua y el habla

A lo largo de la historia, las comunidades humanas han inventado diferentes signos y han establecido entre ellos diferentes relaciones. A esa construcción social de una comunidad la llamamos **lengua**. En este sentido, una lengua es un idioma. Todas las personas de una misma comunidad lingüística, a través del aprendizaje, han incorporado los elementos de esa lengua, en forma parcial o total. Muchas personas no tienen un manejo completo de la lengua porque han recibido una educación deficiente. De cualquier manera, la lengua sería como un archivo al que recurrimos cuando hablamos o escribimos. Pero ¿todas las personas hablamos o escribimos de la misma manera? No, claro. Cada uno hace un uso particular de la lengua. A ese uso particular lo llamamos **habla**.

¡ALTO!

Muchas veces los mensajes no se ajustan a las reglas de una lengua. Sin embargo, son comprendidos por el receptor.

Mamá, tengo un *"aujero"* en la media.

Cósetelo.

"Aujero" es una forma elocutiva muy difundida de la palabra *"agujero"*.

Códigos no lingüísticos

Las **señales de tránsito** transmiten información muy importante para los conductores de vehículos, porque indican el estado de los caminos, previenen, dan datos sobre servicios, etc. El **código** que utilizan son signos gráficos que portan un significado, por ejemplo: **"animales sueltos"**. El **emisor** es una entidad gubernamental, como puede ser la Secretaría de Vialidad o la Municipalidad. El **receptor**, obviamente, es el conductor. El **canal** es el cartel. El **mensaje** es la información que transmiten. El **referente** es el hecho de la realidad: a pocos metros o kilómetros, la ruta hace una curva cerrada, por ejemplo.

ANIMALES SUELTOS

ROTONDA

CONTRAMANO

**PROHIBIDO GIRAR
A LA IZQUIERDA**

**PROHIBIDO
ADELANTARSE**

AUTOPISTA

**CURVA PELIGROSA
A LA DERECHA**

SEMÁFORO

¿Dónde encontramos otros signos gráficos que transmiten mensajes? En las etiquetas de la ropa (instrucciones para que no se estropee), en los aparatos de audio y video, en las estaciones de servicios para vehículos, en los parques, plazas, restaurantes, hoteles, etc.

Los productos que se venden en los supermercados llevan un código de barras, que es un conjunto de rayas verticales u horizontales de distinto grosor. Éstas se decodifican por un medio electromagnético y se codifican nuevamente en números, informando así el precio de la mercadería.

ASCENSORES

PROHIBIDO FUMAR

CAFETERÍA

NO PLANCHAR

NO LAVAR

SANITARIOS HOMBRES

SANITARIOS DAMAS

TELÉFONO

```
8  414090 103466        00003
```

Variedades de la lengua

¿Todos los hablantes de una misma lengua la utilizan de la misma manera? En principio, podemos decir que cada uno hace un uso particular de ella. Pero además, si tomamos un idioma como el español, que abarca tantas regiones geográficas, notaremos diferencias (variedades) en el que se habla en cada una, tanto en España como en América. También hay diferencias de acuerdo con los grupos sociales, las edades, etc.

Podemos decir que, aunque hablemos una misma lengua, generalmente nos expresamos en forma diferente, según la circunstancia en la que nos encontramos. A esa variedad la llamamos **registro**.

Para analizar estas variedades o registros de la lengua, las agrupamos en cuatro tipos:

- de circunstancia comunicativa
- de grupos sociales
- geográficas
- temporales

En algunas regiones de América Latina, se utiliza el término *guagua* para referirse a niños pequeños.

De circunstancia comunicativa

Es la variedad que se utiliza de acuerdo con el canal transmisor, la relación entre los hablantes y el tipo de mensaje.

Si tenemos en cuenta el canal transmisor, podemos establecer inmediatamente dos variedades: lengua **escrita** y lengua **oral**.

En la **lengua escrita** los signos son gráficos y no sonoros. Más adelante veremos las diferencias entre ellos. Cualquier persona que haya adquirido los hábitos de la escritura puede plasmar mensajes de esta manera.

Se utiliza en los medios masivos —como diarios y revistas—, en los estudios e informes, en la literatura. Se caracteriza, generalmente, por su cuidado, y se diferencia de la lengua oral porque hay una reflexión previa más intensa y un uso más amplio del léxico.

El mundo de Internet

Más de 20 millones de personas se comunican, juegan y realizan intercambios de todo tipo a través de una red internacional de ordenadores.

Una nueva sociedad se está creando en las profundidades de la pantalla del monitor. Actualmente son 20 millones de personas las que se comunican planetariamente a través de **INTERNET** (International Network of Computers).

INTERNET es un sistema de conexiones interpersonales con acceso a bancos de información, revistas, archivos, imágenes, grabaciones sonoras, películas y videojuegos.

De esta intercomunicación entre amantes de la computación, se ha formado una comunidad que discute ideas, traba relaciones e intercambia información. Todo a través de la pantalla de un monitor y en cualquier parte del mundo.

Nunca, hasta ahora, la tecnología ha podido lograr una idea más perfecta de vecindad.

(*El ABC escolar*, Asunción, 21/5/94.)

La lengua oral o coloquial

Generalmente, cuando hablamos no usamos algunas expresiones o giros que le dan a la lengua escrita un particular estilo. Tampoco utilizamos oraciones muy largas. La **lengua oral** o **coloquial** se caracteriza por su **espontaneidad** y su **carga expresiva**.

Si tenemos en cuenta la relación entre los hablantes, podemos diferenciar las siguientes variedades: **íntima** y **protocolar**.

La lengua íntima familiar

Es la que se utiliza en los diálogos entre personas que tienen una relación cercana, como puede ser la de los miembros de una familia o entre amigos. Está cargada de matices afectivos.

La lengua protocolar

Se da entre personas que mantienen una relación exclusivamente profesional o de negocios; es completamente formal, sin compromiso afectivo entre las personas que dialogan.

¿Sabes cuántas personas se comunican por Internet? Veinte millones en todo el mundo. Por la computadora puedes recibir de todo: revistas, archivos, imágenes y un montón de cosas más.

¿Qué tal, Chela? ¿Cómo está tu mamá?

Y... mejorcita.

Buenos días, señor García. ¿Cómo se encuentra su señora madre?

Si tenemos en cuenta el **tipo de mensaje** y la **intencionalidad del emisor**, podemos distinguir: lengua expresiva, lengua informativa, lengua artística y lengua activa o impresiva.

La lengua expresiva

Sugiere los estados de ánimo del hablante. Es más frecuente en la lengua íntima o familiar, es decir, entre personas que se conocen. Además de la emisión de los signos (palabras), tienen gran importancia los acentos y los énfasis de la entonación. También se caracteriza por la utilización de adjetivos calificativos, diminutivos, aumentativos, metáforas, palabras inventadas, etc.

Abu, ¿te falta mucho para terminar mi disfraz?

¡Ay, qué ansiosa que está mi pequeña! Unas pocas puntadas más y... te transformarás en una hermosa princesita...

Para satisfacer sus necesidades, el hombre utiliza diversas materias obtenidas de la naturaleza en estado puro (materias primas, a las que también incorpora mano de obra en un proceso de transformación) o elaboradas a partir de elementos sintéticos (químicos, plásticos, etc.).

El ciclo de la vida humana genera actividades de producción y consumo. Los elementos no utilizados o no aprovechados en su totalidad, sea en estado originario (vegetales, animales, minerales) o transformados por el uso (cartones, papeles, envases plásticos o de vidrio, etc.), son los que conocemos como residuos o basura.

(El ABC escolar, Asunción, 21/6/94.)

Cinco águilas blancas blancas volaban un día surcando rápidamente el firmamento y sus cinco sombras las acompañaban silenciosamente sobre cerros y praderas. ¿Venían del norte? ¿Venían del sur? La tradición indígena dice que el cielo estrellado fue su remota cuna. Caribay, deidad de los bosques llenos de aroma y frescura, habitaba los Andes monumentales. Esta diosa gorjeaba como los pájaros, era ligera y liviana como la espuma, y como el viento acariciaba las flores y hacía estremecer los árboles.

("Las cinco águilas blancas", leyenda.)

La lengua informativa

Proporciona datos de la realidad. Su función es informar, no expresar sentimientos. Por lo tanto, es más precisa. Una de sus características es utilizar oraciones enunciativas y verbos en el modo indicativo. Se estructura en ideas principales y secundarias.

La lengua artística

Es exclusiva de la literatura. Se presta mayor atención a la elaboración de la escritura. En ella, los signos no son fácilmente reemplazables, porque cada uno importa por sí mismo. Por su función, también es expresiva.

La lengua activa o impresiva

Pretende actuar en el receptor, persiguiendo alguna forma de reacción o de respuesta.

- **Observa** bien estos dos dibujitos.
Parecen iguales, pero no lo son; entre ellos hay 7 diferencias. ¿Puedes encontrarlas?
- **Separa** los granos según se parezcan a un ojo, una oreja, a una nariz, etc. **Pon** a un costado la mitad de las semillas.
- Con la otra mitad, **haz** un dibujo sobre un papel. **Utiliza** un palillo o la pinza de depilar para sujetar y poner en su posición las semillas más pequeñas. **Comienza** con un dibujo sencillo.

De grupos sociales

Marca diferencias de cultura, educación, clase social, profesión, edad.

La lengua escolarizada o estándar

Es la lengua que se propone como modelo en la escuela para que los alumnos puedan desenvolverse en ámbitos más amplios, en los que ese tipo de lengua es la convención vigente.

La lengua no escolarizada

Son variaciones populares que se apartan en muchos casos de la norma, como resultado de una creación colectiva.
Veamos un ejemplo que, si bien es un texto literario, reproduce la forma de hablar popular en sus diálogos.

Arme su mundo

Hosting
Housing
E-commerce
Conectividad
Interactivos

Posicione su empresa

Seguridad Informática
Mails corporativos
E-business
Redes empresas
Diseño

Genere vínculos

Nueva Generación de Negocios

Hay dos tipos de mensajes apelativos muy comunes: la **publicidad** y la **propaganda**. La publicidad trata de convencer a los receptores para que consuman determinados productos. La propaganda intenta cambiar un comportamiento. Por ejemplo, una campaña para que la gente deje de fumar. Estos tipos de mensajes se utilizan fundamentalmente en los medios gráficos, en la radio y la televisión.

Tomó una tijera y cortó trocitos de cinta y con ellas en su bolso fue al mercado. Se ubicó en su lugar habitual y colocó las cintas sobre una tela extendida en el piso. Las señoras pasaban comprando tomate, cebolla, papa, locote, etc., ninguna se detenía a ver las cintas multicolores.
—¿**Tenés batatilla**, abuela? —preguntó una cliente que venía acompañada de una niña.
—**No, che patrona**. Hoy no tengo nada.
La niña dio unos tironcitos a la pollera de la madre, que ya estaba buscando con la vista a otro puesto en el que pudiese comprar los yuyos para el tereré de su marido.
—Mamá, compreme las cintas.
—¿Qué?
—Las cintas —repitió la niña señalando los trocitos multicolores.
—¿Cuánto cuesta, abuela?
—**Cien cada una, la patrona**.
—Dame dos.

"Las cintas de doña Clementina" (Gloria Paiva).

La lengua profesional

Se caracteriza por utilizar un léxico propio de cada profesión. Como ejemplo, podemos mencionar una presentación judicial realizada por un abogado, el informe de un médico, un ingeniero, un historiador, etc.

Además de las variaciones señaladas, encontramos diferencias de acuerdo con los grupos sociales, el sexo, la edad, etc.

Geográficas

El mapa lingüístico de América ofrece una variedad de usos de léxico muy amplia. Muchas de estas diferencias provienen de la herencia indígena, ya que numerosas palabras y formas de pronunciación pasaron al castellano.

A estos vocablos, y a los rasgos fonéticos y gramaticales característicos del español que se habla en América, se los llama **americanismos**.

• chingolo • gaucho • poncho	Del araucano o mapuche que se hablaba en el sur de Chile.
• cóndor • mate • papa • cancha • poroto • pampa • yuyo • chaucha	Del quechua, idioma de los incas que se habla en Perú, norte de Chile y Argentina.
• cacao • chocolate • tiza • aguacate	Del náhuatl, idioma de los aztecas, que se extendieron por México.
• canoa • cacique • batata • tabaco	Del arahuaco, idioma de las Antillas.
• ananá • ombú • ñandú • mucama • tapir • mandioca • maraca	Del guaraní, que se habla actualmente en algunas provincias de Argentina y en Paraguay.

LAS PALABRAS TIENEN SU HISTORIA

El guaraní es una hermosísima lengua indígena que se habla en el Paraguay (donde convive con el castellano) y en parte de las provincias argentinas de Formosa, Corrientes y Misiones. **Guaraní**, en esa lengua, quiere decir "guerra". Pero ése fue el nombre que a la tribu dieron los españoles, y por extensión llamaron así al habla de estos indios.

En cambio, los indígenas no llamaban a su lengua con nombre belicoso: todo lo contrario, entre ellos la designaban *ñe' engatú o abá' e*, expresiones que pueden traducirse como "habla linda" y "habla del hombre". Da qué pensar, ¿no?

Drómiti, mi nengre,
drómiti, ningrito.
Caimito y merengue,
merengue y caimito.

Drómiti, mi nengre,
mi nengre bonito.
¡Diente de merengue,
bemba de caimito!

Cuando tú sia glandi,
va a ser bosiador...
Nengre de mi vida,
nengre de mi amor...

(Mi chiviricoqui,
chiviricocó.
¡Yo gualdo pa ti
tajá de melón!)

Fragmento de "Para dormir a un negrito", Emilio Ballagas (cubano).

En esta canción para dormir a un niño, o "nana", el autor refleja la forma de hablar de los negros en Cuba. Utiliza las variaciones y el léxico propio de ese pueblo, y también algunos que se usan en el español de esa región americana.

Drómiti: duérmete. **Nengre:** negro. **Caimito:** fruto tropical. **Bemba:** labios. **Chiviricoqui chiviricocó:** voces onomatopéyicas de valor afectivo. **Gualdo:** guardo. **Pa:** para. **Tajá:** tajada.

Temporales

Son los cambios que se producen en una lengua a través del tiempo. Muchos usos caen y son reemplazados por otros.

DIFERENCIANDO PALABRAS

Las palabras se ordenan

Cuando hablamos o cuando escribimos, ordenamos las palabras de una manera determinada. Si no fuera así, no podríamos entendernos. ¿Por qué? Porque las palabras, además de llevar un significado, cumplen determinadas funciones, aunque no las conozcamos. De acuerdo con esto, las palabras pertenecen a diferentes clases.

Las palabras, además de llevar un significado, cumplen determinadas funciones y, por lo tanto, pertenecen a diferentes clases.

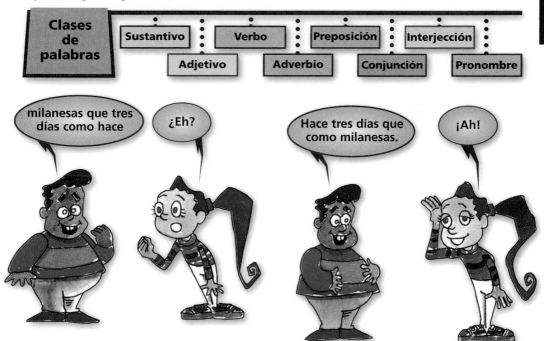

Clases de palabras

Sustantivo · Verbo · Preposición · Interjección
Adjetivo · Adverbio · Conjunción · Pronombre

milanesas que tres días como hace

¿Eh?

Hace tres días que como milanesas.

¡Ah!

El sustantivo

De acuerdo con su **significación** (aspecto semántico), el sustantivo **es la palabra que designa a los seres vivos y objetos que tienen existencia real** en la naturaleza (*camilla, computadora, ruta*) o **conceptos** que utilizamos cuando nos referimos a ciertas ideas (*sensibilidad, preocupación, situación*).

Desde el **punto de vista sintáctico**, el sustantivo es **núcleo de construcciones**.

Clasificación de los sustantivos por su significado

SUSTANTIVOS
COMUNES → Colectivos
Individuales
Concretos
Abstractos
PROPIOS

Sustantivos comunes

Designan a un ser u objeto pero sin diferenciarlo de los demás de su clase: *escuela, libro, pared, mapa*.

Estos sustantivos pueden designar a un solo objeto cuando están en singular. En este caso se llaman:

- **individuales:** *pez, cerdo, ave.*

Pero también pueden designar, estando en singular, a un grupo de individuos de la misma especie. Son los sustantivos

- **colectivos:** *cardumen, piara, bandada.*

Concretos: son los que designan a los objetos y seres que tienen existencia independiente en la realidad: *cabello, zapato, monumento, reloj, libro, escritorio.*

Abstractos: Son los que designan ideas que refieren a valores, sentimientos, estados, etc.

Cuando veamos cómo se forman las palabras, analizaremos una serie de terminaciones de los sustantivos abstractos, como **-acia**, **-ancia**, **-ción**, etc. Es importante tenerlas en cuenta cuando debemos clasificarlos: *implicancia, intención, ubicación, delicadeza, alegría, tristeza.*

Sustantivos propios

Designan a un ser particular, pero no dicen cómo es. Son los **nombres** de las personas, países, montañas, ríos, ciudades, bahías, penínsulas, islas, edificios, etc.:
Verónica, Italia, Everest, Paraná, Asunción, Antillas.

– El sustantivo – como núcleo

La **oración** es una **construcción**. Pero dentro de ella podemos encontrar construcciones menores, con **núcleos** y **modificadores**. Para analizar algunos casos, vamos a tomar construcciones que no tengan verbos conjugados:

el cabello enrulado

md   n   md

md: modificador directo
n: núcleo

Cabello es el **núcleo** que está modificado por dos palabras: *el* y *enrulado*. Estas palabras se unen directamente al núcleo; por lo tanto, son **modificadores directos**.

Más ejemplos con núcleos y modificadores directos:		
md	**n**	**md**
una	**gallina**	enojada
el	**zapato**	izquierdo
la	**playa**	vacía
el	**talón**	dolorido
el	**pescado**	crudo
un	**romance**	veraniego
md	**md**	**n**
un	gran	**aplauso**
un	terrible	**resfrío**
una	simpática	**historia**
la	única	**ganadora**
el	primer	**beso**

¿Qué ocurre si ampliamos la construcción de este modo?

el sombrero negro de Maribel
md   n   md   mi

La construcción *de Maribel* es un modificador del núcleo *sombrero*, pero necesita un **nexo** para unirse al sustantivo. El nexo es *de*.
Si analizamos el modificador indirecto:

de   Maribel
Nexo   t

**mi: modificador indirecto
t: término**

Lo que sigue después del nexo se llama **término**. El **núcleo del término** es un sustantivo: **Maribel**.
El modificador indirecto va siempre atrás del núcleo.

¿Vemos más ejemplos de este tipo?

md	n	md	mi	
			nexo	t
la	**oreja**	negra	de	mi **gato**
el	**pez**	transparente	de	la **pecera**
la	**marca**	roja	de	**nacimiento**
el	**personaje**	malo	de	la **serie**
las	**mañanas**	tranquilas	de	la **campiña**
un	**puerto**	sureño	de	**aguas** profundas

Los **núcleos** de la construcción son **sustantivos**; por ejemplo, *oreja, pez, marca, personaje, mañanas, puerto.*
También son **sustantivos** los **núcleos de los términos**; por ejemplo, *gato, pecera, nacimiento, serie, campiña, aguas.*

Construcciones como éstas pueden estar en distintas partes de la oración:

Cecilia trató de peinar **el cabello enrulado de la muñeca**.

La única ganadora fue Cecilia.

Tuvo que quedarse en casa a causa de **un terrible resfrío**.

La oreja negra de mi gato asoma detrás de la planta.

Marcos era **el personaje malo de la serie**.

Clasificando adjetivos

De acuerdo con su **significación**, el adjetivo es la palabra que **depende siempre del sustantivo, cuyo significado amplía, limita o precisa**.

Desde el **punto de vista sintáctico**, cumple la función de **modificador directo del sustantivo**.

Por su significado

Los adjetivos que señalan alguna cualidad externa o interna del sustantivo son los **connotativos**.

Otros señalan relaciones de lugar o distancia, tiempo, posesión, etc. Son los adjetivos **no connotativos** o **denotativos**. En este punto vamos a analizar solamente los primeros. Para ello, nos servirá este gráfico:

"Bajan las laderas suaves, verdes de nueva yerba otoñal y blanquiazules aún de cálices tiernos, al riachuelo azul, que salta y habla hondo y lejos, atropellando nubes blancas, entre olmos y chopos en cuya sombra intacta el aire puro es manjar sabroso. ¡Vallecito solitario!"

"La colina de los chopos",
Juan Ramón Jiménez
(español).

No connotativos o denotativos:

Un
Aquel
Este
Cierto
Ese

→ conejo ←

Connotativos:

saltarín
suavecito
peludo
orejudo
divertido

Los adjetivos connotativos

• **Calificativos**

Amplían el significado del sustantivo al que acompañan, expresando alguna característica del mismo.

En la literatura, los **calificativos** tienen una importancia fundamental para describir paisajes, estados de ánimo, situaciones.

Los **epítetos** expresan características invariables del sustantivo al que se refieren: luna **blanca**, nieve **blanca**, **duro** hierro.

• **Gentilicios**

Indican nacionalidad, origen o procedencia.

La expedición **austríaca** hizo importantes hallazgos.

El pintor **veneciano** no dejaba de fumar.

Esta poesía está construida en base a muchos adjetivos calificativos.

¿Podrás descubrirlos?

*Me veo terrible
y horrible.
Me veo graciosa,
agraciada, agradecida.
Claramente oscura
de verdad me veo
calamitosa.
Sola,
multitudinaria,
querible;
sin saber hablar,
sin que nadie
hable me veo mía y
mundana,
cotidiana, tenebrosa,
y sin pena, ni gloria,
actual,
temible, che, temible.*

"Mujer de cierto orden",
Irene Gruss (argentina).

Este tratado es muy *completo*, ¿no crees?

¡Qué *bonitos* ojos tienes!

• Numerales

Expresan siempre una extensión cuantitativa del sustantivo al que acompañan.
Se dividen en cinco subclases:

Nuestra amistad comenzó cuando teníamos *cuatro* años.

cardinales (uno, dos, tres...)	A los **veinticuatro** años recibió un regalo fantástico.
ordinales (primero, segundo, quinto...)	Era la **primera** vez que nos encontrábamos.
partitivos (media, medio...)	Tenía **media** cara pintada.
múltiplos (doble, triple...)	¿Todavía no le dieron la vacuna **triple**?
distributivos (ambos, sendos)	Escuchemos **ambas** explicaciones.

¿CÓMO SE ESCRIBEN LOS ADJETIVOS NUMERALES?

CARDINALES

En número	En letras	En número	En letras	En número	En letras	En número	En letras
1	uno	14	catorce	27	veintisiete	90	noventa
2	dos	15	quince	28	veintiocho	100	cien
3	tres	16	dieciséis	29	veintinueve	101	ciento uno
4	cuatro	17	diecisiete	30	treinta	200	doscientos
5	cinco	18	dieciocho	31	treinta y uno	300	trescientos
6	seis	19	diecinueve		(a partir de acá	400	cuatrocientos
7	siete	20	veinte		se escriben	500	quinientos
8	ocho	21	veintiuno		separados)	600	seiscientos
9	nueve	22	veintidós	40	cuarenta	700	setecientos
10	diez	23	veintitrés	50	cincuenta	800	ochocientos
11	once	24	veinticuatro	60	sesenta	900	novecientos
12	doce	25	veinticinco	70	setenta	1.000	mil
13	trece	26	veintiséis	80	ochenta	1.001	mil uno

ORDINALES

En número	En letras	En número	En letras	En número	En letras	En número	En letras
1.º	primero	14.º	decimocuarto	27.º	vigésimo séptimo	101.º	centésimo
2.º	segundo	15.º	decimoquinto	28.º	vigésimo octavo		primero
3.º	tercero	16.º	decimosexto	29.º	vigésimo	200.º	ducentésimo
4.º	cuarto	17.º	decimoséptimo		noveno***	300.º	tricentésimo
5.º	quinto	18.º	decimoctavo	30.º	trigésimo	400.º	cuadringentésimo
6.º	sexto	19.º	decimonoveno**	31.º	trigésimo primero	500.º	quingentésimo
7.º	séptimo	20.º	vigésimo	40.º	cuadragésimo	600.º	sexcentésimo
8.º	octavo	21.º	vigésimo primero	50.º	quincuagésimo	700.º	septingentésimo
9.º	noveno*	22.º	vigésimo segundo	60.º	sexagésimo	800.º	octingentésimo
10.º	décimo	23.º	vigésimo tercero	70.º	septuagésimo	900.º	noningentésimo
11.º	undécimo	24.º	vigésimo cuarto	80.º	octogésimo	1.000.º	milésimo
12.º	duodécimo	25.º	vigésimo quinto	90.º	nonagésimo	1.001.º	milésimo
13.º	decimotercero	26.º	vigésimo sexto	100.º	centésimo		primero

* o nono   ** o decimonono   *** o vigésimo nono

Adjetivos no connotativos

No indican las cualidades del objeto mencionado por el sustantivo. Son **adjetivos pronominales**; por lo tanto, su clasificación se verá nuevamente en el tema **"pronombres"**.
Dependen del **"hilo del discurso"** y de **las personas gramaticales**.

¿Vemos algunos ejemplos?

• **Adjetivos que dependen del "hilo del discurso":**

¿De quién es **esta** llave?

En este caso, el adjetivo no connotativo **"esta"** indica proximidad en relación con la persona que habla.

Aquella tarde hubo una tormenta de tierra.

En este caso, el adjetivo no connotativo **"aquella"** indica lejanía (temporal) con respecto a la persona que habla.

• **Adjetivos que dependen de las personas gramaticales:**

Me encantan **tus** anteojos.

En este caso, el adjetivo no connotativo **"tus"** indica pertenencia con respecto a la persona a la que se habla (2.ª persona del discurso). **"Tus"** es una forma apocopada de **"tuyos"** y **"tuyas"**, que se emplea delante del sustantivo.

Esta fruta está muy sabrosa.

No recuerdo **su** nombre.

En este caso, el adjetivo no connotativo **"su"** indica pertenencia con respecto a la persona de la que se habla (3.ª persona del discurso).

"Su" es una forma apocopada de **"suyo"** o **"suya"**.

• **Dentro de este grupo hay adjetivos que son indefinidos:**

Cierto día nos volvimos a ver.
Tendrías que tomar **algún** remedio para curarte ese resfrío.

El artículo

Es un **modificador directo** del sustantivo. No tiene significación propia, pero se lo considera como una clase de palabra aparte. Su función es adjetiva. A diferencia de éste, siempre antecede al sustantivo. Tiene formas diferentes para género y número, y formas flexionadas para el número.

Cuando el artículo *el* se une a las preposiciones *a* y *de*, forma **contracciones**:

$$a + el \longrightarrow al$$
$$de + el \longrightarrow del$$

El artículo neutro acompaña adjetivos: lo bueno, lo malo, lo increíble...

Participios como adjetivos

Ya veremos que los verbos tienen una forma denominada "participio". Estos participios se utilizan muchas veces como adjetivos. Por ejemplo:

• El camino estaba **cerrado**. **(participio de cerrar)**
• Tenía el rostro **afeitado**. **(participio de afeitar)**
• ¡No soporto esta cabeza **despeinada**! **(participio de despeinar)**

La muchacha se acercó con **las** manos extendidas.

Las noticias se propagaron por todo **el** pueblo.

La arena me quemaba **los** pies.

ARTÍCULO	MASC.	FEM.	NEUTRO
SINGULAR	El	La	Lo
PLURAL	Los	Las	

Grados de significación

Un mismo **adjetivo calificativo** puede expresar **distintos grados de intensidad**. Estos diferentes matices están dados por los adverbios que los acompañan, por construcciones o por terminaciones (sufijos de derivación). ¿Vemos cuáles son?

Positivo

Los adjetivos modifican por sí solos al sustantivo:

pino *esbelto*, *deliciosa* naranja.

Comparativo

Expresa una comparación:

La rosa es **más fragante que** el jazmín. **(de superioridad)**

La rosa es **tan fragante como** el jazmín. **(de igualdad)**

La rosa es **menos fragante que** el jazmín. **(de inferioridad)**

Superlativo

Es el grado máximo con que el adjetivo expresa una cualidad. Cuando no se establece comparación con respecto a otros sustantivos, es **absoluto**.
Se construye agregando al adjetivo los sufijos **-ísimo, -ísima, -érrimo, -érrima**:

poeta *famosísimo*, juez *celebérrimo*.

También, agregando el adverbio **muy**:

poeta *muy famoso*, juez *muy célebre*.

Cuando se expresa una comparación, es **superlativo relativo**:

Esta fiesta está divertidísima.

es el poeta *más famoso de todos*, es el juez *más célebre de la corte*.

Algunos adjetivos tienen formas diferentes para el comparativo y el superlativo, y provienen de un idioma que ya no se habla: el latín.

POSITIVO	COMPARATIVO	SUPERLATIVO
bueno	mejor	óptimo
malo	peor	pésimo
grande	mayor	máximo
pequeño	menor	mínimo
alto	superior	supremo
bajo	inferior	ínfimo

La función del adjetivo

Debemos tener en cuenta que el adjetivo es siempre **modificador directo** del sustantivo.

md	n	md
un	día	especial
algunos	malestares	pasajeros
mucho	ruido	molesto
un	animal	salvaje
una	curva	peligrosa
esa	noche	calma

El verbo

Desde el punto de vista **semántico**, es la palabra que expresa *acción, sentimiento, pasión, existencia* y *estado*.

Ejemplos.

Acción:
Acarició a su mascota.

Pasión (de pasivo):
Fue recibido con entusiasmo.

Sentimiento:
Se sintió feliz.

Existencia:
Emilio *es* una persona muy especial.

Estado:
El agua de la laguna *está* contaminada.

Si tenemos en cuenta la **función sintáctica** que cumple en la oración, el verbo es **núcleo de construcciones** y es acompañado por diversos **modificadores** que vamos a ver más adelante.

Comió mucho.
Comió mucho en el almuerzo.

Comió demasiado.
Ayer **comió** demasiado.

Comió una porción de torta.
Comió una porción de torta antes de salir.

Lo **comió** con rapidez.
¡Cómo **comió**!

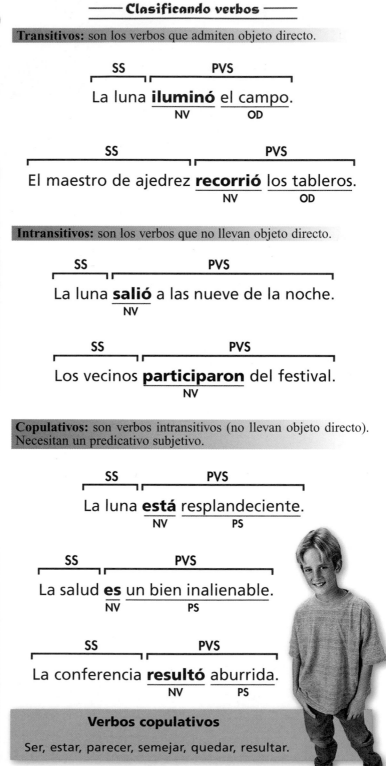

Clasificando verbos

Transitivos: son los verbos que admiten objeto directo.

SS | PVS
La luna **iluminó** el campo.
NV | OD

SS | PVS
El maestro de ajedrez **recorrió** los tableros.
NV | OD

Intransitivos: son los verbos que no llevan objeto directo.

SS | PVS
La luna **salió** a las nueve de la noche.
NV

SS | PVS
Los vecinos **participaron** del festival.
NV

Copulativos: son verbos intransitivos (no llevan objeto directo). Necesitan un predicativo subjetivo.

SS | PVS
La luna **está** resplandeciente.
NV | PS

SS | PVS
La salud **es** un bien inalienable.
NV | PS

SS | PVS
La conferencia **resultó** aburrida.
NV | PS

Verbos copulativos

Ser, estar, parecer, semejar, quedar, resultar.

Pronominales: son los verbos que se conjugan con un pronombre que repite la persona del sujeto. Pueden ser reflejos, cuasi reflejos y recíprocos.

• **Reflejos.** El pronombre que acompaña al verbo es objeto directo o indirecto. Se reconocen porque admiten la duplicación *a mí mismo, a ti mismo, a sí mismo.*

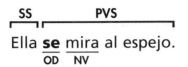

SS   PVS

Ella **se** mira al espejo.
     OD   NV

• **Cuasi reflejos.** El pronombre que acompaña al verbo no es objeto directo ni indirecto (*irse, marcharse, dormirse, atreverse*, etc.). No admiten duplicación.

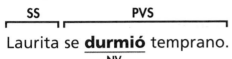

SS   PVS

Laurita se **durmió** temprano.
        NV

• **Recíprocos.** Son verbos transitivos que se refieren a un sujeto plural o compuesto, cuya significación cumplen **mutuamente** los sujetos. El pronombre puede ser objeto directo o indirecto.

Melisa y su mamá *se abrazaron.*
(RECÍPROCO)

PVS   SS   PVS

Al final de la ceremonia, los novios se **besaron**.
         OD   NV

Impersonales: son los verbos que no llevan sujeto. Hay varios tipos.

• **Unipersonales.** Se conjugan en tercera persona del singular. Algunos se refieren a fenómenos atmosféricos, como **llover, tronar, helar**, etc. Son el núcleo de oraciones unimembres, OU (que no tienen sujeto ni predicado).

OU [**Llovió** intensamente.]
     N

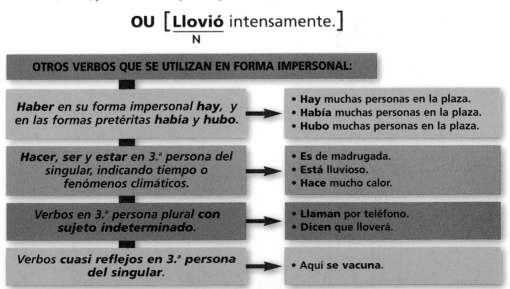

OTROS VERBOS QUE SE UTILIZAN EN FORMA IMPERSONAL:

*Haber en su forma impersonal **hay**, y en las formas pretéritas **había** y **hubo***.	• **Hay** muchas personas en la plaza. • **Había** muchas personas en la plaza. • **Hubo** muchas personas en la plaza.
Hacer, ser y estar en 3.ª persona del singular, indicando tiempo o fenómenos climáticos.	• **Es** de madrugada. • **Está** lluvioso. • **Hace** mucho calor.
Verbos en 3.ª persona plural con sujeto indeterminado.	• **Llaman** por teléfono. • **Dicen** que lloverá.
*Verbos **cuasi reflejos** en 3.ª persona del singular.*	• Aquí **se vacuna**.

Las frases verbales

En algunas oraciones el núcleo del predicado no es un verbo sino una **frase verbal**.
¿Qué es una frase verbal?
Es un **giro formado por un verbo conjugado y un verboide**, ambos con el mismo sujeto, que funcionan como las formas simples del verbo.

Todos los tiempos compuestos son frases verbales. Se forman con el **verbo haber más el participio de otro verbo**.

Había escuchado con atención.

Espero que **hayas encontrado** la llave.

¿Habrán escuchado la alarma?

Si **hubiera llegado** temprano...

La **voz pasiva** se forma con el **verbo ser más el participio de otro verbo**.

El programa **fue visto** por millones.

Finalmente **fueron escuchadas** sus propuestas.

¿Adónde **fue encontrado** el elefantito perdido?

Además de los tiempos compuestos y la voz pasiva, hay otras formas de frases verbales, que se forman con estos verbos:

comenzar	+	infinitivo
empezar	+	infinitivo
llegar a	+	infinitivo
echar a	+	infinitivo
romper a	+	infinitivo
ponerse a	+	infinitivo
deber de	+	infinitivo
haber de	+	infinitivo
tener que	+	infinitivo
estar	+	gerundio
ir	+	gerundio
venir	+	gerundio
seguir	+	gerundio
dejar de	+	infinitivo
terminar de	+	infinitivo
venir a	+	infinitivo
volver a	+	infinitivo
tornar a	+	infinitivo
poder	+	infinitivo
querer	+	infinitivo
soler	+	infinitivo
ir a	+	infinitivo

Dejó de prestar atención y *se puso a pensar* en su amigo.

Ejemplos

Muchas personas **comenzaron a toser** en la sala.

Él **siguió riendo** durante un largo rato.

¿Quieren venir conmigo?

Se puso a dibujar.

Rompió a llorar.

El adverbio

Desde el punto de vista **semántico,** el **adverbio** es la palabra que amplía o precisa el significado del verbo, del adjetivo o de otro adverbio.

Corría

vertiginosamente

muy vertiginosamente

bastante despreocupado

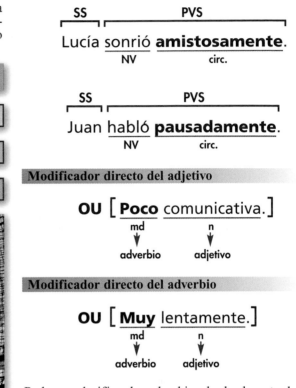

Transitaban *lentamente* por el puente colgante.

Desde el punto de vista **sintáctico**, puede funcionar en la oración como circunstancial o modificador.

Circunstancial (modifica al núcleo verbal)

SS | PVS

Lucía sonrió **amistosamente**.
NV | circ.

SS | PVS

Juan habló **pausadamente**.
NV | circ.

Modificador directo del adjetivo

OU [**Poco** comunicativa.]
md → adverbio | n → adjetivo

Modificador directo del adverbio

OU [**Muy** lentamente.]
md → adverbio | n → adjetivo

Podemos clasificar los adverbios desde el punto de vista de su significado en dos grupos: de significación fija y de significación ocasional.

ADVERBIOS		
Adverbios de significación fija	MODO	todos los adverbios terminados en -mente, bien, mal, regular, mejor
	AFIRMACIÓN	sí, ciertamente, seguramente, cierto, verdaderamente
	NEGACIÓN	no, nunca, jamás, tampoco
	DUDA	quizá, quizás, posiblemente, probablemente
Adverbios de significación ocasional	TIEMPO	hoy, mañana, ayer, tarde, temprano
	LUGAR	acá, aquí, allí, allá, cerca, lejos, adelante, atrás
	CANTIDAD	más, menos, poco, mucho, bastante, demasiado
	ENFÁTICOS	¿dónde? ¿cuánto? ¿cómo? ¡qué!

Su significación depende de las personas del coloquio o del contexto en que se dicen.

Un grupo muy grande de adverbios, por lo general de modo, se forma añadiendo al adjetivo femenino la terminación o sufijo **-mente**:

agradablemente, sorpresivamente, indefinidamente, persuasivamente, etc.

Los adverbios son palabras **invariables**, no tienen accidente de género ni número. Por lo tanto, **no concuerdan en género y número con el adjetivo** que modifican:

Poco estudiosa
Poco estudioso
Poco estudiosos
Poco estudiosas

Leemos estos fragmentos y, de paso, buscamos los adverbios que vimos en el cuadro.

Continuó el hombre:
—¡Y pensar que ésta es la tierra del cacao! A tres horas de aquí ya hay huertas...
Expresó esto en un tono suave, nostálgico, casi dulce...
Y se quedó contemplando a la muchacha.
Después, bruscamente, se dirigió a ella:
—Yo no vivo en Guayaquil, ¿sabe? Yo vivo allá, allá... en las huertas....
Agregó, absurdamente confidencial:
—He venido porque tengo un hijo enfermo, ¿sabe?, mordido de culebra... Lo dejé esta tarde en el hospital de niños... Se morirá, sin duda... Es la mala pata...
La muchacha está ahora más cerca. Calladita, calladita. Jugando con los vuelos del delantal.
Quería decir:
—Yo soy de allá, también; de allá... de las huertas...
Había sonreído al decir esto. Pero no lo decía. Lo pensaba, sí, vagamente. Y atormentaba los flequillos de randa con los dedos nerviosos.

Olor de cacao, José de la Cuesta
(ecuatoriano, 1903-1941).

Hay frases que funcionan como adverbios. Son estructura fijas que poseen un significado especial y desempeñan las funciones del adverbio, como **a sabiendas, a borbotones, a tontas y a locas, a oscuras, a escondidas, a menudo, sin ton ni son, de pronto, de tanto en tanto, de boca en boca, de rodillas, en un santiamén**, etc.

Grados de significación

Igual que los adjetivos, los adverbios pueden expresar distintos grados de intensidad, que se indican por medio de construcciones y terminaciones.

Comparativo

Corrió **más rápido** que su hermano. **(de superioridad)**
Corrió **tan rápido** como los demás. **(de igualdad)**
Corrió **menos rápido** de lo que pensábamos. **(de inferioridad)**

Superlativo

Llegamos **muy tarde**.
Llegamos **tardísimo**.

¡Lo estás haciendo muy bien!

El **adverbio *solo*** (solamente, únicamente) lleva tilde si su significado puede confundirse con el **adjetivo *solo***.
Marcelo buscó solo los datos que necesitaba. (sin ayuda, sin compañía)
Marcelo buscó sólo los datos que necesitaba. (únicamen-

La preposición

Morfológicamente, la preposición es una palabra invariable.

La función sintáctica de las preposiciones es **subordinar palabras o construcciones** a un núcleo sustantivo, adjetivo, adverbio, e incluso a otras clases de palabras.

El modificador indirecto de un sustantivo está encabezado por **preposición**.

OU [Casa **de** madera.]
      n   mi

Un circunstancial puede estar encabezado por una preposición.

La caja **de** cartón.

Una máquina **de** escribir.

PVS

Salió **de** mañana.
NV   circ.

PVS

Se encontró **con** sus amigos.
             circ.

SS   PVS

Eso le pasó **por** confiado.
          circ.

¿CUÁLES SON?

a, ante, bajo, con, contra, de, desde, en, entre, hacia, hasta, para, por, según, sin, sobre, tras, mediante, durante.

También funcionan como preposiciones algunas construcciones, como:

en medio de, por medio de, acerca de, junto a, a causa de, delante de, por encima de, a fin de.

Algó más sobre la preposición de

• Algunos verbos y adjetivos llevan la preposición **de**:
Estar convencido de: *Está convencido de que hizo lo correcto. Está convencido de su amor.*
Olvidarse de: *Nos olvidamos de hacer las tareas.*
Acordarse de: *Se acordaron de invitarlos.*
Darse cuenta de: *Me di cuenta de mi error.*
Estar seguro de: *Está seguro de su amistad. Está seguro de lo que hace.*
Tener noticias de: *Tuvo noticias de su amigo. Tuvo noticias de que habían llegado bien.*
• El **dequeísmo** es colocar la preposición *de* delante de una proposición encabezada por *que* cuando no es requerido.
Este uso incorrecto es frecuente con los verbos *decir, comentar, explicar*, etc. Por ejemplo:
Es correcto: Me dijo que me quedara tranquila.
Es incorrecto: Me dijo *de* que me quedara tranquila.
Es correcto: Le comenté que nos habíamos mudado.
Es incorrecto: Le comenté *de* que nos habíamos mudado.

La conjunción

Su función es **enlazar elementos de igual valor sintáctico**, como *sustantivos, adjetivos, verbos* y *adverbios*.

No conviene que deje la dieta de golpe, sino que vaya haciéndolo gradualmente.

El nuevo compañero era simpático **y** divertido.
<u>adjetivo</u>   <u>adjetivo</u>

Ni jugaba **ni** dejaba jugar.
   verbo   verbo

Podemos clasificarlas, desde un punto de vista semántico, en cuatro grupos.

Copulativas

Unen palabras o construcciones.
Y, **e** (delante de *i* o *hie* o *hi*), **ni**, **que** (prácticamente no se usa).

¿<u>Llora</u> **y** <u>se ríe</u>?
  verbo   verbo

<u>Julieta</u> **y** <u>Joaquín</u>
sustantivo   sustantivo

Disyuntivas

Expresan, al unir los elementos oracionales, opción o exclusión.
O, **u** *delante de o y uo*.

Adversativas

Muestran una oposición entre los elementos que coordinan.
Pero, mas, sin embargo, sino, aunque.

<u>Inteligente</u> **pero** <u>inconstante</u>.
   adjetivo   adjetivo

Consecutivas

Por lo tanto, así que, luego, conque.

Llueve, **por lo tanto** es mejor que nos quedemos en casa.

Algunas conjunciones enlazan elementos de la oración, pero su función es señalar subordinación, dependencia sintáctica de un elemento a otro. Son llamadas subordinantes. Por ejemplo:

Me dijo **que** llegaba más tarde.   Le pregunté **si** lo quería.

Mucho más que el enlace de palabras

Descubre el significado que tienen las conjunciones en estas oraciones.

- El jaguar **o** "tigre americano" vive en zonas selváticas.
- ¿Salimos **o** te vas a quedar ahí buscando tu bufanda?
- Escucha los consejos **y** decide lo que vas a hacer.
- **Así que** querían volver temprano porque tenían que estudiar... Y resulta que era para ver televisión...
- No sucedió lo que esperábamos, **sino** todo lo contrario.

La interjección

La **interjección** es una clase de palabra o construcción que **no cumple ninguna función** dentro de la oración. Tiene un contenido semántico intenso, ya que expresa estados de ánimo y sentimientos.

Son palabras con una gran carga expresiva. No cumplen ninguna función y generalmente constituyen una oración en sí mismas.

¡Eso! ¡Arriba!

Clases de interjecciones

Apelativas

Sirven para llamar la atención.

¡Eh! ¡Che! ¡Pss! ¡Chist! ¡Ey! ¡Oiga!

Expresivas

de admiración	¡Ah! ¡Oh! ¡Oy!
dolor	¡Uy! ¡Oh! ¡Ay!
saludo	¡Hola! ¡Buenas!
sorpresa	¿Eh? ¿Qué? ¡Epa! ¡Vaya!
duda o desprecio	¡Bah! ¡Ajá! ¡Quia! ¡Al diablo!
impaciencia	¡Caramba! ¡Caray!
advertencia y exhortación	¡Ojo! ¡Ojito! ¡Cuidado! ¡Por Dios!
aliento	¡Dale! ¡Vamos! ¡Adelante!
desagrado	¡Aj! ¡Puaj! ¡Puf!
cansancio	¡Uf!
aprobación	¡Claro! ¡Por supuesto!
admiración	¡Alalá! ¡Epa!

Representativas

Imitan ruidos o sonidos. A menudo son verdaderas onomatopeyas.

¡Plaf! ¡Brum! ¡Zas! ¡Crash! ¡Trac! ¡Boing!

Vendedor: (Pregonando) —¡Globos! ¡Globos! ¡Globos!
Uñoso: (Aparece sorpresivamente por la izquierda embozado en una capa. Tiene las uñas exageradamente largas y filosas.) —Voy a pinchar con mis uñas todos tus globos.
Vendedor: —¡No! ¡No! A mis globos, no.
Uñoso: —¡Sí! ¡Sí! A tus globos, sí.
Vendedor: —¿Y por qué?
Uñoso: —Me divierte.
Vendedor: —¿Y por qué no se divierte haciéndose cosquillas?
Uñoso: —No, eso no me divierte. Me divierte pinchar globos. Pincharlos y reventarlos. (Emite el sonido de un globo que se revienta y se desinfla.) ¡Pum! ¡Chisss!

El vendedor de globos, Javier Villafañe (argentino).

El pronombre

¿Cómo te enteraste de *eso*?

Me lo dijo *ella*.

Los pronombres tienen tres características. Una es que **no son connotativos o descriptivos**, es decir, no hacen referencia a las características del objeto que nombran. La otra característica es que tienen **significación** ocasional porque dependen de las circunstancias lingüísticas (el coloquio o el hilo del discurso). La tercera característica es que cumplen la **función sintáctica de un sustantivo, un adjetivo o un adverbio**.

Si analizamos las clases de pronombres, nos será más fácil entender estos conceptos. Primero, veamos un esquema de clasificación:

| Pronombres que dependen de las personas del coloquio | ➡ | Personales
Posesivos
Demostrativos |

| Pronombres que dependen del hilo del coloquio | ➡ | Indefinidos
Enfáticos
Relativos |

— Pronombres — personales

Designan a las tres personas del coloquio: primera, segunda, tercera. Recordemos que el pronombre es la única palabra que tiene **caso**, es decir, sufre variaciones en su forma de acuerdo con la función sintáctica que desempeña.

PERSONA		FUNCIONES SINTÁCTICAS		
		Sujeto	**Objeto**	**Término**
SINGULAR	1.ª	yo	me	mí, conmigo
	2.ª	tú, vos usted	te usted	ti, contigo usted
	3.ª	él ella	se, lo la, le ello	sí, consigo él, ella
PLURAL	1.ª	nosotros nosotras	nos	nosotros nosotras
	2.ª	vosotros/as ustedes	os los	vosotros vosotras, ustedes
	3.ª	ellos ellas	se, los las, les	sí, consigo ellos, ellas

La segunda persona singular y plural tiene una forma de respeto: **usted/es**.
Se corresponde con los pronombres **se** y **consigo**.
En Argentina y otras partes de América, el pronombre **vos** reemplaza a **tú**.

¿Qué les parece si vemos algunos ejemplos de funciones?

Como sujeto: ——————— **Yo** soy un súper héroe.

Como objeto: ——————— Ezequiel **la** oyó.
¡No **lo** tires!
¿**Los** ves?

Como término: ——————— Estaba pensando en **ti**.
Hace mucho que no hablo con **ellos**.

Pronombres posesivos

Expresan idea de posesión con respecto a las personas del diálogo. Por su función sintáctica, pueden ser **sustantivos** o **adjetivos**.

Cuando preceden al sustantivo, **mío**, **tuyo** y **suyo** se apocopan (pierden una sílaba):

Mis recuerdos, **tus** palabras, **sus** intenciones.

PERSONA		1.ª	2.ª	3.ª
GÉNERO MASCULINO	singular	mío nuestro	tuyo vuestro	suyo
	plural	míos nuestros	tuyos vuestros	suyos
GÉNERO FEMENINO	singular	mía nuestra	tuya vuestra	suya
	plural	mías nuestras	tuyas vuestras	suyas

En esta poesía de Gustavo Adolfo Bécquer, la primera persona (yo) designa diferentes personas (significación ocasional). No conocemos nada de los interlocutores por los pronombres (carácter no descriptivo ni connotativo), pero sí por los adjetivos. También podemos apreciar las diferentes funciones referidas a la primera y la segunda persona.

"Yo soy ardiente, yo soy morena,
yo soy el símbolo de la pasión,
de ansia, de goces, mi alma está llena.
¿A mí me buscas?" "No es a ti; no."

"Mi frente es pálida; mis trenzas de oro;
puedo brindarte dichas sin fin,
yo de ternura guardo un tesoro.
¿A mí me llamas?" "No; no es a ti."

"Yo soy un sueño, un imposible.
Vano fantasma de niebla y luz;
soy incorpórea, soy intangible,
no puedo amarte." "¡Oh, ven, ven tú!"

Función adjetivo

Adoro <u>tu</u> carita sonriente.
md

Función sustantivo

SS
La <u>tuya</u> está siempre triste.
md   n

Pronombres demostrativos

Según el **criterio semántico**, señalan los objetos indicando su posición con respecto a las personas del coloquio.
Según su **función sintáctica**, pueden ser:

SUSTANTIVOS		esto
		eso
		aquello
SUSTANTIVOS-ADJETIVOS		este, esta, estos, estas
		ese, esa, esos, esas
		aquel, aquella, aquellos, aquellas
ADVERBIOS	de lugar	aquí, acá
		ahí
		allí, allá
	de tiempo	ahora, hoy
		entonces, ayer
		mañana

Función sustantivo

SS

Ésta resultó más rica.

n

Función adjetivo

SS

Esta pintura está seca.

md   n

Función adverbio

PVS

Lo veré mañana.

nv   circ.

Pronombres indefinidos

Desde el punto de vista semántico, señalan seres o cosas en forma vaga o imprecisa.
En este cuadro analizamos las funciones que cumplen y cuáles son:

¡Mañana es nuestro aniversario!

SUSTANTIVOS	ADJETIVOS	SUST. -ADJ.	ADVERBIOS
quienquiera	algún, varios-varias	poco-cada	poco
quienesquiera	cualquier	pocos-mismos	tanto
cualquiera	ningún		tan
cualesquiera	un	poca-menos	cuanto
nada	cierto	pocas	nunca
alguien	cierta		jamás
alguno	ciertos	todo-toda	más-casi
ninguna	cada	todos-todas	medio
nadie	mucha-muchas	mucho-muchos	una-unos-unas, menos-bastante
algo			tal-cual-demás

Pronombres enfáticos

Se utilizan en las oraciones exclamativas e interrogativas. Tienen la misma forma que los relativos, pero se distinguen de éstos por la acentuación en la escritura y la entonación al decirlos. Sintácticamente funcionan como *sustantivo, adjetivo* y *adverbio*.

Función adverbio

PVS

¿Cuándo iremos?
circ.   n

Función adjetivo

¡Qué noticia!
md   n

Función sustantivo

SS

¿Quién levantó la mano?

Pronombres relativos

En la oración cumplen funciones de **relacionantes**, ya que **introducen proposiciones** y al mismo tiempo se desempeñan sintácticamente como sustantivos, adjetivos y adverbios. Señalan también un elemento del discurso que si los precede se denomina *antecedente*.

Los **pronombres relativos** que tienen flexión para género y número concuerdan con la palabra que modifican:

cuya simpatía

cuyo sentimiento

cuyas palabras

cuyos ojos

¡Qué rica la comida que preparaste!

Seguí una receta *que* me dio tu mamá...

Tomemos por ejemplo estas oraciones:

Miró la casa. En la casa había pasado su infancia.

Tratemos de unirlas por medio de un pronombre relativo:

Miró la **casa** (**donde** había pasado su infancia).
anteced.   Proposición

Otros ejemplos:

La **noticia** (**que** recibió) la puso feliz.
anteced.   Proposición

¿Cuáles son los pronombres relativos?

que
el que --------- la que ---------- los que -------- las que
cual ----------- cuales
el cual -------- la cual --------- los cuales ---- las cuales
quien --------- quienes
cuyo ----------- cuya ------------ cuyos ----------- cuyas
cuanto -------- cuanta -------- cuantos ------- cuantas
donde
cuando
como

A FORMAR PALABRAS

Para los que hablamos español, las unidades menores con significado son las palabras. Cuando hablamos, no siempre las separamos; en cambio, cuando las escribimos, dejamos un espacio entre una y otra.

Voy a comer un pan, dos panes, tres panes. Mejor, todos los panes.

Menor que una palabra

En una palabra también podemos distinguir otras unidades menores con significado llamadas **morfemas**. Por ejemplo, en la palabra *panes*:

PAN	ES

Significado: alimento a base de harina

Significado: más de uno

Pan es un morfema **independiente** porque no necesita unirse a otro. En cambio, *-es* es un morfema **dependiente** porque aparece siempre ligado a otros morfemas.

¿Cómo se forman?

Hay palabras que son muy similares porque tienen una parte **en común**. Por ejemplo, en una palabra podemos encontrar **bases libres** que se unen a otros **morfemas dependientes**, llamados **afijos**:

SAL

SAL	ADO

SAL	INA

Pero también encontramos **bases ligadas**:

ACT	UAR

ACT	OR

ACT	RIZ

ACT	UACIÓN

Los **afijos** pueden ser **sufijos** o **prefijos**. Los sufijos son los **morfemas** que se colocan detrás de las bases. Los prefijos son los **morfemas** que se ubican delante de las bases.

¿Qué son las familias de palabras?

¿Quieres que te cuente un cuento?

Son palabras que tienen un mismo **lexema** o **raíz significativa**.

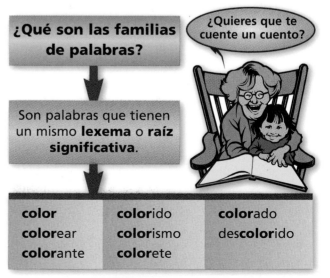

color	colorido	colorado
colorear	colorismo	descolorido
colorante	colorete	

Las palabras compuestas

Son las formadas por más de una base, que puede ser *sustantivo, adjetivo, verbo, adverbio, preposición* y *conjunción*.

En la ciudad se levantan **rascacielos** de acero y cristal...

No siempre el significado de la palabra compuesta es la suma de los significados de los morfemas que la forman. Por ejemplo, la palabra **cortaplumas** no se refiere a un objeto que corta plumas, sino a un objeto cortante que tiene ciertas características especiales.

Clases de palabras que forman palabras compuestas			Ejemplos
Sustantivos			bocacalle
Adjetivos			rojinegro
Sustantivo	+	adjetivo	pelirrojo
Adjetivo	+	sustantivo	verdemar
Sustantivo	+	verbo	fotocopiar
Verbo	+	sustantivo	quitamanchas
Verbo	+	adverbio	mandamás
Adverbio	+	verbo	bienestar
Adverbio	+	adjetivo	malcriado
Preposición	+	verbo	entresacar
Preposición	+	sustantivo	sinsabor

La parte de la gramática que se ocupa del estudio de la estructura interna de las palabras es la **morfología**.

Las palabras pueden estar formadas por:
- bases libres;
- bases libres y bases ligadas acompañadas de afijos;
- dos o más bases (palabras compuestas).

¿Vámos a decir *trabalenguas*?

Un relato con muchas palabras compuestas

El rascacielos tenía cuarenta y ocho pisos, y yo iba al penúltimo. Cuando el elevador llegó al entrepiso, se detuvo. Las veintinueve personas tuvimos que subir hasta el segundo piso en un montacargas, y, de allí, tomar otro elevador. Pero éste también dejó de funcionar y era imposible abrir las puertas. Un señor maldijo a la empresa de elevadores. Una señorita lloró porque tenía que llevar unas fotocopias al piso trigésimo cuarto con urgencia. Un sabelotodo ensayó varias explicaciones sobre lo ocurrido. Y dos personas se pelearon por un tonto entredicho.

Por fin, pudimos salir del encierro. Yo me dirigí a una fuente de agua en forma de medialuna, que estaba ubicada en medio de un gran patio, y me refresqué la cara. ¡Sentí un gran bienestar! A pesar del contratiempo, decidí subir por las escaleras. Con ayuda del pasamanos llegué hasta mi destino. Allí me esperaba mi amigo, que me invitó a observar el cielo con un catalejo. ¡Qué maravilla! Un sinnúmero de estrellas brillantes y coloridas me dejaron boquiabierta.

Los prefijos

En el español hay una gran cantidad de palabras formadas por prefijos que vienen del latín y el griego clásicos. Veamos algunos de los más usados:

PREFIJOS DE ORIGEN LATINO		
PREFIJOS	**¿QUÉ SIGNIFICA?**	**PALABRAS QUE FORMAN**
bis- biz- bi-	dos o dos veces	bisabuelo, bizcocho, bicéfalo
circum- (circun-, circuns-)	alrededor	circumpolar, circunvalar, circunscribir
des- (di-, dis-)	idea opuesta, separación, negación, exceso, fuera de, divergencia	desatar, desagradecido, disentir, distender
equi-	igualdad	equivalente, equidistante, equinoccio
ex-	fuera de	exalumno, excéntrico, excavar
extra-	fuera de	extraordinario, extraoficial, extralimitarse
in- (im-, i-)	no tiene, no es	inquieto, invencible, imposible, irrelevante
inter-	entre, entre medio	interacción, interplanetario, internacional, intercambio
pos-, post-	después de, detrás	posmoderno, posponer, postmeridiano
pre-	anterioridad, prioridad	prefabricada, predicción, predeterminar, prejuicio
re-	repetición, aumento, movimiento hacia atrás, negación	remodelar, reavivar, rebajar, recargar, reprobar
sub- (subs-, sus-)	debajo	subterráneo, subsuelo, subtítulo
semi-	medio	semirrecta, semicírculo, semipesado, semidormido
super-	preeminencia, sumo grado, exceso	superproducción, superpoblado, superponer
tras-, trans-, tras-	más allá, del otro lado, cambio	traspasar, transformación, trasponer, trasladar
ultra-	exceso	ultrasonido, ultratumba, ultramar

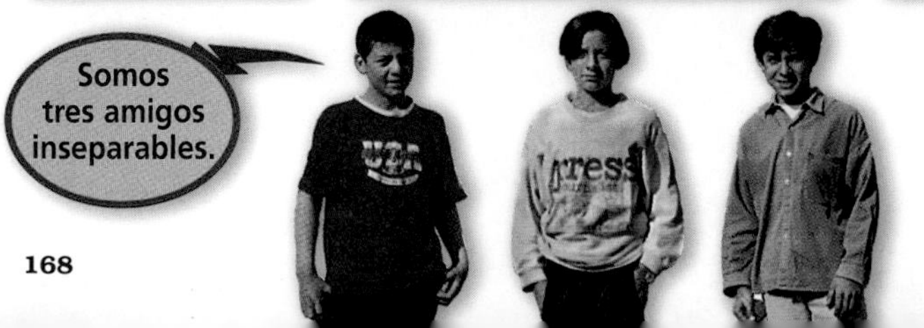

Somos tres amigos inseparables.

"Hoy tiene un círculo negro
alrededor de la cara
que desfiguran los aires
que comiencen por el agua."

"Breve romance de la luna",
David Moya Posas (hondureño).

PREFIJOS DE ORIGEN GRIEGO

Algunos prefijos del griego antiguo forman parte de palabras usadas en la actualidad. En algunos casos, se unen a palabras, también de origen griego, para formar un nuevo término.

PREFIJOS	¿QUÉ SIGNIFICA?	PALABRAS QUE FORMAN
a-, an-	privación o negación	anormal, atípico, analfabeto
anti-	contra	antirreumático, antisocial, anticuerpo
archi- (arc-, arci-, arz-, arque-, arqueo-, arqui-)	primacía, superioridad, poder	archiconocido, archiduque, arcipreste, arzobispo, arquetipo, arqueología, arquitecto
auto-	por uno mismo, propio	autógrafo, autorretrato, autoestima, autoservicio
epi-	sobre, después	epicentro, epidermis
hemi-	medio	hemiciclo, hemisferio
hetero-	diversidad	heterodoxo, heterogéneo
hidro-	agua	hidrografía, hidroavión
hiper-	sobre, exceso	hiperacústico, hipertenso
hipo-	debajo de	hipodérmica, hipotálamo
homo-, homeo-	semejante, igual	homónima, homogéneo, homeopatía
kilo- (kil-)	mil	kilómetro, kilolitro
mono-	uno, solo	monólogo, monocorde, monolito
neo-	nuevo	neoconservador, neoclásico, neoliberal
peri-	alrededor	perímetro, periscopio
poli-	muchos	politonal, polifacético

Veamos más ejemplos de palabras con prefijos de origen griego y latino. (Busca su significado en el diccionario si es necesario.)

Los pueblos europeos fueron **politeístas** antes del cristianismo.
A mediados del siglo XX, se construyeron los aviones **supersónicos**.
Está estudiando en un instituto **politécnico**.
Los países **periféricos** tienen grandes dificultades para resolver sus problemas económicos.
Tiene actitudes **antisociales**.
El **transbordador** espacial logró recuperar su órbita.

Los sufijos

Los sufijos desempeñan un papel muy importante en la formación de palabras. En algunos casos, ayudan a formar palabras derivadas de otras, como sustantivos y adjetivos. Veamos algunos ejemplos de terminaciones o sufijos y en qué casos se emplean.

Aunque no lo crean, soy *jardinera*.

"Así entró en nuestra casa este amigo íntimo de nuestra infancia ya **pasada**, a quien acaeciera historia digna de relato; cuya memoria perdura aún en nuestro hogar como una sombra **alada** y triste: el caballero Carmelo.
Esbelto, magro, **musculoso** y **austero**, su **afilada** cabeza roja era la de un hidalgo **altivo, caballeroso, justiciero** y **prudente**. Agallas bermejas, **delgada** cresta de **encendido** color, ojos vivos y redondos, mirada fiera y **perdonadora, acerado** pico agudo."

"El caballero Carmelo", Abraham Valdelomar (peruano).

Para formar los diminutivos de los sustantivos:

-ITO, -ITA	LUIS ITO	TAC ITA
-CICO, -CICA	PANE CICO	MUJER CICA
-ECITO, -ECITA	PEC ECITO	LUC ECITA
-CITO, -CITA	PAN CITO	MUJER CITA
-ILLO, -ILLA	RELOJ ILLO	FLORC ILLA

Para formar los aumentativos de los sustantivos:

| -ACHO, -ACHA | | HOMBR ACHO |
| -AZO, -AZA | ARBOL AZO | CUENT AZA |

Los diminutivos y aumentativos no siempre indican tamaño sino que, a veces, expresan matices de afecto, valoración o desprecio.

Para formar palabras que indican empleo, oficio y ocupación:

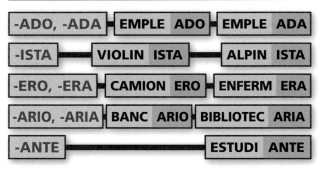

-ADO, -ADA	EMPLE ADO	EMPLE ADA
-ISTA	VIOLIN ISTA	ALPIN ISTA
-ERO, -ERA	CAMION ERO	ENFERM ERA
-ARIO, -ARIA	BANC ARIO	BIBLIOTEC ARIA
-ANTE		ESTUDI ANTE

Para formar sustantivos abstractos:

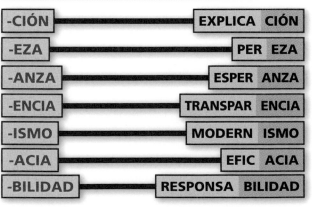

-CIÓN	EXPLICA CIÓN
-EZA	PER EZA
-ANZA	ESPER ANZA
-ENCIA	TRANSPAR ENCIA
-ISMO	MODERN ISMO
-ACIA	EFIC ACIA
-BILIDAD	RESPONSA BILIDAD

Para formar adjetivos que indican lugar de origen (adjetivos gentilicios):

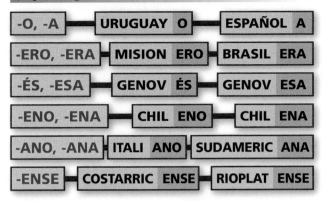

-O, -A	URUGUAY **O**	ESPAÑOL **A**
-ERO, -ERA	MISION **ERO**	BRASIL **ERA**
-ÉS, -ESA	GENOV **ÉS**	GENOV **ESA**
-ENO, -ENA	CHIL **ENO**	CHIL **ENA**
-ANO, -ANA	ITALI **ANO**	SUDAMERIC **ANA**
-ENSE	COSTARRIC **ENSE**	RIOPLAT **ENSE**

Para formar adjetivos que significan cualidad o estado:

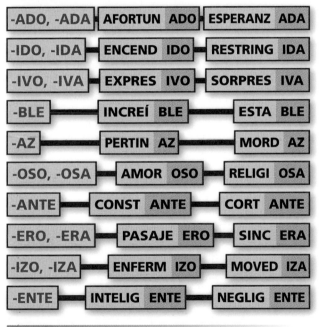

-ADO, -ADA	AFORTUN **ADO**	ESPERANZ **ADA**
-IDO, -IDA	ENCEND **IDO**	RESTRING **IDA**
-IVO, -IVA	EXPRES **IVO**	SORPRES **IVA**
-BLE	INCREÍ **BLE**	ESTA **BLE**
-AZ	PERTIN **AZ**	MORD **AZ**
-OSO, -OSA	AMOR **OSO**	RELIGI **OSA**
-ANTE	CONST **ANTE**	CORT **ANTE**
-ERO, -ERA	PASAJE **ERO**	SINC **ERA**
-IZO, -IZA	ENFERM **IZO**	MOVED **IZA**
-ENTE	INTELIG **ENTE**	NEGLIG **ENTE**

Para formar verbos:

-AR		GERMIN **AR**
-ECER	REVERD **ECER**	ENCAN **ECER**
-EAR	COLOR **EAR**	ESCAS **EAR**

Para formar adverbios:

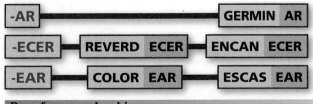

| -MENTE | AFORTUNADA **MENTE** | RESPONSABLE **MENTE** |

En estos fragmentos poéticos, encontrarás adjetivos y sustantivos formados con algunas de las terminaciones que vimos. ¿Podrás descubrirlos?

El cielito de la Patria,
cielito de la hermosura,
es el campo en donde reinan
la confianza y la dulzura.

Allí va el cielito y cielo,
cielo de mi esperanza,
que vencen los imposibles
el amor y la constancia.

Cielito, cielo dichoso,
cielo del americano,
que el cielo hermoso del Sud
es cielo más estrellado.

Cielito de la Independencia,
Bartolomé Hidalgo

Pescadores marplatenses.

171

Las categorías gramaticales

¿Les gusta mi nueva bicicleta?

Observamos este esquema y establecemos conexiones entre las palabras:

aquellos	lluvia
aquel	lluvias
aquella	pensamiento
aquellas	pensamientos

¿Por qué realizamos esta conexión y no otra? Por ejemplo, no podemos decir "esta camisas" o "estas camisa" porque **-s** es un **sufijo de flexión** que indica **plural**. Entonces, un sustantivo singular va acompañado de un adjetivo singular, un sustantivo flexionado en plural va acompañado de un adjetivo flexionado en plural.

Tampoco podríamos combinar "esta" y "estas" con "saco" y "sacos" (es imposible decir "esta saco" y "estas sacos"). ¿Por qué? Porque pertenecen a otra categoría gramatical.

Los sufijos de flexión determinan los accidentes gramaticales, que son las variaciones que sufren las palabras de acuerdo con las categorías gramaticales. ¿Cuáles son las categorías gramaticales? **Género**, **número**, **persona**, **modo**, **tiempo**, **aspecto**, **voz** y **caso**. (En este capítulo vamos a ver todas menos el caso.)

No todas las palabras llevan sufijos de flexión. Desde ese punto de vista, hay **palabras variables** (las que sí llevan) y **palabras invariables** (las que no los admiten).

Pelota amarill**a** y pelota azul.

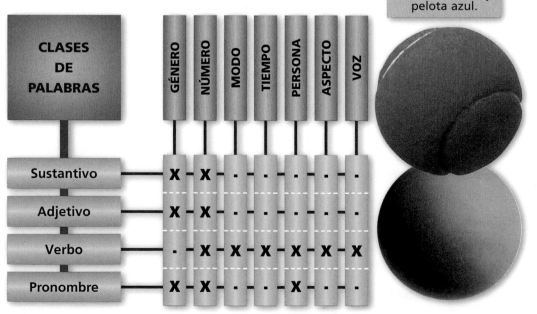

CLASES DE PALABRAS	GÉNERO	NÚMERO	MODO	TIEMPO	PERSONA	ASPECTO	VOZ
Sustantivo	X	X	-	-	-	-	-
Adjetivo	X	X	-	-	-	-	-
Verbo	-	X	X	X	X	X	X
Pronombre	X	X	-	-	X	-	-

El género

El género asigna cada sustantivo a una de estas dos subclases: **femenino**, **masculino**. Es decir, los sutantivos pertenecen, en general, a un género determinado. En estos casos, el género se manifiesta en las conexiones sintácticas con adjetivos:

vidrio manchado
masculino

hora exacta
femenino

Generalmente, los sustantivos terminados en -a son femeninos y los terminados en -o son masculinos.

El pingüino hembra pone un solo huevo.

Algunos sustantivos terminados en -a pueden ser masculinos: el astronauta, el acuanauta, etc.

Para recordar:

• El género no significa siempre sexo.
• Un grupo reducido de sustantivos con variación gramatical para el género relacionan género y sexo: *primo - prima, gato - gata, etc.*
• Muchos nombres de animales no determinan el sexo: *ballena, tiburón, gorila, etc.*
• Algunos sustantivos que designan personas son invariables en género y para hacer la distinción se debe recurrir a las formas **el - la** o **a los adjetivos de dos formas**:
el *mártir* - **la** *mártir* / **el** *estudiante* - **la** *estudiante* / *artista* **loco** - *artista* **loca**
• En algunos casos de parejas de animales o humanas, hay una palabra para el femenino y otra para el masculino: *padre - madre, caballo - yegua.*
• Algunos sustantivos de igual forma tienen significados completamente distintos según sea el género con que se los emplee:
el frente - la frente / *el cólera - la cólera* / *el capital - la capital*

Algunos sustantivos nos hacen dudar cuando debemos definir su género, y solemos cometer errores. En esta lista encontrarán los más comunes:

FEMENINOS	MASCULINOS
la apendicitis	el alambre
la apócope	el alfiler
la armazón	el alumbre
la comezón	el almacén
la dínamo	el caparazón
la herrumbre	el cortaplumas
la índole	el estambre
la sartén	el pus
	el trasluz
	el eccema

Algunos casos especiales

Nos referimos a sustantivos que son ambiguos, es decir, que aceptan los dos géneros, como:

el tilde	la tilde
el azúcar	la azúcar
el mar	la mar

Los **adjetivos** no tienen un género determinado, sino que llevan un sufijo **-a** para el femenino, **-o** para el masculino o ninguna terminación.

luna redond**a** y brillante
escudo redond**o** y brillante

El número

Es una categoría gramatical del sustantivo, el adjetivo y el verbo, que indica si se refieren a un objeto (singular) o más de uno (plural), añadiendo un sufijo **-s** o **-es** a una base. ¿Vemos algunos casos?

• Las palabras que terminan en vocal átona (no acentuada) agregan **-s** cuando son palabras graves o esdrújulas:

> **varilla - varillas**
> **príncipe - príncipes**

• Las palabras que terminan en **consonante** y en **y** agregan **-es**:

> **cóndor - cóndores**
> **calor - calores**
> **realidad - realidades**
> **ay - ayes**

Siguen esta regla palabras que pueden ofrecer dudas:

> **club - clubes**
> **cenit o zenit - cenites o zenites**
> **chalet - chaletes**
> **tótem - tótemes**
> **mamut - mamutes**

Las palabras terminadas en **-z** y **-c**, en plural cambian por **-c** y **-q** respectivamente:

> **luz - luces**
> **frac - fraques**

Una escalera de corazones.

Algunas palabras sólo se emplean en plural:

> **nupcias, exequias, anales, hurtadillas.**

Las palabras esdrújulas mantienen el acento en la antepenúltima sílaba en plural:

> **espécimen - especímenes**
> **régimen - regímenes**

(El plural de **carácter** es **caracteres**.)

• Las palabras que terminan en **-a, -o, -i, -u acentuadas** (vocales tónicas) agregan **-es**:

> **caracú - caracúes**
> **jabalí - jabalíes**
> **do - does**
> **fa - faes**

Hay excepciones a esta regla:

> **mamás - papás - sofás - ananás**

Algunas palabras admiten dos formas para el plural:

> **ají - ajíes - ajís**
> **maní - maníes - maní**
> **esquí - esquíes - esquís**

• Las palabras que terminan en **-e** acentuada agregan **-s**:

> **te - tes**
> **café - cafés**
> **canapé -canapés**

• Los sustantivos que no son agudos y terminan en **s** y **x** no llevan sufijos para el plural:

> **la hipótesis - las hipótesis**
> **el tórax - los tórax**

• En general, las palabras compuestas agregan **-s** o **-es** para el plural:

> **altavoz - altavoces**
> **guardarropa - guardarropas**
> **salvoconducto - salvoconductos**
> **bocamanga - bocamangas**

Algunas palabras compuestas llevan plural en las dos palabras que las forman:

En este fragmento hay varios sustantivos que no terminan ni en *a* ni en *o*. Sabemos a qué género pertenecen por los adjetivos que los acompañan.

Una **noche** sofocante de verano en la India tropical. Solitario en medio del silencio, un hombre de cuarenta años se inclina sobre un microscopio con una **lente** hendida. En el **portaobjetos** están los tejidos del estómago de un **anófeles**, una de las miles clases de mosquitos que pueden dar la pista que busca, la pista para llegar a curar la malaria o paludismo.

El hombre que derrotó a la malaria, Horacio Shipp.

> **casaquinta - casasquintas**

Otras modifican sólo el primer elemento:

> **quienquiera - quienesquiera**
>
> **cualquiera - cualesquiera**

• Algunas palabras no tienen singular:

> **alrededores - añicos - efemérides - vísperas - nupcias - ínfulas cosquillas - esponsales - andas - cuclillas - enaguas - gafas - termas - víveres - anales - albricias - enseres**

Los accidentes del verbo

Observa el esquema. Une la base de la palabra con las distintas terminaciones. ¿Qué palabras te quedan formadas?

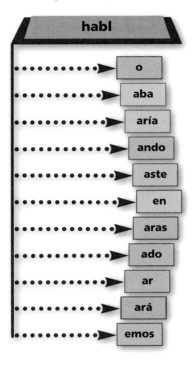

Los verbos son las palabras que presentan más variaciones sobre un mismo tema o base. Los sufijos flexionales de los verbos expresan:

Persona - Número - Tiempo - Modo - Aspecto - Voz

Todos éstos son los **accidentes gramaticales** del verbo.

Hay verbos que mantienen la misma base o raíz para todas las flexiones. Son los verbos regulares:

cant-o, cant-aba, cant-é, cant-amos, cant-emos, cant-aré

Pero hay verbos que modifican su base o raíz:

**apriet-o, apret-aste
jug-arán, jueg-an
son-ó, suen-an
herv-imos, hierv-en, hirv-ió**

Junto con las formas conjugadas del verbo, hay formas impersonales que frecuentemente se utilizan en frases verbales:

Formas	Terminaciones	Ejemplos
Infinitivos	-ar, -er, -ir	Fijar, cocer, salir.
Participios	-ado, -ido	Fijado, cocido, salido.
Gerundios	-ando, -iendo	Fijando, cociendo, saliendo.

Su sombra lo *seguía* silenciosamente.

Persona

Indica a los actores o actuantes en el coloquio.

¿Cuántas personas hay?
La **primera persona** es la que habla.
La **segunda persona** es a la que se habla (el interlocutor).
La **tercera persona** es de quien se habla (no participa en el coloquio).
Esta categoría pertenece al pronombre y al verbo.
En el pronombre presenta las formas **yo, tú, él o ella**. En el verbo, la persona está dada por un sufijo de flexión:

> **(Yo) leo - (Tú) lees - (Él) lee**

Estas personas tienen formas en el plural:

> *(Nosotros/nosotras)*
> **leemos**
>
> *(Vosotros/vosotras)*
> **leéis**
>
> *(Ellos/ellas)*
> **leen**
>
> *(Ustedes)*
> **leen**

La segunda persona singular tiene una forma de respeto: **usted**. Cuando se utiliza esta persona, el verbo se flexiona como la **tercera persona del singular**.

> **tú eres**
> **usted es** (*él es*)

En la Argentina, se utiliza el voseo. En vez de usar la segunda persona **tú**, se utiliza **vos**. El verbo flexiona de manera diferente:

> **tú tienes**
> **vos tenés**

En este trabalenguas, se juega con el infinitivo, el gerundio, y la primera y la segunda persona del verbo *querer*, sin emplear el pronombre, para producir una dificultad al decirlo:

**Quiero y no quiero querer
a quien queriendo quiero.
He querido sin querer
y estoy sin querer queriendo.
Si porque te quiero quieres
que te quiera mucho más,
te quiero más que me quieres.
¿Qué más quieres?
¿Quieres más?
Te quiero.**

¿Quién soy?

Eres... Pedro.

Tilo (refunfuñando). —*Vos también tenés razón. Uno no tendría que pasar por esto.*
Angélica. —*¿Me perdonás por todo lo que te dije antes?*

El puente, Carlos Gorostiza (argentino, contemporáneo).

El tiempo

El tiempo señala cuándo se cumple la significación del verbo. Se clasifica así:

• **Presente.** Lo expresado por el verbo se cumple en el momento en que se enuncia.

> **Escribo una carta.**

• **Pretérito.** Lo expresado por el verbo se cumplió con anterioridad al momento en que se lo enuncia.

> **Escribí una carta.**

• **Futuro.** Lo expresado por el verbo se cumplirá con posterioridad al momento en que se lo enuncia.

> **Escribiré una carta.**

El **presente** se utiliza con frecuencia en el texto informativo y en la expresión de sentimientos.

> Mis melancolías cantan
> blandamente, como el mar,
> la misma canción monótona,
> al mismo viejo compás...
>
> En mi corazón, enfriado
> por la pena y por la edad,
> reinan la quietud y el hielo
> del océano glacial.
>
> *"Mar de la serenidad"*,
> Amado Nervo
> (mexicano, 1870-1919).

El **futuro** y el **pretérito** tienen en castellano una gran variedad de matices que se expresan por las variaciones de las desinencias en los tiempos simples o bien formando frases verbales con el verbo **haber más participio**. Es decir, formas compuestas.

> Ayer *éramos* novios. Hoy *somos* marido y mujer.

A veces, en la narración de hechos pasados, se utiliza el presente para acercar la acción a los que oyen o leen. A esta forma se la llama **presente histórico**.

> "Pierre Curie ha seguido con un interés apasionado los rápidos progresos de las investigaciones de su mujer. Ante el carácter sorprendente de los resultados obtenidos, decide unir sus esfuerzos a los de María para obtener la nueva sustancia. En el húmedo y pequeño taller de la calle Lhomond, dos cerebros y cuatro manos buscan un cuerpo desconocido."
>
> Eva Curie (fragmento de la biografía que cuenta la vida del matrimonio Curie, después de fallecidos)

• También se utiliza el presente para expresar el futuro.

> Mañana le **hablo** por teléfono.

• Con el futuro, muchas veces expresamos una probabilidad o suposición.

> —¿Qué **habrá** pasado con las muchachas?
>
> —No te preocupes. Ya **estarán** por llegar.

Aspecto

Está relacionado con el tiempo porque expresa contrastes o matices de significado. Cuando decimos "Marcela leyó ese libro", expresamos una acción terminada en el pasado. En cambio, cuando decimos "Marcela leía el libro", nos referimos a una acción con una continuidad en el pasado.

Modo

El modo expresa las distintas actitudes del hablante. Son tres:

• **Indicativo:** expresa la significación del verbo como un hecho real.

> **El agua *estaba* caliente.**
>
> **Mi amigo *regresará* pronto.**

En los **tiempos condicionales**, expresa esos **hechos como posibles o hipotéticos**.

> **Saldrían muy temprano.**

• **Subjuntivo:** expresa duda, deseo, exhortación. Se emplea también en la construcción de *proposiciones subordinadas*.

> **Ojalá *volvieran* esos días.**
>
> **Es necesario que *demuestre* más interés en la tarea.**

• **Imperativo:** expresa ruego, consejo, orden o mandato.

> **Déjame salir de aquí.**
>
> **Regresa a tu casa inmediatamente.**

Clasificando oraciones

Oración enunciativa: es el tipo de oraciones que utilizamos en un informe escrito, que se emplean en los noticieros radiales y televisivos, en los libros de materias como historia, geografía, etc. Es decir, son **propias de los textos informativos**. Los verbos se emplean en **modo indicativo**.

> **La informática ha producido un desarrollo enorme en las comunicaciones.**

Oración desiderativa: expresa un deseo. Generalmente, se utiliza el **modo subjuntivo**.

> **Quisiera que me acompañara.**

Oración exhortativa: cuando se pide o se ordena a alguien hacer algo. Generalmente, se utiliza el **modo imperativo** y son propias de los **textos apelativos**.

> **Recojan los papeles del piso.**

Voz

No es una categoría flexional (con sufijos de flexión), sino que está determinada por las relaciones sintácticas. Indica si el sujeto de la oración es **activo** (**agente**) o **paciente**.

• La **voz activa** indica que el sujeto es quien ejecuta la acción: **sujeto activo o agente**.

> **Los exploradores** *descubrieron la caverna.*
>
> **(sujeto activo)**

• La **voz pasiva** señala que el sujeto no ejecuta la acción, sino que es donde ella se cumple.

> **La caverna** *fue descubierta por los exploradores.*
>
> **(sujeto paciente)**

¡Muéstrame la prueba ahora!

¿No te gustaría verla mañana?

La conjugación de los verbos

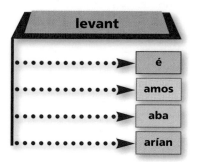

levant

- é
- amos
- aba
- arían

Todas las variaciones posibles del verbo que indican *persona, número, tiempo, aspecto* y *modo* conforman el **paradigma** de su conjugación.

Para estudiarlo, tenemos que tener en cuenta las terminaciones verbales:

- Los verbos cuyos *infinitivos* terminan en **-ar** son de la **1.ª** **conjugación**. *Ejemplo:* **amar**.

- Los verbos cuyos *infinitivos* terminan en **-er** son de la **2.ª** **conjugación**. *Ejemplo:* **temer**.

- Los verbos cuyos *infinitivos* terminan en **-ir** son de la **3.ª** **conjugación**. *Ejemplo:* **partir**.

Para la conjugación de los verbos, tenemos que tener en cuenta que los modos **indicativo** y **subjuntivo** tienen **tiempos simples y compuestos**. ¿Cómo se forman?

En los tiempos simples, la raíz del verbo se une a los sufijos de flexión que indican persona, número, tiempo y modo.

cant-o
cant-é
cant-aba
cant-aría

Los tiempos compuestos se forman con el verbo haber **conjugado + el participio del verbo** que se está conjugando.

he
↓
verbo haber

pensado
↓
participio de pensar

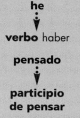

Verbos irregulares

¿Cuáles son? Son los que cambian la raíz cuando se conjugan. Pero también hay verbos que presentan irregularidades en los sufijos de flexión.

Las irregularidades se presentan en algunos tiempos simples y también en participios y gerundios.

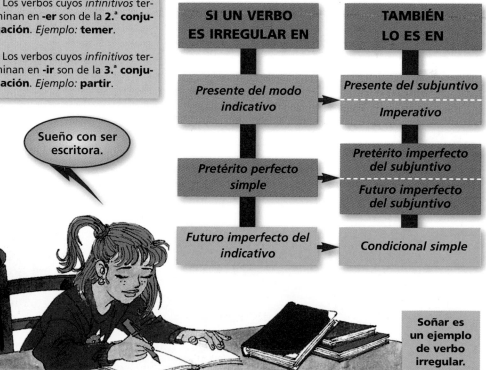

SI UN VERBO ES IRREGULAR EN	TAMBIÉN LO ES EN
Presente del modo indicativo	Presente del subjuntivo
	Imperativo
Pretérito perfecto simple	Pretérito imperfecto del subjuntivo
	Futuro imperfecto del subjuntivo
Futuro imperfecto del indicativo	Condicional simple

Sueño con ser escritora.

Soñar es un ejemplo de verbo irregular.

Paradigma de la conjugación regular

Primera conjugación - Verbo amar

Modo indicativo

TIEMPOS SIMPLES

PRESENTE
Yo amo
Tú amas
Él ama
Nosotros amamos
Vosotros amáis
Ellos aman

PRETÉRITO IMPERFECTO
Yo amaba
Tú amabas
Él amaba
Nosotros amábamos
Vosotros amabais
Ellos amaban

PRETÉRITO PERFECTO SIMPLE
Yo amé
Tú amaste
Él amó
Nosotros amamos
Vosotros amasteis
Ellos amaron

FUTURO IMPERFECTO
Yo amaré
Tú amarás
Él amará
Nosotros amaremos
Vosotros amaréis
Ellos amarán

CONDICIONAL SIMPLE
Yo amaría
Tú amarías
Él amaría
Nosotros amaríamos
Vosotros amaríais
Ellos amarían

TIEMPOS COMPUESTOS

PRETÉRITO PERFECTO COMPUESTO
Yo he amado
Tú has amado
Él ha amado
Nosotros hemos amado
Vosotros habéis amado
Ellos han amado

PRETÉRITO PLUSCUAMPERFECTO
Yo había amado
Tú habías amado
Él había amado
Nosotros habíamos amado
Vosotros habíais amado
Ellos habían amado

PRETÉRITO ANTERIOR
Yo hube amado
Tú hubiste amado
Él hubo amado
Nosotros hubimos amado
Vosotros hubisteis amado
Ellos hubieron amado

FUTURO PERFECTO
Yo habré amado
Tú habrás amado
Él habrá amado
Nosotros habremos amado
Vosotros habréis amado
Ellos habrán amado

CONDICIONAL COMPUESTO
Yo habría amado
Tú habrías amado
Él habría amado
Nosotros habríamos amado
Vosotros habríais amado
Ellos habrían amado

Modo subjuntivo

TIEMPOS SIMPLES

PRESENTE
Yo ame
Tú ames
Él ame
Nosotros amemos
Vosotros améis
Ellos amen

PRETÉRITO IMPERFECTO
Yo amara o amase
Tú amaras o amases
Él amara o amase
Nosotros amáramos o amásemos
Vosotros amarais o amaseis
Ellos amaran o amasen

FUTURO IMPERFECTO
Yo amare
Tú amares
Él amare
Nosotros amáremos
Vosotros amareis
Ellos amaren

TIEMPOS COMPUESTOS

PRETÉRITO PERFECTO
Yo haya amado
Tú hayas amado
Él haya amado
Nosotros hayamos amado
Vosotros hayáis amado
Ellos hayan amado

PRETÉRITO PLUSCUAMPERFECTO
Yo hubiera o hubiese amado
Tú hubieras o hubieses amado
Él hubiera o hubiese amado
Nosotros hubiéramos o hubiésemos amado
Vosotros hubierais o hubieseis amado
Ellos hubieran o hubiesen amado

FUTURO PERFECTO
Yo hubiere amado
Tú hubieres amado
Él hubiere amado
Nosotros hubiéremos amado
Vosotros hubiereis amado
Ellos hubieren amado

Modo imperativo

Ama tú
Ame él

Amemos nosotros
Amad vosotros
Amen ellos

SEGUNDA CONJUGACIÓN - VERBO TEMER

Modo indicativo

TIEMPOS SIMPLES

PRESENTE
Yo temo
Tú temes
Él teme
Nosotros tememos
Vosotros teméis
Ellos temen

PRETÉRITO IMPERFECTO
Yo temía
Tú temías
Él temía
Nosotros temíamos
Vosotros temíais
Ellos temían

PRETÉRITO PERFECTO SIMPLE
Yo temí
Tú temiste
Él temió
Nosotros temimos
Vosotros temisteis
Ellos temieron

FUTURO IMPERFECTO
Yo temeré
Tú temerás
Él temerá
Nosotros temeremos
Vosotros temeréis
Ellos temerán

CONDICIONAL SIMPLE
Yo temería
Tú temerías
Él temería
Nosotros temeríamos
Vosotros temeríais
Ellos temerían

TIEMPOS COMPUESTOS

PRETÉRITO PERFECTO COMPUESTO
Yo he temido
Tú has temido
Él ha temido
Nosotros hemos temido
Vosotros habéis temido
Ellos han temido

PRETÉRITO PLUSCUAMPERFECTO
Yo había temido
Tú habías temido
Él había temido
Nosotros habíamos temido
Vosotros habíais temido
Ellos habían temido

PRETÉRITO ANTERIOR
Yo hube temido
Tú hubiste temido
Él hubo temido
Nosotros hubimos temido
Vosotros hubisteis temido
Ellos hubieron temido

FUTURO PERFECTO
Yo habré temido
Tú habrás temido
Él habrá temido
Nosotros habremos temido
Vosotros habréis temido
Ellos habrán temido

CONDICIONAL COMPUESTO
Yo habría temido
Tú habrías temido
Él habría temido
Nosotros habríamos temido
Vosotros habríais temido
Ellos habrían temido

Modo subjuntivo

TIEMPOS SIMPLES

PRESENTE
Yo tema
Tú temas
Él tema
Nosotros temamos
Vosotros temáis
Ellos teman

PRETÉRITO IMPERFECTO
Yo temiera o temiese
Tú temieras o temieses
Él temiera o temiese
Nosotros temiéramos o temiésemos
Vosotros temierais o temieseis
Ellos temieran o temiesen

FUTURO IMPERFECTO
Yo temiere
Tú temieres
Él temiere
Nosotros temiéremos
Vosotros temiereis
Ellos temieren

TIEMPOS COMPUESTOS

PRETÉRITO PERFECTO
Yo haya temido
Tú hayas temido
Él haya temido
Nosotros hayamos temido
Vosotros hayáis temido
Ellos hayan temido

PRETÉRITO PLUSCUAMPERFECTO
Yo hubiera o hubiese temido
Tú hubieras o hubieses temido
Él hubiera o hubiese temido
Nosotros hubiéramos o hubiésemos temido
Vosotros hubierais o hubieseis temido
Ellos hubieran o hubiesen temido

FUTURO PERFECTO
Yo hubiere temido
Tú hubieres temido
Él hubiere temido
Nosotros hubiéremos temido
Vosotros hubiereis temido
Ellos hubieren temido

Modo imperativo

Teme tú
Tema él

Temamos nosotros
Temed vosotros
Teman ellos

TERCERA CONJUGACIÓN - VERBO PARTIR

Modo indicativo

TIEMPOS SIMPLES

PRESENTE
Yo parto
Tú partes
Él parte
Nosotros partimos
Vosotros partís
Ellos parten

PRETÉRITO IMPERFECTO
Yo partía
Tú partías
Él partía
Nosotros partíamos
Vosotros partíais
Ellos partían

PRETÉRITO PERFECTO SIMPLE
Yo partí
Tú partiste
Él partió
Nosotros partimos
Vosotros partisteis
Ellos partieron

FUTURO IMPERFECTO
Yo partiré
Tú partirás
Él partirá
Nosotros partiremos
Vosotros partiréis
Ellos partirán

CONDICIONAL SIMPLE
Yo partiría
Tú partirías
Él partiría
Nosotros partiríamos
Vosotros partiríais
Ellos partirían

TIEMPOS COMPUESTOS

PRETÉRITO PERFECTO COMPUESTO
Yo he partido
Tú has partido
Él ha partido
Nosotros hemos partido
Vosotros habéis partido
Ellos han partido

PRETÉRITO PLUSCUAMPERFECTO
Yo había partido
Tú habías partido
Él había partido
Nosotros habíamos partido
Vosotros habíais partido
Ellos habían partido

PRETÉRITO ANTERIOR
Yo hube partido
Tú hubiste partido
Él hubo partido
Nosotros hubimos partido
Vosotros hubisteis partido
Ellos hubieron partido

FUTURO PERFECTO
Yo habré partido
Tú habrás partido
Él habrá partido
Nosotros habremos partido
Vosotros habréis partido
Ellos habrán partido

CONDICIONAL COMPUESTO
Yo habría partido
Tú habrías partido
Él habría partido
Nosotros habríamos partido
Vosotros habríais partido
Ellos habrían partido

Modo subjuntivo

TIEMPOS SIMPLES

PRESENTE
Yo parta
Tú partas
Él parta
Nosotros partamos
Vosotros partáis
Ellos partan

PRETÉRITO IMPERFECTO
Yo partiera o partiese
Tú partieras o partieses
Él partiera o partiese
Nosotros partiéramos o partiésemos
Vosotros partierais o partieseis
Ellos partieran o partiesen

FUTURO IMPERFECTO
Yo partiere
Tú partieres
Él partiere
Nosotros partiéremos
Vosotros partiereis
Ellos partieren

TIEMPOS COMPUESTOS

PRETÉRITO PERFECTO
Yo haya partido
Tú hayas partido
Él haya partido
Nosotros hayamos partido
Vosotros hayáis partido
Ellos hayan partido

PRETÉRITO PLUSCUAMPERFECTO
Yo hubiera o hubiese partido
Tú hubieras o hubieses partido
Él hubiera o hubiese partido
Nosotros hubiéramos o hubiésemos partido
Vosotros hubierais o hubieseis partido
Ellos hubieran o hubiesen partido

FUTURO PERFECTO
Yo hubiere partido
Tú hubieres partido
Él hubiere partido
Nosotros hubiéremos partido
Vosotros hubiereis partido
Ellos hubieren partido

Modo imperativo

Parte tú
Parta él

Partamos nosotros
Partid vosotros
Partan ellos

Verbos irregulares

¿Cuáles son? Son los que cambian la raíz cuando se conjugan. Pero también hay verbos que presentan irregularidades en los sufijos de flexión. Las irregularidades se presentan en algunos tiempos simples, y también en participios y gerundios. Si un verbo es irregular en el *presente del modo indicativo*, también lo es en el *presente del subjuntivo y el imperativo*. Si un verbo es irregular en el *pretérito perfecto simple*, lo es también en el *pretérito imperfecto y en el futuro imperfecto del subjuntivo*. Cuando la irregularidad se presenta en el *condicional simple*, también está en el *futuro imperfecto del indicativo*.

● **VERBOS QUE DIPTONGAN LA E EN IE CUANDO ES TÓNICA:**
APRETAR

Presente del indicativo: aprieto, aprietas, aprieta, apretamos, apretáis, aprietan. **Presente del subjuntivo:** apriete, aprietes, apriete, apretemos, apretéis, aprieten. **Modo imperativo:** aprieta tú, apriete él, apretemos nosotros, apretad vosotros, aprieten ellos.

Algunos verbos que siguen este modelo: acertar, acrecentar, alentar, ascender, atender, calentar, cerrar, comenzar, concertar, despertar, discernir, distender, encender, encerrar, entender, errar, extender.
ERRAR sigue estas irregularidades, pero cambia la **i** por **y**.
Ej.: yerro, yerras, etc.

● **VERBOS QUE DIPTONGAN LA O EN UE CUANDO ES TÓNICA:**
APROBAR

Presente del indicativo: apruebo, apruebas, aprueba, aprobamos, aprobáis, aprueban. **Presente del subjuntivo:** apruebe, apruebes, apruebe, aprobemos, aprobéis, aprueben. **Modo imperativo:** aprueba tú, apruebe él, aprobemos nosotros, aprobad vosotros, aprueben ellos.

Algunos verbos que siguen este modelo: absolver, acordar, acostar, almorzar, amoblar, apostar, avergonzar, cocer, colar, colgar, concordar, condoler, consolar, contar, costar, demoler, doler, envolver, forzar, moler, morder, mostrar, mover, poblar, probar, rodar, rogar, soldar, sonar, soñar, volcar, volver y sus compuestos, etc.

● **VERBOS QUE DIPTONGAN LA I EN IE:**
ADQUIRIR

Presente del indicativo: adquiero, adquieres, adquiere, adquirimos, adquirís, adquieren. **Presente del subjuntivo:** adquiera, adquieras, adquiera, adquiramos, adquiráis, adquieran. **Modo imperativo:** adquiere tú, adquiera él, adquiramos nosotros, adquirid vosotros, adquieran ellos.

● **VERBOS QUE DIPTONGAN LA U EN UE:**
JUGAR

Presente del indicativo: juego, juegas, juega, jugamos, jugáis, juegan. **Presente del subjuntivo:** juegue, juegues, Juegue, juguemos, juguéis, jueguen. **Modo imperativo:** juega tú, juegue él, juguemos nosotros, jugad vosotros, jueguen ellos.

VERBOS QUE CAMBIAN UNA VOCAL POR OTRA

● **VERBOS QUE CAMBIAN LA E POR LA I:**
PEDIR

Presente del indicativo: pido, pides, pide, pedimos, pedís, piden. **Presente del subjuntivo:** pida, pidas, pida, pidamos, pidáis, pidan. **Modo imperativo:** pide tú, pida él, pidamos nosotros, pedid vosotros, pidan ellos. **Pretérito perfecto simple:** pedí, pediste, pidió, pedimos, pedisteis, pidieron. **Pretérito imperfecto del subjuntivo:** pidiera o pidiese, pidieras o pidieses, pidiera o pidiese, pidiéramos o pidiésemos, pidierais o pidieseis, pidieran o pidiesen. **Futuro imperfecto del subjuntivo:** pidiere, pidieres, pidiere, pidiéremos, pidiereis, pidieren. **Gerundio:** pidiendo.

Algunos verbos que siguen este modelo: seguir y sus compuestos, vestir y sus compuestos, los compuestos de pedir, reír, sonreír, colegir, comedir, competer, competir, concebir, corregir, derretir, elegir, embestir, engreír, freír, gemir, henchir, servir, teñir, etc.

● **VERBOS QUE CAMBIAN LA O POR LA U:**
PODRIR

Presente del indicativo: pudro, pudres, pudre, pudrimos pudrís, pudren. **Presente del subjuntivo:** pudra, pudras, pudra, pudramos, pudráis, pudran. **Modo imperativo:** pudre tú, pudra él, pudramos nosotros, pudrid vosotros, pudran ellos. **Pretérito perfecto simple:** podrí, podriste, pudrió, podrimos, podristeis, pudrieron. **Pretérito imperfecto del subjuntivo:** pudriera o pudriese, pudrieras o pudrieses, pudriera o pudriese, pudriéramos o pudriésemos, pudrierais o pudrieseis, pudrieran o pudriesen. **Futuro del subjuntivo:** pudriere, pudrieres, pudriere, pudriéremos, pudriereis, pudrieren. **Gerundio:** pudriendo.

Repodrir se conjuga como podrir.

VERBOS QUE DIPTONGAN UNA VOCAL Y TAMBIÉN LA CAMBIAN POR OTRA

• **V**ERBOS QUE DIPTONGAN LA E DE LA RAÍZ EN IE Y TAMBIÉN LA CAMBIAN EN I:
SENTIR

Presente del indicativo: si**e**nto, si**e**ntes, si**e**nte, sentimos, sentís, si**e**nten. *Presente del subjuntivo:* si**e**nta, si**e**ntas, si**e**nta, s**i**ntamos, s**i**ntáis, si**e**ntan. *Modo imperativo:* si**e**nte tú, si**e**nta él, s**i**ntamos nosotros, sentid vosotros, si**e**ntan ellos. *Pretérito perfecto simple:* sentí, sentiste, s**i**ntió, sentimos, sentisteis, s**i**ntieron. *Pretérito imperfecto del subjuntivo:* s**i**ntiera o s**i**ntiese, s**i**ntieras o s**i**ntieses, s**i**ntiera o s**i**ntiese, s**i**ntiéramos o s**i**ntiésemos, s**i**ntierais o s**i**ntieseis, s**i**ntieran o s**i**ntiesen. *Futuro imperfecto del subjuntivo:* s**i**ntiere, s**i**ntieres, s**i**ntiere, s**i**ntiéremos, s**i**ntiereis, s**i**ntieren. *Gerundio:* s**i**ntiendo.

Verbos que siguen este modelo: consentir, convertir, disentir, asentir, presentir, los verbos terminados en -ferir (conferir, inferir, diferir), los verbos terminados en -gerir (ingerir, digerir), los terminados en -vertir (revertir, divertir, invertir, advertir), arrepentir, herir, mentir, requerir, hervir.

• **V**ERBOS QUE DIPTONGAN LA O DE LA RAÍZ EN UE CUANDO ES TÓNICA Y LA CAMBIAN POR U:
DORMIR

Presente del indicativo: d**ue**rmo, d**ue**rmes, d**ue**rme, dormimos, dormís, d**ue**rmen. *Presente del subjuntivo:* d**ue**rma, d**ue**rmas, d**ue**rma, d**u**rmamos, d**u**rmáis, d**ue**rman. *Modo imperativo:* d**ue**rme tú, d**ue**rma él, d**u**rmamos nosotros, dormid vosotros, d**ue**rman ellos. *Pretérito perfecto simple:* dormí, dormiste, d**u**rmió, dormimos, dormisteis, d**u**rmieron. *Pretérito imperfecto del subjuntivo:* d**u**rmiera o d**u**rmiese, d**u**rmieras o d**u**rmieses, d**u**rmiera o d**u**rmiese, d**u**rmiéramos o d**u**rmiésemos, d**u**rmierais o d**u**rmieseis, d**u**rmieran o d**u**rmiesen. *Futuro imperfecto del subjuntivo:* d**u**rmiere, d**u**rmieres, d**u**rmiere, d**u**rmiéremos, d**u**rmiereis, d**u**rmieren. *Gerundio:* d**u**rmiendo.

Morir se conjuga como dormir.

VERBOS QUE AGREGAN Y A LA RAÍZ

Presentan irregularidades en los dos primeros grupos de tiempos correlativos.

• **V**ERBOS TERMINADOS EN -UIR:
HUIR

Presente del Indicativo: hu**y**o, hu**y**es, hu**y**e, huimos, huís, hu**y**en. *Presente del subjuntivo:* hu**y**a, hu**y**as, hu**y**a, hu**y**amos, hu**y**áis, hu**y**an. *Modo imperativo:* hu**y**e tú, hu**y**a él, hu**y**amos nosotros, huid vosotros, hu**y**an ellos. *Pretérito perfecto simple:* huí, huiste, hu**y**ó, huimos, huisteis, hu**y**eron. *Pretérito imper-*

fecto del subjuntivo: hu**y**era o hu**y**ese, hu**y**eras o hu**y**eses, hu**y**era o hu**y**ese, hu**y**éramos o hu**y**ésemos, hu**y**erais o hu**y**eseis, hu**y**eran o hu**y**esen. *Gerundio:* hu**y**endo.

Verbos que siguen este modelo: argüir, concluir, atribuir, disminuir, diluir, incluir.

¡ATENCIÓN! **El verbo** *INMISCUIR* **es un verbo regular y por lo tanto sigue la conjugación de partir:**
Yo inmiscu-o, tú inmiscu-es, él inmiscu-e, nosotros inmiscu-imos, vosotros inmiscu-ís, ellos inmiscu-en.

VERBOS QUE AGREGAN C (FONEMA K) A LA RAÍZ

Son irregulares en el primer grupo de tiempos correlativos.

CONOCER
Presente del indicativo: cono**zc**o, conoces, conoce, conocemos, conocéis, conocen. *Presente del subjuntivo:* cono**zc**a, cono**zc**as, cono**zc**a, cono**zc**amos, cono**zc**áis, cono**zc**an. *Modo imperativo:* conoce tú, cono**zc**a él, cono**zc**amos nosotros, conoced vosotros, cono**zc**an ellos.

Siguen este modelo los verbos terminados en -acer, -ecer y -ocer: desconocer, nacer, reconocer, placer, parecer, perecer, adormecer, recrudecer, reverdecer, desaparecer, comparecer, estremecer, esclarecer, etc.

VERBOS QUE AGREGAN G O IG A LA RAÍZ

OÍR
Presente del indicativo: oi**g**o, oyes, oye, oímos, oís, oyen. *Presente del subjuntivo:* oi**g**a, oi**g**as, oi**g**a, oi**g**amos, oi**g**áis, oi**g**an. *Modo imperativo:* oye tú, oi**g**a él, oi**g**amos nosotros, oíd vosotros, oi**g**an ellos.

ASIR
Presente del indicativo: as**g**o, ases, ase, asimos, asís, asen. *Presente del subjuntivo:* as**g**a, as**g**as, as**g**a, as**g**amos, as**g**áis, as**g**an. *Modo imperativo:* ase tú, as**g**a él, as**g**amos nosotros, asid vosotros, asgan ellos.

RAER
Presente del indicativo: rai**g**o, raes, rae, raemos, raéis, raen. *Presente del subjuntivo:* rai**g**a, rai**g**as, rai**g**a, rai**g**amos, rai**g**áis, rai**g**an. *Modo imperativo:* rae tú, rai**g**a él, rai**g**amos nosotros, raed vosotros, rai**g**an ellos.

Verbos que siguen este modelo: caer, decaer, recaer.

¡ATENCIÓN! **El verbo** *ROER* **presenta tres formas: agrega -ig a la raíz; agrega y; o se conjuga como un verbo regular. Ej.: roo, roigo o royo, etc.**

VERBOS TERMINADOS EN -DUCIR

CONDUCIR

Presente del indicativo: conduzco, conduces, conduce, conducimos, conducís, conducen. **Presente del subjuntivo:** conduzca, conduzcas, conduzca, conduzcamos, conduzcáis, conduzcan. **Modo imperativo:** conduce tú, conduzca él, conduzcamos nosotros, conducid vosotros, conduzcan ellos. **Pretérito perfecto simple:** conduje, condujiste, condujo, condujimos, condujisteis, condujeron. **Pretérito imperfecto del subjuntivo:** condujera o condujese, condujeras o condujeses, condujera o condujese, condujéramos o condujésemos, condujerais o condujeseis, condujeran o condujesen. **Futuro imperfecto del subjuntivo:** condujere, condujeres, condujere, condujéremos, condujereis, condujeren.

Verbos que siguen este modelo: aducir, inducir, producir, reducir, traducir, deducir, etc.

VERBOS QUE PRESENTAN DIVERSAS IRREGULARIDADES

ANDAR

Pretérito perfecto simple: anduve, anduviste, anduvo, anduvimos, anduvisteis, anduvieron. **Pretérito imperfecto del subjuntivo:** anduviera o anduviese, anduvieras o anduvieses, anduviera o anduviese, anduviéramos o anduviésemos, anduvierais o anduvieseis, anduvieran o anduviesen. **Futuro imperfecto del subjuntivo:** anduviere, anduvieres, anduviere, anduviéremos, anduviereis, anduvieren.

QUERER

Presente del indicativo: quiero, quieres, quiere, queremos, queréis, quieren. **Presente del subjuntivo:** quiera, quieras, quiera, queramos, queráis, quieran. **Modo imperativo:** quiere tú, quiera él, queramos nosotros, quered vosotros, quieran ellos. **Pretérito perfecto simple:** quise, quisiste, quiso, quisimos, quisisteis, quisieron. **Pretérito imperfecto del subjuntivo:** quisiera o quisiese, quisieras o quisieses, quisiera o quisiese, quisiéramos o quisiésemos, quisierais o quisieseis, quisieran o quisiesen. **Futuro imperfecto del subjuntivo:** quisiere, quisieres, quisiere, quisiéremos, quisiereis, quisieren. **Condicional simple:** querría, querrías, querría, querríamos, querríais, querrían. **Futuro imperfecto del indicativo:** querré, querrás, querrá, querremos, querréis, querrán.

PODER

Presente del indicativo: puedo, puedes, puede, podemos, podéis, pueden. **Presente del subjuntivo:** pueda, puedas, pueda, podamos, podáis, puedan. **Modo imperativo:** puede tú, pueda él, podamos nosotros, poded vosotros, puedan ellos. **Pretérito perfecto simple:** pude, pudiste, pudo, pudimos, pudisteis, pudieron. **Pretérito imperfecto del sub-**

juntivo: pudiera o pudiese, pudieras o pudieses, pudiera o pudiese, pudiéramos o pudiésemos, pudierais o pudieseis, pudieran o pudiesen. **Futuro imperfecto del subjuntivo:** pudiere, pudieres, pudiere, pudiéremos, pudiereis, pudieren. **Condicional simple:** podría, podrías, podría, podríamos, podríais, podrían. **Futuro imperfecto del indicativo:** podré, podrás, podrá, podremos, podréis, podrán.

SALIR

Presente del indicativo: salgo, sales, sale, salimos, salís, salen. **Presente del subjuntivo:** salga, salgas, salga, salgamos, salgáis, salgan. **Modo imperativo:** sal tú, salga él, salgamos nosotros, salid vosotros, salgan ellos. **Futuro imperfecto del indicativo:** saldré, saldrás, saldrá, saldremos, saldréis, saldrán. **Condicional simple:** saldría, saldrías, saldría, saldríamos, saldríais, saldrían.

VALER

Presente del indicativo: valgo, vales, vale, valemos, valéis, valen. **Presente del subjuntivo:** valga, valgas, valga, valgamos, valgáis, valgan. **Modo imperativo:** vale tú, valga él, valgamos nosotros, valed vosotros, valgan ellos. **Futuro imperfecto del indicativo:** valdré, valdrás, valdrá, valdremos, valdréis, valdrán. **Condicional simple:** valdría, valdrías, valdría, valdríamos, valdríais, valdrían.

TENER

Presente del indicativo: tengo, tienes, tiene, tenemos, tenéis, tienen. **Presente del subjuntivo:** tenga, tengas, tenga, tengamos, tengáis, tengan. **Modo imperativo:** ten tú, tenga él, tengamos nosotros, tened vosotros, tengan ellos. **Pretérito perfecto simple:** tuve, tuviste, tuvo, tuvimos, tuvisteis, tuvieron. **Pretérito imperfecto del subjuntivo:** tuviera o tuviese, tuvieras o tuvieses, tuviera o tuviese, tuviéramos o tuviésemos, tuvierais o tuvieseis, tuvieran o tuviesen. **Futuro imperfecto del indicativo:** tendré, tendrás, tendrá, tendremos, tendréis, tendrán. **Condicional simple:** tendría, tendrías, tendría, tendríamos, tendríais, tendrían. **Gerundio:** teniendo.

VENIR

Presente del indicativo: vengo, vienes, viene, venimos, venís, vienen. **Presente del subjuntivo:** venga, vengas, venga, vengamos, vengáis, vengan. **Modo imperativo:** ven tú, venga él, vengamos nosotros, venid vosotros, vengan ellos. **Pretérito perfecto simple:** vine, viniste, vino, vinimos, vinisteis, vinieron. **Pretérito imperfecto del subjuntivo:** viniera o viniese, vinieras o vinieses, viniera o viniese, viniéramos o viniésemos, vinierais o vinieseis, vinieran o viniesen. **Futuro imperfecto del indicativo:** vendré, vendrás, vendrá, vendremos, vendréis, vendrán. **Condicional simple:** vendría, vendrías, vendría, vendríamos, vendríais, vendrían. **Gerundio:** viniendo.

PONER y sus compuestos
Presente del indicativo: pongo, pones, pone, ponemos, ponéis, ponen. **Presente del subjuntivo:** ponga, pongas, ponga, pongamos, pongáis, pongan. **Modo imperativo:** pon tú, ponga él, pongamos nosotros, poned vosotros, pongan ellos. **Pretérito perfecto simple:** puse, pusiste, puso, pusimos, pusisteis, pusieron. **Pretérito imperfecto del subjuntivo:** pusiera o pusiese, pusieras o pusieses, pusiera o pusiese, pusiéramos o pusiésemos, pusierais o pusieseis, pusieran o pusiesen. **Futuro imperfecto del indicativo:** pondré, pondrás, pondrá, pondremos, pondréis, pondrán. **Condicional simple:** pondría, pondrías, pondría, pondríamos, pondríais, pondrían. **Participio:** puesto.

Compuestos de poner que siguen su conjugación: anteponer, exponer, disponer, imponer, reponer, componer, deponer, etc.

DECIR
Cambia dec- por dic- o dig- en el 1.º grupo de tiempos correlativos. En el 2.º grupo cambia la raíz dec- por dij- y las desinencias regulares í y ió por e y o en el pretérito perfecto simple. En el pretérito imperfecto y el futuro imperfecto del subjuntivo, las desinencias no llevan i: partiera - dijera. En el 3.º grupo sólo conservan la d de la raíz.

Presente del indicativo: digo, dices, dice, decimos, decís, dicen. **Presente del subjuntivo:** diga, digas, diga, digamos, digáis, digan. **Modo imperativo:** di tú, diga él, digamos nosotros, decid vosotros, digan ellos. **Pretérito perfecto del indicativo:** dije, dijiste, dijo, dijimos, dijisteis, dijeron. **Pretérito imperfecto del subjuntivo:** dijera o dijese, dijeras o dijeses, dijera o dijese, dijéramos o dijésemos, dijerais o dijeseis, dijeran o dijesen. **Futuro imperfecto del indicativo:** diré, dirás, dirá, diremos, diréis, dirán. **Condicional simple:** diría, dirías, diría, diríamos, diríais, dirían. **Gerundio:** diciendo **Participio: dicho.**
Los compuestos de decir como desdecir, predecir, contradecir, etc., siguen la misma conjugación, menos en la 2.ª persona singular del modo imperativo, que sigue la de los verbos regulares: di tú, bendice tú.

TRAER
Presente del indicativo: traigo, traes, trae, traemos, traéis, traen. **Presente del subjuntivo:** traiga, traigas, traiga, traigamos, traigáis, traigan. **Modo imperativo:** trae tú, traiga él, traigamos nosotros, traed vosotros, traigan ellos. **Pretérito perfecto simple:** traje, trajiste, trajo, trajimos, trajisteis, trajeron. **Pretérito imperfecto del subjuntivo:** trajera o trajese, trajeras o trajeses, trajera o trajese, trajéramos o trajésemos, trajerais o trajeseis, trajeran o trajesen. **Futuro imper-**

fecto del subjuntivo: trajere, trajeres, trajere, trajéremos, trajereis, trajeren. **Gerundio:** trayendo.

HACER
Presente del indicativo: hago, haces, hace, hacemos, hacéis, hacen. **Presente del subjuntivo:** haga, hagas, haga, hagamos, hagáis, hagan. **Modo imperativo:** haz tú, haga él, hagamos nosotros, haced vosotros, hagan ellos. **Pretérito perfecto simple:** hice, hiciste, hizo, hicimos, hicisteis, hicieron. **Pretérito imperfecto del subjuntivo:** hiciera o hiciese, hicieras o hicieses, hiciera o hiciese, hiciéramos o hiciésemos, hicierais o hicieseis, hicieran o hiciesen. **Futuro imperfecto del indicativo:** haré, harás, hará, haremos, haréis, harán. **Condicional simple:** haría, harías, haría, haríamos, haríais, harían. **Participio: hecho.**

El verbo satisfacer se conjuga igual que hacer. Por ejemplo: yo *hago*, yo *satisfago*; tú *harás*, tú *satisfarás*; él *hizo*, él *satisfizo*. La 2.ª persona del imperativo puede conjugarse como un verbo regular: *satisfaz* tú o *satisface* tú.

SABER
Presente del indicativo: sé, sabes, sabe, sabemos, sabéis, saben. **Presente del subjuntivo:** sepa, sepas, sepa, sepamos, sepáis, sepan. **Modo imperativo:** sabe tú, sepa él, sepamos nosotros, sabed vosotros, sepan ellos. **Pretérito perfecto simple:** supe, supiste, supo, supimos, supisteis, supieron. **Pretérito imperfecto del subjuntivo:** supiera o supiese, supieras o supieses, supiera o supiese, supiéramos o supiésemos, supierais o supieseis, supieran o supiesen. **Futuro imperfecto del subjuntivo:** supiere, supieres, supiere, supiéremos, supiereis, supieren. **Futuro imperfecto del indicativo:** sabré, sabrás, sabrá, sabremos, sabréis, sabrán. **Condicional simple:** sabría, sabrías, sabría, sabríamos, sabríais, sabrían.

CABER
Presente del indicativo: quepo, cabes, cabe, cabemos, cabéis, caben. **Presente del subjuntivo:** quepa, quepas, quepa, quepamos, quepáis, quepan. **Modo imperativo:** cabe tú, quepa él, quepamos nosotros, cabed vosotros, quepan ellos. **Pretérito perfecto simple:** cupe, cupiste, cupo, cupimos, cupisteis, cupieron. **Pretérito imperfecto del subjuntivo:** cupiera o cupiese, cupieras o cupieses, cupiera o cupiese, cupiéramos o cupiésemos, cupierais o cupieseis, cupieran o cupiesen. **Futuro imperfecto:** cupiere, cupieres, cupiere, cupiéremos, cupiereis, cupieren. **Futuro imperfecto del indicativo:** cabré, cabrás, cabrá, cabremos, cabréis, cabrán. **Condicional simple:** cabría, cabrías, cabría, cabríamos, cabríais, cabrían.

DAR

Pretérito perfecto simple: di, diste, dio, dimos, disteis, dieron. *Pretérito imperfecto del subjuntivo:* diera o diese, dieras o dieses, diera o diese, diéramos o diésemos, dierais o dieseis, dieran o diesen. *Futuro imperfecto del subjuntivo:* diere, dieres, diere, diéremos, diereis, dieren.

IR

Este verbo cambia su raíz y sus desinencias en el 1.° y el 2.° grupos de tiempos correlativos. En el 2.° grupo se conjuga como el verbo **ser**. *Presente del indicativo:* voy, vas, va, vamos, vais, van. *Presente del subjuntivo:* vaya, vayas, vaya, vayamos, vayáis, vayan. *Modo imperativo:* ve tú, vaya él, vayamos nosotros, id vosotros, vayan ellos. *Pretérito perfecto simple:* fui, fuiste, fue, fuimos, fuisteis, fueron. *Pretérito imperfecto del subjuntivo:* fuera o fuese, fueras o fueses, fuera o fuese, fuéramos o fuésemos, fuerais o fueseis, fueran o fuesen. *Futuro imperfecto del subjuntivo:* fuere, fueres, fuere, fuéremos, fuereis, fueren. *Futuro imperfecto del indicativo:* iré, irás, irá, iremos, iréis, irán. *Condicional simple:* iría, irías, iría, iríamos, iríais, irían. *Gerundio:* yendo.

VERBOS QUE TIENEN DOS O MÁS FORMAS

YACER

Presente del indicativo: yazo/yazgo/yago, yaces, yace, yacemos, yacéis, yacen. *Presente del subjuntivo:* yazca/yazga/yaga, yazcas/yazgas/yagas, yazca, yazga/yaga, yazcamos/yazgamos/yagamos, yazcáis/yazgáis/yagáis, yazcan/yazgan/yagan. *Modo imperativo:* yace/yaz tú, yazca/yazga/yaga él, yazcamos/yazgamos/yagamos nosotros, yaced vosotros, yazcan/yazgan/yagan ellos.

ERGUIR

Presente del indicativo: irgo/yergo, irgues/yergues, irgue/yergue, erguimos, erguís, irguen/yerguen. *Presente del subjuntivo:* irga/yerga, irgas/yergas, irga/yerga, irgamos/yergamos, irgáis/yergáis, irgan/yergan. *Modo imperativo:* irgue/yergue tú, irga/yerga él, irgamos/yergamos nosotros, erguid vosotros, irgan/yergan ellos. *Pretérito perfecto simple:* erguí, erguiste, irguió, erguimos, erguisteis, irguieron. *Pretérito imperfecto del subjuntivo:* irguiera o irguiese, irguieras o irguieses, irguiera o irguiese, irguiéramos o irguiésemos, irguierais o irguieseis, irguieran o irquiesen. *Futuro imperfecto del subjuntivo:* irguiere, irguieres, irguiere, irguiéremos, irguiereis, irguieren. *Gerundio:* irguiendo.

SER - ESTAR - HABER

Estos verbos se utilizan como auxiliares en frases verbales. El verbo **haber** ya lo vimos en el paradigma de verbos regulares.

SER

Presente del indicativo: soy, eres, es, somos, sois, son. *Presente del subjuntivo:* sea, seas, sea, seamos, seáis, sean. *Modo imperativo:* sé tú, sea él, seamos nosotros, sed vosotros, sean ellos. *Pretérito perfecto simple:* fui, fuiste, fue, fuimos, fuisteis, fueron. *Pretérito imperfecto del subjuntivo:* fuera o fuese, fueras o fueses, fuera o fuese, fuéramos o fuésemos, fuerais o fueseis, fueran o fuesen. *Futuro imperfecto del subjuntivo:* fuere, fueres, fuere, fuéremos, fuereis, fueren.

ESTAR

Presente del indicativo: estoy, estás, está, estamos, estáis, están. *Presente del subjuntivo:* esté, estés, esté, estemos, estéis, estén. *Modo imperativo:* está tú, esté él, estemos nosotros, estad vosotros, estén ellos. *Pretérito perfecto simple:* estuve, estuviste, estuvo, estuvimos, estuvisteis, estuvieron. *Pretérito imperfecto del subjuntivo:* estuviera o estuviese, estuvieras o estuvieses, estuviera o estuviese, estuviéramos o estuviésemos, estuvierais o estuvieseis, estuvieran o estuviesen. *Futuro imperfecto del subjuntivo:* estuviere, estuvieres, estuviere, estuviéremos, estuviereis, estuvieren.

VERBOS DE CONJUGACIÓN INCOMPLETA: ABOLIR, ATERIR Y BLANDIR

Son verbos **defectivos** porque carecen de ciertos tiempos y personas. Sólo se conjugan en aquellas personas en las que la desinencia lleva **i**. Por lo tanto, no se conjugan en el presente del subjuntivo, en algunas personas del presente del indicativo y del imperativo, y sí **se conjugan en todas las personas del pretérito imperfecto, pretérito perfecto simple, futuro imperfecto y condicional simple del modo indicativo, y en el pretérito imperfecto y futuro imperfecto del subjuntivo**. También se conjugan los tiempos compuestos. *Presente del indicativo:* abolimos, abolís. *Modo imperativo:* abolid vosotros. *Presente del indicativo:* aterimos, aterís. *Modo imperativo:* aterid vosotros. *Presente del modo indicativo:* blande, blandimos, blandís, blanden. *Modo imperativo:* blandid vosotros.

LLOVER y todos los verbos que denotan cambios atmosféricos.
Es unipersonal porque sólo se conjuga en la 3.ª persona del singular, aunque no lleva el sujeto gramatical: llueve, llovía, llovió, lloverá, llueva, lloviera, ha llovido, llovería, etc.

ATAÑER. Se conjuga como **tañer** pero sólo en las terceras personas: atañe, atañen, ataño, atañeron, atañían, atañerá, atañerán, atañerá, etcétera.

187

¿CÓMO SE ESCRIBE?

La ortografía es la parte de la gramática que enseña a escribir correctamente, por el empleo adecuado de letras y otros signos ortográficos.

Todos se *asombraban* de lo bien que *nadaba* Pedro.

Uso de la b:

• Cuando la sílaba anterior termina en **m**:

> **combustión, combinación, combate, cambiar, rombo, alambique.**

• Cuando va seguida de **l** o **r**, con las que forma grupos consonánticos:

> **retablo, cable, doble, saludable, comprensible.**

• En los sustantivos abstractos terminados en **-bilidad** y que tienen su correspondiente adjetivo terminado en **-ble**:

¡Qué *combate*!

> **amabilidad, responsabilidad, afabilidad, confiabilidad, posibilidad.**

> **Excepciones:**
> **civilidad, movilidad.**

• En las sílabas iniciales **bu-, bus-, bur-**:

> **bullicio, bucal, butaca, burro, búsqueda, buscar, busto, burbuja.**

• En las terminaciones del pretérito imperfecto de los verbos de primera conjugación y del verbo **ir**:

> **soñaba, lavaba, esperaban, dominaban, recortábamos, bajabas, iba.**

• La terminaciones **-bundo, -bunda**:

> **meditabunda, moribundo, nauseabundo, tremebunda.**

• En los prefijos **bi-, bis-, biz-**, que significan "dos veces":

> **bicicleta, bilingüe, bisnieto,**

> **bicameral, bizcocho.**

• Cuando son derivados o compuestos de las palabras **bien, boca** y **sílaba**:

> **benefactor, bonachón, bucal, desbocado, monosílabo.**

• En las sílabas iniciales **ab-, abs-, ob-, obs-** y **sub-**:

> **abnegado, abdicar, abdomen, objeto, subterráneo, subliminal.**

• Todas las formas de los verbos que terminan en **-ber, -bir, -buir**:

> **cabía, saben, bebiera, debías, habías, absorbimos, concibió, atribuía, etc.**

> **Excepciones:**
> **precaver, precavías, precavimos, etc.**

Uso de la v:

• Cuando la sílaba anterior termina en **n** o **b**:

> **convocatoria, convidar, convención, envidia, obvio, subvención, subvertir.**

• Después de la sílaba inicial **ad-**:

> **advertir, adversario, advenedizo, advocación, adventicio.**

• Cuando las palabras terminan en **-ívoro** e **-ívora**:

> **herbívoro, omnívoro, insectívoro.**

> Excepción:
> **víbora.**

• Cuando la palabra comienza con el prefijo **vice-** o **viz-** (que significa "inferior a"), unido al nombre de un cargo o jerarquía:

> **vicedirector, vicerrectora, vicepresidente, vizconde.**

• En las terminaciones **-ava**, **-avo**, **-avo**, **-eva**, **-eve**, **-evo**, **-iva**, **-ivo** de los adjetivos:

> **brava, suave, octavo, nueva, breve, masiva, abrasivo, pasivo.**

• Después de **cla-**:

> **clavícula, clavicordio, clavo.**

• Después del grupo **equi**:

> **equivocada, equivalente, equivaler, inequívoco.**

• Después de las sílabas **lla**, **lle**, **llo** y **llu**:

> **lluvioso, llavero, llover, llevan.**

• En el pretérito perfecto simple del indicativo y en el pretérito imperfecto y futuro imperfecto del subjuntivo de los verbos **andar**, **tener**, **estar**:

> **anduve, tuvimos, anduviste, anduvieras, tuviese, etc.**

• En el presente del indicativo y del subjuntivo, y en el imperativo del verbo **ir**:

> **voy, vaya, vas, vayamos, van, vayan.**

Uso de la c:

• En el plural de los sustantivos y adjetivos terminados en **z**:

> **capaz, capaces; feroz, feroces; vez, veces.**

• En los verbos terminados en **-cir**:

> **deducir, esparcir, resarcir, conducir, fruncir, producir.**

> Excepciones:
> **el verbo asir y sus compuestos (reasir, desasir, etc.).**

• En las terminaciones **-acio** y **-acia**:

> **reacio, farmacia, aristocracia, espacio, prefacio, perspicacia, batracio, falacia.**

> Excepciones:
> **Asia, gimnasio, gimnasia, idiosincrasia, potasio, antonomasia, Anastasia.**

Soy un *herbívoro* convencido.

• En la terminación **-ción** cuando la palabra deriva de otra que termina en **-dor**, **-tor**, **-do**, **-to**:

> **generación, formación, situación, conspiración, revolución, presunción, defunción, recepción, expedición, composición.**

• Después de **c**:

> **acción, reacción, fracción, dirección.**

• En los diminutivos con los sufijos **-cito/a**, **-cillo/a**, **-ecillo/a**, **-cico/a**, **-ecico/a**:

> **florecita, florecilla, mujercilla, panecico, huesecico, cantorcico, jovencilla, cofrecito, ruedecilla, puertecilla.**

> **Excepciones:**
> **los sustantivos o adjetivos que tienen s en la última sílaba forman el diminutivo también con s:**
> **curso - cursillo, bolsa- bolsita.**

El león se destaca por su *voracidad*.

• En los verbos terminados en **-cer**, **-cir**, **-ciar**:

> **nacer, adolecer, placer, entorpecer, decir, predecir, renunciar, agenciar, despreciar, propiciar, apreciar, pronunciar.**

> **Excepciones:**
> **los verbos ser, coser (con aguja e hilo) y toser, ansiar, extasiar, anestesiar y lisiar.**

• Los sufijos **-ancia** y **-encia** de algunos sustantivos:

> **constancia, prestancia, docencia, estancia, decencia, experiencia, presencia.**

> **Excepciones:**
> **ansia y hortensia.**

• En las terminaciones **-áceo** y **-ácea** de algunas palabras esdrújulas:

> **cetáceo, rosáceo, crustáceo, farinácea.**

• En las terminaciones **-icia**, **-icie** e **-icio**:

> **inicio, planicie, superficie.**

• En los sufijos **-cidio** y **-cida**:

> **suicidio, suicida, fratricidio.**

• Antes de la vocal **e** en las flexiones de los verbos terminados en **-zar**:

> **realizar, realice, realicé; organizar, organicemos, organices.**

• En los verbos terminados en **-ceder**, **-cender**, **-cibir** y **-cidir**:

> **conceder, preceder, encender, recibir, percibir, decidir, coincidir.**

> **Excepciones:**
> **los verbos residir y presidir.**

"Todos me aprecian por mi *elegancia*."

Uso de la s:

• En las terminaciones **-ísimo** e **-ísima** de los adjetivos en grado superlativo:

> **blandísimo, gravísimo, cortísima, fortísimo, clarísimo.**

• En las terminaciones **-esco** y **-esca** de los sustantivos y adjetivos:

> **pintoresca, grotesca, parentesco, caballeresca, novelesca, principesco.**

> **Excepciones:**
> **palabras como agradezco o amanezco se escriben con z porque son flexiones de verbos irregulares.**

• En las terminaciones **-ésimo** y **-esima** de los adjetivos numerales ordinales:

> **vigésimo, trigésima, milésima, millonésimo.**

> **Excepciones:**
> **el adjetivo décimo y sus compuestos (undécimo, duodécimo, etc.).**

• En las terminaciones **-sura** de algunas palabras:

> **hermosura, censura, travesura, basura, preciosura, comisura.**

> **Excepciones:**
> **zura (paloma silvestre) y dulzura.**

"Me gusta ser *futbolista*."

• En las terminaciones **-sión** de los sustantivos, en cuyas familias de palabras hay adjetivos terminados en **-so**, **-sor**, **-sible**, **-sivo**:

> **invasión, sucesión, opresión, extensión, confusión, admisión, comprensión, transmisión, confesión, confusión, ilusión.**

• En las terminaciones **-oso**, **-osa** de algunos adjetivos:

> **lujoso, lujosa, primoroso, primorosa, perezoso, escabrosa, maravillosa.**

• En las terminaciones **-ismo** de algunos sustantivos:

> **altruismo, egoísmo, socialismo, nacionalismo, budismo, cristianismo.**

• En la terminación **-ista** de algunos sustantivos:

> **artista, humorista, vanguardista, violinista, dentista, protagonista, revista, bromista.**

• En las terminaciones **-esta**, **-esto** de sustantivos y adjetivos:

> **modesta, ballesta, funesto, opuesta, respuesta, encuesta, molesta.**

"Desde el espacio tenemos una *maravillosa* vista."

- En las terminaciones **-isco**, **-isca** de sustantivos y adjetivos:

> morisco, mordisco, marisco, arisca, arenisca, odalisca, disco.

> Excepciones:
> pellizco, pizco, bizco, pizca, blanquizco.

- En las terminaciones **-ense** de los adjetivos gentilicios:

> rioplatense, paranaense, ateniense, canadiense.

> Excepción:
> vascuence.

- El pronombre **se** en su posición enclítica (cuando forma con el verbo una sola palabra):

> despertarse, entristecerse, váyase.

"La planta de *maíz*."

"Así me siento cuando el trabajo me sobrepasa."

Uso de la z:

- En las terminaciones **-az** de los adjetivos calificativos:

> mordaz, audaz, vivaz, capaz, sagaz, eficaz, falaz.

- En las terminaciones **-ez**, **-eza** y **-anza** de los sustantivos abstractos:

> honradez, timidez, vejez, acidez, escasez, belleza, delicadeza, viveza, ligereza, templanza, bonanza, esperanza.

- En las terminaciones **-iz** de sustantivos y adjetivos agudos:

> cariz, perdiz, matriz, nariz, cerviz, feliz, aprendiz, tamiz.

> Excepciones:
> anís, gris, lis, Luis, país, mentís, tris.

- En las terminaciones **-azo** y **-aza** de los sustantivos y adjetivos aumentativos o de los sustantivos que indican "golpe con":

> hombrazo, perrazo, pelotazo, fierrazo, cuerpazo, agujerazo, palazo.

- En las terminaciones **-izo**, **-iza** de sustantivos y adjetivos que no lleven **s** en sus familias de palabras (por ejemplo, lisura - liso, sumisión - sumiso, precisión - preciso, etc.):

> plomizo, escurridiza, hechizo, enfermiza, huidizo, caballeriza, levadizo, corrediza.

• En las terminaciones **-zal** de sustantivos colectivos:

> **maizal, lodazal, barrizal, cardizal, cañizal, pastizal.**

> **Excepciones:**
> **fresal (de "fresa") y yesal (de "yeso").**

• Las terminaciones **-zuelo**, **-zuela** de los diminutivos despectivos:

> **actorzuelo, vejezuela, jovenzuelo, mozuela.**

> **Excepciones:**
> **los derivados de palabras que llevan s en la raíz (rabioso, rabiosuelo; mocoso, mocosuelo).**

• En las terminaciones **-zón** de sustantivos derivados de verbos de primera conjugación y del verbo comer:

> **quemazón, picazón, hinchazón, cargazón, ligazón, cerrazón, comezón.**

• Delante de **a** y **o** en las flexiones de los verbos irregulares terminados en **-ecer**, **-acer** y **-ucir**:

> **crezco, crezca, adolezcamos, florezca, palidezcas, embellezco, nazcas, plazca, introduzcan.**

> **Excepciones:**
> **el verbo hacer y sus flexiones (hago, hagas, hagamos, etc.).**

"Gracias al yoga, logré eliminar las *neuralgias*."

Uso de la g:

• En la raíz griega **geo** ("tierra"), tanto al comienzo como en el medio de la palabra:

> **geometría, geografía, geopolítica.**

• En el sufijo **-logía** ("tratado, ciencia"):

> **mineralogía, filología, genealogía, biología, antropología, geología.**

• En las terminaciones **-gio**, **-gia** de algunas palabras:

> **colegio, contagio, privilegio, prestigio, elogio, adagio, magia, regia.**

• En las terminaciones **-ger**, **-gir** y **-gerar** de los infinitivos, y también en sus flexiones y derivados:

> **recoger, proteger, encoger, escoger, sumergir, fingir, restringir, morigerar, aligerar, exagerar.**

> **Excepciones:**
> **delante de a y o, la g de la raíz se cambia por j (recojo, recojas, protejamos, finjo, sumerjo); los verbos, brujir, tejer, crujir, retejer, destejer.**

• En el grupo **gen**, forme o no sílaba:

> **homogéneo, gente, genuino, primogénito, sexagenario, agente, regente, generar.**

> **Excepciones:**
> **ajenjo, ajeno, berenjena, comején, jengibre y jején.**

Uso de la j:

- En las terminaciones **-aje** de algunas palabras:

> salvataje, viaje, personaje, coraje, ramaje, paisaje, paisanaje, lenguaje.

> **Excepciones:**
> ambages ("rodeo de palabras"), companage ("fiambre que se come con el pan") y enálage e hipálage (figuras de construcción).

- En las terminaciones **-jero**, **-jera** y **-jería** de algunas palabras:

> agujero, extranjero, pasajera, ovejero, callejero, consejero, tijera, mensajería.

> **Excepciones:**
> los adjetivos ligero, alígero y alígera; las flexiones de los verbos que llevan g en la raíz se escriben también con g (aligero, aligera, recogería).

- En las flexiones del pretérito perfecto simple y pretérito imperfecto y futuro imperfecto del subjuntivo de los verbos terminados en **-ducir**, el verbo **traer** y sus compuestos, y el verbo **decir** y sus compuestos:

> traduje, tradujeras, introdujo, produjimos, contraje, dijeras.

"Espero que este dolor de cabeza sea *pasajero*."

Uso de la h:

- Delante de los diptongos **ue**, **ie**, **ui**:

> huevo, hueso, huerta, huella, hiel, hiedra, hiena, hierba, hiato, hialino.

- En los prefijos **hidro** o **hidra**, que significan "agua":

> hidratar, hidrógeno, hidrato, hidratación, anhídrido.

- En el prefijo griego **hiper-**, que significa "sobre, encima, más allá":

> hipertrofia, hiperacústico, hiperbólico, hipertenso.

- En el prefijo **hipo-**, que significa "debajo" y también "caballo":

> hipoteca, hipotermia, hipódromo, hipopótamo.

- En los prefijos **hecto-** o **hect-**, que derivan del griego **hekatón**, que significa "cien":

> hectógrafo, hectogramo, hectolitro, hectárea.

- En la raíz griega **helio,** que significa "sol":

> helioscopia, heliotropismo, helioterapia.

- En el prefijo **hemi-**, que significa "medio, mitad":

> **hemisferio, hemicírculo, hemiciclo, hemiplejía.**

- En los prefijos **hemo-**, **hema-**, que provienen del griego **aima** o **aimatos**, que significan "sangre":

> **hemodiálisis, hemoterapia, hemático, hemorragia.**

- En los prefijos: **hexa-**, que deriva del griego **hex**, que significa "seis"; **hepta-**, que proviene del griego **heptá**, que significa "siete"; **hetero-**, que proviene del griego **héteros**, que significa "otro, desigual, diferente"; **homo-**, que proviene del griego **homós** ("el mismo, semejante, parecido"):

> **hexasílabo, hexaedro, heptasílabo, heptágono, heterodoxo, homogéneo, homólogo, homónimo, homófono.**

- En la raíz **horr** (del latín **horrens**: "erizado"):

> **horrible, horror, horripilante.**

- En la sílaba **hu** seguida de **m** con vocal, cuando va al principio de la palabra:

> **húmedo, humectante, humor, húmero, humilde.**

> "Parezco una *doncella*."

- En los verbos **haber** y **hacer**, y todas sus flexiones:

> **habiendo, había, habrá, hubo, habido, hecho, haciendo, haré, haga, hizo.**

Uso de la ll:

- En las terminaciones **-illo**, **-lla** de las palabras en general y en las terminaciones **-illo**, **illa**, **-cillo**, **-cilla**, **-ecillo**, **-ecilla**, **-cecillo** y **-cecilla** de los diminutivos:

> **anillo, cuadernillo, parrilla, chiquillo, canilla, manecilla, rejilla, redecilla.**

- En las terminaciones **-ello** y **-ella** de ciertas palabras:

> **camello, cabello, vello, degüello, destello, botella, doncella, aquella.**

> **Excepciones:**
>
> **Pompeyo, leguleyo, plebeyo, onomatopeya, epopeya.**

Uso de la y:

- Después del prefijo **ad-** y después de **a** al comienzo de palabra:

> **adyacencia, adyacente, coadyuvar, ayer, ayuno, ayudar.**

LAS REGLAS DE ACENTUACIÓN

Una de las dificultades que se presentan cuando escribimos es el empleo de la tilde. Conozcamos las reglas de su uso.

Todas las palabras tienen acento, que es una mayor intensidad en la pronunciación de una sílaba (sílaba tónica). A veces, marcamos el acento en la escritura por medio de un signo llamado tilde. La ortografía nos permite saber cuándo debemos colocar la tilde en la palabra y cuándo no.

CLASIFICACIÓN DE PALABRAS SEGÚN SU ACENTO

AGUDAS:	se acentúan en la **última** sílaba: **(des - per - tar)**
GRAVES:	se acentúan en la **penúltima** sílaba: **(re - man - so)**
ESDRÚJULAS:	se acentúan en la **antepenúltima** sílaba: **(vi - gé - si - mo)**

¿Cuándo lleva tilde?

Palabras agudas terminadas en **n**, **s** o **vocal**:

> **canción, redacción, emoción, confiás, jamás, cortás, país, suspendió, llegué, recibí, ombú, Paraná.**

Palabras graves que no terminen en **n**, **s** o **vocal**:

> **carácter, mármol, César, ónix, Pérez.**

Las palabras esdrújulas, siempre:

> **público, clásico, módico, técnico, héroe, práctico, régimen, cíclico, exámenes, orquídea, cósmico, hipócrita, insólito.**

Los monosílabos no llevan acento ortográfico, salvo cuando desempeñan más de una función gramatical:

> **fe, vi, fui, dio, pues.**

¿Con qué palabras está construida esta poesía?

TONTERÍA

Marisol,
perejil,
girasol,
campanil.

Caracol,
toronjil,
tornasol,
pastoril.

Quitasol,
tamboril,
español,
alguacil.

Arrebo,
mujeril,
verderol,
carneril.

Esto, en un tiempo ya lejano
y en el Colegio de las Lepe,
era lección de castellano,
Maripepe.

Carlos Préndez Saldías.

Reglas especiales

• Cuando hay concurrencia de una vocal abierta y una cerrada tónica, siempre lleva acento la cerrada:

> **actúa, aúna, describía.**

• En las palabras compuestas, sólo conserva la tilde el último elemento, si lo requiere:

> **decimoséptimo, vigesimotercero.**

Cuando el último elemento de una palabra compuesta es un monosílabo, adquiere la tilde que le corresponde de acuerdo con la acentuación de las palabras agudas:

> **veintiséis, tentempié, vaivén.**

• Los adverbios terminados en -**mente** conservan el acento ortográfico del adjetivo que los conforma:

> **rápidamente, sórdidamente, útilmente, ágilmente.**

• Los compuestos formados por un verbo agudo más un pronombre **enclítico** (el que se coloca detrás del verbo) conservaban la tilde. Esta regla cambió en 1999. Ahora, todos los compuestos siguen las reglas generales de acentuación.

> **despertose, mirote, déjemelo, confiándosela, mírame.**

• Los **pronombres enfáticos** (interrogativos y exclamativos) llevan siempre tilde, aun cuando no les corresponda por las reglas de acentuación de palabras:

> **¿Cómo sucedió? ¿Qué te pasa? ¿Cuándo lloverá?**

También llevan tilde en el estilo indirecto:

> **No sé qué pasó.**

ACENTO DIACRÍTICO

Por lo general, los monosílabos no llevan tilde. Pero algunos la llevan para distinguir distintas funciones o significados:

PALABRA	FUNCIÓN O SIGNIFICADO	PALABRA	FUNCIÓN O SIGNIFICADO
el	artículo	sé	presente del indicativo del verbo saber 1.ª persona, e imperativo del verbo ser, 2.ª persona
él	pronombre personal		
tu	adjetivo posesivo		
tú	pronombre personal, función sujeto	si	conjunción condicional
		si	nota musical
mi	adjetivo posesivo	sí	pronombre, función término de preposición
mi	nota musical		
mí	pronombre, término de complemento	sí	adverbio de afirmación
de	preposición	aun	siquiera, incluso
dé	verbo dar, presente del subjuntivo	aún	todavía
		solo	adjetivo
mas	conjunción adversativa	sólo	adverbio, lleva tilde cuando puede haber confusión en las funciones
más	adverbio de cantidad		
te	pronombre personal, función objeto	este, ese, aquel (con sus femeninos y plurales)	función adjetivo
te	letra del abecedario		
té	infusión, planta	éste, ése, aquél (con sus femeninos y plurales)	función sustantivo
se	pronombre personal de 3.ª persona	ó	cuando va entre números

Los signos de puntuación

La escritura, de alguna manera, trata de reflejar las inflexiones que se producen cuando hablamos. Así, la entonación grave de la última sílaba de una oración es indicada por el punto. Y la particular entonación de una pregunta es reemplazada con los signos de interrogación.

Los signos de puntuación son marcas ortográficas que indican pausas o inflexiones necesarias para destacar las relaciones gramaticales entre las palabras, y el sentido de las oraciones y sus miembros.

El punto (.)

• Indica el final de las oraciones.

"Moviéndose a tientas en la penumbra del amanecer, Mina se puso el vestido sin mangas que la noche anterior había colgado junto a la cama, y revolvió el baúl en busca de las mangas postizas."

Los funerales de la mamá grande,
Gabriel García Márquez.

• Cuando no se escribe íntegramente una palabra, se utiliza el punto como signo de abreviatura.

Adv. (adverbio),
conj. (conjunción).

La coma (,)

• Separa elementos de igual valor sintáctico en la oración.

"Recibió el sol, cruzó la pista, pasó por entre dos autos estacionados y tomó la calle que le había indicado Pedro."

Lima, hora cero,
Enrique Congralns Martin.

• Encierra aposiciones.

"Caribay, deidad de los bosques llenos de aroma y frescura, habitaba los Andes monumentales. Esta diosa gorjeaba como los pájaros, era ligera y liviana como la espuma y como el viento acariciaba las flores y hacía estremecer los árboles."

Raíces americanas,
selección de Luis Neira.

• Encierra elementos incidentales o explicativos, aposiciones, y expresiones ilativas o aclaratorias (además, pues, por consiguiente, en consecuencia, sin duda, no obstante, sin embargo, por otra parte, en fin, por último, esto es, vale decir, es decir, etc.).

En la ciudad vieja, *donde vivían nuestros abuelos*, veraneamos aquel año.

• Encierra vocativos*.

¡*Pedro*, alcánzame la pelota!

* Vocativos: son las palabras que se emplean para llamar, invocar o nombrar a las personas, o a las cosas personificadas, a quienes nos dirigimos.

• Indica hipérbaton, que es la inversión del orden normal de los elementos sintácticos de una oración.

Con gran tristeza, despedíamos a nuestros amigos.

• Cuando se omite el verbo.

—Tengo hambre.
—Yo, también.

Mi familia, mis vecinos y mis amigos me consideran un excelente asador. Yo, también.

Una pausa literaria con muchos signos

Más vale trocar
placer por dolores
que estar sin amores.
Donde es agradecido
es dulce morir;
vivir sin olvido,
aquél no es vivir;
mejor es sufrir
pasión y dolores

que estar sin amores.
Es vida perdida
vivir sin amar,
y más es que vida
saberla emplear:
mejor es penar
sufriendo dolores
que estar sin amores.

"Villancico", Juan de la Encina, español (1469-1529).

El punto y coma (;)

• Se utiliza para separar proposiciones largas, especialmente cuando ya encierran comas dentro de ellas.

> *"Ambulaban por allí infinidad de vagabundos de profesión; marineros sin contrata, como él, desertados de un vapor o prófugos de algún delito; atorrantes abandonados al ocio, que se mantienen de no se sabe qué, mendigando o robando, pasando los días como las cuentas de un rosario mugriento, esperando quién sabe qué extraños acontecimientos, o no esperando nada; individuos de las razas y pueblos más exóticos y extraños, aun de aquellos en cuya existencia no se cree hasta no haber visto un ejemplar vivo."*
>
> *"El delincuente"*, Manuel Rojas.

Los dos puntos (:)

• Indican una aclaración, explicación o enumeración.

> Los deportes que más me gustan son: *fútbol, tenis y natación.*

• Se utilizan cuando se transcribe lo que dijo o escribió una persona.

> **Dijo Antonio Machado:** *"Yo vivo en paz con los hombres y en guerra con mis entrañas."*

> **Dice el refrán:** *más vale pájaro en mano que cien volando.*

• Se utilizan después de los encabezamientos de las cartas.

> **Madre mía:**
> *Hoy, 25 de marzo, en víspera de un largo viaje, estoy pensando en usted. Yo sin cesar pienso en usted. Usted se duele, en la cólera de su amor, del sacrificio de mi vida; y ¿por qué nací de usted con una vida que ama el sacrificio? Palabras, no puedo.*
>
> *Obras completas*, José Martí.

Los puntos suspensivos (...)

• Dejan "en suspenso" una expresión, expresando diversos estados anímicos o como recurso estilístico.

> *Debemos cuidarnos de que nuestras propias mentiras no nos engañen. En cuanto al coraje, no convenía considerarlo; uno se ofusca y...*
>
> *La trama celeste,* Adolfo Bioy Casares.

• Para establecer alguna pausa, en especial en los diálogos.

> **El médico hundió de nuevo la cabeza en el catre. La maestrita murmuró otra vez, buscando con la mano la boina de su padre:**
> —*Pobre papá... No es nada... Ya me siento mucho mejor... Mañana me levanto y concluyo todo... Me siento mucho mejor, papá...*
>
> *La gallina degollada y otros cuentos,* Horacio Quiroga.

• También expresan que se suspende el discurso, pero sabiendo que el receptor podrá entender lo que no se dice.

• Se utilizan para indicar que una enumeración podría continuar.

> Había gritos de alegría, vivas, exaltación...

Los paréntesis ( )

Se utilizan para encerrar aclaraciones.

> Durante ese año (1992), hubo un creciente...

> Ser árbitro no es nada fácil. A veces, cuando los hinchas de un equipo no están de acuerdo con el fallo, nos dicen cosas...

El apóstrofe (')

• Señala la supresión de letras. Su empleo era muy frecuente en castellano antiguo. Actualmente, sólo se justifica en ciertos casos especiales y en la escritura de palabras extranjeras.

> **M'hijo**
> **L'Atalante**

El asterisco (*)

• Se utiliza simple, doble o triple, cuando es necesario señalar en ciertas palabras del texto que se ha colocado una nota aclaratoria.

> *Después de haber dado muchas trazas*, y tomando muchos caminos para entrar a dar cuenta del origen y principio de los Incas, reyes naturales que fueron del Perú, me pareció que la mejor traza y el camino más fácil y llano, era contar lo que en mis niñeces oí muchas veces a mi madre y a sus hermanos y tíos, y a otros mayores, acerca de este origen y principio.*
>
> *Comentarios reales,*
> Inca Garcilaso de la Vega.
>
> * *Haber dado muchas trazas.* En el texto, con sentido de orientaciones, maneras.

El guión (-)

• Se utiliza para separar una palabra al final del renglón.

• También para separar los dos términos de una palabra compuesta.

> **El enfrentamiento norte-sur.**
> **El aporte ítalo-español.**
> **El sector agrícola-ganadero.**

La raya (—)

Se emplea para encerrar aclaraciones.

> **Los niños —que habían llegado temprano— no se habían despertado aún.**

Se usa para señalar el cambio de interlocutor en el diálogo y para intercalar aclaraciones en el mismo.

> **—Claro que tenían un maestro, pero no era un maestro normal. Era un hombre.**
> **—¿Un hombre?**
> **¿Cómo un hombre puede ser maestro?**
> **—Bueno, él les decía cosas a los chicos y las chicas, les daba deberes y les hacía preguntas.**
> **—Un hombre no es suficientemente inteligente.**
> **—Claro que sí. Mi papá sabe tanto como un maestro.**

Las comillas (" ")

Se emplean para destacar palabras que se citan textualmente.

> **"Mejor es que no lo encuentren", dice José del Carmen.**

Sirven para destacar ciertas palabras en lenguaje figurado o técnico.

> **¿Qué hace la planta con el oxígeno que toma del aire? Lo utiliza para "quemar" los alimentos y sacar de éstos la energía que contienen. La respiración es una "combustión" de alimentos.**

Se suelen colocar entre comillas los capítulos de libros, artículos periodísticos o textos de un volumen (por ejemplo, el cuento de una antología).

> **De la antología, elegimos "La pelota", de Felisberto Hernández.**

Uso de los signos de entonación

Se utilizan al comienzo y al final de la oración.

Los de interrogación indican pregunta.
¿Dónde estuviste? ¿Nos acompañas al cine?

Los de exclamación indican una intensificación en la expresión oral y escrita, que se produce por distintos estados emocionales.
—¡Yo..., yo no la he visto nunca!

¡Qué hermoso mi nietito!

LA ORACIÓN Y SUS COMPONENTES

¿Qué es la oración?

Es un **conjunto de palabras con unidad de sentido, independencia sintáctica y una determinada entonación**.

¿Cómo distinguimos la oración cuando escribimos? Comenzamos con **mayúscula** y la cerramos con un **punto**.

> Cada una de las palabras pertenece a una clase, que se define por su ubicación en la oración y por su relación con las demás.

Oraciones bimembres

En algunas oraciones encontramos **dos constituyentes**, dos construcciones paralelas, cada una con uno o varios **núcleos** diferenciados. Uno de esos elementos es el **tema o tópico**. El otro elemento es el **comentario** que se hace sobre el tema.

tema	comentario
↓	↓
Romina	**observó los corales.**

> Al tema lo llamamos "sujeto" (S) y al comentario "predicado" (P).

SUJETO	PREDICADO
Francisco	se hamacaba en la plaza.
Las luciérnagas	adornaban con luces las plantas.
El tomate	estaba demasiado maduro.
La habitación	era muy cómoda.
Los anteojos	me molestaban.

• No siempre aparece primero el sujeto y luego el predicado:

PVS	SS
OB	De las altas copas de los árboles salía un murmullo salvaje.

• A veces, el sujeto no está expresado por ninguna palabra, sino que la persona y el número del sujeto están indicados por la flexión del verbo. Se denomina **sujeto desinencial o tácito (SD/ST)**.

PVS	PVS
OB/SD ¿Dónde está?	**OB/SD** ¿Cuándo llegó?

SD: Sujeto desinencial, 3.ª persona singular

Las oraciones que tienen sujeto y predicado se llaman BIMEMBRES y las señalamos así: **OB**.

El sujeto

El núcleo (N) del sujeto es siempre un sustantivo o una palabra que funciona como sustantivo.

> **Rosita va a jugar conmigo.**
>
> Núcleo del sujeto: sustantivo

> **¿Quién va a jugar conmigo?**
>
> Núcleo del sujeto: pronombre interrogativo

ORACIÓN BIMEMBRE

- Sujeto simple o compuesto
- Predicado simple o compuesto

SUJETO

- Núcleo/s
- Modificadores directos
- Modificadores indirectos

PREDICADO VERBAL

- Núcleo verbal
- Objeto directo
- Objeto indirecto
- Circunstancial
- Predicativo

Si el sujeto tiene más de un núcleo, es un **sujeto compuesto (SC)**.

SUJETO COMPUESTO	PREDICADO
El **perro** y el **león**	eran amigos.
Laura y su **vecina**	se pelearon.
Mis **plantas** y mis **libros**	son mi único tesoro.
La **gallina** y sus **pollitos**	se paseaban por el fondo.

Analizamos las oraciones con sujeto compuesto:

```
         SC              PVS
   ┌──────────┐  ┌──────────────┐
OB El aire y el mar me ponen feliz.
      N   NC    N
```

NC = NEXO COORDINANTE.

El **modificador directo (MD)** es una palabra que se conecta con el núcleo y concuerda con él en *género* y *número*, como ya vimos en "Clases de palabras". Generalmente es un **adjetivo**.

```
           SS                PVS
   ┌──────────────┐  ┌────────────────┐
OB Aquel viento frío soplaba con fuerza.
     MD    N    MD
```

El **modificador indirecto (MI)** es una construcción encabezada por preposición, que modifica al núcleo del sujeto.

```
           SS            PVS
   ┌──────────────┐  ┌────────────┐
OB El dulce de papaya estaba riquísimo.
     MD  N    MI
```

```
           SS            PVS
   ┌──────────────┐  ┌────────────┐
OB La voz de Alejandra me encanta.
     MD  N      MI
```

202

El predicado verbal

El **núcleo** de este tipo de predicado es un **verbo conjugado (NV), que concuerda en número con el núcleo del sujeto**.

SUJETO	PREDICADO
El gorrión	**es** un ave migratoria.
Las pausas	**tienen** una significación importante en el contexto.
El diario	se **estropeó** con la lluvia.

Analizamos sintácticamente esta oración:

```
              SS                        PVS
OB   Lucía subía corriendo por el borde de la cantera.
      N    NV
```

Cuando el predicado tiene un solo núcleo verbal, es un **predicado verbal simple (PVS)**. Cuando el predicado lleva más de un núcleo verbal, es un **predicado verbal compuesto (PVC)**.

```
                   SS                          PVC
OB   El gato de la cornisa salta, corre y maúlla toda la noche.
     MD   N       MI        NV     NV   NC   NV
```

Los modificadores del verbo

El objeto directo (OD)
Son palabras o construcciones que completan el significado de la acción de un verbo transitivo; indican qué o quién recibe esa acción.

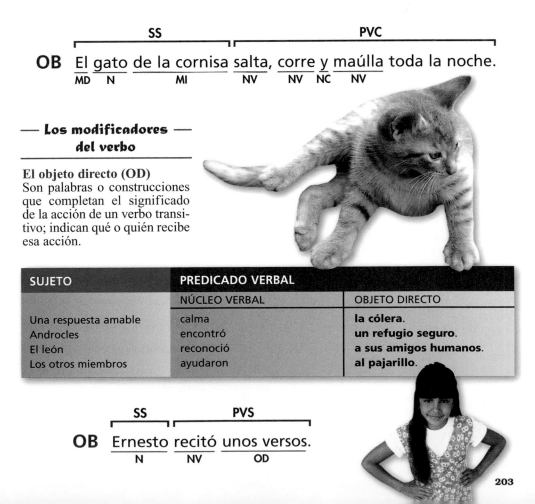

SUJETO	PREDICADO VERBAL	
	NÚCLEO VERBAL	OBJETO DIRECTO
Una respuesta amable	calma	**la cólera.**
Androcles	encontró	**un refugio seguro.**
El león	reconoció	**a sus amigos humanos.**
Los otros miembros	ayudaron	**al pajarillo.**

```
         SS        PVS
OB   Ernesto recitó unos versos.
       N     NV      OD
```

¿Cómo se reconoce el objeto directo?

• Reemplazándolo por los pronombres **la, lo, las, los, me, te, nos, os.** En América, estos pronombres se colocan generalmente antes del verbo.

SUJETO	PREDICADO VERBAL	
	OBJETO DIRECTO	NÚCLEO VERBAL
Una respuesta amable	**la**	calma
Androcles	**lo**	encontró
El león	**los**	reconoció
Los otros miembros de la bandada	**lo**	ayudaron

• Otra forma de reconocer el objeto directo es transformando la oración a voz pasiva; el **sujeto** pasa a ser **complemento agente (CA),** y el **objeto directo, sujeto** de la voz pasiva.
El núcleo del predicado es una **frase verbal pasiva (NFVP),** construida con el **verbo ser** más el participio del verbo de la voz activa.

El objeto indirecto (OI)

Indica la persona, animal o cosa en quien termina la acción del verbo transitivo.
Se construye con la preposición **para** o **a.**

¿Cómo se reconoce el objeto indirecto?

• Reemplazándolo por los pronombres **le, les, te, se, nos, os.**

Los circunstanciales (CIRC)

Indican las circunstancias en que se produce la significación del verbo. Pueden construirse con un **adverbio** o una **construcción.**
Desde un **punto de vista semántico,** se clasifican en **circunstanciales de causa, de modo, de tiempo, de lugar, de fin, de compañía, de instrumento, de tema, de duda, de negación, etc**.

El predicativo (Po)

Es un sustantivo o un adjetivo que se refiere al sujeto. Van generalmente con verbos copulativos.

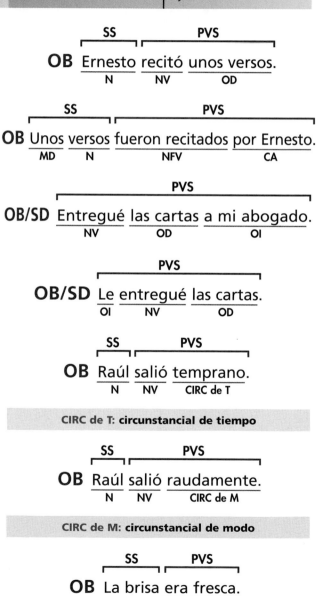

Matemática

La matemática
es la ciencia que
estudia los objetos
matemáticos y
las relaciones
que se establecen
entre ellos.

NÚMEROS NATURALES

Los números naturales son los primeros que aprendemos en la escuela. Para formarlos, utilizamos diez signos que se combinan y nos dan infinitas posibilidades.

¿Qué son?

Los números naturales son los números que usamos para contar. Podemos leerlos y escribirlos porque tenemos un **sistema de numeración**, que es un conjunto de símbolos y reglas. Usando estos símbolos, podemos expresar cualquier número natural.

SÍMBOLOS:

0	1	2	3
4	5	6	7

8 9

N.º 2.363	Valor absoluto	Valor relativo
3	3	3 unidades
3	3	3 centenas

El sistema que utilizamos es **posicional**. ¿Por qué? Porque cada cifra tiene un valor propio o absoluto, y un valor relativo, según la posición que ocupe.
Por ejemplo, en 2.363, el 3 representa valores distintos en uno y otro lugar del número.

Nuesto sistema de numeración es **decimal**. Es decir, con 10 unidades de un orden formamos una unidad de orden superior. Por ejemplo, con 10 unidades formamos una decena; con 10 decenas, una centena, etc. Por eso se dice que:

LA BASE DEL SISTEMA DE NUMERACIÓN DECIMAL ES 10.

10 unidades	1 x 10	1 decena
10 decenas	10 x 10	1 centena
10 centenas	10 x 10 x 10	1 unidad de mil
10 unidades de mil	10 x 10 x 10 x 10	1 decena de mil
10 decenas de mil	10 x 10 x 10 x 10 x 10	1 centena de mil

Veamos la ubicación de las cifras en los números **73.425.289** y **661.047**.

Unidades de millón			Unidades de mil			Unidades		
CENT.	DEC.	UNID.	CENT.	DEC.	UNID.	CENT.	DEC.	UNID.
-	7	3	4	2	5	2	8	9
-	-	-	6	6	1	0	4	7

Si queremos descomponer estos números, podemos hacerlo así:

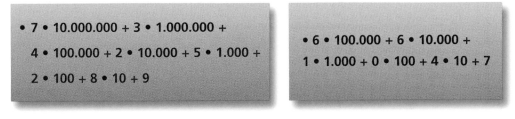

- $7 \cdot 10.000.000 + 3 \cdot 1.000.000 +$

  $4 \cdot 100.000 + 2 \cdot 10.000 + 5 \cdot 1.000 +$

  $2 \cdot 100 + 8 \cdot 10 + 9$

- $6 \cdot 100.000 + 6 \cdot 10.000 +$

  $1 \cdot 1.000 + 0 \cdot 100 + 4 \cdot 10 + 7$

El conjunto de números naturales se puede representar en la recta numérica:

```
    1   2   3   4   5   6   7   8   9
├───┼───┼───┼───┼───┼───┼───┼───┼───┼───┼──→
0
```

Características del conjunto de los números naturales

- El 0 es el primer elemento.
- Si a un número se le suma 1, se obtiene el siguiente.
- En la recta numérica, el intervalo entre dos números naturales no está ocupado por ningún otro número natural.

El sistema binario

¿Qué pasa si, en vez de agrupar de a 10, agrupamos de a 2?

Por ejemplo:

Con 2 unidades formamos una unidad de orden superior:

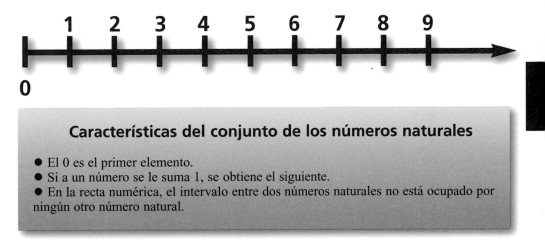

Entonces: $7_{10} \longrightarrow 111_2$

Otra forma de transformar un número decimal (base 10) es en un número de base 2:

También podemos expresar un número decimal en base 3, 4, 5, etc.

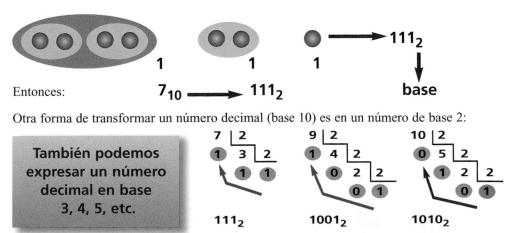

Con los números naturales podemos realizar **las cuatro operaciones básicas**: adición o suma, sustracción o resta, multiplicación y división.

OPERACIÓN	NOTACIÓN	ELEMENTOS
Suma o adición	$a + b$	10 ⟶ sumando + 6 ⟶ sumando 16 ⟶ suma
Resta o sustracción	$a - b$	10 ⟶ minuendo - 6 ⟶ sustraendo 4 ⟶ diferencia
Multiplicación	$a \times b \quad a \cdot b$ $ab*$ * Sólo cuando los factores son letras o un número y una letra.	10 ⟶ multiplicando x 6 ⟶ multiplicador 60 ⟶ producto El multiplicando y el multiplicador son los factores.
División	$a \div b$ $\dfrac{a}{b}$ $a : b$	La disposición de los elementos puede variar según el país: 60 | 6 ⟶ dividendo / divisor 00 10 ⟶ cociente / resto 10 ⟶ divisor / cociente 6 | 60 ⟶ dividendo 00 ⟶ resto

---
Propiedades de la suma

ASOCIATIVA	14 + 16 + 15 = (14 + 16) + 15 = 30 + 15 = 45	CONMUTATIVA	14 + 15 + 16 = 45 14 + 16 + 15 = 45 15 + 16 + 14 = 45

Propiedad distributiva de la multiplicación

Situación 1

Dos cajas contienen 5 bolsas de azúcar cada una. Luego, se agregan 3 bolsas más en cada caja. ¿Cuántas bolsas hay ahora?

Podemos resolverlo de varias maneras.

• Sumando lo que hay en cada caja:

$$5 + 3 + 5 + 3 = \boxed{16}$$

• Sumando lo que hay en cada caja y multiplicando por 2:

$$(5 + 3) \times 2 = \boxed{16} \quad \text{o bien} \quad 2 \times (5 + 3) = \boxed{16}$$

• Multiplicando lo que había por el número de cajas y sumándolo por lo que se agregó multiplicado por el número de cajas:

$$2 \times 5 + 2 \times 3 = \boxed{16} \quad \text{o bien} \quad 5 \times 2 + 3 \times 2 = \boxed{16}$$

Situación 2

De cada barril se sacan 7 litros. ¿Cuántos litros quedan en total en los 4 barriles?

Dos posibles soluciones:

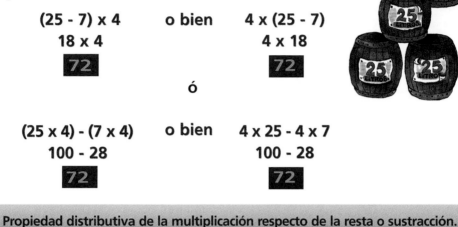

(25 - 7) x 4   **o bien**   **4 x (25 - 7)**
18 x 4   **4 x 18**
72   **72**

ó

(25 x 4) - (7 x 4)   **o bien**   **4 x 25 - 4 x 7**
100 - 28   **100 - 28**
72   **72**

> **Propiedad distributiva de la multiplicación respecto de la resta o sustracción.**

Propiedad distributiva de la división

También podemos aplicar la propiedad distributiva de la división en sumas y restas, sólo a derecha:

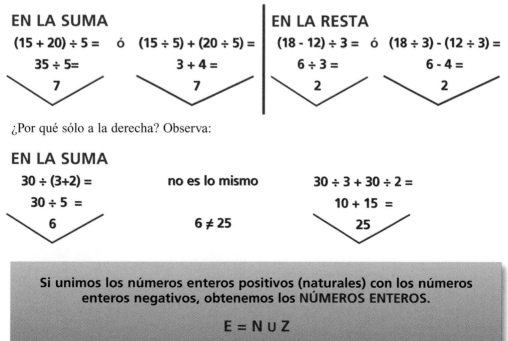

EN LA SUMA

$(15 + 20) \div 5 =$ ó $(15 \div 5) + (20 \div 5) =$
$35 \div 5=$ $3 + 4 =$
7   7

EN LA RESTA

$(18 - 12) \div 3 =$ ó $(18 \div 3) - (12 \div 3) =$
$6 \div 3 =$ $6 - 4 =$
2   2

¿Por qué sólo a la derecha? Observa:

EN LA SUMA

$30 \div (3+2) =$ **no es lo mismo** $30 \div 3 + 30 \div 2 =$
$30 \div 5 =$ $10 + 15 =$
6                         $6 \neq 25$ 25

> **Si unimos los números enteros positivos (naturales) con los números enteros negativos, obtenemos los NÚMEROS ENTEROS.**
>
> $$E = N \cup Z$$

Son los opuestos a los números naturales. También podemos representarlos en la recta numérica. Elegimos un punto al cual le hacemos corresponder el 0.

Ubicamos los números enteros positivos (naturales) a la derecha del 0 y los números enteros negativos a su izquierda.

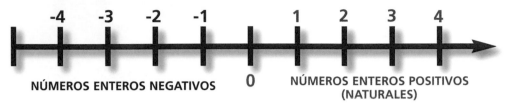

NÚMEROS ENTEROS NEGATIVOS   0   NÚMEROS ENTEROS POSITIVOS
(NATURALES)

Características de los números enteros negativos

- El 0 es el primer elemento.
- Si a un número se le suma 1, se obtiene el siguiente.
- En la recta numérica, el intervalo entre dos números negativos no está ocupado por ningún otro número negativo.
- Llevan un signo menos (-) delante de los números.
- Cuanto mayor es el valor numérico, menor es el número.

Situación 1

Marcela tiene un paquete de caramelos. Se come 3. Luego, les regala 5 a sus amigos ¿Cuántos caramelos menos tiene ahora? **-3 + (-5) = -8**

Cuando a un número negativo se le suma otro número negativo, se suman los valores absolutos y el resultado lleva signo – .	Podemos suprimir el signo + : **-3 - 5 = -8**
Cuando el signo + está delante del paréntesis, al suprimirlo, no cambian los signos de los números que están entre paréntesis:	**16 + (-3 - 5) = 16 - 3 - 5 = 8**

Situación 2

Liliana pierde 8 figuritas. Luego, recupera 2. ¿Cuántas pierde en total? **-8 + (+2) = -6**

Cuando se suman dos números de distinto signo, se restan los valores absolutos y al resultado se le coloca el signo del que tiene mayor valor absoluto:	**-34 + (+14) = -34 + 14 = -20**
Cuando el signo - precede un paréntesis, al suprimirlo, cambian los signos de los números que están entre ellos:	**10 - (-2) = 10 + 2 = 12 -10 - (+2) = -10 - 2 = -12**
No es necesario colocar el signo + al principio de un cálculo o al principio del paréntesis:	**-10 - (2) = -12**

Muchas veces tenemos que multiplicar un número por sí mismo dos, tres o más veces. Por ejemplo 3 x 3. Esta multiplicación se puede expresar de otro modo:

3^2 → exponente
— base

¿Y cuando multiplicamos tres veces o más?

8^3= 8 x 8 x 8 = 512
5^4= 5 x 5 x 5 x 5 = 625
10^6= 10 x 10 x 10 x 10 x 10 x 10 = 1.000.000

El 2 significa 2 veces el factor 3.

Esta operación se denomina potenciación.

Al exponente 2 de un número se lo llama cuadrado.	$5^2 = 25$	25 es el cuadrado de 5.
Al exponente 3 de un número se lo llama cubo.	$4^3 = 64$	64 es el cubo de 4.

Si multiplicamos factores con bases iguales y distintos exponentes:

Sumamos los exponentes.

$2^2 \times 2^3 = 2^5$ $9 \times 9^2 = 9^3$
$7^3 \times 7^4 = 7^7$ $3 \times 3^2 \times 3^3 = 3^6$
$6^2 \times 6^2 = 6^4$ $5 \times 5^7 \times 5^2 = 5^{10}$

Si dividimos factores con bases iguales y distintos exponentes:

Restamos los exponentes.

$8^9 \div 8^7 = 8^{(9-7)} = 8^2$
$5^3 \div 5 = 5^{(3-1)} = 5^2$

La potencia 0 de cualquier número da como resultado 1.
El exponente 1 no se escribe. Indica que la base se considera una sola vez: $9 = 9^1$ $3 = 3^1$
Toda potencia de exponente cero y base distinta de cero es igual a 1: $8^0 = 1$ $27^0 = 1$

Aplicando la potenciación, podemos descomponer polinómicamente un número natural. ¿Cómo?

6.325
= 6.000 + 300 + 20 + 5
= 6 x 1.000 + 3 x 100 + 2 x 10 + 5
= $6 \times 10^3 + 3 \times 10^2 + 2 \times 10^1 + 5$

─── **Con la ayuda de la calculadora** ───

a) Multiplicamos 3 veces 12:

Tecla	1	2	x	1	2	x	1	2	=
Pantalla	1	12	12	1	12	144	1	12	1728

b) Otra forma:

Tecla	1	2	x	=	=
Pantalla	1	12	12	144	1728

En este caso, si pulsamos una vez = obtenemos el cuadrado; 2 veces =, el cubo, y así sucesivamente.

Situación 1

El exponente es el mismo y afecta al dividendo y al divisor:

$8^2 \div 4^2 = (8 \div 4)^2 = 2^2$
$25^3 \div 5^3 = (25 \div 5)^3 = 5^3$
$18^4 \div 3^4 = (18 \div 3)^4 = 6^4$

Efectuamos primero la división y luego aplicamos la potenciación sólo una vez.

Situación 2

El exponente es el mismo y afecta al multiplicando y al multiplicador:

$3^3 \times 5^3 = (3 \times 5)^3 = 15^3$
$2^4 \times 6^4 = (2 \times 6)^4 = 12^4$
$4^5 \times 7^5 = (4 \times 7)^5 = 28^5$

Realizamos la multiplicación y luego aplicamos la potenciación sólo una vez.

En las dos últimas situaciones hemos aplicado el proceso inverso a la propiedad distributiva. Decimos que:

La potenciación es distributiva con respecto a la DIVISIÓN.
$(8 \div 4)^2 = 8^2 \div 4^2$

La potenciación es distributiva con respecto a la MULTIPLICACIÓN.
$(3 \times 5)^3 = 3^3 \times 5^3$

La potenciación no es distributiva con respecto a la SUMA.
La potenciación no es distributiva con respecto a la RESTA.

$(8 + 4)^2 \neq 8^2 + 4^2$ $(5 - 3)^3 \neq 5^3 - 3^3$

En la Antigüedad, los egipcios utilizaron cálculos matemáticos para la construcción de sus colosales obras arquitectónicas: sus famosas pirámides o sus importantes templos, como el de Abu Simbel.

Radicación

La operación inversa a la potenciación es la **RADICACIÓN**.

$3^2 = 9$, por lo tanto $\sqrt{9} = 3$
$4^2 = 16$, por lo tanto $\sqrt{16} = 4$

3 es el índice ⟶ $\sqrt[3]{}$

$\sqrt[3]{27} = 3$ porque $3^3 = 27$

$\sqrt[3]{1.000} = 10$ porque $10^3 = 1.000$

$\sqrt[3]{512} = 8$ porque $8^3 = 512$

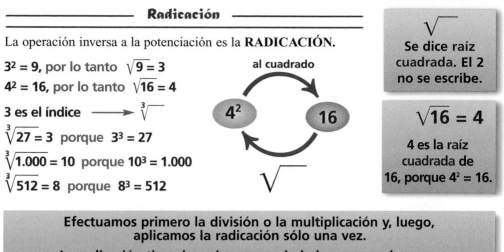

al cuadrado

4^2 16

$\sqrt{}$

Se dice raíz cuadrada. El 2 no se escribe.

$\sqrt{16} = 4$

4 es la raíz cuadrada de 16, porque $4^2 = 16$.

> **Efectuamos primero la división o la multiplicación y, luego, aplicamos la radicación sólo una vez.**
>
> **La radicación tiene las mismas propiedades que se observan en la potenciación.**

¿Qué ocurre cuando operamos con raíces?

$\sqrt{16} \div \sqrt{4} = \sqrt{16 \div 4} = \sqrt{4} =$ 　　　　$\sqrt{81} \times \sqrt{16} = \sqrt{81 \times 16} = \sqrt{1.296} = 36$

Con la ayuda de la calculadora

En las calculadoras encontramos una tecla de "raíz cuadrada": $\sqrt{}$
Acá te explicamos cómo utilizarla.
Por ejemplo, para sacar $\sqrt{3.721}$ procedemos así:

Tecla	3	7	2	1	$\sqrt{}$
Pantalla	3	37	372	3721	61

Cuando la raíz cuadrada no es exacta, podemos obtener un resultado aproximado.

Por ejemplo $\sqrt{26}$:

Tecla	2	6	$\sqrt{}$
Pantalla	2	26	5.0990195

El "punto" que tiene la calculadora se usa en lugar de la "coma" decimal. Debemos pulsarlo cuando escribimos un número con decimales.

Situación 1

El índice es el mismo y afecta al dividendo y al divisor:

$$\sqrt{16} \div \sqrt{4} = \sqrt{16 \div 4} = \sqrt{4}$$

$$\sqrt[3]{1.000} \div \sqrt[3]{125} = \sqrt[3]{1.000 \div 125} = \sqrt[3]{8}$$

$$\sqrt[4]{256} \div \sqrt[4]{16} = \sqrt[4]{256 \div 16} = \sqrt[4]{16}$$

> **Efectuamos primero la división y luego aplicamos la radicación sólo una vez.**

Situación 2

El índice es el mismo y afecta al multiplicando y al multiplicador:

$$\sqrt{81} \times \sqrt{16} = \sqrt{81 \times 16} = \sqrt{1.296} = 36$$

$$9 \times 4 = 36$$

$$\sqrt[3]{125} \times \sqrt[3]{343} = \sqrt[3]{125 \times 343} = \sqrt[3]{42.875} = 35$$

$$5 \times 7 = 35$$

> **Realizamos la multiplicación y aplicamos la radicación sólo una vez.**

En las dos últimas situaciones hemos aplicado el proceso inverso a la propiedad distributiva. Decimos que:

> **La radicación es distributiva con respecto a la DIVISIÓN.**

$$\sqrt{16 \div 4} = \sqrt{16} \div \sqrt{4}$$

$$\sqrt{81 \times 16} = \sqrt{81} \times \sqrt{16}$$

> **La radicación es distributiva con respecto a la MULTIPLICACIÓN.**

$$\sqrt{100 + 25} \neq \sqrt{100} + \sqrt{25}$$

La radicación no es distributiva con respecto a la SUMA.

$$\sqrt{81 - 9} \neq \sqrt{81} - \sqrt{9}$$

La radicación no es distributiva con respecto a la RESTA.

Cálculos combinados

El índice es el mismo y afecta al multiplicando y al multiplicador:

Los signos + y - separan términos:

$$\underbrace{9 \cdot 2}_{\text{1.° término}} - \underbrace{8 \div 4}_{\text{2.° término}} + \underbrace{3 \times 5}_{\text{3.° término}} =$$

$$18 \quad - \quad 2 \quad + \quad 15 \quad = \quad 31$$

Cuando hay paréntesis y corchetes, hay que resolver primero las operaciones indicadas dentro de ellos.

$$\underbrace{20 \div 4}_{\text{1.° término}} - \underbrace{(25 - 1)}_{\text{2.° término}} + \underbrace{2^3 \div 4}_{\text{3.° término}} =$$

$$5 \quad - \quad 4 \quad + \quad 2 \quad = \quad 3$$

Clasificación de los números naturales

Los números naturales presentan ciertas características y se clasifican en:

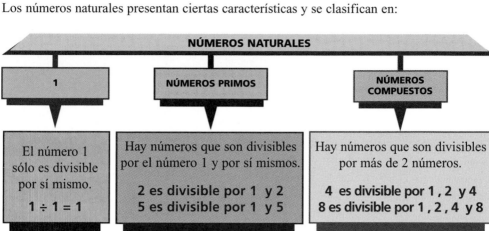

NÚMEROS NATURALES

1

El número 1 sólo es divisible por sí mismo.

$1 \div 1 = 1$

NÚMEROS PRIMOS

Hay números que son divisibles por el número 1 y por sí mismos.

2 es divisible por 1 y 2
5 es divisible por 1 y 5

NÚMEROS COMPUESTOS

Hay números que son divisibles por más de 2 números.

4 es divisible por 1 , 2 y 4
8 es divisible por 1 , 2 , 4 y 8

Múltiplos y divisores de un número natural

¿Qué es el múltiplo de un número natural?
Si multiplico un número natural por otro, el número que obtengo es **múltiplo** de los dos que multipliqué.

Por ejemplo:

$5 \times 4 = 20$ ⟶ **20 es múltiplo de 4 y de 5.**

Para hallar los **divisores** de un número, buscamos todas las multiplicaciones posibles de dos factores que den como resultado ese número:

$1 \cdot 15$ ———— 15 ————— $3 \cdot 5$

Los números 1, 15, 3 y 5 son divisores de 15. Si dividimos a 15 por cualquiera de sus divisores, la división es exacta.

> **El punto (.) sobre un número quiere decir "múltiplo de".**
>
> 20 es $\overset{\cdot}{4}$ y $\overset{\cdot}{5}$

> **Cada factor es un divisor.**
>
> Entonces, 15 es **divisible** por 1, 15, 3 y 5.

Todo número es divisible por...

... 2, cuando su última cifra es $\overset{\cdot}{2}$.

Ej.: 2.716

... 3, cuando la suma de todas sus cifras es un número múltiplo de 3.

Ej.: 156 ➔ $1 + 5 + 6 = 12$ ➔ $\overset{\cdot}{3}$

... 4, cuando sus dos últimas cifras son $\overset{\cdot}{4}$.

Ej.: 1$\widehat{24}$

... 5, cuando su última cifra es 0 ó 5.

Ej.: 21$\widehat{0}$

... 6, cuando es divisible por 2 y por 3.

Ej.: 156

... 9, cuando la suma de todas sus cifras es 9.

Ej.: 198 ➔ $1 + 9 + 8 = 18$ ➔ $\overset{\cdot}{9}$

... 11, cuando la suma de las cifras que ocupan el lugar impar, menos la suma de las cifras que ocupan el lugar par, es múltiplo de 11 ó 0.

Ej.: 385 ➔ $(3 + 5) - 8 = 8 - 8 = 0$

¿Cómo podemos descomponer un número natural?

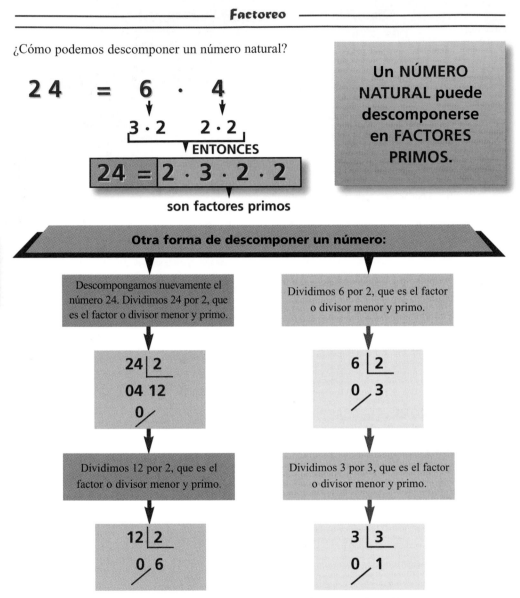

$$24 = 6 \cdot 4$$

$$3 \cdot 2 \qquad 2 \cdot 2$$

ENTONCES

$$24 = 2 \cdot 3 \cdot 2 \cdot 2$$

son factores primos

Un NÚMERO NATURAL puede descomponerse en FACTORES PRIMOS.

Otra forma de descomponer un número:

Descompongamos nuevamente el número 24. Dividimos 24 por 2, que es el factor o divisor menor y primo.

```
24 | 2
04  12
 0
```

Dividimos 12 por 2, que es el factor o divisor menor y primo.

```
12 | 2
 0   6
```

Dividimos 6 por 2, que es el factor o divisor menor y primo.

```
6 | 2
0   3
```

Dividimos 3 por 3, que es el factor o divisor menor y primo.

```
3 | 3
0   1
```

¿Cómo hacemos para descomponer un número en sus factores primos?

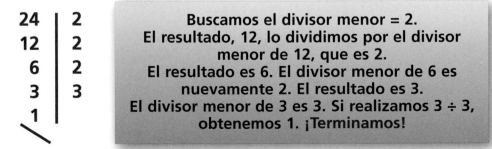

```
24 | 2
12 | 2
 6 | 2
 3 | 3
 1 |
```

Buscamos el divisor menor = 2. El resultado, 12, lo dividimos por el divisor menor de 12, que es 2. El resultado es 6. El divisor menor de 6 es nuevamente 2. El resultado es 3. El divisor menor de 3 es 3. Si realizamos 3 ÷ 3, obtenemos 1. ¡Terminamos!

Dos trenes parten del mismo lugar, uno cada 3 días y el otro cada 6 días. ¿Cuándo volverán a salir juntos?

SALE A LOS...							
TREN 1 (cada 3 días)	3	6	9	12	15	18	21	24
TREN 2 (cada 6 días)	6	12	18	24	30	36	42	48

Los dos trenes vuelven a salir juntos a los **6 días**.
Si observamos bien, en cada caso buscamos los múltiplos de 3 y 6. Y, de ellos, el múltiplo común menor:

$$\overset{\cdot}{3} \longrightarrow 3, \boxed{6}, 9, 12, 15, \boxed{18}, 21, 24$$

$$\overset{\cdot}{6} \longrightarrow \boxed{6}, 12, \boxed{18}, 24, 30, 36, 42, 48$$

Se llama múltiplo común menor (m.c.m.) de dos o más números al menor de los múltiplos comunes distinto de cero, de todos los números dados.

Hay una manera de hallar el m.c.m. de varios números: descomponiéndolos en sus factores primos.

$$
\begin{array}{r|l}
6 & 2 \\
3 & 3 \\
1 &
\end{array}
\qquad
\begin{array}{r|l}
4 & 2 \\
2 & 2 \\
1 &
\end{array}
\qquad
\begin{aligned}
6 &= 2 \cdot 3 \\
4 &= 2^2
\end{aligned}
$$

m.c.m. $= 3 \cdot 2^2 = 12$

Entonces, el m.c.m. es el producto de los factores primos comunes y no comunes con su mayor exponente.

Nicolás y Mariana quieren cortar dos cintas en *trozos iguales y de la mayor longitud posible* (común a ambos), y *sin que sobre nada*. La cinta de Nicolás mide 24 cm, y la de Mariana, 32 cm. ¿Cuál será la longitud de cada trozo? ¿Cuántos trozos obtendrán?

Para no equivocarse, hacen este cuadro.

CINTA DE 24 cm							
Medida en cm	1	2	3	4	6	8	12
N.° de trozos	24	12	8	6	4	3	2

CINTA DE 32 cm					
Medida en cm	1	2	4	8	16
N.° de trozos	32	16	8	4	2

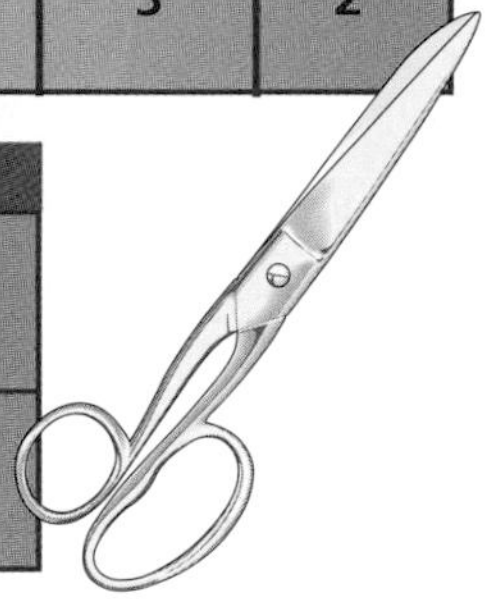

Las cintas pueden cortarse en trozos de 8 cm, que es la mayor longitud posible (común a ambos). De la cinta de 24 cm se obtendrán 3 trozos, y de la cinta de 32 cm se obtendrán 4 trozos.

Si observamos los cuadros, veremos que:

1, 2, 3, 4, 6, 8, 12 y 24 son factores y divisores de 24.
1, 2, 4, 8, 16 y 32 son factores y divisores de 32.

Los factores y divisores comunes de ambos números son:

1, 2, 4 y 8

El divisor común mayor (d.c.m.) es 8.

Se llama **divisor común mayor** (d.c.m.) de dos o más números al mayor de los divisores comunes a ellos.

¿Cómo hacemos para hallar el d.c.m.?

> **Descomponemos los números en sus factores primos.**

$$10 = 2 \cdot 5 \qquad 15 = 3 \cdot 5$$

$$\text{d.c.m.} = 5$$

$$\begin{array}{c|c} 10 & 2 \\ 5 & 5 \\ 1 & \end{array} \qquad \begin{array}{c|c} 15 & 3 \\ 5 & 5 \\ 1 & \end{array}$$

> **El d.c.m. es el producto de los factores primos comunes con su menor exponente.**

Suma algebraica

Juan José ha registrado todo el dinero que entró por las ventas y todo el que salió por las compras en un cuaderno que tiene en su kiosco.

La combinación de sumas y restas recibe el nombre de suma algebraica.

Entraron	Salieron
$ 5	
$ 7	
	$ 2
$ 1	
	$ 3
	$ 6
$ 19	

El cálculo matemático que resulta es:

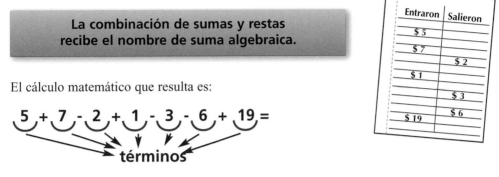

$$5 + 7 - 2 + 1 - 3 - 6 + 19 =$$

términos

Para facilitar el cálculo, se suman por un lado los términos que figuran sumando y por otro los términos que figuran restando. Luego se efectúa la resta entre los resultados obtenidos.

Resolvamos ahora nuestra suma algebraica:

$$5 + 7 - 2 + 1 - 3 - 6 + 19 =$$
$$(5 + 7 + 1 + 19) - (2 + 3 + 6) =$$
$$32 \quad - \quad 11 \quad = 21$$

Al número que no es precedido por ningún signo (como el 5) lo consideramos como si figurara sumando.

Con el paréntesis agrupamos todos los números que figuran sumando y todos los números que figuran restando, para facilitar el cálculo.

Analicemos la situación con este ejemplo:

a) Mamá salió de compras con $ 21 en su billetera. Gastó primero $ 4 y luego $ 6. ¿Con cuánto dinero volvió a casa?

Podemos pensarlo de dos maneras:

1) Tenía $ 21, gastó primero $ 4 ⟶ $ 21 - $ 4 = $ 17
    Le quedaron $ 17 pero gastó $ 6 ⟶ $ 17 - $ 6 = $ 11

    Volvió a casa con $ 11

    Lo que hicimos fue: **21 - 4 - 6 = 11**

2) Podemos primero sumar todo lo que gastó: ⟶ $ 4 + $ 6 = $ 10
    Todo ese gasto se resta del dinero que mamá tenía al salir: ⟶ $ 21 - $ 10 = $ 11

    Lo que hicimos fue: **21 - (4 + 6) = 21 - 10 = 11**

21 - (4 + 6) = {

> Resolviendo el paréntesis: **21 - 10 = 11**
>
> Si quitásemos directamente el paréntesis: **21 - 4 - 6 = 11**

b) En cambio, si existe un signo "más" delante del paréntesis, los signos de los términos incluidos en él **no deben cambiarse**. Veámoslo con este ejemplo:

Mamá salió de compras con **\$ 21** en la cartera y **\$ 6** en un bolsillo. Gastó solamente **\$ 4** que pagó con el dinero de su bolsillo. **¿Cuánto dinero le quedó?**

1) Dinero del bolsillo \$ 6, gastó \$ 4 ⟶ **\$ 6 - \$ 4 = \$ 2**

\$ 21 que tenía en la cartera más \$ 2

que sobraron de su compra: ⟶ **\$ 21 + \$ 2 = \$ 23**

El cálculo realizado fue: **21 + (6 - 4) = 21 + 2 = 23**

2) Tenía en la cartera \$ 21 más \$ 6 del bolsillo: ⟶ **\$ 21 + \$ 6 = \$ 27**

Luego gastó \$ 4 ⟶ **\$ 27 - \$ 4 = \$ 23**

El cálculo realizado fue: **21 + 6 - 4 = 23**

──────── **Resumiendo** ────────

21 + (6 - 4) = {

> Resolviendo el paréntesis: **21 + 2 = 23**
>
> Si quitásemos directamente el paréntesis: **21 + 6 - 4 = 23**

Veamos otros ejemplos de **suma algebraica**:

9 - 5 + 1 + 16 - 8 =	60 + 15 - 25 - 30 + 10 =
(9 + 1 + 16) - (5 + 8) =	(60 + 15 + 10) - (25 + 30) =
26 - (5 + 8) =	85 - (25 + 30) =
26 - 13 = 13	85 - 55 = 30

> **Cuando en una suma algebraica un mismo número aparece sumando
> y restando, se puede cancelar antes de efectuar la operación:**

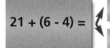

1 + ~~20~~ + 15 - ~~20~~ + 3 - 8 - 2 =   27 - ~~5~~ - 2 + ~~5~~ - 10 - 15 + 1 =

(1 + 15 + 3) -   (8 + 2)   =   (27 + 1) - (2 + 10 + 15) =

19   - (8 + 2) =   28   -   27   = 1

19   -   10   = 9

Ecuaciones

A un número que no conocemos le sumamos 8 y da como resultado 15. ¿Cuál es el número?

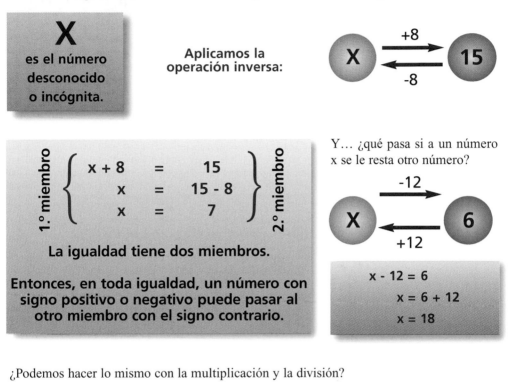

X es el número desconocido o incógnita.

Aplicamos la operación inversa:

$X \xrightarrow{+8} 15$
$\xleftarrow{-8}$

$$
\left.\begin{array}{rcl}
x + 8 & = & 15 \\
x & = & 15 - 8 \\
x & = & 7
\end{array}\right\}
$$

1.° miembro — 2.° miembro

La igualdad tiene dos miembros.

Entonces, en toda igualdad, un número con signo positivo o negativo puede pasar al otro miembro con el signo contrario.

Y… ¿qué pasa si a un número x se le resta otro número?

$X \xleftarrow{-12} 6$
$\xleftarrow{+12}$

$$x - 12 = 6$$
$$x = 6 + 12$$
$$x = 18$$

¿Podemos hacer lo mismo con la multiplicación y la división?

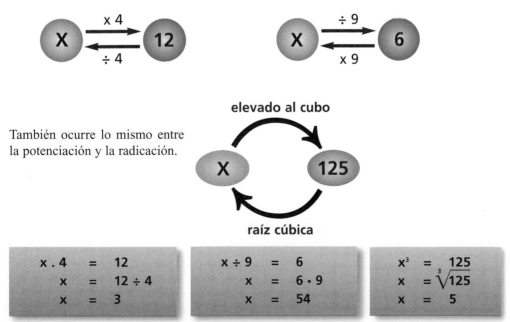

$X \xrightarrow{\times 4} 12 \xleftarrow{\div 4}$

$X \xrightarrow{\div 9} 6 \xleftarrow{\times 9}$

elevado al cubo

$X \qquad 125$

raíz cúbica

También ocurre lo mismo entre la potenciación y la radicación.

$$
\begin{array}{rcl}
x \cdot 4 & = & 12 \\
x & = & 12 \div 4 \\
x & = & 3
\end{array}
$$

$$
\begin{array}{rcl}
x \div 9 & = & 6 \\
x & = & 6 \cdot 9 \\
x & = & 54
\end{array}
$$

$$
\begin{array}{rcl}
x^3 & = & 125 \\
x & = & \sqrt[3]{125} \\
x & = & 5
\end{array}
$$

Veamos estas otras situaciones:

$x + (- 15) = - 6$

$x - 15 = - 6$

$x = - 6 + 15$

$x = 9$

$x - (- 10) = 2x - 10$

$x + 10 = 2x - 10$

$x + 10 + 10 = 2x$

$10 + 10 = 2x - x$

$20 = x$

Una igualdad que contiene una incógnita se llama ecuación.

Para resolver una ecuación, pueden usarse todas las propiedades que hemos visto anteriormente.

Paso a paso, iremos despejando los términos que acompañan la incógnita y resolviendo:

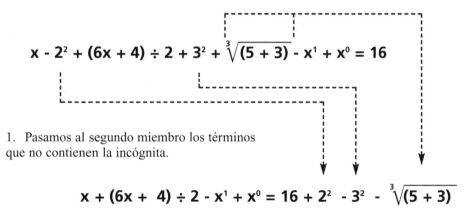

$$x - 2^2 + (6x + 4) \div 2 + 3^2 + \sqrt[3]{(5 + 3)} - x^1 + x^0 = 16$$

1. Pasamos al segundo miembro los términos que no contienen la incógnita.

$$x + (6x + 4) \div 2 - x^1 + x^0 = 16 + 2^2 - 3^2 - \sqrt[3]{(5 + 3)}$$

2. Realizamos todas las operaciones posibles y repetimos el paso anterior:

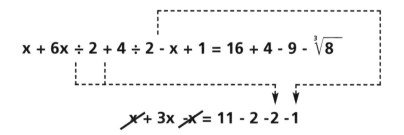

$$x + 6x \div 2 + 4 \div 2 - x + 1 = 16 + 4 - 9 - \sqrt[3]{8}$$

$$\cancel{x} + 3x \cancel{-x} = 11 - 2 - 2 - 1$$

3. Asociamos todos los términos que contienen la incógnita y finalmente la despejamos.

$$3x = 6$$

$$x = 6 \div 3$$

$$x = 2$$

NÚMEROS FRACCIONARIOS

Recordemos cómo se presentan los números naturales en la recta numérica:

Entre un número natural y otro, hay una clase distinta: los que representan una parte de la unidad. Éstos son los números fraccionarios.

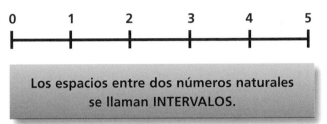

Los espacios entre dos números naturales se llaman INTERVALOS.

Entre un número y otro número natural, quedan espacios que podemos subdividir. Por ejemplo, en 2.

Toda fracción representa una división.

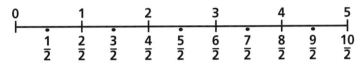

Obtenemos fracciones de denominador 2: un medio, dos medios, tres medios, etc.

Algunas fracciones coinciden con los números enteros en un mismo punto.

Son las **fracciones equivalentes** a esos números:

$$\frac{2}{2}=1 \qquad \frac{4}{2}=2 \qquad \frac{6}{2}=3 \qquad \frac{8}{2}=4 \qquad \frac{10}{2}=5$$

Ahora dividamos los intervalos de una recta numérica en 3 y luego cada uno de los tercios en 2.

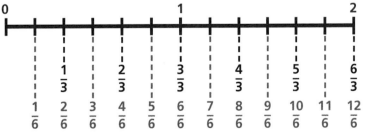

Cuando divido por 3 cada intervalo, obtengo "tercios", y cuando divido cada tercio en 2, obtengo "sextos".

¿Cuáles son las fracciones equivalentes? Las que coinciden en un mismo punto de la recta numérica.

$$\frac{1}{3}=\frac{2}{6} \qquad \frac{2}{3}=\frac{4}{6} \qquad \frac{3}{3}=\frac{6}{6} \qquad \frac{4}{3}=\frac{8}{6} \qquad \frac{5}{3}=\frac{10}{6} \qquad \frac{6}{3}=\frac{12}{6}$$

La manera de obtener una **FRACCIÓN EQUIVALENTE** es multiplicar el numerador y el denominador por el mismo número.

$$\frac{3}{5}\times\frac{4}{4}=\frac{12}{20} \qquad \frac{3}{5}=\frac{12}{20}$$

Observemos de nuevo la recta numérica. Hay fracciones mayores que **1**: $\dfrac{7}{6}$; $\dfrac{4}{3}$; $\dfrac{8}{6}$, etc.

Las fracciones mayores que 1 son fracciones impropias.

También podemos expresar fracciones mayores que la unidad con el **número mixto**:

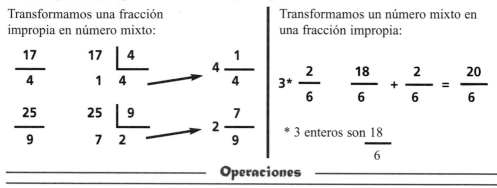

Transformamos una fracción impropia en número mixto:

$$\dfrac{17}{4} \qquad \begin{array}{c|c} 17 & 4 \\ 1 & 4 \end{array} \longrightarrow 4\dfrac{1}{4}$$

$$\dfrac{25}{9} \qquad \begin{array}{c|c} 25 & 9 \\ 7 & 2 \end{array} \longrightarrow 2\dfrac{7}{9}$$

Transformamos un número mixto en una fracción impropia:

$$3* \dfrac{2}{6} \qquad \dfrac{18}{6} + \dfrac{2}{6} = \dfrac{20}{6}$$

* 3 enteros son $\dfrac{18}{6}$

──────────── **Operaciones** ────────────

Las fracciones también se transforman y cambian cuando realizamos operaciones.
¿Cómo hacemos para sumar y restar fracciones de denominador distinto? Por ejemplo:

$$\dfrac{2}{3} \; y \; \dfrac{3}{5}$$

Sólo se pueden sumar fracciones de igual denominador. Entonces, tengo que transformarlas en fracciones que tengan el **mismo denominador** y que, además, sean **equivalentes**. Veamos:

$$\dfrac{2}{3} \; y \; \dfrac{3}{5}$$

$$\dfrac{?}{15} \; y \; \dfrac{?}{15}$$

El primer paso es sacar el m.c.m. de 3 y de 5.

$$\begin{array}{c|c} 3 & 3 \\ 1 & \end{array}$$

$$\begin{array}{c|c} 5 & 5 \\ 1 & \end{array}$$

m.c.m. = 3 · 5 = 15
denominador común

$$\dfrac{10}{15}$$

Ahora divido el m.c.m. por el denominador de la primera fracción:
15 ÷ 3 = 5
y el resultado lo multiplico por el numerador
5 x 2 = 10

Para restar hacemos lo mismo.

$$\dfrac{5}{8} - \dfrac{2}{48} = \dfrac{30}{48} - \dfrac{2}{48} = \dfrac{28}{48}$$

Hago lo mismo con la otra fracción:

$$\dfrac{9}{15}$$

$$15 \div 5 = 3$$
$$3 \times 3 = 9$$

Ahora sumo:

$$\dfrac{10}{15} + \dfrac{9}{15} = \dfrac{19}{15}$$

$$\begin{array}{c|c} 8 & 2 \\ 4 & 2 \\ 2 & 2 \\ 1 & \end{array} \qquad \begin{array}{c|c} 48 & 2 \\ 24 & 2 \\ 12 & 2 \\ 6 & 2 \\ 3 & 3 \\ 1 & \end{array}$$

m.c.m. = $2^4 \cdot 3$

16 · 3 =

48

¿Y la multiplicación?

Simplemente, multiplicamos los numeradores y los denominadores entre sí.

$$\frac{2}{3} \cdot \frac{1}{4} \cdot \frac{3}{5} = \frac{6}{60}$$

Esta fracción la puedo simplificar:

$$\frac{\cancel{6}^{\,1}}{\cancel{60}_{\,10}} = \frac{1}{10}$$

¿Qué hacemos? Dividimos el numerador y el denominador por 6.

¿Cómo hacemos para dividir fracciones?

$$\frac{2}{5} : \frac{4}{7} \qquad \frac{2}{5} \cdot \frac{7}{4} = \frac{14}{20}$$

¡Facilísimo! Multiplicamos la primera fracción por la inversa de la segunda.

¡ATENCIÓN! Cuando queremos realizar operaciones con números enteros y números fraccionarios, debemos considerar el número entero como una fracción de denominador 1.

$$\text{Ejemplo: } 7 + \frac{1}{4} = \frac{7}{1} + \frac{1}{4} = \frac{28}{4} + \frac{1}{4} = \frac{29}{4}$$

Aplicamos la potencia o la raíz tanto al numerador como al denominador

¿Cómo se resuelve la potencia de una fracción?

$$\left(\frac{2}{3}\right)^2 \qquad \frac{2}{3} \cdot \frac{2}{3} = \frac{4}{9}$$

¿Y la raíz?

$$\sqrt[3]{\frac{8}{27}} = \frac{\sqrt[3]{8}}{\sqrt[3]{27}} = \frac{2}{3}$$

¿Cómo averiguamos la **fracción de un número natural**?
Fernanda tiene 25 años. Su prima, $\frac{1}{5}$ de esa edad. ¿Cuántos años son?

$$\frac{1}{5} \text{ de } 25 = \frac{1}{5} \cdot \frac{25}{5} = 25 = 5 \text{ años}$$

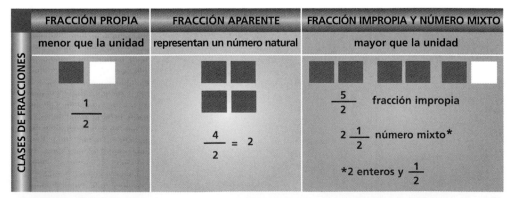

CLASES DE FRACCIONES	FRACCIÓN PROPIA	FRACCIÓN APARENTE	FRACCIÓN IMPROPIA Y NÚMERO MIXTO
	menor que la unidad	representan un número natural	mayor que la unidad
	$\dfrac{1}{2}$	$\dfrac{4}{2} = 2$	$\dfrac{5}{2}$ fracción impropia $2\,\dfrac{1}{2}$ número mixto* *2 enteros y $\dfrac{1}{2}$

Dentro de los números fraccionarios, están comprendidas las fracciones decimales. ¿Cuáles son?
Las fracciones que tienen denominador 1 seguido de uno o varios ceros.

> **Si dividimos el numerador por el denominador de una fracción decimal, obtenemos una expresión decimal exacta.**

$$\frac{2}{10} = 0,2 \qquad \frac{35}{100} = 0,35 \qquad \frac{83}{1.000} = 0,083$$

Tanto la fracción decimal como la expresión decimal se leen de la misma manera: dos décimos, treinta y cinco centésimos, ochenta y tres milésimos.
También podemos transformar una expresión decimal en fracción decimal:

$$0,286 = \frac{286}{1.000} \qquad 0,95 = \frac{95}{100} \qquad 3,2 = \frac{32}{10}$$

> **La fracción lleva tantos ceros como números hay después de la coma.**

Números decimales

Un número decimal está formado por una **parte entera** y una **parte decimal**, separadas por una coma.

> **La primera cifra después de la coma son los décimos; la segunda, los centésimos; la tercera, los milésimos; la cuarta, los diez milésimos.**

> **Esto se lee "veintidós enteros, tres décimos".**

$$22,3$$

parte entera ⌐ ¬ parte decimal

Ejemplos:

5,21   cinco enteros, veintiún centésimos.
0,382   cero entero, trescientos ochenta y dos milésimos.
1,4215   un entero, cuatro mil doscientos quince diez milésimos.

Para sumar o restar números decimales, hay que ubicarlos de manera que las **comas** queden encolumnadas. Realizamos la operación y al resultado le agregamos la **coma**, también alineada.

$$\begin{array}{r} 29,3 \\ + \quad 15,46 \\ \hline 44,76 \end{array} \qquad \begin{array}{r} 2,06 \\ - \quad 1,93 \\ \hline 0,13 \end{array}$$

Al minuendo le podemos agregar un cero, si es necesario.
Por ejemplo: 3,4 - 1,52

$$
\begin{array}{r}
3,40 \\
-\ 1,52 \\
\hline
1,88
\end{array}
$$

Multiplicación de decimales

Para **multiplicar** números decimales, se multiplican como si fueran números enteros y al resultado de la operación se le agrega la coma.

$$
\begin{array}{r}
7\,1 \\
\times\ 0,2\,5 \\
\hline
3\,5\,5 \\
1\,4\,2 \\
\hline
17,7\,5
\end{array}
$$

$$
\begin{array}{r}
0,3\,2 \\
\times\ 8,4 \\
\hline
1\,2\,8 \\
2\,5\,6 \\
\hline
2,6\,8\,8
\end{array}
$$

¿Cómo ubicamos la coma?

Contamos las cifras decimales de los factores. Colocamos la coma de modo que nos quede el mismo número de cifras decimales (empezamos por atrás).

División de decimales

Veamos estos tres casos:

$$
\begin{array}{r|l}
62,20 & 5 \\
12 & 12,44 \\
2\,2 & \\
\ \ 20 & \\
\ \ \ \ 0 &
\end{array}
$$

Un número decimal por un número entero.

Comenzamos dividiendo como si no estuviera la coma. Cuando llegamos a la coma y bajamos el primer decimal, colocamos la coma en el resultado y continuamos la división.

$$
\begin{array}{r|l}
36,42 & 2,10
\end{array}
$$

$$
\begin{array}{r|l}
36,42 & 2,10 \\
15\,42 & 17 \\
\ 0\,72 &
\end{array}
$$

Dos números decimales.

Agregamos tantos ceros después de la coma como para que ambos números tengan la misma cantidad de decimales. Luego, suprimimos las comas. Realizamos la división.

$$
\begin{array}{r|l}
26 & 4,3
\end{array}
$$

$$
\begin{array}{r|l}
260 & 4,3 \\
\ 02 & 6
\end{array}
$$

Un número entero por un decimal.

Se agregan al dividendo tantos ceros como decimales tenga el divisor. Se suprime la coma. Dividimos.

Si queremos seguir dividiendo, agregamos ceros en el dividendo. Cuando estamos operando con números enteros, al bajar el primer cero, colocamos una coma en el resultado:

$$
\begin{array}{r|l}
97,40 & 1,32 \\
05\,00 & 73,78 \\
1\,040 & \\
1160 & \\
\ 104 &
\end{array}
$$

Números racionales

Ahora que vimos fracciones equivalentes, podemos definir los números racionales.

Todas las fracciones equivalentes entre sí determinan un mismo número. ¿Qué es ese número? Es el número racional que corresponde a todas esas fracciones equivalentes.

Podemos elegir cualquiera de las fracciones equivalentes que forman un número racional para representarlo. Generalmente se utiliza la fracción irreducible:

$$\frac{1}{3} = \frac{2}{6} = \frac{3}{9} = \frac{4}{12} = \frac{5}{15} = \frac{10}{30} = \frac{20}{60} = \ldots\ldots\ldots$$

$$\frac{2}{7} = \frac{4}{14} = \frac{6}{21} = \frac{8}{28} = \frac{10}{35} = \frac{12}{42} = \frac{14}{49} = \ldots\ldots\ldots$$

$$\frac{3}{5} = -\frac{6}{10} = -\frac{9}{15} = -\frac{12}{20} = -\frac{15}{25} = -\frac{18}{30} = -\frac{300}{500} = \ldots\ldots\ldots$$

$$-\frac{7}{6} = -\frac{14}{12} = -\frac{21}{18} = \frac{28}{24} = -\frac{35}{30} = -\frac{42}{36} = -\frac{49}{42} = \ldots\ldots\ldots$$

Por lo tanto, el número racional $-\dfrac{3}{5}$ es igual al número racional $-\dfrac{15}{25}$.

Como a los **números enteros** también podemos expresarlos como fracción, éstos también forman parte de los números racionales. Así, por ejemplo:

$$1 = \frac{5}{5} = \frac{35}{35} = \frac{50}{50} = \frac{200}{200} = \ldots$$

$$2 = \frac{14}{7} = \frac{16}{8} = \frac{20}{10} = \frac{90}{45} = \ldots$$

Números reales

No todos los números pueden expresarse como fracción. Muchos siglos atrás, los pitagóricos lo habían descubierto con estupor al descubrir los primeros números irracionales.

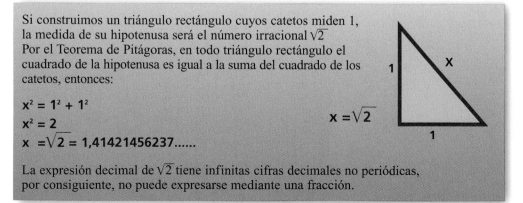

Si construimos un triángulo rectángulo cuyos catetos miden 1, la medida de su hipotenusa será el número irracional $\sqrt{2}$
Por el Teorema de Pitágoras, en todo triángulo rectángulo el cuadrado de la hipotenusa es igual a la suma del cuadrado de los catetos, entonces:

$x^2 = 1^2 + 1^2$
$x^2 = 2$
$x = \sqrt{2} = 1{,}41421456237\ldots\ldots$

$x = \sqrt{2}$

La expresión decimal de $\sqrt{2}$ tiene infinitas cifras decimales no periódicas, por consiguiente, no puede expresarse mediante una fracción.

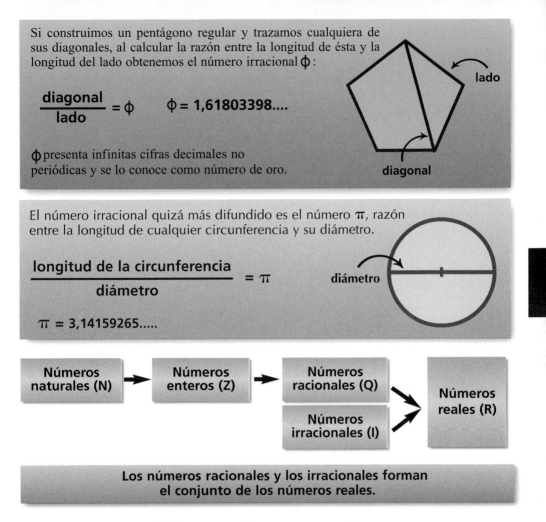

Si construimos un pentágono regular y trazamos cualquiera de sus diagonales, al calcular la razón entre la longitud de ésta y la longitud del lado obtenemos el número irracional ϕ:

$$\frac{\text{diagonal}}{\text{lado}} = \phi \qquad \phi = 1,61803398....$$

ϕ presenta infinitas cifras decimales no periódicas y se lo conoce como número de oro.

lado

diagonal

El número irracional quizá más difundido es el número π, razón entre la longitud de cualquier circunferencia y su diámetro.

$$\frac{\text{longitud de la circunferencia}}{\text{diámetro}} = \pi$$

diámetro

$$\pi = 3,14159265.....$$

Números naturales (N) → Números enteros (Z) → Números racionales (Q) / Números irracionales (I) → Números reales (R)

Los números racionales y los irracionales forman el conjunto de los números reales.

Números reales y recta numérica

El conjunto de los números reales es infinito. Entre dos números reales hay infinitos números reales. A cada número real le corresponde un único punto de la recta, y viceversa.
El conjunto de los números reales completa la recta numérica. A continuación podrás analizar un procedimiento para ubicar números irracionales en la recta numérica:

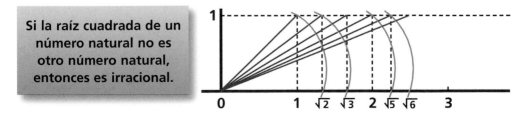

Si la raíz cuadrada de un número natural no es otro número natural, entonces es irracional.

$0 \qquad 1 \quad \sqrt{2} \quad \sqrt{3} \quad 2 \quad \sqrt{5} \quad \sqrt{6} \qquad 3$

Al construir este gráfico empleamos el compás para transportar sobre la recta la longitud de cada hipotenusa.

> Un intervalo real es un conjunto de números reales que queda comprendido entre dos extremos: uno izquierdo y otro derecho. Estos extremos pueden ser un número real, + ∞ o - ∞ .

Los extremos de un intervalo real pueden no pertenecer al mismo, existiendo por lo tanto intervalos reales cerrados, abiertos y semiabiertos.

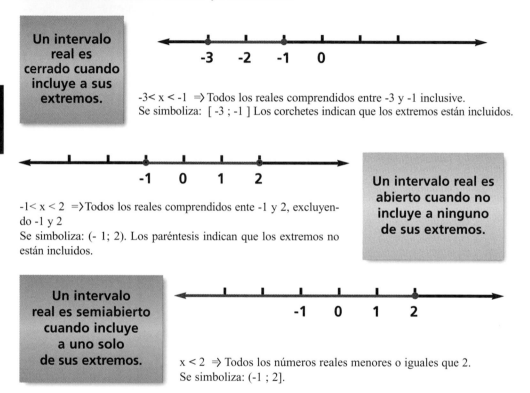

Un intervalo real es cerrado cuando incluye a sus extremos.

-3< x < -1 ⇒ Todos los reales comprendidos entre -3 y -1 inclusive.
Se simboliza: [-3 ; -1] Los corchetes indican que los extremos están incluidos.

-1< x < 2 ⇒ Todos los reales comprendidos ente -1 y 2, excluyendo -1 y 2
Se simboliza: (- 1; 2). Los paréntesis indican que los extremos no están incluidos.

Un intervalo real es abierto cuando no incluye a ninguno de sus extremos.

Un intervalo real es semiabierto cuando incluye a uno solo de sus extremos.

x < 2 ⇒ Todos los números reales menores o iguales que 2.
Se simboliza: (-1 ; 2].

Operaciones con números reales

• **Suma y resta**

Para poder resolver sumas y restas en las que hay factores irracionales expresados como raíces procedemos así:

1. Si las raíces tienen igual índice y radicando se extrae el número irracional como factor común y se resuelve:

El signo de la multiplicación entre un racional y un irracional suele omitirse:

$$2\sqrt{7} = 2 . \sqrt{7}$$
$$-\sqrt{2} = (-1) . \sqrt{2}$$

$$2\sqrt{2} - 3\sqrt{2} + \frac{1}{2}\sqrt{2} = \left(2 - 3 + \frac{1}{2} \right) \sqrt{2} = -1\sqrt{2}$$

2. Si los números irracionales presentan diferentes raíces, hay que ver si es posible hallar un factor común irracional. Para ello descomponemos en factores el radicando:

$$\sqrt{2} + 2\sqrt{50} - \sqrt{18} =$$

$$= \sqrt{2} + 2\sqrt{25 \cdot 2} - \sqrt{2 \cdot 9} = \qquad \blacktriangleleft \text{ Descomponemos en factores.}$$

$$= \sqrt{2} + 2 \cdot \sqrt{25} \cdot \sqrt{2} - \sqrt{2} \cdot \sqrt{9} = \blacktriangleleft \text{ Aplicamos propiedad distributiva de la radicación}$$
respecto de la multiplicación.

$$= \sqrt{2} + 2 \cdot 5 \cdot \sqrt{2} - \sqrt{2} \cdot 3 = \qquad \blacktriangleleft \text{ Calculamos las raíces que son números racionales.}$$

$$= \sqrt{2} + 10\sqrt{2} - 3\sqrt{2} = \qquad \blacktriangleleft \text{ Extraemos factor común y resolvemos.}$$

$$= (1 + 10 - 3)\sqrt{2} = 8\sqrt{2}$$

3. Cuando no es posible descomponer los radicandos para hallar un factor irracional común, la operación se deja expresada pues no se puede resolver:

$$\sqrt{3} + 2\sqrt{12} - 5\sqrt{5} =$$

$$= \sqrt{3} + 2\sqrt{4 \cdot 3} - 5\sqrt{5} = \qquad \blacktriangleleft \text{ Descomponemos en factores los radicandos.}$$

$$= \sqrt{3} + 2 \cdot 2\sqrt{3} - 5\sqrt{5} = \qquad \blacktriangleleft \text{ Aplicamos propiedad distributiva de la radicación con}$$
respecto a la multiplicación.

$$= (1 + 4)\sqrt{3} - 5\sqrt{5} = \qquad \blacktriangleleft \text{ Asociamos los términos en los que se puede sacar factor}$$
común.

$$= 5\sqrt{3} - 5\sqrt{5} \qquad \blacktriangleleft \text{ Resolvemos hasta donde sea posible.}$$

• Multiplicación y división

Para multiplicar o dividir dos números irracionales expresados como raíces éstas deben tener el mismo índice.

Las raíces de índice par y radicando negativo no tienen solución en R.
$$\sqrt{-4} = ?$$

$$2\sqrt{3} \cdot 3\sqrt{3} = \qquad \blacktriangleleft \text{ Aplicamos propiedad conmutativa y luego}$$
asociamos agrupando racionales por un lado
e irracionales por el otro.

$$= (2 \cdot 3) \ (\sqrt{3} \cdot \sqrt{3}) =$$

$$= 6 \cdot \sqrt{9} = 6 \cdot 3 = 18 \qquad \blacktriangleleft \text{ Resolvemos}$$

$$3\sqrt{50} : (-2\sqrt{2}) = \qquad \blacktriangleleft \text{ Recordamos que tanto -2 como } \sqrt{2} \text{ son divisores}$$

$$= 3\sqrt{50} : (-2) : (\sqrt{2}) =$$

$$= 3 : (-2) \cdot (\sqrt{50} : \sqrt{2}) = \qquad \blacktriangleleft \text{ Resolvemos} \blacktriangleright$$

$$= -\frac{3}{2}\sqrt{50 : 2} = -\frac{3}{2}\sqrt{25} = -\frac{3}{2} \cdot 5 = -\frac{15}{2}$$

o bien:
$$-\frac{3\sqrt{50}}{2\sqrt{2}} = -\frac{3\sqrt{25}}{2} = -\frac{15}{2}$$

RAZONES Y PROPORCIONES

La idea de proporcionalidad surge de comparar cantidades. Las propiedades de la proporcionalidad se aplican a diversas situaciones.

¿Qué es la razón?

Situación 1

En un examen de Estudios Sociales, una alumna contestó correctamente 10 preguntas de un total de 20.
Esto se expresa así:

$\dfrac{10}{20}$ ⟶ respuestas correctas
⟶ total de respuestas

> Se llama razón entre dos números al cociente entre ellos.

Averiguamos la razón entre las respuestas correctas y el total de respuestas:

$\dfrac{\cancel{10}}{\cancel{20}} = \dfrac{1}{2}$ ⟶ fracción irreducible

Proporciones

Observen estas dos figuras. Se mantiene la misma **razón** entre la base y la altura de ambas figuras.
No son iguales pero mantienen las mismas proporciones.

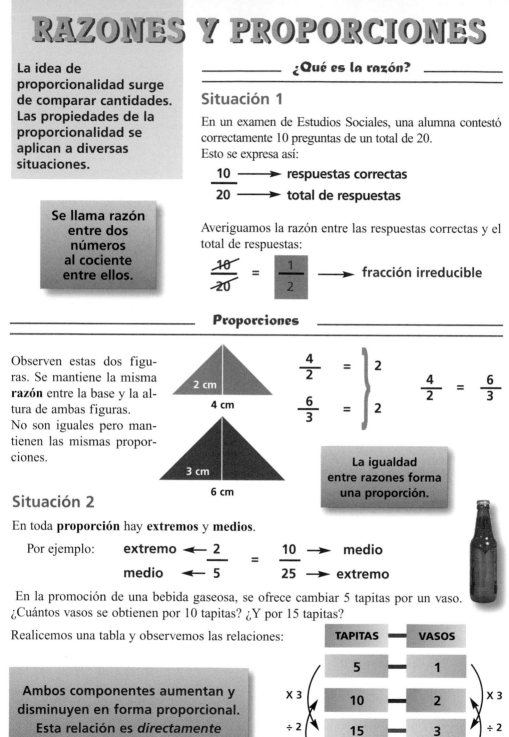

2 cm
4 cm

3 cm
6 cm

$\left. \begin{array}{l} \dfrac{4}{2} = 2 \\[2mm] \dfrac{6}{3} = 2 \end{array} \right\}$ $\dfrac{4}{2} = \dfrac{6}{3}$

> La igualdad entre razones forma una proporción.

Situación 2

En toda **proporción** hay **extremos** y **medios**.

Por ejemplo:

extremo ← $\dfrac{2}{5}$ → medio
medio ← = $\dfrac{10}{25}$ → extremo

En la promoción de una bebida gaseosa, se ofrece cambiar 5 tapitas por un vaso.
¿Cuántos vasos se obtienen por 10 tapitas? ¿Y por 15 tapitas?

Realicemos una tabla y observemos las relaciones:

TAPITAS	VASOS
5	1
10	2
15	3
20	4

X 3   X 3
÷ 2   ÷ 2

> Ambos componentes aumentan y disminuyen en forma proporcional. Esta relación es *directamente proporcional*.

Situación 3

Una máquina corta 400 piezas de metal en 2 horas. Queremos averiguar cuánto tarda para cortar 2.000 piezas.

Piezas	Horas
400	2
2.000	?

$$\left.\frac{400}{2} = \frac{2.000}{?}\right\} \text{Es una proporción}$$

Para resolverlo, podemos aplicar la propiedad fundamental de las proporciones. Entonces:

- Para hallar un extremo, multiplicamos los medios y los dividimos por el extremo conocido.

- Para hallar un medio, multiplicamos los extremos y los dividimos por el medio conocido.

$$X = \frac{2 \cdot 2.000}{400} \qquad X = 10$$

Otra forma de resolver esta situación es por REDUCCIÓN A LA UNIDAD.

$$400 \text{ piezas} \longrightarrow 2 \text{ horas}$$

$$1 \text{ pieza} \longrightarrow \frac{2}{400} \text{ horas}$$

$$2.000 \text{ piezas} \longrightarrow \frac{2.000 \times 2}{400} = 10 \text{ horas}$$

--- **Regla de tres simple** ---

Situación 1

Tengo una caja con 12 chocolatines. Si me como un chocolatín por día, me van a durar 12 días. Pero… ¿qué pasa si me como 2 por día? ¿Y si como 3? ¿Y si como 4? ¿Cuánto tiempo me van a durar?

Además, si multiplico o divido dos elementos de **la primera componente,** le corresponde una operación inversa en **la segunda componente.**

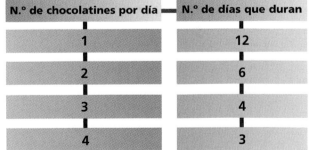

N.° de chocolatines por día	N.° de días que duran
1	12
2	6
3	4
4	3

A medida que aumentan los chocolatines, disminuyen los días.

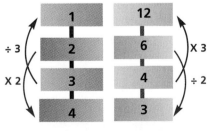

Esta relación es de *proporcionalidad inversa.*

Si llamamos X a la primera magnitud e Y a la segunda, el producto entre X e Y es la constante K.

X · Y = K

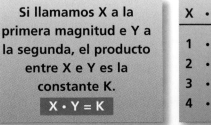

X	·	Y	=	K
1	·	12	=	12
2	·	6	=	12
3	·	4	=	12
4	·	3	=	12

Situación 2

Una flota de 3 camiones transporta 54 toneladas de mercadería de una ciudad a otra. Para eso, hacen 6 viajes. ¿Cuántos viajes harían si la flota tuviera 6 camiones con la misma capacidad?

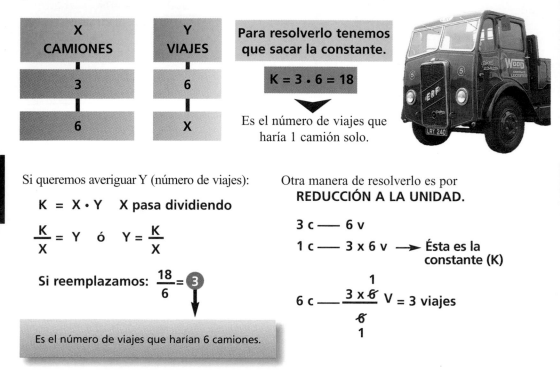

X CAMIONES	Y VIAJES
3	6
6	X

Para resolverlo tenemos que sacar la constante.

$$K = 3 \cdot 6 = 18$$

Es el número de viajes que haría 1 camión solo.

Si queremos averiguar Y (número de viajes):

$$K = X \cdot Y \quad \text{X pasa dividiendo}$$

$$\frac{K}{X} = Y \quad \text{ó} \quad Y = \frac{K}{X}$$

Si reemplazamos: $\dfrac{18}{6} =$ ③

Es el número de viajes que harían 6 camiones.

Otra manera de resolverlo es por
REDUCCIÓN A LA UNIDAD.

3 c —— 6 v

1 c —— 3 x 6 v ——► Ésta es la constante (K)

$$6\ c \underline{\quad \dfrac{3 \times \overset{1}{6}}{\underset{1}{6}} \quad} V = 3 \text{ viajes}$$

Regla de tres compuesta

Situación 3

4 personas gastan para almorzar, durante 10 días, $ 280. A ese grupo se le agrega 1 persona más durante 1 semana.

¿Cuánto gastan esa semana?
Para resolverlo disponemos los datos así:

4 p —— 10 d —— 280 $
5 p —— 7 d —— X $

Lo resolvemos como si fueran dos reglas de tres simples. Pero ¿son directas o inversas?
Fácil; si hay más personas, gastan más, y si comen menos días, gastan menos. Es **DIRECTA.**

4 p — 10 d — 280 $

1 p — 10 d — $\dfrac{280}{4}$ $

5 p — 10 d — $\dfrac{280 \cdot 5}{4}$ $

5 p — 1 d — $\dfrac{280 \cdot 5}{4 \cdot 10}$ $

5 p — 7 d — $\dfrac{280 \cdot 5 \cdot 7}{4 \cdot 10} = 245$ $

$$\dfrac{\overset{7}{\cancel{280}} \cdot 5 \cdot 7}{\underset{1}{\cancel{4} \cdot \cancel{10}}}$$

Primero, considero cuánto gastan 5 personas en el mismo período: 10 días.

Después, considero cuánto gastan 5 personas en 7 días.

Situación 4

2 grifos de agua abiertos durante 4 horas diarias tardan 6 días en llenar una pileta. ¿Cuánto tardarán 4 grifos abiertos durante 3 horas diarias?

¿Por qué es inversa?

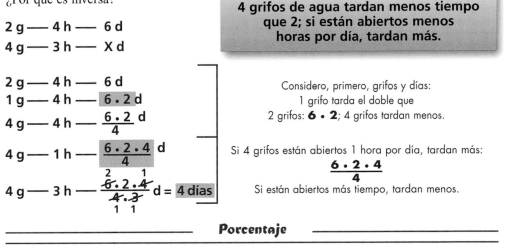

> **4 grifos de agua tardan menos tiempo que 2; si están abiertos menos horas por día, tardan más.**

2 g —— 4 h —— 6 d
4 g —— 3 h —— X d

2 g —— 4 h —— 6 d
1 g —— 4 h —— 6 · 2 d
4 g —— 4 h —— $\dfrac{6 \cdot 2}{4}$ d

4 g —— 1 h —— $\dfrac{6 \cdot 2 \cdot 4}{4}$ d

4 g —— 3 h —— $\dfrac{\overset{2}{\cancel{6}} \cdot 2 \cdot \overset{1}{\cancel{4}}}{\underset{1}{\cancel{4}} \cdot \underset{1}{\cancel{3}}}$ d = **4 días**

Considero, primero, grifos y días:
1 grifo tarda el doble que
2 grifos: **6 · 2**; 4 grifos tardan menos.

Si 4 grifos están abiertos 1 hora por día, tardan más:
$$\dfrac{6 \cdot 2 \cdot 4}{4}$$
Si están abiertos más tiempo, tardan menos.

—————————————— **Porcentaje** ——————————————

En diarios, revistas, libros de estudio, encontramos que se utiliza el signo %, que quiere decir "por ciento". Indica una proporción y, acompañado de un número, indica la centésima parte de ese número. Por ejemplo:

6 % (se lee "6 por ciento") = $\dfrac{6}{100}$ 19 % (se lee "19 por ciento") = $\dfrac{19}{100}$

Situación 1

De un grupo de 40 personas que se anotaron en un curso de computación, el 80 % son menores de 25 años. ¿Cuántos alumnos representa ese porcentaje?

Como 80 % es $\dfrac{80}{100}$, podemos hallar la solución como producto de una fracción:

$\dfrac{80}{100}$ de 40 alumnos = $\dfrac{80}{100}$ · 40 alumnos = 32 alumnos

También podemos expresarlo como una PROPORCIÓN con incógnita:

$\dfrac{80}{100} = \dfrac{X}{40}$

Por lo tanto,

$X = 80 \cdot \dfrac{40}{100}$ alumnos = $\dfrac{32\cancel{00}}{1\cancel{00}}$ alumnos = 32 alumnos

El 80 % de alumnos menores de 25 años es 32.

> **La fracción de un número natural es el producto de la fracción por ese número natural. Ejemplo:**
>
> $\dfrac{2}{5}$ de 100 = $\dfrac{2}{5}$ x 100 =
>
> $\dfrac{200}{5}$ = 40

Situación 2

¿Cómo calcular un porcentaje?

De un grupo de 30 alumnos no asistieron a clase 6.
¿Qué porcentaje de alumnos ausentes hay?

Lo resolvemos por proporciones.

Entonces, los 6 alumnos que no asistieron a clase representan el 20 %.

Veamos qué porcentaje de alumnos está ausente:

30 alumnos . . . . **100 %**

6 alumnos . . . . **x %**

$$\frac{30 \text{ al.}}{6 \text{ al.}} = \frac{100 \%}{x} \qquad\qquad x = \frac{6 \cdot 100 \text{ x}}{30} = \frac{600}{30} = 20 \%$$

───────────── **Suma y resta de porcentajes** ─────────────

En un campo de 4.200 hectáreas, el 20 % está plantado con árboles, el 35 % con tomates, y el resto está vacío.
¿Qué porcentaje del campo está sin cultivar?

Como los porcentajes 20 % y 35 % se refieren a un mismo número, podemos sumarlos:

$$20 \% + 35 \% = 55 \%$$

Por lo tanto, la superficie ocupada es el 55 % del total del campo.

El campo respresenta el 100 %; entonces, para averiguar lo que queda sin cultivar, restamos:

$$100 \% - 55 \% = 45 \%$$

Ahora, averiguamos cuántas hectáreas representan el 45 %:

$$45 \% \text{ de } 4.200 \text{ hectáreas} = \frac{45}{100} \text{ de } 4.200 =$$

$$\frac{45 \cdot 4.200}{100} = \frac{189.000}{100} = 1.890 \text{ hectáreas}$$

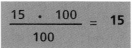

───────────── **Bonificación, rebaja o descuento** ─────────────

Situación 1

Una tostadora eléctrica, cuyo precio de venta es de $100, está en oferta y se ofrece con un 15 % de descuento.
¿Cuánto cuesta ahora la tostadora?

$$\frac{15 \cdot 100}{100} = 15$$

Primero averiguamos el 15 % de 100:

Ahora hallamos el precio real de la tostadora eléctrica:

Antes	**$ 100**
Descuento	**- $ 15**
Ahora	**$ 85**

—————————————— **Recargo o comisión** ——————————————

Situación 1

En efectivo cuesta $ 400. En cuotas, tiene un recargo del 12 %.

Veamos cuál es el recargo.
Averiguamos el 12 % de 400:

$$\frac{12 \cdot 400}{100} = \$ \ 48$$

Ahora hallamos el precio total en cuotas:

En efectivo	**$ 400**
Recargo	**+ $ 48**
En cuotas	**$ 448**

—————————————— **Los gráficos circulares** ——————————————

Los gráficos circulares sirven para representar porcentajes y son muy útiles, porque facilitan la interpretación y permiten hacer comparaciones a simple vista. Generalmente, se los emplea para expresar datos numéricos de la realidad.

En este gráfico se muestran la salida de turistas durante enero y los lugares que eligieron para veranear:

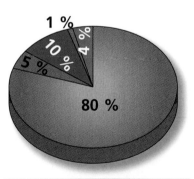

Argentina	**80 %**
Brasil	**5 %**
Europa	**1 %**
EE. UU.	**4 %**
Otros	**10 %**

El 100 % representa los 360° del círculo.
Por lo tanto:

$$80 \ \% \ \text{de } 360° = \frac{80 \cdot 360°}{100} = 288°$$

$$5 \ \% \ \text{de } 360° = \frac{5 \cdot 360°}{100} = 18°$$

$$10 \ \% \ \text{de } 360° = \frac{10 \cdot 360°}{100} = 36°$$

$$1 \ \% \ \text{de } 360° = \frac{1 \cdot 360°}{100} = 3° \ 6'$$

$$4 \ \% \ \text{de } 360° = \frac{4 \cdot 360°}{100} = 14° \ 4' \ \text{(aprox.)}$$

> **Para representar estos porcentajes en un gráfico circular, se traza el radio de un círculo y, a partir de ahí, se miden los 5 ángulos sucesivos de 288°, 18°, 36°, 3° 6′ y 14° 4′.**

PROBABILIDAD Y ESTADÍSTICA

La estadística es una ciencia que estudia cómo recolectar datos, organizarlos y presentarlos para que puedan sacarse conclusiones, y hasta hacer previsiones.

————— **Previniendo acontecimientos** —————

Situación 1

En un juego de naipes, Francisco debe levantar uno de los cuatro que están dados vuelta.
Si saca el valor mayor, gana. Los valores (que no están a la vista de los jugadores) son 2, 4, 5 y 10. ¿Qué posibilidades tiene de sacar el 10?

Probabilidad = $\dfrac{1}{4}$ ⟶ cantidad de naipes que levantará Francisco
⟶ cantidad de naipes sobre la mesa

Probabilidad $= \dfrac{\text{casos favorables}}{\text{casos posibles}}$

La probabilidad de que un suceso ocurra puede ser expresada como la razón entre el número de casos favorables y el número de casos posibles. Los casos favorables son las veces en que puede ocurrir un hecho, y los posibles son la cantidad total de elementos.

En este caso, la probabilidad es: $\dfrac{1}{4} = 0,25$

La probabilidad de cualquier suceso varía entre 0 (la imposibilidad) y 1 (la certeza).
Se llama SUCESO IMPOSIBLE al que nunca puede ocurrir en una situación.

Situación 2

¿Qué probabilidad tiene Francisco de sacar un 7 con los naipes de la situación anterior?

Probabilidad $= \dfrac{0}{4}$ casos favorables / casos posibles

Ninguno de los naipes es 7; por lo tanto, este suceso es IMPOSIBLE.

————— **¿Qué es un experimento aleatorio?** —————

Un experimento aleatorio es el que, repetido muchas veces, da resultados distintos, que no se pueden prever porque dependen de la suerte o el azar.

Para ver quién comienza un juego, Joaquín y Marita tiran un dado. El que saque 6 es el primero.
Ambos niños tiran varias veces. Recién la tercera vez, Marita saca el 6.

Pablo tira 7 veces un dado. ¿Qué probabilidad hay de que salga el número 4?
Veamos los resultados que obtuvo en cada tirada:

$$\text{Frecuencia relativa} = \frac{\text{número de resultados favorables}}{\text{número total de intentos}}$$

FR = frecuencia relativa

TIRADA	OBTUVO
1.ª	5
2.ª	6
3.ª	4
4.ª	1
5.ª	3
6.ª	2
7.ª	4

En el caso de Pablo, la frecuencia relativa fue:

$\text{FR} = \dfrac{2}{7}$ **número de veces que salió el 4**
número de veces que se realizó el intento

El 4 salió en 2 de las 7 tiradas.

La frecuencia relativa de un cierto suceso es la razón entre el número de resultados favorables y el número total de intentos realizados.

—————————— **Estadística** ——————————

Situación 1

Ya vimos en páginas anteriores cómo la estadística, por medio de gráficos, expresa algunos hechos de la realidad en números. Para completar estas nociones, es importante conocer algunos conceptos, como los que siguen.

En un curso, se anota el número de inasistencias de un trimestre:

El número de veces que se repite cada inasistencia se denomina FRECUENCIA.

El valor que más se repite se denomina MODA.

Alumnos	Inasistencias
Marisa	2
Juan	5
Telma	3
Horacio	2
Ana	1
Fernando	1
Graciela	4
Carla	1

En este caso, la **frecuencia de 1** es **3** (1 inasistencia se repite 3 veces), la **frecuencia de 2** es **2** (2 inasistencias se repiten 2 veces), la **frecuencia de 3**, **4** y **5** es **1** (aparece sólo una vez en cada caso).

En el ejemplo que vimos, la **moda es 1**.

Situación 2

En el mismo curso, se anotan las estaturas de los alumnos y se averigua el promedio de estatura:

Para calcular el **promedio o media aritmética,** se suman todas las estaturas:

P = 1,63 + 1,70 + 1,71 + 1,81 + 1,76 + 1,63 + 1,66 + 1,61 =

Alumnos		Miden (en m)
Marisa	—	1,63
Juan	—	1,70
Telma	—	1,71
Horacio	—	1,81
Ana	—	1,76
Fernando	—	1,63
Graciela	—	1,66
Carla	—	1,61

Como 1,63 se repite 2 veces, puede quedar así:

P = 1,63 x 2 + 1,70 + 1,71 + 1,76 + 1,81 + 1,66 + 1,61 =

Luego, se divide por el número de alumnos:

$$P = \frac{13,51 \text{ m}}{8} = \longrightarrow 1,68875 \text{ m}$$

El promedio o media aritmética se obtiene sumando datos numéricos y dividiendo el resultado por el número de los datos considerados.

Situación 3

Los cinco primeros equipos de un campeonato de fútbol hicieron los siguientes números de goles:

A	55 goles
B	52 goles
C	49 goles
D	46 goles
E	42 goles

¿Qué equipo obtuvo una posición intermedia? El equipo C, que marcó 49 goles, ya que dos equipos (A y B) marcaron más goles y dos marcaron menos (D y E).

Esa cantidad intermedia se llama MEDIANA.

Los gráficos estadísticos

En diarios, revistas y libros, encontramos datos numéricos que se expresan por medio de **gráficos**. Veamos algunos ejemplos:

• Gráfico de barras

Como vemos, se trata de un **gráfico cartesiano**: sobre un eje se ubican los países considerados y sobre el otro las cantidades. Para interpretar correctamente los datos, tenemos que tener en cuenta la indicación para los números. Por ejemplo, en este gráfico se aclara **"en millones de barriles diarios"**, o sea que cada número hay que multiplicarlo por un millón. Por lo tanto, Arabia Saudita exporta 7.500.000 barriles; México, 1.100.000 barriles, etc.

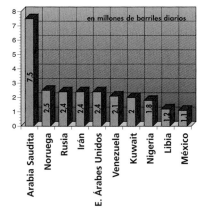

PRINCIPALES EXPORTADORES DE PETRÓLEO

en millones de barriles diarios

Arabia Saudita 7,5; Noruega 2,5; Rusia 2,4; Irán 2,4; E. Árabes Unidos 2,4; Venezuela 2,1; Kuwait 2; Nigeria 1,8; Libia 1,2; México 1,1

• Gráfico poligonal o de segmentos

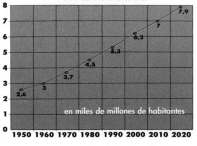

POBLACIÓN MUNDIAL

en miles de millones de habitantes

1950: 2,6; 1960: 3; 1970: 3,7; 1980: 4,5; 1990: 5,3; 2000: 6,2; 2010: 7; 2020: 7,9

También podemos encontrarnos con gráficos como el de la izquierda.
En este ejemplo, se toman datos de décadas anteriores y se hace una proyección hasta el año 2020. Se denomina **gráfico poligonal o de segmentos** porque se unen los puntos de los pares ordenados: (1950; 2,6), (1960; 3), (1970; 3,7), (1980; 4,5), etc.

UNIDADES DE MEDIDA

Las primeras unidades

Antiguamente, cuando al hombre se le planteó la necesidad de realizar mediciones, usó su propio cuerpo para hacerlo. Así surgieron el **codo** (distancia entre el codo y el extremo del dedo mayor), el **palmo** (ancho de la mano extendida), el **dedo** (ancho del dedo), el **pie** (largo del pie), la **pulgada** (ancho del dedo pulgar). Pero pronto comenzaron a presentarse dificultades, porque no todos los seres humanos tienen el mismo tamaño. La solución llegó en el año 1792, cuando la Academia de Ciencias de París creó el **SISTEMA MÉTRICO DECIMAL.**

Desde la antigüedad, el hombre necesitó expresar con números las dimensiones de los objetos. Para ello, creó diferentes unidades de medida.

Me compré un vestido de 90 cm de largo.

Medidas de longitud

Existen diversos modelos de metros, construidos con diferentes materiales, de acuerdo con las necesidades. Con ellos podemos medir el largo, el ancho, el alto y el grosor de las cosas.

Para medir con exactitud, usamos unidades de medida invariables: las del SISTEMA MÉTRICO DECIMAL, que son aceptadas internacionalmente.

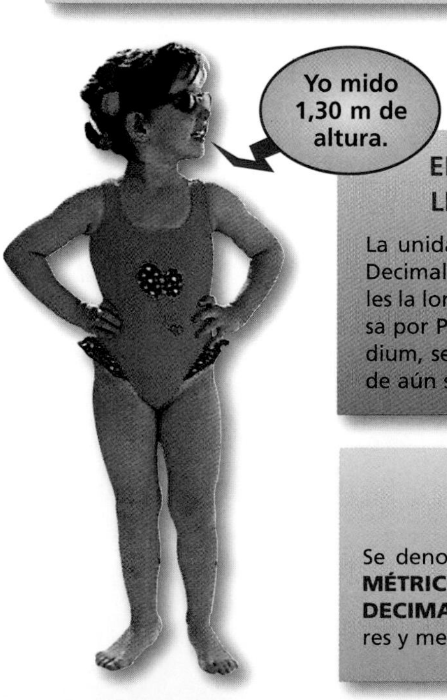

Yo mido 1,30 m de altura.

EL METRO PATRÓN, LEGAL O TIPO

La unidad del Sistema Métrico Decimal se determinó dividiendo en diez millones de partes iguales la longitud calculada para el cuadrante del meridiano que pasa por París. Esa medida se trasladó a una barra de platino e iridium, se la llamó **METRO PATRÓN** y se la guardó en París, donde aún se conserva.

¿Por qué se llama SISTEMA MÉTRICO DECIMAL?

Se denomina... **SISTEMA**, porque es un conjunto de medidas. **MÉTRICO**, porque su unidad fundamental o base es el **METRO**. **DECIMAL**, porque la razón entre las unidades de medida (mayores y menores que el metro) siempre es 10 o una potencia de 10.

Veamos, en el siguiente cuadro, que hay otras medidas de longitud mayores que el metro, **los múltiplos**, y otras menores, **los submúltiplos.**

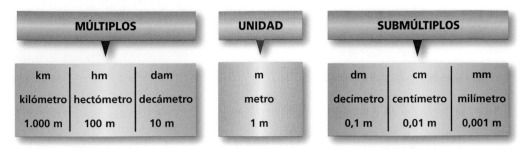

MÚLTIPLOS			UNIDAD	SUBMÚLTIPLOS		
km	hm	dam	m	dm	cm	mm
kilómetro	hectómetro	decámetro	metro	decímetro	centímetro	milímetro
1.000 m	100 m	10 m	1 m	0,1 m	0,01 m	0,001 m

El metro es la unidad de las medidas de longitud, base del SISTEMA MÉTRICO DECIMAL.

En el Sistema Métrico Decimal, los prefijos griegos DECA, HECTO y KILO representan 10, 100 y 1.000 veces la unidad.

Y los prefijos latinos MILI, CENTI y DECI representan

$$\frac{1}{1.000} \quad , \quad \frac{1}{100} \quad y \quad \frac{1}{10}$$

de la unidad.

Conocer estas relaciones nos sirve para expresar una longitud en diferentes unidades. Para eso debemos tener en cuenta que:

- **La razón entre las unidades de medida siempre es 10 o una potencia de 10.**
- **Cada unidad equivale a 10 de la inmediata inferior.**
- **Las unidades aumentan y disminuyen de 10 en 10.**

Situación 1

Supongamos que una modista nos encarga que compremos 35 dm de puntilla blanca, 480 cm de puntilla rosa y 1,2 dam de puntilla beige, y que en la mercería nos piden las cifras en metros.

- Veamos cómo expresamos esas longitudes en m:

Puntilla blanca: **35 dm a m =** $\dfrac{35}{10}$ **m = 3,5 m**

Cuando vamos de una unidad menor a una mayor, se divide por 10 al pasar por cada unidad.

(Para pasar de dm a m, se divide por 10, porque vamos de una unidad menor a una mayor, un lugar.)

Puntilla rosa: **480 cm a m =** $\dfrac{480}{10 \times 10}$ **m =** $\dfrac{480}{100}$ **m = 4,80 m**

(Para pasar de cm a m, se divide por 100, porque vamos de una unidad menor a otra mayor dos lugares, es decir, 2 veces 10, o sea, 100.)

Puntilla beige: **1,2 dam a m = 1,2 x 10 m = 12 m** (Para pasar de dam a m, se multiplica por 10, porque vamos de una uni-
dad mayor a otra menor, un lugar.)

> **Cuando vamos de una unidad mayor a una menor, se multiplica por 10 al pasar
> por cada unidad. Cuando vamos de una unidad menor a una mayor,
> se divide por 10 al pasar por cada unidad.**

x10	x10	x10	x10	x10	x10
km	hm	dam	m	dm	cm	mm
÷10	÷10	÷10	÷10	÷10	÷10

Otros ejemplos

3,48 km a dam	=	3,48 x 100	=	348 dam	(2 lugares a la derecha)
0,15 mm a cm	=	0,15 ÷ 10	=	0,015 cm	(1 lugar a la izquierda)
43,9 dm a dam	=	43,9 ÷ 100	=	0,439 dam	(2 lugares a la izquierda)

——————————————— **Medidas de superficie** ———————————————

La unidad de las medidas de superficie es el **metro cuadrado (m^2)**, representado por un cuadrado que tiene 1 metro lineal por lado, o sea, 1 m x 1 m = 1 m^2.
No podemos dibujar un cuadrado de 1 m^2, pero podemos imaginar un cuadrado que tenga
1 dm de lado.

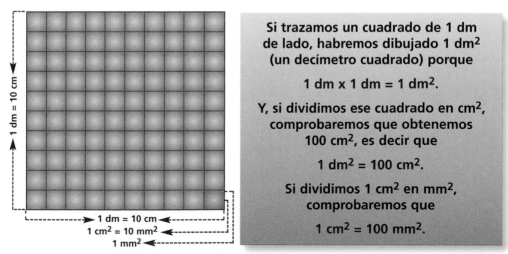

1 dm = 10 cm

1 dm = 10 cm
1 cm^2 = 10 mm^2
1 mm^2

**Si trazamos un cuadrado de 1 dm
de lado, habremos dibujado 1 dm^2
(un decímetro cuadrado) porque**

1 dm x 1 dm = 1 dm^2.

**Y, si dividimos ese cuadrado en cm^2,
comprobaremos que obtenemos
100 cm^2, es decir que**

1 dm^2 = 100 cm^2.

**Si dividimos 1 cm^2 en mm^2,
comprobaremos que**

1 cm^2 = 100 mm^2.

> **Los múltiplos y submúltiplos del m^2 (metro cuadrado)
> aumentan y disminuyen de 100 en 100.**

Medidas de superficie

MÚLTIPLOS			UNIDAD	SUBMÚLTIPLOS		
km²	hm²	dam²	m²	dm²	cm²	mm²
kilómetro cuadrado	hectómetro cuadrado	decámetro cuadrado	metro cuadrado	decímetro cuadrado	centímetro cuadrado	milímetro cuadrado
1.000.000 m²	10.000 m²	100 m²	1 m²	0,01 m²	0,0001 m²	0,000001 m²

Situación 1

Queremos saber cuántas baldosas cerámicas de 225 cm² de superficie son necesarias para cubrir una pared de 18,9 m². Para operar con estas cantidades, primero debemos reducirlas a la misma unidad:

$$18,9 \ m^2 \ a \ cm^2$$

Sabemos que debemos ir de una unidad mayor a una menor, hacia la derecha y de 2 en 2:

$$\underset{m^2 \quad dm^2 \quad cm^2}{18 \ \ 90 \ \ 00} \longrightarrow 189.000 \ cm^2$$

Ahora podemos realizar la operación:

$$225 \ cm^2 \text{ ———————— } 1 \text{ baldosa cerámica}$$
$$189.000 \ cm^2 \text{ ———————— } x \text{ baldosas}$$

$$x = \frac{189.000 \ cm^2 \ x \ 1}{225 \ cm^2} = 840 \text{ baldosas}$$

Cuando vamos de una unidad menor a una mayor, debemos ir hacia la izquierda y agregar ceros si es necesario:

$$569 \ cm^2 \ a \ dam^2: \underset{dam^2 \qquad m^2 \qquad dm^2 \qquad cm^2}{0, \quad 00 \quad 05 \quad 69}$$

Medidas agrarias

Cuando se necesita medir superficies en terrenos o campos, se utilizan las medidas agrarias.

La unidad de las medidas agrarias es el área, que equivale al decámetro cuadrado (dam²).

MÚLTIPLOS	UNIDAD	SUBMÚLTIPLOS
ha	a	ca
hectárea	área	centiárea
100 a	1 a	0,01 a

Para efectuar reducciones de medidas agrarias, se sigue el mismo procedimiento que para las medidas de superficie.

IGUALDADES: 1 ha = 1 hm² / 1 a = 1 dam² / 1 ca = 1 m²

Para medir volúmenes, utiliza-mos medidas especiales que ex-presan las tres dimensiones con-sideradas. Supongamos que tene-mos un cubo de 5 cm de lado y otro de 1 dm de lado.

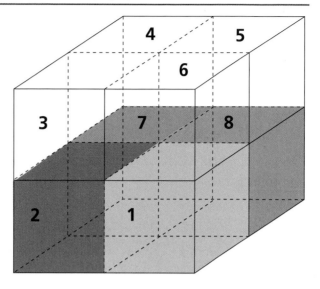

Hay 8 cubos de 5 cm de lado.

Averiguamos el volumen de los dos cubos:

Vol. del cubo de 5 cm de lado (5 cm²) = 5 cm x 5 cm x 5 cm = 125 cm³

Vol. del cubo de 1 dm de lado (1 dm²) = 1 dm³

¿Cuántos cubos de 125 cm³ necesito para completar un cubo de 1 dm³?

8 cubos.

Lo expresamos así:

Vol. del cubo 2 = 8 • 125 cm³ = 1.000
es decir: 1.000 cm³ = 1 dm³

> Como vemos, en las medidas de volumen, entre una unidad y otra sucesiva, siempre hay 3 espacios.

Equivalencias entre las distintas unidades de las medidas de volumen.

MÚLTIPLOS			UNIDAD	SUBMÚLTIPLOS		
kilómetro cúbico	hectómetro cúbico	decámetro cúbico	metro cúbico	decímetro cúbico	centímetro cúbico	milímetro cúbico
km³	hm³	dam³	m³	dm³	cm³	mm³
1	1.000	1.000²	1.000³	1.000⁴	1.000⁵	1.000⁶
	1	1.000	1.000²	1.000³	1.000⁴	1.000⁵
		1	1.000	1.000²	1.000³	1.000⁴
			1	1.000	1.000²	1.000³
				1	1.000	1.000²
					1	1.000
						1

¿Cómo funciona este cuadro cuando tenemos que pasar de una unidad a otra?

Si tengo que expresar 346 m³ en dam³:

Sabemos que   1.000 m³ ——————— 1 dam³

1 m³ ——————— $\dfrac{1}{1.000}$

346 m³ ——————— $\dfrac{346 \cdot 1}{1.000}$

> **Un metro cúbico es la milésima parte de un decámetro cúbico.**

> **Cuando vamos de una unidad menor a una mayor, dividimos.**

Ahora, supongamos que tenemos que expresar 78 hm³ en dam³:

Sabemos que **1 hm³** ——————— **1.000 dam³**

entonces   **78 hm³** ——————— **78 • 1.000 = 78.000 dam³**

Otros ejemplos:

2.688 mm³ a dm³ = 0, 002 688 dm³
dm³ cm³ mm³

56. 322 m³ a hm³ = 0, 056 322 hm³
hm³ dam³ m³

23 dm³ a mm³ = 23. 000. 000 mm³
dm³ cm³ mm³

3,355678 km³ a dam³ = 3. 355. 678 dam³
km³ hm³ dam³

> **Cuando vamos de una unidad mayor a una menor, multiplicamos.**

——————————— **Medidas de peso** ———————————

Cuando queremos saber el peso de los cuerpos o de las sustancias sólidas, recurrimos a las medidas de peso, que también se usan para expresar el peso de los líquidos y los gases.

> **Para apreciar el peso de un cuerpo o sustancia, por comparación, se usan las balanzas.**

> **El gramo es la unidad básica de peso y representa el peso de 1 cm³ de agua destilada a 4 °C de temperatura (que a su vez corresponde al peso de 1 ml del mismo elemento).**

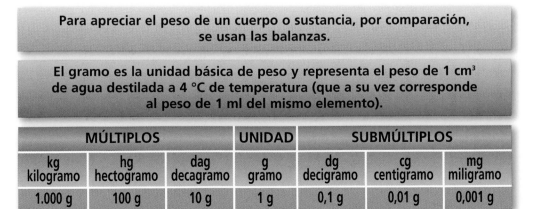

MÚLTIPLOS			UNIDAD	SUBMÚLTIPLOS		
kg kilogramo	hg hectogramo	dag decagramo	g gramo	dg decigramo	cg centigramo	mg miligramo
1.000 g	100 g	10 g	1 g	0,1 g	0,01 g	0,001 g

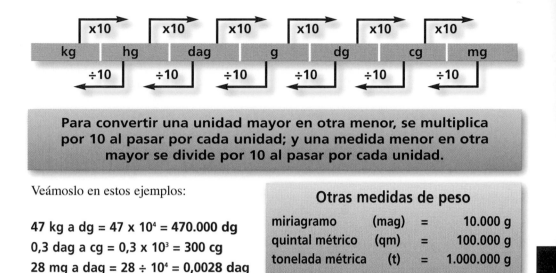

Para convertir una unidad mayor en otra menor, se multiplica por 10 al pasar por cada unidad; y una medida menor en otra mayor se divide por 10 al pasar por cada unidad.

Veámoslo en estos ejemplos:

47 kg a dg = 47 x 10^4 = 470.000 dg

0,3 dag a cg = 0,3 x 10^3 = 300 cg

28 mg a dag = 28 ÷ 10^4 = 0,0028 dag

Otras medidas de peso

miriagramo	(mag)	=	10.000 g
quintal métrico	(qm)	=	100.000 g
tonelada métrica	(t)	=	1.000.000 g

Medidas de capacidad

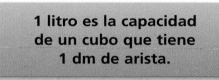

Se usan para medir líquidos. La unidad de las medidas de capacidad es **el litro**.

1 litro es la capacidad de un cubo que tiene 1 dm de arista.

De manera análoga a lo que vimos con otras unidades, hay múltiplos y submúltiplos de esta unidad.

1 dm

1 dm

1 dm

MÚLTIPLOS			UNIDAD	SUBMÚLTIPLOS		
kl kilolitro	hl hectolitro	dal decalitro	l litro	dl decilitro	cl centilitro	ml mililitro
1.000 l	100 l	10 l	1 l	0,1 l	0,01 l	0,001 l

Para expresar una unidad mayor en otra menor, multiplicamos por 10 al pasar por cada unidad. Y, para hacerlo de una menor a otra mayor, dividimos por 10 al pasar por cada unidad.

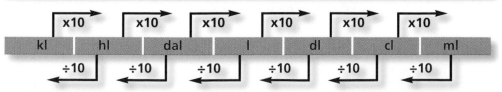

Reducimos:

20,3 kl a hl = 20,3 x 10 = 203 hl

20,3 kl a l = 20,3 x 10^3 = 20.300 l

20,3 kl a ml = 20,3 x 10^6 = 20.300.000 ml

154 ml a dl = 154 ÷ 10^2 = 1,54 dl

154 ml a dal = 154 ÷ 10^4 = 0,0154 dal

3 l a kl = 3 ÷ 10^3 = 0,003 kl

Equivalencia entre capacidad, volumen y peso

Muchas veces, cuando preparamos un jugo, volcamos el líquido en una jarra o una botella. Cuando preparamos una torta o un postre, volcamos azúcar o harina en un recipiente. Vemos que se necesitan "x" gramos para llenar una taza o "x" litros para llenar una cacerola. Por lo tanto, hay una relación entre las medidas de volumen, capacidad y peso. Si tienes la oportunidad de conseguir un recipiente de 1 dm^3 de volumen, verás que se puede volcar en él 1 litro de cualquier líquido. Entonces, en 1 cm^3, que es 1.000 veces menor que 1 dm^3, entran 1.000 veces menos líquido que en un litro, o sea, 1 ml (0, 001 l). Y 1 m^3 es 1.000 veces mayor que 1 dm^3. Por eso, entra 1.000 veces más líquido que en 1 litro: 1 kl (1 kl = 1.000 l).

Esto establece las siguientes equivalencias:

Unidades de capacidad	1 m	1 l	1 kl
Unidades de volumen	1 cm^3	1 dm^3	1 m^3

Pero la relación entre las medidas de peso y volumen no es constante. ¿Por qué? Porque sólo 1 l de agua destilada pesa 1 kg.

La relación, entonces, es la siguiente:

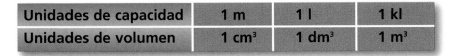

AGUA DESTILADA

1 dm^3 = 1 l = 1 kg

Peso específico

En cambio, 1 dm^3 de hierro pesa 7,8 kg y 1 dm^3 de aceite pesa 0,92 kg. Entonces, ¿cómo hacemos para averiguar la relación entre volumen y peso de cualquier sustancia que no sea agua destilada? Para eso necesitamos conocer el **PESO ESPECÍFICO**.

¿Qué es el peso específico de una sustancia?

El peso específico de cada sustancia es constante.

Es la razón entre el peso y el volumen de cualquier parte de esa sustancia.

$$pe = \frac{P}{V}$$

Ejemplos:

pe del hierro = $\dfrac{7,8\ g}{1\ cm^3}$ = 7,8 $\dfrac{g}{cm^3}$

pe del aceite = $\dfrac{0,92\ g}{1\ cm^3}$ = 0,92 $\dfrac{g}{cm^3}$

Situación 1

¿Cómo hacemos para calcular el pe del acero si sabemos que 4 m³ pesan 30 tn? Primero pasamos tn a kg y m³ a dm³:

$$30 \text{ tn} = 30.000 \text{ kg} \qquad\qquad 4 \text{ m}^3 = 4.000 \text{ dm}^3$$

Ahora averiguamos el pe:

$$\text{pe del acero} = \frac{P}{V} \qquad\qquad \text{pe del acero} = \frac{30.000 \text{ kg}}{4.000 \text{ dm}^3} = 7,5 \ \frac{\text{kg}}{\text{dm}^3}$$

─────────────── **Otras unidades de medida** ───────────────

Antiguamente, se utilizaban distintas medidas, de otros sistemas, cuyo uso aún perdura.

Sistema español	Sistema inglés
1 vara (v) = 0,866 m	**Línea (l) = 0,21 cm**
1 cuadra (cd) = 150 varas = 129,90 m	**Pulgada (in) = 2,54 cm**
1 legua (lg) = 40 cuadras = 5196 m	**Pie (ft) = 30,48 cm**
	Yarda (yd) = 91,44 cm

> **In:** proviene de la palabra inglesa *inch* (pulgada).
> **Pie:** su abreviatura (ft) proviene de *foot*, en inglés "pie".
> **Yarda:** del inglés *yard* (yd).

En las *medidas de peso*:

Grain o grano (gr) = 0,06 g
Dram (dr) = 1,77 g
Onza (oz) = 28,35 g
Libra (lb) = 453,59 g
Stone (st) = 6,35 g
Quarter (qr) = 12,7 g

> **Milla terrestre = 1.760 yd = 1.609,3 m**
> **Milla marina = 6.080 ft = 1.853,15 m**

Entre las *medidas de capacidad*, las más comunes son:

Gill = 0,142 l
Pinta (pt) = 0,568 l
Quart (qt) = 1,136 l
Gallon (gal) = 4,543 l
Barrel (bar) = 163,565 l
Bushell (bush) = 36,35 l

Las distancias en los mares y océanos se miden en *millas marinas*.

En la práctica, 1 año tiene 365 días y cada 4 años se tiene un año bisiesto con 366 días, que se forma con las 5 h 48 min 46 s que sobran al dar una vuelta la Tierra alrededor del Sol. Al cabo de 4 años, forman 1 día entero.

1 día = 24 horas
1 hora = 60 minutos
1 minuto = 60 segundos
1 mes = 28, 29 ó 30 días según el mes

1 año = 12 meses
1 lustro = 5 años
1 década = 10 años
1 siglo = 100 años

> **Hora, minuto y segundo son unidades del sistema sexagesimal.**

Como las unidades de tiempo se expresan en sistema sexagesimal, para hacer conversiones de una unidad a otra multiplicamos o dividimos por 60.

● 60
3 horas → 180 minutos
: 60

●60
12 minutos → 720 segundos
: 60

3 horas = 180 minutos
180 minutos = 3 horas

12 minutos = 720 segundos
720 segundos = 12 minutos

Ejemplos de las distintas operaciones:

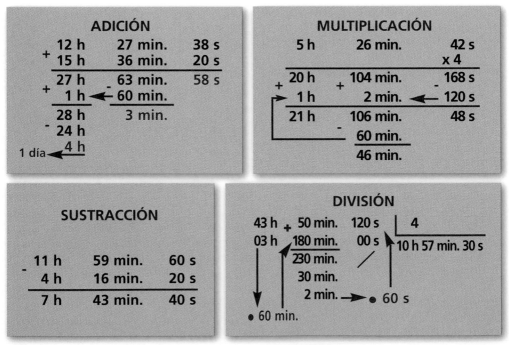

ADICIÓN

	12 h	27 min.	38 s
+	15 h	36 min.	20 s
	27 h	63 min.	58 s
+	1 h ←— 60 min.		
	28 h	3 min.	
−	24 h		
1 día ←	4 h		

MULTIPLICACIÓN

	5 h	26 min.	42 s
			x 4
+	20 h	+ 104 min.	168 s
	→ 1 h	2 min. ←— 120 s	
	21 h	106 min.	48 s
	−	60 min.	
		46 min.	

SUSTRACCIÓN

	11 h	59 min.	60 s
−	4 h	16 min.	20 s
	7 h	43 min.	40 s

DIVISIÓN

43 h + 50 min. 120 s | 4
03 h 180 min. 00 s ↑ 10 h 57 min. 30 s
230 min.
30 min.
2 min. →● 60 s
● 60 min.

Los ángulos se miden con el sistema sexagesimal en grados, minutos y segundos.

1 grado = 60 minutos = 60′
1 minuto = 60 segundos = 60″

1 grado = 1°
1 minuto = 1′
1 segundo = 1″

> **Las operaciones con unidades angulares son muy similares a las realizadas con las unidades de tiempo pues, para realizar conversiones de una unidad a otra, se multiplica o divide por 60.**

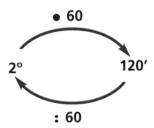

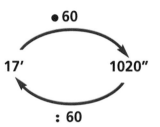

Ejemplos de las distintas operaciones:

ADICIÓN

	32°	40′	34″
+	15°	18′	52″
	47°	58′	86″
		+ 1′ ← -60″	
	47°	59′	26″
	47°	59′	26″

MULTIPLICACIÓN

	12°	40′	36″
		x 5	
+	60°	+ 200′	- 180″
	3° ←	3′ ←	180″
	63°	203′	0″
		- 180′	
		23′	
	63°	23′	

SUSTRACCIÓN

29° 12′ 40″ - 8° 25′ 50″

		71′	
	28° →	7̶2̶′ →	100″
-	2̶9̶° →	1̶2̶′	4̶0̶″
	8°	25′	50″
	20°	46′	50″

DIVISIÓN

56°	+ 16′	+ 13″	4
26° ↗	120′ ↗	60″	18° 45′ 24″
2°⌐	136′	73″	
	16′	13″	
	1′⌐	1″╱	

PUNTO, RECTA Y PLANO

La geometría (de "geo", tierra, y "metría", medir) nació a partir de necesidades concretas y luego se desarrolló como una ciencia teórica.

Observen con atención los elementos que encontramos en el cubo:

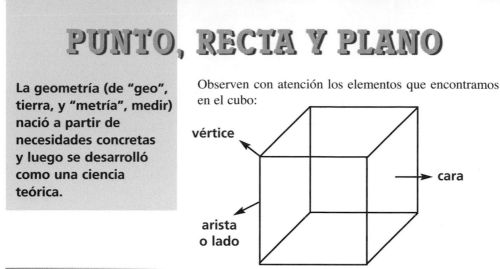

Vértice

En el cubo, donde concurren tres lados se forman los **vértices** que, en geometría, representan los **puntos**. Los puntos se denominan con letras minúsculas: a, b, c…

a
×

b
×

c
×

Los puntos son elementos de la geometría.

Lados

El **lado** es un sector de la **recta** y está formado por **infinitos puntos alineados**. La recta no tiene ni principio ni fin y se la designa con letra mayúscula.

A

B

Caras

Las **caras** son **planos**, en geometría. Los planos también están formados por infinitos puntos y se los denomina con letras griegas, como **a** (alfa), **b** (beta), **g** (gamma), etc.

α

β

Existen infinitos puntos, rectas y planos.

Punto	Recta	Plano
a b c × × ×	A ⟶ B C	α β
El punto es una figura que tiene **dimensión cero**.	La recta es una figura de **dimensión uno**.	El plano es una figura de **dimensión dos**.

¿Cuántas rectas podemos trazar por un punto?

Cuando dibujamos una recta, en realidad estamos representando un fragmento de la misma, ya que ella continúa indefinidamente en ambos sentidos.

> **Por un punto pasan *infinitas rectas.***

Por dos puntos, ¿cuántas rectas se pueden trazar?

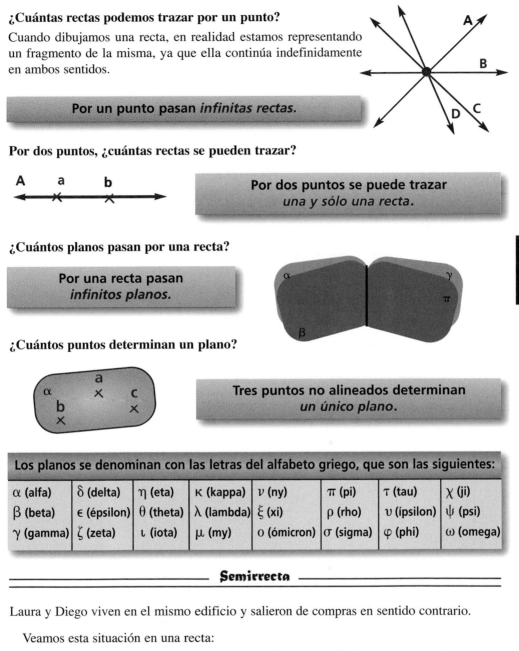

> **Por dos puntos se puede trazar una y sólo una recta.**

¿Cuántos planos pasan por una recta?

> **Por una recta pasan infinitos planos.**

¿Cuántos puntos determinan un plano?

> **Tres puntos no alineados determinan un único plano.**

Los planos se denominan con las letras del alfabeto griego, que son las siguientes:							
α (alfa)	δ (delta)	η (eta)	κ (kappa)	ν (ny)	π (pi)	τ (tau)	χ (ji)
β (beta)	ε (épsilon)	θ (theta)	λ (lambda)	ξ (xi)	ρ (rho)	υ (ípsilon)	ψ (psi)
γ (gamma)	ζ (zeta)	ι (iota)	μ (my)	ο (ómicron)	σ (sigma)	φ (phi)	ω (omega)

Semirrecta

Laura y Diego viven en el mismo edificio y salieron de compras en sentido contrario.

Veamos esta situación en una recta:

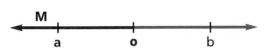

El punto **o** divide la recta en dos partes; cada una de ellas se denomina **semirrecta**.

El punto **o** es el origen. Para identificarlas, las nombramos:

$\overrightarrow{oa}$: semirrecta de origen **o** que contiene al punto **a**.

$\overrightarrow{ob}$: semirrecta de origen **o** que contiene al punto **b**.

Segmento

Miremos nuevamente el dibujo anterior. Supongamos que Laura vive en la casa que está al lado de la frutería y salió a caminar hacia la panadería. En cambio, Diego vive en el edificio al lado de la panadería y se dirigió hacia la frutería. Ambos han realizado un trayecto común desde que salieron de sus respectivas casas. ¿Lo vemos en una recta?

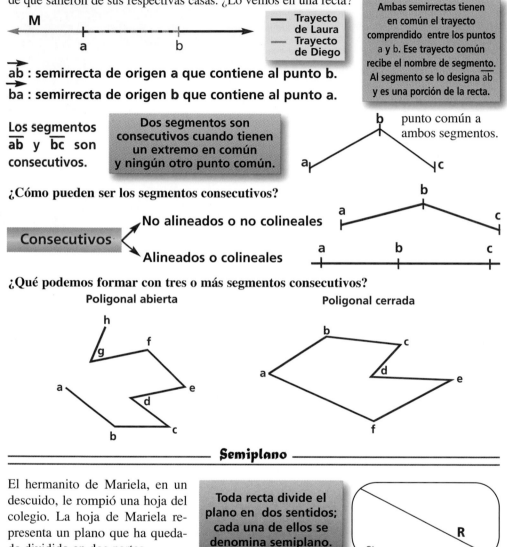

M

a   b

— Trayecto de Laura
— Trayecto de Diego

Ambas semirrectas tienen en común el trayecto comprendido entre los puntos a y b. Ese trayecto común recibe el nombre de segmento. Al segmento se lo designa $\overline{ab}$ y es una porción de la recta.

$\overrightarrow{ab}$: semirrecta de origen a que contiene al punto b.

$\overrightarrow{ba}$: semirrecta de origen b que contiene al punto a.

Los segmentos $\overline{ab}$ y $\overline{bc}$ son consecutivos.

Dos segmentos son consecutivos cuando tienen un extremo en común y ningún otro punto común.

b   punto común a ambos segmentos.

a   c

¿Cómo pueden ser los segmentos consecutivos?

Consecutivos
- No alineados o no colineales
- Alineados o colineales

¿Qué podemos formar con tres o más segmentos consecutivos?

Poligonal abierta

Poligonal cerrada

Semiplano

El hermanito de Mariela, en un descuido, le rompió una hoja del colegio. La hoja de Mariela representa un plano que ha quedado dividido en dos partes.

Toda recta divide el plano en dos sentidos; cada una de ellas se denomina semiplano.

R

α

La recta R recibe el nombre de RECTA BORDE. Para identificar y nombrar los planos determinados por R, debemos colocar en cada uno de ellos un punto.

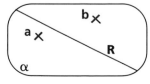

El semiplano de borde R que contiene al punto a: S (R, a)

El semiplano de borde R que contiene al punto b: S (R, b)

Un punto del plano puede pertenecer a uno de los semiplanos o pertenecer a la recta.

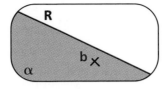

Dos puntos del plano determinan un segmento que puede estar incluido en uno de los semiplanos o puede no estar incluido en ninguno de los dos porque corta a la recta borde.

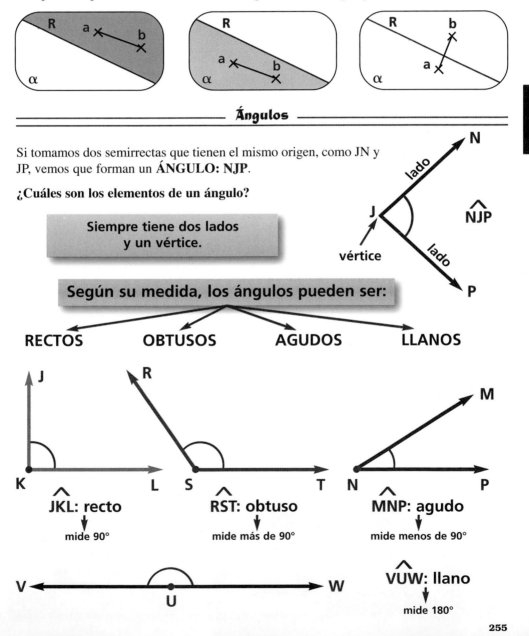

Ángulos

Si tomamos dos semirrectas que tienen el mismo origen, como JN y JP, vemos que forman un **ÁNGULO: NJP**.

¿Cuáles son los elementos de un ángulo?

**Siempre tiene dos lados
y un vértice.**

N

lado

J

vértice

lado

P

$\widehat{NJP}$

Según su medida, los ángulos pueden ser:

RECTOS OBTUSOS AGUDOS LLANOS

J

K   L

$\widehat{JKL}$: recto
↓
mide 90°

R

S   T

$\widehat{RST}$: obtuso
↓
mide más de 90°

M

N   P

$\widehat{MNP}$: agudo
↓
mide menos de 90°

V ← → W
U

$\widehat{VUW}$: llano
↓
mide 180°

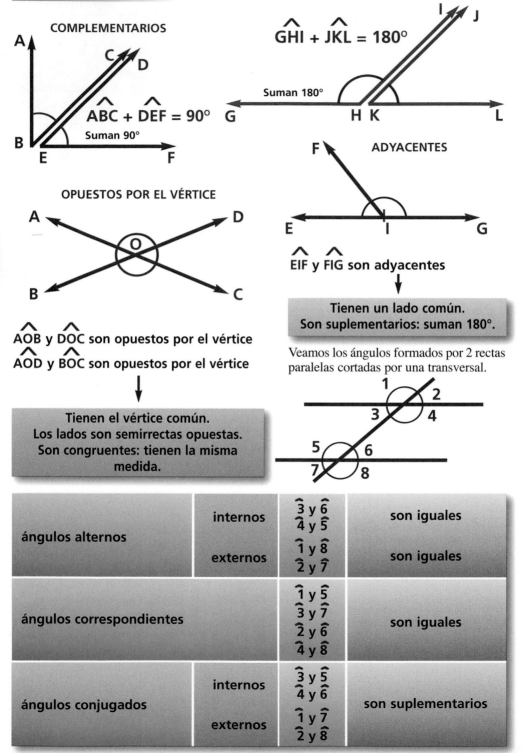

COMPLEMENTARIOS

$$\widehat{ABC} + \widehat{DEF} = 90°$$

Suman 90°

SUPLEMENTARIOS

$$\widehat{GHI} + \widehat{JKL} = 180°$$

Suman 180°

OPUESTOS POR EL VÉRTICE

$\widehat{AOB}$ y $\widehat{DOC}$ son opuestos por el vértice
$\widehat{AOD}$ y $\widehat{BOC}$ son opuestos por el vértice

Tienen el vértice común.
Los lados son semirrectas opuestas.
Son congruentes: tienen la misma medida.

ADYACENTES

$\widehat{EIF}$ y $\widehat{FIG}$ son adyacentes

Tienen un lado común.
Son suplementarios: suman 180°.

Veamos los ángulos formados por 2 rectas paralelas cortadas por una transversal.

ángulos alternos	internos	$\widehat{3}$ y $\widehat{6}$ $\widehat{4}$ y $\widehat{5}$	son iguales
	externos	$\widehat{1}$ y $\widehat{8}$ $\widehat{2}$ y $\widehat{7}$	son iguales
ángulos correspondientes		$\widehat{1}$ y $\widehat{5}$ $\widehat{3}$ y $\widehat{7}$ $\widehat{2}$ y $\widehat{6}$ $\widehat{4}$ y $\widehat{8}$	son iguales
ángulos conjugados	internos	$\widehat{3}$ y $\widehat{5}$ $\widehat{4}$ y $\widehat{6}$	son suplementarios
	externos	$\widehat{1}$ y $\widehat{7}$ $\widehat{2}$ y $\widehat{8}$	

FIGURAS GEOMÉTRICAS

Clases de polígonos

Todas las figuras que quedan determinadas por la intersección de tres o más rectas con un plano se llaman **POLÍGONOS**.

¿Se pueden clasificar los polígonos?
Tracemos, en estos polígonos, segmentos que unan puntos interiores.

Los objetos que nos rodean presentan diferentes formas. A partir de la observación de estas figuras planas, se fue construyendo la geometría, que estudia las figuras que tienen dos dimensiones.

Todos los segmentos que trazamos entre dos puntos de la figura quedan dentro de la figura.

POLÍGONOS CONVEXOS

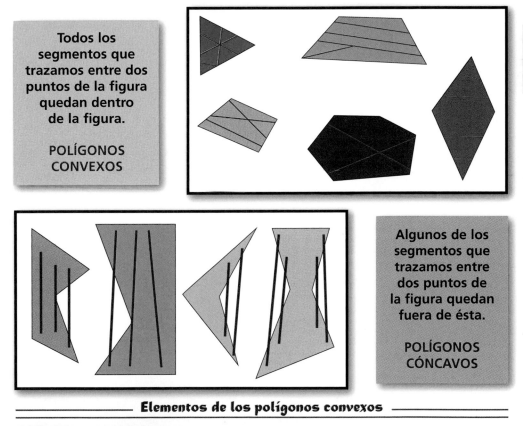

Algunos de los segmentos que trazamos entre dos puntos de la figura quedan fuera de ésta.

POLÍGONOS CÓNCAVOS

Elementos de los polígonos convexos

En los polígonos de 3 lados:

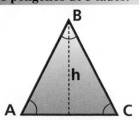

Vértices:	A, B y C
Lados:	$\overline{AB}$, $\overline{BC}$, $\overline{CA}$
Ángulos:	$\hat{A}$, $\hat{B}$ y $\hat{C}$

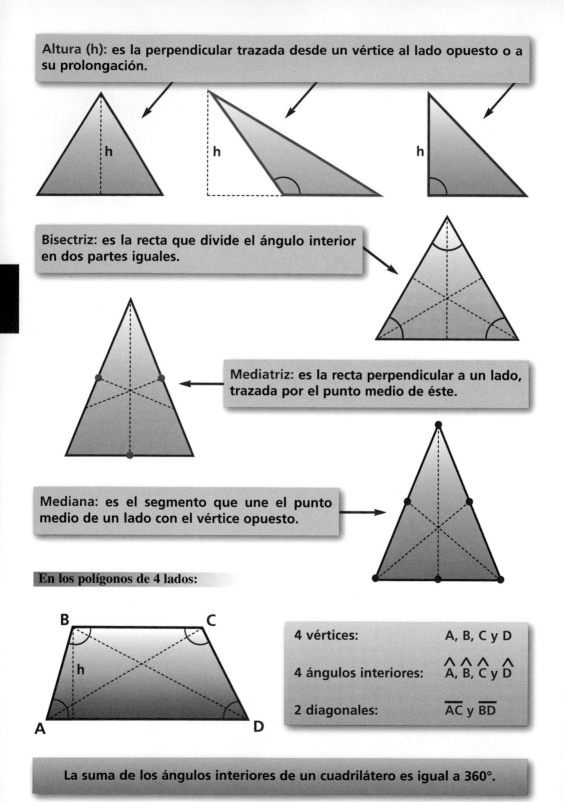

Altura (h): es la perpendicular trazada desde un vértice al lado opuesto o a su prolongación.

h

h

h

Bisectriz: es la recta que divide el ángulo interior en dos partes iguales.

Mediatriz: es la recta perpendicular a un lado, trazada por el punto medio de éste.

Mediana: es el segmento que une el punto medio de un lado con el vértice opuesto.

En los polígonos de 4 lados:

B   C

h

A   D

4 vértices:	A, B, C y D
4 ángulos interiores:	$\hat{A}, \hat{B}, \hat{C}$ y $\hat{D}$
2 diagonales:	$\overline{AC}$ y $\overline{BD}$

La suma de los ángulos interiores de un cuadrilátero es igual a 360°.

En los polígonos de más de 4 lados:

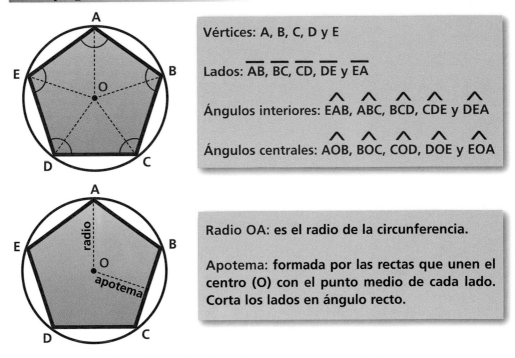

Vértices: A, B, C, D y E

Lados: $\overline{AB}$, $\overline{BC}$, $\overline{CD}$, $\overline{DE}$ y $\overline{EA}$

Ángulos interiores: $\hat{EAB}$, $\hat{ABC}$, $\hat{BCD}$, $\hat{CDE}$ y $\hat{DEA}$

Ángulos centrales: $\hat{AOB}$, $\hat{BOC}$, $\hat{COD}$, $\hat{DOE}$ y $\hat{EOA}$

Radio OA: es el radio de la circunferencia.

Apotema: formada por las rectas que unen el centro (O) con el punto medio de cada lado. Corta los lados en ángulo recto.

Clasificación de polígonos según sus lados

Como vemos, hay polígonos de 3, 4 y más lados. De acuerdo con el número de lados, podemos clasificar así los **polígonos convexos:**

| POLÍGONOS CONVEXOS DE 3 LADOS ⟶ TRIÁNGULOS |
| POLÍGONOS CONVEXOS DE 4 LADOS ⟶ CUADRILÁTEROS |
| POLÍGONOS CONVEXOS DE MÁS DE 4 LADOS |

Clasificación de polígonos regulares

Son los que tienen sus lados y sus ángulos congruentes. Según el número de lados, podemos clasificarlos de este modo:

NOMBRE	FIGURA	N.º DE LADOS
TRIÁNGULO EQUILÁTERO		3

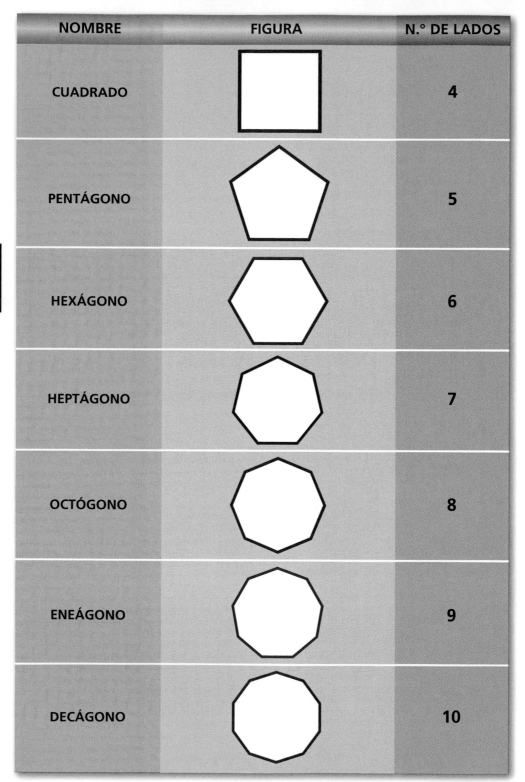

NOMBRE	FIGURA	N.º DE LADOS
CUADRADO		4
PENTÁGONO		5
HEXÁGONO		6
HEPTÁGONO		7
OCTÓGONO		8
ENEÁGONO		9
DECÁGONO		10

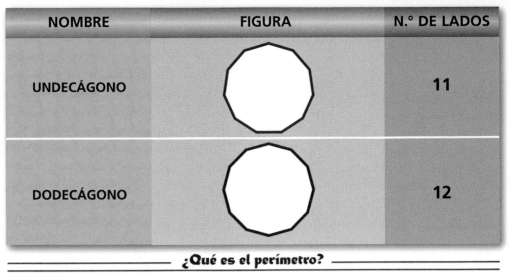

NOMBRE	FIGURA	N.° DE LADOS
UNDECÁGONO		11
DODECÁGONO		12

¿Qué es el perímetro?

Situación 1

Anita debe hacer el marco de un portarretrato cuadrado, de 12 cm de lado. ¿Cuántos centímetros de varilla necesita?

12 cm + 12 cm + 12 cm + 12 cm = 48 cm

¿Qué hicimos? Averiguamos el **perímetro** del cuadrado.

> El perímetro de un polígono es la suma de las longitudes de sus lados.

Triángulos

Los triángulos tienen algunas propiedades que es necesario conocer.

Con respecto a sus lados:

> En todo triángulo, un lado es menor que la suma de los otros dos y mayor que su diferencia.

Teniendo en cuenta esta propiedad de los lados del triángulo, ¿se puede construir un triángulo con estos segmentos?

$\overline{ab}$ = 16 cm

$\overline{bc}$ = 13 cm

$\overline{ca}$ = 10 cm

$\overline{ab}$ ‹ $\overline{bc}$ + $\overline{ca}$

16 cm ‹ 13 cm + 10 cm

16 cm › 13 cm - 10 cm

$\overline{bc}$ ‹ $\overline{ab}$ + $\overline{ca}$

13 cm ‹ 16 cm + 10 cm

$\overline{bc}$ › $\overline{ab}$ - $\overline{ca}$

13 cm › 16 cm - 10 cm

$\overline{ca}$ ‹ $\overline{ab}$ + $\overline{bc}$

10 cm ‹ 16 cm + 13 cm

$\overline{ca}$ › $\overline{ab}$ - $\overline{bc}$

10 cm › 16 cm - 13 cm

Con respecto a sus ángulos:

> La suma de los ángulos interiores de un triángulo es igual a 180°.

$$\hat{A} + \hat{B} + \hat{C} = 180°$$

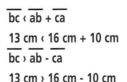

Según los ángulos:

Si tomamos en cuenta los **ángulos interiores**, los triángulos se clasifican en:

ACUTÁNGULO	OBTUSÁNGULO	RECTÁNGULO
todos los ángulos son agudos	uno de los ángulos es obtuso	uno de los ángulos es recto

Según los lados:

Si tomamos en cuenta la **longitud de los lados**, los triángulos se clasifican en:

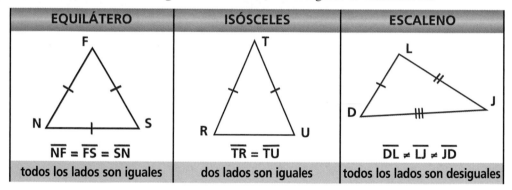

EQUILÁTERO	ISÓSCELES	ESCALENO
$\overline{NF} = \overline{FS} = \overline{SN}$	$\overline{TR} = \overline{TU}$	$\overline{DL} \neq \overline{LJ} \neq \overline{JD}$
todos los lados son iguales	dos lados son iguales	todos los lados son desiguales

Cuadriláteros

Los polígonos de cuatro lados se denominan **cuadrángulos**.

> **La región frontera de un polígono de cuatro lados se denomina cuadrilátero.**

Algunos cuadriláteros tienen uno o dos pares de lados paralelos, o ninguno. Si tenemos en cuenta este criterio de paralelismo, podemos distinguir tres clases de cuadriláteros:

PARALELOGRAMOS	dos pares de lados opuestos paralelos
TRAPECIOS	un par de lados paralelos
TRAPEZOIDES	ningún par de lados paralelos

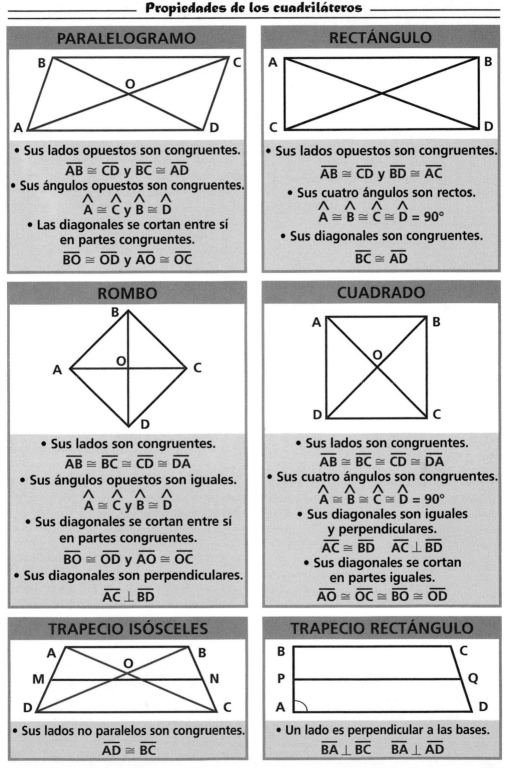

PARALELOGRAMO

- Sus lados opuestos son congruentes.
  $$\overline{AB} \cong \overline{CD} \text{ y } \overline{BC} \cong \overline{AD}$$
- Sus ángulos opuestos son congruentes.
  $$\hat{A} \cong \hat{C} \text{ y } \hat{B} \cong \hat{D}$$
- Las diagonales se cortan entre sí en partes congruentes.
  $$\overline{BO} \cong \overline{OD} \text{ y } \overline{AO} \cong \overline{OC}$$

RECTÁNGULO

- Sus lados opuestos son congruentes.
  $$\overline{AB} \cong \overline{CD} \text{ y } \overline{BD} \cong \overline{AC}$$
- Sus cuatro ángulos son rectos.
  $$\hat{A} \cong \hat{B} \cong \hat{C} \cong \hat{D} = 90°$$
- Sus diagonales son congruentes.
  $$\overline{BC} \cong \overline{AD}$$

ROMBO

- Sus lados son congruentes.
  $$\overline{AB} \cong \overline{BC} \cong \overline{CD} \cong \overline{DA}$$
- Sus ángulos opuestos son iguales.
  $$\hat{A} \cong \hat{C} \text{ y } \hat{B} \cong \hat{D}$$
- Sus diagonales se cortan entre sí en partes congruentes.
  $$\overline{BO} \cong \overline{OD} \text{ y } \overline{AO} \cong \overline{OC}$$
- Sus diagonales son perpendiculares.
  $$\overline{AC} \perp \overline{BD}$$

CUADRADO

- Sus lados son congruentes.
  $$\overline{AB} \cong \overline{BC} \cong \overline{CD} \cong \overline{DA}$$
- Sus cuatro ángulos son congruentes.
  $$\hat{A} \cong \hat{B} \cong \hat{C} \cong \hat{D} = 90°$$
- Sus diagonales son iguales y perpendiculares.
  $$\overline{AC} \cong \overline{BD} \quad \overline{AC} \perp \overline{BD}$$
- Sus diagonales se cortan en partes iguales.
  $$\overline{AO} \cong \overline{OC} \cong \overline{BO} \cong \overline{OD}$$

TRAPECIO ISÓSCELES

- Sus lados no paralelos son congruentes.
  $$\overline{AD} \cong \overline{BC}$$

TRAPECIO RECTÁNGULO

- Un lado es perpendicular a las bases.
  $$\overline{BA} \perp \overline{BC} \quad \overline{BA} \perp \overline{AD}$$

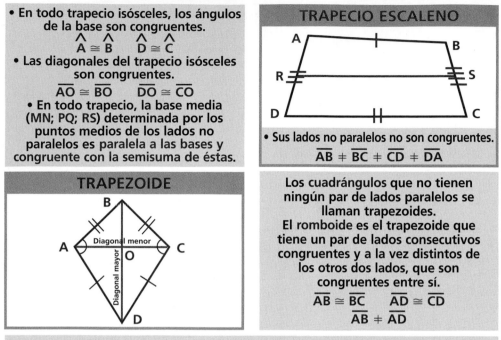

- **En todo trapecio isósceles, los ángulos de la base son congruentes.**

$$\hat{A} \cong \hat{B} \qquad \hat{D} \cong \hat{C}$$

- **Las diagonales del trapecio isósceles son congruentes.**

$$\overline{AO} \cong \overline{BO} \qquad \overline{DO} \cong \overline{CO}$$

- **En todo trapecio, la base media (MN; PQ; RS) determinada por los puntos medios de los lados no paralelos es paralela a las bases y congruente con la semisuma de éstas.**

TRAPECIO ESCALENO

- **Sus lados no paralelos no son congruentes.**

$$\overline{AB} \neq \overline{BC} \neq \overline{CD} \neq \overline{DA}$$

TRAPEZOIDE

Los cuadrángulos que no tienen ningún par de lados paralelos se llaman trapezoides.
El romboide es el trapezoide que tiene un par de lados consecutivos congruentes y a la vez distintos de los otros dos lados, que son congruentes entre sí.

$$\overline{AB} \cong \overline{BC} \qquad \overline{AD} \cong \overline{CD}$$
$$\overline{AB} \neq \overline{AD}$$

- **El romboide, como todo cuadrilátero, tiene dos diagonales. La diagonal determinada por los vértices donde concurren los lados congruentes se denomina diagonal mayor o principal. La otra diagonal recibe el nombre de diagonal menor.**
- **Las diagonales del romboide son perpendiculares: $\overline{BD} \perp \overline{AC}$.**
- **La diagonal principal corta a la otra diagonal en partes congruentes: $\overline{AO} \cong \overline{OC}$.**
- **Los ángulos determinados por dos lados consecutivos no congruentes son congruentes: $\hat{A} \cong \hat{C}$.**

Área de los polígonos

Para calcular el área de los polígonos, primero tenemos que conocer algunos datos de la figura, como **base**, **altura**, **lado**, **apotema**, **diagonal**; luego, aplicar una sencilla fórmula:

FIGURA	FÓRMULA	
TRIÁNGULO	$\dfrac{b \cdot h}{2}$	La h (altura) es la perpendicular que va de un vértice al lado opuesto. Se considera que un triángulo es la mitad de un rectángulo.
CUADRADO	l^2	l = lado. Como la base y la altura del cuadrado son iguales, se multiplica (l . l), o sea, l^2.
RECTÁNGULO	$b \cdot h$ o $l_1 \cdot l_2$	Un lado corresponde a la base y el otro lado corresponde a la altura. El rectángulo y el paralelogramo tienen la misma **área**.
ROMBO	$\dfrac{D \cdot d}{2}$	d = diagonal menor / D = diagonal mayor. Se considera que la d y la D son la base y la altura de un rectángulo que es el doble del rombo.

FIGURA	FÓRMULA	
TRAPECIO 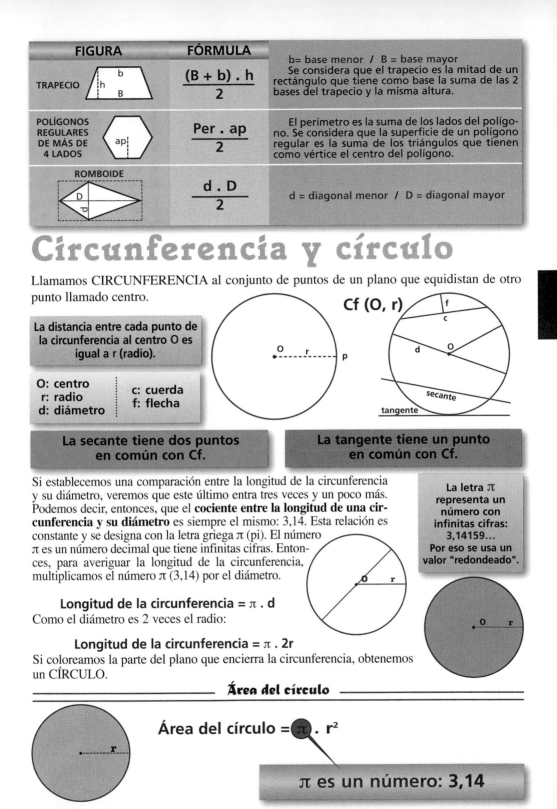	$$\dfrac{(B + b) \cdot h}{2}$$	b= base menor / B = base mayor Se considera que el trapecio es la mitad de un rectángulo que tiene como base la suma de las 2 bases del trapecio y la misma altura.
POLÍGONOS REGULARES DE MÁS DE 4 LADOS	$$\dfrac{Per \cdot ap}{2}$$	El perímetro es la suma de los lados del polígono. Se considera que la superficie de un polígono regular es la suma de los triángulos que tienen como vértice el centro del polígono.
ROMBOIDE	$$\dfrac{d \cdot D}{2}$$	d = diagonal menor / D = diagonal mayor

Circunferencia y círculo

Llamamos CIRCUNFERENCIA al conjunto de puntos de un plano que equidistan de otro punto llamado centro.

Cf (O, r)

La distancia entre cada punto de la circunferencia al centro O es igual a r (radio).

O: centro
r: radio
d: diámetro

c: cuerda
f: flecha

secante

tangente

La secante tiene dos puntos en común con Cf.

La tangente tiene un punto en común con Cf.

Si establecemos una comparación entre la longitud de la circunferencia y su diámetro, veremos que este último entra tres veces y un poco más. Podemos decir, entonces, que el **cociente entre la longitud de una circunferencia y su diámetro** es siempre el mismo: 3,14. Esta relación es constante y se designa con la letra griega π (pi). El número π es un número decimal que tiene infinitas cifras. Entonces, para averiguar la longitud de la circunferencia, multiplicamos el número π (3,14) por el diámetro.

La letra π representa un número con infinitas cifras: 3,14159... Por eso se usa un valor "redondeado".

Longitud de la circunferencia = $\pi \cdot$ d

Como el diámetro es 2 veces el radio:

Longitud de la circunferencia = $\pi \cdot$ 2r

Si coloreamos la parte del plano que encierra la circunferencia, obtenemos un CÍRCULO.

———————————— **Área del círculo** ————————————

Área del círculo = $\pi \cdot r^2$

π es un número: 3,14

CUERPOS GEOMÉTRICOS

Todos los objetos que nos rodean son cuerpos. Tienen tres dimensiones: altura, ancho, espesor. Ocupan un lugar en el espacio. Dentro de este mundo hay una clase especial, los cuerpos geométricos.

Según las características de los elementos de los cuerpos geométricos, se pueden clasificar en dos grandes grupos: los poliedros y los cuerpos redondos.

¿Cuáles son los poliedros?
Los cuerpos que tienen caras planas.

Los poliedros no ruedan.

PRISMA	PIRÁMIDE	CUBO	PARALELEPÍPEDO

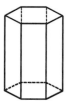 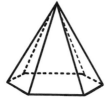 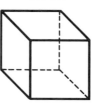 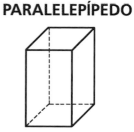

¿Y los cuerpos redondos?
Los cuerpos que tienen caras planas y curvas o caras curvas.

CILINDRO **CONO** **ESFERA**

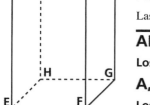

Los cuerpos redondos sí ruedan.

Veamos los elementos de un poliedro.
Las **caras** son **polígonos**:

ADHE, DCGH, CBFG, ABFE, ABCD, EHGF

Las **intersecciones de las caras** son las **aristas**:

$\overline{AB}$, $\overline{BC}$, $\overline{CD}$, $\overline{DA}$, $\overline{EH}$, $\overline{HG}$, $\overline{GF}$, $\overline{FE}$, $\overline{AE}$, $\overline{DH}$, $\overline{CG}$, $\overline{BF}$

Los **vértices** son los puntos donde concurren las aristas:

A, B, C, D, E, F, G, H

Los poliedros tienen, además, distintos tipos de ángulos.

Ángulo diedro es el ángulo formado por cada par de caras consecutivas.

Ángulo triedro es el ángulo formado por la concurrencia de tres caras consecutivas.

Ángulo poliedro es el ángulo formado por la concurrencia de más de tres caras consecutivas.

> **El prisma es el poliedro que tiene dos bases poligonales congruentes y paralelas. Además, las caras laterales son paralelogramos.**

> **El paralelepípedo recto-rectángulo también es un prisma (su base es poligonal). El cubo es, a la vez, paralelepípedo y prisma.**

Algo más sobre los prismas:

Cuando en un prisma la altura es congruente con las aristas laterales, el **prisma es recto**.

No es prisma recto.

Es prisma recto.

En la pirámide, la altura no es congruente con las aristas.

La altura de la pirámide es el segmento que va desde el centro de la base al vértice opuesto.

Dentro del conjunto de los poliedros, está el subconjunto de los POLIEDROS REGULARES.

Tetraedro   **Octaedro**   **Cubo**   **Dodecaedro**   **Icosaedro**

¿POR QUÉ SON POLIEDROS REGULARES?

- **Todas las caras son polígonos congruentes.**
- **A todos los vértices concurren el mismo número de aristas.**
- **Sus ángulos diedros, triedros o poliedros son congruentes.**

--- **Elementos** ---

Los nombres que reciben la mayoría de los poliedros regulares (excepto el cubo) se refieren al número de caras que los componen. Cada cuerpo tiene un número determinado de elementos:

NOMBRE	TETRAEDRO	OCTAEDRO	CUBO	DODECAEDRO	ICOSAEDRO
CARAS	4	8	6	12	20
VÉRTICES	4	6	8	20	12
ARISTAS	6	12	12	30	30
ÁNGULOS DIEDROS	6	12	12	30	30
ÁNGULOS TRIEDROS	4	-	8	20	-
ÁNGULOS POLIEDROS	-	6	-	-	12

Situación 1

Voy a decorar con papel una caja que es un **paralelepípedo**. ¿Cuánto papel necesito?
Con el papel voy a cubrir las caras laterales y las dos bases. Entonces averiguo **el área lateral** (área de las caras laterales) y el **área total** (área lateral más área de las bases).

¿Cómo se averiguan las áreas laterales y totales de los prismas rectos y las pirámides?

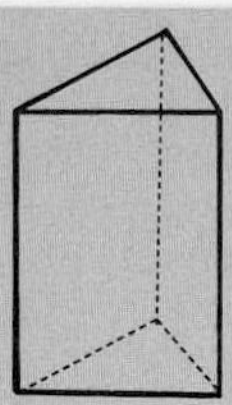

Triangular

Área lateral = área del rectángulo x 3

Área lateral = b x h x 3   ▸ **Son 3 caras laterales**

Área total = b x h x 3 + área del triángulo x 2

Área total = b x h x 3 + $\dfrac{b \times h}{2}$ x 2

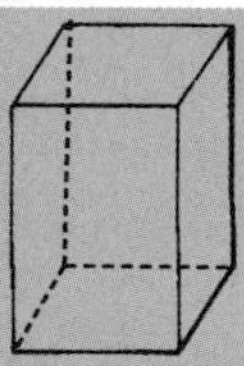

Cuadrangular

Área lateral = área del rectángulo x 4

Área lateral = b x h x 4   ▸ **Son 4 caras laterales**

Área total = área lateral + área de las bases

Área total = b x h x 4 + l^2 x 2

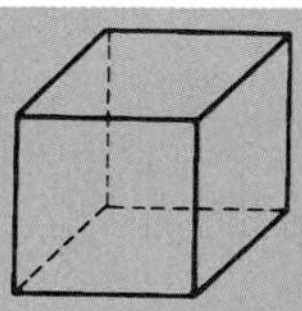

Paralelepípedo recto rectángulo (ortoedro)

Área lateral = área del rectángulo x 4

Área lateral = b x h x 4

Área total = área lateral + área de las bases

Área total = b x h x 4 + b x h x 2

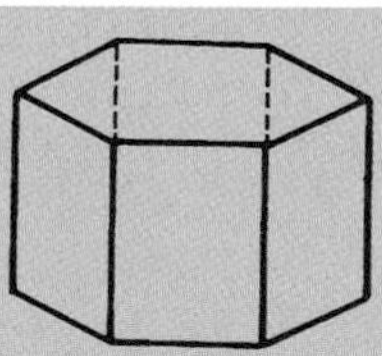

Hexagonal

Área lateral = área del rectángulo x N.º de caras

Área lateral = b x h x 5, 6, etc.

Área total = área lateral + área de las bases x 2

Área total = b x h x N.º de caras + $\dfrac{per \times ap.}{2}$ x 2

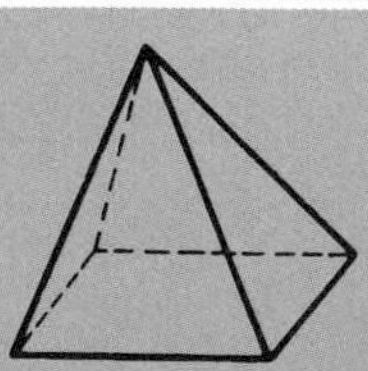

Pirámide

Área lateral = área del triángulo x N.º de caras

Área lateral = $\dfrac{b \times h}{2}$ x N.º de caras

Área total = área lateral + área de la base

Área total = $\dfrac{b \times h}{2}$ x N.º de caras + área de la base

La base de la pirámide puede ser un cuadrado, un rectángulo, un polígono de más de 4 lados. Se aplicará la fórmula de acuerdo con la figura.

Situación 1

Voy a tapizar con tela una butaca que es un cilindro. Para saber cuánta tela necesito, averiguo el área lateral y total del cilindro.

Se considera que la cara lateral del cilindro es un rectángulo cuya base es el perímetro de la circunferencia. Entonces:

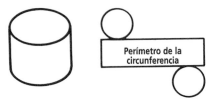

Perímetro de la circunferencia

Área lateral = π x d x h

Área total = π x d x h + área del círculo x 2

Área total = π x d x h + π x r² x 2

Se considera que la cara lateral del cono es un sector circular cuyo arco es igual a la longitud de la circunferencia de la base y cuyo radio es igual a la generatriz del cono. Entonces:

Área lateral del cono = área sector circular
Área lateral del cono = long. arco x long. radio

$$\text{Área lateral del cono} = \frac{\overset{1}{\cancel{2}}\,\pi \times r \times g}{\underset{1}{\cancel{2}}}$$

> **La generatriz es la distancia entre el vértice y un punto cualquiera de la circunferencia de la base.**

Área total=
π x r x g +
π x 2 r

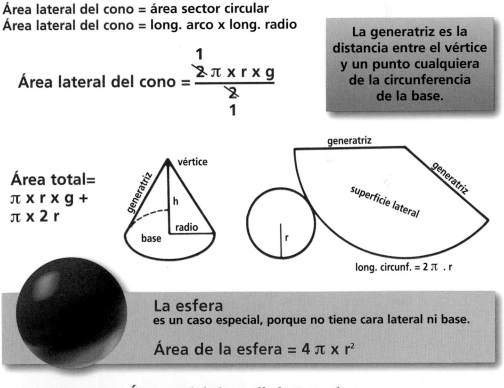

vértice

generatriz

h

radio

base

generatriz

generatriz

superficie lateral

r

long. circunf. = 2 π . r

La esfera
es un caso especial, porque no tiene cara lateral ni base.

Área de la esfera = 4 π x r²

──────── **Área total de los poliedros regulares** ────────

Como los poliedros regulares están formados por caras congruentes, se calcula solamente el área total. ¿Cómo se hace? Muy sencillo, averiguamos primero el área de una de las caras y después la multiplicamos por el número de caras que tiene el cuerpo que estamos considerando.

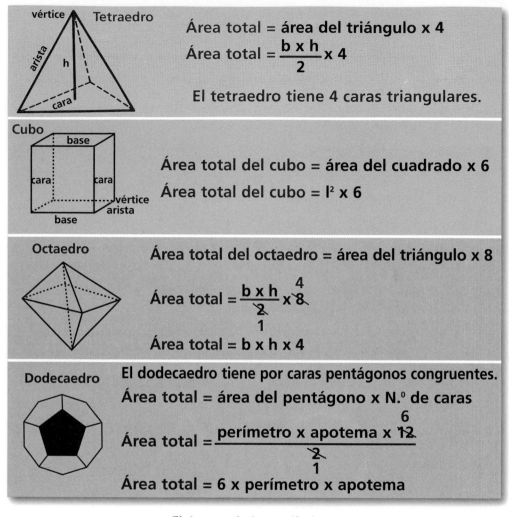

Tetraedro

vértice · arista · h · cara

Área total = área del triángulo x 4

$$\text{Área total} = \frac{b \times h}{2} \times 4$$

El tetraedro tiene 4 caras triangulares.

Cubo

base · cara · cara · vértice · arista · base

Área total del cubo = área del cuadrado x 6

Área total del cubo = l^2 x 6

Octaedro

Área total del octaedro = área del triángulo x 8

$$\text{Área total} = \frac{b \times h}{\cancel{2}_1} \times \cancel{8}^4$$

Área total = b x h x 4

Dodecaedro

El dodecaedro tiene por caras pentágonos congruentes.

Área total = área del pentágono x N.º de caras

$$\text{Área total} = \frac{\text{perímetro x apotema x } \cancel{12}^6}{\cancel{2}_1}$$

Área total = 6 x perímetro x apotema

Volumen de los poliedros

Cuando estamos en una habitación y miramos las paredes y el cielo raso, nos damos cuenta de que estamos ocupando una parte de esa habitación. Todos los objetos que nos rodean también ocupan un espacio.

A ese espacio que ocupa cualquier cuerpo lo llamamos volumen.

Para medir las superficies de las figuras, tenemos en cuenta **dos magnitudes**: **base** y **altura**. Pero, para medir el volumen de un cuerpo, tenemos que considerar **tres magnitudes**. ¿Por qué?

Porque **todos los cuerpos tienen un ancho, un espesor y una altura**.

Imaginemos un televisor:

altura · ancho · espesor

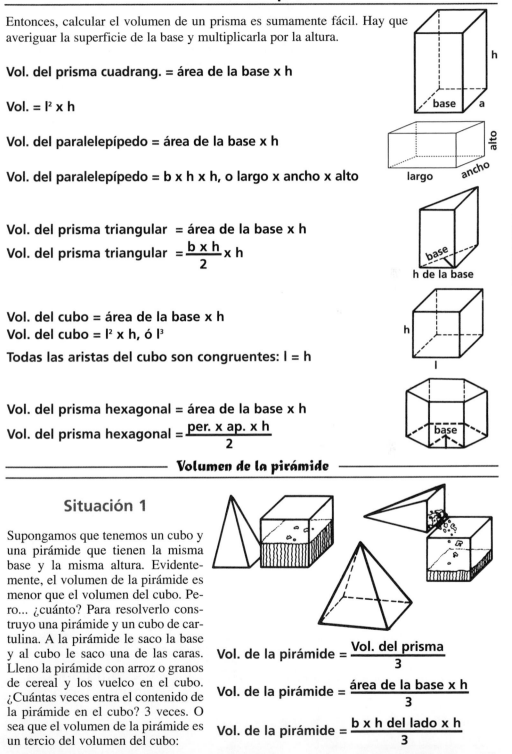

Volumen de un prisma

Entonces, calcular el volumen de un prisma es sumamente fácil. Hay que averiguar la superficie de la base y multiplicarla por la altura.

Vol. del prisma cuadrang. = área de la base x h

Vol. = l^2 x h

Vol. del paralelepípedo = área de la base x h

Vol. del paralelepípedo = b x h x h, o largo x ancho x alto

Vol. del prisma triangular = área de la base x h

Vol. del prisma triangular = $\dfrac{b \times h}{2}$ x h

Vol. del cubo = área de la base x h

Vol. del cubo = l^2 x h, ó l^3

Todas las aristas del cubo son congruentes: l = h

Vol. del prisma hexagonal = área de la base x h

Vol. del prisma hexagonal = $\dfrac{per. \times ap. \times h}{2}$

Volumen de la pirámide

Situación 1

Supongamos que tenemos un cubo y una pirámide que tienen la misma base y la misma altura. Evidentemente, el volumen de la pirámide es menor que el volumen del cubo. Pero... ¿cuánto? Para resolverlo construyo una pirámide y un cubo de cartulina. A la pirámide le saco la base y al cubo le saco una de las caras. Lleno la pirámide con arroz o granos de cereal y los vuelco en el cubo. ¿Cuántas veces entra el contenido de la pirámide en el cubo? 3 veces. O sea que el volumen de la pirámide es un tercio del volumen del cubo:

Vol. de la pirámide = $\dfrac{\text{Vol. del prisma}}{3}$

Vol. de la pirámide = $\dfrac{\text{área de la base x h}}{3}$

Vol. de la pirámide = $\dfrac{\text{b x h del lado x h}}{3}$

¿Cómo hacemos para medir el volumen de un cuerpo redondo?

Si consideramos el cilindro como un prisma que tiene base circular en vez de poligonal, la forma de averiguar el volumen es la misma: área de la base por la altura.

Vol. del cilindro = área de la base x h

Vol. del cilindro = π x r² x h

Situación 1

Quiero averiguar el volumen de un cono. Construyo un cono y un cilindro de cartulina que tengan bases y alturas congruentes. Lleno el cono con semillas. Vuelco el contenido del cono en el cilindro. Sólo lleno 1/3 del cilindro. O sea que el volumen del cono es un tercio del cilindro.

Vol. del cono = $\dfrac{\text{área de la base x h}}{3}$

Vol. del cono = $\dfrac{\pi \text{ x } r^2 \text{ x } h}{3}$

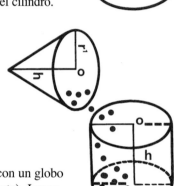

Situación 2

Para averiguar el volumen de una esfera, construyo una con un globo y papel maché (seguramente no saldrá una esfera perfecta). Luego, construyo un cilindro de cartulina que tenga por base la circunferencia mayor de la esfera y por altura también la circunferencia mayor. Hago un agujero en la esfera y la lleno con semillas, pan rallado, etc. Si vuelco el contenido de la esfera en el cilindro, compruebo que ocupa aproximadamente 2/3 del cilindro. Entonces:

Vol. esfera $= \dfrac{2}{3}$ del vol. del cilindro

Vol. esfera $= \dfrac{2}{3}$ x π x r² x h

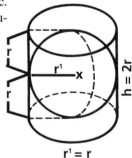

Como la altura del cilindro es dos veces el radio de la esfera, reemplazo h por 2 x r

Vol. esfera $= \dfrac{2}{3}$ x π x r² x 2 x r

Vol. esfera $= \dfrac{4}{3}$ x π x r³

Conmutando algunos factores:

2 x 2 = 4

r² x r = r³

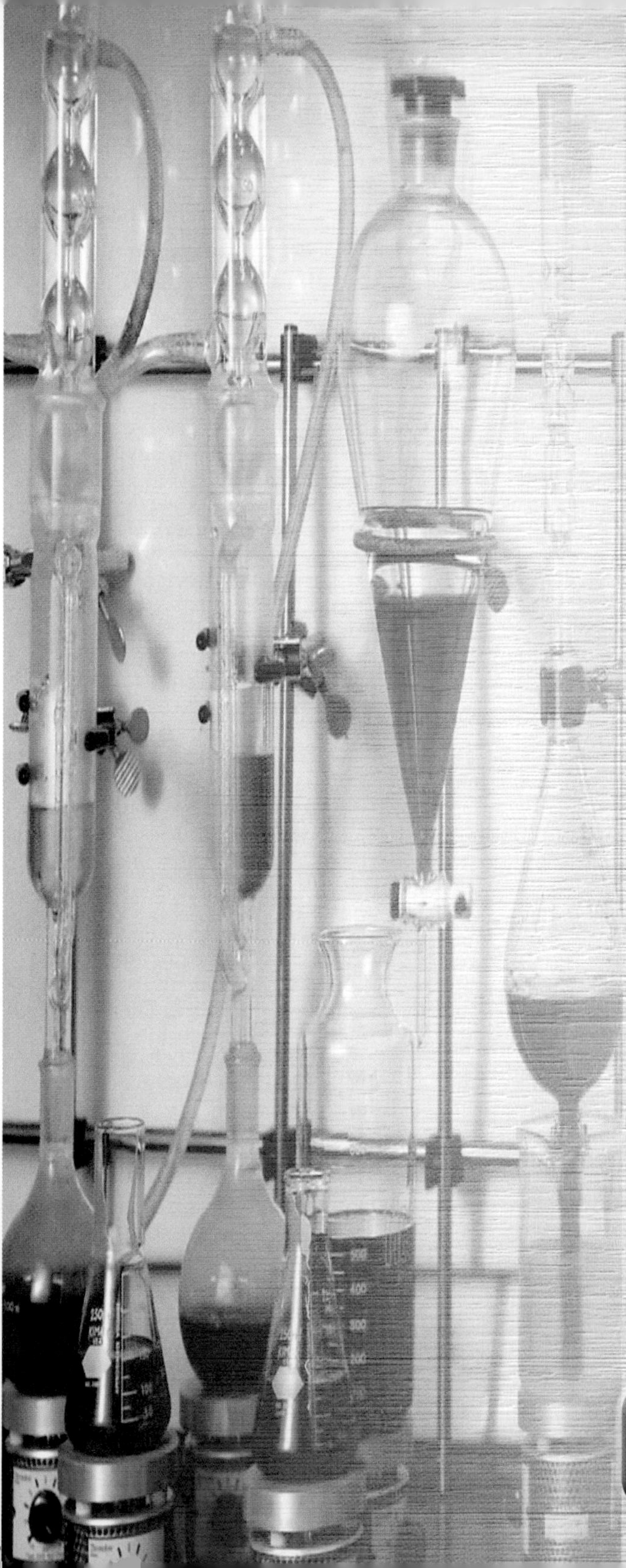

Física - Química

Para
comprender
cómo los
fenómenos
físicos
y químicos
influyen en
los hábitos
cotidianos.

LA MATERIA

Si observamos el mundo que nos rodea, vemos que los objetos, los cuerpos y todo el Universo están formados por materia.

Todos somos materia

El Universo y todo cuanto existe en él está constituido por *materia*, pues es el elemento común de todos los cuerpos. Por esto mismo, definimos los **cuerpos** como una **porción limitada de materia.**

La materia tiene determinadas características, llamadas **propiedades:**

- es **impenetrable**, porque dos cuerpos no pueden ocupar el mismo lugar en el espacio;
- es **divisible,** ya que puede subdividirse en cuerpos más pequeños, de diferente forma y aspecto;
- los cuerpos tienden a permanecer en el estado de reposo o movimiento en el que se encuentran (**propiedad de inercia**);
- todo cuerpo **tiene peso**, pues la fuerza de gravedad

La materia

La materia, ya sea viva o inerte, posee peso, masa, volumen, ocupa un lugar en el espacio y está formada por pequeñísimas partículas llamadas átomos.

lo atrae hacia el centro de la Tierra;
- **puede presentarse en diferentes estados**: sólido, líquido o gaseoso;
- **se dilata** (aumenta su volumen) al calentarse y **se contrae** (disminuye de volumen) al enfriarse.

Además de los tres estados mencionados (sólido, líquido y gaseoso), en determinadas condiciones, la materia puede presentarse en un cuarto estado. En el interior de las estrellas, las temperaturas son tan elevadas que los átomos se desintegran y forman el *plasma*, en el que los núcleos atómicos y los electrones se mueven por separado, con entera libertad.

Sus componentes

La parte más pequeña en que se puede dividir la materia sin que pierda sus propiedades es la **molécula**. Ésta, a su vez, puede dividirse en porciones más chiquitas, que se llaman **átomos**. Los átomos se unen formando moléculas. Al unirse, las moléculas van constituyendo distintas **sustancias**. Por ejemplo: el oro es una sustancia diferente del aluminio o del agua.

LOS ESTADOS DE LA MATERIA Y SUS CARACTERÍSTICAS

La *materia* tiene la particularidad de *presentarse en la naturaleza en distintos estados* y cada uno tiene sus propias características.

GASEOSO	LÍQUIDO	SÓLIDO
No tiene rigidez ni volumen definido. Tiende a ocupar más espacio. Los átomos se mueven mucho, chocan constantemente entre sí y con las paredes del recipiente que los contiene.	No tiene rigidez. Toma la forma del recipiente que ocupa. Los átomos están unidos, pero en constante movimiento.	Es rígida, con forma y volumen bien definidos. Los átomos se encuentran separados a igual distancia y tienen poco movimiento.

LA MOLÉCULA

Unión de átomos

Un grupo de átomos –iguales o distintos–, unidos entre sí de tal forma que se comportan como una misma partícula, forman una **molécula**.

La unión de átomos iguales forma **moléculas de sustancias simples**, mientras que la unión de átomos diferentes forma **moléculas de sustancias compuestas**.

Si dividiéramos la molécula de agua en porciones menores, obtendríamos **los elementos que la componen**, es decir, **átomos**; pero ya no sería agua (no tendría las propiedades características del agua).

Diferencia entre átomo y molécula

Una molécula está formada por la unión de átomos (iguales o diferentes) y constituye la **porción más pequeña en que podemos dividir una sustancia sin que pierda sus propiedades**. Por ejemplo, **una molécula de agua es la unidad de la sustancia "agua"**.

Observándola al **microscopio**, veríamos que está formada por **dos átomos de hidrógeno y un átomo de oxígeno**. Se representa con la fórmula H_2O.

Conformación de la molécula

Las moléculas que componen las **sustancias inorgánicas** (como el **oxígeno**, el **oro**, la **lejía**, la **sal**) poseen un **reducido número de átomos**.

Las moléculas de **sustancias orgánicas** (**proteínas, glucosa, ácido cítrico, colorantes, nafta**), en cambio, presentan **miles de átomos**; por ello se las llama **macromoléculas** (del

Molécula de agua

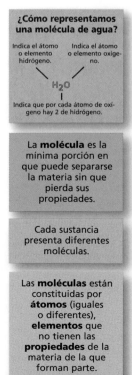

átomo de hidrógeno (H)

átomo de oxígeno (O)

átomo de hidrógeno (H)

¿Cómo representamos una molécula de agua?

Indica el átomo o elemento hidrógeno.

Indica el átomo o elemento oxígeno.

H_2O

Indica que por cada átomo de oxígeno hay 2 de hidrógeno.

La **molécula** es la mínima porción en que puede separarse la materia sin que pierda sus propiedades.

Cada sustancia presenta diferentes moléculas.

Las **moléculas** están constituidas por **átomos** (iguales o diferentes), **elementos** que no tienen las **propiedades** de la materia de la que forman parte.

La molécula es la mínima porción en que puede dividirse una sustancia sin que deje de ser lo que es.

griego *macrós*, que significa "grande").

En las **sustancias simples** (**oxígeno, azufre**), las moléculas están constituidas por **uno o más átomos de un solo tipo** (o elemento). Por ejemplo, el oxígeno está formado por dos átomos de ese elemento; el azufre, por ocho átomos iguales a su elemento.

En las **sustancias compuestas**, las moléculas están formadas por **varios** (dos o más) **tipos de átomos de diferentes elementos**. La sal para consumo está formada por un átomo de cloro (Cl) y otro de sodio (Na).

EL APORTE DE AVOGADRO

En las primeras décadas del siglo XIX, el científico italiano **Avogadro** realizó una gran tarea de investigación y elaboró una distinción fundamental. Se trata de la clara diferenciación entre los conceptos de **átomo** y **molécula**. El reconocimiento universal hacia *Avogadro* se amplía aún más cuando se tiene en cuenta que allí comenzó la investigación de cómo estaban unidos los átomos a una molécula.

En el año 1811, *Avogadro* dio al mundo científico su aporte imperecedero: la **Ley de Avogadro del peso molecular**. En ella se enunciaba que **dos volúmenes iguales de gases diferentes contienen igual número de moléculas si la temperatura y la presión son iguales en ambos gases**. Este notable descubrimiento permitió que se puedan diferenciar los **pesos atómicos** y los **pesos moleculares**.

El oro, un elemento particular

En el oro, sustancia inorgánica metálica, los átomos iguales del elemento se encuentran estrechamente agrupados. Hay que destacar, también, que el tamaño de los átomos es grande con respecto a otros elementos. Estas particularidades hacen que este metal no reaccione fácilmente al entrar en contacto con otras sustancias.

¿Qué es la alotropía?

Las moléculas pueden estar formadas por átomos iguales o distintos.
Cuando se combinan átomos idénticos para obtener sustancias diferentes, decimos que se produce una alotropía. Un ejemplo de ello son el oxígeno (O_2) y el ozono (O_3). Estas sustancias son **alótropos** del elemento oxígeno.

Fuerzas de atracción o enlace

¿Cómo se mantienen unidos los átomos de una molécula? Esto ocurre gracias a una **fuerza** que se llama **enlace químico**.
Existen diferentes tipos de enlaces. Los más comunes son el **enlace iónico** y el **enlace covalente**.

- **Enlace iónico**: en este tipo de unión, **un átomo le cede uno o más electrones a otro** átomo diferente.
  Es decir, **hay transferencia completa de electrones de un átomo a otro**.
  Esta unión se observa, por ejemplo, en la molécula del **cloruro de sodio**.

- **Enlace covalente**: en este tipo de unión, los átomos no ceden ni aceptan electrones, sino que **comparten electrones por pares** (un par, dos pares, tres pares, etc.).
  Si los átomos unidos son iguales, se trata de un **enlace covalente simple** (por ejemplo, el de la molécula de **hidrógeno**).
  Si los átomos unidos son diferentes, se trata de un **enlace covalente compuesto** (por ejemplo, el de la molécula de **monocloruro de iodo**).

Molécula de hidrógeno

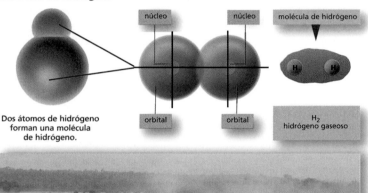

Dos átomos de hidrógeno forman una molécula de hidrógeno.

núcleo

núcleo

orbital

orbital

molécula de hidrógeno

H_2 hidrógeno gaseoso

Molécula no polar

Cuando una molécula carece de polos eléctricos, es una molécula no polar. Analicemos un ejemplo para comprenderlo.

La molécula de oxígeno está compuesta por dos átomos que comparten pares de electrones y forman una unión covalente.

Estos dos átomos tienen la misma carga nuclear positiva (8 protones) y por eso atraen con la misma fuerza al par de electrones negativos que comparten.

Entonces, las cargas eléctricas de la molécula están uniformemente distribuidas o sea que no hay polos eléctricos positivo y negativo: es una molécula no polar.

Las moléculas no polares se hallan en forma independiente unas de otras porque no existe atracción eléctrica.

Molécula polar

Una molécula es polar cuando posee una distribución desigual de la carga eléctrica. Esta molécula se llama también dipolo, porque tiene un polo negativo y un polo positivo. Veamos la explicación tomando una molécula de agua.

La molécula de agua está formada por dos átomos de hidrógeno y uno de oxígeno, estableciendo una unión covalente, pues comparten pares de electrones. El oxígeno, al ser más electronegativo que el hidrógeno, atrae con mayor intensidad a los pares de electrones que comparten. Por ello se produce una distribución diferente de la carga eléctrica de la molécula: el hidrógeno obtiene carga positiva y el oxígeno logra cierta carga negativa. De todo esto surge una molécula polar o dipolar.

Se comprobó, en forma experimental, que en el agua los átomos de hidrógeno unidos al oxígeno forman entre sí un ángulo de 105°.

105°

Los átomos electronegativos de elementos no metálicos tienden a adquirir electrones y se transforman entonces en aniones (iones negativos).

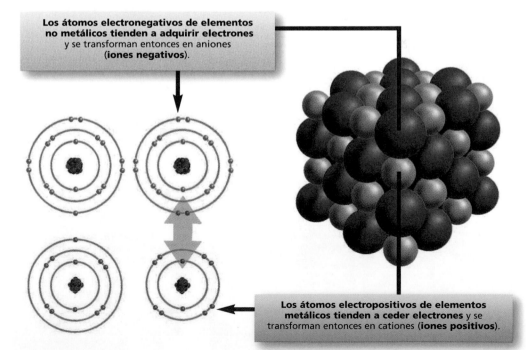

Los átomos electropositivos de elementos metálicos tienden a ceder electrones y se transforman entonces en cationes (iones positivos).

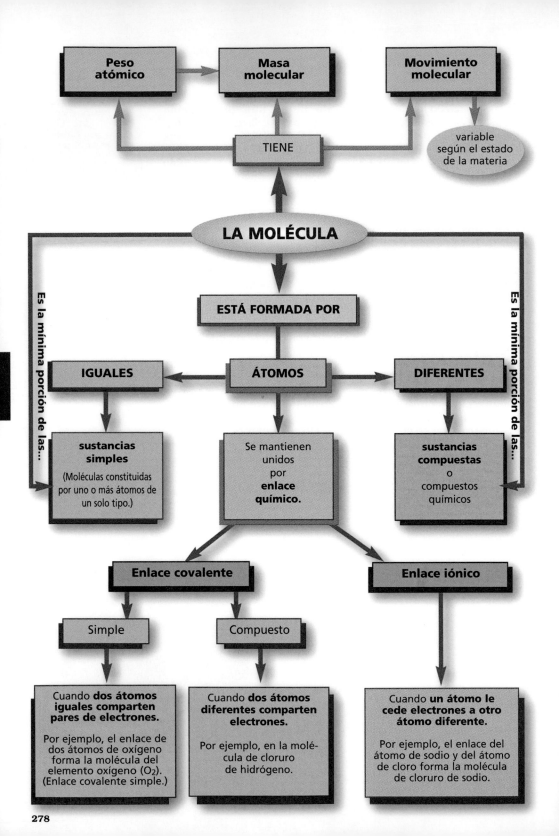

Peso atómico → **Masa molecular**

Movimiento molecular

variable según el estado de la materia

TIENE

LA MOLÉCULA

Es la mínima porción de las...

Es la mínima porción de las...

ESTÁ FORMADA POR

IGUALES ← **ÁTOMOS** → **DIFERENTES**

sustancias simples

(Moléculas constituidas por uno o más átomos de un solo tipo.)

Se mantienen unidos por **enlace químico.**

sustancias compuestas o compuestos químicos

Enlace covalente

Enlace iónico

Simple

Compuesto

Cuando **dos átomos iguales comparten pares de electrones.**

Por ejemplo, el enlace de dos átomos de oxígeno forma la molécula del elemento oxígeno (O_2). (Enlace covalente simple.)

Cuando **dos átomos diferentes comparten electrones.**

Por ejemplo, en la molécula de cloruro de hidrógeno.

Cuando **un átomo le cede electrones a otro átomo diferente.**

Por ejemplo, el enlace del átomo de sodio y del átomo de cloro forma la molécula de cloruro de sodio.

EL ÁTOMO

Constitución del átomo

Si tomáramos cualquier objeto y lo partiéramos en pequeños pedazos, finalmente llegaríamos a ver, por medio de un microscopio, el átomo. Los átomos son tan pero tan pequeños, que se encuentran por millones en los distintos cuerpos que conforman el Universo. Antiguamente se creía que el átomo no se podía dividir, es decir, que no estaba formado por estructuras más pequeñas.

Hoy sabemos que el átomo tiene un **núcleo** (esfera minúscula, 10.000 veces menor que el átomo mismo) constituido por **protones** (partículas con carga eléctrica positiva) y por **neutrones** (partículas sin carga eléctrica). La carga eléctrica del átomo es neutra, pues la cantidad de protones es igual a la cantidad de electrones.

Cada elemento químico (**carbono, oxígeno, helio, uranio**, etc.) presenta un número diferente de neutrones y protones en su núcleo, y de electrones que giran alrededor de éste. Por ejemplo: el átomo de **hidrógeno** es el más sencillo que existe en la naturaleza y también el más liviano, ya que tiene **un solo protón en su núcleo, carece de neutrones** y posee **un único electrón** que gira por fuera de él. El **helio**, gas liviano, tiene dos cargas positivas en el núcleo y dos electrones que giran a su alrededor.

Unión de átomos

Los átomos tienden a unirse formando **moléculas** y, para ello, deben realizar **uniones químicas** en las que intervienen los **orbitales** y los **electrones** que en ellos se encuentran.

Los elementos

Elemento es el término usado en química para identificar distintos átomos: el **hidrógeno** es un elemento y el **oxígeno** es otro, ya que ambos son átomos distintos.

En la actualidad, se conocen **109 elementos químicos** o tipos de átomos distintos. Los más conocidos son el **carbono** (C), el **oxígeno** (O), el **hidrógeno** (H) y el **nitrógeno** (N). Éstos, al combinarse, forman las **sustancias** más importantes para la vida (**agua, oxígeno atmosférico, dióxido de carbono, amoníaco,** hidratos de carbono, proteínas, grasas).

Fisión y fusión de átomos

Tanto la **fisión** como la **fusión** de átomos son **reacciones nucleares** donde **se liberan grandes cantidades de energía**.

JOHN DALTON Y LA TEORÍA ATÓMICA

John Dalton (1766-1844), físico y químico inglés, hacia 1803 desarrolló su revolucionaria **teoría atómica** sobre la indivisibilidad del átomo, en la cual exponía que *las sustancias simples están formadas por la unión de* **átomos** *iguales, cuyo peso es invariable y característico.*

Las sustancias compuestas se forman al unirse **átomos** *de diversos elementos, átomos que nunca se dividen, sino que entran enteros en la combinación formada.*

Esta teoría de la indivisibilidad del átomo fue rebatida, en el año 1896, por **Henri Becquerel**; sin embargo, no se le puede quitar mérito a Dalton, ya que fue él quien descubrió que la **materia está constituida por átomos**.

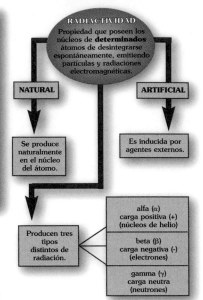

RADIACTIVIDAD
Propiedad que poseen los núcleos de **determinados** átomos de desintegrarse espontáneamente, emitiendo partículas y radiaciones electromagnéticas.

NATURAL — Se produce naturalmente en el núcleo del átomo.

ARTIFICIAL — Es inducida por agentes externos.

Producen tres tipos distintos de radiación.
- alfa (α) carga positiva (+) (núcleos de helio)
- beta (β) carga negativa (-) (electrones)
- gamma (γ) carga neutra (neutrones)

CALOR
Energía liberada
Se produce helio
Neutrones liberados
Deuterio
Presión
TRITIO

La energía nuclear del Sol y de las demás estrellas se produce por fusión: en el interior de estos cuerpos celestes, el **hidrógeno** se transforma en **helio** (es decir, se desintegra una parte de la materia para transformarse en energía nuclear).

- Cuando los átomos de elementos pesados (uranio) se dividen liberando muchísima **energía atómica**, decimos que se **fisionan**.
- Cuando se unen átomos de elementos livianos (**hidrógeno**) para conformar otro (**helio**), con liberación de grandes cantidades de energía, decimos que se **fusionan**.

La fisión y la fusión son formas de radiactividad que se explotan para producir **energía nuclear**.

¿Qué es la radiactividad?

La radiactividad fue descubierta mediante pruebas experimentales que realizaron los científicos **Rutherford** y **Royds**, en el año 1909. A partir de entonces, se constató que la **radiactividad es la propiedad que poseen los núcleos de determinados átomos de desintegrarse espontáneamente, emitiendo partículas y radiaciones electromagnéticas.** Ésta es la **radiactividad natural**. La **radiactividad artificial** se produce cuando es inducida: se somete una determinada sustancia a la acción de agentes externos.

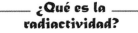

La reacción en cadena continúa.

Se liberan 3 neutrones que chocan con 3 núcleos más de uranio.

Se produce bromo 85.

Energía

El uranio 236 se divide.

Se produce lantano 148.

Un neutrón choca con el núcleo de uranio 235.

Se forman núcleos inestables de uranio 236.

Neutrón.

Uranio 235.

LA FISIÓN NUCLEAR Y LA REACCIÓN EN CADENA

En la **fisión nuclear,** el núcleo de un átomo **se divide** en dos porciones, **liberando gran cantidad de energía** acompañada por **emisión de neutrones**. Estos neutrones **inciden en los núcleos de los átomos próximos** y, al dividirlos a su vez, originan una **reacción en cadena.**

Existen muy pocos átomos fisionables y entre ellos podemos encontrar los del **isótopo U-235**, que está contenido, en pequeña proporción, en el **uranio** natural.

Esta reacción nuclear desarrolla enorme cantidad de energía, que puede convertirse en calor y emplearse para impulsar generadores y máquinas, como así también para fabricar armas nucleares.

Es necesario un control estricto del proceso de fisión nuclear, puesto que en él **se liberan partículas radiactivas** que son capaces de ocasionar una inmensa **contaminación atmosférica**.

Representación de un átomo

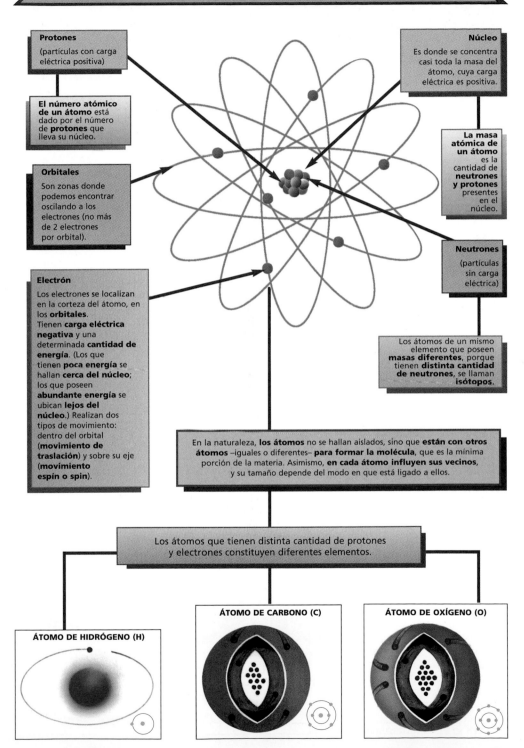

Protones
(partículas con carga eléctrica positiva)

El número atómico de un átomo está dado por el número de **protones** que lleva su núcleo.

Orbitales
Son zonas donde podemos encontrar oscilando a los electrones (no más de 2 electrones por orbital).

Electrón
Los electrones se localizan en la corteza del átomo, en los **orbitales**. Tienen **carga eléctrica negativa** y una determinada **cantidad de energía**. (Los que tienen **poca energía** se hallan **cerca del núcleo**; los que poseen **abundante energía** se ubican **lejos del núcleo**.) Realizan dos tipos de movimiento: dentro del orbital (**movimiento de traslación**) y sobre su eje (**movimiento espín o spin**).

Núcleo
Es donde se concentra casi toda la masa del átomo, cuya carga eléctrica es positiva.

La masa atómica de un átomo es la cantidad de **neutrones y protones** presentes en el núcleo.

Neutrones
(partículas sin carga eléctrica)

Los átomos de un mismo elemento que poseen **masas diferentes**, porque tienen **distinta cantidad de neutrones**, se llaman **isótopos**.

En la naturaleza, **los átomos** no se hallan aislados, sino que **están con otros átomos** –iguales o diferentes– **para formar la molécula**, que es la mínima porción de la materia. Asimismo, **en cada átomo influyen sus vecinos**, y su tamaño depende del modo en que está ligado a ellos.

Los átomos que tienen distinta cantidad de protones y electrones constituyen diferentes elementos.

ÁTOMO DE CARBONO (C)

ÁTOMO DE OXÍGENO (O)

ÁTOMO DE HIDRÓGENO (H)

LA TABLA PERIÓDICA

Para facilitar el estudio de los elementos, se los ordenó de acuerdo con determinadas características que presentan.

Una forma de sistematizar los elementos

Para los químicos, es imprescindible conocer las características propias de cada uno de los elementos químicos. Cuentan para ello con una herramienta fundamental: **la tabla periódica de los elementos**. En esta tabla, los 105 elementos químicos están clasificados, ordenados y agrupados en forma vertical y horizontal, según las siguientes características.

- **Cada elemento está ordenado de acuerdo con su número atómico** (es decir, con el número de protones que posee cada uno).
- **Los elementos que presentan características químicas similares se hallan formando columnas verticales llamadas GRUPOS.** Cada grupo está integrado por los elementos que tienen el mismo número de electrones en el último nivel (pues ello determina similares caracteres químicos).
- **Los elementos que tienen el mismo nivel de energía se hallan en la misma fila horizontal, llamada PERÍODO.**
- **Cada elemento está representado por su correspondiente SÍMBOLO químico**, formado por una o dos letras. Actualmente, la tabla periódica se compone de:
  - **7 períodos.**
  - **18 grupos** (columnas verticales) que se numeran de 1 a 18 o, según la nomenclatura clásica, del I A al VIII A y del I B al VIII B. En ellos se ubican los 105 elementos químicos.

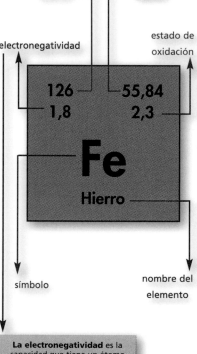

número atómico · peso atómico
electronegatividad · estado de oxidación
126 — 55,84
1,8 — 2,3
Fe
Hierro
símbolo · nombre del elemento

La electronegatividad es la capacidad que tiene un átomo para atraer el par de electrones que comparte en el enlace con otro átomo.

¿Cómo se expresan la masa atómica y la masa molecular?

El **mol** es la **unidad internacional básica** que expresa la cantidad de masa atómica de un elemento simple o de masa molecular de una sustancia compuesta contenida en una cierta cantidad de partículas.

Dicha cantidad fue determinada por el científico Avogadro en $6,023 \times 10^{23}$.

Esta número (llamado **"número Avogadro"**) expresa la unidad de partículas elementales de cada elemento y de cada sustancia.

Por ejemplo, el dióxido de carbono tiene una masa molecular de 44 unidades de masa molecular, es decir, 44 molécula/gramo o mol.

SI EL SÍMBOLO ES	EL ELEMENTO ES
AZUL	líquido
NEGRO	sólido
ROJO	gas
DELINEADO	preparado sintético

TABLA PERIÓDICA DE LOS ELEMENTOS

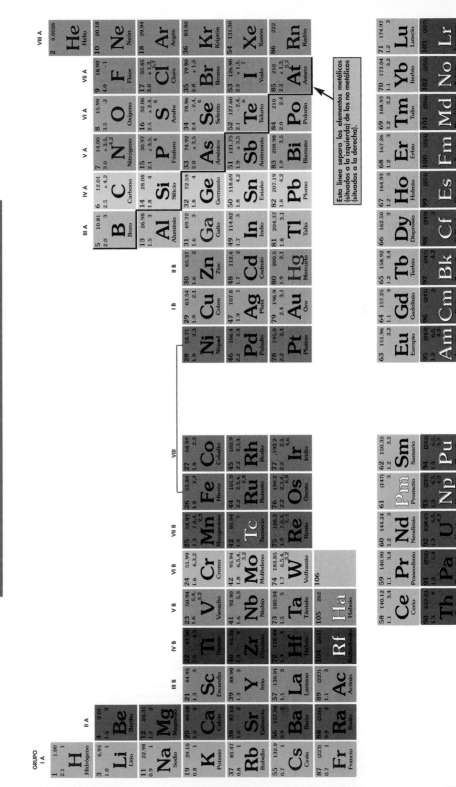

LOS MINERALES

A partir de diferentes combinaciones moleculares, se producen minerales distintos, que son la materia natural sólida que forma la corteza terrestre.

Minerales cristalizados

Cuando los átomos se distribuyen de manera organizada, manteniendo distancias y orientaciones homogéneas, estamos ante la presencia de los **minerales cristalizados**.
La forma exterior reproduce la forma de las celdas que reconstruyen los átomos ubicados en cada vértice.
A través de las fuerzas de atracción y repulsión, se transforman en cubos, rombos o hexágonos.

Minerales formados por elementos nativos

Se hallan libres en la naturaleza

GRUPO METÁLICO

Son los metales de gran importancia económica, como oro, plata, platino, cobre, hierro, aluminio.

GRUPO SEMIMETÁLICO

arsénico, antimonio.

GRUPO NO METÁLICO

carbono (como diamante y grafito), azufre, selenio.

Las dos disposiciones más frecuentes que adoptan los átomos en minerales cristalizados son la cúbica y la hexagonal.

Los minerales y la luz

Según la acción que ejerce la luz sobre los minerales, se pueden apreciar algunas de sus características.

- **Color**: para no confundirse con otras sustancias que pueden estar adosadas a su superficie, los científicos realizan un corte y toman el color de esta incisión. Este color es llamado **color de raya**.
- **Brillo**: depende de la estructura y la superficie del mineral. Se nombra en relación con otros elementos conocidos. Por ejemplo: brillo metálico, resinoso, nacarado, etc.
- **Luminosidad**: algunos pueden emitir luz cuando se les acerca una fuente luminosa. Si al alejar la fuente el mineral "se apaga", este fenómeno se llama **fluorescencia**; pero, si el mineral continúa iluminando cuando se la retira, se denomina **fosforescencia**.

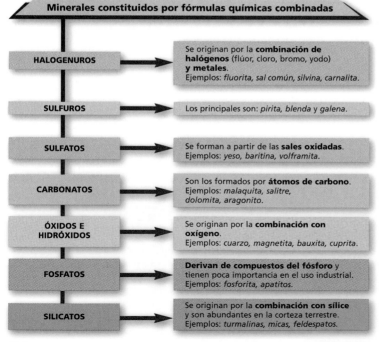

Minerales constituidos por fórmulas químicas combinadas

HALOGENUROS → Se originan por la **combinación de halógenos** (flúor, cloro, bromo, yodo) **y metales**. Ejemplos: *fluorita, sal común, silvina, carnalita*.

SULFUROS → Los principales son: *pirita, blenda* y *galena*.

SULFATOS → Se forman a partir de las **sales oxidadas**. Ejemplos: *yeso, baritina, volframita*.

CARBONATOS → Son los formados por **átomos de carbono**. Ejemplos: *malaquita, salitre, dolomita, aragonito*.

ÓXIDOS E HIDRÓXIDOS → Se originan por la **combinación con oxígeno**. Ejemplos: *cuarzo, magnetita, bauxita, cuprita*.

FOSFATOS → Derivan de compuestos del **fósforo** y tienen poca importancia en el uso industrial. Ejemplos: *fosforita, apatitos*.

SILICATOS → Se originan por la **combinación con sílice** y son abundantes en la corteza terrestre. Ejemplos: *turmalinas, micas, feldespatos*.

LOS METALES

Los metales ofrecen resistencia a la rotura por tracción (propiedad llamada *tenacidad*) y, en este aspecto, se destaca el **hierro** por ser el más tenaz de todos los metales conocidos.

Los metales son muy buenos conductores del calor y la electricidad; los mejores son la plata y el cobre.

Todos los metales son fusibles. Algunos alcanzan el punto de fusión a temperaturas relativamente bajas (como el estaño, a 232 °C, o el plomo, a 327 °C); otros necesitan el calor del soplete oxhídrico (como el platino, a 1.771 °C) o el horno eléctrico (como el hierro, cuyo punto de fusión es de 1.530 °C).

Sustancias útiles

Poco más del 25 % de la totalidad de los elementos que integran la tabla periódica son **metales**. Por sus características (resistentes, duros y dúctiles), se los considera una de las sustancias más útiles. Son empleados en la fabricación de infinidad de artículos, desde un anillo a una nave espacial.

Propiedades de los metales

Los metales son elementos químicos que a temperatura ambiente presentan las siguientes características.

- No son electronegativos.
- Son buenos conductores eléctricos, porque tienen un electrón libre que puede pasar de átomo a átomo.
- Son buenos conductores térmicos.
- Son reductores.
- Tienen brillo intenso.
- Forman cationes.
- Son maleables y resistentes.
- Son sólidos: presentan un *estado cristalino* (excepto el mercurio y el cesio).
- Tienen colores grisáceo-metálicos (excepto el cobre y el oro).
- Presentan propiedades magnéticas, sobre todo aquellos que tienen hierro.

Cabeza de toro sumeria realizada en cobre. Este metal típico es un excelente conductor de electricidad. Para la industria de cables y alambres eléctricos, es un elemento imprescindible.

Unos 5.000 años antes de Cristo, el hombre descubrió los metales y aprendió a trabajarlos.

- Son insolubles en los disolventes neutros habituales.
- Forman aleaciones que mejoran sus características.

Por ejemplo:

acero $\longrightarrow$ hierro + carbono

bronce $\longrightarrow$ cobre + estaño

- Forman óxidos básicos con el oxígeno y bases o hidróxidos.

Estado natural

Son pocos los metales que se encuentran en *estado nativo*: **oro**, **plata**, **platino** y **cobre**. La mayoría de los metales se hallan formando compuestos metálicos naturales. Éstos reciben el nombre genérico de *minerales*. Para extraer de ellos los metales, el hombre creó la **metalurgia**.

Aleaciones y amalgamas

La **unión de dos o más metales** mediante **fusión** constituye una **aleación**. Si en ésta alguno de los metales es **mercurio**, la aleación se llama **amalgama**. A través de las *aleaciones* y *amalgamas*, se obtienen "metales nuevos" con propiedades específicas, que no tienen los elementos que los constituyen. Así, por ejemplo, el oro y la plata en estado de pureza son demasiado blandos para fabricar monedas; aleándolos con un 10 % de cobre, se consiguió superar ese inconveniente.

¿De qué minerales se extrae el hierro?

Los minerales más explotados para la extracción de hierro son:

- la **magnetita** o *piedra imán* (Fe_3O_4);
- la **hematita roja** u *óxido férrico* (Fe_2O_3);
- la **limonita** u *óxido de hierro hidratado* ($Fe_2O_3, 2H_2O$);
- la **pirita** o *sulfuro de hierro* (S_2Fe);
- la **siderita** o *carbonato de hierro* (CO_3Fe), entre otros.

La metalurgia

A través del tiempo, el hombre descubrió la importancia de los metales y se esforzó por obtenerlos.

Comprobó entonces que, en general, los metales se presentan formando compuestos con elementos no metálicos (llamados **gangas**). Para separarlos y obtener así el mayor beneficio de los metales, ideó diversos **procedimientos tecnológicos** que, en su conjunto, constituyen la **metalurgia**. Estos procedimientos pueden ser **mecánicos**, **químicos** o **electrometalúrgicos**.

Metalurgia de hierro

En general, el hierro se halla en la naturaleza en forma de **carbonatos** o de **óxidos**.

Para obtener *hierro metálico*, se somete a estos minerales a un **proceso de reducción**, del cual se ocupa la **siderurgia** (palabra que deriva del griego *sideros*: "hierro").

La reducción se realiza en *"altos hornos"* (de unos 30 m de altura), donde se introducen el mineral, **carbón** y **fundentes**, para facilitar la **separación de la escoria** (*silicatos*). Estos hornos se calientan *"al rojo"* y así se obtiene el **hierro fundido**, que fluye hacia la *cuba*, donde se acumula. Encima de éste flota la **escoria**.

Luego **se lo purifica**, inyectándole aire a presión, a fin de que con el oxígeno se oxiden las impurezas.

Metalurgia de aluminio

Este metal se obtiene a partir de la **bauxita**, mediante diversos procesos: triturado, secado, eliminación de la materia orgánica y electrólisis.

Procedimientos tecnológicos para obtener metales

MECÁNICOS

Se usan para los metales que se hallan en estado nativo. Consisten en:
- *trituración;*
- *lavado o levigación;*
- *concentración.*

QUÍMICOS

La **reducción** es el proceso fundamental que se realiza para extraer el metal del mineral. Los reductores más usados son el **carbón** y el **hierro**.
- *Los óxidos naturales* se reducen con **carbón** a altas temperaturas (por ejemplo, O Zn + C + Zn + CO).
- *Los sulfuros* se **reducen** con **hierro**, o bien se los somete a *tostación* (se efectúa en hornos para eliminar el azufre y transformar el metal en óxido); luego, como reductor, se usa el carbón, a altas temperaturas.
- En los compuestos con grandes proporciones de *gangas* (elementos no metálicos), se aplica la **fusión**: se los mezcla con un *reductor* (por ejemplo, carbón) y luego con *fundentes o flujos* (como carbonato de sodio, bórax, etc.) que reaccionan con las gangas y producen **sustancias fusibles** (*escorias*), que una vez frías son fáciles de separar.

ELECTROMETALÚRGICOS

El metal se extrae sometiendo el mineral a **altas temperaturas** (de 3.000 a 3.500 °C) **en hornos eléctricos**, que permiten la reducción de ciertos óxidos poco fusibles.

O bien se los somete a la **electrólisis** de sus sales fundidas, en *solución acuosa* (como la plata y el cobre) o en *fusión ígnea* (como el sodio y el aluminio).

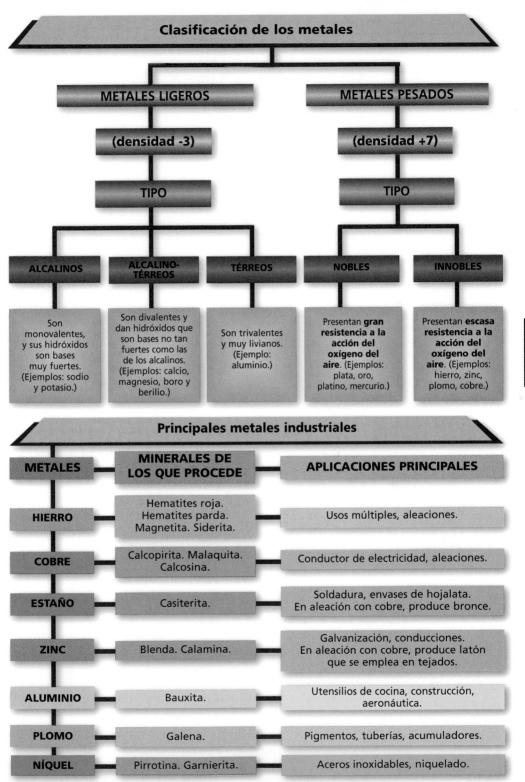

Clasificación de los metales

METALES LIGEROS (densidad -3) · TIPO

ALCALINOS	ALCALINO-TÉRREOS	TÉRREOS
Son monovalentes, y sus hidróxidos son bases muy fuertes. (Ejemplos: sodio y potasio.)	Son divalentes y dan hidróxidos que son bases no tan fuertes como las de los alcalinos. (Ejemplos: calcio, magnesio, boro y berilio.)	Son trivalentes y muy livianos. (Ejemplo: aluminio.)

METALES PESADOS (densidad +7) · TIPO

NOBLES	INNOBLES
Presentan **gran resistencia a la acción del oxígeno del aire**. (Ejemplos: plata, oro, platino, mercurio.)	Presentan **escasa resistencia a la acción del oxígeno del aire**. (Ejemplos: hierro, zinc, plomo, cobre.)

Principales metales industriales

METALES	MINERALES DE LOS QUE PROCEDE	APLICACIONES PRINCIPALES
HIERRO	Hematites roja. Hematites parda. Magnetita. Siderita.	Usos múltiples, aleaciones.
COBRE	Calcopirita. Malaquita. Calcosina.	Conductor de electricidad, aleaciones.
ESTAÑO	Casiterita.	Soldadura, envases de hojalata. En aleación con cobre, produce bronce.
ZINC	Blenda. Calamina.	Galvanización, conducciones. En aleación con cobre, produce latón que se emplea en tejados.
ALUMINIO	Bauxita.	Utensilios de cocina, construcción, aeronáutica.
PLOMO	Galena.	Pigmentos, tuberías, acumuladores.
NÍQUEL	Pirrotina. Garnierita.	Aceros inoxidables, niquelado.

SUSTANCIAS SIMPLES Y COMPUESTAS

De acuerdo con la composición que presentan sus moléculas, las sustancias se clasifican en simples y compuestas.

Átomos iguales

Cada molécula de una **sustancia simple** está formada por **átomos que son iguales**; por ejemplo, una **molécula de azufre** está formada por ocho átomos iguales. También hay moléculas formadas solamente por un átomo, como la del **aluminio**.

Las sustancias simples (o elementos) **no pueden descomponerse químicamente en otras**. Vale decir, al ser sometidas a procedimientos químicos, tales como la combustión o la electró-lisis, no se descomponen en otras sustancias diferentes.

Átomos distintos

Las **sustancias compuestas** son aquellas cuyas moléculas están formadas por **átomos de distinta clase**, por ejemplo **el agua**.

Cuando una sustancia está formada por un mismo tipo de átomos, se dice que la sustancia es **simple**.

Cuando la sustancia está formada por elementos o átomos distintos, se dice que la sustancia es **compuesta.**

En cada molécula de agua, hay dos átomos de hidrógeno y un átomo de oxígeno. Al descomponer químicamente cualquiera de estas sustancias, se obtienen dos o más sustancias simples. Mediante la corriente eléctrica, por ejemplo, es posible descomponer agua en hidrógeno y oxígeno. Este procedimiento se denomina **electró-lisis**.

Para ello se emplea un instrumento llamado **voltámetro**. Haciendo pasar corriente eléctrica por el agua, ligeramente acidulada, enseguida observamos la formación de burbujas de gas. Al cabo de unos minutos, en el tubo correspondiente al polo positivo (+) se obtendrá oxígeno (1 volumen) y en el tubo del polo negativo (-) se recogerá hidrógeno (2 volúmenes).

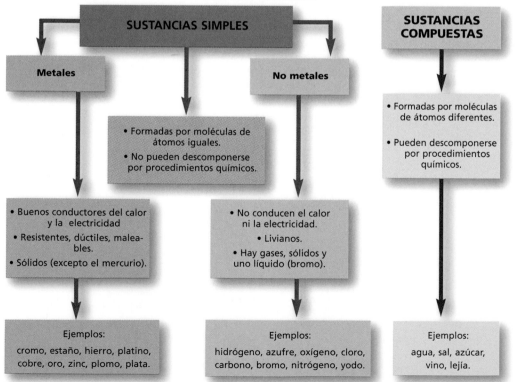

SUSTANCIAS SIMPLES

SUSTANCIAS COMPUESTAS

Metales

No metales

- Formadas por moléculas de átomos diferentes.
- Pueden descomponerse por procedimientos químicos.

- Formadas por moléculas de átomos iguales.
- No pueden descomponerse por procedimientos químicos.

- Buenos conductores del calor y la electricidad
- Resistentes, dúctiles, maleables.
- Sólidos (excepto el mercurio).

- No conducen el calor ni la electricidad.
- Livianos.
- Hay gases, sólidos y uno líquido (bromo).

Ejemplos:
cromo, estaño, hierro, platino, cobre, oro, zinc, plomo, plata.

Ejemplos:
hidrógeno, azufre, oxígeno, cloro, carbono, bromo, nitrógeno, yodo.

Ejemplos:
agua, sal, azúcar, vino, lejía.

FENÓMENOS FÍSICOS Y QUÍMICOS

La materia puede transformarse por

Fenómenos físicos	Fenómenos químicos
Son cambios **transitorios**. Las propiedades de la materia no cambian. No se forma una sustancia nueva. La materia puede volver a su estado inicial. La Física se ocupa de estos fenómenos.	Son cambios **permanentes**. Modifican las propiedades de la materia. Se forma una sustancia nueva y diferente, que no puede volver a su estado o forma inicial. La Química estudia estos fenómenos.

La materia sufre cambios o transformaciones en forma transitoria o permanente. Estos cambios se llaman procesos o fenómenos físicos o químicos.

La nieve es agua en estado sólido; por efectos de los rayos del sol, puede volver al estado líquido o evaporarse (estado gaseoso). Es un fenómeno físico.

Mezcla y combinación

Cuando preparamos un café con leche o agregamos sal al agua en la que herviremos fideos, estamos en presencia de una *mezcla*, ya que se unen dos o más sustancias sin perder sus características propias.

En cambio, en la *combinación* se fusionan dos o más sustancias y forman una nueva sustancia compuesta, con características propias.

—**¿Qué es una mezcla?**—

En una mezcla **se unen dos o más sustancias sin perder sus propias características**. Hay mezclas naturales y artificiales: ejemplos sólidos son las rocas, como el basalto, que es una mezcla de origen volcánico.

Las **mezclas** de un sólido, de un líquido o de un gas con un líquido se llaman **soluciones**. Al líquido se lo llama **disolvente**, y al otro componente, **soluto**. Una taza de café con poca azúcar es un ejemplo de **solución diluida**; si añadimos azúcar hasta que no se disuelva

más, lograremos una **solución saturada**.

El disolvente universal es el agua, ya que disuelve el mayor número de sustancias; pero, además, hay otros disolventes, por ejemplo, el alcohol.

Éste es un óptimo disolvente de sustancias colorantes y de sustancias olorosas utilizadas en perfumería.

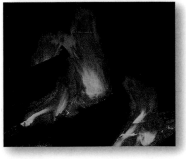

Cuando la madera es sometida a los efectos del calor (fuego), se transforma en carbón y cenizas. Es un fenómeno químico.

Las rocas son un ejemplo de mezcla natural.

¿Qué es una combinación?

En las **combinaciones**, las partes componentes pierden su calidad específica y no pueden separarse por procedimientos normales de **decantación, ebullición** y **centrifugación**. La característica primordial de las combinaciones reside en que **la relación entre los pesos de las sustancias componentes se mantiene constante**: el **agua** es una **combinación** de dos gases, **hidrógeno** y **oxígeno**, cuya relación de peso es siempre 2/16: 2 gramos de hidrógeno y 16 gramos de oxígeno forman 18 gramos de agua, 4 gramos de hidrógeno y 32 gramos de oxígeno forman 36 gramos de agua, y así sucesivamente. No es posible obtener agua que contenga hidrógeno y oxígeno en proporciones distintas. Podrán existir otras sustancias constituidas por los mismos componentes, pero la relación será distinta de la anterior y también se conservará siempre constante.

El agua oxigenada está formada por hidrógeno y oxígeno, pero su relación constante es 2/32.

Diferencias entre mezcla y combinación	
Mezcla	**Combinación**
Tiene **propiedades variables** determinadas por sus componentes.	Tiene **propiedades específicas.**
Sus componentes **conservan** sus propiedades.	Sus componentes **pierden** sus propiedades.
Se pueden **separar** sus componentes.	**No** se pueden separar sus componentes.
Intervienen **diversas clases de moléculas.**	Interviene **un solo tipo de molécula**.

Los fuegos artificiales son un ejemplo de combinación. En ellos, los átomos de magnesio, al ser sometidos a los efectos del fuego (combustión), se combinan con el oxígeno y forman óxido de magnesio. La energía que se desprende de esta reacción se observa en las luces que iluminan el cielo.

Cuando el azúcar (soluto) se pone en contacto con el café con leche (solvente), éste atrae a las moléculas del soluto y modifica su estructura sólida. Cuando ambos componentes, soluto y solvente, se mezclan por completo, se obtiene una solución.

soluto

solvente

El solvente descompone al soluto.

solución

SISTEMAS MATERIALES

¿Cómo se dividen?

Los **sistemas materiales** se dividen en dos clases.

- **Homogéneos:** son aquellos cuyas partes no se pueden diferenciar ni a simple vista ni

por medio de un instrumento como la lupa.

- **Heterogéneos:** son aquellos cuyas partes se pueden apreciar claramente.

Llamamos sistemas materiales a una pequeña parte del Universo. Estos sistemas están formados por cuerpos: tienen volumen y masa.

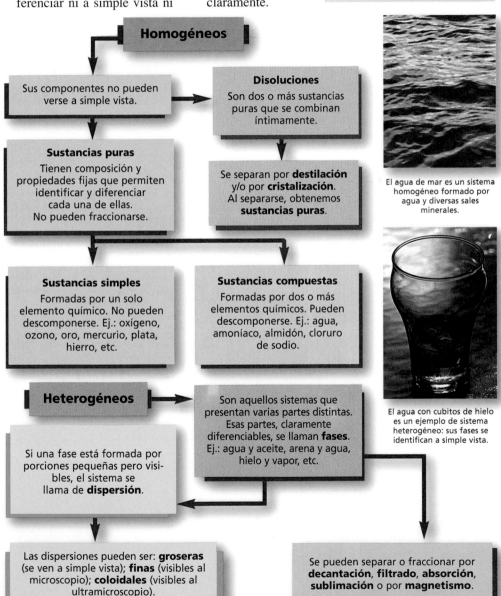

Homogéneos

Sus componentes no pueden verse a simple vista.

Disoluciones
Son dos o más sustancias puras que se combinan íntimamente.

Sustancias puras
Tienen composición y propiedades fijas que permiten identificar y diferenciar cada una de ellas.
No pueden fraccionarse.

Se separan por **destilación** y/o por **cristalización**.
Al separarse, obtenemos **sustancias puras**.

El agua de mar es un sistema homogéneo formado por agua y diversas sales minerales.

Sustancias simples
Formadas por un solo elemento químico. No pueden descomponerse. Ej.: oxígeno, ozono, oro, mercurio, plata, hierro, etc.

Sustancias compuestas
Formadas por dos o más elementos químicos. Pueden descomponerse. Ej.: agua, amoníaco, almidón, cloruro de sodio.

Heterogéneos

Son aquellos sistemas que presentan varias partes distintas. Esas partes, claramente diferenciables, se llaman **fases**. Ej.: agua y aceite, arena y agua, hielo y vapor, etc.

Si una fase está formada por porciones pequeñas pero visibles, el sistema se llama de **dispersión**.

El agua con cubitos de hielo es un ejemplo de sistema heterogéneo: sus fases se identifican a simple vista.

Las dispersiones pueden ser: **groseras** (se ven a simple vista); **finas** (visibles al microscopio); **coloidales** (visibles al ultramicroscopio).

Se pueden separar o fraccionar por **decantación**, **filtrado**, **absorción**, **sublimación** o por **magnetismo**.

LA QUÍMICA

La Química es la ciencia que se ocupa del estudio de la materia y sus transformaciones.

La química y sus divisiones

Principalmente, y como ya dijimos, **la Química estudia la materia y sus transformaciones, y se encuentra profundamente relacionada con la Física, la Biología y la Geología**. Esta ciencia se interesa por analizar las **reacciones químicas**. Las **reacciones químicas** son fenómenos químicos a través de los cuales una o más sustancias se convierten en otra u otras, como, por ejemplo, la combustión de un papel o la oxidación del hierro.

Dentro de la Química tenemos varias ramas o divisiones, entre las cuales podemos considerar como principales las que figuran en el siguiente cuadro.

Antoine de Lavoisier (1743-1794), químico francés, realizó numerosas experiencias. Estableció la "ley de conservación de la masa" y las bases de la nomenclatura química empleada en la actualidad. (Pintura de Louis David.)

DIVISIONES DE LA QUÍMICA

RAMAS DE LA QUÍMICA	QUÉ ESTUDIA
Inorgánica	**Los elementos y sus compuestos,** menos los que están formados por cadenas de carbono.
Orgánica	**Los compuestos del carbono.**
Física	**Las relaciones entre la estructura y las propiedades de las sustancias.**
Analítica	**Los métodos que se utilizan para identificar y determinar la composición porcentual de las sustancias.**
Electroquímica	**Las relaciones de la Química con la energía eléctrica.**
Termoquímica	**Las relaciones de la Química con la energía calórica.**
Nuclear	**Las relaciones de la Química con la energía nuclear.**
Industrial	**El desarrollo de las industrias químicas indispensables para la sociedad,** como la de los plásticos; la enológica o de los vinos; la textil y la del petróleo, entre otras.

LAS LEYES DE LA QUÍMICA

La ley de Lavoisier

También llamada de la conservación de la masa. Se refiere a la **inalterabilidad de la masa total (peso) de la materia antes, durante y después de una reacción química**. Fue descubierta por **Antoine de Lavoisier**, quien comprobó que la **masa total no cambia aunque cambien (se transformen) las sustancias**.

La ley de Proust

Denominada, también, de las proporciones constantes. Fue descubierta por el químico francés **Joseph Proust** (1754-1826), quien demostró que, cuando dos o más sustancias simples se combinan para dar un compuesto definido, lo hacen siempre en una relación constante de masas. Por lo tanto, una sustancia determinada siempre se forma con la com-

Aproximadamente hacia 1800 se fueron descubriendo distintas leyes básicas, gracias a la aplicación sistemática de la balanza en la medición de las sustancias que intervenían en las reacciones químicas.

John Dalton (1766-1844), físico y químico inglés, fue quien enunció la "ley de las proporciones múltiples", que abrió nuevos horizontes para la teoría atómica.

Existe un conjunto de leyes gravimétricas que explican el comportamiento de las sustancias.

binación de elementos en proporciones de masas fijas. El cloruro de plata del Perú, por ejemplo, tiene idéntica conformación que el de Siberia.

La ley de los pesos equivalentes y la ley de las proporciones múltiples

Ambas leyes se refieren a las cantidades relativas de sustancias simples que se combinan entre sí o con otras sustancias simples, para formar distintas sustancias compuestas. La primera (**ley de los pesos equivalentes**) fue enunciada en 1792 por el químico alemán **J. B. Richter** (1762-1807) y dio lugar a que, en 1802, el químico inglés **John Dalton** (1766-1844) formulara la **ley de las proporciones múltiples**.

Las distintas leyes

Ley de Lavoisier o de la conservación de la masa
"En una reacción química, la suma de las masas de las sustancias reaccionantes es igual a la suma de las masas de los productos de la reacción."

Ley de Proust o de las proporciones constantes
"En cada sustancia compuesta, las masas de sus componentes se hallan siempre en las mismas proporciones."

Ley de Richter o de los pesos equivalentes
"Los pesos de dos sustancias que se combinan con un peso conocido de otra tercera, son químicamente equivalentes entre sí."

Ley de Dalton o de las proporciones múltiples
"Los pesos de uno de los elementos combinados con un mismo peso del otro, guardan entre sí una relación, expresable generalmente por medio de números enteros sencillos."

LAS FUNCIONES QUÍMICAS

Para estudiar los compuestos químicos, se agrupan en familias o funciones químicas.

Los compuestos químicos

La unión de elementos químicos diferentes forma compuestos químicos, los cuales, para su estudio, se agrupan en familias o funciones químicas.
Los óxidos básicos son una función química.

La combinación de un metal con oxígeno forma compuestos que constituyen una familia o función química.

Obtención de funciones

En química inorgánica, las funciones se obtienen según determinadas relaciones, tal como lo vemos en el esquema, por ejemplo con los óxidos básicos, que forman una función química.

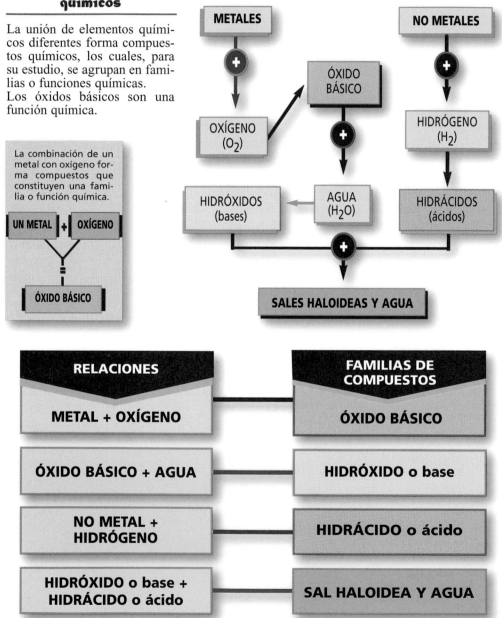

RELACIONES	FAMILIAS DE COMPUESTOS
METAL + OXÍGENO	ÓXIDO BÁSICO
ÓXIDO BÁSICO + AGUA	HIDRÓXIDO o base
NO METAL + HIDRÓGENO	HIDRÁCIDO o ácido
HIDRÓXIDO o base + HIDRÁCIDO o ácido	SAL HALOIDEA Y AGUA

Reglas de nomenclaturas de las familias químicas

PARA NOMBRAR	SE DEBE
Óxidos básicos. Por ejemplo: K (potasio) + O_2 (oxígeno).	Anteponer la palabra óxido al nombre del metal. Por ejemplo: K_2O (óxido de potasio) con un número romano entre paréntesis que indica su número de oxidación.
Hidróxidos o bases. Por ejemplo: K_2O (óxido de potasio) + H_2O (agua).	Anteponer la palabra hidróxido al nombre del metal. Por ejemplo: KHO (hidróxido de potasio) con un número romano entre paréntesis que indica su número de oxidación.
Hidrácidos o ácidos. Por ejemplo: Cl (cloro) + H_2 (hidrógeno).	Anteponer la palabra ácido al nombre del no metal e incorporar la terminación hídrico. Por ejemplo: HCl (ácido clorhídrico).
Sales haloideas. Por ejemplo: KOH (hidróxido de potasio) + HCl (ácido clorhídrico).	Escribir la raíz del no metal con la terminación uro, seguido del nombre del metal. Por ejemplo: KCl (cloruro de potasio) con un número romano entre paréntesis que indica su número de oxidación.

El grupo funcional

Cada función química posee un átomo o un grupo de átomos, que determinan sus propiedades físicas y químicas, llamado grupo funcional.

¿Cómo se llaman los compuestos?

La nomenclatura de las funciones, es decir, el nombre de estos compuestos, surge de una serie de reglas, creadas por la **UIPAC** (Unión Internacional de Química Pura y Aplicada).

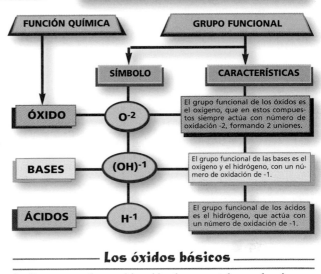

Los óxidos básicos

Se forman con la combinación de un metal con el oxígeno.

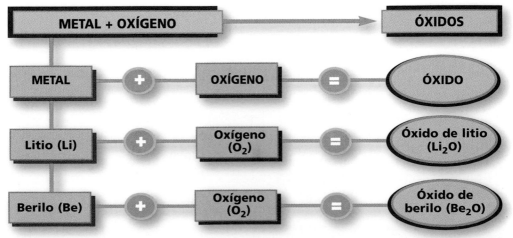

Hidróxidos (bases)

Estos compuestos se obtienen de la mezcla de un óxido básico con agua.

Hidrácidos (ácidos)

Resultan de la combinación de los no metales (como azufre, selenio, flúor, cloro, bromo, etc.) con el hidrógeno.

Sales haloideas

Resultan de la unión química de un hidróxido con un hidrácido.

- En la formación de los óxidos, el oxígeno siempre actúa con número de oxidación -2.

- Los óxidos se nombran anteponiendo la palabra **óxido** al nombre del metal con un número romano entre paréntesis que indica su número de oxidación.

- Los hidróxidos o bases se nombran anteponiendo la palabra **hidróxido** al nombre del metal.

- Los hidrácidos se nombran anteponiendo la palabra **ácido** al nombre del no metal, con la terminación **hídrico**.

- Para nombrar las sales, se usa la raíz del no metal con la terminación **uro**, seguido del nombre del no metal con un número romano entre paréntesis que indica su número de oxidación.

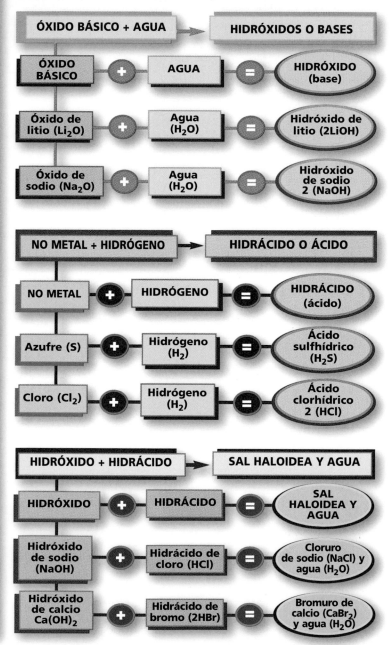

296

REACCIONES QUÍMICAS DE LA MATERIA

Combustión y oxidación

La **combustión** es un **proceso de quemado** de una sustancia, ya sea sólida, líquida o gaseosa. En la combustión, lo que arde (**combustible**) **se oxida**, es decir, **se combina con el oxígeno desprendiendo calor y, en ocasiones, luz**.
Básicamente, en la combustión necesitamos los componentes que figuran en el esquema.

Los **combustibles** más usados son aquellos que, combinados con el oxígeno, liberan mucho **calor** (energía). Entre ellos se encuentran la **leña** y los combustibles fósiles, como el **petróleo, el gas** y el **carbón**.

El **comburente u oxidante** generalmente es el **oxígeno** del aire, aunque existen casos especiales de **combustión sin oxígeno**.

El **calor inicial** es la chispa o llama que inicia el proceso. Comúnmente usamos como calor inicial un fósforo o un encendedor.

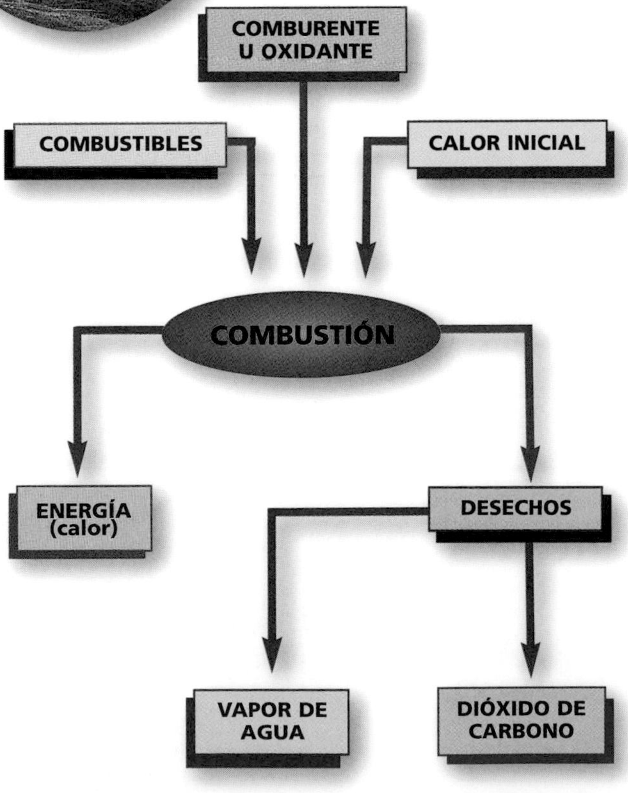

La materia cambia constantemente y por ello, a cada momento, observamos reacciones químicas comunes.

Oxidación

Como vimos en la combustión, el combustible se combina con el **oxígeno**. De hecho, casi todos los elementos se combinan con el **oxígeno**, sólo algunos gases nobles no lo hacen. **Toda reacción en que un elemento se combina con el oxígeno se llama oxidación**.
En un **óxido**, la molécula está formada por el **elemento** más el **oxígeno**, con distintos números de átomos. Son óxidos el agua (H_2O), el dióxido de carbono (CO_2) y el óxido de hierro (Fe_2O_3).
Los metales en estado normal y a temperatura ambiente reaccionan con el oxígeno: forman **óxidos**, pero lo hacen muy lentamente. Esto podemos comprobarlo en los clavos, chapas y otros elementos que contengan hierro, donde es posible observar **herrumbre** (gránulos de color marrón).

COMBURENTE U OXIDANTE

COMBUSTIBLES

CALOR INICIAL

COMBUSTIÓN

ENERGÍA (calor)

DESECHOS

VAPOR DE AGUA

DIÓXIDO DE CARBONO

Los ladrillos se fabrican con tierra, en moldes que luego se endurecen al ser cocinados en hornos. Ello se produce por acción de sustancias que cementan el suelo naturalmente.

cio) se rompe hasta pulverizarla, se le agrega **arcilla** (30 %) y **agua**. Con estos elementos, se forma una "papilla" con la que se carga el horno. Éste puede ser del tipo **continuo**, donde el material pasa de manera constante.

La temperatura del horno llega a 1.500 °C.

La conservación de las masas

En todas las reacciones químicas, **los átomos se unen de manera diferente, formando nuevas moléculas**, o sea, se reagrupan. En las **reacciones químicas**, podemos diferenciar **dos estados.**

1) **Un estado inicial**, formado por las sustancias que reaccionan y que se denominan **sustancias reaccionantes**.

2) **Un estado final**, constituido por las sustancias que se producen en la reacción y que se llaman **productos de la reacción**.

También podemos comprobar que, al analizar estas reacciones, **el número de átomos de cada elemento es el mismo, antes y después de la reacción**. Aquí se demuestra que **la masa se conserva**, vale decir, que **en los cambios químicos la materia no se crea ni se destruye, sino que se transforma**. Veamos un ejemplo en el esquema.

El fraguado

El **fraguado** es otra reacción química, que se produce cuando una sustancia **se cristaliza**, es decir, endurece en presencia de agua.

El **yeso**, la **cal** y el **cemento** suelen fraguar luego de ponerlos en contacto con el agua y, posteriormente, se endurecen. Por ello son muy usados en la construcción de viviendas.

Formación del sarro

El agua natural siempre contiene impurezas. Algunas de esas impurezas son **sales de calcio** y **magnesio**. Estas impurezas, combinadas con el **oxígeno** y el **dióxido de carbono**, forman incrustaciones y sedimentos conocidos como **sarro**.

El sarro se fija a las paredes de los caños y, con el tiempo, obstruye el pasaje del agua por ellos.

El cemento

El **cemento** es un material muy utilizado en la construcción de viviendas y en algunas obras viales.

El **cemento Portland** se fabrica con **piedra caliza, arcilla y agua**.

La **piedra caliza (carbonato de cal-**

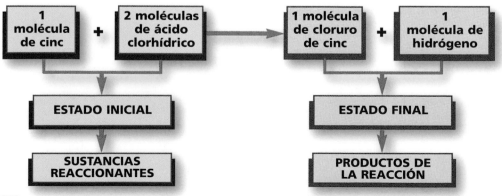

| 1 molécula de cinc | **+** | 2 moléculas de ácido clorhídrico | → | 1 molécula de cloruro de cinc | **+** | 1 molécula de hidrógeno |

ESTADO INICIAL → **SUSTANCIAS REACCIONANTES**

ESTADO FINAL → **PRODUCTOS DE LA REACCIÓN**

LA MATERIA DE LOS SERES VIVOS

Sustancias orgánicas

Son todas aquellas sustancias que conforman los seres vivos y en cuya composición interviene el elemento **carbono**. Son sustancias orgánicas los productos derivados de los animales y los vegetales: las **proteínas**, las **grasas** y los **azúcares**.

Sustancias inorgánicas

Son aquellas que constituyen los factores abióticos (los elementos inertes).
Salvo por el monóxido y el dióxido de carbono, las moléculas de **las sustancias inorgánicas no tienen átomos de carbono**. Son sustancias inorgánicas el **agua**, el **alcohol**, las **sales minerales** y el **dióxido de carbono**.

Composición del protoplasma

SUSTANCIAS INORGÁNICAS 76 %
- agua (75 %)
- sales minerales (1 %)

SUSTANCIAS ORGÁNICAS 24 %
- proteínas
- lípidos
- glúcidos
- nucleótidos (ácidos nucleicos)

La medusa presenta en sus tejidos un 90 % de agua. Uno de los porcentajes más elevados de agua del reino animal.

El protoplasma es la materia que constituye el cuerpo de los seres vivos.

Composición del protoplasma

El protoplasma está constituido por un 76 % de sustancias inorgánicas y un 24 % de sustancias orgánicas.

Los ácidos nucleicos

Son compuestos de gran peso molecular, estables y con poder de autoduplicación. Gracias a ellos, los caracteres particulares que determinan a cada individuo (forma, tamaño, aspecto, etc.) se transmiten de padres a hijos. Es decir, hacen a la **herencia biológica**. Se clasifican en **ADN** (**ácidos desoxirribonucleicos**) y **ARN** (**ácidos ribonucleicos**).

PROTOPLASMA	SUSTANCIAS ORGÁNICAS	SUSTANCIAS INORGÁNICAS
UBICACIÓN	Exclusivamente en los seres vivos.	En los seres vivos y en el mundo abiótico.
TAMAÑO MOLECULAR	Grande, por unión de muchos átomos.	Pequeño, por tener pocos átomos.
ELEMENTOS CARACTERÍSTICOS	Carbono (C), hidrógeno (H), oxígeno (O), nitrógeno (N).	Todos los elementos químicos conocidos.
CONTENIDO ENERGÉTICO	Alto.	Bajo.

LOS COMPUESTOS DEL CARBONO

Se obtienen de los seres vivos, animales o vegetales, y de la destilación fraccionada del petróleo.

Compuestos orgánicos

Los compuestos del carbono son **compuestos orgánicos**. Cumplen una labor esencial en los procesos químicos que tienen lugar en los **seres vivos**, interviniendo en todos los **procesos vitales**.

El **carbono** unido al **oxígeno** conforma **dióxido de carbono** (CO_2). Éste se encuentra en la atmósfera (0,03 % por volumen) y en el aire que contiene el agua. Los **productores**, que son los **vegetales con clorofila**, utilizan el CO_2 para cumplir la función de la **fotosíntesis**, es decir, para formar las sustancias orgánicas (**carbohidratos**) que integran su propia estructura. Los **consumidores primarios**, **animales herbívoros**, obtienen el carbono al ingerir los vegetales; de este modo, lo incorporan a su organismo, contribuyendo también de esta manera a formar su propia materia viva. Por la respiración, los seres vivos devuelven CO_2 al medio. Cuando los animales eliminan sus desechos, o bien cuando animales y plantas mueren, son atacados por los **descomponedores** (**hongos y bacterias**), que actúan completando el proceso de **liberación del carbono** (C) que regresa al medio. **Este ciclo del carbono se desarrolla en forma continua.**

Por acción del hombre

A causa de la **transformación** de restos vegetales y animales,

en cuyo proceso no han intervenido los descomponedores, encontramos en la naturaleza depósitos de **turba**, **carbón**, **petróleo**. Cuando estos elementos son utilizados por el hombre, también se produce **la liberación del carbono** (C), que se incorpora al **ciclo**.

El hombre necesita obtener **dióxido de carbono** para darle uso industrial.

Algunas de las propiedades comunes del carbono en cualquiera de sus estados son las siguientes:
- **se trata de sustancias sólidas**,
- **no se pueden fusionar**,
- **resultan insolubles en todos los líquidos** (excepto en algunos metales en estado de fusión, como el hierro, y a temperatura elevada).

Para ello dispone de dos métodos principales: emplear el CO_2 que se desprende de la fermentación de frutas, azúcares y bebidas alcohólicas, y calentar piedras de cal.

El carbono y sus propiedades

Este elemento, como **sustancia simple**, existe en más de una forma física en la naturaleza. Se presenta bajo tres formas **alotrópicas**: el **diamante**, en cristales transparentes; el **grafito**, en escamas grises-negruzcas, y el **carbono amorfo**, negro, con numerosas variedades, que genéricamente se conocen con el nombre de **carbones**.

Carbonos naturales y artificiales

En la naturaleza o en productos fabricados por el hombre, el carbono se presenta como sustancia simple de características físicas diversas. Veamos un cuadro con la clasificación de sus variedades principales.

EL CARBONO Y SUS VARIEDADES

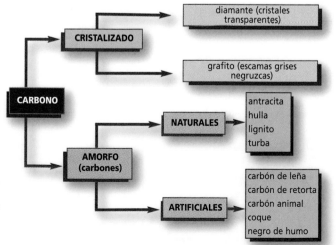

CARBONO
- CRISTALIZADO
  - diamante (cristales transparentes)
  - grafito (escamas grises negruzcas)
- AMORFO (carbones)
  - NATURALES
    - antracita
    - hulla
    - lignito
    - turba
  - ARTIFICIALES
    - carbón de leña
    - carbón de retorta
    - carbón animal
    - coque
    - negro de humo

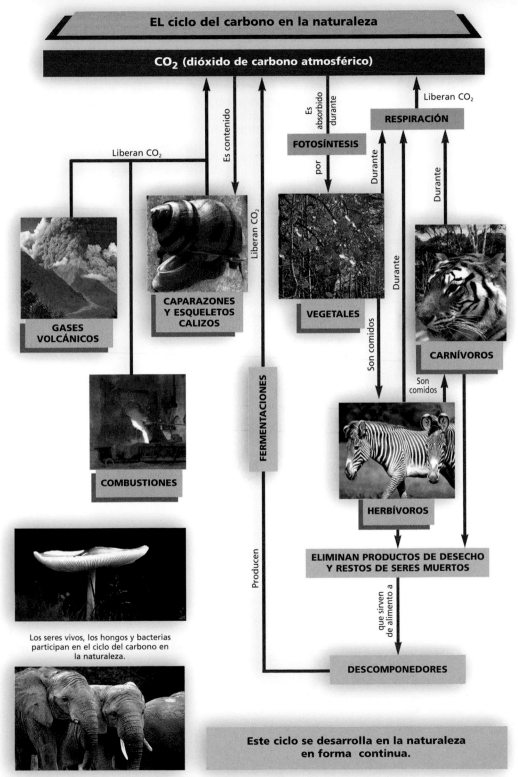

EL ciclo del carbono en la naturaleza

CO_2 (dióxido de carbono atmosférico)

Liberan CO_2

Es contenido

Es absorbido durante

Liberan CO_2

RESPIRACIÓN

Liberan CO_2

FOTOSÍNTESIS

por

Durante

Durante

Durante

GASES VOLCÁNICOS

CAPARAZONES Y ESQUELETOS CALIZOS

VEGETALES

CARNÍVOROS

FERMENTACIONES

Son comidos

Son comidos

COMBUSTIONES

HERBÍVOROS

Producen

ELIMINAN PRODUCTOS DE DESECHO Y RESTOS DE SERES MUERTOS

que sirven de alimento a

Los seres vivos, los hongos y bacterias participan en el ciclo del carbono en la naturaleza.

DESCOMPONEDORES

Este ciclo se desarrolla en la naturaleza en forma continua.

El carbono en los alimentos

Tres clases

- **Los lípidos** son **moléculas orgánicas** constituidas principalmente por **carbono, hidrógeno** y **oxígeno**. Son solubles en solventes orgánicos e insolubles en agua. Se encuentran en alto porcentaje en grasas animales, aceites vegetales, crema de leche, manteca, etc. Son lípidos las vitaminas A, D, E y K.
- **Los glúcidos o hidratos de carbono** son sustancias orgánicas naturales formadas por **carbono, hidrógeno** y **oxígeno**, que se encuentran en vegetales y animales, por ejemplo, en papas, frutas, azúcar, miel, pan, fideos, pastas, etc.
- **Las proteínas** son **macromoléculas** (moléculas grandes) formadas por **carbono, hidrógeno, oxígeno** y **nitrógeno**, esenciales para la vida. Podemos encontrarlas en todo tipo de carnes, leche y sus derivados, leguminosas (porotos, lentejas, etc.), huevos.

FUNCIONES QUE DESARROLLAN LOS LÍPIDOS, GLÚCIDOS Y PROTEÍNAS

MOLÉCULAS ORGÁNICAS	FUNCIONES
LÍPIDOS	• Forman las membranas celulares. • Almacenan energía. • Protegen diferentes partes del cuerpo (tejido adiposo). • Integran muchas estructuras celulares del sistema nervioso.
GLÚCIDOS O HIDRATOS DE CARBONO	• **Funciones energéticas: la glucosa** es la fuente principal de energía de vegetales, animales y microbios. En los vegetales, la glucosa se origina durante la **fotosíntesis**. En el hombre, los hidratos de carbono se transforman en glucosa durante el proceso de la digestión. • **Funciones de reserva:** en los vegetales, la glucosa se almacena como **almidón** en las semillas. En el hombre, los hidratos de carbono se almacenan como **glucógeno** en músculos e hígado. • **Funciones de sostén:** en los vegetales, los glúcidos se encuentran como **celulosa**, formando la pared celular, propia de las células vegetales. En los insectos, arácnidos, crustáceos, los glúcidos se encuentran como **quitina**, formando su esqueleto externo (exoesqueleto, caparazones, caracol).
PROTEÍNAS	• **Enzimas o fermentos:** son proteínas que aceleran la velocidad de las reacciones químicas que se realizan en los seres vivos.

LA FERMENTACIÓN

El proceso químico

Se llama **fermentación** a cierto **proceso químico** lento que experimentan algunas **sustancias orgánicas**, como los glúcidos de las frutas.

Estas sustancias orgánicas se transforman, **liberando carbono** (en forma de dióxido de carbono, CO_2), por la acción de otras, los **fermentos**.

Los **fermentos** pueden ser microorganismos como el **moho**, las **bacterias** o las **levaduras**, o bien sustancias solubles, como las **enzimas**.

La propiedad más característica de este **proceso** es la desproporción entre la cantidad del **fermento**, que suele ser muy pequeña, y la cantidad de **materia transformada**. En general, son suficientes pequeñas proporciones de fermento para provocar la **fermentación** (desprendimiento de carbono) de grandes cantidades de materia.

La levadura

Seguramente has oído hablar de la levadura cuando se cocinan pizzas o pan. La **levadura** es un **hongo**, un microorganismo **unicelular** (o sea, de una sola célula), capaz de **hacer fermentar la materia** con la que se mezcla.

El vino y la cerveza son bebidas alcohólicas que se obtienen a partir de la **fermentación** de la uva (vino) y de la cebada (cerveza), proceso en el que se libera carbono.

Las bacterias de la leche

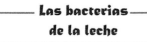

La leche que consumimos debe ser sometida a un proceso de esterilización y pasterización

Proceso de la fabricación de queso

Pasterización
Se hierve la leche para eliminar las bacterias peligrosas.

Coagulación
La leche se coagula al incorporarle ácido láctico y un líquido que provienen del estómago de los rumiantes. De esta manera se logra una masa sólida denominada cuajo y un líquido llamado suero.

Prensado
Se prensa el cuajo y se coloca en moldes individuales. Si este paso se hace sin sacar el suero, los quesos tendrán agujeros.

Salazón
Los quesos se someten a baños de agua salada.

Maduración
En esta etapa final, las distintas bacterias y hongos descomponen las proteínas y grasas del queso para darle el sabor y el aroma característicos.

Dentro de los procesos bioquímicos, vamos a analizar el proceso de fermentación.

porque contiene ciertas bacterias que, si no son eliminadas, podrían causarnos enfermedades.

Pero, además, hay algunas de esas bacterias que, al dejarlas actuar, transforman la leche en otros productos que consumimos habitualmente: yogur, queso, manteca.

Algunas veces vemos que en la leche se forman grumos y, si la probamos, sentiremos un sabor ácido ("se cortó"). Esto se debe a la acción de una bacteria: el bacilo láctico.

Para hacer yogur, a la leche cortada se le agrega otra bacteria: el bacilo búlgárico.

Fabricando queso

Las diferentes clases de queso se obtienen agregándole distintas bacterias o mohos a la leche cortada.

En el cuadro podemos observar cuáles son los pasos para obtener queso.

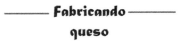

EL AGUA

El agua es la sustancia más difundida sobre la Tierra.

—Una sustancia vital—

El agua desempeña funciones vitales.
- En ella aparecen disueltas muchísimas sustancias, por lo cual sirve como vehículo para su transporte.
- En el agua se desarrollan la mayor parte de las reacciones químicas que se producen en la naturaleza e interviene directamente en muchas de ellas.
- Es un muy buen regulador térmico, ya que sus moléculas absorben muchas más calorías que cualquier otro compuesto.

—El agua... ¿disuelve?—

Entre otras características, el agua tiene la particularidad de **disolver el mayor número de**

Elementos que el agua incorpora en la atmósfera

- sulfatos
- azufre
- metano
- humo
- polvillo
- nitrógeno
- dióxido de carbono (CO₂)

El agua se combina con metano y otros gases a lo largo de su ciclo.

sustancias. Por ello se la conoce como el **solvente universal**. El agua, en su ciclo, toma contacto, disuelve y transporta diversos elementos; por ejemplo, las partículas suspendidas en la atmósfera y los minerales que componen las rocas (al ser éstas disgregadas por los hielos de un glaciar o en el deshielo de las altas cumbres); luego, son transportados por los torrentosos ríos de montaña. Por eso, podemos decir que lo que llamamos **"agua"** es en realidad **una solución de distintas sales en agua**.

—Aguas duras—

El agua obtenida en distintas **fuentes naturales**, tales como corrientes, depósitos y pozos (aguas subterráneas), contiene **sales** e **impurezas**.
Las **sales** que contribuyen en mayor o menor grado a la formación de incrustaciones son las de **calcio, magnesio y sílice**.
Cuando el agua trae altas concentraciones de estas sales, se denomina **agua dura**. El agua dura ocasiona complicaciones orgánicas al hombre y los animales; también afecta instalaciones y cañerías.
Para evitar estos inconvenientes, se debe eliminar la alta concentración de sales y reducirla a límites tolerables. Este proceso es conocido como **ablandamiento del agua**.

—Solución acuosa—

Veamos qué elementos incorpora una **solución acuosa** en la atmósfera:
- Al ascender, el **vapor de agua** se combina con el **dióxido de carbono** y forma **ácido carbónico**.

Ciclo del agua en la naturaleza

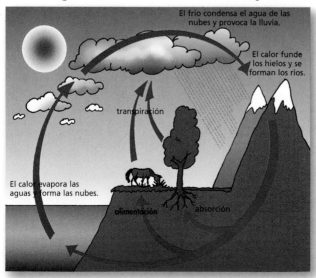

El frío condensa el agua de las nubes y provoca la lluvia.

El calor funde los hielos y se forman los ríos.

transpiración

El calor evapora las aguas y forma las nubes.

alimentación

absorción

- También se combina con **nitratos** y **nitritos** que caen con la lluvia, abonando nuestros suelos.
- Además, suele incorporar elementos como **azufre**, **polvillo y humo**, suspendidos en la atmósfera, que generan procesos perjudiciales por su alto poder contaminante.
- En el suelo se combina con distintas **sales de calcio, fosfatos, nitratos, cloruros, potasio, sodio, magnesio, manganeso, etc**.

Aguas blandas

El agua blanda se puede usar en la elaboración de alimentos, provisión de calderas y distintos procesos químicos.

Aguas potables y no potables

Para que el agua sea **potable**, es decir, para que podamos beberla, debe ser:

- **límpida** (sin partículas que la hagan turbia);
- **inodora** (sin olor);
- **insípida** (sin un sabor determinado).

Además, el agua potable debe tener **minerales**, tales como *cloro, sodio, iodo, flúor*, etc., en cantidades proporcionales. Y, fundamentalmente, debe contener **aire**.

Por otro lado, existen aguas con **impurezas y microorganismos**, como *algas, amebas, paramecios, bacterias*.

Este tipo de agua no debe ser bebida por humanos y animales, ya que les produciría distintas enfermedades. Esta agua **no es apta para consumo** y se llama **no potable**.

Para poder consumirla, debemos **potabilizarla**, es decir, sacarle las impurezas con **filtrados sucesivos**. Luego, deben eliminarse los microorganismos que pudieran existir, con **cloro** u otro **agente purificador**.

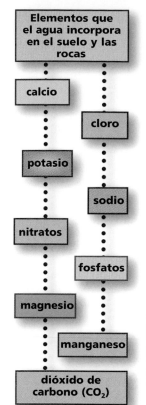

Elementos que el agua incorpora en el suelo y las rocas

calcio

cloro

potasio

sodio

nitratos

fosfatos

magnesio

manganeso

dióxido de carbono (CO_2)

Potabilización del agua

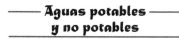

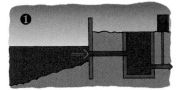

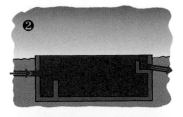

Dosificación de cal — Dosificación de cloro

Grandes depósitos elevados.

Reservas de agua filtrada.

Distribución hacia los tanques domiciliarios.

1. Las bombas extraen el agua del río o lago.
2. Por las cañerías, llega a piletas especiales donde se la deja decantar; así, parte de las impurezas se depositan en el fondo.
3. Para eliminar el resto de las impurezas, se le agregan sustancias especiales, que las llevan también al fondo.
4. Se filtra a través de lechos de arena.
5. Antes de liberarla para su consumo, se la somete a rigurosos análisis.

La salinidad

La gran cantidad de sales que contiene el agua en solución pasa al suelo en algún estado del ciclo del agua. Esas sales se acumulan en las distintas **napas freáticas**. Cuando el agua sube por exceso de lluvias, las sales se depositan, en gran cantidad, en la superficie o en zonas cercanas a ella. Este fenómeno, conocido como **salinidad**, representa un serio riesgo para los vegetales (ya que impide su desarrollo) y los demás componentes de la cadena alimentaria. Un fenómeno similar produce el hombre cuando hace mal uso o abusa de los sistemas de riego artificial.

EL AIRE

Es una mezcla de gases, entre ellos el oxígeno, necesario para la respiración y para las combustiones.

—¿Cómo se compone— el aire?

Como dijimos, el **aire** es una *mezcla* de **gases**. Algunos de ellos varían sus proporciones según el lugar y el tiempo atmosférico, como por ejemplo el **dióxido de carbono**, el **ozono** y el **vapor de agua**. Otros se encuentran siempre en la misma proporción, como el **nitrógeno**, el **oxígeno** y los llamados **gases raros o inertes** (*argón, helio, critón, xenón, neón*).

Composición del aire

Nitrógeno: 78,05 %

Ozono: variable

Oxígeno: 20,95 %

Vapor de agua: variable

Dióxido de carbono: 0,03 %

Gases raros: 0,94 %

Gases que componen el aire

NITRÓGENO (N_2)	Se encuentra en mayor proporción. Forma parte de sustancias imprescindibles para los seres vivos (proteínas, grasas).
OXÍGENO (O_2)	Fundamental para la respiración de los seres vivos y para la combustión.
DIÓXIDO DE CARBONO (CO_2)	Fundamental para la producción de alimentos en los vegetales (fotosíntesis). Se elimina en forma constante en la respiración de los seres vivos.
OZONO (O_3)	Poderoso desinfectante; absorbe los rayos solares. Se desprende en los fenómenos eléctricos de la atmósfera (relámpagos, rayos).
VAPOR DE AGUA	Su proporción aumenta con la evaporación de mares, lagos y océanos; disminuye su proporción después de las precipitaciones.

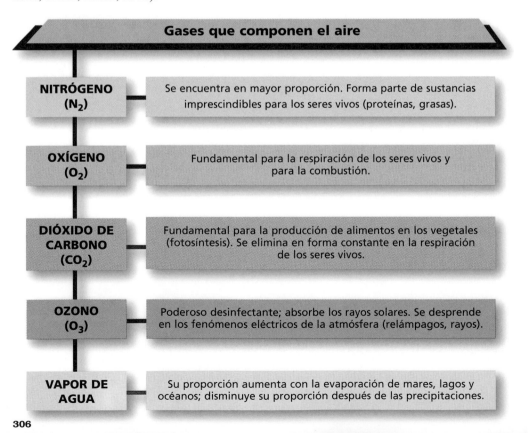

LA FÍSICA

¿Qué es la Física?

La **Física** es una rama de las Ciencias de la Naturaleza que, a través del **método científico**, estudia las propiedades de la materia, la energía, y la elaboración de las leyes por las cuales se rigen los fenómenos físicos y su evolución en el tiempo.

La Física se vale de los métodos de **cálculo** y el **razonamiento deductivo** de la *Matemática*, y de las *Ciencias Naturales* toma la tendencia a **observar**, **analizar**, **ordenar** y **extraer conclusiones**.

La magnitud

Para introducirnos en el mundo de la Física, debemos conocer ciertos fundamentos que nos serán indispensables para com-

El fenómeno que tiene lugar al producirse un incendio es de tipo químico. En tanto, el vapor de agua que se desprende de las fumarolas es un fenómeno físico (el agua cambia de estado).

EL MÉTODO EXPERIMENTAL

El método experimental fue aplicado por primera vez por *Galileo Galilei (1564-1642)*. Este método permitió que el **conocimiento científico** progresara enormemente en los últimos cuatro siglos.

El método experimental tiene dos partes bien diferenciadas.

1) La parte *fenomenológica*, que no cambia. Comprende el **método experimental** en sí mismo:

• **Observación** del fenómeno que se va a estudiar.

• **Hipótesis**: se formula una suposición sobre el fenómeno observado.

• **Experimentación**: se repite el fenómeno en el laboratorio, aislado y simplificado.

• **Medición**: se realiza luego de la experimentación.

• **Leyes**: se formulan después de hallar una relación entre los resultados obtenidos que sean positivos.

2) La parte *explicativa*, que complementa a la fenomenológica y evoluciona y cambia constantemente. Consiste en establecer hipótesis y teorías que reemplazan a anteriores, con explicaciones más extensas y completas.

Es la ciencia que estudia la materia, la energía y los fenómenos físicos.

prender el lenguaje y los temas que estudiaremos más adelante. Comencemos por las **magnitudes: todo lo que puede aumentar o disminuir y por lo tanto es medible**, como por ejemplo el **tiempo**, el **volumen**, la **superficie**, la **longitud**, etc., constituye una **magnitud**.

Las **magnitudes son entes abstractos**.

Para saber si algo abstracto es una magnitud, lo relacionamos con los cuerpos que nos rodean: así obtenemos las **cantidades**.

Si entre estas cantidades podemos determinar relaciones de **igualdad** y de **suma**, ese ente abstracto es una magnitud.

¿Qué es medir?

Si las cantidades pertenecen a una misma magnitud, son **cantidades homogéneas**, es decir que sólo entre ellas se establece una comparación. Para comparar cantidades, elegimos una **unidad**, por ejemplo, la longitud de una regla. Si la regla cabe dos veces en el largo de una hoja, decimos que la longitud de esa hoja vale 2 unidades. *Medimos* y obtuvimos un *valor*. Por lo tanto, **medir una cantidad es compararla con la unidad de medida**.

> **Recuerda que las magnitudes son entes abstractos.**

Magnitud escalar y magnitud vectorial

Sabemos que las **magnitudes** pueden **aumentar o disminuir** y, por lo tanto, **son medibles**.

Ahora vamos a hacer una diferencia entre ellas.
- **Magnitud escalar** es aquella que queda **bien determinada al conocer su valor numérico**.
  Por ejemplo, el **volumen**, la **temperatura**, etc.
- Cuando necesitamos saber la **dirección** y el **sentido**, además de su **valor numérico**, estamos hablando de una **magnitud vectorial**.
  Tales son los casos de la **aceleración**, la **velocidad** y las **fuerzas**.

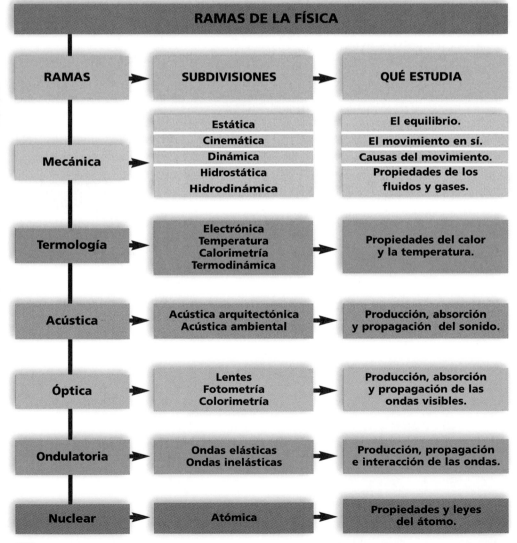

RAMAS DE LA FÍSICA

RAMAS	SUBDIVISIONES	QUÉ ESTUDIA
Mecánica	Estática	El equilibrio.
	Cinemática	El movimiento en sí.
	Dinámica	Causas del movimiento.
	Hidrostática	Propiedades de los fluidos y gases.
	Hidrodinámica	
Termología	Electrónica Temperatura Calorimetría Termodinámica	Propiedades del calor y la temperatura.
Acústica	Acústica arquitectónica Acústica ambiental	Producción, absorción y propagación del sonido.
Óptica	Lentes Fotometría Colorimetría	Producción, absorción y propagación de las ondas visibles.
Ondulatoria	Ondas elásticas Ondas inelásticas	Producción, propagación e interacción de las ondas.
Nuclear	Atómica	Propiedades y leyes del átomo.

LOS CUERPOS Y LAS FUERZAS

¿Qué es una fuerza?

Al observar el esfuerzo muscular que realizamos al sostener un cuerpo, nos damos cuenta de que estamos aplicando una **fuerza**. Aunque no podemos ni verla ni tocarla, sabemos que existe porque percibimos los efectos que produce. Por eso decimos que una **fuerza es todo lo que puede cambiar el estado de movimiento o de reposo de un cuerpo, hasta romperlo o deformarlo**. Los **efectos** que producen las fuerzas **no siempre son iguales**, ya que dependen del estado en que se encuentre el cuerpo que recibe la fuerza.

Los **efectos** dependen de:

- La **intensidad** de la fuerza, es decir, el valor de ésta. Está relacionada con la cantidad de fuerza transferida de un cuerpo a otro.
- El **punto de aplicación**, o sea, el punto donde se aplicó la fuerza.
  Finalmente, diremos que existen dos **factores determinantes en una fuerza**:
- La **dirección**, que es la recta a lo largo de la cual actúa la fuerza. Puede ser **vertical u horizontal**.

SISTEMA DE FUERZAS

Cuando aplicamos, en forma simultánea, varias fuerzas sobre un cuerpo, éstas forman un **sistema de fuerzas**. Cada una de esas fuerzas recibe el nombre de **componente**. Se pueden diferenciar varios sistemas.

- **Sistema de fuerzas colineales:** actúan sobre la misma recta de acción.

- **Sistema de fuerzas concurrentes:** las rectas de acción de las fuerzas se cortan.

- **Sistema de fuerzas paralelas:** las rectas de acción son paralelas.

En un sistema de dos fuerzas aplicadas a un cuerpo, existe la posibilidad de reemplazarlas por una sola fuerza que produzca el mismo efecto que las otras dos. A esa sola fuerza se la llama **resultante**.

Las fuerzas producen muchos movimientos en los cuerpos, desde trasladarlos hasta deformarlos o romperlos.

- El **sentido**, que es la orientación de la recta. Si la dirección es horizontal, el sentido puede ser hacia la **derecha** o hacia la **izquierda**, hacia **adelante** o hacia **atrás**. Si la dirección es vertical, el sentido puede ser hacia **arriba** o hacia **abajo**.

Fuerza y efecto

Cuerpo en reposo.

La fuerza puede cambiar la forma del cuerpo.

Estado del cuerpo	Efectos que producen las fuerzas
Cuerpo en reposo	**Deformación:** cambia de forma, se rompe.
	Movimiento: cambia de posición, de lugar.
Cuerpo en movimiento	**Modifica la trayectoria** del movimiento.
	Modifica la velocidad (la acelera o disminuye).
	Impide su movimiento (lo vuelve al estado de reposo, lo detiene).

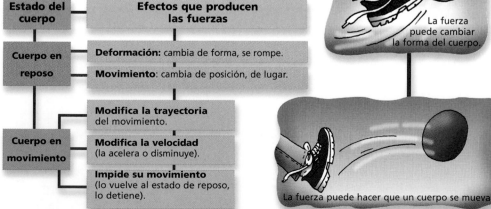

La fuerza puede hacer que un cuerpo se mueva.

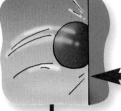

ACCIÓN

REACCIÓN

¿QUÉ TIPO DE MAGNITUD ES LA FUERZA?

Las **fuerzas** son **magnitudes vectoriales** y las representamos con **vectores**. Un **vector** es un segmento rectilíneo, que se representa con una flecha en donde figuran todos los elementos de una fuerza: el **punto de aplicación** de la fuerza (**A**), el **sentido**, la **intensidad** y la **dirección**. Veamos su representación.

Intensidad: F = 8 kg (medida en escala con respecto a una unidad).

A

Sentido: hacia la derecha (extremo).

Punto de aplicación: A (origen). | **Dirección**: horizontal.

─── Acción y reacción ───

Existen dos formas de aplicar fuerzas a los cuerpos:
- Por **acción a distancia**: cuando un imán atrae a un alfiler o un cuerpo cae por la atracción de la Tierra (fuerza de gravedad), no hay contacto con el cuerpo.
- Por **contacto**: cuando movemos un libro con la mano o levantamos una taza, aplicamos una fuerza en un punto del cuerpo, hacemos contacto con él.

Si analizamos los ejemplos anteriores, veremos que las fuerzas se presentan siempre de a pares, que se llaman **pares de acción**. En estos pares, una fuerza se aplica a un cuerpo (**acción**) y éste responde con otra fuerza contraria (**reacción**) hacia el cuerpo que aplicó la primera fuerza. Estas fuerzas son **iguales**.

Ahora podemos decir que **"cuando un cuerpo ejerce sobre otro una fuerza (acción), por contacto o a distancia, recibe de éste una fuerza opuesta (reacción)".** Éste es el **principio de acción y reacción**.

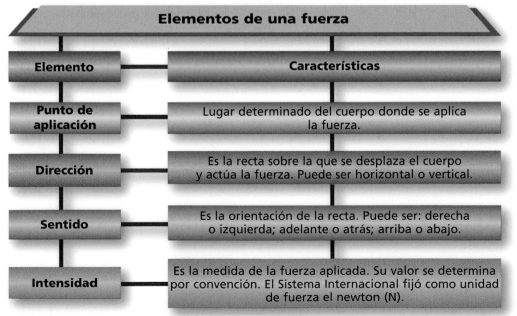

Elementos de una fuerza

Elemento	Características
Punto de aplicación	Lugar determinado del cuerpo donde se aplica la fuerza.
Dirección	Es la recta sobre la que se desplaza el cuerpo y actúa la fuerza. Puede ser horizontal o vertical.
Sentido	Es la orientación de la recta. Puede ser: derecha o izquierda; adelante o atrás; arriba o abajo.
Intensidad	Es la medida de la fuerza aplicada. Su valor se determina por convención. El Sistema Internacional fijó como unidad de fuerza el newton (N).

EL MOVIMIENTO DE LOS CUERPOS

¿Cuándo se mueve un cuerpo?

Un cuerpo está en **movimiento** cuando **cambia su posición respecto de un punto fijo, a medida que transcurre el tiempo**.

El camino que seguimos al realizar un movimiento se denomina **trayectoria**.

Al recorrer una trayectoria, tardamos cierto tiempo. La relación entre el espacio recorrido y el tiempo que tardamos en hacerlo se llama **velocidad**.

El **espacio** recorrido se expresa en *kilómetros, metros, centímetros*, etc.

El **tiempo** se expresa en *horas, minutos, segundos*, etc.

Velocidad promedio o media

Se llama *velocidad promedio o media* al **resultado de la división entre el espacio total recorrido y el tiempo empleado**.

Por ejemplo: si un tren hizo un viaje a una *velocidad promedio de 100 km/h*, no significa que ésa fue la *velocidad constante* durante todo el trayecto.

La velocidad promedio es de 100 km/h si el tren recorrió 500 km en 5 horas. En tal caso, a veces, la velocidad real habrá sido de más de 100 km/h y otras de menos de 100 km/h, e incluso, en alguna ocasión, puede haberse detenido durante el trayecto.

Velocidad instantánea

Es la velocidad de un móvil en un momento determinado. Es la velocidad que indica el velocímetro de un automóvil en cada momento.

VELOCIDAD es la relación entre la distancia recorrida y el tiempo empleado.

↓

Velocidad = distancia / tiempo

↓

Por ejemplo, si recorremos 100 metros en 50 segundos, la velocidad alcanzada es de:

↓

Velocidad = 100 m / 50 seg = 2 m/seg

La rama de la Física que estudia el movimiento de los cuerpos, sin tener en cuenta las causas que lo originan, es la *cinemática*.

Moverse en línea recta

Aunque un vehículo se mueva por las calles en línea recta, ese movimiento no es uniforme, ya que no puede mantener siempre la misma velocidad por la naturaleza del tránsito, al igual que una persona que camina por la vereda y sigue el ritmo del resto de la gente.

Por todo esto, encontramos diferencias en el **movimiento rectilíneo** (movimiento en línea recta), que se clasifica de acuerdo con la velocidad.

Movimiento rectilíneo uniforme

Un movimiento rectilíneo es **uniforme** cuando **la velocidad es constante**, o sea, en un mismo tiempo se recorre el mismo espacio, siempre que la trayectoria sea recta.

Cuerpos en movimiento:
el auto de carrera que se desplaza muy rápidamente y los atletas que participan en una maratón.

¿Cómo se expresa la velocidad?

La velocidad generalmente se expresa en:

kilómetro por hora
km/h

metro por segundo
m/s

metro por minuto
m/min

Por ejemplo: si un automóvil recorre 100 km en una hora, se desplaza a una velocidad de 100 km/h.

Ejemplos de movimientos curvilíneos

Rotación de la Tierra (elíptico).

Las agujas del reloj (circular).

El lanzamiento de una jabalina (parabólico).

Como ejemplos de movimientos uniformes, podemos citar la velocidad de propagación de la luz (300.000 km/seg) y la velocidad del sonido en el aire (340 m/seg). Ambos se propagan en línea recta.

— Movimiento variado —

Un movimiento es **variado** cuando la **velocidad sufre alguna variación**.
Podemos citar como ejemplos el movimiento de un ascensor y el lanzamiento de una pelota. Existen tres casos particulares de movimiento variado.

- **Movimiento rectilíneo uniformemente acelerado:** se produce cuando la velocidad aumenta en forma regular, es decir, **mantiene una aceleración constante**.
- **Movimiento rectilíneo uniformemente retardado:** se produce cuando la velocidad disminuye y la **desaceleración es constante**.
- **Movimiento rectilíneo variado**: se produce cuando la velocidad aumenta por momentos y luego disminuye, para volver a aumentar y a disminuir, y así sucesivamente.

— Movimiento curvilíneo —

Hay otros movimientos y éstos son **curvilíneos** (es decir, curvos).
En los **movimientos curvilíneos**, el móvil se desplaza describiendo una línea curva, que puede ser, de acuerdo con los casos, una circunferencia, una elipse, una parábola, etc. **La trayectoria, al ser curva, no coincide con el desplazamiento**.

— Principio de inercia —

Si damos un puntapié a una pelota, ésta comenzará a rodar y continuará ese movimiento, aunque la fuerza con que la impulsamos haya sido leve. Esto nos permite comprobar el principio de **inercia**, que dice que **todo cuerpo permanece indefinidamente en reposo o movimiento si no actúa ninguna fuerza sobre él**.
Este principio se cumple porque los cuerpos tienen una propiedad que se llama **inercia**. Por esta razón, los pasajeros son impulsados hacia adelante cuando el vehículo se detiene y hacia atrás cuando éste se pone en marcha.

Aceleración es la relación entre la variación o cambio de velocidad de un móvil y el tiempo transcurrido durante ese cambio. No debemos confundir aceleración con velocidad, porque son dos conceptos distintos: **acelerar significa cambiar de velocidad**, no ir muy rápido ni velozmente.

Y

DESPLAZAMIENTO: es la diferencia entre dos posiciones

Trayectoria

Desplazamiento

X

EL PESO DE LOS CUERPOS

La Tierra nos atrae

Si sostenemos una pelota en nuestras manos, notamos que *"empuja"* hacia el piso.

Si soltamos la pelota, vemos que **cae**.

Es evidente que existe una **fuerza** *que impulsa hacia abajo a los cuerpos, como si fuesen atraídos por la Tierra.*

Esa fuerza se denomina **fuerza de gravedad** y **determina el peso de un cuerpo.**

El peso de los cuerpos

Todos los cuerpos tienen **peso**. Sin embargo, no todos los cuerpos poseen el mismo peso. Esto lo comprobamos usando **balanzas**.

Estos aparatos **miden el peso** de los cuerpos. **Medir** significa **comparar**.

La comparación se establece entre lo que queremos medir y una **unidad de medida**. **La unidad del peso es el gramo fuerza (g̱)**.

Sin embargo, esta unidad, en la práctica, sólo se usa para establecer el peso de cuerpos pequeños.

En general, lo más habitual es el uso del **kilogramo fuerza (ḵg̱)**, que equivale a **1.000 gramos fuerza**.

Masa y peso

Los términos **masa** y **peso** comúnmente son confundidos.

- **Masa** es la **cantidad de materia que compone un cuerpo.**
- **Peso** es la **fuerza con que un cuerpo es atraído por la Tierra.**

El peso de un cuerpo es la fuerza con que la Tierra lo atrae.

La gravedad nos permite permanecer parados sobre el piso.

La *gravedad*, fuerza con la cual la Tierra atrae a todos los cuerpos hacia su centro, determina que los cuerpos tengan *peso*.

Fuerza de gravedad

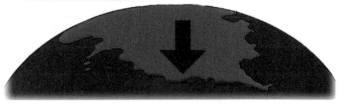

Si un cuerpo tiene mucha masa, es atraído con mayor intensidad por la Tierra y, por lo tanto, su peso será mayor que otro con menos masa.

La *masa no varía según el lugar donde se encuentre el cuerpo*, ya que la masa es algo propio de la materia.

El peso depende de la *fuerza gravitatoria*, es decir, de la intensidad con que el cuerpo es atraído.

La Luna posee una fuerza gravitatoria seis veces menor que la Tierra. Por eso una persona que en la Tierra pesa 90 kg, en la Luna sólo pesará 15 kg.

Comprobemos la masa de un cuerpo

Si tomamos una balanza de dos platillos y en ella colocamos 1 kg de tomates en un platillo y en el otro una pesa de 1 kg, veremos que la balanza se **equilibra**.
Si este mismo dispositivo lo llevamos a la Luna, la balanza seguirá equilibrada, porque la masa de los tomates y la pesa siguen sin cambios.

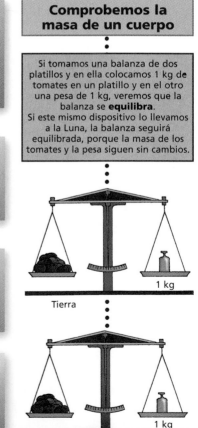

1 kg

Tierra

1 kg

Luna

La ingravidez

La **ausencia de gravedad** se conoce como **ingravidez**. Esto ocurre en el espacio, lejos de la fuerza de atracción de cada planeta o satélite.
La ausencia de gravedad hace que los cuerpos floten, como si no pesaran. Esto es lo que ocurre cuando vemos imágenes de los astronautas en las naves espaciales, donde éstos flotan y se mueven suavemente.

La caída de los cuerpos

Cuando un cuerpo cae, intervienen dos factores.

- Si un cuerpo es muy pesado, su **atracción** hacia la Tierra es mayor, pero también es mayor su **resistencia a ser movido**.

- A la inversa, un cuerpo pequeño no es muy atraído por la Tierra, pero su resistencia a ser movido también es pequeña.

Comprobemos el peso de un cuerpo

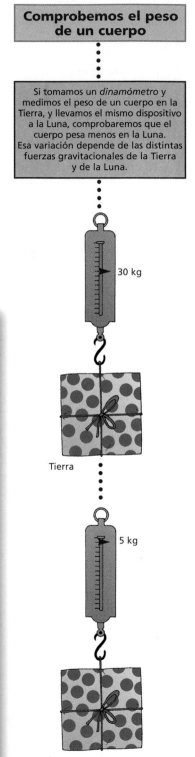

Si tomamos un *dinamómetro* y medimos el peso de un cuerpo en la Tierra, y llevamos el mismo dispositivo a la Luna, comprobaremos que el cuerpo pesa menos en la Luna. Esa variación depende de las distintas fuerzas gravitacionales de la Tierra y de la Luna.

30 kg

Tierra

5 kg

Luna

La experiencia de Galileo

Galileo Galilei realizó la siguiente experiencia: dejó caer dos cuerpos, uno liviano y otro pesado, desde lo alto de la torre de Pisa (Italia). Pudo observar que ambos cuerpos llegaron al piso **al mismo tiempo**.
Algunos cuestionaron el resultado de la experiencia diciéndole a Galileo que, si hubiera usado una pluma y una piedra, la pluma habría llegado al piso muy lentamente y antes que la piedra. Entonces Galileo supuso que la pluma caía lentamente porque era frenada por el aire, pero no lo pudo comprobar.
Recién hacia el año 1650 se demostró que Galileo tenía razón. Se colocaron una piedra y una pluma en un tubo con aire y los mismos objetos en un tubo al vacío (o sea, sin aire).
Se invirtieron los tubos rápidamente y se comprobó que, en el tubo al vacío, la piedra y la pluma cayeron con la misma velocidad. En el tubo con aire, la piedra cayó más rápido que la pluma.
A partir de esta experiencia podemos llegar a la siguiente conclusión: **todos los cuerpos que caen desde la misma altura, en el vacío, llegan al suelo en el mismo tiempo**. Ésta es la llamada **caída libre**.

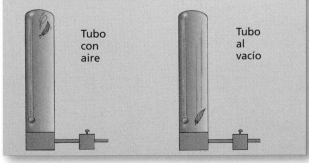

Tubo con aire

Tubo al vacío

El equilibrio de los cuerpos

Al mirar los cuerpos, nos damos cuenta de que mantienen una posición en el espacio, un equilibrio, ya sea que estén apoyados o suspendidos.
Ese equilibrio unas veces puede ser modificado, y otras, no. Veamos qué ocurre si les aplicamos distintas fuerzas.

El **centro de gravedad de un cuerpo** es el **punto** donde está **aplicado el peso** de ese cuerpo.

En los cuerpos apoyados, el equilibrio se determina cuando la vertical que pasa por el centro de gravedad cae dentro de la base de sustentación.

El **equilibrio** (en un cuerpo suspendido o apoyado en una superficie) puede ser:
- **estable**: cuando lo sacamos de la posición de equilibrio y vuelve a ella.
- **inestable**: cuando se aleja de la posición de equilibrio, luego de ser desviado de ella.
- **indiferente o metaestable**: cuando está en equilibrio siempre, sin importar la posición.

En equilibrio

G

Base de sustentación

Sin equilibrio

G

Base de sustentación

El equilibrio de los cuerpos suspendidos puede ser:

ESTABLE

El punto de suspensión, encima del centro de gravedad.

O

G

INESTABLE

El punto de suspensión, debajo del centro de gravedad.

G

O

INDIFERENTE

El punto de suspensión coincide con el centro de gravedad.

O · G

REFERENCIAS:
O = punto de suspensión
G = centro de gravedad

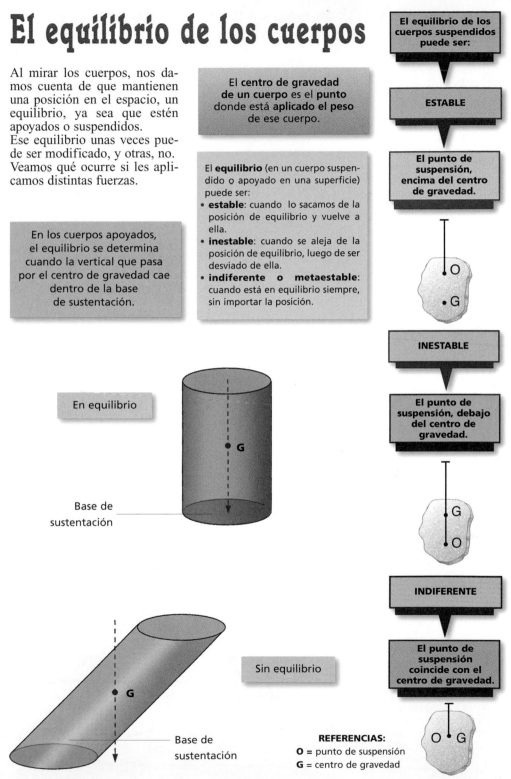

LAS MÁQUINAS SIMPLES

Permiten levantar y transportar objetos pesados haciendo un mínimo esfuerzo.

Tres puntos de apoyo

Si tenemos una barra rígida con un **punto de apoyo**, un objeto que ofrece **resistencia** y un elemento que ejerce fuerza o **potencia** para vencer esa resistencia, disponemos de **una palanca**. Con ella, podemos levantar cuerpos muy pesados.

Según dónde se encuentre el punto de **apoyo** (**A**), el objeto a mover o **resistencia** (**R**) y la fuerza que levanta o **potencia** (**P**), tenemos **tres géneros de palancas**.

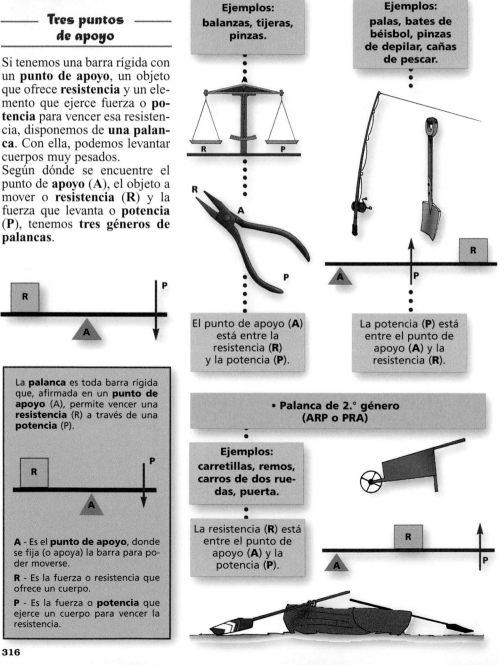

La **palanca** es toda barra rígida que, afirmada en un **punto de apoyo** (A), permite vencer una **resistencia** (R) a través de una **potencia** (P).

A - Es el **punto de apoyo**, donde se fija (o apoya) la barra para poder moverse.

R - Es la fuerza o resistencia que ofrece un cuerpo.

P - Es la fuerza o **potencia** que ejerce un cuerpo para vencer la resistencia.

- **Palanca de 1.° género (RAP o PAR)**

Ejemplos: balanzas, tijeras, pinzas.

El punto de apoyo (**A**) está entre la resistencia (**R**) y la potencia (**P**).

- **Palanca de 3.° género (APR o RPA)**

Ejemplos: palas, bates de béisbol, pinzas de depilar, cañas de pescar.

La potencia (**P**) está entre el punto de apoyo (**A**) y la resistencia (**R**).

- **Palanca de 2.° género (ARP o PRA)**

Ejemplos: carretillas, remos, carros de dos ruedas, puerta.

La resistencia (**R**) está entre el punto de apoyo (**A**) y la potencia (**P**).

El plano inclinado

El **plano inclinado** es considerado también como una máquina simple, que se forma con una tabla **rígida** (o plataforma), **uno de cuyos extremos se encuentra apoyado a una altura mayor que el otro**, y sobre la cual se desplaza el objeto que se desea levantar o trasladar. Esta máquina logra disminuir la fuerza de gravedad.

Existen diferencias de acuerdo con la inclinación que le demos a la tabla o plataforma.

La polea

La **polea** consiste en una **rueda que gira alrededor de un eje** y que tiene una **ranura** por la cual se desliza una **cuerda**.

El torno

Es otra máquina simple, que se compone de un eje movido por una manivela. Alrededor del eje se enrolla una cuerda y a ésta se engancha el objeto a elevar. Cuanto mayor es la parte vertical de la manivela, menor es la fuerza que se debe realizar.

La balanza

La **balanza** también es una palanca (de 1.° género) y, por lo tanto, una máquina simple. Se utiliza para medir el peso de los cuerpos comparándolos con el peso de las pesas.

Las balanzas las utilizamos en la vida diaria y puedes verlas en los comercios, en el laboratorio y en tu casa.

La **balanza de dos platillos** consiste en dos brazos iguales. En cada extremo de los brazos, tiene un platillo suspendido. En su punto de apoyo hay una aguja fijada (fiel) que señala –en una plancha graduada– el equilibrio o la desviación de los brazos.

En el plano inclinado, la fuerza que hay que aplicar será menor en la medida en que sea menor la altura del plano y mayor su longitud.

A menor altura y mayor longitud del plano, menor fuerza.

Con el plano inclinado podemos —según la inclinación— transportar cargas pesadas haciendo menos fuerza que si se levantaran en forma vertical.

La polea móvil disminuye la mitad del peso que levantamos. Constituye una palanca de 2.° género.
La polea fija no disminuye el peso, pero ofrece más comodidad. Constituye una palanca de 1.° género.

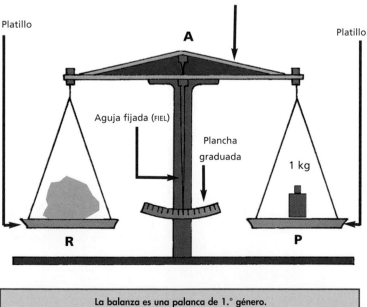

Platillo

Brazo

A

Platillo

Aguja fijada (FIEL)

Plancha graduada

1 kg

R

P

La balanza es una palanca de 1.° género.

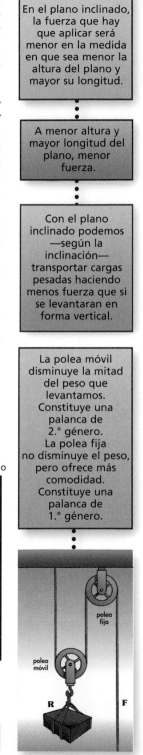

polea fija

polea móvil

R

F

EL EQUILIBRIO DE LOS LÍQUIDOS

La hidrostática es la rama de la Física que estudia a los líquidos en equilibrio.

Los líquidos son fluidos

Los **líquidos** y los **gases** son **fluidos**, porque toman la forma del recipiente que los contiene. Esto se debe a que sus **moléculas** están distribuidas en forma **desordenada**, están **muy separadas** y se mueven en forma constante, **resbalando unas sobre otras**.

Flotación: peso y empuje

Es común ver la capacidad que tienen ciertos cuerpos para flotar.
Sobre un cuerpo que flota actúan **dos fuerzas.**
Ellas son: **peso** y **empuje**.

Propiedades de los líquidos

No tienen forma propia; adoptan la del recipiente que los contiene.

Tienen volumen propio y fijo (aun cuando varíe su forma).

No se los puede comprimir, pues **no son compresibles**.

Tienen peso y ejercen presión sobre los recipientes que los contienen.

Entre esas dos fuerzas, se pueden producir tres situaciones.

1) Peso igual al empuje
El cuerpo queda flotando entre dos aguas.

2) Peso mayor que el empuje
El cuerpo se hunde.

3) Peso menor que el empuje
El cuerpo flota con una parte afuera.

¿Por qué flota un objeto pesado?

Existen objetos muy pesados que flotan con facilidad.
Como vimos, **flotar es un equilibrio entre dos fuerzas**: el **peso** y el **empuje**. Si tenemos un gran peso, debemos tratar de que el objeto desplace mucha agua para que su empuje sea mucho mayor.
En el caso de los barcos, a pesar de que son muy pesados, flotan porque tienen aire en los compartimientos del fondo. Los submarinos también tienen tanques en su interior, que permanecen vacíos mientras están en la superficie. Cuando se sumergen, llenan esos tanques con agua.

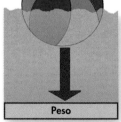

Peso

Empuje

El **empuje** es una fuerza contraria al peso, cuyo valor es igual al peso del líquido desalojado.

El principio de Arquímedes

Este principio dice que "**todo cuerpo sumergido en un líquido recibe un empuje vertical, de abajo hacia arriba, igual al peso del líquido desalojado**". Arquímedes, físico y matemático griego, descubrió esto un día en que, estando en los *baños públicos de Siracusa*, se metió en una bañera llena de agua, la cual se desbordó. Lo que seguramente se le ocurrió en ese momento fue que sus piernas habían desalojado igual volumen de agua. Dicen que estaba tan entusiasmado que salió corriendo por las calles, sin ropa y gritando *"eureka"*, que significa "lo encontré".

La presión y los líquidos

Todos podemos ejercer fácilmente fuerzas sobre cualquier punto de un sólido. Pero en los líquidos es diferente: deben estar encerrados en un recipiente y para ejercer una fuerza hay que hacerlo mediante una superficie.

Blas Pascal, matemático y físico francés, realizó una experiencia por la cual conocemos el principio que lleva su nombre.

Principio de Pascal: **la presión ejercida sobre la superficie de un líquido se transmite por igual a todos los puntos** del líquido y a las paredes del recipiente que lo contiene.

El principio de Pascal

El *Principio de Pascal* se aplica en la **prensa hidráulica**. Ésta es una máquina que consta de dos émbolos o pistones: uno pequeño (en donde se aplicará la fuerza) y otro más grande (en donde se colocará el objeto que se prensará).

Al aplicar la fuerza en el émbolo pequeño, éste se mueve y produce un desplazamiento del émbolo mayor, a través del líquido.

PRENSA HIDRÁULICA

F = fuerza.

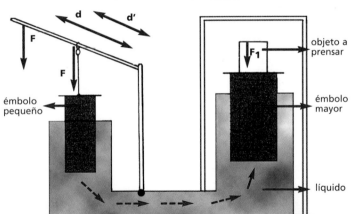

- d
- d'
- F
- F
- émbolo pequeño
- F₁
- objeto a prensar
- émbolo mayor
- líquido

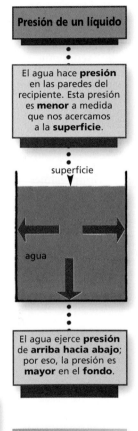

Presión es la **fuerza** que ejerce un cuerpo sobre la **superficie** de otro.

Presión hidrostática es el equilibrio de fuerzas que existen en el agua.

Presión de un líquido

El agua hace **presión** en las paredes del recipiente. Esta presión es **menor** a medida que nos acercamos a la **superficie**.

superficie

agua

El agua ejerce **presión** de **arriba hacia abajo**; por eso, la presión es **mayor** en el **fondo**.

Aplicaciones prácticas del principio de Pascal

Existen innumerables **máquinas hidráulicas** que basan su funcionamiento en el notable *principio de Pascal*. Entre ellas: la *prensa*, los *frenos* y los *montacargas hidráulicos*.

LOS GASES

Los gases son fluidos que tienen características propias.

Propiedades de los gases

Los gases, al igual que los líquidos, son **fluidos** porque sus **moléculas se desplazan fácilmente** al estar muy separadas entre sí. Además, como **no tienen forma propia**, adoptan la del recipiente que los contiene, y al llenarlo completamente se dice que son **expansibles**. Otra de sus propiedades es la de ser **compresibles**, porque **disminuyen su volumen** al ser comprimidos. También **pesan**, pero son **muy livianos**.

Arquímedes y los gases

En los gases también se cumple el **principio de Arquímedes**: *"Todo cuerpo sumergido en un gas desaloja un volumen de gas igual al suyo y recibe un empuje de abajo hacia arriba, igual al peso del gas desalojado"*.
Como los gases son muy livianos, el empuje es insignificante. Pero, en el caso de que el cuerpo sea muy liviano, el empuje supera al peso del cuerpo y lo hace ascender (es el caso de los globos aerostáticos y los dirigibles). Si el cuerpo es muy grande, desaloja mucho gas.

La presión atmosférica

La **presión atmosférica** es la presión que **ejerce la atmósfera sobre la Tierra**.

El barómetro

La presión atmosférica se mide con los barómetros. El barómetro de cubeta es el más preciso. Se trata del aparato creado por Torricelli más una regla milimetrada. También existen otros barómetros que no utilizan el mercurio, son sólidos y manuables, pero menos precisos.

Uno de los estados en que se presenta la materia es el gaseoso. El aire que respiramos, la atmósfera, el combustible que sale de las hornallas de la cocina... Todos son ejemplos de los gases que nos rodean.

Como nuestro cuerpo está adaptado a esta gran presión, no la percibimos.
También sabemos que la presión atmosférica **no es siempre la misma**, ya que sufre variaciones de acuerdo con la altura. La presión atmosférica es menor a medida que se asciende. Estas variaciones de presión se miden con el **barómetro**.

Nombre del gas	peso en g/dm³
Aire	1,29
Dióxido de carbono	1,98
Cloro	3,21
Fluoruro de tungsteno	12,9 (el más pesado)
Helio	0,17
Hidrógeno	0,089 (el más liviano)
Nitrógeno	1,25
Oxígeno	1,43
Radón	9,73

LA ENERGÍA

¿Qué es la energía?

Energía es la propiedad que tienen los **cuerpos de realizar un trabajo, modificando o influyendo a otro cuerpo**. El trabajo es el **efecto** producido por la energía, que es la **causa**. De acuerdo con las formas que adopte la energía (que es una sola), puede producir diferentes efectos o trabajos.

Energías que se transforman

Cuando un cuerpo está en reposo, posee **energía potencial**. Al ponerse en movimiento, esa energía se transforma en **energía cinética**. En el gráfico se puede observar cómo la energía puede transformarse de potencial a cinética.

Energía cinética: es la **energía** que emplea un **cuerpo en movimiento y produce un trabajo**. Por ejemplo, cuando corremos estamos realizando un trabajo y empleamos la energía cinética.

Energía potencial: es la **energía acumulada** que **poseen todos los cuerpos** cuando están **en reposo**. Por ejemplo, nuestro cuerpo posee energía potencial cuando estamos sentados.

La energía **potencial** puede transformarse en **cinética**. Por ejemplo, el aire en movimiento produce **energía cinética**.

Sólo podemos percibirla en los movimientos, en los cambios que se producen en la naturaleza y en todas las formas de vida.

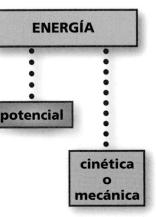

ENERGÍA

potencial

cinética o mecánica

Energía hidroeléctrica

La **energía hidroeléctrica** transforma la fuerza del agua en electricidad.
Para obtenerla es necesario construir **represas o embalses hidroeléctricos**. Éstos consisten en el levantamiento de diques para retener el agua de un río caudaloso, donde se forma un lago. La energía la provee el agua, ya que el dique crea un desnivel entre la base de la represa y la superficie del lago.
El agua fluye con fuerza a través de una especie de túneles, y por ellos llega hasta las turbinas que giran, para producir electricidad.
Es necesario un río caudaloso para mover las turbinas, que son como grandes hélices, por donde el agua pasa y las hace girar.
Éstas, a su vez, hacen girar los generadores, que transforman la energía de movimiento en energía eléctrica.

Corte

transversal

de una central

Según los físicos, la energía puede tener seis formas diferentes, y cada una de ellas puede transformarse en cualquiera de las otras, como lo indica el esquema.

Principio de conservación de la energía

La energía no se pierde ni se crea, se transforma.

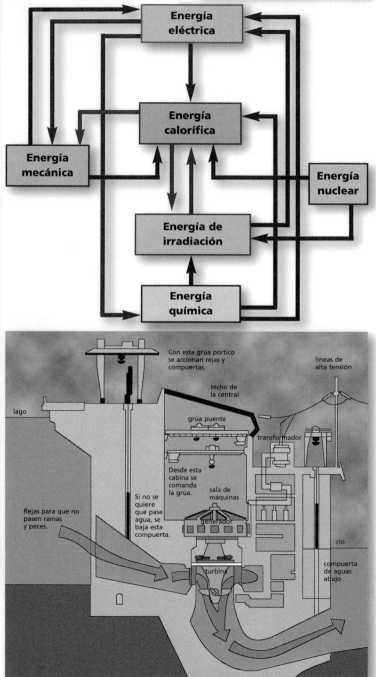

Energía eléctrica

Energía calorífica

Energía mecánica

Energía nuclear

Energía de irradiación

Energía química

Con esta grúa pórtico se accionan rejas y compuertas.

líneas de alta tensión

techo de la central

lago

grúa puente

transformador

Desde esta cabina se comanda la grúa.

sala de máquinas

Rejas para que no pasen ramas y peces.

Si no se quiere que pase agua, se baja esta compuerta.

generador

río

turbina

compuerta de aguas abajo

LA ELECTRICIDAD

¿Cómo se produce la electricidad?

Para empezar, debemos recordar que la materia está formada por **átomos**. Éstos, a su vez, están constituidos por un **núcleo** donde hay **neutrones**, *sin carga eléctrica*, y **protones**, con *carga eléctrica positiva* (+); y de una **corteza** con **electrones** que giran alrededor del núcleo y que poseen *carga eléctrica negativa* (–).

El número de protones es igual al de electrones cuando el átomo se encuentra en estado normal.

Cuando frotamos dos cuerpos de materiales distintos, uno queda con carga eléctrica **positiva (pierde electrones)** y el otro con carga eléctrica **negativa (gana electrones)**.

Esto es consecuencia del **frotamiento**, en el cual estos dos cuerpos se arrebatan electrones uno al otro.

Este tipo de electricidad se llama **electricidad estática**, porque queda **en reposo** y **retenida** en el cuerpo.

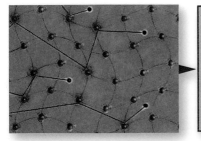

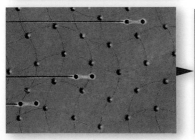

Materiales conductores de electricidad

Materiales o elementos que **permiten que la electricidad circule con facilidad**. Ejemplos: agua (más aún la salada), metales (cobre, aluminio, hierro, entre otros), aire húmedo, el cuerpo humano.

Materiales no conductores de electricidad

Materiales o elementos que **no permiten que la electricidad circule normalmente**. También son llamados **aislantes**. Ejemplos: plástico, vidrio, loza, madera, caucho, porcelana.

Los cables tienen metal en su interior para conducir la corriente y plástico por fuera como aislante, para evitar accidentes.

Los electrones avanzan chocando entre sí y contra los átomos de la red cristalina de su estructura, frenando el paso de la electricidad a la vez que generan capacidad, sin calor y, por consiguiente, sin pérdida de energía.

Agrupados por parejas, los electrones atraviesan limpiamente la red cristalina, lo que determina la superconductividad, vale decir que no oponen resistencia alguna al paso de la electricidad.

Gran parte de los artefactos que nos rodean utilizan electricidad para funcionar.

Clases de electricidad

Cuando se rompe el equilibrio de **carga neutra** que posee toda la materia (por ejemplo, por frotamiento), quedan en evidencia las *cargas negativas o positivas*. Por este hecho, decimos que existen **dos** clases de electricidad: **electricidad negativa** y **electricidad positiva**.

Una sencilla experiencia

Corta pequeños trozos de papel delgado. Toma un peine de plástico y frótalo sobre la piel o los cabellos. Luego, acerca el peine a los trozos de papel. Al frotar el peine, se carga de electricidad y atrae a los papeles. Si lo hacemos con el peine y trocitos de papel metalizado, los papeles no se *"pegan"* al peine.

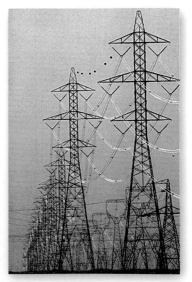

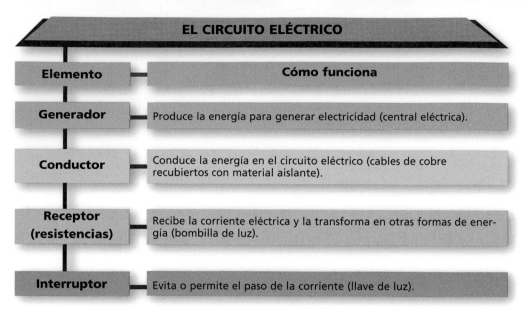

EL CIRCUITO ELÉCTRICO

Elemento	Cómo funciona
Generador	Produce la energía para generar electricidad (central eléctrica).
Conductor	Conduce la energía en el circuito eléctrico (cables de cobre recubiertos con material aislante).
Receptor (resistencias)	Recibe la corriente eléctrica y la transforma en otras formas de energía (bombilla de luz).
Interruptor	Evita o permite el paso de la corriente (llave de luz).

Circuito eléctrico

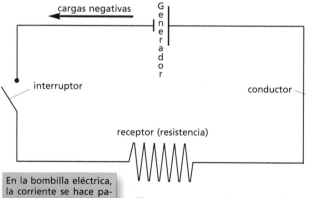

cargas negativas

Generador

interruptor

conductor

receptor (resistencia)

En la bombilla eléctrica, la corriente se hace pasar por un **filamento** muy fino, espiralado, que crea una **resistencia elevada**. Al poco tiempo, el filamento se calienta en presencia del **gas interior**, dando lugar al resplandor que nos ilumina.

Esto nos permite comprobar que:

- **Las cargas eléctricas de igual signo se repelen**.

- **Las cargas eléctricas de distinto signo se atraen**.

La corriente eléctrica

La **corriente eléctrica** se produce cuando las **cargas eléctricas están en movimiento dentro de un conductor**. Para obtener una corriente eléctrica permanente, es necesario un **ge-** **nerador de energía**, que puede ser una *pila* o una *batería*.

Las bombillas eléctricas, los aparatos eléctricos, etc., se encienden por acción de la corriente eléctrica. Esa corriente eléctrica recorre una y otra vez un **circuito eléctrico**, como los autos de carrera recorren un circuito automovilístico.

En un circuito eléctrico, cuando circulan muchos electrones en un cierto tiempo, se dice que la **corriente** tiene mucha **intensidad**; si lo hacen pocos electrones, se dice que la **corriente** es **débil**.

La **intensidad de corriente** se mide en **amperios**, y para ello se utiliza un aparato llamado **amperímetro**.

¿Cómo influye la resistencia en la intensidad?

Cuando un circuito presenta una **resistencia**, permite que pasen **menos electrones** en un cierto tiempo. Es decir que la **resistencia** limita la **intensidad de la corriente**.

El potencial eléctrico

Si la electricidad es la resultante del desplazamiento de electrones, entonces, cuando éstos recorren un circuito, realizan el **trabajo** de trasladarse de un lugar a otro de él. Ese trabajo se llama **potencial eléctrico**. Se mide en **voltios**, con un instrumento llamado **voltímetro**.

Corriente alterna

En la **corriente alterna**, los **electrones van y vienen** por el *conductor eléctrico* a intervalos regulares de tiempo. *Primero marchan en un sentido y luego cambian,* **en forma alternada**.

A mayor resistencia, menor intensidad.

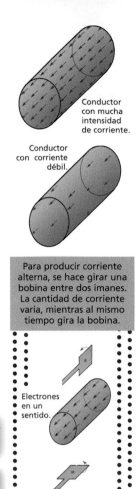

Conductor con mucha intensidad de corriente.

Conductor con corriente débil.

Para producir corriente alterna, se hace girar una bobina entre dos imanes. La cantidad de corriente varía, mientras al mismo tiempo gira la bobina.

La fuerza necesaria para que los electrones circulen y enciendan la bombilla se denomina **diferencia de potencial. Entre A y B, existe una diferencia de potencial.**

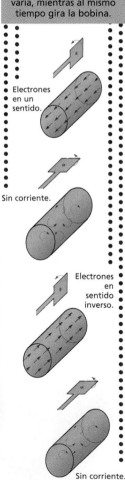

Electrones en un sentido.

Sin corriente.

Electrones en sentido inverso.

Sin corriente.

Los aparatos eléctricos que usamos habitualmente funcionan con corriente alterna.

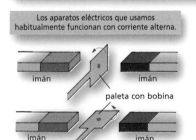

imán   imán

paleta con bobina

imán   imán

La **corriente** es **continua** cuando **fluye en una sola dirección** a lo largo del tiempo.

Los electrones siempre fluyen en la misma dirección.

La corriente es alterna cuando varía la dirección de electrones a intervalos regulares de tiempo.

Los electrones cambian de dirección a lo largo del tiempo.

Las modernas ciudades cuentan con centrales eléctricas poderosas que les suministran energía eléctrica.

325

EL MAGNETISMO

Es una propiedad de la materia que en general aparece en mayor o menor grado en todas las sustancias.

Sustancias magnéticas

Las sustancias que presentan la propiedad llamada **magnetismo**, en menor o mayor grado, son consideradas **magnéticas**, mientras que las otras son llamadas **no magnéticas**.

La sustancia magnética por excelencia es la **magnetita** —también llamada **piedra imán**—, formada por óxido magnético y hierro. La magnetita tiene la particularidad de atraer cuerpos que contengan hierro y acero.

Además, existen otros minerales magnéticos, como el **níquel**, el **cobalto** y **algunas aleaciones**.

Todo **imán** presenta **dos polos** que pueden llamarse **norte** y **sur**.

norte

S N

sur

Todo imán genera un campo magnético a su alrededor, con mayor intensidad en los polos.

La Tierra es un gran imán. Sí, el comportamiento de nuestro planeta Tierra se asemeja al de un imán gigante, cuyos polos magnéticos se encuentran muy cerca de los polos geográficos.

Esto podemos comprobarlo con una aguja imantada: si sobre cualquier superficie terrestre colocamos una aguja imantada que pueda girar libremente sobre su eje, ésta se moverá **orientando** sus extremos hacia los polos magnéticos terrestres norte y sur.

Piedra imán o magnetita.

Material sin imantar.

Material imantado.

¿Qué es el imán?

El **imán** es todo cuerpo que tiene la propiedad de **atraer trozos de hierro**.

Los **imanes naturales** son cierto tipo de rocas, como la magnetita, que **atraen el hierro naturalmente**. El resto de los imanes se consiguen por imantación. El material magnético, cuando no está imantado, tiene todos sus imanes internos sin orientar. Si a ese material lo ponemos en contacto con un imán natural muy intenso, durante un tiempo, se **imanta** y se convierte en un **imán artificial**. Sus imanes internos se orientan y potencian su efecto.

Los polos iguales se repelen y los polos opuestos se atraen.

repulsión

atracción

En todo imán, la fuerza de atracción o repulsión es mayor cuanto mayor es la fuerza de los polos.

Existen grandes electroimanes, utilizados para levantar grandes pesos. Un ejemplo de ellos son los utilizados para levantar automóviles que van a ser desarmados o compactados.

— El campo magnético —

Determinemos un campo magnético con un imán.

Toma un imán y colócalo sobre una mesa. Esparce limaduras de hierro sobre una hoja de papel y colócala sobre el imán, muy cerca pero sin que lo toque. Luego, golpea suavemente el papel con un lápiz y observa la forma del campo magnético.

Como habrás observado, el campo presenta **líneas**, que indican las fuerzas y el sentido de éstas.

Cuando las **líneas** están **más cerca**, el **campo magnético es más intenso**; cuando están **más separadas, es más débil**.

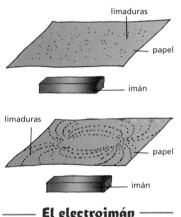

limaduras

papel

imán

limaduras

papel

imán

— El electroimán —

Un **electroimán** es un núcleo de hierro, envuelto o rodeado por un espiral (cable) por el que circula la corriente eléctrica, creando un campo magnético. Este campo desaparece cuando deja de circular la corriente eléctrica.

El magnetismo terrestre

La Tierra tiene un campo magnético muy grande. Nuestro planeta podría considerarse como un **gran imán**, debido a que en su composición cuenta con una gran cantidad de magnetita y otros minerales con hierro en su composición.

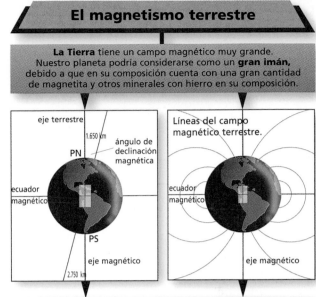

eje terrestre

1.650 km

ángulo de declinación magnética

PN

ecuador magnético

PS

eje magnético

2.750 km

Líneas del campo magnético terrestre.

ecuador magnético

eje magnético

El ángulo de declinación magnética es la diferencia entre los polos magnéticos y geográficos. En el Norte, ambos polos están separados 1.650 km, mientras que en el Sur se separan 2.750 km.
En la línea del ecuador, el campo magnético y la horizontal coinciden; es decir, la diferencia es 0 (cero). En los polos, la diferencia es de 90°, lo que equivale a un ángulo recto.
Entre la línea del ecuador y los polos, la inclinación magnética varía según la **latitud** donde se encuentre el dispositivo indicador.

CINTAS MAGNÉTICAS

Las cintas de los casetes de música y de vídeo tienen en su interior material magnético, que se imanta en forma particular según la música o imágenes. Cuando regrabamos, primero se desimanta la cinta y luego se imanta nuevamente, según la particularidad del nuevo sonido o de las nuevas imágenes.

LA BRÚJULA

Una **brújula** es un instrumento que tiene una aguja imantada que es atraída por el campo magnético terrestre.
Esta propiedad nos permite orientarnos, ya que, al apuntar al polo norte magnético, nos indica el polo norte geográfico (con una pequeña diferencia por la declinación magnética).

Los científicos suponen que las aves migratorias se valen del campo magnético para realizar sus largos vuelos. Además se cree que estas aves son capaces de detectar la variación del ángulo de inclinación del campo magnético, a fin de no perder el rumbo.

EL SONIDO

Las perturbaciones en el aire se traducen en movimientos ondulatorios, repercuten en nuestros oídos y producen la sensación de sonido.

El **sonido** se debe a la **vibración de la materia**. Esto lo podemos comprobar cuando hablamos (*vibración de las cuerdas vocales*) o a través de los instrumentos musicales (*vibración de las cuerdas o del aire que hay en su interior*).

Las ondas

Las ondas son perturbaciones que se transmiten a través de un medio elástico, como el aire y el agua, que sirven como medio de transporte.
Los cuerpos con características elásticas tienen la particularidad de recuperar el estado inicial.

El *sonar* es un emisor situado a bordo de un barco, que envía impulsos sonoros a gran velocidad. Estos impulsos chocan y son reflejados por los objetos que encuentran a su paso (submarinos, cardúmenes, barcos hundidos, etc.) y son captados nuevamente por el barco emisor.

El sonido no se propaga en el vacío.

El aire y el agua sirven como medio de transporte de las ondas sonoras.

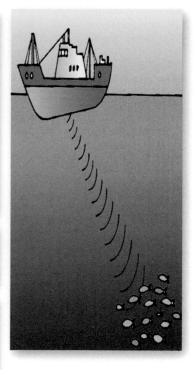

La propagación y los medios

Como la onda sonora viaja a través de un medio, depende de ese medio para poder propagarse.
Cuando los medios por los cuales viaja son muy densos, el sonido se propaga velozmente, y cuando éstos son poco densos, lo hace muy lentamente.
El sonido no se propaga en el vacío.
La velocidad promedio del sonido en el aire es de 340 m/seg.

MEDIO	VELOCIDAD
Aire 21 °C	344 (m/seg)
Aire 0 °C	331 (m/seg)
Agua	1.460 (m/seg)
Oxígeno	317 (m/seg)
Alcohol	213 (m/seg)
Vidrio	5.200 (m/seg)
Caucho	540 (m/seg)
Aluminio	5.100 (m/seg)
Acero	5.130 (m/seg)

Velocidad de la luz:
300.000 m/seg

Velocidad del sonido:
340 m/seg

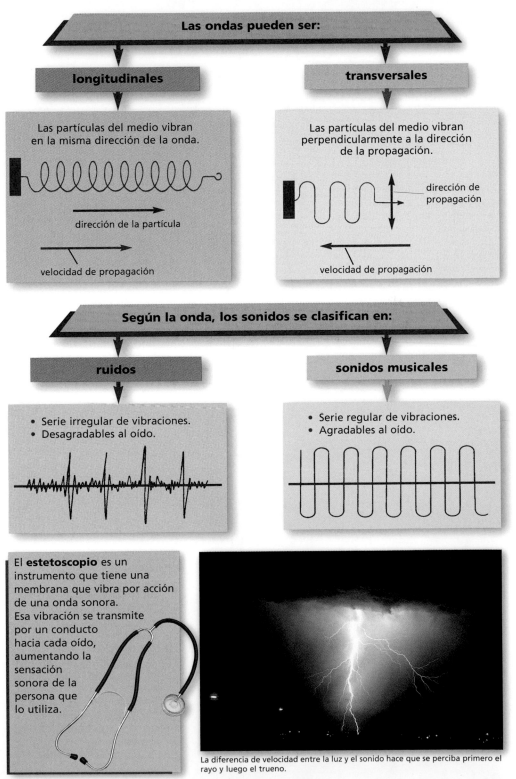

Las ondas pueden ser:

longitudinales

Las partículas del medio vibran en la misma dirección de la onda.

dirección de la partícula

velocidad de propagación

transversales

Las partículas del medio vibran perpendicularmente a la dirección de la propagación.

dirección de propagación

velocidad de propagación

Según la onda, los sonidos se clasifican en:

ruidos

- Serie irregular de vibraciones.
- Desagradables al oído.

sonidos musicales

- Serie regular de vibraciones.
- Agradables al oído.

El **estetoscopio** es un instrumento que tiene una membrana que vibra por acción de una onda sonora. Esa vibración se transmite por un conducto hacia cada oído, aumentando la sensación sonora de la persona que lo utiliza.

La diferencia de velocidad entre la luz y el sonido hace que se perciba primero el rayo y luego el trueno.

CARACTERÍSTICAS DEL SONIDO

La parte de la Física que estudia las características del sonido se llama *acústica*.

Cualidades del sonido

La forma en que el oído humano percibe las ondas sonoras está relacionada con las cualidades o características que posee el sonido, que lo diferencian y distinguen.

Estas características son la **intensidad**, el **tono** y el **timbre**.

Intensidad

La **intensidad** se debe a la **amplitud de la onda sonora**. Esto hace que la onda **transporte mayor energía** y, por lo tanto, es mayor el impacto que percibimos.

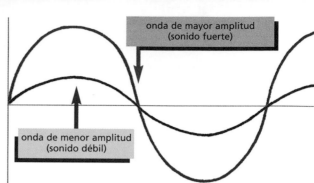

onda de mayor amplitud (sonido fuerte)

onda de menor amplitud (sonido débil)

El desarrollo de la acústica es muy importante, ya que sus investigaciones se aplican en muchas cosas que nos son familiares, como la ampliación del sonido o la forma en que podemos aislarnos de él.

Máxima y mínima audibles

El oído humano tiene un límite para percibir los sonidos. La *intensidad máxima audible* se llama **umbral superior de audición**, y la *intensidad mínima audible* se denomina **umbral inferior de audición**.

Los sonidos que sobrepasan esos umbrales no los podemos oír.

La unidad de medida de la intensidad del sonido era el **belio**, llamado así en honor a **Graham Bell**, inventor del teléfono. Pero, como en la práctica esa unidad resultaba muy grande, se adoptó el **decibelio** o **decibel (dB)**.

DECIBELES	RUIDOS	ÍNDICES
0	Ninguno	Silencio
10	Pasar hojas de un libro	Silencio
20	Susurro al oído	
30	Tic-tac de un reloj	Seguridad
60	Conversación normal	Seguridad
70	Tránsito callejero	
80-90	Fábrica industrial	Peligro
100-110	Taladro de pavimento	Sordera (umbral de dolor)
120	Motor del avión	Sordera (umbral de dolor)
150	Sirena de alarma	Sordera (umbral de dolor)
170	Despegue de cohetes	

Tono y frecuencia

El **tono** nos permite distinguir entre sonidos **graves** y sonidos **agudos**. Esto depende de la frecuencia.

La **frecuencia** es el **número de vibraciones completas** efectuadas en una **unidad de tiempo** (generalmente un segundo).

Los sonidos **graves** están formados por **ondas sonoras de baja frecuencia**. En cambio, los sonidos **agudos** están constituidos por **ondas sonoras de alta frecuencia**.

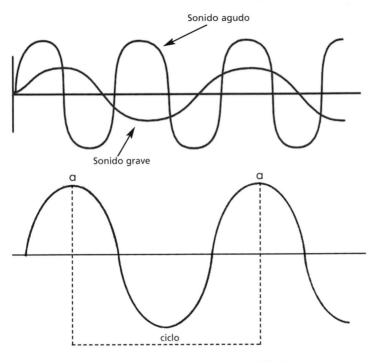

Sonido agudo

Sonido grave

a   a

ciclo

Las notas bajas poseen menor frecuencia y mayor longitud de onda que las altas.

Cuando una partícula sale de su posición y luego se vuelve a colocar en el mismo lugar, decimos que cubrió **un ciclo**.

Las ondas se caracterizan por tener muchos o pocos ciclos por segundo (cps).

El oído humano también tiene un rango para la frecuencia, que se sitúa entre los 20 cps y los 20.000 cps.

Timbre

Es la cualidad que nos permite diferenciar dos sonidos del mismo tono y la misma intensidad.

Así podemos identificar si el sonido es humano o lo emite un instrumento, reconocer las voces de las personas conocidas, o saber si una nota musical proviene de una guitarra o de un piano. Cada sonido tiene su timbre.

Reflexión del sonido: eco y reverberación

Las ondas sonoras —como todas las ondas—, cuando se encuentran con una superficie, chocan contra ella y cambian de dirección. Este fenómeno, que se conoce como **reflexión del sonido**, provoca el **eco** y la **reverberación** (mezcla de sonidos —directo y reflejado— que se produce en lugares cerrados y hace difícil la audición). Precisamente para evitar esta última es que en salas de cines y teatros tapizan las paredes con materiales porosos (cortinados, moquetes, etc.) para que absorban el sonido y así se pueda escuchar el sonido original y no el reflejado.

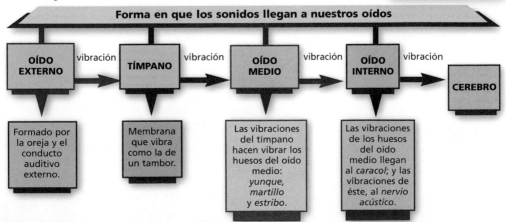

Forma en que los sonidos llegan a nuestros oídos

OÍDO EXTERNO	vibración	TÍMPANO	vibración	OÍDO MEDIO	vibración	OÍDO INTERNO	vibración	CEREBRO
Formado por la oreja y el conducto auditivo externo.		Membrana que vibra como la de un tambor.		Las vibraciones del tímpano hacen vibrar los huesos del oído medio: *yunque, martillo y estribo*.		Las vibraciones de los huesos del oído medio llegan al *caracol*; y las vibraciones de éste, al *nervio acústico*.		

LA LUZ

Es algo que percibimos a través de nuestros ojos y que nos permite ver los objetos. También es energía, y el Sol es la fuente natural de la energía lumínica.

La luz es el resultado de los saltos de los electrones en el seno del átomo.

—¿Por qué se produce la luz?

Los **átomos** tienen **electrones** que *orbitan* alrededor del **núcleo**. En cada órbita hay varios electrones que pueden pasar de una órbita a otra. Cuando un **átomo** recibe **calor** (*energía*), se excita, y sus **electrones comienzan a pasar de una órbita interna a otra** más alejada del núcleo.
Como esos electrones están en una órbita *"equivocada"*, **vuelven** rápidamente **a sus propias órbitas**. Al hacerlo, **devuelven** la **energía** que recibieron **en forma de luz**.

El vidrio es un cuerpo *transparente*.

El acrílico de la mampara es un cuerpo *translúcido*.

La puerta de madera es un cuerpo *opaco*.

La *luz* se propaga en línea recta y en todas direcciones.

La luz y los cuerpos

Sabemos que hay **cuerpos y objetos luminosos** que **emiten su luz** propia, como por ejemplo una bombilla eléctrica, una cerilla, una vela o el Sol.
Además, existen otros cuerpos que **no poseen luz propia**, sino que la reciben de los luminosos: son los llamados **cuerpos iluminados**.

Propagación de la luz

Si observas la luz del Sol que se filtra a través de una persiana o por el ojo de una cerradura, advertirás que **se propaga en línea recta**.
El **rayo luminoso** es la recta que indica la dirección en que se propaga la luz.
Haz luminoso es el conjunto de rayos que salen de un mismo punto.

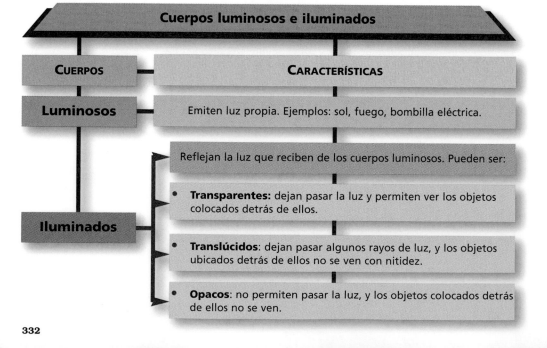

Cuerpos luminosos e iluminados

CUERPOS	CARACTERÍSTICAS
Luminosos	Emiten luz propia. Ejemplos: sol, fuego, bombilla eléctrica.
Iluminados	Reflejan la luz que reciben de los cuerpos luminosos. Pueden ser:
	• **Transparentes:** dejan pasar la luz y permiten ver los objetos colocados detrás de ellos.
	• **Translúcidos**: dejan pasar algunos rayos de luz, y los objetos ubicados detrás de ellos no se ven con nitidez.
	• **Opacos**: no permiten pasar la luz, y los objetos colocados detrás de ellos no se ven.

El color de la luz

La **luz no es blanca** como creemos. Si hacemos pasar un rayo luminoso por un trozo de vidrio triangular (prisma), veremos que se descompone en varios colores: es lo que se llama **espectro visible**.

Los colores que lo componen son siete: *rojo, naranja, amarillo, verde, azul, añil (o índigo) y violeta*.

La luz correspondiente a cada color se llama **monocromática**. Este proceso se denomina **dispersión**.

También podemos realizar el proceso inverso utilizando el **disco de Newton**. Éste consiste en un disco dividido en siete sectores, cada uno con los colores del espectro. Al hacerlo girar velozmente, se ve el color blanco.

El fenómeno de descomposición se produce en la naturaleza, cuando un rayo de luz solar pasa a través de gotas de lluvia, y es lo que conocemos con el nombre de **arco iris**.

El arco iris principal se forma cuando la luz se refleja una sola vez en el interior de las gotas.

El arco iris secundario se forma cuando la luz ha experimentado dos reflexiones en el interior de las gotas de lluvia.

Cada color del espectro corresponde a una longitud de onda determinada. Al observar la estructura de un átomo, podemos explicar más detalladamente la formación de la luz visible.

Cada nivel de energía dentro de un átomo se designa con las letras K, L, M, N, según se acostumbra.

Si los electrones de una capa orbital saltan hacia otra superior, por ejemplo, desde la L a la M, y luego retornan a su órbita original (L), pierden energía emitiendo luz.

Hay distintos tipos de radiación emitida cuando los electrones caen a las capas de energía inferior. El electrón debe ser excitado o impulsado a una capa superior. Los rayos X se producen en los elementos más pesados, en los que la cantidad de energía implicada en el proceso es mayor.

DISCO DE NEWTON

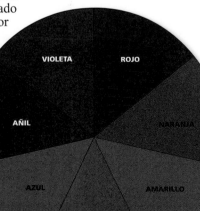

VIOLETA · ROJO · AÑIL · NARANJA · AZUL · AMARILLO · VERDE

Cuando un rayo de luz solar atraviesa gotas de agua, se produce la descomposición de la luz, dando origen al arco iris. El proceso inverso, el de composición de la luz, puede apreciarse al hacer girar a gran velocidad el disco de Newton (dividido en los 7 colores que conforman el espectro).

Reflexión y refracción

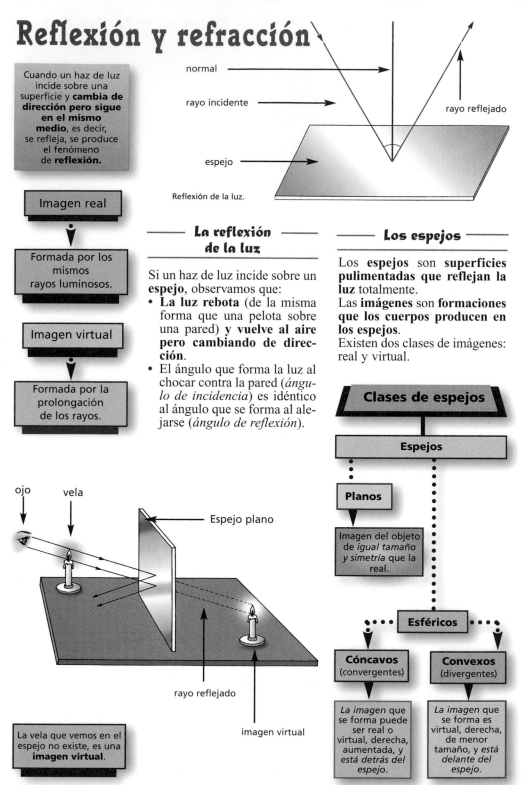

Cuando un haz de luz incide sobre una superficie y **cambia de dirección pero sigue en el mismo medio**, es decir, se refleja, se produce el fenómeno de **reflexión.**

normal

rayo incidente

rayo reflejado

espejo

Reflexión de la luz.

Imagen real

Formada por los mismos rayos luminosos.

Imagen virtual

Formada por la prolongación de los rayos.

La reflexión de la luz

Si un haz de luz incide sobre un **espejo**, observamos que:
- **La luz rebota** (de la misma forma que una pelota sobre una pared) **y vuelve al aire pero cambiando de dirección**.
- El ángulo que forma la luz al chocar contra la pared (*ángulo de incidencia*) es idéntico al ángulo que se forma al alejarse (*ángulo de reflexión*).

Los espejos

Los **espejos** son **superficies pulimentadas que reflejan la luz** totalmente.
Las **imágenes** son **formaciones que los cuerpos producen en los espejos**.
Existen dos clases de imágenes: real y virtual.

Clases de espejos

Espejos

Planos

Imagen del objeto de *igual tamaño* y *simetría* que la real.

Esféricos

Cóncavos (convergentes)

La imagen que se forma puede ser real o virtual, derecha, aumentada, y *está detrás del espejo*.

Convexos (divergentes)

La imagen que se forma es virtual, derecha, de menor tamaño, y *está delante del espejo*.

ojo

vela

Espejo plano

rayo reflejado

imagen virtual

La vela que vemos en el espejo no existe, es una **imagen virtual**.

La refracción de la luz

Si hacemos incidir un haz de luz sobre un bloque de vidrio, observaremos lo siguiente:
- *La luz* penetra en el vidrio, cambia de dirección y disminuye su intensidad, es decir, *"se refracta"*.

El fenómeno de **refracción** se produce **cuando un haz de luz cambia de dirección** al pasar de un medio transparente (como el aire) a otro medio también transparente (como el vidrio), pero de distinta densidad.

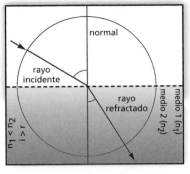

Refracción de la luz.

Las lentes

Las **lentes** *son cuerpos transparentes limitados por dos superficies curvas, o por una superficie curva y otra plana.*

Podemos clasificarlas en divergentes y convergentes.

Aplicaciones de las lentes

Las lentes tienen importantísimas aplicaciones: se usan para corregir defectos de la visión humana (como la miopía o el astigmatismo) y para construir binoculares y objetivos de cámaras fotográficas y microscopios.

Para observar objetos muy lejanos, utilizamos el **telescopio**, que está formado por lentes calculadas para obtener un aumento aparente del tamaño de las estrellas.

El **microscopio** nos permite ver aumentadas cosas muy pequeñas, como alas de insectos o microorganismos; el aumento depende del microscopio que usemos. Por ejemplo, si tiene una potencia expresada como

"450 X", al objeto lo veremos ampliado a un tamaño cuatrocientas cincuenta veces mayor que el real.

Las **lupas** nos permiten ver objetos pequeños, como la pluma de una lapicera, los pliegues de la mano o una pestaña.

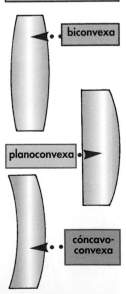

Telescopio de reflexión, construido por Newton en 1671.

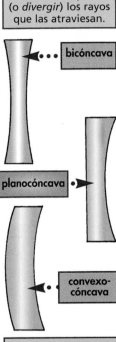

LENTES DIVERGENTES

Tienden a separar (o *divergir*) los rayos que las atraviesan.

bicóncava

planocóncava

convexo-cóncava

LENTES CONVERGENTES

Tienden a unir (o *convergir*) los rayos que las atraviesan.

biconvexa

planoconvexa

cóncavo-convexa

EL CALOR

Es una forma de energía muy utilizada por el hombre.

¿Qué es el calor?

Todos los cuerpos están formados por *materia*. Esa materia está constituida por *moléculas* y *átomos*. Las moléculas y los átomos están en **constante movimiento**.
Ese movimiento o *agitación de las moléculas* produce **energía térmica o calor**.
El calor es una forma de energía.

Las rutas de la energía

La energía puede pasar de una forma a otra.
- Si tocas la cubierta del motor de un automóvil, notarás que está caliente, es decir, el motor ha generado calor. La *energía eléctrica* pasó a *energía mecánica,* y ésta a **energía calórica o calor.**

El termómetro

El termómetro está constituido por una ampolla de vidrio llena de un líquido (*mercurio o alcohol coloreado*) llamado **líquido termométrico**, comunicado con un delgado tubo hueco de vidrio, graduado. Cuando la ampolla entra en contacto con un cuerpo caliente, *el líquido se calienta, se dilata y aumenta su volumen*, por lo cual sube por el tubo y marca la temperatura de ese cuerpo.

El Sol, fuente inagotable de energía

El Sol es la fuente de energía más importante para nuestro planeta y todo el Sistema Solar. El Sol es nuestra estrella y podríamos decir que es una gran reacción química que produce luz y calor.

- La *energía química* que contiene la madera se transforma en luz (*energía lumínica*) y calor (*energía calórica*) al arder en una fogata.

- La *energía eléctrica* que pasa por el filamento de una bombilla eléctrica se transforma en luz y calor.

La energía pasa de una forma a otra hasta terminar en energía calórica o calor.

¿Qué es la temperatura?

Así como el calor se produce por el movimiento de las moléculas, la **temperatura** es una **magnitud** que **expresa** la **velocidad de las moléculas.**
La **temperatura** de un cuerpo **aumenta** cuando las **moléculas se mueven con mayor velocidad**, y **disminuye** cuando se **mueven con lentitud.**
Para medir la temperatura, se utilizan los **termómetros.**
Los termómetros **miden la velocidad del movimiento de las moléculas**, vale decir, la temperatura de un cuerpo.

Escalas termométricas

Las **escalas termométricas** se establecen a partir de valores que se eligen para dos puntos fijos, que corresponden a la **temperatura de congelación** (*fusión*) y a la **temperatura de ebullición** del agua.

La **temperatura más baja posible** se denomina **cero absoluto** o **cero grado Kelvin** (0 °K), y no se puede obtener con los métodos conocidos actualmente.

Equilibrando el calor

Cuando tienes tus manos frías y tomas las manos de otra persona que las tiene cálidas, recibes ese calor y las tuyas se entibian. Por esta razón, decimos que **el calor pasa de un cuerpo a otro**. El calor pasa **del cuerpo caliente al frío** (nunca al revés). Este pasaje dura hasta que los dos cuerpos **equilibran la temperatura**.

El traspaso de calor entre los cuerpos se llama **equilibrio térmico.**

¿De qué depende y qué provoca la transferencia de calor?

El calor absorbido o cedido por un cuerpo...

... depende de tres factores:

... provoca diferentes efectos en los cuerpos:

- Del calor que necesita un cuerpo para variar su temperatura.
- Cambios de temperatura.

- De la masa del cuerpo (en general, a mayor masa, mayor calor).
- Cambios de longitud, superficie o volumen (dilatación).

- De la clase de sustancia.
- Cambios de estado.

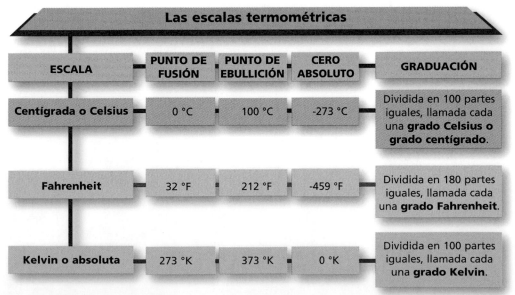

Las escalas termométricas

ESCALA	PUNTO DE FUSIÓN	PUNTO DE EBULLICIÓN	CERO ABSOLUTO	GRADUACIÓN
Centígrada o Celsius	0 °C	100 °C	-273 °C	Dividida en 100 partes iguales, llamada cada una **grado Celsius o grado centígrado**.
Fahrenheit	32 °F	212 °F	-459 °F	Dividida en 180 partes iguales, llamada cada una **grado Fahrenheit**.
Kelvin o absoluta	273 °K	373 °K	0 °K	Dividida en 100 partes iguales, llamada cada una **grado Kelvin**.

LOS EFECTOS DEL CALOR

El calor produce variados efectos en los cuerpos, los que dependen del calor que éstos necesitan para variar su temperatura, de su masa y de la clase de sustancia de que se trate.

La dilatación

Se llama **dilatación** al fenómeno por el cual un **cuerpo aumenta su volumen, longitud o superficie al recibir calor**, ya que sus moléculas se mueven con más intensidad.

Dilatación de los sólidos

De acuerdo con la **forma** que posean **los cuerpos sólidos**, existen tres tipos de dilatación. Veamos cuáles son y cómo las comprobamos.

- **Dilatación lineal**: toma una varilla de metal, mídela y caliéntala. Luego, vuelve a medirla y comprobarás que se

La experiencia de Gravesande

El físico holandés **Willem Gravesande** (1688-1742) realizó la siguiente experiencia: construyó un aparato (**anillo de Gravesande**), formado por una esfera de bronce que, a temperatura ambiente, pasa ajustadamente por un agujero practicado en la chapa.
Al calentar la esfera, ésta no pasa por el orificio, pues aumenta su volumen al ser sometida a la acción del calor.
Al dejarla enfriar, vuelve a su volumen normal y puede pasar por el orificio.
De esta forma, comprobamos la **dilatación cúbica**.

produce un **aumento de la longitud**.
- **Dilatación superficial**: repite la experiencia anterior, pero con una lámina de hierro. Así comprobarás que **aumenta su superficie**.
- **Dilatación cúbica**: si calientas una esfera o un cubo, podrás comprobar que **aumenta su volumen** (o realiza la experiencia de Gravesande).

Dilatación de los líquidos

La **dilatación en los líquidos** produce un **aumento de su volumen**. Por ejemplo: si calentamos agua en un recipiente, veremos que, después de un cierto tiempo, ésta empieza a derramarse.

Dilatación de los gases

En los **gases**, la **dilatación** también produce un **aumento en su volumen**, pero **mucho mayor que en los sólidos y en los líquidos**. Por ejemplo: el aire caliente ocupa un volumen mayor que el aire frío, es más liviano y asciende. Por esta causa, se emplea aire caliente para los globos aerostáticos.

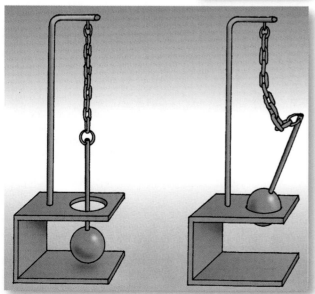

LA PROPAGACIÓN DEL CALOR

¿Cómo se propaga el calor?

Ya dijimos que el calor pasa de un cuerpo a otro. Este traspaso de calor se puede realizar de tres formas diferentes: por **conducción, convección y radiación**.

Las vías del ferrocarril se colocan dejando espacios libres entre cada tramo para dar lugar a la dilatación producida por el Sol y el roce de las ruedas de los trenes.

El calor pasa de un cuerpo a otro, y esto podemos comprobarlo porque produce distintos efectos.

Buenos y malos conductores

Aunque reciban la misma cantidad de calor, hay cuerpos que se calientan más que otros. Por ello los distinguimos como **buenos o malos conductores del calor**.

La convección y el viento

El viento es producto de la convección que provoca el Sol al calentar grandes masas de aire. Esa masa de aire caliente asciende y desplaza al aire frío, produciendo el **movimiento del aire** conocido como **viento**.
El viento puede ser aprovechado para mover la hélice de un generador eléctrico y producir así electricidad.
Luego, la electricidad obtenida es utilizada en distintos artefactos.

Buenos conductores del calor son aquellos cuerpos que se calientan rápidamente, como los metales y los líquidos.

Malos conductores del calor son aquellos cuerpos que tardan más tiempo en calentarse o no se calientan. También se los llama **aislantes**; por ejemplo el plástico y la madera.

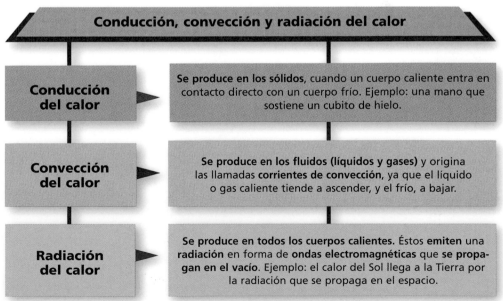

Conducción, convección y radiación del calor

Conducción del calor	**Se produce en los sólidos**, cuando un cuerpo caliente entra en contacto directo con un cuerpo frío. Ejemplo: una mano que sostiene un cubito de hielo.
Convección del calor	**Se produce en los fluidos (líquidos y gases)** y origina las llamadas **corrientes de convección**, ya que el líquido o gas caliente tiende a ascender, y el frío, a bajar.
Radiación del calor	**Se produce en todos los cuerpos calientes**. Éstos **emiten** una **radiación** en forma de **ondas electromagnéticas que se propagan en el vacío**. Ejemplo: el calor del Sol llega a la Tierra por la radiación que se propaga en el espacio.

LA ACCIÓN DEL CALOR

Si sometemos los cuerpos a la acción del calor, éstos pasan de un estado a otro: son los cambios de estado.

Los cambios de estado

La materia se presenta en tres estados: **sólido**, **líquido** y **gaseoso**. Pero, si la sometemos a la **acción del calor**, **puede pasar de un estado a otro** (si se presenta en estado líquido, puede pasar al sólido o al gaseoso). Este fenómeno se llama **cambio de estado**.

La diferencia de temperatura entre el mar y la Tierra es causada por la radiación solar. Esto origina dos brisas: la terrestre (de noche) y la marina (de día).

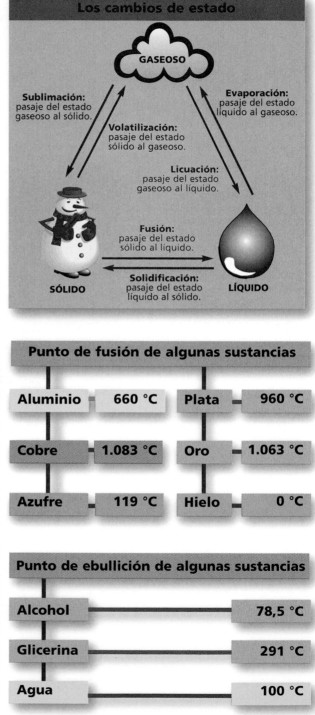

Los cambios de estado

GASEOSO

Sublimación: pasaje del estado gaseoso al sólido.

Volatilización: pasaje del estado sólido al gaseoso.

Evaporación: pasaje del estado líquido al gaseoso.

Licuación: pasaje del estado gaseoso al líquido.

Fusión: pasaje del estado sólido al líquido.

Solidificación: pasaje del estado líquido al sólido.

SÓLIDO

LÍQUIDO

Punto de fusión de algunas sustancias

Aluminio	660 °C	Plata	960 °C
Cobre	1.083 °C	Oro	1.063 °C
Azufre	119 °C	Hielo	0 °C

Punto de ebullición de algunas sustancias

Alcohol	78,5 °C
Glicerina	291 °C
Agua	100 °C

Astronomía y Geología

El Universo
es el conjunto
de todo
cuanto existe:
miles de millones
de estrellas
con sus sistemas
planetarios.

EL UNIVERSO

Es el conjunto de todas las galaxias y de todos los elementos interespaciales que las componen.

Sus integrantes

El Universo es un enorme espacio donde grandes *masas de gases y polvo* se agrupan en innumerables **sistemas de estrellas**, llamadas **galaxias**.

Para observarlas es necesario emplear instrumentos especializados, como telescopios o radiotelescopios.

Ellos nos permiten reconocer los diferentes **cuerpos celestes** o astros del Universo y apreciar así que:

• tienen **distinto tamaño**;
• permanecen en **movimiento constante**;
• **pueden tener luz propia** (como las estrellas) **o tan sólo reflejar la de otros** (como los planetas);
• se relacionan entre sí por las fuerzas de atracción y repulsión, e influyen unos sobre otros.

Sus cuerpos celestes

Las estrellas, el Sol, la Luna, la Tierra y los otros planetas son los cuerpos celestes con los que estamos familiarizados. Sin embargo, hay muchísimos más: cometas, quásares, pulsares, nebulosas y agujeros negros, entre otros. Estos elementos conforman las numerosas galaxias que pueblan el Universo.

Formaciones interestelares

En el curso de la evolución de las estrellas, se producen

A partir del material que conforma las nebulosas se pueden originar estrellas.

¿QUÉ ES LA MATERIA OSCURA?

Se trata de un misterioso componente del Universo. El Cosmos está formado por numerosos **cúmulos de galaxias**. Según los estudios científicos, la masa se puede determinar según la velocidad con la que las estrellas se mueven y la distancia que las separa del centro de la galaxia.

Sin embargo, el resultado de este cálculo es superior a la masa luminosa que se observa desde la Tierra. Por esta razón, se cree que existen *elementos no lumínicos* que conforman la mayor parte del Universo. A estos elementos se los denominó **materia oscura**, y son tan tenebrosos como su origen, ya que aún no se conoce nada acerca de su naturaleza.

en el espacio diversas formaciones interestelares.

• Las partículas interestelares

Son pequeñas moléculas suspendidas entre las estrellas.

Estos elementos conforman las numerosas galaxias que pueblan el Universo. Al relacionarse entre sí, se mantienen unidos, dándole una forma determinada a esa galaxia.

• Los púlsares

Son restos de la explosión final de una **estrella**. Estos desechos se mueven a grandes velocidades emitiendo **ondas de radio** que se manifiestan en forma de **pulsos**.

• Los cúmulos estelares

Son acumulaciones pequeñas de **estrellas** que se agrupan en torno a los brazos en espiral de las **galaxias**.

Estas formaciones se desplazan siguiendo el movimiento de rotación de la **galaxia**.

• Las nebulosas

Son formaciones que rodean a los cúmulos estelares, están integradas por gases y polvo interestelar, que conforman una nube de contorno indefinido. Algunas contienen **estrellas** cuya actividad provoca un gran aumento en la temperatura. Esto hace posible que el gas de la nebulosa se condense y pueda emitir luz propia. Otras nebulosas no llegan a tener una fuente

EVOLUCIÓN DE UNA ESTRELLA

Las estrellas tienen su origen en la **nebulosa interestelar**. En ella conviven gases, en especial *hidrógeno, y polvo interestelar* que, debido a la **fuerza gravitatoria** y sometidos a altas temperaturas, comienzan a condensarse. A partir de esta compresión, las partículas se mueven con mayor rapidez, transformando la **energía en calor**. Al mismo tiempo, los núcleos de los átomos se fusionan provocando **reacciones nucleares** que **liberan energía**.

Mientras en el núcleo de la estrella se fusionan las partículas de hidrógeno, se generará una luz blanca y brillante. Cuando las reservas de este gas se terminan, el proceso de compresión continúa con los **átomos de helio**. Entonces, la estrella empieza a brillar con una luz roja y aumenta de tamaño. En esta etapa de su evolución, se la llama **gigante roja**.

Una vez que se agotan las partículas que intervienen en la fusión, la estrella ya no puede emitir su propia luz. Las materias que forman su cuerpo comienzan a condensarse, moviéndose velozmente. Esta dinámica hace que la temperatura suba a niveles altísimos, lo que concluye en un **colapso gravitatorio**. Esta **explosión** destruye la unidad de la estrella, lanzando sus partículas al espacio; pero vuelve a otorgarle una poderosa fuente de luz. En este estado, la estrella se transforma en una **supernova**.

El núcleo apagado continúa con los movimientos de compresión interna, sometiéndose a las leyes de gravedad. Por esa razón, actúa como si fuera un gran imán, atrayendo los elementos y rayos que flotan en el espacio. A estas transformaciones se las conoce con el nombre de **agujeros negros**.

REFERENCIAS

1 - Nebulosa
2 - Formación de estrellas
3 - Cúmulo estelar
4 - Desintegración del cúmulo
5 - Expansión
6 - Supergigante
7 - Explosión que da origen a la supernova
8 - Nebulosa planetaria
9 - Púlsar
10 - Agujero negro
11 - Enana blanca
12 - Enana negra

lumínica propia, pero brillan al reflejar la luz de las estrellas.

Y, por último, están los **sacos de carbón**, aquellas que por su gran tamaño y su oscuridad obstruyen el brillo de las estrellas que recubren.

• Los quásares

El término significa *"fuente de radio casi estelar"*. Son *núcleos de galaxias* que se encuentran a distancias de varios miles de millones de *años luz*. A pesar de su lejanía, muestran una gran energía que proviene de los *agujeros negros* que integran su núcleo. Estos elementos forman parte de las **numerosas galaxias** que pueblan el Universo. Como se relacionan entre sí y con los demás cuerpos celestes, se mantienen unidos, dándole una forma determinada a cada galaxia.

Desde la antigüedad a nuestros días, al contemplar el inmenso espacio azul, al hombre le surgieron innumerables preguntas e inquietudes. Para hallar las respuestas se valió de instrumentos tecnológicos especializados, cada vez más precisos, que día a día proporcionan mayor información.

PEQUEÑO DICCIONARIO

ÁTOMO → Unidad material muy pequeña formada por un conjunto de minúsculas partículas, agrupadas en forma de sistema solar en miniatura. Forma parte de las moléculas y –por lo tanto– de todo lo que existe en la Tierra.

ENERGÍA → Capacidad de la materia para producir calor, luz, movimiento.

ESTRELLAS → Cuerpos gaseosos y luminosos, generalmente esféricos, que emiten luz propia y pueden tener diferentes tamaños y brillos. Se mueven en el interior de las nebulosas y se agrupan en sistemas y en constelaciones. Como se encuentran a enormes distancias, el hombre sólo los percibe como pequeños puntos luminosos.

EVOLUCIÓN → Conjunto de cambios progresivos y continuos que experimenta un organismo y por los que se vuelve cada vez más complejo.

GALAXIAS → Sistemas de estrellas que constituyen los elementos básicos del Universo.

MATERIA → Sustancia que constituye los cuerpos.

MOLÉCULA → Reunión de átomos que forma parte de los cuerpos. Durante las reacciones químicas puede dividirse y formar nuevos cuerpos.

ÓRBITA → Curva que describe cada astro en su movimiento de traslación.

Origen del Universo

¿Cómo se formó?

Aunque parezca increíble, el Universo no existe desde siempre. ¿Cómo nació? Todavía es un misterio. Desde la Antigüedad se manejaron ideas relacionadas con significados míticos y religiosos.

Muchos científicos trataron de encontrar respuestas. Así se formularon **diferentes teorías** que proponían distintos **modelos cosmológicos**.

Una de las hipótesis más aceptadas sostiene que el Universo se originó después de una gran explosión que separó sus elementos, y que estos fragmentos están en continua expansión.

De ayer a hoy

Desde la época de *Aristóteles*, a partir de estudios matemáticos, se consideraba que el **Universo era finito**, es decir, que *estaba compuesto por un número limitado de elementos*. Estos compo-nentes estaban encerrados dentro de una gran esfera que los contenía. Más adelante, otros filósofos, como *Leibniz*, pensaron que el **Cosmos era infinito** porque, si había una esfera que englobaba todo, este contorno tenía que separarnos de algo que estuviera a su alrededor. Después, a partir del

Albert Einstein, un sabio revolucionario. Su teoría general de la relatividad, enunciada en 1905, generó innovaciones en el campo del estudio del Cosmos.

descubrimiento de las **fuerzas gravitatorias** realizado por *Newton*, se elaboró una **teoría de la atracción entre los astros**. Recién en 1905, cuando *Albert Einstein* formuló su **teoría de la relatividad**, se logró un verdadero avance. Según esta teoría, se descubrió que *los astros no se atraen describiendo una trayectoria en línea recta*, sino que **los cuerpos se desplazan** en un **espacio curvo**. Así, en la actualidad se cree que **el Universo es finito, no tiene centro y tiene lugar en un espacio curvo**.

Teoría del Big Bang

Gracias a los estudios del físico *Edwin Hubble*, se consolidó una **teoría que explica el *origen del Universo* a partir del movimiento permanente de las galaxias**.

Este científico comprobó, a través de mediciones de los rayos

Según la teoría del Big Bang (la gran explosión), se sostiene que el Universo se originó, hace 15 mil millones de años, a partir de un punto sin dimensiones que poseía toda la masa que hoy forma el Cosmos. En dicho punto se produjo una gran explosión, y el espacio se cubrió de un fluido de fotones. A partir de este fluido se originaron los átomos de hidrógeno que pasarían a constituir la masa de las primeras estrellas (o estrellas de primera generación). Los núcleos de esos átomos se fusionaron y formaron helio, uranio e incluso carbono. Posteriormente, las estrellas de segunda generación resultaron de la aglutinación de materia que derivó de la explosión de las estrellas de primera generación, como las novas o supernovas.

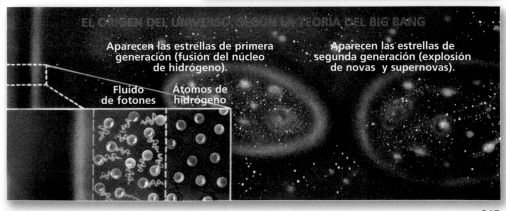

EL ORIGEN DEL UNIVERSO, SEGÚN LA TEORÍA DEL BIG BANG

Aparecen las estrellas de primera generación (fusión del núcleo de hidrógeno).

Aparecen las estrellas de segunda generación (explosión de novas y supernovas).

Fluido de fotones

Átomos de hidrógeno

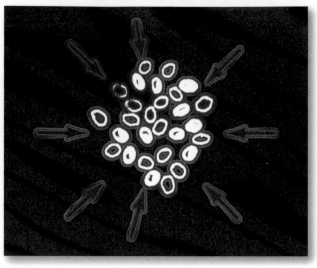

Teoría de la pulsación.

das; ya que, poco a poco, sus fragmentos irían agotando su combustible hasta extinguirse, cubiertos por los hielos. Según esta teoría, en el espacio habría una **creación continua** de materia.

— Teoría de la pulsación —

Siguiendo otra idea, se elaboró la teoría del **Universo pulsante** u **oscilante**.

Según ésta, el embrión inicial estaba formado por los restos de un Universo anterior. Por lo tanto, en algún momento el movimiento de **expansión** cesará y se iniciará otro de contracción, que impulsaría la unión de los fragmentos.

Las fuerzas de atracción buscarán la concentración inicial, y el nuevo huevo cósmico, inestable, volvería a estallar, con lo cual se reiniciría el ciclo. Según esta teoría, los dos procesos (de expansión y de contracción) se alternarían periódicamente y en forma indefinida.

——— ¿Y en el futuro? ———

Se pueden hacer diferentes proyecciones para predecir lo que podría suceder.

Sin embargo, la inmensidad del Cosmos aún encierra muchos misterios que el hombre intenta descifrar...

de luz, que las otras galaxias se alejan de la nuestra velozmente.

Este desplazamiento continuo permite esbozar **la teoría del**

Georges Henri Lemaître (1894-1966), astrónomo y matemático belga, fue quien desarrolló la hipótesis que explica la expansión del Universo a partir de una gran explosión (Big Bang).
Edwin Powell Hubble (1889-1953), astrónomo estadounidense, estudió las galaxias exteriores y verificó la teoría del Big Bang.

Big Bang. Esta hipótesis supone que, en un principio, esta materia del Universo estuvo unida formando parte de un todo muy pequeño, llamado **huevo cósmico**.

Éste debió tener la forma de una granada increíblemente caliente y contener gran cantidad de radiación y materia. Toda esa energía, concentrada con tanta densidad, culminó en una **explosión cósmica**, que envió sus partículas hacia el exterior. Estos fragmentos son los **cuerpos celestes** que están en **constante expansión**.

——— Teoría de la ——— creación continua

Basándose en la *teoría del Big Bang*, si la concentración de materia explotó y sus partículas se hallan en constante expansión, el crecimiento del Universo sería infinito.

Podríamos hablar, entonces, de un **Universo abierto**, donde se originarían nuevas galaxias para remplazar a las que van alejándose.

La vida de este Universo iría desde las altas temperaturas que originaron la explosión del huevo cósmico, hasta las hela-

Teoría de la creación continua.

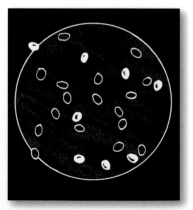

LAS GALAXIAS

¿Cómo surgen?

Al principio, el espacio estaba poblado por grandes masas gaseosas, en especial de *hidrógeno*. Las partículas que formaban estas *nubes* empezaron a atraerse por las *fuerzas gravitatorias*, provocando **grandes explosiones**.

Se iniciaron así los movimientos de **fusión** y **condensación**, originados por cada parte como consecuencia de la velocidad en que se desplazaban los *átomos*.

Esta *energía cinética* se transformó luego en **calor** y produjo un gran aumento de temperatura. Todos estos efectos hacen que las **galaxias** generen **fuentes de luz y calor** propias.

Sus formas

La aplicación de **telescopios**, día a día más potentes, permite observar los componentes del Universo en forma más minuciosa y precisa. Así, se comprobó que, según su estructura, las **galaxias** pueden presentar **distintas formas**.

• Elípticas

El contorno de estas galaxias presenta la forma de una esfera aplanada casi oval. En general, aparecen *formaciones con poca luminosidad*, por lo que se cree que están integradas por *estrellas viejas*, las cuales han agotado sus combustibles. Estas galaxias se representan con la letra E y se les otorga un número de acuerdo con el grado de distanciamiento de la elipsis.

> Son conjuntos integrados por miles de millones de estrellas. Aparecen organizando estructuras de diferentes formas y generan energía.

Cerca de los brazos en espiral de las galaxias, existen pequeñas acumulaciones de estrellas que rotan junto con la galaxia; son los cúmulos estelares.

• Lenticulares

Poseen una estructura intermedia entre la de las elípticas y la de las espirales. Son muy achatadas y muestran una condensación central, o núcleo muy brillante. También se las denomina de tipo SBO.

• Espirales

Pueden ser *normales* (S), con un centro brillante del que se desprenden los brazos ramificados en forma de espiral hacia el exterior; o *barradas* (SB), que tienen un núcleo pequeño atra-

Galaxia elíptica, según la clasificación de Hubble.

vesado por un rayo luminoso (*barra*) del cual se desprenden los brazos.

A estos dos tipos de galaxias en espiral se les agrega un número que refleja el grado de abertura de sus brazos.

• Irregulares

Parecen *formaciones desordenadas,* ya que no tienen forma definida.

Son pequeñas y poco luminosas.

• Enanas

Son las que están formadas por un número pequeño de *estrellas viejas* ya consumidas. Por eso, su tamaño es mínimo y de muy escasa luminosidad.

– Distinguiendo galaxias –

El color, la luminosidad, la masa y el espectro son otras de las características a tener en cuenta para distinguir las galaxias.

• Color

Cuando la galaxia presenta un color rojizo y contiene estrellas cuyo desarrollo está llegando a su fin, se la considera vieja. En cambio, cuando posee un color azul, suele estar formada por estrellas más jóvenes, muy calientes y que se apagan rápidamente; se dice que es una galaxia joven.

• Luminosidad

Determina la intensidad de la luz que emite una galaxia. La relación que existe entre la luminosidad y la masa de una galaxia era empleada anteriormente para indicar por cuánto tiempo una estrella tenía la capacidad de producir luz.

• Masa

De acuerdo con la velocidad de rotación de la galaxia, se puede calcular su masa.

• Espectro

De acuerdo con el espectro de energía que posee cada galaxia, puede llegar a deducirse el tipo de estrellas que la conforman.

Galaxia en espiral barrada (SBC).

Galaxia en espiral.

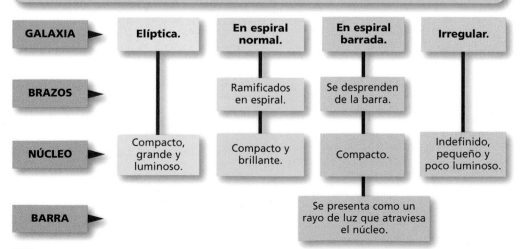

CARACTERÍSTICAS DE LAS GALAXIAS SEGÚN SU FORMA

GALAXIA	Elíptica.	En espiral normal.	En espiral barrada.	Irregular.
BRAZOS		Ramificados en espiral.	Se desprenden de la barra.	
NÚCLEO	Compacto, grande y luminoso.	Compacto y brillante.	Compacto.	Indefinido, pequeño y poco luminoso.
BARRA			Se presenta como un rayo de luz que atraviesa el núcleo.	

LA VÍA LÁCTEA

¿Cómo se ve?

Nuestra galaxia, la **Vía Láctea**, puede verse **desde cualquier zona de la Tierra**.

Según la ubicación de los cuerpos que la forman, podemos diferenciar varias partes:

- una central, donde se halla el **núcleo alargado**;
- un **plano galáctico** sobre el que se encuentran los **brazos** de *Perseo*, *Orión* (sobre éste descansa nuestro Sistema Solar) y *Sagitario*;
- un **halo** que conforma el borde de la galaxia.

La mayor cantidad de estrellas, los cúmulos y las nebulosas se sitúan sobre los brazos, es decir, en el *plano galáctico*.

En cambio, las estrellas más viejas que forman los **cúmulos globulares** se hallan fuera del plano galáctico.

El Grupo Local

La **Vía Láctea** es parte de una **agrupación de treinta galaxias** que conforman un pequeño cúmulo denominado **Grupo Local**.

Las galaxias más próximas a la nuestra son las dos **Nubes de Magallanes** (a 160.000 años luz).

Son de formación más reciente que la Vía Láctea, ya que sus estrellas son muy jóvenes.

Más lejos hay dos *galaxias elípticas enanas* y otras, de las cuales la más importante es la galaxia en espiral de **Andrómeda** (distante de la Tierra 2,2 millones de años luz), que tiene además dos *galaxias satélites*.

Las constelaciones

Las **estrellas** que forman parte de la *Vía Láctea* **se agrupan**, dibujando a menudo **diversas figuras que pueden reconocerse por su forma**.

Esos grupos de estrellas identificables se llaman **constelaciones**.

Actualmente se han reconocido más de 85; entre ellas se cuentan *Andrómeda*, *Acuario*, *Osa Mayor*, *Osa Menor*, *Cáncer* o *Cangrejo*, *Sagitario*, *Paloma*, *Piscis* o *Peces*, *Dragón*, etc.

Es la galaxia a la que pertenece nuestro Sistema Solar, donde se encuentra el planeta Tierra.

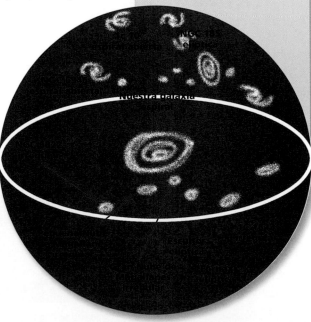

Esquema del Grupo Local, donde se observan algunas de las más de 20 galaxias que lo forman, entre las que se encuentra la nuestra, la Vía Láctea y la M 31, que es la galaxia en espiral Andrómeda.

La Vía Láctea, al igual que otras galaxias, está formada por estrellas, gases y polvo interestelar. Tiene el aspecto de un disco aplanado y una extensión de 100.000 años luz.

En los orígenes, la forma de la Vía Láctea era semejante a la de una nube redonda, cuyo principal componente era el hidrógeno.

Debido a los movimientos de rotación de este gas, el aspecto de aquélla se modificó hasta convertirse en un disco plano con un núcleo en el centro.

LAS ESTRELLAS

Parecen puntitos brillantes en el cielo, pues están muy lejos de la Tierra, pero son enormes astros luminosos que emiten luz propia e irradian calor.

Color y temperatura

Hay estrellas **blancas** (*Sirio*), **azules** (*Espiga*), **amarillas** (*Sol*), **rojas** (*Antares*). ¿Sabías que por el color podemos saber si son estrellas jóvenes o viejas?

Sí, porque el color de la luz emitida depende de la temperatura que tenga la superficie: a mayor temperatura, luz más blanca; a menor, luz más roja, y a medida que pasa el tiempo las estrellas van perdiendo temperatura y, por lo tanto, cambiando de color. Cuanto más blanca es la luz que emiten, más jóvenes son, y cuanto más roja, más viejas.

Tamaño y brillo

Nuestro Sol es una estrella de tamaño medio, con un diámetro de 1.390.000 km; los astrónomos han podido observar otras, como **Betelgeuse** y **Antares**, con diámetros **400 y 300 veces mayores**, respectivamente, que el del Sol.

Pero también existen otras cuyo diámetro es mucho más pequeño que el solar.

Teniendo en cuenta el brillo (luminosidad) que poseen las estrellas, podemos clasificarlas en **magnitudes**. Las más brillantes son de 1.° magnitud; es el caso de Sirio, la estrella más brillante del firmamento; le siguen, en orden decreciente, las de 2.°, 3.°, 4.° magnitud... Sólo son visibles para el ojo humano las estrellas de las **seis primeras magnitudes**; las restantes, hasta la magnitud 22, sólo pueden ser observadas con telescopios.

Distancias colosales

Las **distancias** que nos separan de las estrellas son tan grandes y desproporcionadas que nos confunden cuando queremos expresarlas en kilómetros. Por esta razón, los astrónomos emplean como **unidad de medida** el **año luz**, o sea **la distancia recorrida por la luz durante un año**.

Como la luz viaja a 300.000 km/seg., un año luz es equivalente a **9.500.000.000.000 km**, o sea 9,5 billones de kilómetros.

La estrella más próxima a la Tierra, excluyendo el Sol, es **Alfa Centauro**, que se encuentra a 4,2 años luz (40 billones de km); **Sirio** está a nueve años luz, y **Vega** a 26 años luz; y éstas, sin embargo, son relativamente cercanas. Estrellas como **Espiga**, a 220

Observando la posición de las estrellas más brillantes, los griegos imaginaron figuras de personajes o seres mitológicos, animales u objetos, a las que llamaron **constelaciones**. En nuestro hemisferio podemos observar, por ejemplo, la Cruz del Sur, Sextante, Osa Mayor, Hércules y muchas más.

La constelación más conocida es la Osa Mayor. Presenta un contorno muy irregular; esta característica no impide que por encima de los 40 ° de latitud norte sea visible por las noches, durante todo el año.

años luz, y **Antares**, a 520 años luz, son realmente lejanas.

El Zodíaco

Las constelaciones de origen más antiguo son 12, y éstas componen los **signos del Zodíaco**. Se encuentran a uno y otro lado del camino que recorre la Tierra alrededor del Sol en su curso anual. Sus nombres, de origen griego, en su traducción al castellano significan: **Aries**: carnero; **Tauro**: toro; **Géminis**: gemelos (éstas son las del **otoño**); **Cáncer**: cangrejo; **Leo**: león; **Virgo**: virgen (las del **invierno**); **Libra**: balanza; **Escorpio**: escorpión; **Sagitario**: saetero (las de **primavera**); **Capricornio**: cuerno de cabra; **Acuario**: acuario; **Piscis**: peces (las de **verano**).

¿Se mueven?

Las estrellas, igual que el Sol, **se mueven**; incluso algunas lo hacen más de prisa que el astro rey. Sin embargo, están tan alejadas de la Tierra que su movimiento es demasiado pequeño

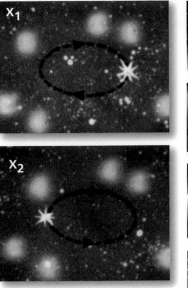

El movimiento de las estrellas puede establecerse a partir de tomas fotográficas en tiempos separados y luego comparándolas. Tal es el caso de X1 y X2.

para ser visto, excepto por medio de cuidadosas observaciones, con muchos años de separación.

Durante toda nuestra vida y a simple vista, es casi imposible detectar algún cambio.

Una manera de observar el movimiento de las estrellas es

Los diferentes colores de las estrellas indican las distintas temperaturas de su superficie, así tenemos: estrella blanco-azulada (1), cuya temperatura es de 12.000 °C; supergigante roja (2), cuya temperatura va de 3.000 a 4.000 °C; gigante anaranjada (3), cuya temperatura es de 3.000 °C, y enana amarilla (4), cuya temperatura alcanza los 6.000 °C.

sacando fotografías en tiempos separados y midiendo el ligero cambio en la posición de las estrellas en la placa fotográfica.

¿CÓMO SE MIDE EL BRILLO DE LAS ESTRELLAS?

Para medir el brillo de las estrellas se usa una unidad de medida denominada **magnitud**. Estas magnitudes van de 1 a 22. Así, una estrella de magnitud 1 es más brillante que una de magnitud 6.

VARIEDAD DE ESTRELLAS

No todas las estrellas son como el Sol. De acuerdo con su estado de evolución, varían en cuanto al tamaño, el color, la temperatura y la luminosidad.

TIPOS DE ESTRELLAS	COLOR	LUMINOSIDAD RESPECTO DEL SOL	TEMPERATURA SUPERFICIAL	TAMAÑO
B8 (Rigel)	blanco-azulada	60.000 veces mayor	12.000 °C	De gran masa
M (Betelgeuse)	roja	15.000 veces mayor	3.000 °C	Supergigante
K (Aldebarán)	anaranjada	100 veces mayor	3.000 - 4.000 °C	Gigante
G2 (Sol)	amarilla	1 (la del Sol)	6.000 °C	Enana
B (Sirio B)	blanca	500 veces menor	8.000 - 10.000 °C	Enana
M (Wolf 339)	roja	200 mil veces menor	3.400 °C	Enana

EL SISTEMA SOLAR

Está formado por un conjunto de planetas, satélites y otros cuerpos menores que giran alrededor del Sol.

Su origen

Las teorías sobre el surgimiento del Sistema Solar son múltiples. La más aceptada afirma que una **nebulosa de polvo y gases**, conformada principalmente por *hidrógeno y helio*, **se desintegró** hace más de 5.000 millones de años.

Luego de esta explosión, la mayor cantidad de *masa nebular* **se agrupó** en un centro que dio origen al **Sol**.

Éste inició una serie de transformaciones desde su núcleo, que le permitieron irradiar **luz** y **calor**.

El resto de la nebulosa formó los planetas que, como no consiguieron la masa suficiente para tener su propia fuente de energía, se mantuvieron describiendo **órbitas alrededor del Sol**.

CUERPO CELESTE	CARACTERÍSTICAS
ASTEROIDES	Son pequeños planetas que giran en torno al Sol. Se ubican en el llamado *Cinturón de Asteroides*, entre Marte y Júpiter. La mayoría tiene nombre de dioses mitológicos, como *Ceres*, *Hermes* y *Juno*, entre otros.
METEORITOS	Son fragmentos de otros cuerpos que se desprenden. Están formados por rocas y minerales. Algunos, al alcanzar altas temperaturas, se encienden y chocan contra la corteza terrestre, originando cráteres. También se los llama **estrellas fugaces**.
COMETAS	Tienen un núcleo sólido de *materia interplanetaria*, conformado por *rocas, polvo y hielo*. Pero además poseen una gran cola originada por material que se desprende al descongelarse cuando pasa cerca del Sol. **No tienen luz propia pero brillan al reflejar la solar**.

Estos planetas, por influencia de los rayos solares, redujeron aún más sus masas, evaporando los gases que los conformaban originalmente.

Esquematización de la órbita que describe un cometa.

Su estructura

El Sistema Solar puede dividirse en dos regiones o sectores:
• **La región interna**, próxima al Sol, integrada por cuatro pequeños planetas, *Mercurio*, *Venus*, *la Tierra* y *Marte*, ricos en componentes metálicos.

Los planetas más cercanos al **Sol**, **Mercurio**, **Venus**, **la Tierra** y **Marte**, están compuestos por materia rocosa y metales pesados, como el uranio; mientras que los más alejados, **Jupiter**, **Saturno**, **Urano**, **Neptuno** y **Plutón**, están conformados por **gases**.

• **La región externa**, formada por otros cuatro planetas, llamados *jovianos*, mucho más grandes que los anteriores y formados, fundamentalmente, por gases. *Júpiter* y *Saturno* son los planetas jovianos más internos, constituidos principalmente por gases ligeros (*como helio e hidrógeno*). *Urano* y *Neptuno* son ricos en gases más pesados (*como metano y amoníaco*). Después de los *planetas jovianos* se ubica *Plutón*, y a una distancia mayor se encuentran los **cometas**. Entre ambas regiones se halla un área densamente poblada por **asteroides**.

HITOS EN EL ESTUDIO DEL SISTEMA SOLAR
—Principales teorías y leyes astronómicas—

TEORÍA GEOCÉNTRICA

Fue elaborada en la Antigüedad, por el astrónomo griego **Ptolomeo**. Se basaba en que **la Tierra era el centro del Universo**, y alrededor de ella giraban el Sol, la Luna y los otros planetas.

TEORÍA HELIOCÉNTRICA

Fue formulada en el siglo IV a. C., por el filósofo griego **Aristóteles**. Sostenía que **el centro del Sistema Solar era el Sol** (y no la Tierra), alrededor del cual giraban los planetas. Constituye una teoría que **transformó la antigua configuración** y es el **origen de las teorías actuales**.

TEORÍAS DE COPÉRNICO

Fueron concebidas en el siglo XVI, por el sacerdote polaco **Nicolás Copérnico**, desde la **perspectiva heliocéntrica**. Ubican, pues, al **Sol como centro del Sistema Solar**. Sostienen que la Tierra y los otros planetas realizaban una trayectoria curva alrededor del Sol, aunque (como no se desplazaban a iguales velocidades) cada uno se comportaba de forma diferente. Apoyan el concepto de que, mientras la Tierra giraba en torno al Sol, la Luna se desplazaba alrededor de la Tierra.

LEYES DE KEPLER sobre el movimiento de los planetas

Las formuló el astrónomo alemán **Juan Kepler** en el siglo XVII. Comprueban que las teorías de Copérnico eran correctas, pero que **los planetas no se desplazan en forma circular**, sino que **realizan una trayectoria elíptica** alrededor del Sol, y que éste ocupa uno de los focos de la elipse. Además, revelan que el radio que une a cada planeta con el Sol abarca áreas iguales en la misma cantidad de tiempo.

LEY DE GRAVEDAD

Afirma que los planetas pueden realizar su trayectoria elíptica debido a la fuerza de atracción gravitacional ejercida por el Sol. Éste genera una fuerza mucho más potente porque es el cuerpo celeste de mayor peso; por lo tanto, mantiene a los planetas en sus órbitas.

LEYES DE NEWTON

Fueron formuladas por el matemático inglés Isaac Newton

LEYES DE LOS MOVIMIENTOS PLANETARIOS

Completan científicamente las leyes de Kepler, al comprobar que **los planetas realizan dos tipos de movimiento**: la **traslación** (trayectoria que describe cada uno alrededor del Sol) y la **rotación** (giro que realiza cada uno sobre su propio eje).

LOS PLANETAS

Conozcamos a los vecinos del planeta en que vivimos, a partir del más cercano al Sol.

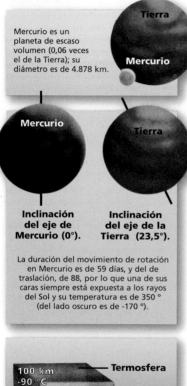

Mercurio es un planeta de escaso volumen (0,06 veces el de la Tierra); su diámetro es de 4.878 km.

Inclinación del eje de Mercurio (0°).

Inclinación del eje de la Tierra (23,5°).

La duración del movimiento de rotación en Mercurio es de 59 días, y del de traslación, de 88, por lo que una de sus caras siempre está expuesta a los rayos del Sol y su temperatura es de 350 ° (del lado oscuro es de -170 °).

Termosfera 100 km -90 °C

Nubes 70 km +13 °C

Troposfera 45 km +20 °C

Zona despejada 0 km +500 °C

La atmósfera de Venus posee un espesor de 400 km. Sus temperaturas son muy variables. El componente que más abunda es el ácido sulfúrico y forma parte de la gran cantidad de nubes que lo envuelve.

Mercurio

Es un planeta pequeño y **el más próximo al Sol**. Por ello **no tiene atmósfera**, ya que las capas gaseosas son fácilmente arrastradas por los vientos solares. Esto produce variaciones extremas en la temperatura (de 400 ° durante el día a -180 ° en la noche) y hace **imposible las formas de vida terrestres**. No tiene ningún satélite y desarrolla **fases** como las de la Luna. Realiza el **movimiento de rotación** en 59 días y el **movimiento de traslación** en 88 días. Debido a su ubicación, es muy difícil observarlo a través de los instrumentos científicos manuales. Sin embargo, en 1974 se envió una sonda espacial, *Mariner -10*, que registró los datos conocidos hasta ahora. Su superficie física es similar a la superficie lunar, ya que presenta **cráteres** formados por *rocas silíceas*. Pero se diferencia por las llanuras que separan un cráter de otro. Por otro lado, según

Venus posee un volumen 0,88 veces la Tierra; su diámetro es de 12.104 km.

su constitución, se asemeja a la Tierra porque su centro está compuesto por un *núcleo metálico* (que contiene principalmente hierro) rodeado por una capa de rocas que forman un *manto de silicio*. Además, posee un importante *campo magnético* que lo recubre.

Venus

Es el segundo planeta en distancia al Sol. Por sus características físicas, **se parece a la Tierra**. Su núcleo interno es líquido y está rodeado por dos capas rocosas, el manto y la corteza. La atmósfera venusina, constituida principalmente por *dióxido de carbono*, está recubierta por una gruesa capa de nubes. Su superficie manifiesta **grandes extensiones llanas**, abundancia de **metales**, **montañas** y **ríos de lava**. Esto se debe a que la temperatura alcanza los 480 ° C, lo que origina la existencia de **gran actividad volcánica**. Este planeta **refleja la luz procedente del Sol** a través de su capa gaseosa, lo que lo hace **muy luminoso** si lo observamos desde la Tierra. De acuerdo con su **movimiento de rotación**, el Sol sale por el oeste y se pone por el este, al revés que en la Tierra, porque gira sobre su eje en forma inversa a la de los otros planetas (este período dura 143 días). Como todos los. demás, también describe una órbita alrededor del Sol, que es casi esférica. Este movimiento de **traslación** dura 224 días.

Venus no posee satélites ni campo magnético propio, pero tiene **fases** similares a las lunares.

Marte

También llamado el *Planeta Rojo*, es el **más cercano a la Tierra** y el cuarto del Sistema

Solar. En su superficie se encuentran **dos zonas** con características diferentes. El norte está poblado por numerosos **volcanes** en actividad. En el sur podemos encontrar **terrenos bajos y oscuros**, llamados *mares*, **cráteres** de origen rocoso y unos **canales** naturales originados por el curso de algún río. En los polos existen **zonas con nieve**.

El núcleo del planeta es mediano y está compuesto por *metales*, en especial hierro. Éste está rodeado por el manto y la corteza, constituidos por *rocas silíceas*.

Su atmósfera **no tiene vapor de agua** y está compuesta, en su mayoría, por *dióxido de carbono*. En ella existen **dos tipos de nubes**: *las de condensación* (compuestas por cristales de hielo y que se forman al anochecer cuando la temperatura es menor) *y las nubes de polvo*, que se forman durante las tormentas en las que las partículas de polvo son arrastradas por fuertes vientos. Como su período de **traslación** es de 687 días, el año marciano dura el doble que el terrestre, pero como el movimiento de **rotación** que realiza sobre sí mismo se produce durante 24 horas y 37 minutos, el día es apenas unos minutos más largo que el de la Tierra. Marte posee dos satélites, *Phobos* y *Deimos*, cuyas superficies tienen cráteres producidos por el choque con meteoritos. Ambos parecen presentar una composición semejante, por lo que se presume que tienen el mismo origen.

Júpiter

Es el planeta más grande del Sistema Solar (*su diámetro es diez veces más grande que el de la Tierra*).

A pesar de su gran tamaño, realiza el movimiento de **rotación** en un período de 10 horas.

Inclinación del eje de Venus (178°).

Inclinación del eje de la Tierra (23,5°).

La duración del movimiento de traslación de Marte es de 687 días y la rotación de 24 horas 37 minutos. Por lo tanto, sus días son un poco más largos que los terrestres. La temperatura media es de -23 °.

Inclinación del eje de Marte (24°).

Inclinación del eje de la Tierra (23,5°).

El volumen de Marte es superior al doble de Mercurio (0,15 veces la Tierra).

La atmósfera de Marte presenta varias capas: troposfera (con abundante polvo), estratosfera (con una fina capa de nubes y muy poco ozono), termosfera y exosfera. En ella se han diferenciado, además, dos tipos de nubes: las de condensación (cristales de hielo) y las de polvo, que se originan en las tormentas.

230 km — Exosfera

Termosfera

130 km —

140 km —

0 km — Troposfera

150 °C

Júpiter es tan grande, que en su interior cabrían 1.387 Tierras. Posee un diámetro de 142.754 km.

Los cuatro satélites de Júpiter de mayor tamaño: Io, Europa, Ganimedes y Calixto.

Júpiter

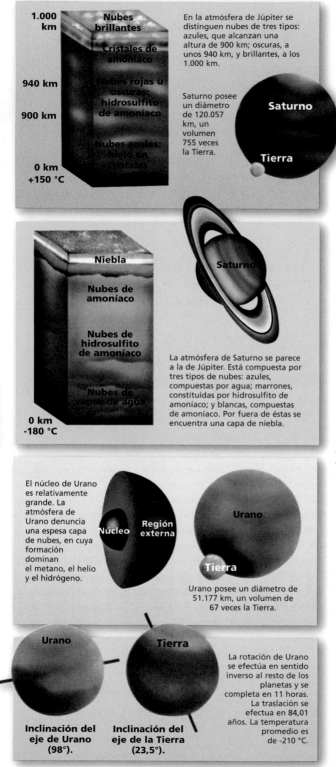

En la atmósfera de Júpiter se distinguen nubes de tres tipos: azules, que alcanzan una altura de 900 km; oscuras, a unos 940 km, y brillantes, a los 1.000 km.

1.000 km — Nubes brillantes

Cristales de amoníaco

940 km — Nubes rojas u oscuras: hidrosulfito de amoníaco

900 km

Nubes azules: hielo en cristales

0 km
+150 °C

Saturno posee un diámetro de 120.057 km, un volumen 755 veces la Tierra.

Saturno

Tierra

Niebla

Nubes de amoníaco

Nubes de hidrosulfito de amoníaco

Nubes de vapor de agua

0 km
-180 °C

Saturno

La atmósfera de Saturno se parece a la de Júpiter. Está compuesta por tres tipos de nubes: azules, compuestas por agua; marrones, constituidas por hidrosulfito de amoníaco; y blancas, compuestas de amoníaco. Por fuera de éstas se encuentra una capa de niebla.

El núcleo de Urano es relativamente grande. La atmósfera de Urano denuncia una espesa capa de nubes, en cuya formación dominan el metano, el helio y el hidrógeno.

Núcleo — Región externa

Urano

Tierra

Urano posee un diámetro de 51.177 km, un volumen de 67 veces la Tierra.

Urano

Tierra

La rotación de Urano se efectúa en sentido inverso al resto de los planetas y se completa en 11 horas. La traslación se efectua en 84,01 años. La temperatura promedio es de -210 °C.

Inclinación del eje de Urano (98°).

Inclinación del eje de la Tierra (23,5°).

Esto revela una asombrosa **velocidad para girar sobre sí mismo**.

Su núcleo, como el de los otros planetas, está formado por *rocas metálicas* compuestas de *hierro* y *sílice*; pero su consistencia general es similar a la del Sol, ya que posee gran cantidad de *helio* e *hidrógeno* en estado líquido.

Su forma es achatada en los polos, y presenta una **franja rojiza,** constituida por una persistente borrasca que cubre el sur del planeta. Además, posee **16 satélites** que giran a su alrededor. Los más grandes son *Europa*, *Ganimedes* y *Calixto*, y fueron descubiertos por *Galileo*.

Su atmósfera contiene distintos tipos de nubes, que alcanzan cada vez mayor altura, según su composición. Las de hielo son las más bajas y tienen color azul; las más oscuras están formadas por sulfito de amoníaco; y las más brillantes alcanzan los 1.000 km de altura, compuestas por cristales de amoníaco.

——————— **Saturno** ———————

Es el sexto planeta del Sistema Solar y el que, en tamaño, sigue a Júpiter. Su forma es también achatada en los polos, pero lo más característico es su **sistema de anillos**, que lo rodea por completo. Los *anillos de Saturno* son **cuatro** formaciones de partículas, en su mayoría *cristales de hielo* que giran velozmente. Estos círculos concéntricos tienen un origen incierto. Una de las teorías más aceptadas afirma que son restos de algún satélite del planeta, destruido por el choque con un meteorito.

Su aspecto físico es similar al de Júpiter. Tiene un gran núcleo cubierto por una espesa capa de nubes, que constituyen una **atmósfera irrespirable**.

La duración de su período de rotación es también rápida (un día equivale a casi 10 horas), mientras que tarda casi 30 años para dar una vuelta completa alrededor del Sol.

Además, posee **18 satélites**, entre ellos **Titán**, el más grande del Sistema Solar.

Urano

Se caracteriza porque **su eje de rotación está tan inclinado** que casi llega al plano de su órbita. Posee también un **sistema de anillos** y varios **satélites** que lo acompañan en su desplazamiento. Los más importantes son: *Titania*, *Oberón*, *Miranda*, *Ariel* y *Umbriel*.

Efectúa un movimiento de **traslación** que dura 84 años, pero lo más extraño es que su órbita de rotación es retrógrada, es decir que se desplaza en **sentido inverso** al de los otros planetas. Este período dura 11 horas.

La atmósfera de Urano está conformada, como la mayoría, por *hidrógeno* y *helio*, pero contiene además *metano*. Por encontrarse tan alejado del Sol, su temperatura superficial es muy baja (en general, -210 °C), lo que hace que la vida no pueda desarrollarse en este planeta.

Neptuno

Es uno de los planetas **más alejados del Sol**. Su constitución es similar a la de Urano. Tiene un núcleo grande, integrado por *rocas fundidas*, *agua*, *amoníaco en estado líquido*, y *metano*. Posee una capa gaseosa espesa abundante en *hidrógeno*, *helio* y *metano*.

Los **satélites** más importantes que lo acompañan en su órbita son: *Tritón* y *Nereo*. Tiene, además, un sistema muy débil de **cuatro anillos**.

Realiza un **movimiento de traslación lento** que dura casi

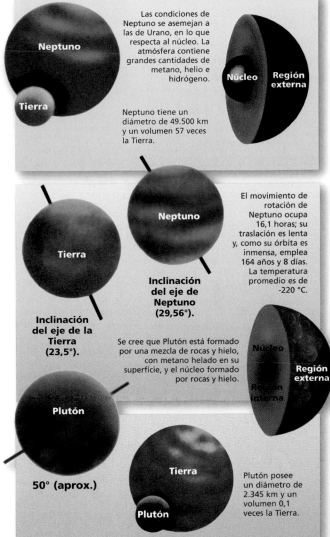

Las condiciones de Neptuno se asemejan a las de Urano, en lo que respecta al núcleo. La atmósfera contiene grandes cantidades de metano, helio e hidrógeno.

Neptuno tiene un diámetro de 49.500 km y un volumen 57 veces la Tierra.

El movimiento de rotación de Neptuno ocupa 16,1 horas; su traslación es lenta y, como su órbita es inmensa, emplea 164 años y 8 días. La temperatura promedio es de -220 °C.

Inclinación del eje de Neptuno (29,56°).

Inclinación del eje de la Tierra (23,5°).

Se cree que Plutón está formado por una mezcla de rocas y hielo, con metano helado en su superficie, y el núcleo formado por rocas y hielo.

50° (aprox.)

Plutón posee un diámetro de 2.345 km y un volumen 0,1 veces la Tierra.

164 años, ya que su órbita es muy amplia. Sin embargo, su período de **rotación** es de apenas 16 horas.

Plutón

Es el planeta más pequeño y más externo, y por eso el más desconocido del Sistema Solar. Tiene una órbita excéntrica que tarda 248 años en recorrer. Su período de **rotación** es de 6 días y 9 horas. El núcleo interior está formado por una *mezcla de rocas y hielo*, cubierta en el exterior por *metano, en estado líquido*. Tiene una atmósfera muy delgada, compuesta también por este gas. Plutón posee un sólo satélite, **Caronte**, con el que forma un *sistema binario*, ya que sus órbitas están ligadas de tal manera que siempre se muestran la misma cara.

EL SOL

Es la estrella más cercana a nuestro planeta y el centro del Sistema Solar. Su energía permite el desarrollo de la vida en la Tierra.

Estructura

El Sol es una *inmensa esfera de gases*, formada por distintas capas. Éstas constituyen la **atmósfera solar**, que está dividida en *tres zonas*: una exterior, llamada **corona**, donde se producen las temperaturas más elevadas; otra intermedia, la **cromosfera**, formada también por *hidrógeno* y *helio*, y la **fotosfera**, que es una capa superficial de temperatura menos elevada, de donde procede la principal cantidad de *energía solar*, en forma de luz y calor. En esta última franja se pueden observar las manchas solares o **protuberancias**, que son zonas más frías originadas por diferencia de temperaturas. En su estructura interna, el Sol muestra una serie de capas gaseosas donde se produce la **radiación**

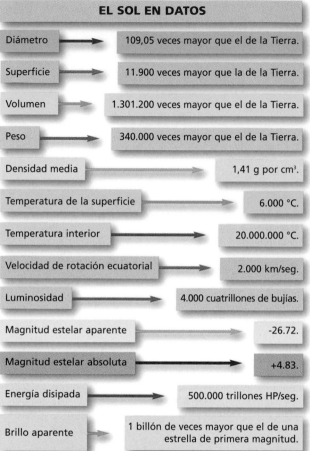

EL SOL EN DATOS	
Diámetro	109,05 veces mayor que el de la Tierra.
Superficie	11.900 veces mayor que la de la Tierra.
Volumen	1.301.200 veces mayor que el de la Tierra.
Peso	340.000 veces mayor que el de la Tierra.
Densidad media	1,41 g por cm³.
Temperatura de la superficie	6.000 °C.
Temperatura interior	20.000.000 °C.
Velocidad de rotación ecuatorial	2.000 km/seg.
Luminosidad	4.000 cuatrillones de bujías.
Magnitud estelar aparente	-26.72.
Magnitud estelar absoluta	+4.83.
Energía disipada	500.000 trillones HP/seg.
Brillo aparente	1 billón de veces mayor que el de una estrella de primera magnitud.

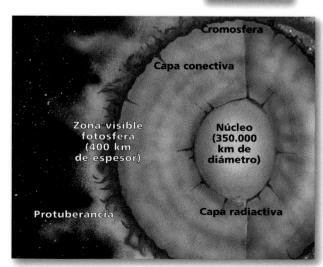

Cromosfera

Capa conectiva

Zona visible fotosfera (400 km de espesor)

Núcleo (350.000 km de diámetro)

Protuberancia

Capa radiactiva

de luz. Esta *energía* se origina en el **núcleo** que, fusionando a altas temperaturas *átomos de hidrógeno*, crea *helio* y genera, a su vez, *desprendimientos de energía* en forma de *radiaciones*. Allí se originan las *radiaciones de onda corta*, es decir, las emisiones visibles, **los rayos X** y **ultravioletas**, pero además las radiaciones que no pueden ser percibidas por el ojo humano, como los **rayos gamma** y **la radiación infrarroja**.

En esta ilustración podemos observar el aspecto interno y externo del Sol. Cada una de las capas internas cumple una función específica.

La actividad solar

Nos damos cuenta de las actividades que se llevan a cabo en el interior del Sol a través de los **cambios lumínicos** que podemos percibir. Entre ellos se encuentran:

• **La granulación atmosférica.** En la superficie de la *fotosfera*, aparecen gránulos luminosos producidos a partir del transporte de energía. En este proceso, los gases calientes suben y los de menor temperatura bajan.

• **Las manchas solares.** En la *fotosfera*, hay manchas más oscuras que señalan zonas más bajas y frías que las de la superficie de la capa.

Estas manchas solares poseen un poderoso campo magnético y se dividen estructuralmente en dos regiones: una parte central de color negro, la **umbra**, y **la penumbra**, una capa de filamentos brillantes que la rodea.

• **Las fulguraciones solares.** Son descargas de energía que se producen a partir de una erupción provocada por la intensa actividad solar. Ellas se manifiestan, también, en la fotosfera.

• **Las protuberancias solares.** Se producen en la *cromosfera* durante los eclipses totales de Sol.

Son nubes de hidrógeno frío que se condensan por la acción

LA ENERGÍA SOLAR

Antiguamente se creía que el Sol generaba su energía por la combustión de partículas inflamables. Pero, si esta teoría fuera cierta, nuestra estrella ya habría agotado su combustible y se hubiese apagado hace millones de años. Actualmente, se estableció que la energía solar procede de las reacciones nucleares generadas por la fusión de los átomos de su masa. A través de complejos procesos químicos, de convección y de radiación, la energía originada en el núcleo interno se transporta a las capas más superficiales.

de fuertes campos magnéticos.

• **Las condensaciones coronales.** Son regiones de gas caliente que se ubican en la cara más externa, obstruyendo la zona esférica de la corona.

• **El viento solar.** Es una corriente formada por partículas cósmicas, que procede del Sol y viaja a grandes velocidades hacia el espacio interplanetario.

Movimientos del Sol

El Sol, como los planetas, **gira sobre su propio eje** (*movimiento de rotación*). Pero, a diferencia de

Penumbra

Umbra

Las manchas solares pueden llegar a conformar grupos en los que sobresalen dos manchas principales unidas por poros: la UMBRA y la PENUMBRA, semejantes a las líneas que dibuja la fuerza magnética de los imanes.

Las protuberancias solares se asemejan a enormes nubes incandescentes de hidrógeno. Durante los eclipses totales de Sol, mediante un espectrohelioscopio, es posible distinguirlas y fotografiarlas.

Manchas solares

Protuberancias

El Sol está conformado por capas gaseosas concéntricas (corona, cromosfera, fotosfera) que presentan distintas propiedades físicas.

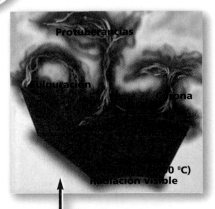

Protuberancias

Fulguración

Corona

Radiación visible

los cuerpos sólidos, el astro rey realiza **un movimiento de rotación diferencial**, es decir que la velocidad con que realiza este movimiento varía en sus distintas partes (es más rápida en el centro y más lenta en la zona de los polos).

Por esta razón, el período de rotación completa dura entre 25 y 30 días.

Además, realiza un **movimiento de traslación**, describiendo una órbita elíptica, el cual transcurre a lo largo de 230 millones de años.

Plantas como los girasoles son capaces de efectuar movimientos en respuesta a la energía lumínica del Sol (fototropismo).

EL SOL Y LA VIDA

Sin el calor que le proporciona el Sol, nuestro planeta sería un planeta muerto. Los hielos invadirían toda la Tierra, y desaparecerían por completo todas las manifestaciones de vida (habrán observado que, donde más calor hace, más ricas son la flora y la fauna).

Su energía radiante calienta las aguas y la tierra, produciendo la evaporación del agua de ríos, mares y arroyos, y determina el ciclo del agua, que volverá a la Tierra en forma de lluvia, nieve o granizo. Las diferencias de temperatura que produce originan diferencias de presión que dan nacimiento a los vientos.

Pero eso no es todo. La importancia de la luz solar para las diferentes formas de vida de nuestro planeta es fundamental. Gracias a la energía lumínica, las plantas verdes (con clorofila) pueden realizar el proceso de fotosíntesis, que les permite transformar minerales en sustancias orgánicas; estas plantas (productoras) son el primer eslabón de las cadenas alimentarias.

Además, los rayos ultravioletas que integran la luz del Sol permiten la producción de vitamina D en nuestro organismo, a partir de provitaminas (elementos que componen las vitaminas).

EL INTERIOR DEL SOL

En el interior del Sol, como en todas las estrellas, tienen lugar una serie de reacciones químicas que dan origen a los materiales que conforman los planetas y los seres vivos. Después de sucesivas etapas en las que se fusionan átomos de hidrógeno, la materia que conforma el Sol se transforma en energía. Este proceso ocupa nada menos que 400.000 años. La radiación producida en cada etapa se transforma en otras de distinto tipo, como los rayos X, ultravioletas, infrarrojos, hertzianos y visibles. Cuando estas radiaciones llegan a la superficie terrestre, una parte se refleja y otra se refracta o bien es absorbida por los vegetales.

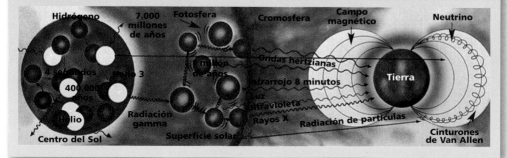

Hidrógeno — 7.000 millones de años — Fotosfera — Cromosfera — Campo magnético — Neutrino — Ondas hertzianas — Helio 3 — 1 millón de años — Infrarrojo 8 minutos — Tierra — 4 segundos — 400.000 años — Radiación gamma — Luz ultravioleta — Rayos X — Radiación de partículas — Helio — Centro del Sol — Superficie solar — Cinturones de Van Allen

LA LUNA

Su paisaje

El paisaje lunar es como el de un **polvoriento desierto** de **aspecto volcánico**. Muestra algunas zonas oscuras y planas, llamadas *mares*, pero que **no poseen agua**. Son simples **depresiones** que se alternan con **montañas** de elevada altura separadas por terrenos planos o **valles**. Entre estas elevaciones se hallan los **cráteres**, que pueden tener diferentes tamaños.

Los cráteres lunares son formaciones rocosas circulares que presentan un orificio central. Algunos de ellos pueden tener origen volcánico. Según sus características, pueden dividirse en:
• **cráteres de impacto**, producidos por la caída de algún cuerpo extraño sobre la superficie lunar;
• **cráteres volcánicos**, que son los que surgieron a partir de la actividad volcánica.

Sus movimientos

La Luna realiza **tres tipos de movimiento**:
• el de **rotación** sobre su propio eje, en 28 días;
• el de **revolución**, que efectúa al girar alrededor de la Tierra, en 29 días, 44 minutos y 3 segundos;
• y el de **traslación** alrededor del Sol, en 365 días.

– Su temperatura –

Debido a que la masa lunar no alcanza grandes dimensiones, le falta fuerza de gravedad. Este fenómeno hizo que nuestro satélite no pudiera retener la capa gaseosa

Constituye el único satélite natural de la Tierra. Es un verdadero desierto de piedra y polvo, cubierto por montañas y cráteres de rocas.

Cráter de impacto

Cráter volcánico

EL HOMBRE LLEGA A LA LUNA

El astronauta estadounidense Neil Armstrong, a bordo de la nave Apolo XI, descendió el 20 de julio de 1969 en la zona lunar llamada "Mar de la Tranquilidad". Este viaje espacial comenzó en la base de Cabo Kennedy, el 16 de julio de 1969, y culminó cuando millones de espectadores, que estaban recibiendo la transmisión en directo, observaron al primer hombre que caminó sobre la superficie de la Luna. La arriesgada trayectoria logró llevarse a cabo gracias a los avances en el área de transportes espaciales. La distancia que separa a la Tierra de la Luna no podía ser recorrida por ninguna nave conocida, al no tener un motor capaz de impulsarla. Sin embargo, los técnicos idearon un sistema de fases. Éste consistía en una nave integrada por varios módulos. Cada uno de éstos fue desechado al espacio una vez cumplida su misión. Esta estrategia permitió que la fase de mando llegara a la Luna, conservando el módulo del cohete para poder regresar a la Tierra, mientras que la fase de lanzamiento fue desprendida una vez realizado el despegue. Este importante viaje espacial duró sólo 9 días.

ASPECTO INTERNO DE LA LUNA

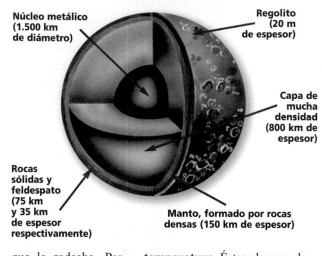

Núcleo metálico
(1.500 km
de diámetro)

Regolito
(20 m
de espesor)

**Capa de
mucha
densidad**
(800 km de
espesor)

**Rocas
sólidas y
feldespato**
(75 km
y 35 km
de espesor
respectivamente)

**Manto, formado por rocas
densas (150 km de espesor)**

mares y océanos reales. Asimismo, existe un **silencio ininterrumpido**, ya que **no hay vientos** ni ningún tipo de ruidos.

Fases de la Luna

La **Luna** es un astro que **no tiene luz propia**. Sin embargo, **brilla porque refleja la luz del Sol**. Debido a sus deplazamientos sincronizados (*rotación*, *traslación* y *revolución*), la mitad iluminada por el astro rey es siempre la misma, sólo que desde la Tierra vemos a veces una porción más amplia, y en otras se torna casi invisible. Se producen, entonces, los cambios o **fases lunares**, que son **cuatro**: luna nueva, cuarto menguante, cuarto creciente y luna llena. Estos cambios están determinados por la posición de los tres cuerpos celestes: la **Tierra**, la **Luna** y el **Sol**.

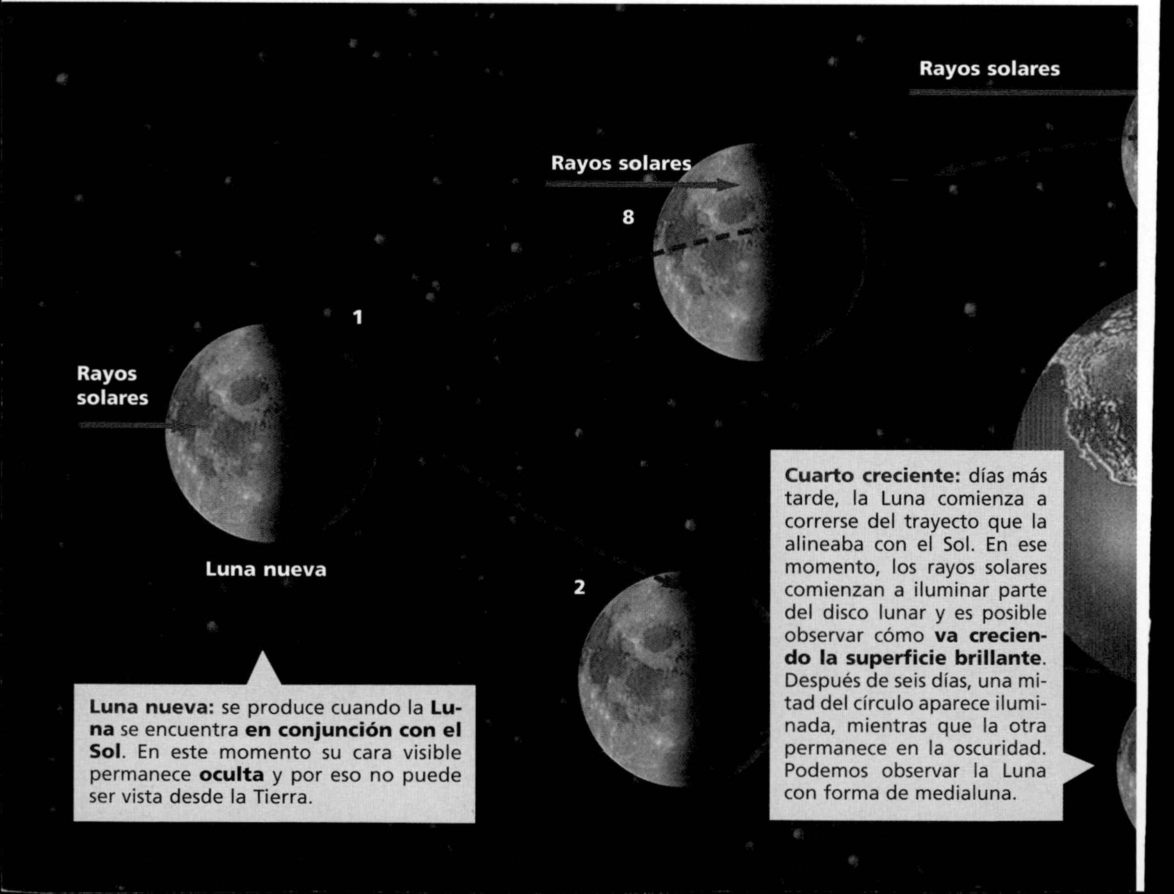

que lo rodeaba. Por eso, la Luna **no tiene atmósfera**, lo cual determina las **variaciones extremas de** **temperatura**. Éstas alcanzan los **130 °C durante el día** y descienden hasta los **-150 °C por la noche**. La **falta de atmósfera** también ocaciona la **ausencia de**

Rayos solares

Rayos solares

8

1

**Rayos
solares**

Luna nueva

2

Luna nueva: se produce cuando la **Luna** se encuentra **en conjunción con el Sol**. En este momento su cara visible permanece **oculta** y por eso no puede ser vista desde la Tierra.

Cuarto creciente: días más tarde, la Luna comienza a correrse del trayecto que la alineaba con el Sol. En ese momento, los rayos solares comienzan a iluminar parte del disco lunar y es posible observar cómo **va creciendo la superficie brillante**. Después de seis días, una mitad del círculo aparece iluminada, mientras que la otra permanece en la oscuridad. Podemos observar la Luna con forma de medialuna.

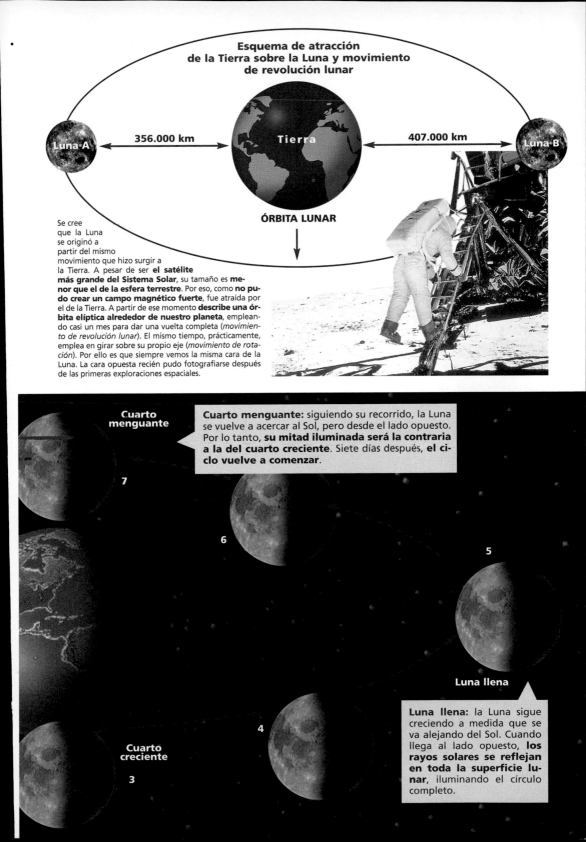

Esquema de atracción de la Tierra sobre la Luna y movimiento de revolución lunar

Luna A ← 356.000 km → **Tierra** ← 407.000 km → **Luna B**

ÓRBITA LUNAR

Se cree que la Luna se originó a partir del mismo movimiento que hizo surgir a la Tierra. A pesar de ser **el satélite más grande del Sistema Solar**, su tamaño es **menor que el de la esfera terrestre**. Por eso, como **no pudo crear un campo magnético fuerte**, fue atraída por el de la Tierra. A partir de ese momento **describe una órbita elíptica alrededor de nuestro planeta**, empleando casi un mes para dar una vuelta completa (*movimiento de revolución lunar*). El mismo tiempo, prácticamente, emplea en girar sobre su propio eje (*movimiento de rotación*). Por ello es que siempre vemos la misma cara de la Luna. La cara opuesta recién pudo fotografiarse después de las primeras exploraciones espaciales.

Cuarto menguante

7

Cuarto menguante: siguiendo su recorrido, la Luna se vuelve a acercar al Sol, pero desde el lado opuesto. Por lo tanto, **su mitad iluminada será la contraria a la del cuarto creciente**. Siete días después, **el ciclo vuelve a comenzar**.

6

5

Luna llena

Luna llena: la Luna sigue creciendo a medida que se va alejando del Sol. Cuando llega al lado opuesto, **los rayos solares se reflejan en toda la superficie lunar**, iluminando el círculo completo.

4

Cuarto creciente

3

Las mareas

La atracción de las aguas

Los cambios en el nivel de las aguas en determinados momentos se denominan **mareas**.

Desde la Antigüedad, a este fenómeno se le otorgó diferentes significados mágicos, hasta que Isaac Newton desentrañó el concepto de las fuerzas de gravedad. Las **fuerzas de atracción gravitatorias** que ejercen,

La subida y bajada de los mares y los océanos causada por la atracción de la luna es muy pequeña, menos de un metro.

MAREA VIVA

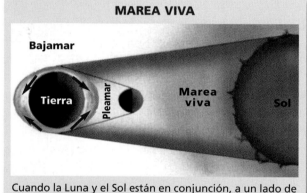

Bajamar

Tierra

Pleamar

Marea viva

Sol

Cuando la Luna y el Sol están en conjunción, a un lado de la Tierra, sus fuerzas de gravedad se unen y producen las *mareas vivas*, que provocan desplazamientos hídricos de gran intensidad.

MAREA MUERTA

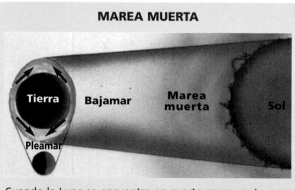

Tierra

Bajamar

Marea muerta

Sol

Pleamar

Cuando la Luna se encuentra en cuarto menguante o en cuarto creciente, la fuerza de atracción del Sol, que es más poderosa, hace que disminuya el efecto de la fuerza lunar que provoca mareas de menor amplitud, llamadas *mareas muertas*.

BAJAMAR

Durante esta marea, el agua alcanza su mínimo nivel. La diferencia entre el nivel mínimo y el máximo da como resultado la amplitud de la marea.

PLEAMAR

Es la marea durante la cual el agua llega a su máximo nivel. Se produce porque las masas de agua más cercanas a la Luna son atraídas por ella.

al mismo tiempo, el **Sol** y la **Luna**, provocan el **desplazamiento de las masas líquidas** de la Tierra.

Sin embargo, debido a que la distancia que nos separa de la Luna es menor que la que nos aleja del Sol, **la fuerza de gravedad lunar influye** más que la del Sol sobre **las aguas terrestres**. Esa fuerza origina las **mareas** y produce **dos ascensos** (*pleamar, flujo* o *alta mar*) y **dos descensos** (*bajamar* o *reflujo*) **cada 24 horas y 50 minutos**.

¿Quién tiene más fuerza?

La **fuerza de atracción** que influye sobre la **Tierra** y la **Luna**, recíprocamente, está equilibrada por una fuerza opuesta, la **fuerza centrífuga**, que evita que ambas se junten. Esta última es producida por el *movimiento de rotación terrestre* y por la *rotación lunar*. El ejercicio de ambas fuerzas se mantiene regulado en el centro de ambos cuerpos, pero no en sus cortezas. Por esa razón, **la Luna atrae las masas de agua superficiales** de la Tierra, originando el fenómeno de las **mareas**.

Los eclipses

Un eclipse es un fenómeno de ocultamiento que se produce cuando el Sol, la Luna y la Tierra se encuentran alineados y, entonces, alguno de ellos queda oculto por la interposición del otro. Esta desaparición es momentánea (ya que los astros continúan con su recorrido) y puede ser parcial o total.

——— Eclipse solar ———

Se produce cuando se ubican en una misma línea el **Sol**, la **Luna** y la **Tierra**. En ese orden, **la Luna se interpone entre el Sol y la Tierra**, y lo oculta a nuestra vista. Si la Luna oculta por completo al astro rey, estamos frente a un **eclipse total**.
Pero, si un anillo solar luminoso rodea el disco lunar, en este caso se habla de un **eclipse parcial** de Sol.

——— Eclipse lunar ———

Se produce cuando la sombra de la Tierra cae sobre la superficie lunar y la oculta a nuestra vista. Para que este fenómeno pueda ocurrir, es necesario que los astros se ubiquen en línea recta, siguiendo el orden **Sol, Tierra, Luna** y, además, que

ECLIPSE DE SOL

En los eclipses solares, la sombra de la Luna cae sobre la Tierra. Sin embargo, la oscuridad no es uniforme. Se pueden diferenciar dos zonas de sombra: una central muy oscura, que ocupa una parte pequeña de la superficie terrestre, y otra más clara, llamada penumbra, que se extiende por casi toda la Tierra. Según dónde se ubique el observador, podrá percibir, si está en la sombra, un eclipse total de Sol, y si está en la penumbra, un eclipse parcial.

¿CUESTIÓN DE TAMAÑO?

Cuando se produce un eclipse solar, parece que la Luna fuera más grande o igual que el Sol. Sin embargo, sabemos que nuestro satélite es 400 veces menor que aquél. ¿Cómo es entonces que puede ocultarlo? La respuesta no tiene que ver con el tamaño sino con la distancia que los separa de la Tierra. Mientras que la Luna se halla a casi 380.000 km de la superficie terrestre, el Sol está 400 veces más lejos.

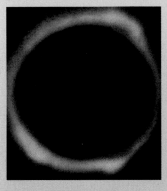

Eclipse solar total.

Eclipse parcial de sol

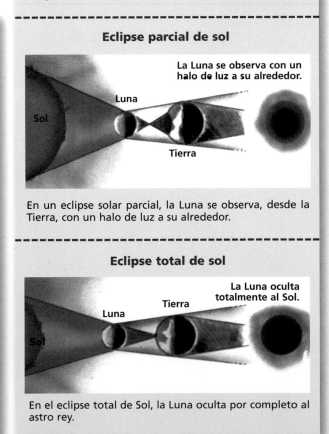

La Luna se observa con un halo de luz a su alrededor.

Luna

Sol

Tierra

En un eclipse solar parcial, la Luna se observa, desde la Tierra, con un halo de luz a su alrededor.

Eclipse total de sol

La Luna oculta totalmente al Sol.

Tierra

Luna

Sol

En el eclipse total de Sol, la Luna oculta por completo al astro rey.

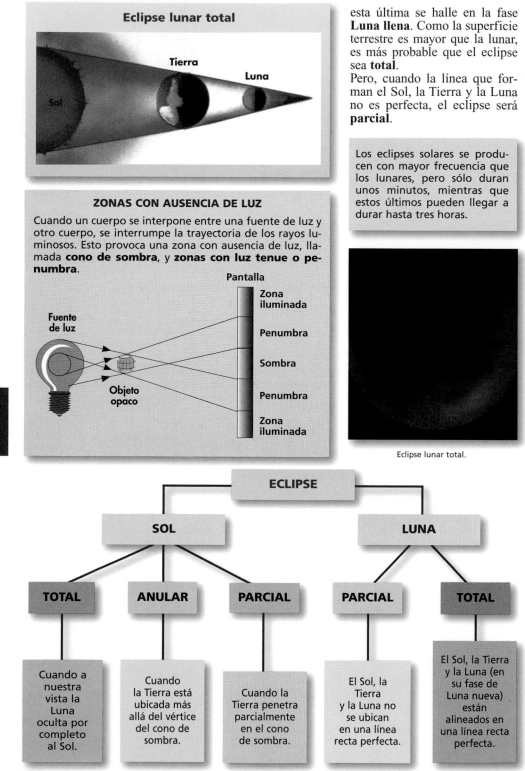

Eclipse lunar total

Sol

Tierra

Luna

esta última se halle en la fase **Luna llena**. Como la superficie terrestre es mayor que la lunar, es más probable que el eclipse sea **total**.

Pero, cuando la línea que forman el Sol, la Tierra y la Luna no es perfecta, el eclipse será **parcial**.

Los eclipses solares se producen con mayor frecuencia que los lunares, pero sólo duran unos minutos, mientras que estos últimos pueden llegar a durar hasta tres horas.

ZONAS CON AUSENCIA DE LUZ

Cuando un cuerpo se interpone entre una fuente de luz y otro cuerpo, se interrumpe la trayectoria de los rayos luminosos. Esto provoca una zona con ausencia de luz, llamada **cono de sombra**, y **zonas con luz tenue o penumbra**.

Fuente de luz

Objeto opaco

Pantalla

Zona iluminada

Penumbra

Sombra

Penumbra

Zona iluminada

Eclipse lunar total.

ECLIPSE

SOL

LUNA

TOTAL

Cuando a nuestra vista la Luna oculta por completo al Sol.

ANULAR

Cuando la Tierra está ubicada más allá del vértice del cono de sombra.

PARCIAL

Cuando la Tierra penetra parcialmente en el cono de sombra.

PARCIAL

El Sol, la Tierra y la Luna no se ubican en una línea recta perfecta.

TOTAL

El Sol, la Tierra y la Luna (en su fase de Luna nueva) están alineados en una línea recta perfecta.

INSTRUMENTOS ASTRONÓMICOS

Refractores

Los **telescopios de refracción** o *refractores* emplean básicamente **dos lentes**:

• **una lente convergente grande**, llamada *objetivo*, que recoge la luz de una estrella y la concentra en el *foco*, formando una pequeña imagen de ésta;

• **una lente convergente menor**, llamada *ocular*, que amplía la imagen mediante el **fenómeno de refracción**.

Estos telescopios, usados comúnmente por astrónomos aficionados, no satisfacen a los astrónomos profesionales, ya que limitan la captación de la luz y **ocasionan dos defectos ópticos que crean distorsiones en la imagen**: la *aberración esférica* y la *aberración cromática*.

Reflectores

Los **telescopios de reflexión** o *reflectores* emplean básicamente

dos espejos: uno funciona como *objetivo*, captando la luz de una estrella y concentrándola en el foco. El otro espejo funciona como *ocular*, amplificando la imagen que se forma **por reflexión**. Los astrónomos profesionales prefieren estos telescopios reflectores por las **ventajas** que les ofrecen:

• **captan mayor cantidad de luz**, porque pueden construirse de grandes dimensiones;

• **proporcionan imágenes con buena resolución**;

• **permiten realizar mediciones precisas** en una observación prolongada.

Fotografías

Para la astronomía también ha resultado fundamental la *observación fotográfica*, complementada por el telescopio. En tal caso, el ojo del observador se sustituye por una placa que se coloca en la posición correspondiente al ocular, y sobre ella se enfoca la imagen del telescopio. Se consiguen así imágenes muy profundas y con gran resolución. En este aspecto se destaca la *cámara Schmit*, instrumento que **permite fotografiar amplias regiones del cielo** en una

Constituyen una valiosa herramienta para captar y estudiar con precisión las radiaciones luminosas procedentes del espacio.

sola vez. Se compone de **un espejo esférico y una lente correctora** que permite eliminar las distorsiones que el espejo podría producir sobre la placa fotográfica.

Otros instrumentos

Los **detectores de estado sólido** están sustituyendo actualmente a las placas fotográficas, pues facilitan el estudio de elementos especiales, de los que antes casi no existía información. Tienen la ventaja de ser lineales, capacidad que les permite almacenar información en forma proporcional al número de fotones que reciben. Otro instrumento de última tecnología es el **telescopio espacial**, que utiliza *el espacio como plataforma para la observación astronómica*. Y, en este aspecto, el más conocido es el **telescopio espacial** *Hubble*, que consiguió revelar detalles desconocidos del Universo.

LOS PRIMEROS TELESCOPIOS

Hacia 1608, el óptico holandés **Hans Lippershey** inventó el primer telescopio. Un año después, el astrónomo italiano **Galileo Galilei** tuvo noticias del gran invento y no tardó mucho en concebir su propio telescopio, dotado de dos lentes, una convexa y otra cóncava. Si bien este telescopio era muy débil, comparado con los actuales, revolucionó las ideas que por ese entonces se tenían del Universo. Posteriormente fabricó otros de mayor potencia que le permitieron observar las montañas de la superficie lunar y el halo que envuelve a Júpiter. En 1610, Galileo logró construir otro telescopio, de mayor poder aún, que puso en evidencia la presencia de cuatro satélites de Júpiter y confirmó que la Vía Láctea estaba formada por millones de estrellas.

TELESCOPIO

Básicamente, es un instrumento óptico que sirve para captar la luz de una estrella, enfocarla en un plano determinado, llamado plano focal (o foco), y formar una imagen ampliada, ya sea por refracción (mediante lentes, en el caso de los refractores) o por reflexión (mediante espejos, en el caso de los reflectores).

Satélites artificiales

Instrumentos revolucionarios

Estos vehículos orbitales cumplen una importantísima misión en el campo de las investigaciones astronómicas y, también, en las telecomunicaciones en la Tierra. No por nada se considera que caracterizan a la era actual y al mundo globalizado en que vivimos. Son **artefactos creados por el hombre** que se mantienen en el interior de la atmósfera, circulando **en órbita alrededor de la Tierra**, en forma temporaria o permanente, mediante el impulso necesario para ello, proporcionado por un proyectil a propulsión. Pueden ser tripulados o automáticos.

Funcionamiento

Una vez situados en órbita, y mientras no actúen otras **fuerzas** que las **de inercia** y **la gravitatoria**, los satélites artificiales **permanecen girando alrededor de la Tierra** (como si se tratara de cuerpos celestes naturales), a alturas que van desde los 300 a los 200.000 km de altitud, con una media entre los 800 y los 1.000 km.

Aplicaciones

A partir de 1957, año en que fue puesto en órbita el *Sputnik I* —primer satélite artificial del mundo—, los satélites artificiales han brindado valiosísimos servicios a la humanidad. Entre ellos:

• Se han hecho posibles las transmisiones intercontinentales de programas de televisión en forma simultánea en el mundo, así

SONDAS INTERPLANETARIAS

Se asemejan a los satélites, pero están dotadas de un instrumental más sofisticado. Mediante su viaje a través del espacio, permitieron descubrir infinidad de características de los planetas. La primera sonda espacial interplanetaria que tuvo éxito (excluyendo las sondas a la Luna) fue la nave estadounidense *Mariner 2*, lanzada el 17 de agosto de 1962, que pasó a 35.000 km del planeta Venus, el 14 de diciembre de ese año. Esta sonda envió una detallada información acerca de las condiciones de aquel planeta. Otras sondas enviadas al espacio que tuvieron éxito fueron las *Voyager 1* y *2*, la *Viking 1* y la *Mariner 10*.

como otras telecomunicaciones instantáneas entre dos puntos cualesquiera de la Tierra.

• Han permitido estudiar y predecir el tiempo y ciertos fenómenos atmosféricos (como los tifones, los huracanes o los tornados).

• Desde ellos se emiten señales que permiten a los tripulantes de barcos y aviones conocer su situación.

• Permiten la obtención de **imágenes satelitales** de la Tierra, a una altura cada vez mayor, que brindan **información específica sobre el paisaje terrestre**, el **estado del tiempo** y de los **cultivos**, la existencia de recursos mineros, el desplazamiento de las **corrientes marinas** y muchos otros datos valiosísimos.

• Brindan datos inéditos que **amplían el conocimiento científico sobre los componentes del Universo, lo cual nos permite conocer cada día más y mejor nuestro Sistema Solar**.

• Otros satélites artificiales, como los militares, son empleados para detectar explosiones nucleares, ataques de proyectiles intercontinentales y el rumbo de las naves militares.

LANDSAT, UN GIGANTE

El satélite Landsat está capacitado para dar 14 vueltas alrededor de la Tierra en un día y, cada 25 segundos, explorar una superficie terrestre de 34.250 km². Está constituido por un espejo que recibe y enfoca la radiación reflejada (emitida por los cuerpos y elementos que forman la superficie terrestre), la cual es captada posteriormente por un detector que mide dicha radiación en unidades de voltaje. Luego, una unidad electrónica transforma el tipo de voltaje obtenido en otro tipo de mensaje (números dígitos) que se transmite mediante radiofrecuencia y que será captado por una antena receptora. Finalmente, este mensaje es transformado por una computadora bajo la forma de números (binarios). A cada uno de ellos se le asigna un color que aparecerá en la pantalla. De esta forma, por medio de las diferentes coloraciones, se pueden obtener muchos datos sobre nuestro planeta.

LA CONQUISTA DEL ESPACIO

— Hitos en la conquista —
del espacio

• **En 1953** la ex-*Unión Soviética* envía el **primer cohete de combustible líquido**.
• **El 4 de octubre de 1957** los rusos ponen en órbita en torno a la Tierra al **Sputnik I, primer satélite artificial del mundo**. A éste le sigue otro de mayor tamaño, el **Sputnik II**, transportando a la *perrita Laika*.
• **En 1958**, para responder a los envíos rusos, **EE. UU.** pone en órbita su primer satélite artificial: el **Explorer I**, y luego el **Vanguard I**. Seguidamente los rusos lanzan el **Sputnik III**.
• **En 1960** continúa la *"carrera espacial"* entre las dos superpotencias con muchos otros lanzamientos, **hasta que...**
• **... el 12 de abril de 1961, por primera vez, un hombre es puesto en el espacio**, en la órbita de la Tierra: **es el ruso Yuri Gagarin**, tripulante de la nave espacial **Vostok I**. A éste le siguen otros vuelos espaciales tripulados.
• **En 1963, viaja al espacio la primera mujer astronauta.** Es **Valentina V. Tereshkova**, en la nave **Vostok 6**.
• **En 1965 se realizan las primeras "caminatas" por el espacio**.
• **En 1968, Europa lanza su primer satélite artificial de cooperación europea**.
• **En 1969, el hombre llega a la Luna**: fueron los estadounidenses **Neil Armstrong y Edwin Aldrin**, tripulantes de

A medida que se fueron perfeccionando métodos e instrumentos de observación del Universo, aumentaron los deseos de los seres humanos por visitarlo.

la **Apolo XI**.
• **En 1971, los rusos inauguran la Salyut I, la primera estación espacial del mundo**.
• **En 1973, EE. UU. pone en funcionamiento la primera estación espacial estadounidense: Skylab**.
• En 1985 fue lanzado el **trans-**

1969: el hombre se posa sobre la superficie lunar; un momento histórico.

Desde el histórico descenso del hombre sobre la superficie lunar, se han enviado naves a casi todos los planetas del Sistema Solar. Entre estos emprendimientos hubo éxitos (como el de las sondas Viking I y II, que se posaron sobre suelo marciano; o el de las naves Pioneer X y Voyager I y II, que han llegado más allá del Sistema Solar, desde donde transmiten permanentes informes a la Tierra), pero también fracasos (como lo fue la siniestra explosión de la nave tripulada Challenger, en 1986, o el del Mars Observer, que en 1993 se perdió en el espacio en su camino hacia el planeta Marte).

bordador espacial Discovery, para cumplir su primera misión secreta de carácter militar.

• En 1986 se suscribe un acuerdo entre

¿UNA BASE EN LA LUNA?

Se ha sugerido que podría establecerse una **base en la Luna** dentro de algunos años y esto es posible. No obstante, el establecimiento de tal base es una operación muy costosa y podría ser aplazada para mucho más tarde.

Hay numerosos argumentos acerca del valor de una base lunar.

Se requiere más combustible para construir una gran estación espacial en órbita alrededor de la Tierra, que para transportar los materiales y construirla en la Luna. Por otra parte, **una base en la Luna permitiría realmente investigaciones más detalladas y proporcionaría asimismo un lugar excelente para realizar observaciones astronómicas**.

También nos permitiría comprobar los efectos de vivir bajo una gravedad reducida.

En 1995, Chile también intentó conquistar el espacio, enviando su primer satélite artificial. Fue el **Fasat-Alfa**, satélite construido en forma conjunta por la Fuerza Aérea de Chile y la Universidad de Surrey, Inglaterra. Para su ascenso, se lo unió a una nave ucraniana de mayor tamaño pero, por fallas en los dispositivos de separación, el satélite sudamericano no logró desprenderse de su compañero. Sin embargo, se sigue trabajando en nuevos intentos.

los presidentes de Rusia y EE. UU. para remplazar la carrera armamentista de la denominada *"Guerra de las galaxias"* por un **programa internacional de cooperación tecnológica para la conquista de Marte**.

El proyecto aún no pudo concretarse debido a diversos factores que pondrían en serio riesgo la vida de los astronautas.

Superar esos riesgos es un desafío para el futuro de la humanidad.

— El panorama — actual

Actualmente, el hombre continúa trabajando para concretar sus sueños de conquistar otros planetas. Por el momento, con el envío de naves con robots hacia el lejano planeta Marte. Pero seguramente en el siglo XXI se cumplirá el anhelo. Precisamente en relación con esto, existe un

proyecto estadounidense de transformar la atmósfera marciana para hacerla similar a la terrestre, calentar su clima, implantar especies vegetales y adaptar animales hasta que ese territorio resulte habitable para los humanos.

El plan se desarrollaría entre el 2015 y el 2170, en seis etapas. ¡Todo un desafío para el futuro!

La sonda Galileo está provista de una cámara de imágenes y otros instrumentos científicos altamente sofisticados que han hecho posible descubrir la composición de la atmósfera de Júpiter y otros datos inéditos del planeta.

ANIMALES EN EL ESPACIO

Antes que el hombre pudiera viajar al espacio, se realizaron pruebas con animales vivos para comprobar si la especie humana soportaría el cambio. Estos primeros animales fueron útiles para investigar la influencia que estos viajes provocaban en sus organismos.

Así marcharon al espacio la legendaria perra **Laika** y el chimpancé **Enos**; gracias a ellos, se pudo observar el comportamiento de seres vivos, durante una semana, en estado de ingravidez.

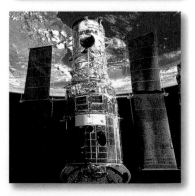

LA TIERRA

Su origen

Las teorías sobre el origen de la Tierra son muy diversas. Algunos científicos sostienen que, como todos los demás astros, la **Tierra** se originó a partir de una **gran nube de gas**, durante un proceso que duró millones de años.

Cuando una estrella de gran tamaño pasó cerca del **Sol**, se produjo una **catástrofe cósmica**. Esta explosión hizo que varios fragmentos del Sol se desprendieran, formando los astros que integran nuestro *Sistema Solar*. Por lo tanto, según esta teoría, **la Tierra procede del astro rey**.

Más tarde, este desprendimiento, que tenía la forma de una *nebulosa gaseosa*, inició los *movimientos de conden-*

Es el tercer planeta del Sistema Solar y el único que, por sus características, permite el desarrollo de la vida.

sación sometiéndose a **temperaturas altísimas**. El globo terráqueo, en esa época, era una inmensa **bola de fuego** incandescente.

Luego, esta masa de *elementos radiactivos* se fue estabilizando, los *materiales más densos* ocuparon el centro del planeta, y los *gases más ligeros* se ubicaron en la superficie.

La importancia del agua

Al mismo tiempo, **el viento solar barrió los gases tóxicos** de la primitiva atmósfera y los remplazó por otros, en especial *agua*, *metano* y *amoníaco*. Poco a poco, **la Tierra se fue enfriando**.

El vapor de agua se condensó, dando lugar a los mares y océanos, hace aproximadamente 3.000 millones de años.

LA TIERRA EN NÚMEROS	
Superficie total de la Tierra	510.000.000 km².
Superficie total de las tierras emergidas	148.882.000 km².
Superficie total de océanos y mares	361.128.000 km².
Diámetro ecuatorial	12.754 km.
Eje terrestre	12.712 km.
Achatamiento polar	42 km.
Longitud de la circunferencia ecuatorial	40.070 km.
Longitud de un meridiano	40.005 km.
Radio polar	6.356 km.
Longitud de un cuadrante de meridiano	10.000 km.
Densidad media de la Tierra	5,5 g/cm³.
Volumen de la Tierra	1.082.841.310.000 km³.
Peso de la Tierra	5.977 trillones Tn.

Globo terráqueo.

En esta etapa, se producían *maremotos* que erosionaban las partes sólidas. La temperatura de los mares era superior a los 70 °C y el agua tenía bajo contenido de sal. Tenían lugar, también, grandes *terremotos*, producto de una actividad volcánica constante.

Su forma

Los avances científicos permitieron demostrar plenamente que la Tierra presenta **forma esférica**, algo abultada en la zona ecuatorial y achatada en los polos. Sin embargo, en la Antigüedad, filósofos, matemáticos y pensadores no terminaban de aunar teorías en cuanto a la forma y dimensión de nuestro planeta.

Desviación de los vientos en el hemisferio Norte

Desviación de los vientos en el hemisferio Sur

Se conoce como *efecto Coriolis* al fenómeno de desviación de los vientos y las corrientes marinas que provoca la fuerza centrífuga generada por el movimiento de rotación terrestre.

Unos sostenían que era de forma esférica; otros, en cambio, aducían que era plana y se hallaba rodeada por las aguas; los menos aseveraban que tenía forma de semiesfera.

Gracias al progreso experimental, se comprobó la redondez de la Tierra y se obtuvieron los elementos necesarios para verificar sus dimensiones.

Movimientos de la Tierra

Mientras los cuerpos celestes se desplazan, la Tierra desarrolla sus propios movimientos. Por un lado, gira sobre el eje de sus polos y, por el otro, da vueltas alrededor del Sol. El primer movimiento, llamado **rotación**, dura casi un día (23 horas, 56 minutos y 4 segundos) y produce el pasaje del día a la noche. El segundo movimiento, de **traslación**, es el desplazamiento de la Tierra en torno al Sol, para el que emplea aproximadamente 365 días.

Como consecuencia de este movimiento, surgen las variedades climáticas que caracterizan las estaciones del año (excepto en

---

LA ROTACIÓN TERRESTRE

Durante mucho tiempo se creyó que era el Sol, y no la Tierra, el que se movía, debido a que el hombre lo veía nacer por el Este y ocultarse en el Oeste.

Sin embargo, en la actualidad, se sabe que es **la Tierra** la que, al realizar **el movimiento de rotación**, gira sobre su eje. Este desplazamiento terrestre se desarrolla en dirección Oeste-Este, *es decir contraria a las agujas del reloj*. Por esta razón, parece que *el Sol y las estrellas se mueven en dirección opuesta*. Como todos los astros que acompañan a la Tierra se mantienen al mismo tiempo en movimiento, es imposible advertir el desplazamiento que realiza nuestro planeta.

El tiempo que tarda la Tierra en dar una vuelta sobre sí misma se mide con respecto al Sol, y es de 23 horas, 56 minutos y 4 segundos. Este período de rotación **determina la sucesión de los días y las noches**. Además de este fenómeno, el movimiento de rotación influye sobre las **condiciones climáticas** del planeta y sobre la acción de las **corrientes marinas**.

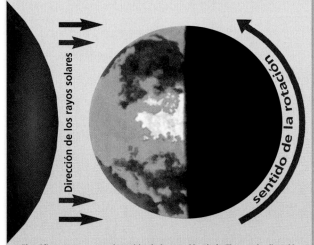

El gráfico nos muestra el sentido de la rotación de la Tierra y la dirección de la luz. A medida que nuestro planeta gira, la luz solar va iluminando la cara que queda frente a ella.

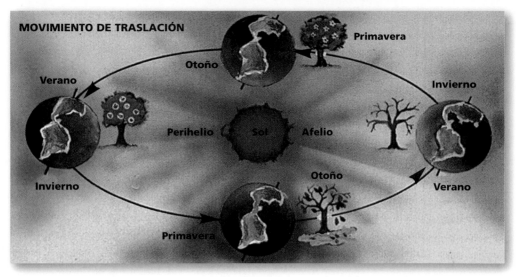

MOVIMIENTO DE TRASLACIÓN

Primavera

Otoño

Verano

Invierno

Perihelio Sol Afelio

Invierno

Otoño

Verano

Primavera

la *zona del ecuador*, donde el clima es más estable).

La traslación terrestre

Se denomina así **al movimiento que realiza la Tierra alrededor del Sol**. Durante este desplazamiento, el planeta describe una **órbita eclíptica** en la cual el Sol se ubica en uno de los polos. Este trayecto tiene una forma casi circular, debido a que el eje mayor y el menor son casi del mismo tamaño. A este tipo de órbita se la llama *eclíptica*.

El tiempo que tarda la Tierra en recorrer su órbita es de 365,26 días, lo que nosotros reconocemos como *año sideral*. Como esta cifra no es exacta, se recuperan los 0,26 días agrupándolos cada cuatro años. Por eso, existen los **años bisiestos, que duran 366 días.**

El movimiento que la Tierra realiza en torno al Sol produce la sucesión de **las estaciones del año.**

Solsticios y equinoccios

Durante el recorrido de la Tierra alrededor del Sol, el plano

del *ecuador* terrestre y la órbita eclíptica sólo se tocan en dos puntos, llamados **equinoccios**. Éstos tienen lugar el 21 de marzo y el 23 de setiembre. En esos momentos, en todos los puntos del planeta, el día y la noche tienen igual duración. Durante los *equinoccios,* el Sol cambia de hemisferio, ya

¿POR QUÉ HACE MÁS CALOR EN VERANO?

La variación de temperaturas se produce por la **inclinación del eje terrestre**. Mientras la Tierra describe su órbita, de acuerdo con la inclinación de su eje recibe los rayos solares en forma recta o en un ángulo menor, según su ubicación. Cuando **los rayos del Sol llegan en forma recta**, deben atravesar una parte menos espesa de la capa atmosférica. Por esta razón, afectan la corteza terrestre y aumentan la temperatura en **verano**.

Contrariamente, como en invierno los rayos solares deben atravesar una zona más extensa de la atmósfera, llegan más débiles y esto produce un descenso de la temperatura.

La inclinación del eje de la Tierra hace que la duración del día varíe entre el invierno y el verano.

En la *zona del ecuador* esta diferencia es casi imperceptible, pero en los polos llega a su máximo nivel, ya que se producen seis meses de luz *(día polar)* y seis meses de noche *(noche polar)*.

que pasa la mitad del año en uno y la otra mitad en el opuesto. Por el contrario, los días en que el Sol alcanza su máxima declinación se denominan **solsticios** o *"paradas de Sol"*, y se producen el 21 de junio y el 21 de diciembre. Durante estos períodos, nuestro astro parece estar quieto en un mismo lugar.

— Cambios estacionales —

El pasaje de un trayecto a otro determina el curso de **las estaciones**, que tiene que ver con la caída de los rayos solares. Mientras la Tierra recorre su

camino, va atravesando la *zona de los solsticios* hacia la de los *equinoccios*. El tiempo que tarda entre uno y otro dura aproximadamente tres meses y define las cuatro estaciones del año: **verano**, **otoño**, **invierno** y **primavera**.

Como nuestro planeta se acerca y se aleja del Sol al describir su órbita, los rayos solares no afectan de igual manera a la superficie terrestre. Por ejemplo, durante el *equinoccio de primavera*, los rayos del Sol caen verticalmente sobre el ecuador, mientras que al llegar al *solsticio de verano* alcanza su punto máximo sobre el horizonte. Esto determina las diferencias de temperatura entre las estaciones y también explica por qué duran más los días durante el verano, y los cambios extremos en los polos, donde durante seis meses es de día, y durante otros seis, de noche.

La sucesión de las estaciones se produce de manera opuesta en un hemisferio y otro. Así, mientras el **21 de junio** empieza en el *hemisferio Norte el solsticio de verano*, en el *hemisferio Sur* comienza *el de invierno*.

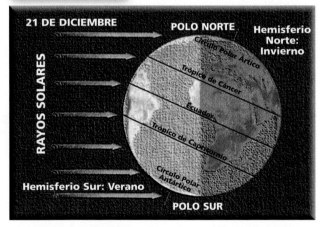

Cuando los rayos del Sol caen perpendicularmente sobre el trópico de Capricornio (21 de diciembre), se inicia el verano en el hemisferio Sur (solsticio de verano).

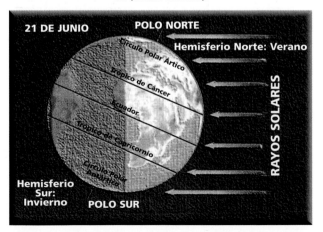

Cuando los rayos del Sol caen perpendicularmente sobre el trópico de Cáncer (21 de junio), se inicia el verano en el hemisferio Norte y el invierno en el hemisferio Sur (solsticio de invierno).

En el **solsticio de verano** (21 de diciembre para el hemisferio Sur y 21 de junio para el Norte), la desigualdad entre el día y la noche llega a su punto extremo. Durante este momento, en el *círculo polar*, el Sol ilumina todo el día y toda la noche, por lo tanto nunca oscurece. A este fenómeno se lo llama ***Sol de medianoche*** o **día polar**.

PARALELOS Y MERIDIANOS

Los paralelos

Son los planos imaginarios trazados en forma **perpendicular al eje de la Tierra**, que es el que la atraviesa desde el polo Norte al Sur. No todas estas circunferencias tienen igual tamaño, sino que su diámetro disminuye hasta convertirse en un punto al llegar a los polos. La más grande es la del **ecuador**, que divide a la Tierra en dos partes iguales, llamadas **hemisferio Norte** y **hemisferio Sur**. Las distancias de estos planos se miden en *grados*, *minutos* y *segundos*. Existen paralelos simétricos que se ubican a igual distancia, tanto en un hemisferio como en el otro. Por ejemplo, a los 23° 27' se encuentran los **trópicos**, que reciben diferentes nombres: *trópico de Cáncer* en el hemisferio Norte y *trópico de Capricornio* en el hemisferio Sur.

También sucede lo mismo con los **círculos polares**: **ártico**, el del Norte; **antártico**, el del Sur. Estas líneas paralelas permiten conocer la **latitud** de un lugar específico, ya sea una ciudad, un puerto o algún punto en medio del océano.

-Los meridianos-

Las líneas que cortan verticalmente los planos paralelos son llamadas **meridianos**. También se miden en *grados*, *minutos* y *segundos*; y la semicircunferencia máxima que divide a la Tierra en dos partes iguales se denomina **meridiano de Greenwich**, ubicado en el de 0°. Se estableció por convención en la ciudad inglesa de Greenwich, en el SE

Estas líneas imaginarias fueron trazadas por el ser humano para poder ubicarse sobre nuestro planeta.

Las líneas de latitud (paralelos) son circunferencias perpendiculares al eje terrestre y de diferente extensión. El paralelo de origen o referencia es el del ecuador, el de mayor extensión. Convencionalmente se lo designa como paralelo 0°.

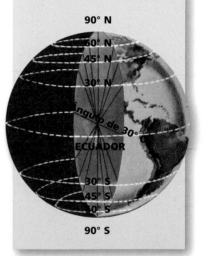

La ciudad de Hong Kong está ubicada a 22° de latitud Norte.

La estatua de la Libertad está emplazada en la ciudad de Nueva York (EE. UU.) y se ubica geográficamente a 73° de longitud Oeste y 41° de latitud Norte.

de Londres, sobre la margen derecha del río Támesis.

– Nos ubicamos –

Los *paralelos* y los *meridianos* constituyen las **coordenadas geográficas**, que sirven para **ubicar** un determinado punto de la superficie terrestre. Para averiguar la distancia entre un punto y otro, se utilizan la **latitud** y la **longitud**, es decir que la intersec-

A partir del meridiano de Greenwich, la Tierra queda dividida en hemisferio occidental (hacia el Oeste) y hemisferio oriental (hacia el Este). Hay en total 360 meridianos, 180 al Oeste y 180 al Este.

ción entre los paralelos y los meridianos nos permite localizar cualquier punto del planeta.

—— Latitud ——

Es la distancia que separa a un punto cualquiera de la superficie terrestre de la línea del **ecuador**. A este **círculo máximo** se le otorgó la latitud de 0°, mientras que en los polos tiene 90°. Entonces, para averiguar la distancia entre un punto y el *ecuador*, se mide la distancia entre este último y el meridiano donde se halla el punto que se quiere determinar. Si este lugar se encuentra entre la *línea del ecuador* y el *polo Norte*, **la latitud será Norte**; y, si se ubica entre el ecuador y el polo Sur, será **latitud Sur**.

—— Longitud ——

Es la distancia que separa a un punto específico del **meridiano de Greenwich**.
Se mide sobre el paralelo en el

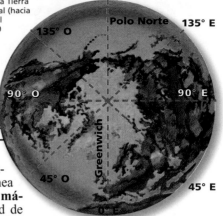

que se halla el punto que queremos averiguar y el *meridiano de Greenwich*, que tiene 0° de longitud. Si el lugar se encuentra al Este del *meridiano de Greenwich*, la longitud será **Este**; de lo contrario, diremos que se halla a tantos grados de longitud **Oeste**. Estas unidades se expresan también en grados, minutos y segundos; y la longitud mayor puede alcanzar hasta 180°.
Estas *coordenadas* son importantes, sobre todo, para guiarse en los viajes marítimos o aéreos, que requieren un desplazamiento a grandes distancias.

ZONAS CLIMÁTICAS

Los paralelos y meridianos determinan la división de la superficie terrestre en **cuatro** zonas climáticas; ellas son:

• **Zona tórrida:** es la región ubicada entre los trópicos de Cáncer y de Capricornio.

• **Zona templada del Norte:** está comprendida entre el Círculo Polar Ártico y el trópico de Cáncer.

• **Zona templada del Sur:** se halla entre el trópico de Capricornio y el Círculo Polar Antártico.

• **Zonas glaciares:** son dos, el polo Norte y el polo Sur, y se ubican entre el Círculo Polar Ártico y el Antártico, y sus respectivos polos.

Puntos cardinales

—— ¿Norte? ¿Sur? —— ¿Qué serán?

Muchas veces, cuando leemos diversas informaciones en diarios y revistas, solemos encontrar en ellas cosas tales como: "Al norte de la ciudad de Cartagena...", "... el automóvil se dirigió al sur...", "Itaguá, ubicada en el sudoeste de Asunción...".
Pero ¿qué son esos puntos de referencia? ¿Dónde están el Norte, el Sur, el Este y el Oeste? Para empezar, digamos que estos puntos son relativos, es

Los cuatro puntos cardinales reciben diversos nombres. Así, el Este también se denomina Oriente o Levante; el Oeste, Occidente o Poniente; el punto Sur, Meridional o Austral; y el Norte, Septentrional o Boreal.

decir que cada uno de ellos se ordena en relación con los otros.
El Este, por ejemplo, es el punto por donde aparece el Sol, y el Oeste, el punto ubicado en el lado opuesto de una recta imaginaria. El Norte y el Sur, en

cambio, son puntos a los que les corresponde un punto real de la esfera terrestre: el centro de los casquetes polares.

Los puntos cardinales son puntos de orientación relativa para poder situarnos en la superficie terrestre.

– Cuatro puntos básicos –

Desde la remota Antigüedad, los hombres utilizaron la salida y la puesta del Sol para poder orientarse. Al punto por donde salía el Sol lo denominaron **Este** u **Oriente** y, a partir del mismo, determinaron los otros tres puntos cardinales básicos: el **Oeste**, el **Norte** y el **Sur**. Si quieren, pueden ubicar los puntos cardinales de una manera sencilla: si se encuentran en el

No sólo el Sol nos sirve para orientarnos. La Luna también permite la orientación, ya que en su cuarto creciente los extremos de su figura están dirigidos hacia el Este, y en el cuarto menguante, hacia el Oeste.

campo o en la ciudad, pueden orientarse mirando hacia el lugar en que el Sol se oculta y, poniendo los brazos perpendiculares al cuerpo, lograrán ubicar los **cuatro puntos cardinales**: al frente, el **Oeste**; a la derecha, el **Norte**; a la izquierda, el **Sur**, y a sus espaldas, el **Este**.

— Puntos intermedios —

Sin embargo, esos cuatro puntos cardinales no nos alcanzan, pues son referencias demasiado amplias. Por ello, los hombres idearon diversos **puntos intermedios**. Así encontramos:
• Entre el Norte y el Este: el **Nornoreste** (NNE), el **Noreste** (NE) y el **Estenoreste** (ENE).
• Entre el Este y el Sur: el **Estesureste** (ESE), el **Sureste** (SE) y el **Sursureste** (SSE).

• Entre el Sur y el Oeste: el **Sursuroeste** (SSO), el **Suroeste** (SO) y el **Oestesuroeste** (OSO).
• Entre el Oeste y el Norte: el **Oestenoroeste** (ONO), el **Noroeste** (NO) y el **Nornoroeste** NNO).

INSTRUMENTOS PARA ORIENTARSE

Podemos orientarnos con mayor exactitud mediante la utilización de un instrumento: *la brújula*. Ésta consta de una caja cubierta por un vidrio, que en su interior contiene una aguja imantada con un eje ubicado en el centro de la Rosa de los Vientos. Una de las puntas de la aguja señala siempre el polo Norte magnético, muy cerca del polo Norte geográfico. Otro instrumento útil es la **veleta**. Si está ubicada sobre una Rosa de los Vientos, nos indica siempre en qué dirección soplan las brisas, los vientos y los huracanes.

LA CRUZ DEL SUR

Durante las noches sin nubes, es posible orientarse por medio de las estrellas. En el hemisferio Sur se utiliza para ello la *constelación de la Cruz del Sur* (las cuatro estrellas que parecen una cruz). Si se prolonga tres veces y media el eje mayor de la cruz, y se proyecta una recta imaginaria hacia el horizonte, queda determinado el Sur.

NORTE
NNO
NNE
NO
NE
ONO
ENE
OESTE
ESTE
OSO
ESE
SO
SE
SSO
SSE
SUR

Rosa de los vientos.

Husos horarios

La hora en el mundo

Los husos horarios se utilizan para determinar la diferencia horaria entre las distintas zonas y países del mundo.

Son **líneas imaginarias** trazadas en el **mismo sentido que los meridianos**, distribuidas en medidas iguales (cada 15°), a partir del *meridiano de Greenwich*. Según un acuerdo internacional, se estableció que este meridiano expresara la hora legal. A partir de él, los países ubicados al Este adelantarán su hora y los del Oeste la atrasarán.

¿Qué hora es?

Desde el *meridiano de Greenwich* se establece que, hacia el Este, los **husos horarios**, o sea las líneas trazadas cada 15°, irán aumentando una hora por línea. Por el contrario, los *husos horarios* trazados hacia el Oeste se diferenciarán en una hora a partir del meridiano 0°. Entonces, se puede calcular la hora de un punto geográfico específico, ubicando la **longitud** de ese punto.

De esta manera, se puede saber sobre qué huso horario se halla y **descontar o aumentar las horas** que sean necesarias a partir del *meridiano de Greenwich*. De lo que se dijo anteriormente se desprende **que las ciudades ubicadas en la misma longitud tendrán la misma hora**.

La Tierra gira sobre su eje (la línea de polo a polo) en sentido contrario a las agujas de un reloj, y presenta al Sol, uno por uno, sus distintos meridianos. De dos puntos dados, el que está más al Este pasa bajo el Sol antes que el que está más al Oeste y, por lo tanto, la hora del primero "adelanta" sobre la del segundo. Cuando en un lugar es mediodía, en el punto opuesto es medianoche.

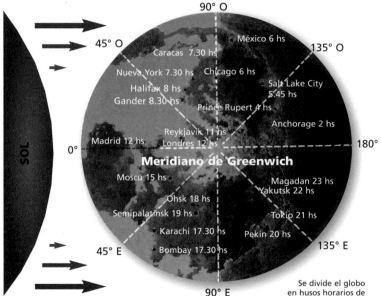

Se divide el globo en husos horarios de 15° para que la diferencia entre unos y otros sea de horas enteras. Por razones administrativas, las líneas de separación siguen fronteras más que meridianos. Áreas en violeta: diferencia sólo de media hora.

Existe una línea "de tiempo", trazada sobre el *meridiano de Greenwich*, que continúa en el otro hemisferio y establece el cambio de fecha. Esta línea se halla a los 180° de longitud.

SUBSISTEMAS DE LA TIERRA

Cuatro componentes

Nuestro planeta está compuesto por cuatro capas. La más externa es un capa gaseosa llamada **atmósfera**.

Una es sólida, la **geosfera**, formada por diversos tipos de rocas y minerales. Otra es líquida, la **hidrosfera**, que rodea a la anterior y está constituida por agua.

Finalmente, está la "esfera de vida", llamada **biosfera**, integrada por los seres vivos y el ambiente en que éstos se desarrollan.

La Tierra puede considerarse como un conjunto de esferas superpuestas que se relacionan entre sí.

SUBSISTEMAS DE LA TIERRA

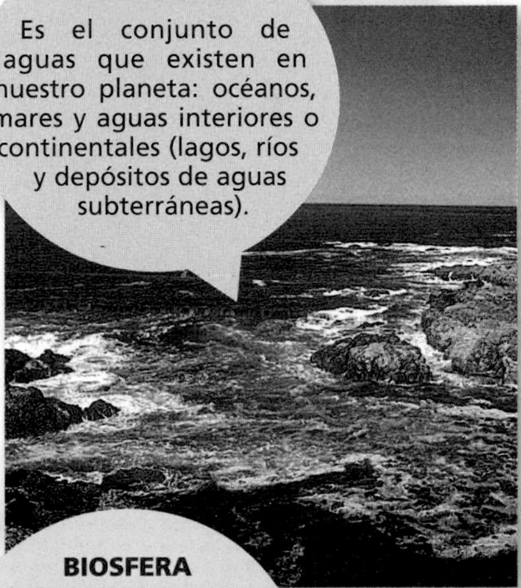

HIDROSFERA

Es el conjunto de aguas que existen en nuestro planeta: océanos, mares y aguas interiores o continentales (lagos, ríos y depósitos de aguas subterráneas).

ATMÓSFERA

Es la capa gaseosa que rodea y protege a la Tierra. Está formada por diversos gases y partículas en suspensión.

BIOSFERA

Es la parte de la Tierra donde se desarrolla la vida. Está formada por todos los seres vivos y los diversos ambientes donde aquéllos se desarrollan y se interrelacionan.

GEOSFERA

Es la esfera sólida de nuestro planeta, donde actúan las fuerzas internas de la Tierra que dan lugar a sismos y volcanes. Está formada por la masa compacta que constituyen los continentes y por las capas sólidas que existen debajo de los océanos y llegan al centro del planeta.

LA GEOSFERA

Es la parte interior y sólida de la Tierra. Presenta una serie de capas que rodean al núcleo.

――――― **Tres capas** ―――――

La **geosfera** está formada por **tres capas internas**; el **núcleo**, el **manto** y la **corteza**. Esta última parte es una capa superficial, muy delgada, también llamada **litosfera**.

• El núcleo

La capa más profunda es una gran bola de hierro fundido y solidificado. Tiene una temperatura similar a la de la superficie del Sol y se mueve más rápido que el planeta. Se divide, a su vez, en dos secciones: el *núcleo interno* y el *núcleo externo*.

* *El núcleo interno* está conformado por los **metales** más pesados, principalmente **hierro** y **níquel**. A pesar de estar sometido a altas temperaturas, más de 4.500 °C, los metales se hallan en **estado sólido** debido a la presión elevada del centro. El calor propio que emana de la Tierra es producido por reacciones radiactivas similares a las de los otros astros.

La corteza terrestre se presenta como una especie de "piel" arrugada, tanto hacia el exterior como hacia el interior. En esta fotografía podemos apreciar los depósitos de capas paralelas (dados por los distintos tipos de coloración).

* *El núcleo externo* está formado por metales, en especial hierro y níquel, y también oxígeno. Por las elevadísimas temperaturas, se mantiene en **estado líquido**, en permanente proceso de **fusión**, y genera el *campo magnético* de la Tierra.

• El manto

Está formado por un tipo de rocas llamadas ***peridotitas***, que poseen minerales ricos en *hierro*, *magnesio* y *sílice*. Es la capa más

---

Corteza

Se divide en continental, de 25 a 90 km de profundidad, y en oceánica, de 6 a 10 km de profundidad.

El manto llega hasta los 2.900 km. Hacia el centro, los minerales se vuelven más densos.

Núcleo exterior

Debido a las altísimas temperaturas, se cree que estaría en estado líquido.

Núcleo interior

Se calcula que su temperatura oscila entre 4.000 y 6.000 °C. No se funde debido a la enorme presión.

Discontinuidad Mohorovicic

Límite entre la corteza y el manto.

Discontinuidad Gutenberg

Límite entre el manto y el núcleo.

grande, ya que conforma el 80 % del volumen de nuestro planeta. Según su profundidad, se observan zonas sólidas y otras de roca fundida. Se divide en **tres secciones**:

* *El manto superior* es la **zona externa**, conformada por **materiales sólidos**. En ella se originan los **focos de los terremotos**.

* *La astenosfera* es la **parte media**, conformada por **materiales fundidos** debido a la **elevada temperatura y a la presión**. Esta *consistencia magmática* le otorga un carácter **inestable**, origen de fenómenos tales como *plegamientos montañosos*, *desplazamiento de los continentes*, *formación de volcanes*, etc., que modifican la estructura de la superficie terrestre.

* *La mesosfera* es la **sección más profunda del manto** y está formada por rocas en estado sólido.

––––––––– **La corteza** –––––––––

Es la **capa superficial**, abundante en *oxígeno*, *silicio* y *aluminio*. Según los materiales que la componen, se divide en:

• **Superficial o corteza externa:** es una *capa sedimentaria* y *discontinua*, porque su profundidad disminuye en el océano. Ocupa una porción muy delgada de superficie. Está formada por **rocas** de distintas procedencias. Muchas de éstas se originan por la **fundición** de diferentes elementos (*granito*), por el **enfriamiento** de *lava volcá-*
nica (*piedra pómez*) o por la **erosión** de rocas más antiguas (*arenisca*).
Es rica en silicio y magnesio. En esta zona se producen los procesos orgánicos que dan origen a la **vida**.

• **Intermedia o sial:** es una *zona intermedia y discontinua*, porque no existe en el océano. Está formada por *granito* y *aluminio*; y es la que conforma los **continentes**, ya que sale a la superficie en forma de **montañas ro-**
cosas cubiertas por sedimentos.

• **Interna o sima:** es una *parte interna de la corteza* que forma una *capa continua* alrededor del manto. Está constituida por *basalto* y *sedimentos*, pero también tiene *hierro*, *silicio* y *magnesio*.

PROPORCIÓN DE LAS CAPAS TERRESTRES

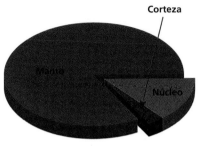

Corteza
Manto
Núcleo

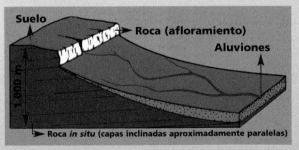

UNA MOLE DE ROCAS

La **corteza** o **litosfera** está constituida por una gran **variedad de rocas** de diferente origen y composición. Éstas tardaron **millones de años en formarse,** y su estudio nos permite acercarnos al conocimiento de la **historia de nuestro planeta**.

Suelo

1.000 m

Roca (afloramiento)

Aluviones

Roca *in situ* (capas inclinadas aproximadamente paralelas)

Es poco frecuente identificar las rocas en la superficie del terreno. Esto ocurre porque el suelo y los aluviones las ocultan. En este esquema puede apreciarse una capa de rocas en afloramiento. Para descubrir las otras, es necesario abrir pozos de mina muy profundos o bien aprovechar otras circunstancias que ofrece el terreno.

CAPAS	PROFUNDIDAD	VOLUMEN DE LA TIERRA
Corteza (sial y sima)	50 km	3 %
Manto Externo Interno	700 km 2.900 km	83 %
Núcleo Externo Interno	5.100 km 6.380 km	14 %

Las rocas

• **Según su consistencia**, las rocas pueden ser *duras*, *disgregadas*, *plásticas*, *líquidas* o *gaseosas*.

• **Según su origen**, las rocas pueden ser:

* **Endógenas o eruptivas** (llamadas también *ígneas*, *magmáticas* o *plutónicas*): son las que provienen de las fuerzas internas de la Tierra, como el basalto, la obsidiana, la piedra pómez. Estas rocas, vistas con una lupa, presentan pequeños cristales de formas diversas.

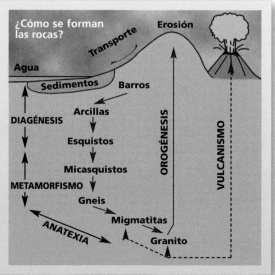

* **Exógenas o sedimentarias**: son las que se formaron con el correr del tiempo, por la acción de agentes físicos (como calor, frío, hielo, viento, lluvias) y bioquímicos (seres vivos) a partir de materiales preexistentes.

Por ello, presentan **estratos** (capas) y contienen **fósiles** (restos de antiguos seres vivos). Por ejemplo, arenas, areniscas, arcillas, lateritas, piritas, ankeritas.

* **Metamórficas**: son rocas eruptivas o sedimentarias que fueron afectadas por diversos factores (temperatura, presión, contacto con otras rocas, etc.), que transformaron su aspecto original.

Por ejemplo, el mármol, los esquistos, los gneis.

Además, los geólogos también clasifican las rocas según sus componentes, ya sean minerales o químicos.

Composición de la corteza terrestre

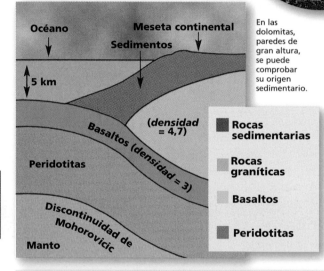

Océano

Meseta continental

Sedimentos

5 km

Basaltos (densidad = 3)

(densidad = 4,7)

Peridotitas

Discontinuidad de Mohorovicic

Manto

En las dolomitas, paredes de gran altura, se puede comprobar su origen sedimentario.

■ Rocas sedimentarias

■ Rocas graníticas

■ Basaltos

■ Peridotitas

EL CICLO DE LAS ROCAS

Se llama así al proceso que atraviesan las rocas eruptivas o ígneas, sedimentarias y metamórficas, para transformarse unas en otras.

Este ciclo se lleva a cabo por la acción de agentes externos (agua, viento, lluvias), que mediante la erosión desgastan las rocas preexistentes. Éstas dan origen a los sedimentos, que serán la base de las nuevas rocas sedimentarias.

Luego, las rocas sedimentarias se depositan en el interior de la corteza. Allí, son sometidas al calor y a elevadas presiones. Como consecuencia, se funden y después se cristalizan, dando lugar a las rocas ígneas o eruptivas. Finalmente, las ígneas y las sedimentarias, debido a la compresión sufrida por grandes presiones, se convierten en rocas metamórficas.

¿Cómo se forman las rocas?

Erosión

Transporte

Agua

Sedimentos

Barros

DIAGÉNESIS

Arcillas

Esquistos

Micasquistos

METAMORFISMO

Gneis

Migmatitas

ANATEXIA

Granito

OROGÉNESIS

VULCANISMO

Procesos geológicos internos

El planeta en que vivimos se encuentra sometido a un continuo proceso de transformación. Estos procesos, que tienen lugar en el interior de la Tierra, se denominan procesos geológicos internos y se deben, principalmente, al calor del núcleo del globo terrestre y a las grandes presiones que los materiales superiores ejercen sobre la corteza.

Un lento proceso

Aunque no nos demos cuenta, las masas continentales sufren continuos desplazamientos horizontales y verticales.

• Los **horizontales** presionan los materiales de sedimento y producen **plegamientos**, **ondulaciones** y **fallas**. Constituyen los **movimientos orogénicos** que forman las cordilleras. Así, en las regiones montañosas actuales, o en las zonas de antiguas montañas, se observa que los estratos de sedimentos han sido levantados, plegados o fracturados por las fuerzas orogénicas.

• Los **movimientos verticales** de la corteza se denominan **isostáticos** y provocan **elevaciones** y **hundimientos**. Son constantes, y algunos estudiosos del tema los comparan con una respiración lenta de la Tierra, que eleva y deprime rítmicamente la corteza.

En algunos lugares del planeta, se puede observar su acción, como en Grecia, donde se han encontrado vestigios de ciudades sumergidas en el mar Egeo.

LA CUNA DE LA MONTAÑA

Las **geosinclinales** son extensas depresiones situadas entre macizos estables, en las que se van depositando lentas y continuadas sedimentaciones. El peso de los materiales va hundiendo el fondo de la geosinclinal y lleva a los sedimentos a zonas profundas, donde se transforman por los gases magmáticos. De este modo se preparan los materiales para ser plegados. De la estructura, profundidad y forma de la geosinclinal, dependerá la futura cordillera.

MOVIMIENTOS OROGÉNICOS

Originan la formación de montañas y pueden ser:

De plegamiento   **De compresión**

FORMACIÓN DE FALLAS

Aparecen cuando la corteza terrestre se parte.

MOVIMIENTOS ISOSTÁTICOS

Son verticales y constantes; provocan elevaciones y hundimientos.

Los volcanes

—¿Cómo nacen?—

Como todas las montañas, los **volcanes** surgen por la **superposición de dos placas tectónicas**. Este encuentro crea una **presión** sobre esa zona, haciendo que el material inestable del manto se acumule.

A partir de los *movimientos internos*, el **magma** sube hasta la corteza.

Si las rocas son débiles, la lava se expande sobre la superficie, pero si están firmemente constituidas, **el volcán estalla** con mucha fuerza, produciendo una **erupción** volcánica acompañada por vapores que proceden de la presión gaseosa.

Una vez que se endurece el magma, éste forma las **rocas ígneas** que pueblan la corteza.

Algunos se encuentran en actividad permanente, como en *Hawai*. Otros tienen una frecuencia de erupción que los mantiene estables durante cientos de años.

—— Sus partes ——

En los volcanes, pueden apreciarse diferentes partes:

• **Cámara magmática:** es la capa más profunda y se comunica con la superficie a través de una **chimenea**.

• **Cráter:** es el orificio de salida del magma y se encuentra en la cima.

• **Cono volcánico:** bordea el cráter y está formado por el material que se junta en el contorno superior.

—— ¡Atención! ——

Las erupciones volcánicas no deberían ser un peligro. Sin embargo, los trastornos que provocan son enormes, en especial debido a la **inconciencia del**

LOS *"REGALOS"* DEL VOLCÁN

A pesar del temor que rodea a las explosiones volcánicas, este fenómeno es productivo para la vida del hombre. Los beneficios que produjo en la etapa primitiva son numerosos. Gracias a la actividad volcánica, se originó el proceso que cambió la atmósfera terreste, modificando su constitución, que ahora concentra **oxígeno**. Por otro lado, se formaron **sustancias minerales** procedentes del *magma*, que fueron fundamentales para el surgimiento de los organismos vivos.

En la actualidad, las cenizas volcánicas, procedentes del manto, son ricas en **minerales** que fertilizan la tierra. Esto hace que el hombre pueda aprovecharlas para la agricultura y la ganadería. Además, estas zonas siguen siendo fuente de **reservas minerales** y originan **aguas termales**, utilizadas como ayuda para la conservación de la salud.

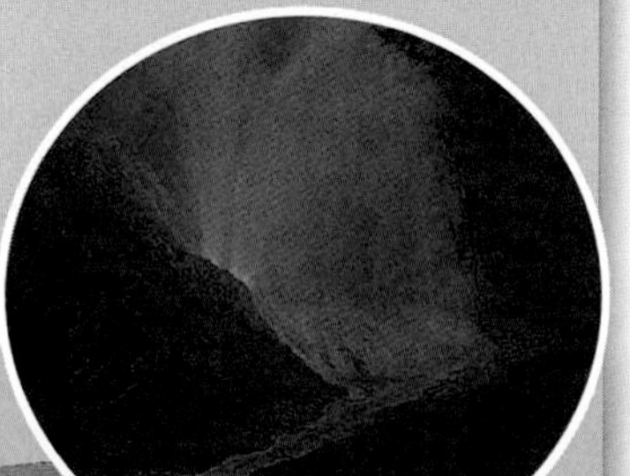

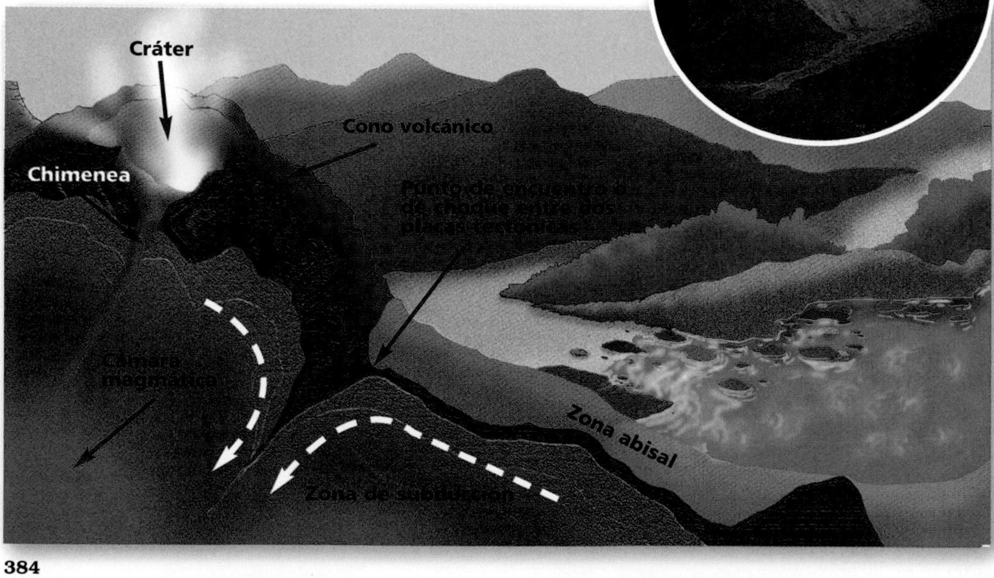

Cráter

Cono volcánico

Chimenea

Punto de encuentro o de choque entre dos placas tectónicas

Cámara magmática

Zona abisal

Zona de subducción

hombre: existen *zonas inme-diatas* a la base de un volcán que **deberían permanecer despobladas**, ya que su activi-dad genera una **transforma-ción extrema** de esa región.

Los científicos establecieron cuál es la extensión de la *zona de destrucción total*. Más allá, delimitaron una *parte interme-dia* que se vería afectada por grandes cambios y, finalmente, la última, que es la de bajo ries-go. Las poblaciones humanas desatienden esta advertencia, ubicándose en las proximida-des para obtener terrenos férti-les.

UNA EXPLOSIÓN HISTÓRICA

En el año 79 d. C., la poderosa erupción del **Vesubio** destruyó tres ciudades romanas enteras: *Pompeya, Herculano y Stabias*. Esta **explosión** fue acompaña-da por **emanaciones de gas** y fue tan sorpresiva que los habi-tantes no tuvieron tiempo de escapar. El *magma* y el *polvo*, que se fundieron al mezclarse con el *vapor de agua*, forma-ron un barro que sepultó a las tres ciudades enteras. A pesar de la catástrofe, las cualidades de esta *ceniza volcánica* hi-cieron que se conservaran las estructuras urbanas casi como eran antes, y en las excavacio-nes realizadas en 1748 reapa-recieron como en el pasado. Los científicos hallaron *fósiles* humanos y construcciones per-fectas que permitieron un co-nocimiento preciso de esa eta-pa de la historia de la humani-dad.

¿Cómo afrontar una erupción volcánica?

Como primera medida, las comunidades que viven en zo-nas de vulcanismo deben **aprovechar los *períodos de quietud*** para elaborar **medidas preventivas de con-tingencia y evacuación**. Asimismo, deben contar con **técnicos especializados** para la certera **predicción del fenómeno** y, en este aspecto, es muy importante que di-cho anuncio se haga público **con la suficiente anticipa-ción** para que la población cuente con el **tiempo nece-sario** a fin de poner en práctica las **medidas preventi-vas previstas**.

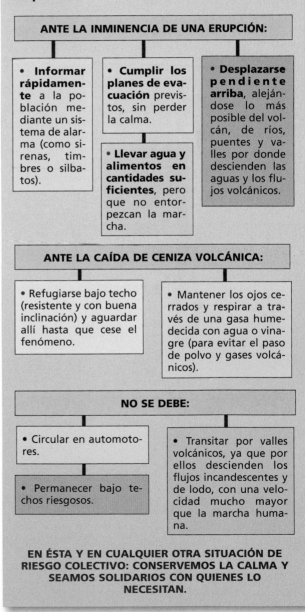

ANTE LA INMINENCIA DE UNA ERUPCIÓN:

- **Informar rápidamen-te** a la po-blación me-diante un sis-tema de alar-ma (como si-renas, tim-bres o silba-tos).

- **Cumplir los planes de eva-cuación** previs-tos, sin perder la calma.

- **Llevar agua y alimentos en cantidades su-ficientes**, pero que no entor-pezcan la mar-cha.

- **Desplazarse pendiente arriba**, alejándose lo más posible del vol-cán, de ríos, puentes y va-lles por donde descienden las aguas y los flu-jos volcánicos.

ANTE LA CAÍDA DE CENIZA VOLCÁNICA:

- Refugiarse bajo techo (resistente y con buena inclinación) y aguardar allí hasta que cese el fenómeno.

- Mantener los ojos ce-rrados y respirar a tra-vés de una gasa hume-decida con agua o vina-gre (para evitar el paso de polvo y gases volcá-nicos).

NO SE DEBE:

- Circular en automoto-res.

- Permanecer bajo te-chos riesgosos.

- Transitar por valles volcánicos, ya que por ellos descienden los flujos incandescentes y de lodo, con una velo-cidad mucho mayor que la marcha huma-na.

EN ÉSTA Y EN CUALQUIER OTRA SITUACIÓN DE RIESGO COLECTIVO: CONSERVEMOS LA CALMA Y SEAMOS SOLIDARIOS CON QUIENES LO NECESITAN.

Los terremotos

Proceso sísmico

Los **terremotos** o **sismos** se producen por la **presión** que ejercen las **placas** de la **litosfera**. Cuando **una choca contra otra**, ejerce una **fuerza** sobre el borde, que hace que una penetre en la otra. Este movimiento va acompañado por un **fuerte estruendo**. Lentamente, **el suelo se abre** originando **grietas** y el temblor de la tierra.

La fuerza que los origina procede del interior del **manto** y se produce a unos 100 km de profundidad. El punto de origen subterráneo se llama **hipocentro** y el punto que se le superpone verticalmente en la superficie recibe el nombre de **epicentro**. A partir de allí, las **ondas sísmicas** se expanden en forma de vibraciones y atraviesan las rocas. Todo este proceso dura apenas unos minutos.

Terremoto marino

Cuando el origen subterráneo de las vibraciones se encuentra bajo la plataforma marítima, el fenómeno se llama **maremoto** o *tsunami*. En este caso, las ondas sísmicas originan olas gigantescas que desplazan gran cantidad de agua. Éstas invaden

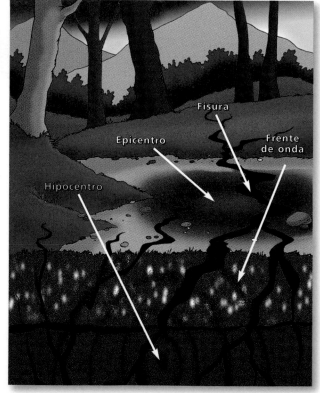

Hipocentro

Epicentro

Fisura

Frente de onda

INTENSIDAD SÍSMICA

Es la fuerza o violencia del movimiento de la Tierra en una región, en función de los efectos que provoca el sismo en las personas y en las cosas. Se mide en la *"Escala Mercali Modificada"*, de 12 grados.

MAGNITUD SÍSMICA

Es una medida que está relacionada con la energía total liberada por un sismo. Se mide en la *"Escala Richter"*, la cual no tiene un límite superior, pero no suele pasar el grado 9.

las poblaciones de la costa y provocan graves accidentes.

¿Qué hacer antes de un sismo?

1. Conocer y ubicar las llaves generales de gas, electricidad y agua corriente.
2. Poner en lugares visibles los números telefónicos de bomberos, hospitales y centros de salud, para pedir ayuda si es necesario.
3. Los enfermos con tratamientos especiales deben tener medicinas en dosis suficientes para varios días.
4. Poseer reservas de garrafas, combustibles, velas, lámparas, linternas, fósforos, radio portátil y pilas de repuesto envueltas en plástico, en la heladera.
5. Tener conocimiento de algún radioaficionado.

¿Qué hacer durante el siniestro?

1. **Mantener la calma**.
2. Si estamos en el interior de un edificio, cubrirnos bajo un escritorio, mesa, banco o

vigas, **lejos de las superficies vidriadas**.

3. Si estamos en el exterior de un edificio, apartarnos de él y de los cables elevados, hasta que terminen los sacudimientos. **No correr entre paredes.**

4. Si nos sorprende circulando en automóvil, detenernos y permanecer allí hasta que termine el temblor.

5. Si nuestra casa no sufrió daños, permanecer en ella y cortar las entradas de energía eléctrica y de gas.

— ¿Qué hacer después — del sismo?

1. Mantenernos informados a través de la radio, para acatar las órdenes de la autoridad competente.

2. No prestar atención a rumores no oficiales.

3. Si olemos gas, requiramos ayuda al técnico y no ingresemos al lugar hasta que se haya solucionado el desperfecto.

4. No utilicemos el teléfono, salvo en caso de emergencia.

5. Permanezcamos fuera de los edificios dañados.

6. Si tenemos accidentados, tratemos de protegerlos del sol, la lluvia y el viento. Aflojemos sus ropas, abriguémoslos y coloquémoslos en posición cómoda.

7. Si ni nosotros ni nuestro grupo familiar sufrimos lesiones, **colaboremos con los que necesitan ayuda. Seamos solidarios.**

En el mundo ocurren unos 100.000 sismos al año, de los cuales sólo 6.000 son detectados por aparatos científicos. La mayoría son débiles, pero unos 1.000 causan considerables daños.

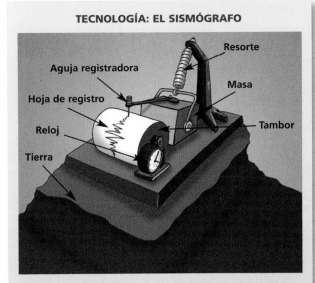

TECNOLOGÍA: EL SISMÓGRAFO

Resorte

Aguja registradora

Masa

Hoja de registro

Reloj

Tambor

Tierra

Es un instrumento que permite registrar datos sobre los movimientos sísmicos. Está constituido por una base de metal, que se apoya en la tierra, unida a otra armazón que cuelga de ella. La base sostiene un cilindro metálico que gira como una armazón de reloj. En este tambor se sujeta una tira de papel sobre la que flota un péndulo, adosado a la segunda armazón. Este péndulo se encuentra fijo por un resorte, y en su extremo lleva, atada, una aguja. Cuando la tierra tiembla, las dos piezas metálicas se mueven, el péndulo permanece fijo gracias al resorte, y la aguja marca una serie de líneas inestables mediante las que se miden la intensidad y la duración del terremoto.

¿CÓMO SURGIERON LOS CONTINENTES?

La actual conformación continental es fruto de un largo proceso de transformación geológica, producto de la dinámica de placas.

Aquí vemos la Pangea, integrada por las masas de Gondwana y Laurasia, que luego se separaron durante la era mesozoica.

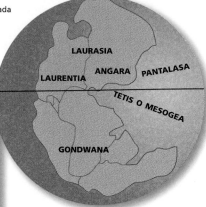

LAURASIA
LAURENTIA ANGARA PANTALASA
TETIS O MESOGEA
GONDWANA

Un lento proceso

El interior de la Tierra se halla sometido a **elevadas temperaturas** y, a partir de su constitución inestable, genera **corrientes de calor**.

Éstas hacen que los materiales líquidos del centro se desplacen desde el exterior del núcleo hasta la parte superior del manto. A pesar de que no llegan a alcanzarla, estos movimientos tienen consecuencias en la corteza terrestre. Por ello, el aspecto de la superficie terrestre no fue siempre igual, sino que fue cambiando y sigue modificándose constantemente.

Los estudios geológicos demostraron que la cara externa de la Tierra se encuentra formada por **siete fragmentos curvados**, que se encastran perfectamente. Estos trozos se denominan **placas litosféricas** o **tectónicas** y, según sus movimientos, originaron los cambios en la corteza

¿CÓMO SE FORMÓ LA CORDILLERA DE LOS ANDES?

Hace 150 millones de años, la *placa sudamericana* estaba cubierta por el mar, y *la Cordillera de los Andes* no existía. Este gran sistema montañoso, el más importante de *Sudamérica* —así como las grandes cordilleras continentales—, se formó a través de un lento **proceso de millones de años**, a **partir de inmensas deformaciones y fracturas** de la corteza terrestre o litosfera, provocadas por el **desplazamiento de las *placas litosféricas***.

A este proceso se suman una intensa **actividad volcánica** —causada por el fuerte roce entre las placas, que derrite las rocas y construye nuevas formas de relieve— y **la acción permanente de los agentes externos** (los factores climáticos, el agua y los seres vivos que modelan y transforman el relieve).

terrestre, que dieron lugar a la formación de los continentes. Todo esto se llegó a comprender a través de la aceptación de teorías como la de la **Deriva Continental** y la del **Movimiento de las Placas Tectónicas**.

Deriva continental

Hace unos 300 millones de años, hubo una sola placa tectónica, cercana al polo Norte. Ésta dio origen a una **masa continental única,** llamada *Pangea,* que estaba rodeada de un mar de agua denominado *Panthalassa.*

A partir de los desplazamientos producidos por *corrientes de convección* en el manto líquido, este supercontinente **se fragmentó**, **dividiéndose** en dos partes: **Laurasia** (que comprendía *Europa* junto con *Asia* y *el Norte de América*) y **Gondwana** (formada por *América del Sur, África, India, Australia* y la *Antártida*).

Estos bloques continuaron sometidos a procesos similares. Posteriormente, las dos placas **volvieron a dividirse,** hasta nuestros días. Hoy, podemos hallar **siete placas tectónicas** que poseen **una parte continental** y **otra oceánica,** que se desplazan

Son movimientos que se manifiestan en un fluido debido a la presencia de un foco de calor. Precisamente, en ciertas zonas del manto de la Tierra, la energía calórica (que viene del centro) hace que el magma se caliente y tienda a subir a la superficie, desplazándose horizontalmente bajo la litosfera. Al hacerlo, el magma se enfría y nuevamente desciende hacia el interior de la Tierra. Este ascenso y descenso del magma provoca **movimientos entre las placas tectónicas** (o litosféricas) que causan **deformaciones y fracturas** de la corteza terrestre.

en diferentes direcciones. La **Teoría de la Deriva Continental**, formulada por el geólogo alemán Alfred Wegener, fue sustentada por sólidos argumentos y estudios. Entre ellos se destacan:
• La singular coincidencia entre la costa africana y la de Brasil indicó que estas zonas estuvieron unidas anteriormente.
• El estudio geológico de las cordilleras y rocas de los continentes dio cuenta de la existencia de materiales idénticos.
• Las mediciones geodésicas de la posición de las estrellas con respecto a algu-

nas ciudades demostraron el desplazamiento de las ciudades.
• El análisis geofísico de la influencia de la gravedad (que establece que la litosfera se halla flotando sobre una capa semilíquida) permitió explicar el desplazamiento de los continentes.
• El estudio de fósiles y de especies vegetales y animales indicó que, en el pasado, la flora y la fauna de los continentes habían sido iguales.

— Las placas se mueven —

La teoría de la Tectónica de Placas sostiene que la litosfera o corteza terrestre no siempre fue igual, sino que fue cambiando y sigue modificándose constantemente.
Las *placas tectónicas* que conforman la corteza terrestre están asentadas sobre la zona del manto llamada *astenosfera*.

Ésta tiene una **alta temperatura** por la cual permanece en **constante estado de fluidez**. Por lo tanto, **los bloques tectónicos flotan** sobre esta capa, que se desplaza debido a las **corrientes de convección**, producto de la **energía calórica** del interior. El desplazamiento de esta zona del manto hace que los continentes (zonas de la corteza) se muevan unos centímetros por año.

—— Los puentes —— de comunicación

Entre América del Norte y América del Sur, emergió, hace 3 millones de años, **América Central**. Otro pasillo similar a éste fue el **estrecho de Bering**, entre el norte de América del Norte y Asia. Estos puentes de comunicación hicieron posible el traspaso de especies animales y de grupos humanos de un continente a otro.

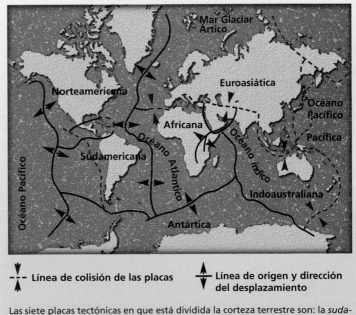

PLACAS TECTÓNICAS

Mar Glaciar Ártico

Euroasiática

Norteamericana

Océano Pacífico

Pacífica

Africana

Océano Atlántico

Océano Índico

Sudamericana

Océano Pacífico

Indoaustraliana

Antártica

- - ▼ Línea de colisión de las placas
▲

▲ Línea de origen y dirección
▼ del desplazamiento

Las siete placas tectónicas en que está dividida la corteza terrestre son: la *sudamericana*, la *norteamericana*, la *africana*, la *euroasiática*, la *indoaustraliana*, la *pacífica* y la *antártica*.

LAS ERAS GEOLÓGICAS

Atesoran la historia de la Tierra: el largo proceso de la evolución geológica y del desarrollo de las distintas formas de vida en el planeta

Era arqueozoica

Comprende desde que se originó la *corteza terrestre* hasta que se inició la *era primaria*, es decir, unos **4 mil millones de años**. Durante esta era se conformaron los **cuatro subsistemas terrestres**: la **geosfera**, la **hidrosfera**, la **atmósfera** y la **biosfera**. Las rocas y los sedimentos de esta época fueron sometidos a los primitivos *movimientos orogéni-*

La edad de la Tierra se calcula en ERAS GEOLÓGICAS, a partir del momento en que se formó la corteza terrestre y hasta el origen del hombre. Cada era tiene diferentes características generales y comprende determinados períodos geológicos con distintas particularidades.

cos y a la *erosión*. Por esta razón, los restos de estos minerales constituyen los cimientos de las formaciones posteriores. Se divide en **dos períodos**: el *arcaico* y el *precámbrico*.

• Durante el **período arcaico**, el clima era frío y húmedo, con presencia de rocas glaciares. La atmósfera estaba formada por gran cantidad de gases, pero le **faltaba oxígeno**.

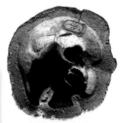

Restos fosilizados de hippurites, bivalvos del cretácico superior.

A pesar de ello, pudieron aparecer las primeras **formas de vida**: organismos compuestos por una sola célula, denominados *autótrofos*, de respiración *anaeróbica*.

• Durante el **período precámbrico**, se produjo el *movimiento orogénico* más antiguo, llamado *plegamiento* hurónico. Éste dio origen a varios *escudos*: el **canadiense**, el **báltico**, y el **siberiano**, que se corresponden con las zonas geográficas que nombran. Además, los gases que componían la atmósfera se fueron modificando. **Los primeros seres vivos habitaban en el medio acuático.** Ellos estaban obligados a vivir en el agua para protegerse de las *radiaciones ultravioletas*. Debido a la falta de oxígeno, la **capa de ozono**, que es la que actualmente actúa de filtro, **no existía**. Durante millones de años, estos seres, a través de la **fotosíntesis**, eliminaron **oxígeno**, el cual primero se concentró en el **agua** y luego en la **atmósfera**. Esto dio origen a las **primeras formas de vida con respiración** *aerobia*, y posteriormente a **grupos más complejos**, como los *moluscos*.

Era primaria

Se desarrolla aproximadamente desde los 600 millones de años hasta los 230 millones. Durante esta era, la masa continental estaba dividida en **tres secciones**: el bloque **Noratlántico**, que incluía *Europa* y *Norteamérica*; el **Chino-siberiano** que, como el anterior, se ubicaba en el hemisferio norte; y una sola masa, **Gondwana**, al sur. Estos bloques continentales estaban separados, de Norte a Sur, por el *mar de Tethys*. A su vez, los dos continentes del Norte estaban divididos por el *mar de los*

ERA GEOLÓGICA	PERÍODO GEOLÓGICO
ARQUEOZOICA	Arcaico
	Precámbrico
PRIMARIA O PALEOZOICA	Cámbrico
	Ordovícico
	Silúrico
	Devónico
	Carbonífero
	Pérmico
SECUNDARIA O MESOZOICA	Triásico
	Jurásico
	Cretácico
TERCIARIA O CENOZOICA	Terciario
	Cuaternario

Urales. Éstas eran las únicas conformaciones marinas, ya que el océano **Atlántico** no existía.

——— Era secundaria ———

Comenzó hace unos 230 millones de años y abarca aproximadamente 160 millones de años. Durante esta era, se separa el *continente de Gondwana*, dando origen al océano **Atlántico**. En el hemisferio Norte, se fragmentan partes del *bloque noratlántico* dando lugar a algunas islas y a la separación de *Alaska* de *Europa*, y de algunas zonas del Ártico. En el Sur, se divide *Australia* de *África*. No se producen plegamientos, pero se manifiesta una **intensa actividad de sedimentación** en el *mar de Tethys*. Esta era se divide en **tres períodos**.

• **Triásico:** aparecen los primeros **mamíferos** y, en cuanto a la composición del suelo, se evidencian rastros marinos, por la presencia de **sal**, **yeso** y **rocas calcáreas**. Siguen dominando las *gimnospermas*.

• **Jurásico:** adquieren gran desarrollo los reptiles, quienes evolucionan hasta dar origen a los **di-**nosaurios. Éstos tuvieron una gran capacidad de adaptación, ya que se desarrollaron en todos los

La era secundaria o mesozoica fue la del apogeo y la extinción de los **dinosaurios**. Éstos presentaban diferentes características: eran bípedos o cuadrúpedos, nadaban o volaban. Eran herbívoros o carnívoros.

LOS PERÍODOS DE LA ERA PRIMARIA

Cámbrico
La fauna era exclusivamente acuática. Se encontraban *esponjas, erizos de mar, caracoles* y *corales*. Durante este período aparecen los **braquiópodos**, primitivos animales que se alimentaban del *plancton*. La vida vegetal era muy reducida; se limitaba a distintos tipos de **algas** unicelulares que formaban el *fitoplancton*. Más adelante, se desarrollaron las *algas pluricelulares*.

Ordovícico
En este período, se produjeron los primeros levantamientos del *plegamiento* **caledónico** y hubo una **actividad volcánica submarina** importante. Aparecen algunos **animales con esqueleto calcáreo** y los **primeros peces** sin aletas pero con muchas escamas. Habitaban en las profundidades y se alimentaban de restos de otros animales. Con respecto a la vegetación, se desarrollaron otras especies de **algas**, y las **primeras plantas terrestres** empezaron a crecer en las orillas.

Silúrico
Se desarrolla la fase más importante del *movimiento* **caledónico**. Aparecen los primeros animales **vertebrados**, bajo la forma de los **peces acorazados**. Los **arrecifes de coral** se reproducen y surgen los **helechos**. Posteriormente, se desarrollan los **primeros animales que pueden respirar el oxígeno del aire**, bajo la forma de los **arácnidos**.

Devónico
Terminan los efectos del *movimiento* **caledónico**, que produjo una gran cantidad de magma. Se manifestaron **poderosas glaciaciones** en el hemisferio austral. Siguen desarrollándose los **peces**, que ya poseen aletas y mandíbulas. Aparecen los primeros **anfibios**, con cola larga y cuello corto, que salieron del medio de vida acuático. Se crearon **grandes bosques de helechos y licopodios**, que eran plantas de lugares húmedos que no tenían flor.

Carbonífero
Durante este período, se formaron muchos **bancos de hulla**, originados por restos de plantas vasculares. Aparecen los primeros **reptiles** y los **insectos** alados. En el reino vegetal, fomentado por el clima subtropical, se originaron las primeras **coníferas**, parecidas a los helechos gigantes, que se organizaron en **bosques**. Durante esta etapa, se produce el *movimiento orogénico* llamado **hercínico**.

Pérmico
El *movimiento hercínico* continúa, con **gran actividad volcánica**. Hubo variados **cambios climáticos** que se manifestaron en la elevación de los continentes, frente al hundimiento de los mares interiores que se secaron. **El clima se tornó desértico** y muchas especies, tanto animales como vegetales, desaparecieron. Al mismo tiempo, los glaciares del hemisferio Sur se fortificaron. Los animales que mejor se adaptaron fueron los **reptiles**, que continuaron desarrollándose; dentro de los vegetales, predominaron las *gimnospermas*.

Pez fosilizado de la era secundaria.

medios: acuático, terrestre y aéreo. En el reino vegetal, surgen importantes **bosques de coníferas**.

• **Cretácico:** se reconoce en el suelo la presencia de *creta* (piedra caliza blanca originada por caparazones de animales). Entre los vegetales, aparecen las **angiospermas**, primero las *dicotiledóneas* y luego las *monocotiledóneas*. Los reptiles voladores evolucionan, hasta dar origen a las primeras **aves**. Se observan **movimientos de las aguas marinas**, en forma de regresiones y transgresiones.

Cráneo del hombre de Cro-Magnon, que vivió en el paleolítico superior y en el neolítico inferior.

392

Era terciaria

Se inició hace 70 millones de años con la **desaparición de los dinosaurios**. En lugar de éstos, se desarrollaron más los **mamíferos**. Durante esta era, tuvo lugar una **gran actividad volcánica**, producida por el **plegamiento alpino** que originó las **cadenas montañosas más nuevas**: en *Europa*, **los Pirineos** y **los Alpes**; en *Asia*, la **cordillera del Himalaya**; y en *América*, **los Andes**. Hubo importantes **cambios climáticos** que cubrieron la corteza terrestre con capas heladas durante mucho tiempo. Nuestro planeta se vio convulsionado por **erupciones volcánicas**, y los continentes se configuraron en forma similar a la actual.
Se divide en **dos períodos**.

• **Terciario:** se caracteriza por el desarrollo de los **mamíferos**, que evolucionan desde los *herbívoros* hasta los *carnívoros*. Estos últimos dieron origen a dos grupos: los **gatos**, que derivaron en los felinos, y los **perros**, de donde provienen los canes actuales, las comadrejas y los osos. Otros dos grupos estaban formados por mamíferos con **número par de dedos**, que dieron lugar a hipopótamos, jirafas, ovejas, ciervos, cerdos y vacas; y los que poseían un **número impar de dedos**, que originaron a los caballos, rinocerontes y tapires. También fueron abundantes los **marsupiales**, los que posteriormente fueron reem-

plazados por los **placentarios**, más eficientes en la conquista del medio terrestre. Además, se formaron grandes **praderas**, como consecuencia de la reducción, en tamaño y cantidad, de los bosques.
• **Cuaternario:** se extiende desde los 2 millones de años **hasta la actualidad**. Se divide en **dos etapas**, de las cuales los acontecimientos más importantes son: los **glaciares** y la aparición del **hombre**.
- **El tiempo de los hielos:** durante determinados períodos de tiempo, los **glaciares** se extendieron cubriendo la superficie terrestre. Hubo cuatro invasiones que descendieron desde los polos y las altas montañas, interrumpidas por períodos donde el clima se volvía más seco y los hielos se retiraban.
Los seres vivos tuvieron que adaptarse a las variaciones climáticas. Predominaron el **rinoceronte lanudo**, el **reno**, la **liebre alpina** y el **mamut**, en las épocas glaciares; los **hipopótamos**, **jirafas** y **elefantes**, en los **períodos más secos**.
Se desarrollaron las **plantas más resistentes al frío**, abedules y sauces polares.
- **El origen del hombre:** después de los grandes fríos, aparece el **primer antecedente del hombre**, el **Australopithecus**, que era un *homínido* de tamaño pequeño. Se cree que procede de la zona sudeste de África. A partir de aquí, los científicos le atribuyen diferentes nombres, según las características de los fósiles que encuentran. Así se suceden distintos ejemplares que evolucionan hasta desarrollar el tamaño de su encéfalo. Podemos nombrar al *Homo erectus* y al *Homo sapiens*. Este último dio origen a dos ramas distintas, el **hombre de Neanderthal** y el **hombre de Cro-Magnon**; juntos, son el origen de todas las razas humanas que pueblan la Tierra.

El ciclo geológico

El relieve

Los elementos de la superficie terrestre son el resultado de distintos procesos —internos y externos— que duran millones de años. Éstos definen las formas naturales que sirven para diferenciar los paisajes. Por ejemplo, una *llanura*, un *valle*, un *paisaje montañoso*. Todos tienen diferentes **características** y **formas** que definen el **tipo de relieve**.

Si las transformaciones que construyen el relieve son producidas por el **desplazamiento de *placas tectónicas***, el **relieve** es **estructural**. Por el contrario, si las formas provienen de la **acción de *agentes geológicos externos***, estamos ante la presencia de un relieve **de erosión**.

Dos factores complementarios

Las dos fuerzas que actúan en la formación del relieve se complementan mutuamente. Mientras los lentos **procesos internos** que se inician en la capa del manto —constituida por materiales fundidos— elaboran el *magma* que saldrá a la superficie, se enfriará y dará forma a una nueva corteza, los **agentes externos** realizan los **procesos erosivos**. Por lo tanto, **las fuerzas internas construyen**, mientras que **las externas desgastan** el relieve. Este **doble proceso**, denominado **ciclo**

CICLO GEOLÓGICO

Es el **proceso de construcción y destrucción del relieve terrestre**, que se desarrolla en forma permanente a lo largo de millones de años.

geológico, se repite permanentemente a lo largo de millones de años y permite mantener el sabio **equilibrio de la naturaleza**.

A partir de las rocas...

Los **movimientos internos** del *manto* producen, en primer lugar, las **rocas**. Éstas son formaciones de *origen sedimentario* o *volcánico* que, al enfriarse, conforman la corteza terrestre.

LA ACCIÓN DE LOS SERES VIVOS TAMBIÉN INFLUYE EN EL RELIEVE

Muchas veces, la acción de los seres vivos contribuye a desgastar la corteza. Este tipo de **meteorización** se denomina **orgánica**. Esta forma combina la meteorización química y la mecánica, porque puede alterar la composición de las rocas o fragmentarlas sin que se produzca ningún cambio en la combinación de sus minerales. Por ejemplo, las gruesas raíces de algunos árboles penetran en la profundidad del suelo, desmenuzan las rocas y producen pequeños derrumbamientos. Además, fomentan la presencia de gusanos, bacterias u otros organismos que segregan sustancias ácidas, las cuales se combinan con las partículas minerales de las rocas, alterando su composición.

Las tempestades secas, ocasionadas por los fuertes vientos, erosionan las rocas dándoles curiosas formas.

Una vez que las rocas llegan a la superficie, comienza el **proceso de erosión externa**, que en su primera fase se denomina **meteorización**. Ésta es llevada a cabo por la acción de los **rayos solares** y de otros **factores atmosféricos**, como *lluvias*, *vientos* y *precipitaciones*. Estos agentes **atacan** las **rocas** y producen su **ruptura** y luego su **descomposición**. En esta etapa, la forma aguda de las montañas se suaviza, se originan las *mesetas* y surgen numerosas *grutas* que modifican el paisaje. Después de la *meteorización*, se inicia la fase de ***transporte***, en la que el **agua** del río y los **vientos** arrastran los materiales

desgastados de las rocas y continúan alisando el relieve. La última etapa del proceso de erosión se llama *sedimentación*. En ésta, el material transportado se deposita en las zonas más bajas: en la base de las montañas, en los hundimientos del terreno o en las depresiones de la plataforma submarina. Estas zonas donde se acumula el material se llaman *cuencas sedimentarias* y son las que dan origen a las *llanuras* y *planicies*.

Acción del viento

Otro *agente externo de erosión* es el **viento**, que ataca generalmente en las zonas desérticas, porque no encuentra obstáculos que contengan su fuerza. Éste se manifiesta de **dos formas**.

• Por un lado, arrastra las partículas sueltas que encuentra en su camino, y origina cuencas poco profundas. Este fenómeno se conoce con el nombre de **deflacción**. Algunas veces deposita, en

un determinado lugar, los elementos que arrastra, y forma el famoso *pavimento desértico*, que se observa en las zonas deshabitadas.

• Otras veces actúa a través de la **corrosión**, es decir, desgastando las rocas con ayuda de la arena que lleva consigo. Por esta razón, algunas rocas muestran formas extrañas, ya que las muy duras son pulidas y lustradas, mientras que las blandas son perforadas por la arena.

La acción del viento origina también la **sedimentación de materiales**, que modelan el paisaje con diversas formas. Así se producen, por ejemplo, los *rizamientos,* que son ondulaciones de arena, *dunas*, o grandes acumulaciones de arena que se originan cuando algún obstáculo actúa de barrera ante la cual el viento deposita las partículas que transporta, y los *loess,* que son suelos húmedos donde se asientan las partículas glaciares que lleva el viento.

Acción del agua

Los ríos arrancan material rocoso de la corteza y lo llevan con su caudal de agua. Esta mezcla, a su vez, altera la forma de su cauce y de las orillas del río. Las aguas transportan algunas piedras gruesas o *guijarros,* que al desgastarse se suavizan, transformándose en *canto rodado*.

Según la fuerza del caudal y las características del terreno que surca, el río transformará el paisaje. Cuando atraviesa una zona montañosa, debe abrirse camino y, al descender por la pendiente, arrastra todo a su paso. En los terrenos pedregosos, origina las famosas *gargantas*, que son pasos estrechos entre dos elevaciones. Éstas, a veces, pueden formar verdaderos *cañones*: cuando son cerradas, poco elevadas y terminan

en forma de valle. El **agua de lluvia** erosiona fácilmente las rocas calizas, agrietando la superficie de la corteza.

Este terreno se denomina *lapiaz*. En algunas ocasiones, el agua penetra en las rocas a través de estas grietas y origina profundos pozos llamados **simas**. Éstos quedan sumergidos formando *galerías subterráneas* que, a veces, adquieren gran longitud.

Otras veces, las paredes y el techo de los *simas* se derrumban y forman una especie de cubeta denominada *dolina*. Todas estas formas describen un **relieve transformado** por la acción del agua.

ACCIÓN DEL HIELO

El hielo tiene una **poderosa fuerza erosiva**, ya que arranca rocas de la corteza terrestre y las deposita en otros lugares. Los trozos de rocas se acumulan en determinadas *zonas de la lengua de hielo solidificada*, llamadas **morrenas**. Según su ubicación, se distinguen:

• **Morrenas de fondo**, que mantienen los materiales arrastrados en la parte inferior, y construyen **montes redondeados** con **rocas alargadas** (*rocas aborregadas*). Éstas producen, además, la **harina glaciar**, que es un polvo muy fino originado por el desgaste de las superficies rocosas.

• **Morrenas laterales**, cuando los sedimentos se acumulan a ambos lados de la lengua de hielo. Cuando ésta se derrite, quedan formadas las **colinas pequeñas**.

• **Morrenas frontales**: se forman en el lugar donde funde el glaciar, dando origen a **rocas puntiagudas** que, generalmente, son el punto de nacimiento de algún torrente.

• **Morrenas centrales**: se originan por la unión de dos lenguas de hielo que se funden. Cuando el glaciar se derrite, también forman colinas.

LA ATMÓSFERA

¿Cómo se formó?

Cuatro mil millones de años atrás, se produjo la formación de la atmósfera. En un principio, una mezcla de gases, a excepción del oxígeno, eran los componentes básicos de nuestra capa protectora. Por lo tanto, en esas condiciones, los únicos organismos capaces de desarrollarse fueron los **autótrofos**, **de respiración anaerobia**, como las bacterias y los hongos.

Estas formas de vida habitaban en el agua; ésta les servía de filtro para no ser afectadas por la radiación ultravioleta del Sol, ya que todavía no se había formado la **capa de ozono**, que es la que cumple esa función.

Aparece el oxígeno

Al realizar procesos de fotosíntesis, estos pequeños organismos eliminaban **oxígeno** y, así, después de millones y millones de años, se fue concentrando este gas en el agua. Parte escapaba hacia la atmósfera y, de este modo, se formó la capa de ozono. Al fin estaban dadas las condiciones para que los primeros organismos de respiración **aerobia** (respiración en presencia de oxígeno) y, más adelante, los seres vivos abandonaran el medio acuático y habitaran en tierra firme.

Podemos decir que el **oxígeno** se convirtió en un **factor esencial** para la evolución biológica.

Composición

La atmósfera está formada, en su mayor parte, por **nitrógeno** (78 %) y **oxígeno** (21 %). Contiene también pequeñas cantidades de gases inertes (princi-

La atmósfera se formó cuatro mil millones de años atrás; era apenas una mezcla de gases que permitió, bajo esas condiciones, sólo el desarrollo de organismos autótrofos.

Este manto gasesoso que rodea a nuestro planeta hace posible la vida en la Tierra, ya que nos brinda el oxígeno para respirar y nos protege de los rayos nocivos del Sol.

palmente argón), dióxido de carbono, vapor de agua e hidrógeno, y otros no tan conocidos, como el ozono, el kriptón, el neón y el helio.

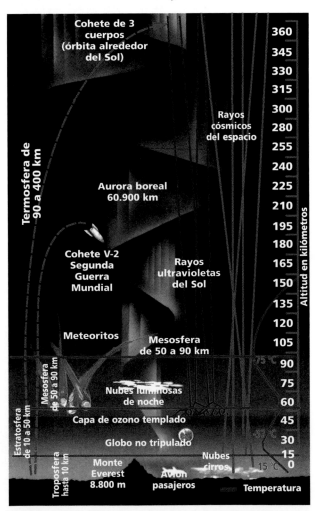

Cohete de 3 cuerpos (órbita alrededor del Sol)

Rayos cósmicos del espacio

Termosfera de 90 a 400 km

Aurora boreal 60.900 km

Cohete V-2 Segunda Guerra Mundial

Rayos ultravioletas del Sol

Meteoritos

Mesosfera de 50 a 90 km

Mesosfera de 50 a 90 km

Nubes luminosas de noche

Estratosfera de 10 a 50 km

Capa de ozono templado

Globo no tripulado

Troposfera hasta 10 km

Monte Everest 8.800 m

Nubes cirros

Avión pasajeros

Temperatura

360
345
330
315
300
280
255
240
225
210
195
180
165
150
135
120
105
90
75
60
45
30
15
0

Altitud en kilómetros

── Sus capas ──

Similar a un sándwich con distintas capas; así es la atmósfera.

Ésta se presenta en **capas** o **estratos**, que se llaman **troposfera**, **estratosfera**, **mesosfera**, **termosfera**, **metasfera** y **protosfera**.

Los gases atmosféricos cumplen un papel fundamental en los procesos biológicos.
La vida no hubiera podido surgir sobre la Tierra de no haberse dado la combinación ideal que existe entre ellos.

LA "LLUVIA ÁCIDA"

Constituye una de las amenazas ecológicas más graves para el planeta, provocada por el hombre. Es causada por la combustión del carbón mineral, y del petróleo y sus derivados, que producen *polucionantes* (contaminantes) que, en contacto con el vapor de agua de la atmósfera y a través de reacciones químicas, pueden generar peligrosas sustancias ácidas, dando origen así a la llamada **lluvia ácida**.

CAPAS DE LA ATMÓSFERA

TROPOSFERA

Determina el tiempo atmosférico. Aquí en esta zona tienen lugar todos los **cambios climáticos**; además, se alojan casi todos los tipos de **nubes**. La troposfera se hace cada vez más fría con la altura, y en su límite superior, aproximadamente a 10 km, la temperatura es de -60 °C. Esta capa contiene partículas de polvo y cristales de sal marina, elementos indispensables para la formación de las nubes.

ESTRATOSFERA

Es la capa que sigue hacia arriba. En ella encontramos un gas muy importante, el ozono, que actúa como filtro para impedir que los rayos ultravioletas, emanados del Sol, lleguen en gran cantidad a nosotros.

MESOSFERA

Se extiende hasta una altura aproximada de 90 km; es la última capa cuya composición es similar a la del aire que respiramos en la Tierra.

TERMOSFERA

Es donde comienza la región más externa de la atmósfera. La composición química de esta capa es muy distinta de las anteriores, pues en ella **los gases están ionizados** (es decir, están cargados de electricidad como consecuencia de la radiación solar y cósmica). Por esta razón, esta capa recibe también el nombre de **ionosfera**. Tiene la propiedad de **reflejar determinadas ondas de radio** y, por ello, las emisiones transmitidas desde cualquier punto de la Tierra pueden ser recogidas en los lugares más distantes.

METASFERA

Es la anteúltima capa de la atmósfera. En ella existen sólo átomos muy livianos, en su mayoría de hidrógeno. Esta capa está totalmente ionizada.

PROTOSFERA

Es la última capa de la atmósfera. En ella, diversas moléculas son destruidas por las radiaciones solares.

— Funciones —

La atmósfera cumple varias funciones, entre ellas: protegernos de las radiaciones solares durante el día; durante la noche se encarga de mantener el calor en el planeta y, a su vez, transmite el oxígeno del mundo vegetal al animal, y el dióxido de carbono en sentido inverso. Impide, además, que los meteoritos lleguen a la Tierra, pues éstos se desintegran en uno de los estratos, dando origen a las estrellas fugaces.

Si la atmósfera no existiera, la superficie terrestre sería un desierto pedregoso y sin vida.

EL TEMIBLE "AGUJERO DE OZONO"

En la atmósfera hay una capa de ozono (oxígeno triatómico) que rodea a la Tierra y protege a los seres vivos de los rayos ultravioleta del Sol. La reducción de esta capa provoca grandes daños en la piel humana, la agricultura y los ecosistemas. Se considera que los principales agentes de esa reducción son los compuestos de cloro, flúor y bromo, en especial los **clorofluorocarbonos** (CFC), que se emplean en aerosoles y acondicionadores de aire. A esa reducción de la capa de ozono se la conoce como *"agujero"*, una verdadera amenaza para el planeta.

En esta imagen de un análisis termográfico de la capa de ozono en el polo Sur, puede observarse la disminución de la misma (en amarillo).

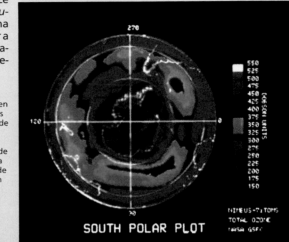

¿QUÉ ES EL EFECTO INVERNADERO?

Los gases producidos por la combustión de energía fósil (petróleo crudo, gas y carbón), las emisiones provocadas por la actividad industrial, la deforestación (sobre todo en zonas tropicales), los basurales, entre otros factores, provocan el aumento de la temperatura promedio de la Tierra —fenómeno conocido como *calentamiento global* o *efecto invernadero*— debido a que obstruyen el pasaje de la radiación térmica de la superficie terrestre, elevando peligrosamente la temperatura en las capas bajas de la atmósfera. Por este motivo, se podría producir, en los próximos años, una brusca variación climática en el planeta.

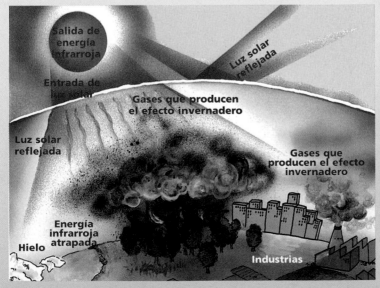

397

Fenómenos atmosféricos

La presión atmósferica

El aire, aunque parece liviano, tiene peso. Se llama **presión atmósferica** al peso que ejerce el aire sobre un determinado punto de la superficie terrestre. La presión no es uniforme en toda la corteza; por ejemplo, **disminuye en las zonas elevadas**. Por lo tanto, es más baja en las montañas que en las costas.

Se estableció una presión media, tomada sobre el nivel del mar. Este valor alcanza los 760 mm y puede ser medido por medio del **barómetro**. Este instrumento, creado en el siglo XVII por *Torricelli*, permite conocer la presión ejercida por una columna de aire sobre 1 cm^2 de superficie.

Existe una unidad, el **milibar**, establecido por el científico *V. Bjerknes*, para medir la presión atmosférica (la media es de 1.013 milibares). Uno de los factores que influye sobre la

Los **anticiclones** son zonas de **alta presión atmosférica** donde se acumula el aire descendente, y las **borrascas** son zonas de **baja presión atmosférica** en las que el aire acumulado es el ascendente. Ambos fenómenos se alternan repitiendo un ciclo que le imprime variaciones al clima de un lugar.

En el hemisferio Norte, los **anticiclones** provocan el movimiento de masas de aire (vientos) en el sentido de las agujas del reloj, y los **centros ciclónicos** aspiran los vientos en sentido contrario. En cambio, en el hemisferio Sur ocurre a la inversa.

METEOROLOGÍA

Es la ciencia que estudia los cambios en las propiedades físicas del aire y los factores más importantes que influyen —directa o indirectamente— sobre el tiempo atmosférico, como la presión, la temperatura, los vientos...

Las estaciones meteorológicas nos brindan datos sobre temperaturas, presiones, lluvias, humedad, etc., útiles para poder determinar el clima de una región.

Los **centros ciclónicos** son zonas de baja presión atmosférica (producto de las altas temperaturas) que aspiran masas de aire (vientos).

presión es la **altitud**. Por eso, la presión atmosférica es menor en la cima de las montañas.

El barómetro, creado por Torricelli en el siglo XVII, es el instrumento que nos permite conocer el valor de la presión atmosférica.

- La temperatura -

El aire está influido por las radiaciones solares. Próximo a la superficie, el aire se calienta, mientras que, a medida que se asciende, se hace más frío.

Es decir que la **altitud** influye en la temperatura:

A mayor altitud
↓
Menor temperatura

Otro factor que influye en la variación de la temperatura es la **latitud**, ya que, de acuerdo con el movimiento de traslación terrestre, los rayos inciden desde diferentes direcciones.

Se calcula que, del ecuador a los polos, la temperatura disminuye 1 °C por cada 200 km.

A mayor latitud
↓
menor temperatura.

Las variaciones térmicas del aire también se relacionan con:

• **La sucesión de los días y las noches, y la relación del aire con la corteza terrestre:** durante el día, la temperatura del suelo es más alta

AMPLITUD ABSOLUTA

Es la diferencia entre las temperaturas medias extremas.

AMPLITUD MEDIA ANUAL

Es la diferencia entre las temperaturas medias del mes más cálido y las del mes más frío.

Anemómetro de cúpula

Pluviómetro

Satélite

Juego de termómetros

Distintos instrumentos de medición. El pluviómetro se emplea para determinar la cantidad de lluvia precipitada. Los termómetros miden la temperatura. El anemómetro registra la velocidad del viento. Los satélites reportan datos exactos de las condiciones atmosféricas. Todos estos instrumentos resultan imprescindibles para el trabajo de los meteorólogos.

que la del aire que lo rodea; pero en las noches es a la inversa, más fría.

• **La cercanía al mar** impone temperaturas más uniformes, porque el agua se calienta o enfría más lentamente que los continentes.

• **Las corrientes marinas** (frías o cálidas) inciden directamente sobre las áreas costeras y los vientos; y, a través de éstos, influyen indirectamente en la temperatura ambiente de los territorios.

• **Las formas del relieve:** si son llanas, pueden favorecer la pe-

La temperatura disminuye con la altura, a razón de 1 °C cada 180 m que se asciende sobre el nivel del mar.

netración de los vientos húmedos y frescos del mar; si son montañas, pueden entorpecerla y hasta actuar como una barrera.

En las llanuras, dadas las condiciones planas del terreno, es más fácil que penetren los vientos húmedos y frescos del mar.

LA TEMPERATURA, UN DATO IMPORTANTÍSIMO

Determinar la temperatura es valiosísimo para la meteorología. Para ello se utilizan los **termómetros**, que miden la temperatura en grados centígrados (°C).

Esta tarea se realiza a distintas horas del día y a diferentes niveles de altura (máximas y mínimas). Estas temperaturas siguen anualmente un ritmo más o menos uniforme, llamado *régimen técnico*.

Existen temperaturas **máximas** y **mínimas** y, entre éstas, temperaturas **medias constantes**, que son las que mejor reflejan el tipo de clima de una región (señalan si es frío, cálido o templado).

EL CLIMA, UN FACTOR DECISIVO

El clima no sólo constituye un factor decisivo en el desarrollo de la vida vegetal y animal que puebla la superficie terrestre, sino que, además, como componente del medio geográfico en el que actúa el hombre, tiene una influencia fundamental en las actividades que éste realiza. Pensemos que las grandes civilizaciones buscaron asentarse y se desarrollaron en territorios donde el clima era propicio para la vida y las actividades económicas.

La temperatura, la humedad y la variabilidad condicionan la salud (pensemos en las personas con dolencias respiratorias, quienes se ven afectadas frente a las variaciones climáticas), la energía y hasta las cualidades mentales que desarrollan los pueblos para su supervivencia y progreso.

Los vientos

¿Cómo son?

Algunos se caracterizan por la **dirección** que toman. Ésta se halla determinada por los cambios de presión. El viento **se desplaza** desde las *zonas de alta presión* hacia las de *baja presión;* y, además, en su trayectoria, **se desvía** por acción de la rotación terrestre. Otro elemento importante es la **velocidad**, que es elevada en las zonas de alta montaña y en los mares, porque son *zonas abiertas* en las que no hay ningún obstáculo que se interponga.

> **El viento** es aire en movimiento.
> (En realidad, masas de aire en movimiento.)

El choque entre distintas masas de aire determina el llamado *"frente"*, y puede provocar lluvias.

¿QUÉ ES UN TORNADO?

Es una tormenta violentísima que provoca terribles destrozos por la fuerza con que sopla el viento. Desde lejos aparece como una nube giratoria con forma de embudo arremolinado, que arrastra cuanto encuentra a su paso.

MEDIDAS DE PREVENCIÓN ANTE UN TORNADO

• Buscar refugio en sótanos, excavaciones bajo tierra, zanjas o, al menos, debajo de muebles que se hallen **alejados de las ventanas**.
• En casa, mantener abierta una puerta o ventana del lado opuesto al que viene el viento.
• No permanecer dentro de autos, camiones, casas rodantes, casillas o construcciones precarias.

Estar prevenidos es la mejor defensa.

Las **masas de aire** poseen características propias y homogéneas de temperatura, presión y humedad, adquiridas en su lugar de origen.

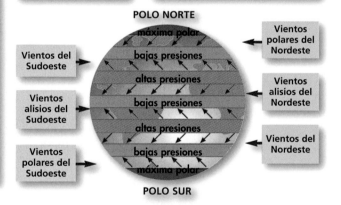

POLO NORTE

máxima polar

bajas presiones

altas presiones

bajas presiones

altas presiones

bajas presiones

máxima polar

POLO SUR

Vientos del Sudoeste

Vientos alisios del Sudoeste

Vientos polares del Sudoeste

Vientos polares del Nordeste

Vientos alisios del Nordeste

Vientos del Nordeste

COMPORTAMIENTO DE LAS MASAS DE AIRE

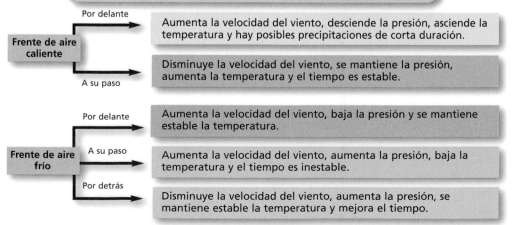

Frente de aire caliente

Por delante → Aumenta la velocidad del viento, desciende la presión, asciende la temperatura y hay posibles precipitaciones de corta duración.

A su paso → Disminuye la velocidad del viento, se mantiene la presión, aumenta la temperatura y el tiempo es estable.

Frente de aire frío

Por delante → Aumenta la velocidad del viento, baja la presión y se mantiene estable la temperatura.

A su paso → Aumenta la velocidad del viento, aumenta la presión, baja la temperatura y el tiempo es inestable.

Por detrás → Disminuye la velocidad del viento, aumenta la presión, se mantiene estable la temperatura y mejora el tiempo.

La humedad atmosférica

El vapor de agua

En estado gaseoso, el agua circula en forma de **vapor**. Éste constituye el 2 % de la masa terrestre. El aire admite sólo una determinada cantidad de vapor, después de la cual la *presión* comienza a aumentar y se produce la **condensación**.

Cuando el **vapor de agua se condensa**, se fija a pequeñas partículas en forma de gotas. Si la variación de temperatura es muy aguda, se forman acumulaciones de gotas. Son las **nubes de lluvia** que luego caen a la tierra por efecto de la gravedad.

Cuando el vapor se condensa sobre la corteza, debido al enfriamiento del suelo durante la noche, se produce el **rocío**.

¡Cuánta humedad!

La humedad de la atmósfera se identifica con la **cantidad de vapor de agua que hay en el aire**. Ésta varía según distintos factores, como la ubicación de la zona geográfica y su disponibilidad de aguas continentales, su cercanía al mar, las características del suelo (si es permeable o no), la temperatura, los vientos.

Las nubes

Las nubes son formas visibles del agua en la atmósfera. Se originan a partir de dos procesos:
• **la evaporación**, mediante la cual el agua de la tierra, asentada en los ríos, lagos y arroyos, se transforma en **vapor de agua**;
• **la condensación**, que es el proceso inverso al anterior, ya que hace que el vapor de agua se vuelva otra vez líquido y se precipite en forma de lluvia, nieve o granizo.

Las nubes se forman, pues, por la **evaporación** cuando, en forma de *vapor de agua,* las **gotas** se adosan a pequeñas **partículas de polvo** y **cristales de sal** que **flotan** en el aire. Según sus elementos, pueden ser blancas, grises o negras, de acuerdo con la cercanía al Sol y, también, con su densidad.

Sus formas

Muchas veces, la imaginación les otorga a las nubes forma de objetos u animales. El primero en realizar una **clasificación científica** según sus formas fue *Luke Howard*. Según esta agrupación, hay cuatro **tipos de nubes.**
• **Cirros:** no tienen contornos definidos. Son nubes fibrosas que presentan filamentos alargados. Están formadas por cristales de hielo capaces de reflejar los rayos del sol y formar un anillo luminoso.
• **Cúmulos:** tienen aspecto algodonoso, son muy espesas y se desarrollan verticalmente. Su forma es redondeada, compuesta por la agrupación de numerosas gotas de lluvia. Sin embargo, no siempre producen precipitaciones.
• **Estratos:** tienen un desarrollo horizontal y su consistencia es uniforme. Parecen neblinosas y están compuestas por capas de finas gotas de lluvia.
• **Nimbos:** son de forma indefinida y muy oscuras. Generalmente, pronostican lluvia.

Existen, además, siete géneros que combinan los cuatro tipos anteriores. Ellos son: *nimbostratos, estratocúmulos, cumulonimbos, cirrostratos, altocúmulos, altostratos* y *cirrocúmulos.*

El agua es vital en el mantenimiento del equilibrio atmosférico. Su presencia en forma de vapor regula la temperatura al absorber el calor o el frío extremos.

Los estratos presentan forma horizontal y consistencia uniforme.

Las precipitaciones

En diferentes estados

Cuando la temperatura del aire desciende, el vapor de agua que contiene **se condensa** y forma gotas que se juntan. Así nace la nube, que va aumentando de tamaño hasta que descarga su componente acuoso, en estado líquido o sólido, hacia la Tierra.

Estas precipitaciones pueden medirse con el **pluviómetro**, y se manifiestan como lluvia, nieve o granizo.

• Las lluvias

Son las precipitaciones en estado líquido. Las gotas que las producen tienen diferentes tamaños pero casi nunca superan 1 mm de diámetro. Si son más pequeñas, se habla de **llovizna**, y si van acompañadas por viento, de **chaparrones**.

• La nieve

Es la precipitación del agua en estado sólido, más habitual. Se produce cuando desde las nubes

Las nubes no sólo están cargadas de agua de lluvia. A veces, la condensación del vapor de agua se produce en las altas regiones de la atmósfera, donde la temperatura es inferior a 0 °C. Se forman entonces nubes que contienen microscópicos cristales de hielo. Éstos se agrupan al caer, formando la nieve (o el granizo).

no se desprenden gotas, sino finos **cristales de hielo**, que se agrupan al caer. Éstos forman los **copos de nieve**, que adornan los paisajes invernales.

• El granizo

Se origina en los *cumulonimbos* cuando la temperatura es muy baja. Son granos de hielo y se precipitan siempre acompañados por lluvia.

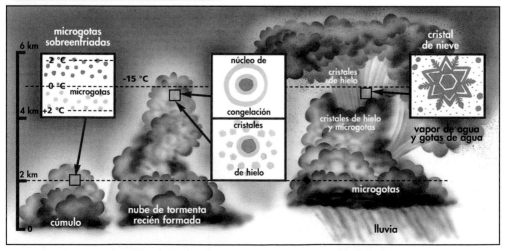

LA HIDROSFERA

────── ¡Cuánta agua! ──────

El planeta Tierra está conformado por materiales sólidos o tierras emergidas, que constituyen el 30 % de la superficie, más las **aguas de océanos y mares**, que representan el mayor porcentaje: 70 %. Pero, dentro de este conjunto, podemos considerar las **aguas saladas**, por un lado, y las **aguas dulces** o *continentales*, por el otro.

Así, vemos que el porcentaje de aguas dulces, imprescindibles para el desarrollo de la vida, es mucho menor, sólo el 6 %. Sin embargo, esta cantidad es suficiente para posibilitar el desarrollo de la vida.

── Las aguas oceánicas ──

La superficie de nuestro planeta está cubierta en su mayor parte por **aguas oceánicas**.

Los continentes se hallan separados por océanos; si miramos un mapa, veremos que sobre ellos se escriben nombres tales como océano Índico, océano Atlántico y, con letra de menor tamaño, mar Caribe, mar Mediterráneo o mar Argentino.

El hombre bautizó estas enormes masas de agua salada de la siguiente forma: océano Atlántico —el que separa América de Europa—; océano Pacífico —el que se halla entre América y Japón—; océano Índico —que se encuentra al sur de la India, entre Australia y África—; y océano Glaciar Ártico, que rodea el polo Norte.

────── Los mares ──────

Se trata de las zonas de los océanos más cercanas a las costas. El agua del mar es salada y está en continuo movimiento, el que podemos apreciar al contemplar las olas. Éstas son producidas por el viento, que también da

> Es la capa de agua que rodea a la superficie terrestre por encima de la geosfera.

La hidrosfera constituye uno de los subsistemas terrestres más importantes, ya que influye en la conservación del medio ideal para la vida.

¿CÓMO SE DISTRIBUYE?

La mayor cantidad de agua del planeta se encuentra en los **mares** y **océanos** (94 %). El otro 6 % conforma las aguas continentales y se distribuye de la siguiente manera:

Mares y
océanos ....94 %
Aguas continenetales
Agua de ríos, lagos,
lagunas.........................2 %
Casquetes polares ....2 %
Aguas subterráneas ....1 %
Humedad
atmosférica.................1 %

- ■ Tierras emergidas
- ■ Aguas saladas y continentales
- ■ Mares y océanos
- ■ Aguas continentales

Tierras emergidas
....................................30 %
**Aguas saladas y
continentales**......... 70 %

origen a las **corrientes marinas**.

Estas corrientes son muy importantes. Las cálidas, por ejemplo, modifican el clima de las zonas que tocan. Otras, las de agua fría, originadas en los polos, son riquísimas en peces.

El fondo del mar

El fondo del mar fue un misterio absoluto durante milenios. Recién a partir de las experiencias del *profesor Piccard* (mediados del siglo XX) con la batisfera, pudo comenzar a dilucidarse.

Los trabajos de *Jacques Cousteau*, con sus artefactos submarinos, permitieron el trazado de mapas del fondo marino.

Las técnicas del sonar (ondas de rebote) determinaron el descubrimiento de

cordilleras montañosas que recorren el lecho de los océanos. Sus picos son más altos que el Everest.

Muchas islas son picachos de estas cordilleras.

Las **fosas oceánicas** o simas alcanzan, a veces, más de 10 km de profundidad.

Se ha comprobado, merced a la fotografía satelital, la presencia de continentes hundidos. Se especula con que uno de ellos puede albergar las ruinas de la fabulosa Atlántida.

Desde la estratosfera, es posible fotografiar con nitidez objetos de 10 cm de longitud. Esta moderna tecnología permitió, en 1987, descubrir los restos del Titanic, el famoso buque hundido a comienzos del

MAREAS

Las mareas son movimientos de ascenso y descenso de las aguas del mar. Cada 24 horas, hay *cuatro* mareas: *dos altas y dos bajas.* La atracción que ejerce *la Luna* sobre las aguas es el origen de las mareas. En algunos casos, la bajante es tan pronunciada que permite el tránsito a pie por zonas que en otros momentos están cubiertas por las aguas.

Gracias a los aportes de los hermanos Cousteau, el fondo del mar ha develado algunos de sus misterios. En la actualidad, los buzos cuentan con moderna tecnología para descender a las profundidades oceánicas y realizar allí importantes tareas de investigación.

siglo XX, y considerado inhallable. En este caso, se utilizaron submarinos controlados por computadora.

En las grandes profundidades hay vida: se trata de peces rarísimos, completamente ciegos, debido a que la luz del Sol jamás llega al lecho marino.

Por ahora, sólo los minisubmarinos computados pueden llegar al fondo marino. Logran resistir las grandes presiones que ejerce el agua del mar, ya que aumentan progresivamente con la profundidad. El oxígeno, almacenado en tanques, permite, a ciertos niveles, los movimientos de los buzos.

Erosión marina

El oleaje hace que toneladas de agua se estrellen contra las rocas y playas. El **efecto de desgaste**

El oleaje marino hace que importantes cantidades de agua se estrellen contra las rocas y las playas, provocando un efecto de desgaste llamado *erosión marina*. En el caso de las costas altas y rocosas, el oleaje y el viento dan origen a sorprendentes formas denominadas *acantilados*. El viento hace que el agua de los mares esté en constante movimiento, y da origen así a las olas y a las corrientes marinas. Éstas tienen gran influencia sobre el clima.

que se produce se denomina erosión marina. Cuando la costa es alta y rocosa, el oleaje, sumado al viento, origina los acantilados.

Las playas y dunas se forman debido a los sedimentos marinos, formados por conchillas y cantos rodados pulverizados, que son arrojados diariamente a la costa por las olas. Esta acción se lleva a cabo desde hace millones de años.

El oleaje marino se produce incesantemente desde hace millones de años.

LA FRONTERA ENTRE EL MAR Y LA TIERRA

La línea de la costa marca el límite o frontera entre el mar y la tierra. Los continentes penetran en el mar dando origen a la llamada **plataforma continental**, cuya profundidad media es de unos 200 m. En ella encontramos abundante y variada fauna y flora marinas.

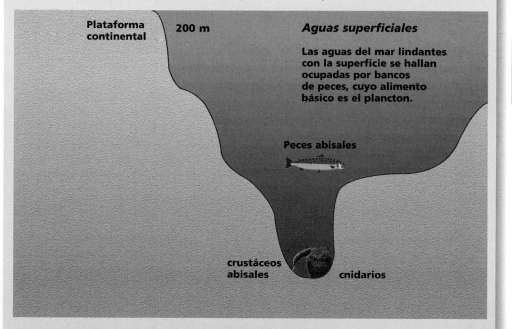

Plataforma continental

200 m

Aguas superficiales

Las aguas del mar lindantes con la superficie se hallan ocupadas por bancos de peces, cuyo alimento básico es el plancton.

Peces abisales

crustáceos abisales

cnidarios

INMENSIDADES OCEÁNICAS

Si bien a partir de los 300 m la vida en los océanos es escasa, no por ello es menos rica. En las grandes fosas oceánicas del Pacífico (hasta 10.000 m), encontramos extraños animales que cuentan con órganos de iluminación propios.

Corrientes marinas

— ¿Qué son? —

Las corrientes marinas son grandes masas de agua en movimiento que se trasladan en las profundidades de la masa oceánica.

Su velocidad es variable.

Las corrientes marinas son "bautizadas" según la dirección hacia la cual se dirigen.

Unas son **permanentes** y otras **periódicas**.

Espiral de Ekman, donde se aprecia cómo el agua es desviada por la fuerza de Coriolis.

FUNCIONES DE LAS CORRIENTES MARINAS

- Contribuyen a **distribuir la salinidad y la temperatura** en las aguas de los océanos.

- **Determinan las variaciones climáticas.**

- Favorecen el **desarrollo de la fauna marina**.

- **Remueven las aguas**, facilitando su higiene.

- **Transportan materiales.**

- **Influyen en la navegación.**

La influencia sobre el clima

Sabemos que el aire está en contacto con las aguas del mar.

Las corrientes marinas, según sean cálidas o frías, elevan o disminuyen la temperatura de las masas de aire que están en contacto.

Los vientos, finalmente, transportan esta enorme masa gaseosa al interior de los continentes y provocan la variación climática.

Las corrientes marinas, cálidas o frías, influyen decisivamente en el clima de una región.

Las corrientes marinas humedecen o calientan el aire que está en contacto con la superficie acuática.

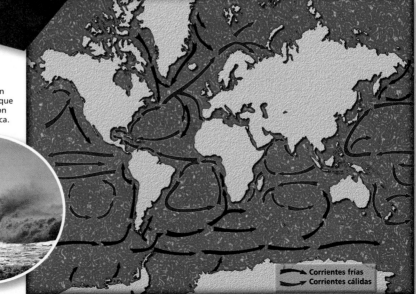

Corrientes frías
Corrientes cálidas

Aguas continentales

Su importancia

Las aguas continentales, además de **facilitar la vida de los seres vivos**, también realizan una importante **labor erosiva**. En efecto, son una de las fuerzas externas capaz de modificar el entorno.

El agua de ríos y torrentes fluye socavando su lecho y abriendo en el terreno surcos que llegan a ser verdaderos caminos para el hombre.

Los ríos

Los **ríos** son las corrientes de agua que nacen en un punto determinado llamado **fuente** y desembocan en el mar, en algún lago o en otro río. Ellos transportan el agua de las precipitaciones. No llevan siempre la misma cantidad de agua.

Se llama **caudal** a la cantidad de agua que transportan, y éste puede aumentar o disminuir en determinadas épocas del año. Las **crecidas** se producen cuando la cantidad de agua se incrementa. Entonces, aumenta el caudal del río en épocas de grandes precipitaciones o de deshielos. El **estiaje** es la disminución del caudal de un río provocado por etapas de **sequías**.

Según los factores que causan estas variaciones (*crecidas* y *estiajes*), el río tendrá un **régimen** determinado.

Los regímenes se clasifican de acuerdo con las principales fuentes de alimentación. Éstas

pueden ser las **lluvias**, en cuyo caso el **régimen** es **pluvial**, o la **nieve**, que da lugar al **régimen nival**. Si la causa de la variación de caudal es combinada, el **régimen** será **pluvionival** o **nivopluvial**.

Aguas subterráneas

La tierra absorbe una parte del agua que circula en la atmósfera. El agua que toma del aire, y también de algunos ríos y lagos, se filtra hacia el subsuelo, en donde se acumula formando las **aguas subterráneas**.

Éstas cumplen una importante función como fuente de alimento para lagos y lagunas.

La cantidad de agua depositada depende del tipo de suelo. Éste puede estar formado por **rocas permeables** o **impermeables**, que definen su capacidad de

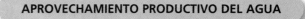

APROVECHAMIENTO PRODUCTIVO DEL AGUA

Ríos

Recurso alimentario

Agua natural

Fuente de riego

Fuente de energía

Pesca

Consumo

Plantaciones

Electricidad

En las zonas altas, los ríos tienen un carácter torrencial. La fuerza de las aguas erosiona los suelos, arrastrando gravas, arenas y arcillas.

absorción. Otros factores que regulan la cantidad del agua son la **vegetación** (ya que las plantas utilizan el agua para alimentarse) y la **evaporación**, que hace disminuir la cantidad de agua porque devuelve parte de ella a la atmósfera.

— **Agua helada** —

Los glaciares son otra forma en que se encuentra el agua continental. Éstos se

originan en **zonas de baja temperatura**, *como los polos*, o **de elevada altitud**, como en la *cima de las montañas*.

Allí, la **nieve** no puede fundirse, por lo que se acumula en capas. Estas láminas se superponen, y las superiores presionan sobre las inferiores sacándoles el aire. Así se forma el **hielo**.

Cuando la presión de las capas superiores es muy fuerte, el hielo se hace flexible y se desplaza más abajo, formando los **glaciares**. Los glaciares se mueven muy despacio. Se encuentran en las zonas de los polos, donde reciben el nombre de **casquetes polares**, o en las montañas, donde se denominan **glaciares**. Los glaciares montañosos pueden ser: **alpinos**, cuando se originan a una altura considerable, más allá de las *nieves perpetuas* y del nivel del mar; **de circo**, los que poseen menor cantidad de nieve; y **de piedemonte**, que se deslizan desde la base de la montaña hacia los terrenos llanos.

— **Un ciclo constante** —

Como ya vimos, la mayor parte del agua que cubre la superficie del planeta es la que corresponde a los mares y océanos. Esta enorme masa de agua salada es fundamental, ya que una parte se evapora al recibir los rayos solares.

Esa humedad forma parte de la atmósfera (sin la cual no sería posible la vida). Y también forma nubes que luego, por la acción del viento, se precipitan en forma de lluvia, nieve o granizo. Ya conocemos la acción benéfica de la lluvia para la agricultura y las plantas.

Pero, además, las precipitaciones realimentan nuevamente todos los cauces de agua dulce y los mares y océanos. De este modo se completa el **ciclo hidrológico**.

El agua también se renueva por los deshielos. Las nieves de las cumbres montañosas y los glaciares se descongelan por la acción del sol, formando torrentes líquidos.

Geografía física, humana y económica

Factores naturales y humanos transforman día a día el espacio geográfico.

LA GEOGRAFÍA

Desde la más remota antigüedad, los hombres trataron de registrar los datos geográficos y conocer el espacio que habitaban.

— Ampliando fronteras —

Con los viajes de los europeos a Asia, África y América en los siglos XV y XVI, se ampliaron las fronteras de la Tierra y, por supuesto, los de la geografía, ya que aparecieron en escena nuevos paisajes y una diversidad de pueblos. Desde entonces, el estudio del espacio geográfico se ha ampliado y modificado, así como se ha modificado la visión del hombre sobre él mismo.

Un enfoque unilateral

Con el advenimiento de la Revolución Industrial, los países europeos impulsaron el estudio de los **recursos que brinda la naturaleza** (que ellos necesitaban para la producción de bienes) y la **influencia de factores como clima, ríos y mares, relieve y suelo.** De este modo, la **geografía** se desarrolló como una **ciencia que describía e interpretaba la interrelación de esos diversos elementos.** Después, se agregó el **factor humano**, la población, pero desde un punto de vista descriptivo.

— El enfoque actual —

El espacio natural, si bien en un principio determinó la ubicación de los seres humanos, hoy se encuentra modificado permanentemente por la acción

En todas las épocas, los hombres han aprovechado los recursos naturales que les brinda el territorio en el que habitan, para subsistir y, al hacerlo, modifican el medio natural. Las sociedades primitivas obtenían directamente de su trabajo lo que necesitaban para satisfacer sus necesidades básicas, tales como alimento, vestimenta y vivienda.

El hombre modifica constantemente el paisaje.

del hombre. Éste toma de la naturaleza todos los materiales que necesita (madera, minerales, agua, etc.) y los reelabora para construir ciudades, carreteras, fabricar objetos... Prácticamente, no hay lugares en nuestro planeta que no hayan sido transformados por su acción.

Al mismo tiempo, el desarrollo de las comunicaciones y el transporte hace que las distintas regiones estén más interconectadas.

Se puede decir que hay una única sociedad humana con grandes desigualdades y diversidades. Toda esta **compleja red de interrelaciones y su efecto sobre el medio ambiente** son la materia de estudio de la geografía actual.

LOS MAPAS Y SU INFORMACIÓN

Representaciones esféricas y planas

La única manera de representar el planeta es mediante construcciones artificiales, aprobadas por los científicos, a las que llamamos **convenciones**. Podemos representar la Tierra mediante dos convenciones básicas:

- Los globos terráqueos que, con volumen, recrean con bastante exactitud la forma terrestre.

- Los mapas, representaciones de la tierra en un plano.

Diferentes mapas

Los mapas tienen una gran variedad de tipos, que se agrupan de la siguiente forma:

- **Topográficos o descriptivos.**
  En ellos se representa el relieve terrestre, con sus montañas y llanuras (orográficos); sistemas fluviales y marítimos (hidrográficos); ubicación de capitales, ciudades y pueblos, y construcciones realizadas por el hombre; límites políticos.

- **Temáticos**.
  Son los que brindan información cualitativa o cuantitativa sobre un tema particular. Por ejemplo, climáticos, de densidad o distribución de población o registros de las actividades económicas: ganadería, agricultura, minería, explotación de recurso (mapas económicos).

Planisferio realizado utilizando la proyección cilíndrica de Mercator. Su inconveniente radica en que exagera las distancias a medida que nos alejamos del ecuador.

Si estudiamos geografía, es imposible no consultar mapas. Éstos son representaciones planas, a escala, de la superficie terrestre.

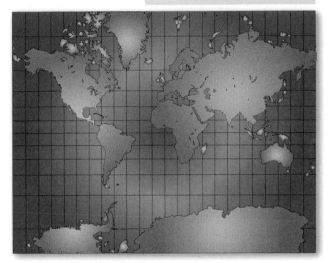

Batimétricos y geológicos

Los mapas **batimétricos** representan el relieve submarino. Son muy importantes para la navegación y también para la oceanografía del petróleo, es decir, aquella investigación destinada a localizar zonas de actividad petrolera. Se confeccionan, básicamente, por medio de rebote de ondas de radar que, mediante computadoras, "traducen" el tipo de relieve.

En la actualidad, es frecuente la utilización de datos satelitales para determinar el perfil de los fondos oceánicos.

Los mapas **geológicos** representan los distintos tipos de relieve terrestre y se destinan sobre todo para la prospección de yacimientos minerales.

Son usados también por la geología, que investiga el origen y la formación del planeta.

Proyecciones

Al trasladar la superficie terrestre a un plano, lógicamente, se producen distorsiones.

Para minimizarlas, se utilizan diferentes proyecciones. De acuerdo con la forma en que se traza la red de paralelos y meridianos sobre el plano, se denominan: cilíndrica, cónica y cenital o azimutal.

La más utilizada en los libros es la cilíndrica, en la que las coordenadas geográficas son rectas paralelas y perpendiculares.

¿Cómo se "lee" un mapa?

Para representar los distintos tipos de accidentes, los cartógrafos recurren a algunas convenciones que agrupamos bajo la denominación de **cromáticas** y **gráficas**. Las cromáticas son escalas de colores que expresan distintas altitudes (en el caso del relieve) y profundidades (en el caso del agua). Entre las gráficas, se encuentran las siguientes:

- los **pictos**, que son elementos simbólicos que tienen una representación determinada. Por ejemplo, el símbolo ==== representa una cañada;
- distintos cuerpos tipográficos y abreviaturas.

¿Cómo se interpreta una escala?

Si nos fijamos en el mapa, veremos que en alguno de sus ángulos figura una **razón entre la unidad y la unidad seguida de ceros**. Tomemos, por ejemplo, 1: 100.000. Esto significa que cada centímetro del mapa corresponde a 100.000 cm de la superficie representada. Si reducimos los cm a km, que es la medida más adecuada a las distancias de la realidad, podemos decir que cada centímetro representa 1 km real.

Cuanto mayor es la superfice de lo que se quiere mostrar, mayor será la escala, por ejemplo, 1: 1.000.000 (1 cm equivale a 10 km), 1: 10.000.000 (1 cm equivale a 100 km), 1: 100.000.000 (1 cm equivale a 1.000 km).

La escala puede ser representada gráficamente como una semirrecta numérica con subdivisiones, indicando cuánto representa cada una:

Supongamos que queremos averiguar la distancia real entre dos puntos A y B de un mapa con escala 1: 1.000.000 ó

$$\frac{1}{1.000.000}$$

Tomamos con una regla la medida del segmento que queda formado si unimos A con B: 3 cm.

Nos queda formada una proporción:
1 : 10 = 3 : x
o sea 1 es a 10 como 3 es a x.

Lo resolvemos aplicando proporciones:
10 x 3 : 1= 30

También podemos realizar la siguiente operación matemática:
1 cm —— 10 km
3 cm —— 3 x 10 km = 30 km

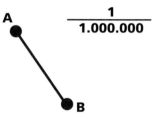

Hacemos lo mismo con dos puntos C y N de un mapa en escala 1: 90.000.000 ó

$$\frac{1}{90.000.000}$$

Entre C y N hay 3, 5 cm.
Por lo tanto:
1 cm —— 900 km
3,5 cm —— 3,5 x 900 km= 3.150 km.

$$\frac{1}{90.000.000}$$

0	1000	2000	3000	4000 km

LA IMAGEN SATELITAL

— Surcando el espacio —

Los satélites artificiales son vehículos que se mueven alrededor del planeta y describen una órbita llamada geoestacionaria, a una altura que va desde los 300 a los 200 mil kilómetros.

Llevan un sensor llamado TM (Tematic Mapper), que capta la reacción de los objetos de la superficie terrestre a la energía que reciben, y registra la información en 7 bandas del espectro electromagnético.

La combinación de bandas origina distintos colores. Esta información es enviada a las estaciones receptoras, que las distribuyen a los usuarios (organismos públicos y privados).

Los datos obtenidos se aplican a diversos campos, como *minería* y *geología*, *cartografía*, *hidrología*, *meteorología*, *usos del suelo*, *control ambiental*. También permiten ubicar lugares afectados por desastres naturales, como inundaciones, incendios forestales, terremotos.

—¿Cómo interpretamos — las imágenes?

Los colores que aparecen en las imágenes satelitales no son los reales. El usuario elige la combinación de bandas que le resulta útil según el propósito. Por ejemplo, si se emplea para estudios geológicos, se utilizan las bandas 7, 4 y 1. El objetivo de combinar bandas es generar *contrastes* y obtener la información buscada.

El **azul metálico** indica espacios urbanizados y todo lo que construye el hombre. El **azul oscuro o negro**, agua límpida. **Celeste o azul claro**, agua contaminada o con sedimentos en suspensión.

En algunas imágenes, el color **verde** indica vegetación densa; los **ocres o marrones**, vegetación arbustiva o herbácea; los **rojizos**, tierras sin vegetación.

En algunas imágenes, se le asigna el color rojo a la banda 4, por eso la **vegetación densa** se ve **roja**. El **blanco** indica humedad, nieve y nubes.

— Colores + información

En esta imagen satelital vemos un tramo del río Uruguay, entre la República Argentina (a la izquierda) y la República Oriental del Uruguay (a la derecha). Veamos lo que nos dicen los colores...

El **río Uruguay** se ve en **azul oscuro**, **casi negro**, debido a que en esa zona *no lleva sedimentos en suspensión*.

Se distingue claramente la **parcelación del suelo** (en distintos tonos de **verde**), lo que indica un **uso agrícola-ganadero** del mismo.

Alrededor de las ciudades, las parcelas son más pequeñas:

posiblemente corresponden a granjas. Las **parcelas en color rojizo** son **tierras en barbecho** (sin cultivos, para que el suelo descanse).

En el borde inferior izquierdo, se aprecia parte del delta argentino, con sus riachos (**negro**), zonas inundables (**celeste**) e islas con abundante vegetación (**verde**). Lo mismo podrán observar en las islas que se encuentran en la desembocadura del río Negro.

Isla Filomena Grande (R.O.U.)

ARGENTINA

Puente Int. Gral. San Martín

Ruta 2

Ciudad de FRAY BENTOS

Río Uruguay

ARGENTINA

REPÚBLICA ORIENTAL DEL URUGUAY

Isla del Vizcaino (R.O.U.)

Río San Salvador

Isla Lobos (R.O.U.)

DOLORES

Imagen del Instituto de Geología y Recursos Mineros - Servicio Geológico Minero Argentino.

EL ESPACIO GEOGRÁFICO

Todo espacio geográfico es producto de la interacción de diversos factores, como los naturales, los sociales y los económicos.

Paisaje natural
✚
Acción humana
〓
Paisaje cultural o social

Suelo, relieve, clima, flora, fauna

Espacio rural

En el medio rural se trabajan los suelos para cultivar cereales, frutas y hortalizas. Frecuentemente se talan grandes superficies de bosques para la explotación agrícola-ganadera, con lo cual se producen grandes desequilibrios ecológicos.

Espacio urbano

En las ciudades se manifiesta el mayor grado de acción del hombre: concentración de viviendas y vehículos, actividad fabril, gran producción de desechos hogareños e industriales.

La organización del espacio

Cuando nos preguntan por el lugar donde vivimos, nos podemos referir a varios aspectos: cómo son las viviendas, las calles, el clima según las estaciones, las actividades que se desarrollan en él. Además, relacionamos ese espacio con las experiencias vividas, las personas que conocemos...

Pero ese lugar no siempre fue igual. Hagamos un esfuerzo con la imaginación: allí donde están nuestra casa, el colegio, la plaza, alguna vez fue un lugar donde sólo crecían plantas en estado natural y habitaban diferentes clases de animales.

Es decir, era todo **naturaleza**. De a poco, se fueron instalando personas que formaron un pequeño poblado.

Esas personas fueron organizando ese espacio según las actividades que desarrollaban. Abrieron calles y caminos para poder comunicarse con otras, llevar y traer mercaderías.

Dividieron el terreno y edificaron sus viviendas. Al hacerlo, tuvieron que modificar el suelo, sacar plantas, y como consecuencia, muchos animales emigraron a otros lugares.

Utilizaron los **recursos** que encontraban: madera de los árboles, arena y piedras para la construcción.

Por lo tanto, ese **espacio geográfico** fue cambiando a medida que fue creciendo la población.

Paisaje natural y cultural

Podemos decir, entonces, que los seres humanos se caracterizan por modificar el **paisaje natural**.

Éste está constituido por todo lo que consideramos naturaleza: clima, suelo, relieve, flora, fauna.

Las personas, a través de su trabajo, van organizando el espacio que habitan.

Esta interacción entre los habitantes de un espacio geográfico y el paisaje natural da lugar al **"paisaje cultural"**, que tendrá diferentes características según las actividades económicas y sociales que se realicen en él.

Las laderas de las montañas suelen ser lugares propicios para el desarrollo del espacio rural, debido a la riqueza de sus suelos y a las actividades económicas que este recurso, unido a los otros que conforman el paisaje natural, permite a quienes las habitan.

VARIEDAD DE RELIEVES

¿Qué es la altitud?

Es la diferencia que existe, en sentido vertical, desde el punto más alto de un lugar hasta el nivel del mar.

Existe un concepto muy importante relacionado con el relieve: **altitud media**. Se trata de una **altura promedio** de la Tierra, que es de 800 metros. El concepto se origina en la superposición de los escombros de la demolición de todas las alturas de la Tierra. Con ellos se rellenarían las partes bajas y se formaría una "montaña" de escombros de unos 800 metros sobre el nivel del mar.

¿Qué es la desnivelación?

Es la diferencia de altura entre las partes más elevadas y las más bajas. Existe una ley geológica que podemos enunciar así: "A mayor desnivelación, siempre corresponde un relieve más accidentado".

¿Qué es la pendiente?

Es, simplemente, el declive del terreno. En las zonas montañosas, se caracteriza por ser **abrupta o brusca**. En las áreas llanas, por el contrario, la pendiente es **suave**.

Tipos o formas de relieve

Básicamente existen tres tipos fundamentales de relieve:
- *Las formas más elevadas:* las montañas y las sierras.
- *Las formas planas, de poca altura:* llanuras, mesetas, altiplanicies (también llamadas penillanuras).

Los techos del planeta

Las montañas son elevaciones del terreno de considerable altura. Generalmente superan los 3.000 m. Por ejemplo, el monte Everest, en Asia, mide 8.848 m, y el Aconcagua, en la República Argentina, 6.959 m. Según su antigüedad, existen dos tipos de montañas: las viejas y las jóvenes. Las primeras son las que se originaron hace muchísimo tiempo, por los primeros movimientos geológicos de nuestro planeta. Estas montañas tienen formas redondeadas y poca altura, debido al desgaste producido por la erosión. Un buen ejemplo de este tipo de montañas son las del sistema de Sáhara, en el continente africano. Las montañas jóvenes se originaron como consecuencia de plegamientos más recientes. Tienen formas agudas y grandes alturas, algunas de ellas son: las montañas del Himalaya, en Asia; los Alpes, en Europa; los Atlas, en África; los Andes, en América del Sur, y las Rocallosas, en América del Norte. Todas las montañas han sido formadas por movimientos del terreno, que hicieron que se elevaran ciertas partes de éste, y que otros sectores se deprimieran. La acción de la temperatura, el hielo, las lluvias y el viento las fue transformando.

La superficie de nuestro planeta presenta una gran variedad de formas elevadas y bajas, que conforman el relieve.

- *Las formas de hundimiento o depresiones:* valles, gargantas y quebradas. Analicemos cada una.

Formas de mayor elevación

Denominamos **montañas** a las partes de la superficie terrestre que sobresalen muy claramente de los terrenos circundantes. Las áreas montañosas son extremadamente quebradas y desniveladas. Normalmente, están dispuestas en **cadenas** muy extensas a las que denominamos cordilleras (por ejemplo, los Alpes, las Rocallosas, los Andes, etc.). Se constituye un **sistema orográfico** cuando de una cordillera principal se desprenden **cordones** secundarios.

Las montañas

Son elevaciones de forma cónica y pendiente escarpada, que se forman por *plegamientos, geosinclinales* o *fracturas* (ruptura de bloques), originados por los *movimientos orogénicos* de la Tierra.

Importantes estribaciones montañosas conforman un sistema orográfico.

Nudos, macizos y asimetrías

Si las montañas forman un conjunto no ordenado en lo relativo a su disposición y orientación, reciben el nombre de **macizo** (Renano, Ardenas, Bohemia, etc.).

Los **nudos** son los puntos donde convergen varias cadenas montañosas.

Las vertientes montañosas jamás son simétricas. En el caso de la cordillera de los Andes, vemos que la vertiente pacífica es abrupta y rápida; en cambio, el sector atlántico es sumamente suave.

Formas planas de poca altura

Este tipo de relieve se caracteriza por su casi inexistente desnivel y su suave pendiente.

Se denomina **llanura** al relieve plano que se eleva suavemente hasta un máximo de 300 metros.

Los suelos "limítrofes", esto es, aquellos que están en contacto con la llanura y la montaña, son llamados **piedemonte**. Son característicos los denominados "oasis de piedemonte", típicos por su extraordinaria fertilidad.

Las mesetas

¿Qué es una meseta? Es una región más o menos plana y de cierta extensión, que se eleva entre los 300 y los 5.000 m sobre el nivel del mar. Los **altiplanos** o **altiplanicies** son las mesetas que se encuentra a más de 4.000 m y, por lo general, están recorridas por cordones montañosos.

Características de las mesetas

Por lo general, las mesetas se encuentran atravesadas por valles de origen fluvial y, a veces, presentan elevaciones de tipo montañoso.

Existen también las **depresiones interiores**, que se producen cuando las mesetas elevadas se encuentran rodeadas por altas cumbres. Estas depresiones son de clima desértico.

No siempre las mesetas son enormes espacios vacíos.

Existen excepciones, como el caso de la meseta del Anáhuac, en México, que alberga una intensa actividad económica y humana. Esto se debe, exclusivamente, a factores climáticos benignos.

La peniplanicie

Se conoce con el nombre de peniplanicie o penillanura a las regiones de suave ondulación, con elevaciones poco considerables. Hace millones de años, fueron elevadísimas montañas que la acción erosiva redujo poco a poco.

Formas asociadas a zonas de hundimiento

Las formas de hundimiento se denominan **depresiones**, entre ellas: los **valles**, relieves deprimidos que suelen formarse asociados a cauces fluviales, glaciares... Su tamaño oscila entre enormes amplitudes y pequeñas dimensiones.

A la zona deprimida que se encuentra entre dos valles paralelos la denominamos **portillo o paso**. Son muy utilizados en las comunicaciones. Recordemos, al efecto, los pasos de la cordillera de los Andes utilizados por San Martín para llegar a Chile; o los pasos alpinos usados por el cartaginés Aníbal para invadir Italia.

Las **quebradas** son depresiones formadas por **hundimientos tectónicos** o **erosión fluvial**; son angostas y largas, tajadas en forma vertical por los ríos. También se las llama **gargantas o cañones**.

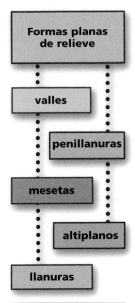

Formas planas de relieve

valles

penillanuras

mesetas

altiplanos

llanuras

El relieve del planeta es consecuencia del trabajo de agentes erosivos internos y externos, que determinaron sus distintas formas, tales como llanuras, mesetas, peniplanicies, quebradas, depresiones, a lo largo de los siglos.

¿Qué son las depresiones?

Son **áreas de hundimiento** rodeadas de relieves más elevados. Pueden ser *absolutas* (cuando tienen valores negativos respecto al del mar, es decir, menos de cero metros) o *relativas* (cuando están sobre el nivel del mar). Su forma es la de una cubeta, que puede ser redonda u ovalada. Los continentes que registran mayor cantidad de depresiones relativas son África, Asia y Australia. *"Bajos absolutos"* encontramos en la Patagonia argentina, este de Europa, Siberia, etc.

Extensa meseta conocida como Pampa de Achala y ubicada en la provincia de Córdoba, Argentina. A esta forma de relieve, mucha veces, factores climáticos adversos le confieren un clima desértico.

Las mesetas más famosas

El Tíbet

En Asia se encuentra el altiplano más alto del mundo: el **Tíbet**. Está ubicado entre los montes *Kuen Buen*, al norte, y la cordillera del *Himalaya*, al sur.

Es un gran desierto frío y seco, porque las altas montañas que lo rodean no permiten el paso de los vientos húmedos. Su altura media supera los 5.000 m sobre el nivel del mar.

La gran meseta del Sáhara

Ya estamos en el continente africano. Más precisamente, en el sector norte. Nos encontramos en medio de una vastísima extensión de arena: la **gran meseta del Sáhara** (que significa "gran desierto").

Es realmente el mayor desierto de arena del mundo, pues abarca unos nueve millones de km cuadrados, casi un tercio del total de la superficie de África; su altura media es de unos 500 m sobre el nivel del mar.

Se piensa que el Sáhara es el lecho de un antiguo mar que se secó.

Chihuahua y Anáhuac

En el continente americano, en México, hallamos una gran meseta con dos sectores bien diferenciados

Al norte, una meseta desértica de unos 1.100 m de altura: la de **Chihuahua**.

Y, al sur, otra más elevada (de unos 2.000 m), con lagos, lagunas y ríos. Se denomina **meseta** o **mesa de Anáhuac** (que significa, en lengua indígena, "abundancia de aguas").

Los desiertos de arena presentan grandes dunas que cambian de lugar por acción del viento.

Es de una gran fertilidad, y allí, hace varios siglos, se desarrolló una de las culturas más importantes de América, la *azteca*.

En la actualidad, se encuentra en ella la mayor concentración de población de todo México, y es una de las zonas de mayor densidad poblacional del planeta.

El altiplano boliviano-argentino

A más de 4.000 m de altura, en el noroeste argentino, se halla la Puna, una continuación del altiplano boliviano y de la Puna de Atacama chilena.

Es una zona desértica que alberga grandes riquezas minerales.

De esta región son originarios unos hermosos animales, parientes de los camellos: las llamas, las alpacas y las vicuñas.

La Patagonia (América del Sur)

Es una meseta escalonada hacia el Atlántico, de clima desértico y grandes recursos mineros.

¿Qué significa escalonada? Que desciende en escalones (como si fuera una escalera) hacia el mar, donde termina en una costa acantilada, con una altura que varía de los 100 a los 150 m.

En estos momentos, cada uno de los escalones patagónicos se encuentra en un lento proceso de ascenso, que puede tardar varios miles de años en finalizar. Todas y cada una de estas dilatadas extensiones encierran un encanto misterioso, dado por los viajeros que dejaron sus escritos sobre estos lugares. Además, por su topografía, han sido cuna de innumerables leyendas.

LA EXPLOTACIÓN MINERA

—— La utilización —— de los minerales

Son un **recurso** que nos provee la **corteza terrestre** y permite el **desarrollo económico.**
La importancia de los yacimientos minerales depende de la necesidad de su uso como materia prima, de las posibilidades de invertir en la exploración y extracción de los minerales, de la disponibilidad de transporte hacia los centros de transformación y de su viabilidad de comercialización.
Es necesario que los yacimientos no se encuentren a mucha distancia de los centros de consumo, para disminuir el **costo de producción**.

La existencia de vastas fuentes de recursos minerales en el planeta está relacionada con la formación y composición de los distintos relieves.

Nódulos polimetálicos

El fondo oceánico cuenta con un recurso minero muy interesante, por su valioso uso estratégico. Son los **nódulos polimetálicos**, concreciones en forma algo redondeada, ricas en diferentes minerales, como **manganeso, níquel, cobre, cobalto.**
Estos nódulos se encuentran en gran cantidad en el Pacífico ecuatorial, a grandes profundidades, en áreas internacionales. La exploración y explotación de este recurso tiene un reglamento especial y está bajo el control de la **Autoridad Internacional de los Fondos Marinos.** Los recursos de la zona serán administrados como **"Patrimonio Mundial de la Humanidad".**

Clasificación de los minerales por su condición

METALÍFEROS	NO METALÍFEROS	ROCAS DE APLICACIÓN	COMBUSTIBLES
Son la materia prima para la fabricación de herramientas, maquinarias, acero, cables, aviones, pinturas. Ejemplos: hierro, cobre, níquel, aluminio, plomo, zinc, oro, plata.	Se usan para la producción de ácidos y explosivos, la fabricación de tejidos y plásticos, la construcción, la elaboración de detergentes y abonos. Ejemplos: azufre, amianto, potasa, fosfatos, sal, talco.	Se emplean en la construcción. Ejemplos: arena, granito, basalto, mármol, caliza.	Se emplean en la producción de energía. Ejemplos: carbón, gas, petróleo.

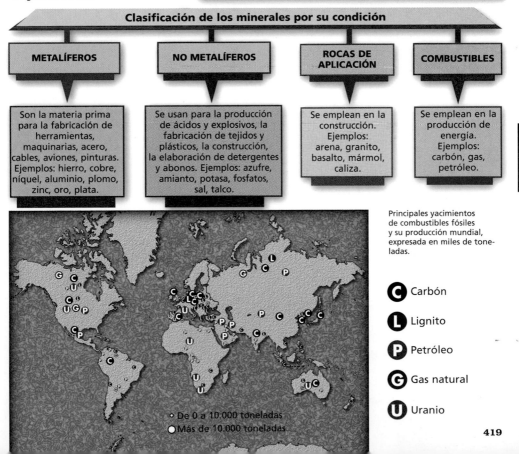

Principales yacimientos de combustibles fósiles y su producción mundial, expresada en miles de toneladas.

C Carbón

L Lignito

P Petróleo

G Gas natural

U Uranio

● De 0 a 10.000 toneladas
○ Más de 10.000 toneladas

419

LAS EXTENSAS LLANURAS

Las llanuras del mundo están hermanadas por un mismo tipo de relieve, pero cada una tiene "su" característica distintiva.

Recordemos

La llanura es una de las formas de los diferentes tipos de relieve de nuestro planeta... ¿Cuáles son sus características? Es una formación plana, con muy pocas ondulaciones y cuya altura no supera los 200 m por sobre el nivel del mar.

Si observamos un globo terráqueo o un mapa físico, podemos ver que todas las llanuras están representadas por un mismo color: el verde.

Pese a que este color nos hace imaginar que todas las llanuras son iguales (muy fértiles y con mucha vegetación), no es así.

Existen muchas llanuras diferentes: las muy fértiles (donde las principales actividades son la agricultura y la ganadería), las que casi no tienen árboles; aquellas que están cubiertas de bosques y selvas, y las que tienen muy poca vegetación.

Fuentes de oxígeno

Las selvas que cubren las llanuras son las principales fuentes de provisión de oxígeno de nuestro planeta.

Lamentablemente se realiza una tala irracional de árboles, que hace peligrar esas importantes "fábricas" de oxígeno.

El Pantanal del Mato Grosso posee la fauna más rica del continente americano.

Generalmente, las llanuras están cubiertas de cierta vegetación, la que depende, esencialmente, del clima y del régimen de lluvias de una región.

La Pampa

Es una de las llanuras más extensas y fértiles del mundo. Su nombre significa, en quechua, **"llanura sin árboles"**. ¿Por qué es tan fértil? Porque su suelo está cubierto por una gruesa capa de residuos de origen vegetal: el **humus** (esa tierra que se observa en casi toda la Pampa argentina).

Asimismo, el clima benigno y la gran cantidad de precipitaciones que recibe esta región durante todo el año favorecen la fertilidad natural del suelo.

Debido a estas características, las principales actividades que se desarrollan en la Pampa argentina son la **agricultura** y la **ganadería**.

Llanura ucraniana

Encontramos en Europa (más precisamente en la ex-Unión Soviética) la **llanura ucraniana**. Se asemeja a la Pampa en la composición de la capa superior del suelo, en el clima, en el régimen de lluvias y en las actividades que se realizan para su explotación.

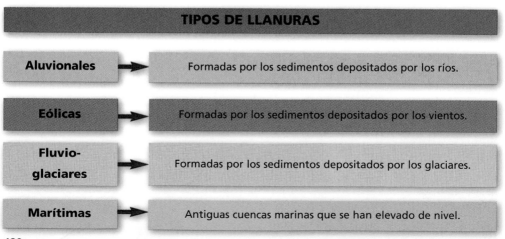

TIPOS DE LLANURAS

Aluvionales	Formadas por los sedimentos depositados por los ríos.
Eólicas	Formadas por los sedimentos depositados por los vientos.
Fluvio-glaciares	Formadas por los sedimentos depositados por los glaciares.
Marítimas	Antiguas cuencas marinas que se han elevado de nivel.

Llanura norteamericana

Existe otra llanura muy parecida a las que vimos antes: la **gran llanura norteamericana**. Ésta es recorrida por el río Mississippi-Missouri y también es muy fértil. Estas tres llanuras son muy similares, por lo que las actividades del hombre son prácticamente las mismas: la cría del ganado vacuno y el cultivo de cereales.

Llanura amazónica

Es la que cubre la llanura más grande del mundo: **la del río Amazonas**. El clima tropical permitió la formación de este verdadero paraíso y pulmón del planeta.

Éstas son sólo algunas de las llanuras más extensas de nuestro maravilloso planeta.

Hay muchas más. Algunas muy pequeñas, otras inmensas. Las hay sin árboles (por ejemplo, la pampeana, la canadiense y las de Europa mediterránea). Las hay cubiertas de selvas, como las del sudeste asiático, África y el Chaco argentino.

En las llanuras, el medio ambiente se halla muy modificado por las actividades agrícola-ganaderas, la instalación de industrias y ciudades.

LAS COSTAS

A través de los siglos, las costas se van modificando por efecto de la erosión y el desgaste, y toman diferentes formas.

Transformación permanente

Si alguna vez estuvieron en la playa, habrán podido ver cómo el agua golpea la costa o llega en olas tranquilas. Es que las zonas terrestres que lindan con los mares sufren los embates suaves o violentos de las enormes masas de agua que están permanentemente en movimiento. En esta actividad transformadora, también intervienen las mareas, las corrientes, la composición del suelo, y la acción del clima, de los glaciares y de los ríos que desembocan en el mar.

La abrasión

El **acantilado** es la parte de las tierras emergidas que caen verticalmente sobre el mar.

Las costas según su origen

- albufera
- fiordo
- ría
- dálmata

Las playas

Además de estar formadas por partículas de rocas, las playas contienen detritos de pequeños animales (conchillas). Todo este material que proviene de la costa, de las profundidades del mar, o de los sedimentos que acarrean los ríos, es depositado por las olas sobre la costa, donde se acumula.

El oleaje, que castiga las rocas con mayor o menor violencia, desgasta las zonas más blandas. Este proceso se denomina **abrasión**. El choque permanente del agua termina por resquebrajar y romper las rocas, formando socavaduras en la base de los acantilados, que se van haciendo cada vez más profundas.

Cuando la base se demuele completamente, la roca que sobresale en forma de cornisa se desploma; los pedazos son arrastrados por el agua y utilizados como proyectiles que aumentan la acción de la erosión. Al deshacerse en pequeños fragmentos, todo ese material va formando las playas y las plataformas continentales. Si hay cadenas montañosas perpendiculares a la orilla, el mar sólo avanza por las partes más blandas, originando una costa muy recortada y rocosa, con golfos, bahías, cabos, penínsulas.

Una suave pendiente

En algunos lugares, la costa llana y con escaso declive es la prolongación de la llanura que llega hasta la orilla del mar. Cuando las mareas son importantes, se forman costas muy extensas y de gran amplitud. Si las olas rompen de frente, las arenas y los materiales que las constituyen siguen el vaivén del oleaje, pero casi no cambian de sitio. En cambio, si rompen en sentido oblicuo, los materiales finos son arrastrados a grandes distancias. Por ejemplo, la costa occidental del Sáhara es una playa extensísima que no ofrece refugio a la navegación.

—Diversidad de costas—

- La **albufera** es una laguna de agua salada de poca profundidad que está ubicada entre la línea de la costa y un cordón arenoso que la separa del mar. Se origina porque las corrientes marinas paralelas a la playa arrastran materiales que se van depositando en forma de una barra que emerge (*restinga*), generalmente, frente a una bahía. Ejemplos de este tipo de costa se encuentran en las costas del golfo de Guinea (África), las costas atlánticas de Florida (Estados Unidos), la costa de Rio Grande do Sul (Brasil).
- Los **fiordos** son antiguos valles glaciares. Los bloques de hielo, que bajaban hasta la costa, fueron erosionando el terreno. Una vez que desaparecieron los hielos, y después de un movimiento de inmersión de las tierras, por allí penetró el mar, dando lugar a este tipo de costa. Se caracterizan por ser profundos y presentar acantilados escarpados. Algunos penetran mucho en el continente. Generalmente sus desembocaduras están parcialmente obstruidas por **morrenas**, producto de los materiales acarreados y acumulados por la acción de los glaciares.

Este tipo de costa es característica de Islandia, Alaska, Groenlandia, el litoral sur de Chile y Tierra del Fuego (en Argentina).

De acuerdo con el tipo de relieve y suelo, pueden ser muy estrechos y bifurcados, como en la costa meridional de Noruega.

En otros casos, como en Suecia, donde abundan gran cantidad de *bahías*, *golfos* e *islas,* son más anchos.

- Las **rías** se forman a partir de valles producidos por la erosión de los ríos, que posteriormente, al hundirse las tierras, son inundados por las aguas del mar.

El acantilado en este tipo de costa no es muy elevado y sus condiciones permiten que sobre ellas se establezcan poblaciones

- La **costa de tipo dálmata** (porque es característica de Dalmacia) se origina en regiones muy plegadas, paralelas al mar, también con valles fluviales que han sido inundados por el mar.

Son costas recortadas: presentan *bahías*, *golfos* profundos y angostos, y *cabos*. Las zonas elevadas, que sobresalen de la superficie del agua, forman islotes separados de la tierra firme por canales tranquilos.

DIFERENCIAS COSTERAS

Costa de tipo pacífico	Costa de tipo atlántico
Se caracteriza porque las cordilleras o plegamientos paralelos al mar originan grandes acantilados. Es escarpada y dura, con pocos puertos naturales. La plataforma continental es estrecha y cae abruptamente. Encontramos esta clase de costa en Chile y Perú.	Es completamente diferente de la anterior, ya que la plataforma continental es extensa. Suaves cordilleras, valles y llanuras conforman un litoral muy recortado con *golfos*, *bahías*, *penínsulas* y *cabos*. Abundan los puertos aptos para la navegación.

Las islas

Arrecifes coralinos

En las zonas de los océanos Índico y Pacífico cercanas al ecuador, encontramos los llamados **"arrecifes coralinos"**. Aunque parezca increíble, estas islas se formaron por la actividad de pequeños animalitos, los **corales**, que se agrupan en colonias, semejando arbolitos. Éstas se instalan sobre las laderas de los volcanes en aguas saladas, cálidas y poco profundas, ya que necesitan calor para desarrollarse. Sus esqueletos contienen carbonato cálcico, sustancia que obtienen del mar. A medida que envejecen y mueren, los restos calizos de sus esqueletos se amontonan. Las aberturas se van rellenando con fragmentos de coral y arena que se cementan formando arrecifes de rocas duras, llamadas **"calizas coralígenas"**.

Los **atolones** son arrecifes de islas bajas que encierran una laguna de una profundidad media de 50 m.

TIERRA VEGETAL

LAGO INTERIOR

SEDIMENTOS

CAPARAZONES DE ANIMALES

Las islas Fidji, ubicadas en Oceanía.

¿Qué son?

En algunos ríos, lagos y mares, emergen porciones de tierra de diferentes extensiones: son las **islas**. Su origen es diverso y cada una presenta características según factores como clima, suelo, vegetación, fauna...

Pueden aparecer aisladas o formar sistemas de islas, llamados **archipiélagos**.

Origen de las islas

Las llamadas *islas oceánicas* formaron parte de los continentes en épocas remotas. Tal es el caso de las *islas Malvinas,* que están sobre la plataforma continental argentina y se hallan separadas del continente por un zócalo de 184 metros de profundidad.

Otras son el resultado de la **emersión de cadenas montañosas** en vías de formación, como las casi 13.000 islas que forman Indonesia, en Asia. También pueden originarse a partir de los **volcanes**, como muchas de las islas que constituyen Oceanía.

Los ríos —con su enorme energía— también cooperan en la creación de estas formaciones. Los materiales acarreados en su recorrido se van depositando en la desembocadura y dan origen al **delta**, llamado así por su semejanza con la cuarta letra del alfabeto griego, de forma triangular. Allí, el río pierde su fuerza y se ramifica en diferentes brazos entre los que se forman islas. Un ejemplo es el delta del Paraná, en Argentina, con cientos de islas, que abarca una superficie de 14.000 km².

Observando un mapa físico

Los colores

Antes de observar con detenimiento un mapa físico general, debemos tener en cuenta la escala de colores. El cero corresponde al nivel del mar; las altitudes tienen una tonalidad; las profundidades, otra. Los ríos están en celeste. Las zonas de relieve coloreadas están encerradas en líneas llamadas **curvas de nivel**. Los dibujos nos ayudarán a comprender qué son.

Leyendo un mapa

Ahora estamos preparados para interpretar la información contenida en el **mapa físico**.

- El color que se utiliza para los montes eternamente helados y la **curva de nivel de 5.000 m** indican que la cadena montañosa más elevada es el Himalaya, ubicada en Asia.
- En América, por ejemplo, las **cadenas montañosas** determinan dos pendientes, una hacia el océano Pacífico. La **pendiente oceánica** es mucho más extensa que **la del Pacífico**. Por eso, ésta es significativamente más abrupta.

Si observamos la dirección de los ríos, veremos que las grandes **cuencas fluviales**, como las que conforman el Paraná y el Río de la Plata, y el Mississippi-Missouri, nacen en las zonas elevadas y desembocan en el Atlántico atravesando extensas llanuras. Lógicamente, en las regiones más altas los ríos serán más rápidos y tumultuosos, mientras que, en las zonas bajas y de suaves pendientes, correrán más lentos y sus cauces serán más anchos.

Lo mismo ocurre, en las llanuras del N de Europa y Asia, con los ríos que desembocan en los mares asiáticos adyacentes al océano Glaciar Ártico.

- Ahora prestemos atención a las **profundidades marítimas**. El color más claro indica la **plataforma continental**. ¿Dónde quedan las plataformas continentales más extensas? El mapa nos dice que en la costa este de América del Sur, desde la desembocadura del Río de la Plata hasta el cabo de Hornos, y en la costa este de Asia. En cambio, es casi inexistente en donde el relieve es más abrupto, como en la costa oeste de América.

Éstos son algunos ejemplos de cómo utilizar el mapa para aprender geografía.

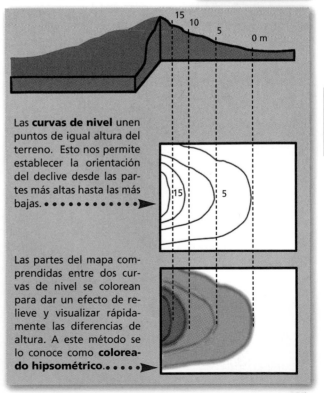

Las **curvas de nivel** unen puntos de igual altura del terreno. Esto nos permite establecer la orientación del declive desde las partes más altas hasta las más bajas. • • • • • • • • • • • • •▶

Las partes del mapa comprendidas entre dos curvas de nivel se colorean para dar un efecto de relieve y visualizar rápidamente las diferencias de altura. A este método se lo conoce como **coloreado hipsométrico**. • • • • •▶

LOS CLIMAS

El clima es fundamental para la vida, ya que las condiciones de lluvias, temperatura, humedad y vientos determinan su desarrollo, así como el establecimiento de los seres humanos.

—— Tipos de climas ——

Sabemos que el clima es la resultante de la combinación de la temperatura, los vientos y las lluvias.

El planeta Tierra tiene una geografía muy variada, lo que hace que las zonas climáticas precisas sean muy **difíciles** de establecer.

Para expresarnos científicamente, es conveniente referirnos a **tipos de climas**.

Principales climas

CÁLIDOS
- Ecuatorial
- Tropical
- Subtropical sin estación seca
- Subtropical con estación seca

TEMPLADOS
- Oceánico
- De transición
- Continental

FRÍOS
- Polar
- Continental
- Oceánico
- De altura

DESÉRTICOS
- Cálido
- Frío

Esto significa que apuntaremos a resaltar las **características propias** en cuanto a la vida humana, animal y vegetal, y a establecer el clima adecuado a cada región de la Tierra.

—— Clasificación ——

Para clasificar los climas, se deben tener en cuenta **dos factores** principales: la **temperatura** y las **precipitaciones** (lluvias).

Ahora bien, haciendo esta salvedad, podemos diferenciar cuatro tipos de clima:
1) cálido,
2) templado,
3) frío,
4) desértico.

Esto no es tan sencillo como parece, pues cada tipo de clima a su vez se subdivide en variedades específicas.

Clima cálido

El clima cálido está ubicado **entre los trópicos de Cáncer y Capricornio**.

Por la escasa inclinación de los rayos solares, la **temperatura** en este lugar es **sumamente elevada**.

Existe, además, una gran regularidad y uniformidad en los fenómenos atmosféricos.

Las **variedades del clima cálido** son tres:

• Ecuatorial.

La humedad y el calor tienen poquísimas variaciones.

La temperatura media anual promedio varía entre 25 y 30 °C. No existe diferencia entre las estaciones. Tampoco se registran vientos, sino corrientes de aire en ascenso.

Las **lluvias**, en cambio, son **excesivas**, llegándose a registrar precipitaciones que sobrepasan holgadamente la media de los 2.000 mm anuales.

La **atmósfera** está saturada de **humedad**, lo mismo que el **suelo**.

Los únicos factores de modificación relativa son la proximidad del **mar** y la **altitud**.

Entre las regiones que poseen este clima, podemos apreciar la **cuenca del Amazonas** y **la del Congo**, **el archipiélago indomalayo**, y **el litoral del Golfo de Guinea**.

• Tropical.

Los **veranos** y los **inviernos** son igualmente **cálidos**. Durante el período lluvioso, se registran altísimas cuotas de **humedad**.

La estación seca es muy **breve** y sus características son los cielos serenos. Las precipitaciones pueden ser **periódicas** o **estacionales**, según el lugar, pero en la época estival caen con inusitada **abundancia**, acompañadas siempre con violentas **descargas eléctricas**.

• Subtropical.

El promedio anual **de temperatura** es de **18 °C**, con veranos calurosos e inviernos tibios. Las lluvias están repartidas en el año y van desde **500** hasta **2.000 mm**. Presenta una variedad con estación seca (en invierno).

Clima templado

Tanto la temperatura como los vientos y las lluvias son muy variables. Acusan una gran influencia de los factores geográficos.

Las cuatro estaciones están muy marcadas; juega un papel de gran importancia la altitud como factor de cambio. La temperatura media oscila entre 10 °C y 15 °C, lo que estimula las condiciones de trabajo humano.

Tiene, también, tres variantes:

• Oceánico.

La humedad es constante, llueve todas las estaciones, pero con mayor frecuencia en época invernal. Las precipitaciones

El viento es uno de los componentes del clima. Según su dirección, pueden ser fríos o cálidos, y llevar más o menos humedad.

En las regiones de clima templado continental, la nieve cubre la vegetación durante el invierno.

Los lugares próximos al mar presentan una escasa oscilación térmica entre el verano y el invierno, ya que el agua conserva más el calor. A este tipo de clima se lo denomina marítimo.

Las montañas inciden notablemente en el clima. En algunos casos, actúan como barrera con las que chocan los vientos cargados de vapor de agua, produciendo precipitaciones que favorecen el crecimiento de los bosques.

van de suficientes a abundantes (500 a 2.000 mm). La condición indispensable es la vecindad del mar. Las diferencias de temperaturas no son extremas. Como ejemplos de este tipo de clima, citamos la región del **norte de Chile**, **Japón**, **el litoral atlántico europeo**, etc.

• De transición.

El promedio anual de temperatura es de 9 °C. Las lluvias son suficientes (500 a 1.000 mm), y el mayor monto se da en verano. Es característico del **centro de los EE. UU.** y la **región pampeana argentina**.

• Continental.

Caracterizado por excesivas variaciones climáticas y por las estaciones bien diferenciadas. Alternan **veranos tórridos** e **inviernos muy fríos**. En el verano las precipitaciones son moderadas (de 250 a 500 mm), y en el invierno se producen copiosas nevadas. **Europa central y oriental**; **sudeste de África** y **sur de Australia**, y **las llanuras del centro de los Estados Unidos** son algunos ejemplos de este clima.

---- **Clima frío** ----

Su área de difusión la constituyen los casquetes polares (lugar donde los rayos solares son casi **horizontales**) y las zonas de alta montaña.
Presenta **dos estaciones**: el invierno, con temperaturas de congelación, y muy prolongado (llega a durar 10 meses); el verano, que es breve y muy frío. La temperatura media anual va desde los -15 °C a los 5 °C. Son frecuentes las ventiscas y huracanes de **viento helado** (*blizzard*). Sus variedades son:

• Oceánico.

Presenta inviernos moderados y veranos frescos, con lluvias abundantes (oscilan entre los 1.000 y los 2.000 mm), repartidas durante el año. Por ejemplo, el **sur de Chile** y el **oeste de la Patagonia argentina**.

• Continental.

Los inviernos son muy fríos, secos y con nieve, y los veranos, muy cálidos y lluviosos. Las precipitaciones son escasas (de 250 a 500 mm). Las regiones que presentan este clima son el centro de Canadá, N de Europa y parte de Asia.

• Polar o nival.

Presenta temperaturas medias de -15 °C y precipitaciones escasas en forma de nieve.
Esta variedad es propia de **Groenlandia**, la **Antártida** y las **costas sobre el mar Ártico**.

• De altura.

La temperatura disminuye a medida que aumenta la altitud. Es propio de la cordillera de los Andes, los Alpes y la cordillera del Himalaya.

---- **Clima desértico** ----

Este tipo de clima se da en las proximidades de los trópicos, donde hay zonas caracterizadas por la casi total inexistencia de precipitaciones: estamos hablando de los **desiertos**.
A veces pasan más de quince años sin llover, debido a que los vientos alisios (conocidos como vientos secos) recorren estas áreas en forma permanente.
Las temperaturas son extremadamente **variables**. Y, lo que es realmente característico de este tipo de clima, se presentan variaciones extremas entre el día y la noche.
Desde el punto de vista del **paisaje**, éste es **desolador** y **monótono**.
En el caso de los grandes desiertos de arena, como el del Sáhara —cuya área fue antiguamente ocupada por un

mar—, el perfil paisajístico se compone de inmensas **dunas** movedizas.

Durante los períodos de tormenta —cuando sopla el **simún**—, las dunas se mueven. En ocasiones, han **devorado** caravanas de camellos y, en otras, se han engullido pequeños poblados.

En otros casos, el mismo viento deja al descubierto lo que antes cubriera con el fino manto mortal de la implacable arena. Existen **dos** tipos de **desiertos**:

• Cálidos.

Forman una especie de franja alrededor de la Tierra. Son localizados en ambos hemisferios: sudoeste de los Estados Unidos; norte de México; el Sáhara, Arabia; Irán; Kalahari; Australia; Atacama, entre otros.

• Fríos.

Ubicados en las áreas templadas de América del Norte y Asia.

Las isotermas

En la medición de las temperaturas, más que los datos aislados, interesan las medidas diarias, mensuales y anuales.

Si tomamos un mapa y sobre él trazamos una línea que una los puntos que contienen igual temperatura media mensual, obtendremos una línea apenas sinuosa llamada isoterma. El ascenso y el descenso de estas líneas en los océanos se explican por las distintas corrientes marinas, cálidas y frías, que provocan, respectivamente, un aumento y una disminución de la temperatura.

Se trata de depresiones geológicas transformadas en sectores desérticos a causa de que los vientos húmedos no circulan, pues son obstaculizados por los cordones montañosos de Mongolia, Colorado, Yukón, Turquestán y otros.

En los desiertos, la vegetación es escasa y se adapta a las condiciones de sequía. Las plantas son xerófilas en su mayoría.

Los climogramas

Precipitaciones en mm ●— Temperatura en °C

¿En qué consisten?

Básicamente, los climogramas son diagramas que **expresan las características sobresalientes de un clima determinado**. Representan **dos datos** fundamentales:

- **las precipitaciones** medias mensuales del año;

- **las temperaturas** medias mensuales que se han registrado en el año.

Estos datos se vuelcan en un **cuadro de doble entrada**, basado en *dos sistemas de coordenadas superpuestas:*

- una para las **precipitaciones**, graficadas con **barras**;

- otra para las **temperaturas**, unidas con una **línea de color**.

En algunos climogramas, también se expresa la *temperatura media anual* con una línea recta horizontal.

Datos informativos

Los climogramas brindan una variada información sobre el lugar al que pertenecen. Veamos algunos datos que podemos obtener:

- Observando la línea que une las temperaturas, podremos saber cómo son los inviernos y los veranos; si se diferencian (si el verano es cálido y el invierno frío) o no.

Conociendo estos datos, podemos sacar más conclusiones con respecto al tipo de vegetación que puede haber, o si es una región donde se puede desarrollar la agricultura.

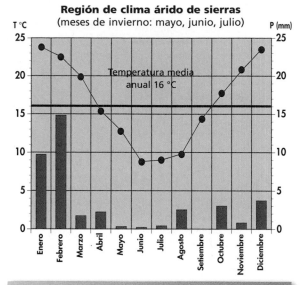

Región de clima árido de sierras
(meses de invierno: mayo, junio, julio)

Temperatura media anual 16 °C

Analizando este climograma, observamos que la región presenta: **veranos cálidos** e **inviernos benignos; lluvias insuficientes** (debajo de los 250 mm anuales) **e irregulares** (más abundantes en verano). Con estos datos podemos determinar que predomina la **vegetación arbustiva y herbácea**, y la agricultura consigue desarrollarse sólo en los oasis de regadío.

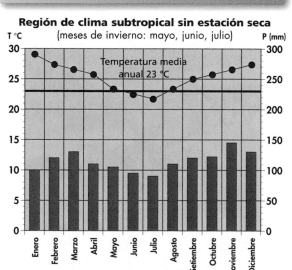

Región de clima subtropical sin estación seca
(meses de invierno: mayo, junio, julio)

Temperatura media anual 23 °C

En este climograma observamos que: los **veranos** son muy **calurosos y húmedos**, y los **inviernos cortos, suaves y benignos**. Las **lluvias** son **abundantes** (porque superan los 1.000 mm anuales) y **regulares** (porque se distribuyen con bastante uniformidad durante el año). Estos datos nos permiten determinar que esta región tiene **vegetación exuberante y variada**, y es apta para el cultivo de especies que requieren humedad.

LA POBLACIÓN EN EL MUNDO

La distribución geográfica

La población mundial se distribuye en **forma desigual** sobre la superficie terrestre debido a factores geográficos, históricos, económicos y políticos. Las **causas geográficas**, que determinan el asentamiento masivo del hombre en un lugar específico, son múltiples: por ejemplo, el clima, el relieve o la disponibilidad de agua potable.

Estas características naturales también se relacionan con **causas económicas**, como la posibilidad de producción de alimentos o la proximidad al mar para facilitar la comunicación y el comercio entre los pueblos. Así, las costas han sido decisivamente pobladas antes que las tierras del interior.

Por otra parte, muchas áreas fueron más pobladas que otras, debido a sus condiciones **históricas**, según cómo se organizaron las sociedades y cómo sus habitantes aprovecharon los recursos naturales para satisfacer sus necesidades.

Las selvas tropicales, que representan aproximadamente el 50 % de las selvas del planeta, desempeñan funciones reguladoras y productivas de importancia. El problema es la adaptación del hombre a las condiciones naturales de las selvas tropicales. Así, por ejemplo, muchos pobladores aborígenes, cazadores y recolectores, como los **pigmeos**, han podido vivir y siguen viviendo en ella sin provocar desequilibrios naturales.

Pero el incremento de la población mundial y la falta de tierras para cultivos están amenazando a este ecosistema. Por ello, la **UNESCO** ha creado un programa de **prevención** y de estudio sobre los **efectos ecológicos** que tiene el incremento de las actividades humanas dentro de las selvas tropicales y subtropicales.

(Adaptación de un artículo del *CORREO de la UNESCO.*)

Los seres humanos están asentados en todo el planeta, excepto en los medios acuosos y en los polos. Pero hay zonas en que el relieve y el clima inciden sobre esta situación.

Áreas más y menos pobladas

Observando el mapa, se reconocen áreas densamente pobladas que corresponden a **territorios llanos** con menos de 500 m de altura, **climas templados y próximos al mar**, como por ejemplo Europa occidental. A estas áreas se las llama "**hormigueros humanos**".

Contrariamente, existen **vacíos demográficos** que coinciden con las **áreas menos apropiadas para el asentamiento del hombre**: las áreas frías del hemisferio Norte, o los desiertos de Australia y el Sáhara.

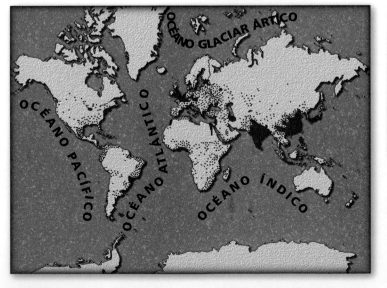

Casi toda la población del globo vive en zonas situadas entre el nivel del mar y los 3.000 m de altura. Apenas unos 15 millones habitan de manera permanente por encima de este límite, hasta los 4.000 m: en el altiplano andino y en el Tíbet.

Para analizar la desigual distribución, se utilizan mapas que marcan la densidad de población (relación entre el número de los habitantes y la superficie del área). Esta fórmula, representada por la medida hab/km², refleja aproximadamente la cantidad de habitantes que hay en un lugar determinado.

OCÉANOS Y MARES

Cubren la mayor parte de la superficie terrestre y son reguladores térmicos que cumplen una función destacada en el equilibrio dinámico de nuestro planeta.

Reguladores térmicos

Durante el día, en una mitad de nuestro planeta, los rayos del sol calientan las aguas de océanos y mares (además de todo lo que hay sobre su superficie), y se forman capas cálidas de muchos metros de espesor. Cuando llega la noche, este calor acumulado se irradia sobre el continente y amortigua la pérdida de calor de la superficie terrestre. Si esto no ocurriera, la temperatura sería mucho más baja durante la noche.

Salinidad

Se denomina **salinidad** a la cantidad de sales que se hallan disueltas en una medida de vo-

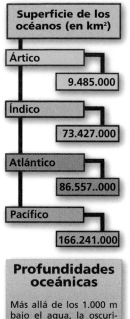

Superficie de los océanos (en km²)

Ártico	9.485.000
Índico	73.427.000
Atlántico	86.557..000
Pacífico	166.241.000

Profundidades oceánicas

Más allá de los 1.000 m bajo el agua, la oscuridad es absoluta. Sólo se modifica con los peces luminosos. En el mar Rojo, a los 20 m de profundidad sólo se distinguen sombras (debido a la densidad del agua). En cambio, en las costas de California, es posible ver bien a los 40 m.

lumen de agua marina. La salinidad normal es de 35 kg de sal por tonelada de agua (35 por mil). Pero esta relación varía de acuerdo con ciertas características. Así, la presencia de témpanos o el desagüe de ríos reduce la proporción de sal. Por ejemplo, el mar Báltico —que se extiende entre tierras frías y lluviosas—, donde desembocan varios ríos caudalosos, tiene escasa salinidad. En cambio, los mares de las regiones tropicales (como el mar Caribe) o los que tienen escasa conexión con el océano o poco aporte fluvial (como el mar Mediterráneo o el Muerto) presentan una mayor cantidad de este mineral. Cuando hablamos de sal, nos referimos a los elementos que se encuentran disueltos en el agua: *cloro, sodio, magnesio, azufre* y *calcio*.

Cuatro grandes océanos

La masa de agua marina llega a las costas de todos los continentes.

Pero, de acuerdo con factores como la temperatura, las corrientes, la fauna y la flora, y las formaciones de relieve, no se la estudia como un mar único, sino como cuatro grandes océanos. ¿Vemos algunas particularidades que los diferencian?

El Pacífico

El estrecho de Bering —en el hemisferio norte— lo separa del océano Ártico. Por el sur, la línea imaginaria entre el Cabo de Hornos y la Antártida es la divisoria de aguas del Pacífico y el Atlántico.

Posee la mayor profundidad media: 3.940 m.

Se caracteriza por estar bordeado de fosas abisales relacionadas con zonas de archipiélagos de origen volcánico y coralino, lo que lo convierte en el océano con más islas. Entre los paralelos de 15° y de 25° de latitud sur, se encuentra el "mar del Coral", donde las colonias de corales y algas forman bellos arrecifes.

El Pacífico norte se caracteriza por violentos maremotos y tifones, que castigan las costas japonesas, con olas que alcanzan más de 15 m.

Son pocos los ríos que desaguan en este océano.

El Índico

El océano Índico, ubicado entre Asia y África, fue el primer océano recorrido por navegantes —egipcios, árabes y griegos— en la antigüedad.

Su profundidad media es de 3.840 m. En él desembocan ríos importantes, como el Brahmaputra y el Ganges.

Su mayor superficie se encuentra en el hemisferio Sur.

Hacia el norte, una serie de mesetas sumergidas que albergan colonias de corales, al emerger, forman los archipiélagos que se

extienden entre Madagascar y la India. Allí hay una vida acuática muy rica.

El Atlántico

Su profundidad media es 3.310 m. Comunica las aguas boreales y australes, siendo su mayor longitud de norte a sur.

Su salinidad es un poco inferior a la de los demás océanos, porque en él desembocan numerosos y caudalosos ríos, como el Mississippi, el Grande, el Amazonas, el Paraná (a través del Río de la Plata) y el Congo. Otra diferencia es que posee pocas islas, entre las que se destacan las Antillas y las Malvinas.

El océano Glaciar Ártico

Algunos estudiosos consideran el Glaciar Ártico como un mar marginal del Atlántico norte. Está rodeado por una plataforma continental y el estrecho de Bering.

Presenta una profundidad media de 3.050 m y el 70 % de su superficie se encuentra congelada durante todo el año.

En la región oriental del Atlántico norte, el viento lleva hasta el mar enormes polvaredas desde el desierto de Sáhara. Las finas partículas de arena suspendidas en el aire producen un efecto lumínico espectacular: el sol aparece como un disco rojo y dejan de verse sus rayos. En ocasiones, la intensa polvareda oscurece la atmósfera y tiñe los buques de un color rojizo.

La abundancia de plancton fosforescente en el océano Índico hace que éste tome un color pardo durante el día. Pero, a la noche, sus aguas se iluminan (por efecto de los pequeños organismos), fenómeno conocido como *"mar de leche"*.

Fosas marinas
(profundidad en metros)

de las Marianas

10.915

de Puerto Rico

8.648

de Java

7.125

de Eurasia

5.122

Si pudiéramos ver nuestro planeta sucesivamente desde ambos polos, observaríamos que la mayor parte de las tierras emergidas se encuentran en el hemisferio Norte. Lo que ocurre es que, al norte del ecuador, el mar ocupa alrededor del 60 % de la superficie de la Tierra, mientras que al sur alcanza el 90 %. Por eso, al hemisferio Sur se lo considera el "*hemisferio oceánico*". Entre los 40° y los 60° de latitud sur, prácticamente no hay tierra firme. Este predominio de las aguas en el hemisferio austral hace posible que los animales acuáticos puedan emigrar con facilidad.

El color azul del mar se atribuye a que los rayos luminosos de este color son absorbidos diez veces menos que los rojos. Otras variaciones en el color pueden ser debidas a los materiales en disolución y suspensión.

La navegación por sus aguas se hace dificultosa, por la presencia de enormes icebergs que se desplazan por la superficie.

Los mares

Los mares son las masas de agua salada contiguas a los océanos. Cuando se hallan separadas de éstos por franjas de tierras o tienen límites definidos, se los llama "mares marginales". Los que no tienen ninguna conexión con el océano se denominan "internos". Entre los primeros se encuentran el mar Caribe, el Mediterráneo, el Negro y el Rojo. Entre los segundos, el mar Caspio, el mar de Aral y el mar Muerto. Hay mares muy extensos, como el mar Arábigo, de 3.683.000 kilómetros cuadrados de superficie; o muy pequeños, como el Mar de Mármara, de sólo 11.000 km.

Olas y mareas

El viento que sopla sobre la superficie del mar es el mayor responsable de la formación de *olas*. Cuando el agua recibe la energía cinética del aire, se mueve en forma de ondas, que es un movimiento oscilatorio sin traslación de agua y con poca profundidad. Según la amplitud de la onda (distancia entre la cresta y la base), la ola será pequeña o grande. Cuando la ola llega a la orilla, su cresta cae hacia adelante, es decir, rompe.

Las mareas son flujos y reflujos del agua. Son producto de la atracción gravitatoria que ejerce la Luna sobre la Tierra. La *marea alta* o *pleamar* se produce dos veces por día. El fenómeno opuesto —la *bajamar*— se produce por la fuerza centrífuga que genera la rotación de la Tierra, que contrarresta la atracción que ejerce la Luna.

La vida en mares y océanos

Los mares y océanos constituyen el hábitat de una enorme variedad de especies vegetales y animales. Según la profundidad a la que viven, pueden agruparse en **bentónicas**, **nectónicas** o **pelágicas** y **planctónicas**. Las **bentónicas** son las especies que permanecen en los fondos, tanto las que se fijan al suelo como las que se mueven (ostras, corales, esponjas y unicelulares). Las **nectónicas** o **pelágicas** comprenden las que pueden moverse a distintas profundidades (peces, mamíferos marinos y moluscos nadadores).

Las **planctónicas** son las especies que flotan cerca de la superficie del agua o se mueven en unos pocos metros (organismos muy pequeños o unicelulares, como las algas). Dentro de la cadena alimentaria, todos dependen de las plantas, que sólo pueden desarrollarse cerca de la superficie, ya que la luz del sol penetra hasta los 200 metros únicamente.

LA PESCA

En países **pobres o del tercer mundo, millones de personas dependen de la pesca para subsistir**. Se estima que se explotan unas 110 millones de toneladas de especies ictícolas, sin contar las no tradicionales, como el krill, el calamar oceánico y los pequeños peces de alta mar.

Los grandes volúmenes de pesca mundial están en manos de muy pocos países: China, Japón, EE. UU., España, que disponen de una alta inversión e importante infraestructura, como construcción y mantenimiento de puertos, barcos factorías y mano de obra especializada (biólogos marinos, oceanógrafos). Perú y Chile cuentan con amplias zonas óptimas para desarrollar esta actividad y luchan día a día para mejorar su tecnología y así competir en el mercado mundial.

La **actividad pesquera** puede ser **continental** (**agua dulce**), con escasa producción, **o marítima**, que representa el 85 % de la producción pesquera a escala mundial.

Los productos de la pesca se destinan principalmente al consumo humano, como pescado fresco, congelado y enlatado.
Con los desechos se fabrican harinas.
El aceite de pescado se utiliza con fines terapéuticos o para producir jabón.

Es fuente esencial de alimentos, trabajo e ingresos, tanto para países industrializados como en vías de desarrollo.

Condiciones de la actividad

- Bancos de pesca de pocas especies y con gran cantidad de individuos.
- Un espacio marítimo propicio por su escasa profundidad: mar territorial (hasta 12 mil millas) y zona económica exclusiva (hasta 200 millas marinas contadas desde la costa).
- Abundancia de microorganismos fitoplancton y zooplancton.
- Disponer de una costa adonde llegue agua dulce (esto implica mayor presencia de nutrientes que atraen a los cardúmenes).
- Un área de unión de dos corrientes de temperaturas diferentes: la del Brasil (cálida) y la de Malvinas (fría) frente al litoral marítimo argentino.
- Mares epicontinentales (sobre plataforma submarina).

RIQUEZA ICTÍCOLA	
Pacífico Norte ➡	salmón, arenque, atún, mero, sardina
Pacífico Sur ➡	lenguado, bacalao, merluza, crustáceos, mariscos
Atlántico Norte ➡	arenque, bacalao, caballa, merluza, mariscos (mejillones y almejas), crustáceos
Atlántico Sur ➡	merluza, pescadilla, corvina, anchoa, caballa
Mar Mediterráneo ➡	anchoa, salmón, sardina, mariscos, crustáceos

Alrededor del 6 % de las necesidades mundiales de proteínas se obtiene de la pesca: en Asia, el 55 % se obtiene del producto de esta actividad. A la vez, proporciona empleo (hay 16 millones de personas ocupadas en la pesca en los países en vías de desarrollo, incluyendo la transformación del pescado para conserva y comercialización).

AGUA EN LA SUPERFICIE TERRESTRE

Circulan por la superficie terrestre, siguiendo la pendiente del terreno, o por el interior de sus entrañas y, en su viaje, van transformando el paisaje.

Aguas continentales

Las aguas que discurren por la superficie terrestre, aunque en algunos tramos se transformen en ríos subterráneos y luego vuelvan a reaparecer, o bien aquellas que se acumulan en depresiones u hoyas, se denominan **aguas continentales**.

Forman así los lagos, lagunas, arroyos, ríos y manantiales. Su origen está, sobre todo, en las precipitaciones. En otros casos, se forman por el torrente líquido derivado de los deshielos. Los glaciares, por ejemplo, son los ríos helados de millones de años de antigüedad y están contenidos en los valles montañosos conocidos como **circos**.

Lagos y lagunas

Son grandes extensiones de agua dulce o salada, ubicadas en las depresiones terrestres. En muchos casos, dan origen a los ríos, pues son desagües de éstos.

Los **lagos** pueden alcanzar una extensión de miles de kilómetros cuadrados, con profundidades de hasta 300 metros. También cumplen una acción de regulación en la distribución de las aguas, al recibir el exceso fluvial producido en los deshielos. La zona más cercana a la orilla tiene una pendiente suave, llamada escaño. Luego, sigue el talud, una zona de mayor o menor pendiente que llega al fondo, ubicado en el centro.

El caudal de los ríos sufre variaciones relacionadas con distintos factores climáticos, como precipitaciones o sequías. Estas variaciones determinan el régimen hidrológico.

Los lagos son depresiones del terreno ocupadas por una masa de agua. Pueden estar conectados o no con el mar. Algunos se alimentan de las aguas de sus afluentes. Otros, de aguas subterráneas, del agua de lluvia o de los deshielos.

Las **lagunas** son poco profundas y, en ocasiones, no llegan a los 10 metros. Ocupan grandes extensiones. Reciben el nombre de **esteros, pantanos y ciénagas** cuando se localizan en lugares húmedos y calurosos, con llanuras onduladas.

Los ríos

Denominamos **ríos** a las corrientes de agua dulce que fluyen sobre la superficie continental. Siguen el declive topográfico y desaguan en otro río, en el mar o en lagos.

Localizamos el origen de los ríos en los manantiales de las sierras, en los glaciares o en los lagos. En muchas ocasiones, están formados sólo por la lluvia, por el proceso de evaporación y condensación. Cuando el agua de lluvia se escurre formando hilillos, al juntarse éstos originan arroyuelos. El conjunto de arroyuelos es un riachuelo que al unirse a otros forma, también, un río.

La línea natural que divide las aguas se llama **arista hidrográfica** o **línea divisoria de aguas**.

Escorrentía

Es la **cantidad de agua que corre por la superficie terrestre**, formando arroyos y ríos, y que **proviene de las precipitaciones y de las napas freáticas**. Ese movimiento de las aguas produce la erosión del suelo y del subsuelo, ya que, en su fluir, arrastra materiales. En las zonas altas, la fuerza erosiva de las aguas es mayor. En el curso inferior, se produce una acumulación de sedimentos.

Sistema fluvial

El relieve del terreno hace que las aguas corran hacia determinado lugar. De este modo, van a parar a arroyos que alimentan otros ríos. Esta red de drenaje de las aguas forma un **sistema fluvial**. La superficie drenada se denomina **cuenca hidrográfica**.

Hay diversos **tipos de cuencas**:
- si las aguas desembocan en el exterior del continente, la cuenca es **exorreica**;
- si las aguas desembocan en lagos o mares ubicados en el interior de los continentes, es **endorreica**;
- si las aguas del curso fluvial se pierden en el terreno por infiltración o evaporación, la cuenca es **arreica**.

Si observas un planisferio físico, verás dónde se localizan estos tipos de cuencas.

Caudal

La **cantidad de agua que lleva un río** se denomina caudal. Los hidrólogos utilizan un método para medir el caudal de un río, que consiste en conocer el volumen de agua que pasa por segundo en un punto determinado. Por lo tanto, el caudal se mide en metros cúbicos por segundo (m^3/s).

Los ríos no tienen siempre el mismo caudal. Éste aumenta cuando recibe el agua de los deshielos o de las lluvias. Y decrece cuando recibe poca agua, en las estaciones secas. A esta variación se la denomina **régimen hidrológico**.

¿De qué depende el caudal?

Como vimos, fundamentalmente de las **lluvias**. Si son fuertes, es mayor el flujo superficial. En cambio, si son escasas, las aguas son absorbidas por el suelo o se evaporan.

Otro factor es el **suelo**. Si éste es muy permeable, reduce el flujo superficial.

La **vegetación** retarda la escorrentía, ya que sus raíces absorben el agua o la retienen sus hojas. En algunas regiones donde se han talado los árboles en la cuenca superior, la escorrentía es mayor y se han producido inundaciones.

Aguas subterráneas

Se denominan aguas subterráneas a las que se **acumulan en distintas capas de la corteza terrestre por filtración del agua de las precipitaciones**. Por presión, y la consistencia del material del subsuelo y del suelo, salen a la superficie en forma de manantiales. Es muy utilizada para el consumo y el riego, para lo cual se emplean bombas de succión. Constituye una gran reserva de agua potable.

Las aguas subterráneas constituyen un valiosísimo recurso hídrico, utilizable no sólo para el consumo, sino también con fines de regadío.

GRANDES AMBIENTES NATURALES

Los diversos climas de nuestro planeta son determinantes de los ambientes naturales. Así, se clasifican en paisajes de climas cálidos, templados, fríos y desérticos.

La selva

En la región de **clima cálido ecuatorial**, encontramos las selvas, apretadas formaciones vegetales constituidas por varios **estratos**: hierbas, arbustos, árboles bajos, árboles que alcanzan un porte de 20 a 40 metros, y árboles que superan esa altura. Abundan las epífitas, lianas y enredaderas. Algunas de las especies de la selva son: *quina, palmeras, palma de betel, cedros, caoba, cacao, banano, mango, ébano, caucho, bambú*, etc. La espesura impide que el sol llegue hasta el suelo, y reina la penumbra. Por esa razón, el estrato herbáceo es menos abundante que en otras regiones.

El **suelo** —permanentemente cubierto por hojas y frutos que caen de los árboles— es generalmente **pobre**. La presencia de **hierro** le da un color rojizo.

Los suelos de clima cálido, durante los períodos de sequía, presentan lateritas. Éstas son costras de color amarillento o rojizo, debido a la abundancia de hierro, y no permiten el uso del suelo para la agricultura.

Los bosques tropicales

Son formaciones vegetales propias del **clima cálido ecuatorial**. Presentan menor cantidad de especies por hectáreas y menos estratos. Esto se debe a que la humedad es menor, y hay una estación lluviosa (verano) y una estación más seca. Algunas especies son: *acacia, ceibo, quebrachos, palo borracho, lapacho rosado, plantas aromáticas (laurel, menta, tomillo, lavanda), manglares*.

Las sabanas

Este ambiente se extiende entre el ecuador y los trópicos, como continuación de las selvas y los bosques subtropicales. Es propio de los **climas cálidos subtropicales con estación seca**. Las precipitaciones se presentan en verano. En cambio, los inviernos son muy secos; por eso las especies vegetales presentan adaptaciones, como espinas, raíces profundas y troncos gruesos donde se almacena el agua.

En las sabanas, **se alternan hierbas duras y altas con montes de árboles y arbustos**.

Durante el invierno, pierden sus hojas y el suelo se reseca.

El paisaje se debe en parte a la acción del hombre, ya que algunas regiones eran ocupadas por bosques, que fueron eliminados, por supuesto. También fue reducida gran parte de la fauna típica: *cebras, jirafas, avestruces, antílopes, leones y elefantes africanos; canguros australianos; pumas y ñandúes americanos.*

Las sabanas más extensas se encuentran en el centro y oeste de África: Sudán, Kenia, Tanzania, Uganda y Angola meridional. Las encontramos con el nombre de *llanos* en Venezuela, y como *campos* o *caatingas* en los altiplanos brasileños.

La utilización de tecnología permite el desarrollo de la agricultura, como en Asia central. En general, constituyen grandes espacios de baja densidad poblacional.

Las praderas

Algunas las nombramos en *"Las extensas llanuras"*: la pampa argentina, las fértiles llanuras de los Estados Unidos y de Ucrania. A ellas debemos agregar la de China central y la del sudeste de Siberia, en Asia. Este paisaje pertenece a la **zona de clima templado**.

El suelo es rico en *humus* y presenta un predominio de gramíneas. La vegetación, que se extiende como una alfombra verde, permite la **cría extensiva de ganado**. La riqueza del suelo ha sido el factor número uno para el **desarrollo de la agricultura**, fundamentalmente el **cultivo de cereales**. Constituyen, por lo tanto, los grandes *graneros* del mundo: producen alimentos para media humanidad.

La estepa

Es un ambiente de **clima árido** con precipitaciones inferiores a 500 mm. La vegetación es **arbustiva y espinosa**, adaptada a la poca humedad, como *cactos y mezquites*. Cuando llueve, se desarrollan las gramíneas.

El desierto

Debido a la escasez de las lluvias y la pobreza de los suelos —formados por arena o guijarros—, **la vegetación es escasa, y xerófila o cactácea**, con raíces muy largas, corteza gruesa y leñosa. En algunos lugares, se forman corazas de sales.

Los ríos son temporarios o intermitentes (permanecen secos durante varios meses).

La dureza del paisaje hace que sean generalmente zonas de baja densidad poblacional. Aunque en algunas se han establecido ciudades, ya sea por actividades como la minería y la extracción de petróleo (por ejemplo, en Estados Unidos, Irak, Irán), o por el riego, que transformó zonas desérticas en productivas (Israel).

Las praderas artificiales se cultivan con forraje de mayor valor nutritivo para el ganado.

La mayoría de las zonas áridas o desérticas poseen una baja densidad de población, debido, entre otras causas, a las adversidades climáticas.

Grandes paisajes de clima frío

La taiga es el bosque —la reserva forestal— de las **zonas frías del hemisferio norte**, y abarca zonas de América del Norte, Europa y Asia.

Está compuesto de **coníferas** cuyas hojas en forma de aguja les permiten adaptarse al frío y a la nieve.

Más al norte, donde la mitad del año prácticamente no hay sol y el suelo está permanentemente congelado, la vegetación, rastrera, está formada por **líquenes, musgos y unas pocas hierbas**. Es el paisaje de la **tundra**.

A pesar del rigor, fue poblado por pueblos de tecnología rudimentaria, como los esquimales y lapones.

Actualmente, la extracción de minerales y la industria petrolera han permitido el desarrollo de pequeñas ciudades.

En la **Antártida**, donde el frío es mayor que en el polo Norte, sólo hay bases militares y científicas.

ASENTAMIENTOS HUMANOS

Áreas tropicales y subtropicales

Aproximadamente, un tercio de la población mundial vive en estas áreas. Algunas presentan un alto índice de poblamiento, como el sudeste de Asia. Otras zonas tienen muy baja densidad, como la selva amazónica, en América del Sur.

La mayoría de los países situados en estas regiones fueron colonias y hoy pertenecen al sur subdesarrollado. En las sabanas africanas, por ejemplo, viven poblaciones extremadamente pobres, donde se practica una agricultura de subsistencia. Se realizan manejos inadecuados que degradan los suelos, como la quema de rastrojos. Muchas veces se importan tecnologías que no son apropiadas para esta variedad climática. Por ejemplo, a causa del clima, deben utilizar una cantidad mayor de agrotóxicos para combatir las plagas que en los países de clima templado. Esto produce la polución de las aguas y la contaminación de los alimentos.

Praderas

Las grandes praderas americanas fueron un atractivo para los inmigrantes europeos. En los Estados Unidos, la actividad agrícola-ganadera fue el motor del asentamiento de pobladores, ya que éstos recibían tierras en concesión para trabajarlas. En América del Sur, el centro de atracción lo constituyó la pampa húmeda argentina. Actualmente, el ambiente de las praderas se encuentra sumamente modificado. La actividad y los transportes, como el ferrocarril, originaron poblados y ciudades, muchas de las cuales crecieron por las agroindustrias. Pero aún perduran los grandes espacios con baja densidad poblacional, característicos del medio rural.

producen → **efectos adversos** ← producen

Selvas y bosques tropicales en peligro

Las selvas y bosques tropicales son extraordinarias reservas de biodiversidad, absorben el escurrimiento de las aguas, y producen y liberan a la atmósfera grandes cantidades de oxígeno. Son fundamentales para la vida del planeta. Sin embargo, la acción humana está produciendo estragos en estos paisajes. Gran parte ha sido talada, para utilizar la madera, o quemada, para desarrollar la agricultura y la ganadería. Como los suelos son pobres, se agotan rápidamente. Además, la destrucción del bosque produce la desertificación y altera las condiciones climáticas del mundo. La construcción de grandes carreteras interrumpe la continuidad biológica del paisaje; constituyen verdaderas barreras para la biodiversidad.

Agotamiento de los suelos

Los suelos de las praderas no son eternos. El uso intensivo para las actividades agrícola-ganaderas produce el agotamiento y la pérdida de fertilidad, como en la pampa argentina.

Entre las prácticas aconsejables, están rotar los cultivos y barbechar, y no arar en favor de la pendiente.

La ganadería

—¿Para qué nos sirve?—

Para satisfacer las necesidades humanas, como alimentación, indumentaria, medios de transporte y colaboración en el trabajo, se han realizado la cría, domesticación e industrialización de los animales domésticos. Esta actividad –una de las más antiguas– se realiza en casi todos los grandes paisajes. En las zonas más áridas, se explota ganado para consumo familiar o interno, y para la obtención de lana o piel. En las grandes praderas, se cría el ganado vacuno en forma extensiva e intensiva para la obtención de carne, producto que se exporta.

— Actividad ganadera —

Es aquella actividad que se dedica a la **cría y explotación económica y comercial del ganado**. Tiene como finalidad el **mejoramiento de las pasturas**, la aplicación de **técnicas específicas**, la creación de **nuevas razas**, el empleo de distintas formas de explotación y la obtención de **materia prima** para la industria (lana, cuero, pieles, etc.).

— Ganado bovino —

La cría de estos animales es propicia en países con climas templados y relieves llanos de ricas pasturas. Las nuevas técnicas de mejoramiento de razas, como el **cruzamiento** de animales puros con otros que no lo son y la **inseminación artificial**, permitieron ampliar considerablemente su área productiva, ya que lograron un mayor rendimiento y resistencia a climas y enfermedades que originariamente los bovinos no tenían. Con estos animales se logra:
- mejor calidad de carne;
- mayor tasa de reproducción y longevidad;
- mayor adaptación al medio.

Este ganado cuenta con el mayor número de cabezas (más de 1.300 millones) en el mundo.

— Ganado ovino —

La cría del ganado ovino nos permite obtener lana, carne y leche. Se adaptan fácilmente a condiciones climáticas extremas, inviernos rigurosos, escasas precipitaciones y pasturas duras.

La técnica de explotación es **extensiva**. El mayor número de cabezas de ganado se encuentra en Asia y Oceanía (Australia).

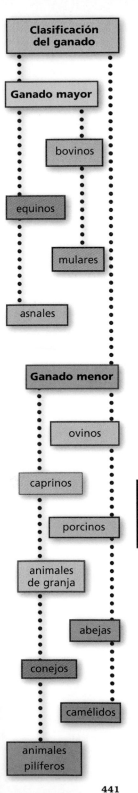

Clasificación del ganado

Ganado mayor
- bovinos
- equinos
- mulares
- asnales

Ganado menor
- ovinos
- caprinos
- porcinos
- animales de granja
- abejas
- conejos
- camélidos
- animales pilíferos

Ganado porcino

El ganado porcino se adapta a diferentes ámbitos (fríos, templados, cálidos), y mediante el cruzamiento se logran nuevas razas de cualidades diferentes.

En los últimos años ha crecido enormemente su producción, como consecuencia de que sus derivados (embutidos y conservas) ocupan un lugar preferente en los países subdesarrollados.

Actividad ganadera

Intensiva

- Alto porcentaje de capital aportado a esta actividad (forrajes, mejoras, reproducción).
- Alta rentabilidad y rendimientos.
- Máximo uso del suelo.
- Mejor calidad en productos y subproductos.
- Elevado número de cabezas por hectáreas.

Extensiva

- Requiere gran extensión de superficie.
- Escasa aplicación de técnicas de producción.
- Bajo rendimiento anual y poco aporte de capital.
- Ocupa regiones menos desarrolladas del planeta.

De subsistencia

- Su característica es el escaso intercambio de productos con el exterior.
- El rendimiento por cabeza y por hectárea es bajo, y escasa la aplicación de técnicas.
- Hay una subutilización del espacio agrícola y deficiencias socioeconómicas.
- Tiene lugar, por ejemplo, en áreas semidesérticas.

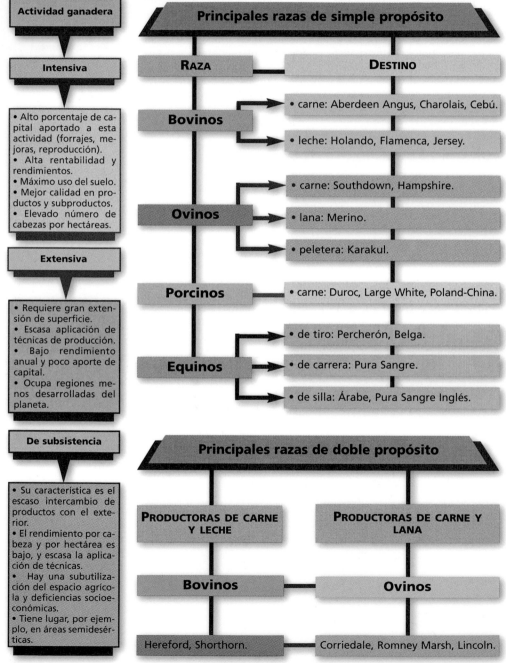

Principales razas de simple propósito

RAZA	DESTINO
Bovinos	• carne: Aberdeen Angus, Charolais, Cebú.
	• leche: Holando, Flamenca, Jersey.
Ovinos	• carne: Southdown, Hampshire.
	• lana: Merino.
	• peletera: Karakul.
Porcinos	• carne: Duroc, Large White, Poland-China.
Equinos	• de tiro: Percherón, Belga.
	• de carrera: Pura Sangre.
	• de silla: Árabe, Pura Sangre Inglés.

Principales razas de doble propósito

PRODUCTORAS DE CARNE Y LECHE	PRODUCTORAS DE CARNE Y LANA
Bovinos	**Ovinos**
Hereford, Shorthorn.	Corriedale, Romney Marsh, Lincoln.

La agricultura

Actividad agraria

La agricultura nació cuando el hombre se hizo sedentario. Permite obtener alimentos tanto para el hombre como para sus animales, y sus productos sirven como materia prima para diferentes industrias. Las características del paisaje agrario dependen de las técnicas y de las formas de su aplicación (modos de utilizar el suelo), el capital disponible y la tecnología.

Factores intervinientes

¿Qué factores intervienen en la agricultura? El **suelo**, el **clima** y el **agua**. El **suelo** es el sostén de las plantas y el elemento de donde obtienen los nutrientes. El **clima** es fundamental para el crecimiento y desarrollo de las plantas. Determina qué se puede y qué no se puede cultivar en una región determinada. Por ejemplo, hay cultivos que necesitan calor y humedad, como el azúcar y el café (de climas subtropicales); en cambio, otros resisten las heladas propias de los climas fríos.

Algunas cosechas se pierden por la prolongación de la estación seca.

Sin **agua** no hay plantas. En las regiones donde llueve poco, se recurre al riego artificial.

Elementos del paisaje agrario

Son los que se pueden observar: la división en parcelas; el uso que se le da a la tierra; las construcciones de viviendas, galpones, silos; las maquinarias; los alambrados; los postes de electricidad; los caminos interiores.

ALGUNOS SISTEMAS DE CULTIVO

Intensivo	Se cultiva el suelo en forma continua, con inversión de capital y tecnología para obtener alto rendimiento.
Extensivo	Grandes extensiones de cultivo con poca productividad.
De rozado	Se incendia la cubierta vegetal, se remueven los restos y se incorpora la ceniza al suelo, para que actúe como abono. Pero, al cabo de dos o tres años, el suelo comienza a perder fertilidad, y es necesario buscar otro sitio para desmontar. Es utilizado por los países subdesarrollados, en selvas o bosques.
Por secano	Se practica en tierras regadas sólo por el agua de las lluvias.
De regadío	Se construyen redes de canales de riego. Se obtiene un gran rendimiento al no depender de la meteorología.
Bocage	Son campos cercados por setos de arbustos o muros de piedra, para evitar la invasión del ganado.
Openfield	Se denomina así a los **"campos abiertos"**, separados solamente por carreteras, caminos o ríos.
De monocultivo	Cultivo continuado de una única especie.
De recolección	Se obtiene lo que brinda la naturaleza.

Diferentes paisajes agrarios

De acuerdo con el clima de cada área, los rasgos característicos de los paisajes agrarios en el mundo son los siguientes.

- **Áreas templadas**: con altos porcentajes de humedad durante todo el año, y suelos fértiles, permiten un importante desarrollo agrícola. Se desarrollan sistemas de cultivo intensivo y extensivo. Ejemplos: área templada de Europa occidental y central.

- **Áreas cálidas**: franja intertropical húmeda con suelos pobres. Desarrollan sistemas de cultivo de recolección, de rozado e intensivo.

- **Áreas semiáridas**: la falta de abastecimiento de agua obliga a dos formas de vida: sedentaria y nómada. Se incorporan tecnología y capital para la búsqueda de agua (centro-oeste de EE. UU., áreas desérticas de Israel y centro de Australia). Se desarrollan sistemas de cultivo de recolección y de subsistencia. Ejemplos: Sáhara, Arabia, Irán, Puna.

PRODUCTORES RURALES

PEQUEÑOS

Recolectores:
su número es cada vez menor. Se los encuentra en la selva amazónica y África tropical. Recolectan frutos, raíces o miel.

Obrajeros:
talan árboles en forma indiscriminada, para obtener tanino o madera. Constituyen mano de obra paga.

Pastores nómadas:
cría trashumante de ganado (desplazamientos estacionales en busca de pastos) en zonas áridas del Sáhara. Realizan trueques para poder subsistir y para obtener productos agrícolas. Algunos tienden a transformarse en sedentarios.

Campesinos:
cultivan para la subsistencia o el autoconsumo y, si hay excedentes, los venden. Se encuentran especialmente en América latina, India y África. La mano de obra es familiar.

Minifundistas:
practican el monocultivo, con lo cual provocan la degradación de los suelos. Buscan comercializar sus productos en el mercado. La mano de obra es familiar y a veces contratada.

MEDIANOS

Son monoproductores donde trabajan asalariados y mano de obra familiar. No cuentan con el manejo de la distribución y comercialización.

La práctica del monocultivo no resulta beneficiosa, en primer lugar porque los productores están fuertemente expuestos a las tendencias del mercado (baja de precios o detrimento de la demanda); en segundo lugar, porque provoca el deterioro de los suelos.

GRANDES

Plantación:
los productos que se obtienen se destinan a la exportación. En la actualidad, se contrata mano de obra asalariada. Se desarrollan en el sudeste de Brasil, Guinea, Indonesia y América Central. Hay riesgos de agotamiento de los suelos e inestabilidad económica, debido a la aplicación del sistema de monocultivo.

Hacienda:
gran extensión de terreno dedicado esencialmente a la actividad ganadera. Requiere poca inversión y tiene un bajo nivel tecnológico. El sistema es extensivo, típico en América.

Estancia:
producción de cultivos para comercialización. La mano de obra es escasa; se busca alternar con cultivos de pasturas artificiales.

Agroindustrias:
compañías que controlan toda la cadena alimentaria, algunas de las cuales producen un solo insumo; o empresas que usan la tierra y el trabajo del país anfitrión para la producción de alimentos. Están altamente tecnificadas y emplean mano de obra calificada.

Explotación forestal

── Un recurso natural ──

Desde épocas remotas, los bosques han proporcionado gran diversidad de materia prima para diferentes actividades económicas: desde madera, corcho, tanino, hasta celulosa para la fabricación del papel. El uso del árbol en el comercio internacional se ha incrementado notablemente. Por esta razón, desaparecen 12 millones de hectáreas de bosques por año.

Los países desarrollados, en su mayoría, utilizan la madera para aplicaciones industriales; en cambio, en los países subdesarrollados o en vías de desarrollo, ésta se utiliza esencialmente como combustible.

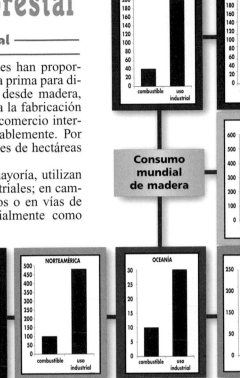

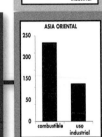

Clasificación de tierras forestales

Bosques naturales

Sistemas sustentadores de vida, gran biodiversidad, áreas protegidas.

Bosques modificados

Sistemas sustentadores de vida, biodiversidad, uso comunitario, producción sostenible de madera y otros productos.

Tierras de cultivo y pradera

Producción sostenible de madera y combustible, cierta sustentación de vida y cierto grado de biodiversidad.

Bosques plantados

Agricultura sostenible, cierta sustentación de vida y cierto grado de biodiversidad.

──── Dos maneras ────

Actualmente, existen dos maneras de explotar este recurso natural: en forma racional o irracional.

Un **manejo racional significa no talar** bosques autóctonos o plantar otros destinados a la explotación maderera (reforestación o silvicultura).

Un **manejo irracional es la tala permanente** para obtener madera, combustible o para ganar espacios agrícolas y de pastoreo (el que realizan los países en desarrollo). Los recursos renovables, si se los sobreexplota y no se los utiliza razonablemente, se convierten en **no renovables**. Por eso, no sólo necesitamos información, sino un cambio en los hábitos de vida.

La explotación forestal y todas las demás actividades deben apuntar al desarrollo sostenible. Para ello, los recursos materiales se deben administrar en forma responsable y racional.

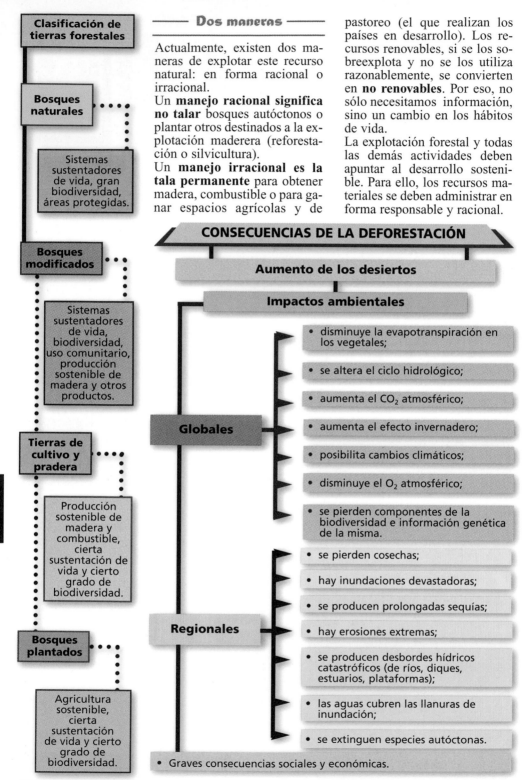

CONSECUENCIAS DE LA DEFORESTACIÓN

Aumento de los desiertos

Impactos ambientales

Globales

- disminuye la evapotranspiración en los vegetales;
- se altera el ciclo hidrológico;
- aumenta el CO_2 atmosférico;
- aumenta el efecto invernadero;
- posibilita cambios climáticos;
- disminuye el O_2 atmosférico;
- se pierden componentes de la biodiversidad e información genética de la misma.

Regionales

- se pierden cosechas;
- hay inundaciones devastadoras;
- se producen prolongadas sequías;
- hay erosiones extremas;
- se producen desbordes hídricos catastróficos (de ríos, diques, estuarios, plataformas);
- las aguas cubren las llanuras de inundación;
- se extinguen especies autóctonas.

- Graves consecuencias sociales y económicas.

EL ESPACIO INDUSTRIAL

Características

El gran desarrollo industrial en diferentes partes del mundo ha dado lugar a numerosos fenómenos: movilidad geográfica interoceánica o dentro de los límites propios de un país, concentración urbana y deterioro del medio ambiente. Así, **con el trabajo y su organización, se crea un nuevo espacio humanizado: el espacio industrial**.

¿Qué es la industria?

Es la actividad económica por la cual el hombre transforma la materia prima en productos manufacturados. Las industrias cuentan con un **proceso de producción** donde entran en juego varios elementos: la **materia prima**, la **mano**

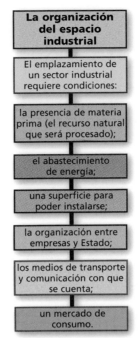

La organización del espacio industrial

El emplazamiento de un sector industrial requiere condiciones:

la presencia de materia prima (el recurso natural que será procesado);

el abastecimiento de energía;

una superficie para poder instalarse;

la organización entre empresas y Estado;

los medios de transporte y comunicación con que se cuenta;

un mercado de consumo.

La industria provee bienes de consumo para satisfacer las necesidades. Esta actividad, que tiene diferentes grados de desarrollo en el mundo, produce enormes transformaciones en el paisaje y es un factor de concentración humana.

de obra, las **instalaciones**, la **tecnología**, la **energía** y las personas que compran el producto (demanda comercial).
Otros actores sociales importantes dentro de esta actividad son los **empresarios, los trabajadores** y **el Estado**, que **actúa como intermediario** en las relaciones empresario-trabajador, **o como productor**.

Distribución mundial de áreas industriales

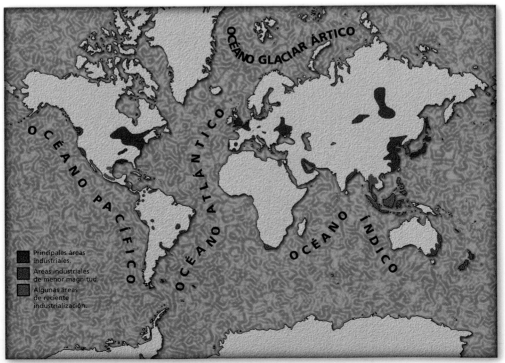

OCÉANO GLACIAR ÁRTICO

OCÉANO PACÍFICO

OCÉANO ATLÁNTICO

OCÉANO ÍNDICO

Principales áreas industriales.

Áreas industriales de menor magnitud.

Algunas áreas de reciente industrialización.

En general, en América latina, la industria que ha crecido es la de bienes de consumo; las restantes son de menor desarrollo. La tendencia, actualmente, es que los productos se vuelquen cada vez más hacia los mercados exteriores, mientras se compran bienes a otros países; como, por ejemplo, insumos y tecnología avanzada.

Los bienes

Existen tres grandes grupos de bienes.

- **Bienes de consumo**: son los usados por la población. Pueden ser *durables* (televisores, automotores) o *no durables* (jabón, alimentos).
- **Bienes de capital**: son el medio para producir otros bienes, por ejemplo, maquinarias, informática, transporte.
- **Bienes intermedios**: son los que usan las otras industrias para fabricar nuevos productos, como el acero o los productos químicos.

Los polos opuestos de la industria

Existe una gran diferencia entre la estructura industrial de los países desarrollados y la de los subdesarrollados. Los primeros cubren las tres ramas de la producción y en ellos son muy importantes los **bienes de capital**. Cuentan con capital, que se aplica a la investigación, en búsqueda de nuevos productos, y a la especialización.

Los países pobres o subdesarrollados se dedican a la elaboración de **bienes de consumo** y dependen de los países desarrollados para obtener muchos otros productos.

El comercio

El **comercio** es la actividad complementaria indispensable de la industria. Por medio del comercio, se obtienen las mercaderías que no se tienen y se venden las que se poseen en exceso. Cuando se comercia dentro del país, se llama **comercio interior** y, cuando se practica con otros países, se lo denomi-

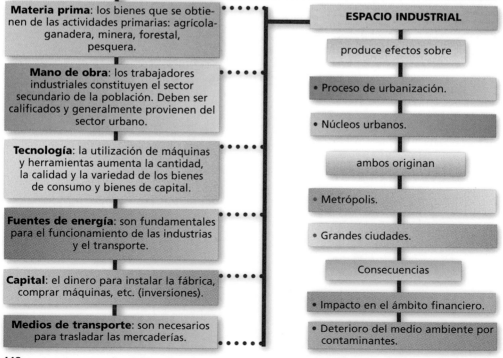

Factores que determinan la localización y el desarrollo de la industria

Materia prima: los bienes que se obtienen de las actividades primarias: agrícola-ganadera, minera, forestal, pesquera.

Mano de obra: los trabajadores industriales constituyen el sector secundario de la población. Deben ser calificados y generalmente provienen del sector urbano.

Tecnología: la utilización de máquinas y herramientas aumenta la cantidad, la calidad y la variedad de los bienes de consumo y bienes de capital.

Fuentes de energía: son fundamentales para el funcionamiento de las industrias y el transporte.

Capital: el dinero para instalar la fábrica, comprar máquinas, etc. (inversiones).

Medios de transporte: son necesarios para trasladar las mercaderías.

ESPACIO INDUSTRIAL

produce efectos sobre

- Proceso de urbanización.

- Núcleos urbanos.

ambos originan

- Metrópolis.

- Grandes ciudades.

Consecuencias

- Impacto en el ámbito financiero.

- Deterioro del medio ambiente por contaminantes.

na **comercio exterior**. Las mercaderías que salen son las **exportaciones**; las que entran son las **importaciones**. Cada vez que un país vende mercaderías a otro (exporta), recibe dinero; en cambio, cuando compra mercaderías (importa), el dinero sale.

Las vías de comunicación

Desde siempre, los seres humanos abrieron caminos para trasladarse de un lugar a otro o transportar mercaderías. Con ese objetivo, construyeron naves para surcar los ríos, mares y océanos. La industrialización incrementó la construcción de vías de comunicación, fundamentalmente las vías férreas.

Esas redes organizan el espacio de un modo particular. Los países productores de materias primas poseen una red caminera y ferroviaria radial, que converge generalmente en un puerto, por donde salen las mercaderías. A lo largo de la red se establecen ciudades, pequeñas o grandes, según las actividades que desarrollan. La comunicación entre algunas regiones es escasa. Y las que quedan fuera de las redes de circulación de mercaderías son las más atrasadas.

En los países industrializados, las redes son densas y comunican las distintas regiones.

La globalización

Se denomina *globalización* o *mundialización* al crecimiento de la interdependencia de todos los pueblos y países de la superficie terrestre. Es decir que el mundo se transforma en un **gran mercado** con *"leyes propias"* donde **los países y sus habitantes están interrelacionados y son más dependientes unos de otros**.

Un mundo, asimismo, cada día más integrado a partir del **desarrollo de las comunicaciones y los medios de transporte**. Todo esto determina que en el inicio del tercer milenio vivamos en una nueva era: **la era de la globalización**.

Un mundo integrado

Actualmente nuestro gigantesco planeta parece más chico día a día. Ya no hay distancias imposibles. Todos se conocen y de una forma u otra se hallan vinculados: se ven los mismos programas de televisión, las mismas películas... Se puede saber qué sucede en el mundo entero prácticamente en el mismo momento en que ocurren los hechos, en forma simultánea, en todas partes.

Asimismo, existe cierta uniformidad de hábitos: en cualquier región del planeta, las personas tienen acceso a las mismas cadenas de *fast food*, comen alimentos similares, beben las mismas bebidas, visten *jeans* semejantes, escuchan música parecida...

El espacio mundial está mucho más integrado, pareciera que las fronteras comienzan a borrarse; de ahí que ya se lo defina como la gran aldea global.

La globalización de la economía

El volumen de las inversiones de empresas residentes en un país con mercados de capitales a otros países (a través, por ej., de compras de acciones de otras empresas) ascendía en 1980 a 120 mil millones de dólares; en 1990 –10 años después– ese valor trepaba a 1 billón 400 mil millones. Esto indica que las *economías nacionales se están desnacionalizando* a *un ritmo acelerado*, lo cual es otra característica del fenómeno de la globalización, **la internacionalización de la economía**:

- *los norteamericanos invierten en Japón, en Europa y en América latina;*
- *los alemanes compran acciones de firmas comerciales rusas o tailandesas;*
- *los japoneses invierten en empresas estadounidenses o coreanas, etc.*

Los "tigres asiáticos"

Corea del Sur, Taiwán, Singapur y Hong Kong (que el 1 de julio de 1997 pasó nuevamente a China) son llamados los *"tigres asiáticos"*. Esta metáfora quiere expresar un proceso de industrialización que sufrieron esos países a partir de la década de 1970, cuando industrias norteamericanas y japonesas se instalaron en esas regiones debido a una serie de ventajas, como salarios muy bajos, terrenos muy baratos, facilidades para la exportación y la remesa de las ganancias, entre otras. La base de la economía de Hong Kong es fundamentalmente la actividad portuaria y bancaria. Singapur posee, además de un puerto importante, industrias petroquímicas. Corea del Sur y Taiwán son grandes exportadores de productos electrónicos, tejidos, televisores, videocaseteras, etc. En estos países, la relación entre trabajo, salarios y prestaciones sociales es perjudicial para el trabajador.

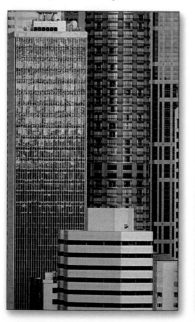

Las grandes tiendas y los enormes supermercados, donde pueden adquirirse productos internacionales, forman parte de la globalización. Asimismo, este singular fenómeno también impulsa la expansión de las "multinacionales", que se instalan en América Latina, en imponentes edificios.

Empresas multinacionales

Uno de los aspectos más importantes de la globalización, y que precisamente caracteriza a este fenómeno, es la **expansión de *empresas multinacionales*.** Este concepto se divulgó en la década de 1970 y hacía referencia a las firmas comerciales (industriales, bancarias, de transporte, de comunicaciones, etc.) que tenían su *casa matriz* en un país (la mayoría, en general, en los países desarrollados) y sus *filiales* en otras partes del mundo. Actualmente, se las conoce como *transnacionales*, empresas que concentran un poder superior al de los Estados nacionales. En los años '50 y '60 había unas pocas centenas de empresas con esas características y principalmente eran norteamericanas.

Hoy son más de 40.000 las empresas que pueden ser consideradas multinacionales, muchas con participación de capitales originarios de otras regiones (como Corea del Sur, Brasil o México, entre otras).

El comercio mundial

El volumen del comercio internacional alcanza cifras gigantescas: mientras en 1995 totalizaba unos 160 billones de dólares, hoy supera los 9 trillones.

Los países capitalistas desarrollados comercian principalmente entre ellos y, en segundo lugar, con el resto del mundo, acaparando el 70 % del comercio mundial. Los demás países, el 30 % restante.

La baja participación de los países subdesarrollados en el comercio mundial (aunque constituyen la inmensa mayoría de la población de nuestro planeta) se debe a que son principalmente agropecuarios, con pocas industrias; deben exportar un volumen importante de productos primarios para tener divisas con qué comprar productos elaborados y tecnología; el poder adquisitivo de la mayoría de sus habitantes es bajo.

Algunos países periféricos, como Corea del Sur, Malasia, Singapur y Taiwán, exportan productos manufacturados (automóviles, acero, productos electrónicos, tejidos, juguetes, y otros).

En los últimos años, creció el volumen de los bienes comercializados en el Tercer Mundo.

Teoría de la globalización vía mercados supranacionales

En la globalización vía mercados supranacionales, los bloques comerciales se interrelacionan y constituyen un camino hacia el avance de la mundialización y la interdependencia, cada vez mayor, de todas las naciones.

RECURSOS Y PRODUCCIÓN DE ENERGÍA

Los recursos energéticos

El desarrollo económico de un país depende de cómo se aprovechan sus recursos naturales. Como el mundo se enfrenta al serio problema que significa el agotamiento de las energías no renovables (es decir, las naturales, como carbón, gas, petróleo y uranio, que además son sumamente contaminantes), se buscan incansablemente nuevas fuentes alternativas.

Energías para el futuro

Las energías renovables (hidráulica, solar, eólica) representan el 5 % del consumo mundial.

La energía eléctrica producida por **centrales nucleares** también representa el 5 % del consumo mundial. El grave problema que esto presenta son los accidentes, que ponen en peligro a muchas personas, por los efectos perjudiciales de la radiación.

Las diferentes fuentes de energía que necesitan las industrias son obtenidas del medio natural. Actualmente, se dividen en renovables y no renovables.

La **energía hidroeléctrica**, generada a partir del aprovechamiento de los ríos, es la más utilizada en los centros industriales. Algunas veces ocasiona alteraciones en el ecosistema debido a la instalación de represas.

La **luz solar** (**energía solar**) se recoge en paneles fotovoltaicos y se almacena. Luego, pasa por un conversor de electricidad a un conjunto de baterías. La energía así obtenida se utiliza para calefacción, refrigeración, electricidad. También se emplea para el funcionamiento de aparatos (radios, calculadoras, relojes y otros).

El **viento** (**energía eólica**) se usa para mover máquinas con aspas (aerogeneradores) que, unidas a un generador, producen energía eléctrica. Esta es muy utilizada en áreas rurales, para satisfacer las necesidades domésticas. Otros usos de esta energía son la extracción de agua por medio de molinos, navegación de vela, etcétera.

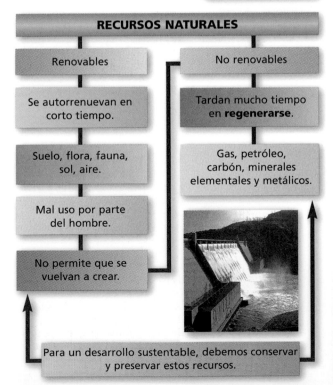

RECURSOS NATURALES

Renovables	No renovables
Se autorrenuevan en corto tiempo.	Tardan mucho tiempo en **regenerarse**.
Suelo, flora, fauna, sol, aire.	Gas, petróleo, carbón, minerales elementales y metálicos.
Mal uso por parte del hombre.	
No permite que se vuelvan a crear.	

Para un desarrollo sustentable, debemos conservar y preservar estos recursos.

Las energías solar y eólica son marginales. Sin embargo, se lograría, con su utilización, un manejo sostenible de los recursos, la reducción de la contaminación y el cuidado de las reservas de combustible fósil. Razones de orden político y económico han frenado la explotación de este tipo de energías, que sólo se usan en pequeños emprendimientos.

PROBLEMAS AMBIENTALES

La explotación irracional de los recursos, la actividad industrial y la falta de controles, a escala mundial, están transformando al _planeta_ en un mundo complejo y _vulnerable_.

Consumir y descartar

La población mundial crece a un ritmo vertiginoso. Alentada por un verdadero bombardeo de publicidades y estimulada por los medios de comunicación, la gente consume sin cesar productos que rápidamente son reemplazados por otros.

De esta forma, la acción del hombre ha introducido en la biosfera serios cambios que originan muchos problemas.

Disminución de la capa de ozono

En la atmósfera, existe una capa denominada **estratosfera,** que se extiende entre los 20 y los 50 km de altura. Dentro de ella, se forma un gas escaso y

Problemas ocasionados por los cambios en la biosfera

Disminución de la capa de ozono.

Efecto invernadero, agravado por el calentamiento global.

Lluvia ácida.

Los CFC.

Los clorofluoruros carbonados (CFC.), son gases usados como propelentes en los aerosoles, refrigeradores, y en la preparación de solventes industriales, fabricación de plásticos y resinas.

La contaminación del aire por efectos de la actividad industrial es uno de los problemas que demanda inmediata solución.

muy importante: **el ozono.** Este gas, que se configura por encima de los 15.000 m de altura, **actúa como escudo, impidiendo la llegada de los rayos ultravioleta provenientes del sol.**

Estos rayos son muy peligrosos para el hombre y los seres vivos. Sin el filtro que el ozono proporciona, las consecuencias nocivas para el hombre son innumerables:

- Cáncer de piel.

- Daños en los cultivos agrícolas.

- Muerte de microorganismos marinos (fitoplancton y zooplancton).

¿Cómo se destruye?

En 1928, los químicos del hemisferio Norte inventaron un gas para los equipos de refrigeración.

Este gas contiene componentes de cloro, flúor y carbono: los **clorofluoruros de carbono** (llamados **CFC**).

Promediando los años '60, esta combinación se usaba para fabricar telgopor, espumas plásticas, acondicionadores de aire y principalmente **aerosoles.**

El problema surge cuando **estos gases suben a la estratosfera.**

Allí la **luz ultravioleta tritura los CFC y les arranca átomos de cloro; estos cloros "sueltos" atacan al ozono (O_3), destruyéndolo.**

Como consecuencia de este fenómeno, **disminuye el espesor de la capa de ozono, originando el llamado agujero de ozono,** una de las dificultades más importante que tiene que resolver el hombre moderno.

Efecto invernadero

El hombre, al concentrar sus actividades en los grandes centros industriales, envía a la atmósfera gases que provienen tanto de la combustión de petróleo, gas y carbón como de la deforestación. (Por ejemplo, el dióxido de carbono.)

Cuando la presencia de **dióxido de carbono aumenta**, este gas **impide la salida de los rayos solares al espacio**. Así se **produce el calentamiento gradual** de la atmósfera.

Otros gases también contribuyen a aumentar el efecto invernadero, como por ejemplo los clorofluorurocarbonados.

Calentamiento global

Los gases producidos por la actividad industrial, la quema de combustibles fósiles para energía y la quema de bosques se acumulan en la atmósfera y producen un "calentamiento global".

Se estima que, para fines del siglo XXI, la **temperatura media** del planeta podría alcanzar entre **19 °C** y **21 °C**.

Lluvia ácida

Hacia fines del siglo XIX, el hombre comenzó a alterar seriamente el equilibrio de la naturaleza.

La **emisión de enormes cantidades de partículas y gases que se dirigen a la atmósfera** desde las grandes ciudades del mundo —como azufre, nitrógeno— y la quema de combustibles fósiles (petróleo, gas) **producen la lluvia ácida.**

Estos gases contaminantes **entran en contacto con el aire y la humedad atmosférica**, trasformándose en ácidos. Los ácidos **vuelven a la superficie terrestre arrastrados por lluvias, nieve o niebla.**

Los **efectos nocivos** de la **lluvia ácida se agravan por** la acción de los **fuertes vientos**. Éstos se encargan de **transportar** los **componentes ácidos a zonas cada vez más alejadas** de su lugar de origen.

Consecuencias del efecto invernadero

- La temperatura en superficie aumentará entre 2 °C y 4°C durante los próximos cien años.
- El ascenso del nivel del mar provocaría serios problemas a las comunidades costeras.
- Cambio del comportamiento del régimen de las lluvias, lo que afectaría a la actividad agrícola-ganadera.
- Derretimiento de los hielos antárticos y terrestres.

Consecuencias de la lluvia ácida

- Aumento de acidez en los lagos (que ya no son aptos para la vida), lo que produce, entonces, la muerte de peces y vegetales.
- Desmineralización de los suelos, es decir, pérdida de su fertilidad.
- Daños a los bosques.
- Cambio en la producción de cultivos.
- Deterioro del agua potable.
- Daño en materiales de construcción, por ejemplo, edificios y monumentos históricos.
- Problemas de salud en las personas, por ejemplo, respiratorios.

Los países deben colaborar entre sí para buscar medidas que permitan construir un mundo más limpio, para los que vivimos en él y para las futuras generaciones.

En la actualidad, la importancia de la educación ambiental cobra vigencia más que nunca. Si no tomamos conciencia de nuestra responsabilidad frente al medio ambiente, poco quedará de él para las generaciones venideras.

Los CFC en ascenso liberan un átomo de cloro (por la influencia de los rayos ultravioletas).
El átomo de cloro ataca a la molécula de ozono (O_3), causando la destrucción de la capa. Este fenómeno se conoce con el nombre de *agujero de ozono*.

¿Qué hacer para ayudar al planeta?

A través de los movimientos sociales y ecológicos que luchan por mejorar el medio ambiente, el hombre debe actuar de inmediato, para lograr revertir esta situación, buscando la única alternativa: llegar a un **desarrollo sostenible.**

——— Zonas afectadas ———

La lluvia ácida dejó de ser un problema que afecta exclusivamente a países industrializados. Su presencia también se ha hecho visible en países poco desarrollados.
Actualmente los **lugares más afectados** son el **centro de Europa**, **Noruega**, **Suecia** y **Reino Unido.**
En América, el **este de EE. UU.** y **algunos territorios de Canadá** son los que manifiestan mayores efectos perjudiciales.
Otras zonas en las que las consecuencias de este fenómeno se hace sentir son: en el **valle de la ciudad de México**, el **oeste de Rusia** y el **sudeste de Asia**.
Preocupados por los resultados de la lluvia ácida, muchos países, como Inglaterra, Alemania, Estados Unidos y Japón, han establecido leyes y reglamentos para disminuir la emisión de sustancias negativas para el medio.

——— El desarrollo sostenible

El **desarrollo sostenible** consiste en **administrar, de manera responsable y racional, los recursos** que nos brinda el planeta para satisfacer las necesidades de las generaciones actuales y futuras.

Éste es un **desafío colectivo que también debe encararse a escala individual.**
Uno de los caminos es la **alfabetización ecológica,** tanto en el plano local, como en el regional y en el mundial. **Es muy importante la educación ambiental,** a fin de que todos los ciudadanos del mundo puedan asumir su responsabilidad en la conservación de los diferentes sistemas en donde les toque vivir. La educación ambiental es fundamental para alcanzar un desarrollo sostenible.

La UNESCO estima que en los próximos 50 años se duplicará la cantidad de dióxido de carbono que hay en la atmósfera. Alrededor de los años 2050/ 2090 del s. XXI, el **efecto invernadero** comenzará a sentirse realmente.
Los promedios generales de temperatura superarán a los actuales en 2 a 3 grados centígrados. Canadá y NE de Europa tendrán una temperatura de cultivo más larga y, durante el verano, desaparecerán los hielos del océano Ártico. La agricultura bajo riego artificial sufrirá daños considerables por el aumento de la evaporación y la disminución de las precipitaciones. Algunos efectos no son negativos: la concentración de dióxido de carbono en la atmósfera tendrá efecto de fertilizante.

GRANDES DESIGUALDADES

Índices socioeconómicos

PBN

Producto Bruto Nacional, que constituye la suma de toda la producción de bienes y servicios de un país, durante un año.

Renta Nacional

Es la suma de todos los rendimientos de un país.

Renta per cápita

Expresión estadística que resulta de dividir la renta nacional de un país por su número de habitantes.

—Países desarrollados— y subdesarrollados

Ya vimos que el desarrollo industrial es desigual en el mundo. De acuerdo con las diferencias, es común asociarlos con dos grandes grupos: **países desarrollados y subdesarrollados**. Entre los segundos, hay diferentes niveles, ya que algunos son países muy pobres y otros tienen un nivel de vida aceptable. Por eso, es importante considerar también **indicadores sociales y económicos** como: ingresos, tipo de vivienda, calidad de vida, esperanza de vida, etc.

Existen en el mundo grandes diferencias socioeconómicas, medibles en índices que determinan la clasificación de los países en dos grandes grupos.

Países desarrollados	Países subdesarrollados
Capacidad para producir bienes valiosos.	Escasez de recursos financieros.
Muy buen desarrollo industrial con posibilidad de inversión.	Escasez de estructura industrial y endeudamiento con los "países ricos" por la necesidad de obtener créditos.
Mejoras de las instalaciones Industriales por su capacidad de ahorro.	Falta de servicios de transporte.
Muy buenos servicios administrativos y de transportes.	Ausencia de servicios administrativos.
Exportación de manufacturas (productos elaborados).	Exportan productos primarios agropecuarios (algodón, trigo, cacao, etc.).
Importan materia prima.	Importan productos manufacturados, productos de alta complejidad (maquinarias, aviones, computadoras).
La mayoría de la población puede satisfacer sus necesidades básicas, con alto índice de consumo.	Instalación de empresas multinacionales cuyas ganancias son enviadas a la casa matriz (países desarrollados).
Una gran esperanza de vida, debido a los buenos servicios hospitalarios y sanitarios.	Falta de ahorro. Muchos viven en la extrema pobreza.
Baja mortalidad: 1 ‰ (ancianos).	Alta mortalidad: 20 ‰ (personas de todas las edades, especialmente menores de 5 años).
Alto nivel de vida. Área: América anglosajona, Japón y países europeos.	Riqueza concentrada en un grupo minoritario de la población. Área: países africanos, Asia y América latina.

Tanto en el cuadro como en las ilustraciones se pueden apreciar las notorias diferencias entre los dos grandes grupos en que se clasifican los países.

LAS MIGRACIONES

Las personas se desplazan dentro de un mismo territorio o fuera de él. Esta movilidad geográfica genera fuertes repercusiones en el orden económico y social, tanto para el país receptor como para el emisor.

— Un fenómeno actual —

La búsqueda de mejores oportunidades de trabajo para escapar de la miseria del país de origen genera fuertes oleadas migratorias de trabajadores, destinadas a instalarse, especialmente, en países de Europa y América anglosajona (EE. UU. y Canadá).

— Causas para migrar —

La movilidad producida por las migraciones depende de diferentes factores.
Veamos cuáles son.

Causas del éxodo rural

La tecnificación de las actividades agropecuarias, con la consecuente disminución en la demanda de mano de obra.

La búsqueda de mejor desarrollo cultural, social y económico.

Millones de personas, en todo el mundo, viven fuera de su país. Muchas son las razones para emigrar: guerras, hambre, catástrofes naturales. Pero la mayoría deja su país natal por cuestiones económicas.

Económicos: la principal causa de este desplazamiento se explica por la esperanza de triunfar en el país elegido como destino (para poder resolver el desequilibrio económico que soportan). Este tipo de migración es evidente en países pobres, donde la población deja su país de origen voluntariamente para establecerse, primero temporariamente y luego en forma definitiva, en los países desarrollados. Algunos motivos que producen estas migraciones son el desempleo y la hambruna vividos en el país de origen.

Ansias de conquista: en algunos momentos de la historia de la humanidad, los conquistadores actuaron como motivadores para que muchos grupos se instalen en territorios conquistados. Ej.: la **conquista de América** por españoles y portugueses.

Socioculturales: la población va en busca de mejores oportunidades educativas, atraída por las grandes ciudades y por el deseo de libertad.

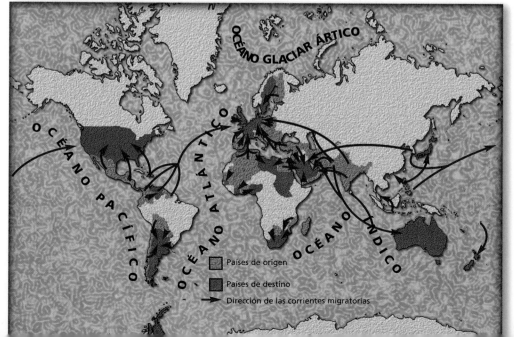

OCÉANO GLACIAR ÁRTICO

OCÉANO PACÍFICO

OCÉANO ATLÁNTICO

OCÉANO ÍNDICO

Países de origen

Países de destino

Dirección de las corrientes migratorias

Las grandes migraciones

En Estados Unidos

De China → EE.UU.
De México ↑
De América Central ↑

OCÉANO ATLÁNTICO

EUROPA
Polonia
Alemania
Francia
Austria
Portugal
España
Italia
Rumania
Bulgaria
Albania
Grecia
Turquía
Mar Negro
Mar Mediterráneo
Melilla
ÁFRICA

ASIA
Moscú
Rusia
De Sri Lanka y Afganistán
De China

Desastres naturales: la población se ve obligada a migrar debido a inundaciones, terremotos, malas cosechas, huracanes, etc.

— Migraciones —
internas

Consisten en los desplazamientos, temporarios o definitivos, dentro de los límites de un mismo país. Generalmente comienzan a manifestarse cuando un lugar provoca atracción. Un ejemplo claro es la **migración del campo a la ciudad**, denominada **éxodo rural**.

Desplazamiento forzoso: provocado por motivos comerciales, religiosos o políticos que originan la migración de personas contra su voluntad. Las guerras generan este tipo de desplazamiento.

Asimismo, a lo largo de la historia de la humanidad encontramos innumerables testimonios, entre ellos:

- **por motivos comerciales**, por ejemplo, el traslado de africanos a América en el siglo XIX, para la *trata de esclavos*. Fue producido por la necesidad de mano de obra y generó notables consecuencias económicas y también sociales, puesto que originó nuevas mezclas étnicas;
- **por motivos religiosos**, la persecución de judíos alemanes entre 1933 y 1939;
- **por motivos políticos**, el ejemplo más claro lo constituyen los innumerables *refugiados políticos* de diferentes países que –contra su voluntad– debieron abandonar su patria.

Migración de trabajadores entre países limítrofes

Produce xenofobia: actitud de rechazo a los extranjeros que incentiva enfrentamientos violentos entre inmigrantes y nativos.

A su vez, la xenofobia provoca segregacionismo, como consecuencia de la competencia desleal en el campo del trabajo; los extranjeros se conforman con salarios bajos y son captados como mano de obra barata.

Produce, además, inmigración ilegal y clandestina: no poseen la documentación requerida por el país receptor para trabajar y residir.

Originada por diferencias económicas y calidad de vida entre el país de origen y el receptor.

Países receptores, como los europeos y los de América anglosajona, implementaron medidas severas para controlar la inmigración ilegal, como la deportación al país de origen.

LAS CIUDADES DEL MUNDO

El espacio urbano se ha convertido en un nuevo espacio geográfico. La población se concentró en las ciudades y, a través del tiempo, modificó el medio con sus actividades.

Las primeras ciudades de la historia

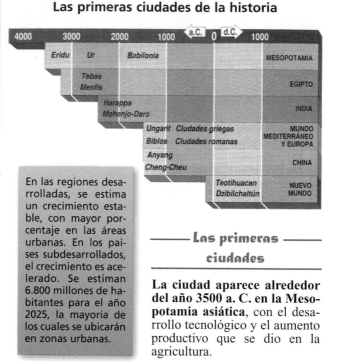

4000	3000	2000	1000	a.C. 0 d.C.	1000	
Eridu	Ur	Babilonia				MESOPOTAMIA
	Tebas Menfis					EGIPTO
		Harappa Mohenjo-Daro				INDIA
			Ungarit Ciudades griegas Biblos Ciudades romanas			MUNDO MEDITERRÁNEO Y EUROPA
			Anyang Cheng-Cheu			CHINA
				Teotihuacan Dzibilchaltún		NUEVO MUNDO

La ciudad y la población

La población tiende a vivir en las ciudades. Algunos indicios señalan que el 50 % de la población mundial reside en ciudades y se estima que, para el siglo XXI, esta cifra llegará al 75 %. Es así como, desde mediados del siglo XX, se ha creado un nuevo espacio geográfico: **el espacio urbano**, producto de las acciones económicas, políticas y culturales desarrolladas a lo largo del tiempo.

En las regiones desarrolladas, se estima un crecimiento estable, con mayor porcentaje en las áreas urbanas. En los países subdesarrollados, el crecimiento es acelerado. Se estiman 6.800 millones de habitantes para el año 2025, la mayoría de los cuales se ubicarán en zonas urbanas.

Las primeras ciudades

La ciudad aparece alrededor del año 3500 a. C. en la Mesopotamia asiática, con el desarrollo tecnológico y el aumento productivo que se dio en la agricultura.

Crecimiento demográfico en países desarrollados y subdesarrollados

Regiones desarrolladas		Regiones subdesarrolladas	Población en miles de millones de habitantes

1950 — 0,44 — 0,39 — 1,38 — 0,29

1975 — 0,75 — 0,34 — 2,17 — 0,81

2000 — 0,99 — 0,28 — 2,89 — 1,96

2025 — 1,19 — 0,20 — 2,86 — 3,91

Población urbana — Población rural — Población rural — Población urbana

Estos primitivos asentamientos fueron importantes centros de alimentación y de intercambio productivo.

Después del siglo VII a. C., las ciudades comenzaron a crecer. Por ejemplo, las primeras **polis** griegas (y luego las romanas), caracterizadas por la importancia que les otorgaban a los espacios públicos (plazas, teatros, mercados, edificios administrativos). Paralelamente a este desarrollo, aparecen las primeras mejoras técnicas: alcantarillados, baños públicos, etc.

Ciudades medievales

Con la **caída del Imperio Romano**, **disminuyó el crecimiento urbano**, perjudicado por una crisis social, política y económica. Después de este período, en el siglo XI, resurgen las actividades artesanales y comerciales, lo que obliga al hombre de la **Edad Media** a fundar **nuevas ciudades**. Muchas de ellas se edificaron **en los puertos**, puntos estratégicos de las rutas comerciales de la época.

Con la Revolución Industrial

El aumento de la población urbana trae como consecuencia la necesidad de **manufacturas**. Por eso, surgió el principal motor del crecimiento de las ciudades, la **Revolución Industrial**, y, con ella, el servicio bancario y financiero.

En el siglo XVIII, la mecanización de las tareas impulsó gran cantidad de población hacia la ciudad, centro que absorbe la expansión industrial del momento. Así, desde el siglo XIX y hacia mediados del siglo XX, muchas ciudades de Europa, América del Norte, Japón y Australia han tenido un acelerado crecimiento urbano, acompañado por un retroceso de la población rural. Surge, entonces, el fenómeno conocido como **éxodo rural**, provocado por la disminución del trabajo rural, después de la caída de los precios agrícolas. Estos hechos producen la búsqueda de la vida más confortable y moderna de la ciudad.

En el Sur subdesarrollado

También a mediados del siglo XX, otras áreas urbanas comenzaron a crecer en Asia, África, América Central y del Sur. Pero, a diferencia de los países industrializados, estas naciones pobres no pueden dar trabajo a todos los que llegan atraídos por las grandes ciudades y, en consecuencia, no pueden mejorar sus condiciones de vida.

La explosiva urbanización del mundo

En 1994, alrededor de 2.500 millones de personas habitaban en ciudades, representando el **45 % de la población mundial**. La mayor parte de esta población vivía **en regiones menos desarrolladas**.

En el curso de este siglo, más de la mitad de la población mundial vivirá en zonas urbanas, y la mayoría de las ciudades con más de 10.000 habitantes se situará en **Asia.**

Según las Naciones Unidas, **Tokio** es la que posee el mayor porcentaje de **concentración urbana del mundo**. Luego, siguen, de acuerdo con el total de su población, las ciudades de **México**, **San Pablo**, **Nueva York** y **Shangai**.

Si observamos las 12 aglomeraciones más importantes del mundo, encontraremos que sólo tres pertenecen a países industrializados.

Esto último confirma que son los **países en vías de desarrollo o subdesarrollados** los que presentan una **amplia explosión urbana**.

(La estimación para el año 2025 indica que, en estas zonas, la población de las ciudades aumentará cuatro veces más que en los países ricos.)

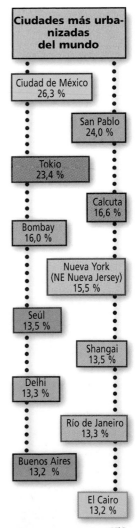

Ciudades más urbanizadas del mundo

Ciudad de México 26,3 %

San Pablo 24,0 %

Tokio 23,4 %

Calcuta 16,6 %

Bombay 16,0 %

Nueva York (NE Nueva Jersey) 15,5 %

Seúl 13,5 %

Shangai 13,5 %

Delhi 13,3 %

Río de Janeiro 13,3 %

Buenos Aires 13,2 %

El Cairo 13,2 %

Características del espacio urbano

- Poca disponibilidad de espacios (abarca megalópolis, barrios, etcétera).
- Importantes servicios (transportes, luz, hospitales, etcétera).
- Predomina la actividad industrial, comercial, etcétera.
  - Problemas
    - Contaminación ambiental.
    - Escasez de vivienda.
    - Inseguridad.
- Crecimiento cultural y capacitación laboral.
- Más oportunidades de trabajo y de recreación.
- Cumple diferentes funciones
  - como centro de poder.
  - como área de influencia.

— Problemas del mundo postergado

En los países del **Tercer Mundo**, los **recursos financieros** para poder implementar una política urbana que les permita desarrollarse satisfactoriamente, y cubrir sus necesidades básicas, **son limitados**.

Por eso, sus **habitantes** deben **afrontar serios inconvenientes**: **escasez de vivienda**, **creación de villas miserias** (zonas marginales), **desocupación** y **violencia**.

La solución a muchos problemas urbanos podrá ser alcanzada cuando se consolide la eficiencia económica, la igualdad social y el equilibrio demográfico.

— Diferentes espacios —

En el mundo, hay diferentes criterios para definir el espacio urbano y el rural. En general, se hace según la cantidad de habitantes:

Espacio urbano: centros con más de 10.000 habitantes.

Espacio rural: centros con menos de 10.000 habitantes.

—— Actores sociales ——

Las particularidades del espacio urbano son originadas por los **actores sociales**, a lo largo de su historia.

Los principales actores sociales de una ciudad son los siguientes.

- **Actores estables**

  Personas con poder de decisión para dirigir y ejecutar los procesos públicos de producción. Toman decisiones sobre temas ambientales, transporte, servicios públicos, etc. Ejemplo: el gobierno de la ciudad.

- **Actores económicos y/o productivos**

  Tienen como objetivo obtener ganancias. Discuten decisiones importantes para aumentar el desarrollo económico y la calidad de vida de los habitantes. Ejemplo: empresas, trabajadores de los sectores comercial, industrial y de servicios.

- **Actores comunitarios**

  Representados por la acción de vecinos que trabajan para la comunidad, en busca de soluciones a diferentes problemas urbanos.

Las decisiones que toman los actores por separado se ajustan y se superponen entre ellas, y organizan, de esta manera, la ciudad.

EL CRECIMIENTO DE LAS CIUDADES

—— Grandes ciudades ——

La mayoría de los seres humanos consideran que las grandes ciudades son los espacios vitales para su morada. Por eso, millones de personas por día llegan a estas megalópolis, generando problemas de tráfico, contaminación, consumo, desempleo, falta de vivienda y espacios verdes, enfermedades físicas y psíquicas.

No obstante, aun las grandes ciudades presentan marcadas diferencias. No son iguales las ciudades europeas y las norteamericanas, incluso no lo son la de países como Canadá y Australia, y el contraste es mucho mayor con las ciudades de los países en vías de desarrollo.

—— ¿Qué es una —— metrópoli?

Son ciudades con millones de habitantes, en donde predomi-

En el espacio mundial, también hay *megaciudades, en vías de convertirse en megalópolis.*
En América latina, hay grandes metrópolis, a las cuales actualmente se las podría considerar así: *Buenos Aires-Santa Fe* (en Argentina), *San Pablo-Río de Janeiro* (en Brasil) y *Gran Ciudad de México* (en México).

A partir del 1950, las ciudades han crecido aceleradamente. Hoy en día, surgieron dos conceptos nuevos: metrópoli y megalópolis.

nan las actividades del sector terciario: comercio, transporte, comunicaciones, entidades bancarias y suministro de varios servicios. Tienen a su alrededor una gran área urbanizada y un centro importante. Ejemplo: Bruselas (Europa).

San Francisco, ciudad de la costa oeste estadounidense, que junto con San Diego conforma una de las tres megalópolis que se encuentran en ese país.

—————— Las actuales megalópolis ——————

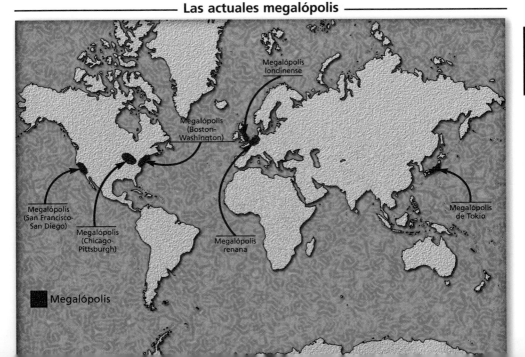

Megalópolis londinense

Megalópolis (Boston-Washington)

Megalópolis (San Francisco-San Diego)

Megalópolis (Chicago-Pittsburgh)

Megalópolis renana

Megalópolis de Tokio

■ Megalópolis

La ciudad de Florencia, con sus admirables construcciones renacentistas.

México, D.F., una capital con obras arquitectónicas que ostentan su pasado colonial e indígena.

¿Qué es una megalópolis?

Son el resultado de la extensión de la metrópoli, que anexa las áreas aledañas como consecuencia de la constante urbanización y del desarrollo de los medios de transporte y comunicación.

Como estos grandes centros cubren más de una jurisdicción político-administrativa, su planificación y administración es compleja.

Por ello, deben enfrentar la superposición de instituciones, diferencia en los mecanismos de recaudación impositiva, etc. Ej.: áreas comprendidas entre Tokio y Osaka (Japón) y entre Boston y Washington (Estados Unidos).

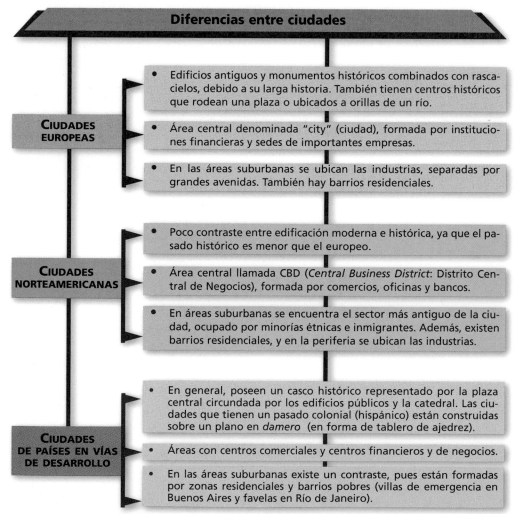

Diferencias entre ciudades

CIUDADES EUROPEAS

- Edificios antiguos y monumentos históricos combinados con rascacielos, debido a su larga historia. También tienen centros históricos que rodean una plaza o ubicados a orillas de un río.
- Área central denominada "city" (ciudad), formada por instituciones financieras y sedes de importantes empresas.
- En las áreas suburbanas se ubican las industrias, separadas por grandes avenidas. También hay barrios residenciales.

CIUDADES NORTEAMERICANAS

- Poco contraste entre edificación moderna e histórica, ya que el pasado histórico es menor que el europeo.
- Área central llamada CBD (*Central Business District*: Distrito Central de Negocios), formada por comercios, oficinas y bancos.
- En áreas suburbanas se encuentra el sector más antiguo de la ciudad, ocupado por minorías étnicas e inmigrantes. Además, existen barrios residenciales, y en la periferia se ubican las industrias.

CIUDADES DE PAÍSES EN VÍAS DE DESARROLLO

- En general, poseen un casco histórico representado por la plaza central circundada por los edificios públicos y la catedral. Las ciudades que tienen un pasado colonial (hispánico) están construidas sobre un plano en *damero* (en forma de tablero de ajedrez).
- Áreas con centros comerciales y centros financieros y de negocios.
- En las áreas suburbanas existe un contraste, pues están formadas por zonas residenciales y barrios pobres (villas de emergencia en Buenos Aires y favelas en Río de Janeiro).

PROBLEMAS DEL AMBIENTE URBANO

La ciudad en problemas

Varios son los problemas que deben afrontar y resolver los hombres y las mujeres que viven dentro de un **espacio urbano**: escasez de vivienda y problemas del medio ambiente, entre otros. Sin embargo, estos problemas podrían solucionarse con una adecuada política ecológica.

Escasez de vivienda

El crecimiento de la población urbana ha creado lugares con carencias desde el punto de vista social y económico, donde los **servicios básicos** escasean o **no son accesibles** para la mayoría de la población. Así es como se forman los **barrios adyacentes** a la ciudad. Según investigaciones realizadas por el Banco Mundial, la cuarta parte de los habitantes de las ciudades de África y Asia no puede pagar una pequeña y humilde vivienda. La mayoría vive en casas hechas de madera y cartón de embalaje, de cañas de bambú o de barro. Estos asentamientos presentan **escasez de agua**, de **alcantarillado**, de **servicio de recolección de basura**, de **electricidad** y de **calles pavimentadas**, entre otras cosas. Es frecuente, también, el **hacinamiento**, o sea, la convivencia de cuatro o cinco personas por habitación.

Las autoridades urbanas se enfrentan a un serio dilema que tiene sus riesgos. Se siguen preparando planes para proporcionar mejores servicios y mejorar las condiciones de vida en la ciudad. Pero estas mejoras, aparentemente beneficiosas,

Problemas del espacio urbano

- Contaminación del aire por efecto de la polución de gases tóxicos y la actividad industrial.

- Gran cantidad de basura domiciliaria e industrial.

- Contaminación del agua, suelo y aire por diversas actividades.

- Contaminación acústica por los ruidos generados por el tránsito vehicular.

- Enfermedades nerviosas.

- Pocos espacios verdes.

- Falta de infraestructura de servicios, sobre todo en ciudades de países subdesarrollados.

El vertiginoso crecimiento de las ciudades originó una serie de problemas que nunca habíamos imaginado.

constituyen un problema, porque cada vez más personas querrán trasladarse a los centros urbanos. Por eso, es necesario un **equilibrio demográfico** que actúe en dos niveles: por un lado, dentro de las zonas urbanas y rurales, y por otro, entre ambas zonas.

Problemas de salud

Los estudios sobre la salud en las grandes urbes reflejan datos muy preocupantes: aumento de **bronquitis**, **asma**, **problemas de obesidad y enfermedades coronarias**. Además, las **enfermedades mentales se han acrecentado** enormemente. El ruido, el tránsito y la sensación de inseguridad llevan a una situación de desamparo capaz de originar enfermedades emocionales, como la **depresión** o las **crisis de ansiedad**.

En la actualidad, casi la mitad de las personas viven en ciudades. Las proyecciones del Banco Mundial para el 2025 señalan que dos tercios de la población del planeta vivirá en ciudades. La mayoría se afincará en países pobres, en ciudades inseguras e insalubres, con problemas de desempleo y propagación de enfermedades contagiosas.

La cuestión es alarmante, pues se estima que, dentro de quince años, casi mil millones y medio de personas vivirán en pueblos sin **acceso al agua potable y sin desagüe sanitario**.

■ Población rural

■ Población urbana

El ruido

Es un contaminante que adquiere cada vez más importancia para la población, especialmente la urbana.

Presenta **diferencias con otros contaminantes porque no persiste**, **no es acumulativo y puede transportarse a grandes distancias**; pero, al igual que otros contaminantes, produce molestias y daños a las personas.

El ruido se mide en decibeles, utilizando medidores electrónicos que arrojan una tabla de medición o graduación de las ondas sonoras. Los efectos que acarrea la exposición constante son múltiples: **efectos psicológicos** (alteración del sistema nervioso, que puede llegar a producir **estrés**) o **auditivos**, que provocan dificultades de audición.

Estudios realizados en importantes ciudades del mundo determinaron que el **ruido intenso** origina la **disminución del sentido auditivo** en un 25 %. Otros efectos perjudiciales pueden ser: náuseas, dolores de cabeza, trastornos digestivos. Por estas razones, en muchos países del mundo buscan diseñar construcciones que puedan proteger a las personas de la contaminación acústica.

Basura en la ciudad

Los **basurólogos** han demostrado que un 90 % de lo que entra en una casa, sale en una bolsa para residuos. Aproximadamente, cada persona tira 800 g de basura por día. La **mayoría de los países todavía utiliza el sistema de almacenar estos residuos, que luego transforman para obtener un buen "relleno sanitario"**. Pero en muchos otros países del mundo,

---

Tendencias globales de urbanización

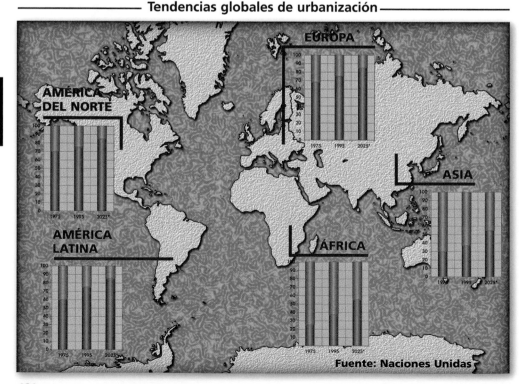

Fuente: Naciones Unidas

464

más desarrollados, han dejado de utilizar este sistema, ya que se ha comprobado que los **líquidos despedidos por la basura (líquidos lixiviados) contaminan las napas de agua**. Además, se confirmó que, cuando los **desperdicios** quedan **estancados** en un lugar, **las bacterias que degradan los residuos y ayudan a su desintegración, dejan de actuar**. Por lo tanto, los desechos no se descomponen, sino que se modifican. **Lo importante**, entonces, es **reciclar**.

Una buena parte de los residuos domiciliarios tienen una utilidad y un valor, y por lo tanto un mercado en el cual se cotizan.

(por ejemplo, dióxido de carbono), que se unen con la niebla. Esta mezcla torna irrespirable el aire. Algunas de sus **consecuencias nocivas** son: la **irritabilidad en los ojos**, los **problemas respiratorios** y la **reducción de la visibilidad**, entre otras cosas.

Muchas ciudades en el mundo sufren los efectos del **esmog**. Esto sucede, por ejemplo, en Londres, pionera en este tipo de contaminación, en Los Ángeles y en Ciudad de México (una de las más afectadas en América, por encontrarse encerrada entre áreas montañosas, que impiden la renovación del aire y la circulación normal de los vientos).

Los espacios urbanos producen uno de los principales problemas ambientales: los enormes volúmenes de basura generados a diario. Por ejemplo, Nueva York produce 26.000 toneladas diarias de basura.

El esmog

Las áreas urbanas cuentan con un serio problema: la **contaminación**, que forma una niebla blanquecina muy perjudicial para la salud del hombre urbano. Ésta **se produce** cuando en los sistemas se concentra una **excesiva cantidad de gases**

Los gases tóxicos son liberados, a diario, por los escapes de los automotores, las industrias o el humo producido por la quema de residuos. Una vez liberados, se respiran junto con el oxígeno que está en el aire. Éste se enrarece y se torna irrespirable, con consecuencias nefastas para los habitantes, entre ellas: graves problemas respiratorios, reducción de la visibilidad, irritabilidad en los ojos.

Autopistas silenciosas

En las carreteras europeas se han construido **barreras** para evitar los ruidos molestos. Éstas consisten en placas de líneas curvas, que logran que el sonido se pierda. También se usan **pantallas acrílicas** transparentes que absorben unos treinta decibeles y que además permiten ver el paisaje.

DINÁMICA Y ESTRUCTURA POBLACIONAL

La población mundial es la protagonista de las actividades económicas y de la urbanización. Entender su dinámica permite conocer su evolución y distribución por el territorio.

Factores que influyen

Existen varios factores que influyen en la dinámica poblacional de un país:

- El **crecimiento natural o vegetativo**, obtenido a partir de la **diferencia entre la cantidad de nacimientos y de defunciones producidas a lo largo de un año**. Puede ser **negativa** si la cantidad de defunciones supera a la cantidad de nacimientos, y **positiva** si ocurre lo inverso.
- El **desplazamiento** de la población.
- Las **migraciones**, que pueden influir en el crecimiento nacional de un país.
- Las **diferentes edades** de la población.

Indicadores demográficos

Éstos se obtienen a través de los censos y expresan el estado socioeconómico de un país.

Los indicadores demográficos señalan que, de los países más pobres del planeta, la mayoría son africanos.

La natalidad

Denominamos **tasa de natalidad** al **número de nacidos vivos por mil habitantes**, en un determinado año.

En general, **en los últimos años**, la natalidad ha disminuido.

Sin embargo, se observan **diferencias entre los países ricos** de América del Norte y Europa, **con respecto a los países pobres o en desarrollo** de Asia y América latina.

Los países más desarrollados cuentan con tasas de natalidad más bajas, mientras que los países pobres o menos desarrollados cuentan con índices de natalidad más altos.

La mortalidad

Se denomina **tasa de mortalidad** al **número de defunciones que se registran en un año por cada mil habitantes**. La **disminución de la mortalidad general** es el hecho demográfico más importante del último medio siglo.

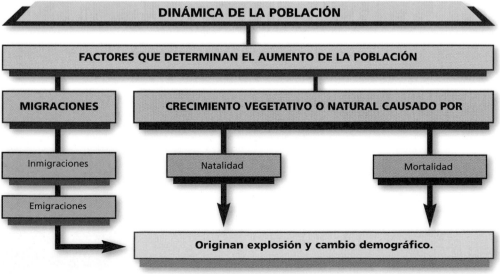

DINÁMICA DE LA POBLACIÓN

FACTORES QUE DETERMINAN EL AUMENTO DE LA POBLACIÓN

MIGRACIONES

CRECIMIENTO VEGETATIVO O NATURAL CAUSADO POR

Inmigraciones

Natalidad

Mortalidad

Emigraciones

Originan explosión y cambio demográfico.

Esto se debe a diferentes causas: el progreso en el **control de epidemias**, **la posibilidad de llegar rápidamente a un diagnóstico certero** y **la creación de antibióticos y vacunas**. Igualmente, el **nivel de mortalidad** y sus fluctuaciones **varían según las regiones**.

En África, el índice de mortalidad es alto: entre 14 y 16 ‰ habitantes. La causa de tantas defunciones se debe principalmente a enfermedades relacionadas con la mala alimentación y la desnutrición, que afectan especialmente a los niños de 0 a 5 años. Estas afecciones aumentan el índice de **mortalidad infantil** (el número de niños, menores de un año, que mueren anualmente por cada mil niños nacidos vivos en el mismo año). En estas zonas, las condiciones sanitarias también son deficientes. Así, muchos países subdesarrollados ni siquiera cuentan con agua potable, ausencia que aumenta la posibilidad de infecciones.

En los países ricos, la mortalidad va de acuerdo con la edad de las personas, y son más altos los porcentajes de muertes en los ancianos. Algunos países europeos y anglosajones cuentan con una alta **esperanza de vida** (cantidad de años promedio que se espera que viva una persona).

El descenso del índice de mortalidad en estos países se debe a los siguientes factores:

- mejores condiciones de vida;
- mejor nivel sanitario y de alimentación;
- desarrollo de la tecnología aplicada a la medicina;
- importancia otorgada a los métodos de prevención.

En estos países, las muertes son provocadas por causas muy distintas: problemas cardiovasculares, tumores malignos o accidentes.

Los censos

Todos los datos sobre población que figuran en libros, diarios y revistas se obtienen a partir de los censos. Un censo consiste en el cómputo del total de la población en un momento preciso, más el relevamiento de ciertas características, como lugar de nacimiento, edad, estado civil, sexo, cantidad de hijos, estudios cursados, ocupación, tipo de vivienda, etc. Estos censos se realizan aproximadamente cada 10 años en todos los países del mundo, según las directivas dadas por la ONU (Organización de las Naciones Unidas), ya que ésta reúne y compara los datos enviados por cada país para confeccionar las estadísticas mundiales.

Causas que originan diferencias en el índice de natalidad entre los dos grandes grupos en que se clasifican los países

PAÍSES DESARROLLADOS	PAÍSES EN DESARROLLO
Índices más bajos de natalidad	Índices más altos de natalidad
Salida laboral de las mujeres.	Alto porcentaje de matrimonios con edades muy jóvenes, lo que facilita la posibilidad de muchos nacimientos.
Altos costos educativos.	Muchas sociedades cuentan con una concepción religiosa muy fuerte que prohíbe el uso de los métodos anticonceptivos.
Probabilidad de planificar el número de hijos por medio de diferentes métodos anticonceptivos.	Falta de campañas sobre planificación familiar y pocas posibilidades de acceder a los métodos de regulación más conocidos.
La contención psicológica por miedo a la Tercera Guerra Mundial.	

Gráficos y datos censales

Una especial pirámide de población

Por tradición, tener muchos hijos, en China, es considerado un honor; pero es importante, sobre todo, tener hijos varones.

China presentó, en la década de 1970, la tasa de natalidad más alta del mundo. Teniendo en cuenta que éste es uno de los países más poblados del planeta, las autoridades gubernamentales iniciaron una campaña de control de la natalidad, mediante la cual se buscó que cada matrimonio tuviera un solo hijo. Para esto, el gobierno comenzó a fomentar la anticoncepción, a través de premios. Pero, además, se sanciona a aquellas parejas que tengan más de un hijo.

En consecuencia, se observó, a principios de 1990, una considerable disminución de la natalidad, y se logró que la tasa de fecundidad pasara de 6 hijos por mujer a 2,1 hijos por mujer, que es la tasa mínima de natalidad requerida para lograr la renovación completa de una generación.

Por el contrario, España es el país con la tasa de natalidad más baja del mundo (de tan sólo 1,2 hijos por mujer).

— Pirámides de edades — según el sexo

La pirámide es un gráfico construido sobre dos ejes de coordenadas: el izquierdo representa a los varones, y el derecho, a las mujeres. El análisis de estos gráficos permite conocer la evolución pasada, la estructura actual, y hace posible la deducción de ciertas perspectivas para un futuro próximo. Algunas pirámides expresan los cambios económico-sociales y las transformaciones políticas que ha vivido el país. Además, pueden explicar determinados hechos, como el aumento vertiginoso de la mortalidad, provocado por situaciones extremas como guerras, epidemias o una fuerte emigración. De acuerdo con sus formas, existen diferentes tipos de pirámides.

1) **Pirámide progresiva.**
Cuenta con alta natalidad y alta mortalidad. El rápido decrecimiento hacia la cima refleja países muy pobres, subdesarrollados, con escaso progreso económico y predominio de población inferior a quince años. Ejemplos: Zaire, República Centro-Africana, México.
2) **Pirámide estacionaria.**
La igualdad entre población joven y adulta, y el equilibrio entre la natalidad y la mortalidad, se mantienen constantes. Refleja países en vías de desarrollo. Ejemplos: Argentina, Uruguay.
3) **Pirámide regresiva.**
Esta pirámide refleja:
• baja natalidad;
• baja mortalidad;
• predominio de los adultos sobre los jóvenes (de entre 15 y 10 años);
• importante cantidad de ancianos, debido a que la **esperanza de vida**, garantizada por mejoras sociales y económicas, es elevada. Refleja a un país desarrollado, pero envejecido. Ejemplos: Italia, Alemania, Países Bajos, Suecia.

Teniendo en cuenta las edades, las pirámides se pueden dividir en tres sectores, que facilitan el análisis de la situación socioeconómica:
1) **Sector pasivo transitorio:** 0 a 19 años.
2) **Sector activo:** 19 a 60 años.
3) **Sector pasivo definitivo:** más de 60 años.

— Población — envejecida

Muchas pirámides de población de **Europa occidental** reflejan una transformación en su estructura y dinámica poblacional.
Esta modificación tiene que ver con el **envejecimiento de su población**.

El retroceso de la tasa de fecundidad, la disminución de la natalidad y el aumento de la esperanza de vida tendrán, según los demógrafos, una importante repercusión económica y social en los siguientes años. Las perspectivas para el futuro no son favorables.

El siglo XXI encuentra una población envejecida, conformada, en su mayoría, por personas de edad avanzada.

Para que un país se desarrolle, es necesario que su población logre reemplazarse. Esto sucede sólo cuando la tasa de crecimiento es de por lo menos 2,1 (2 niños por mujer).

En Europa, los países que no alcanzan esta tasa de crecimiento son: Alemania, Luxemburgo, Dinamarca, Bélgica, Países Bajos, Noruega, Suecia, Gran Bretaña y Francia, España e Italia.

Pirámide progresiva

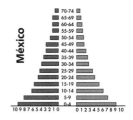

Pirámide estacionaria

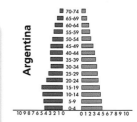

Pirámide regresiva

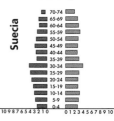

Una tendencia europea

En las sociedades europeas más desarrolladas, la fecundidad cae a niveles de extinción.

Los peores casos son los de España e Italia, con culturas orientadas tradicionalmente hacia la vida familiar.

Las condiciones de salud han mejorado, elevando la esperanza de vida y disminuyendo los índices de mortalidad. Por ello, Europa se convierte en un continente de ancianos. Sin embargo, fuera del Viejo Continente, el mundo es joven. Las cifras indican un crecimiento sostenido, y en algunos casos en aumento, como en América latina y en Asia.

En este sentido debe interpretarse la idea de que "el siglo XXI será asiático y americano".

Fuente: adaptación de un artículo del diario *Clarín*, Argentina, del 1 de abril de 1997.

LA POBLACIÓN Y EL TRABAJO

Una parte de la población mundial realiza alguna actividad remunerativa en diferentes sectores de la economía.
El desarrollo de esos sectores y las condiciones laborales marcan diferencias económicas entre los países y afectan a sus habitantes.

Los que trabajan

Todas las personas que reciben una remuneración por su trabajo constituyen la **población económicamente activa de un país**. Según las actividades que realizan, se diferencian en **tres sectores**:

- Las personas que se dedican a las actividades que producen materias primas, como la agricultura, la ganadería, la silvicultura, la pesca y la minería, constituyen el **sector primario**.
- La población que trabaja en actividades industriales, que transforman las materias primas en productos elaborados, conforma el **sector secundario**.
- Todos los que trabajan en el área de servicios, como el comercio, los bancos, las financieras, la comunicación, la administración pública y privada, pertenecen al **sector terciario**.

Actividades y desarrollo

Un dato para tener en cuenta en el desarrollo económico de un país es el **sector secundario**. Los países industrializados tie-

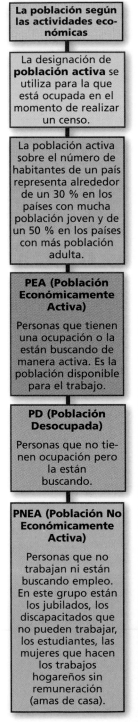

La población según las actividades económicas

La designación de **población activa** se utiliza para la que está ocupada en el momento de realizar un censo.

La población activa sobre el número de habitantes de un país representa alrededor de un 30 % en los países con mucha población joven y de un 50 % en los países con más población adulta.

PEA (Población Económicamente Activa)

Personas que tienen una ocupación o la están buscando de manera activa. Es la población disponible para el trabajo.

PD (Población Desocupada)

Personas que no tienen ocupación pero la están buscando.

PNEA (Población No Económicamente Activa)

Personas que no trabajan ni están buscando empleo. En este grupo están los jubilados, los discapacitados que no pueden trabajar, los estudiantes, las mujeres que hacen los trabajos hogareños sin remuneración (amas de casa).

nen, por lo menos, un 30 % de su población económicamente activa en ese sector. Aunque, actualmente, los países desarrollados, como Estados Unidos, Japón o Alemania, presentan una disminución debido a la robotización, es decir, la utilización de máquinas automatizadas que reemplazan la mano de obra.
El sector terciario es muy heterogéneo y abarca desde servicios muy importantes, como la investigación científica y tecnológica, hasta actividades menores y, algunas, innecesarias. En los países desarrollados, hay un avance en informática y telecomunicaciones, y se le da mucha importancia a la formación de científicos y técnicos.

Subempleo y desempleo

En las grandes ciudades de los países subdesarrollados, donde hay problemas de desempleo por la desindustrialización, mucha gente tiene empleos ocasionales, de baja remuneración, o se dedica a la venta callejera de mercaderías, actividades que se incluyen en el **sector terciario**.

Son personas *subempleadas*, ya que no participan de la economía formal ni tienen seguro social.

El **subempleo** es una forma de *desempleo* disfrazado; por eso, aunque el sector terciario de algunos países subdesarrollados es semejante, en cantidad, al de los países desarrollados, cualitativamente es muy diferente. Actualmente, la globalización de la economía y la concentración económica en manos de grandes grupos han producido un aumento del desempleo a nivel mundial.

Pero, en los países pobres, esta realidad es crítica, porque no hay protección para el desocupado.

La desocupación

El grave problema de la actualidad es la desigualdad social, que se refleja en que no todos consiguen trabajo, con lo cual se amplían los porcentajes de **desocupación**.

Alrededor del 10 % de la población activa no tiene trabajo. Uno de los factores que determina esta condición es la actual recesión económica imperante.

En los países subdesarrollados, el empleo formal está sometido a condiciones de precarización creciente. Una gran parte de la población vive de una economía informal, producto de la falta de trabajo.

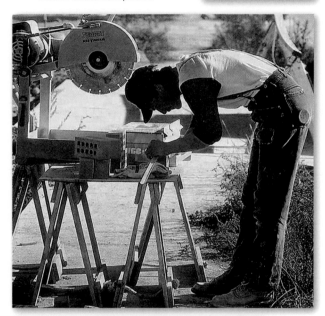

La desocupación

CAUSAS QUE DETERMINAN UN PAÍS RICO	CAUSAS QUE DETERMINAN UN PAÍS POBRE
• Importante cantidad de activos.	• Falta de capital para invertir en actividades productivas.
• Gran tecnología aplicada a la producción.	

Soluciones

• Anticipar la jubilación.

• Prolongar la escolaridad.

• Reducir jornadas laborales.

• Incentivar a las empresas que generan fuentes de trabajo.

Consecuencias

• Ocupaciones mal pagas.

• Inestabilidad económica.

• Inseguridad laboral y previsional.

• Baja calidad de vida.

• Subempleo, venta callejera, trabajadores informales.

• Búsqueda de empleo por cuenta propia.

• Movimientos de agitación social (por xenofobia).

LA POBLACIÓN Y SUS NECESIDADES

Las posibilidades de que se respeten los derechos de satisfacer nuestras necesidades básicas están relacionadas con la capacidad económica de un país y las decisiones políticas que tomen sus gobernantes.

Necesidades básicas

Cuando la población puede satisfacer sus necesidades, logra una buena calidad de vida. Las **necesidades básicas** que deben satisfacerse para lograr el bienestar son: **alimentación equilibrada**, una **vestimenta adecuada**, acceso a una **vivienda digna**, y servicios como **agua potable, saneamiento, educación** y **atención médica**.
Cuando la población **no reúne** la mayor parte de estas **condiciones básicas**, vive en **la pobreza**.
Todos tenemos el mismo derecho de satisfacer esas necesidades básicas, pero ello depende de la situación económica y política de cada país.

¿Qué es la pobreza?

Se habla de **pobreza cuando una persona carece de lo necesario para el sustento de su vida, cuando hay insatisfacción de sus necesidades básicas**. Las **condiciones de pobreza** son muy **diferentes** de acuerdo con las características de **cada sociedad**. Por eso, es importante encontrar un **indicador que permita realizar comparaciones** válidas.
Algunas determinaciones de la pobreza son: **producto bruto interno, consumo de energía, esperanza de vida, analfabe-**

¿Cómo se mide el IDH?

por ingresos

por esperanza de vida

por nivel de educación

La FAO estipula que el promedio mínimo requerido por una persona, para cubrir sus necesidades básicas de alimentación, es de 2.299 calorías diarias.

El gobierno de Malí, con la ayuda del Banco Mundial, realizó en el país una alfabetización funcional.

tismo. Se distinguen **dos tipos de pobreza**: los **pobres estructurales**, procedentes de **familias necesitadas**, con limitaciones laborales y educativas, y los **nuevos pobres**, que son los que **provienen de la clase media afectada por la crisis económica** que atraviesa su país.

El IDH

En Naciones Unidas se buscó un índice que permita aclarar mejor las condiciones de vida de una población, para luego poder hacer una comparación entre los distintos países.
Este índice es el llamado **Índice de Desarrollo Humano (IDH)**.

Analfabetismo y subdesarrollo

El analfabetismo es una característica del subdesarrollo, y su persistencia es un obstáculo para el desarrollo de un país. Para erradicar este problema, es necesaria una campaña o un programa de **alfabetización funcional** que desarrolle intelectualmente a los individuos, de modo que puedan adquirir conocimientos y habilidades útiles en el plano social y económico. De esta manera, podrán satisfacer sus necesidades prácticas y solucionar problemas concretos.
Por ejemplo, en Malí, la alfabetización funcional está relacionada con el desarrollo rural, como el suministro de materiales a los agricultores y programas de mejoras agronómicas y sanitarias.

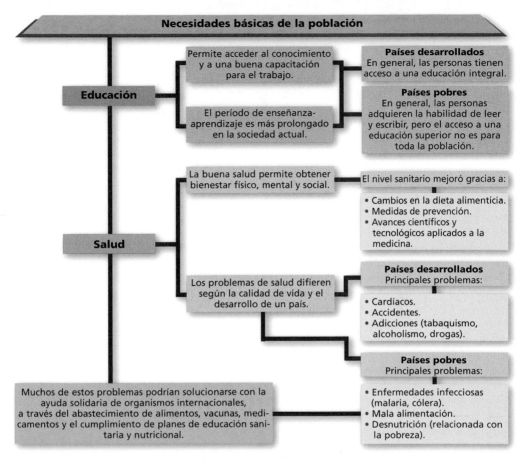

Necesidades básicas de la población

Educación

- Permite acceder al conocimiento y a una buena capacitación para el trabajo.
  - **Países desarrollados** En general, las personas tienen acceso a una educación integral.
- El período de enseñanza-aprendizaje es más prolongado en la sociedad actual.
  - **Países pobres** En general, las personas adquieren la habilidad de leer y escribir, pero el acceso a una educación superior no es para toda la población.

Salud

- La buena salud permite obtener bienestar físico, mental y social.
  - El nivel sanitario mejoró gracias a:
    - Cambios en la dieta alimenticia.
    - Medidas de prevención.
    - Avances científicos y tecnológicos aplicados a la medicina.
- Los problemas de salud difieren según la calidad de vida y el desarrollo de un país.
  - **Países desarrollados** Principales problemas:
    - Cardíacos.
    - Accidentes.
    - Adicciones (tabaquismo, alcoholismo, drogas).
  - **Países pobres** Principales problemas:
    - Enfermedades infecciosas (malaria, cólera).
    - Mala alimentación.
    - Desnutrición (relacionada con la pobreza).

Muchos de estos problemas podrían solucionarse con la ayuda solidaria de organismos internacionales, a través del abastecimiento de alimentos, vacunas, medicamentos y el cumplimiento de planes de educación sanitaria y nutricional.

El hambre en el mundo

OCÉANO GLACIAR ÁRTICO

OCÉANO PACÍFICO

OCÉANO ATLÁNTICO

OCÉANO ÍNDICO

- Regiones donde se consumen 2.800 o más calorías.
- Regiones donde se consumen 2.300 a 2.799 calorías.
- Regiones donde se consumen menos de 2.299 calorías.

EL CRECIMIENTO DEMOGRÁFICO

El crecimiento alarmante de la población plantea un dilema que resalta situaciones de complejo análisis, donde los valores humanos se ponen en juego.

Los problemas de la población

El planeta Tierra está cada vez más poblado.

Esto provoca serios inconvenientes para los habitantes y obliga a los gobernantes a plantearse varias cuestiones muy importantes para el futuro de la humanidad.

El peligro de la desertificación

"El mundo pierde anualmente unos seis millones de hectáreas debido a la desertificación", dice un informe de las Naciones

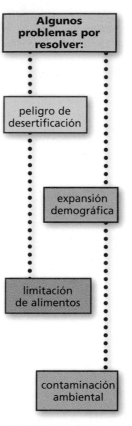

Algunos problemas por resolver:

peligro de desertificación

expansión demográfica

limitación de alimentos

contaminación ambiental

Unidas. Además, señala que este fenómeno afecta especialmente al **espacio rural** y **áreas áridas y semiáridas de la Tierra**. La pérdida de estos terrenos es **provocada por la actividad humana**: el **pastoreo excesivo**, la **deforestación**, la **expansión de cultivos en tierras marginales**, la **quema de malezas** y el **asentamiento de grupos que habían sido nómadas**.

Generalmente, este problema **lo padecen** las poblaciones de los **países en desarrollo**, muchos de los cuales manifiestan una **desertificación severa**. Las zonas afectadas se extenderán hasta África sub-sahariana, la región andina de América del Sur y el Sudeste asiático.

Este fenómeno trae como consecuencia serios problemas económicos, ambientales y humanos.

Millones de personas dependen de la tierra, así que también disminuye la esperanza de una vida mejor para ellos.

Cifras alarmantes

De los 5.200 millones de hectáreas de suelo útil del mundo, el 69 % fue afectado por la degradación.

Esta cifra equivale a un cuarto del total de la superficie terrestre.

Cabe señalar que el 85 % de los terrenos azotados por la desertificación están asentados en zonas de gran desarrollo económico.

Expansión demográfica

En 1998, la ONU estimó que la población mundial alcanzaba los 6.000 millones de habitantes.

Esta cifra irá aumentando progresivamente, hasta llegar a 8.500 millones, hacia el año 2025.

La expansión de la población es mayor en países con poca capacidad para sostenerla.

Frente al desequilibrio de la población y los escasos recursos de la Tierra, es necesario implementar medidas estratégicas como: el control de la natalidad, mediante la divulgación de criterios de planificación familiar; la promoción de pautas culturales y la toma de conciencia sobre estos problemas.

El mayor crecimiento se produce en los países con menos posibilidades de enfrentar las consecuencias del acelerado aumento de su población; por ejemplo, en países de los continentes africano y asiático.

Los grandes centros comerciales han modificado los hábitos de los consumidores en casi todo el mundo.

Proyección sobre el crecimiento de la población mundial

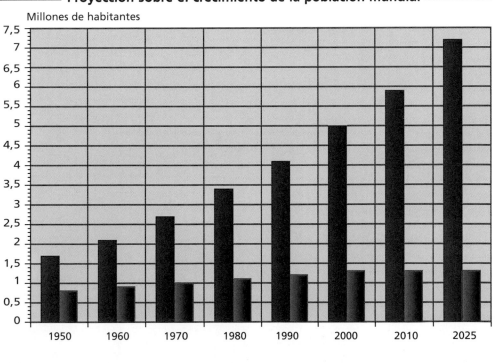

Millones de habitantes

■ Países con menor desarrollo socioeconómico

■ Países desarrollados

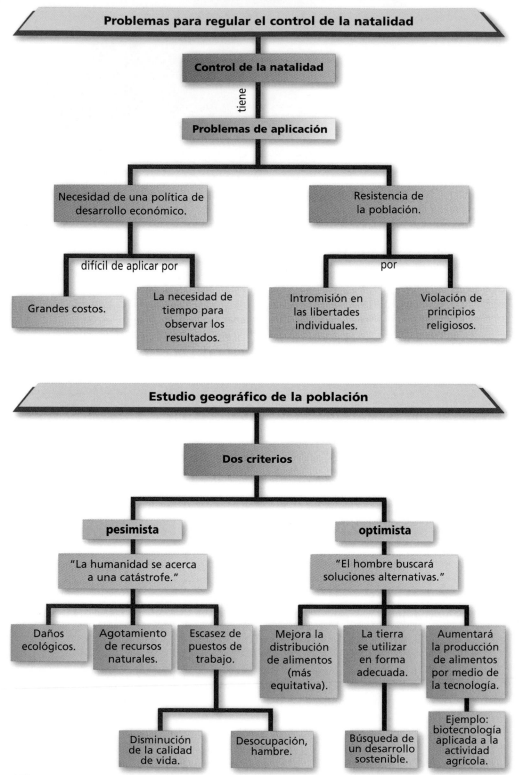

Problemas para regular el control de la natalidad

Control de la natalidad

tiene

Problemas de aplicación

Necesidad de una política de desarrollo económico.

Resistencia de la población.

difícil de aplicar por

por

Grandes costos.

La necesidad de tiempo para observar los resultados.

Intromisión en las libertades individuales.

Violación de principios religiosos.

Estudio geográfico de la población

Dos criterios

pesimista

optimista

"La humanidad se acerca a una catástrofe."

"El hombre buscará soluciones alternativas."

Daños ecológicos.

Agotamiento de recursos naturales.

Escasez de puestos de trabajo.

Mejora la distribución de alimentos (más equitativa).

La tierra se utilizar en forma adecuada.

Aumentará la producción de alimentos por medio de la tecnología.

Disminución de la calidad de vida.

Desocupación, hambre.

Búsqueda de un desarrollo sostenible.

Ejemplo: biotecnología aplicada a la actividad agrícola.

Continentes y países

Las características
y los habitantes
del mundo,
desde nuestra
América
hasta los polos.

AMÉRICA, CONTINENTE GRANDIOSO

Ocupa, por su tamaño, el segundo lugar entre todos los continentes. Su superficie abarca el 28 % de las tierras emergidas.

El coloso americano

América se emplaza en el hemisferio occidental y se desarrolla ampliamente en el sentido de las latitudes. En efecto, el continente presenta territorios tanto en la zona ártica como en la zona ecuatorial.

Límites

Al N: el *océano Glaciar Ártico* con sus mares dependientes: *Beaufort, Lincoln* y *Wandel.*
Al E: el *océano Atlántico* con el *mar Labrador*, el gran *golfo de San Lorenzo*, el *golfo de México*, el *mar Caribe* y el *mar Argentino.*
Al O: el *océano Pacífico* con el *mar de Bering* y el *estrecho del mismo nombre,* de 80 km de ancho (que separa América de Asia).
Al S: la separación de los *océanos Atlántico y Pacífico* está dada por la línea del meridiano

América, el origen de su nombre

América es el único continente que en su denominación recuerda a una persona.
En 1492, Colón partió de España hacia el oeste, creyendo que alcanzaría las *Indias Orientales*, o sea, el *Catay* (actual *China*) y el *Cipango* (actual *Japón*). Se encontró con tierras que constituyeron un obstáculo para su viaje.
A su vez, otro navegante, el florentino **Américo Vespucio**, tras viajar a las nuevas tierras, las describió detalladamente. Teniendo en cuenta toda esta información, el geógrafo *Martin Waldseemüller*, en una obra escrita en 1507, propuso el nombre de **"Tierras de Américo".**
De ahí, **AMÉRICA.**

que pasa por *Cabo de Hornos. El continente americano está separado del Antártico por el pasaje de Drake.*

Integración territorial y física

América está integrada por *dos grandes masas emergidas* de forma aproximadamente triangular, unidas por un istmo montañoso y volcánico al que se adiciona un *conjunto de islas.* Esta disposición permite diferenciar **"tres Américas"** desde el punto de vista territorial y físico:

- **América Septentrional o del Norte:** desde el océano Glaciar Ártico hasta el istmo de Tehuantepec (México).
- **América Central:** desde el istmo antes mencionado hasta la depresión colombiana recorrida por los ríos Atrato y San Juan (constituida por una parte continental o ístmica y otra insular).
- **América Meridional o del Sur:** se extiende desde los ríos Atrato y San Juan hasta la confluencia de los océanos Atlántico y Pacífico.

Un extenso continente

Nuestro continente americano se asemeja a dos grandes triángulos —**América del Norte y América del Sur**— unidos por una fina franja de tierra: **América Central.** Se halla rodeado por los **océanos Atlántico** y **Pacífico**, y por las aguas heladas del **océano Glaciar Ártico.** Observando un globo terráqueo o un planisferio, comprobaremos que América **se extiende en dirección noroeste-sudeste.** El territorio americano **se encuentra tanto en el hemisferio Norte como en el hemisferio Sur.**

Puntos extremos de América

Extremos continentales		Extremos insulares
Cabo Murchison (Canadá)	N	Cabo Morris Jesup (Groenlandia)
Cabo Froward (Chile)	S	Isla Diego Ramírez (Chile)
Cabo Branco (Brasil)	E	Cabo Nordeste (Groenlandia)
Cabo Príncipe de Gales (EE. UU.)	O	Isla Attu, Cabo Wrangele (Islas Aleutianas, EE. UU.)

El relieve de América

En América del Norte

El relieve se resuelve en el **Escudo Canádico**, los **Montes Apalaches** y el **Macizo Plegado del Oeste**, **altiplanicies** y **llanuras**.

- **El Escudo Canádico** es de origen *precámbrico*. Se localiza en el NE del continente. Es una **meseta** erosionada por las glaciaciones.
- **Los Montes Apalaches** se localizan en el E, desde la isla de *Terranova* (Canadá) hasta el centro-este de Estados Unidos. Se formaron en la era *paleozoica*. Son montañas con formas redondeadas y su altura máxima alcanza los 2.500 m. Al S, sobresalen los *Montes Blancos y Verdes*, y al N, *los Azules*.
- **El Macizo Plegado del Oeste** se desarrolla desde Alaska hasta México. Está constituido por dos cordones montañosos paralelos: las *Rocallosas* o *Rocosas*, en el interior, y la *Cadena de la Costa*, en el O.
- **Las Rocallosas** se extienden al O. Son de paisaje desértico y constituyen un encadenamiento de considerable extensión, que al penetrar en México forman el cordón de la *Sierra Madre Oriental*.
- **La Cadena de la Costa** se extiende al O, paralela al Pacífico. Posee la máxima altura de América del Norte: el **Monte MacKinley** (6.194 m), y de N a S, las **cadenas de San Elías, de la Costa, Nevada, Cascadas** y **Madre Occidental** y **del Sur**.
- **Las altiplanicies** son mesetas altas, que se extienden entre la cadena de la Costa y las Rocallosas. Las más importantes son la **meseta de Alaska**, de **Columbia**, la **Gran Cuenca**, la de **Colorado** y la de **Anáhuac**.

Sus llanuras

Se desarrollan en el interior continental y son de origen sedimentario. Se distinguen: *la llanura ártica*, que abarca la zona costera del N de Canadá; *la llanura central canadiense* y *la del Mississippi*, que se extienden entre los encadenamientos montañosos del E y el O; *la llanura atlántica*, comprendida entre los montes Apalaches y la costa, y *la llanura del Golfo de México*, que sigue el contorno del golfo del mismo nombre.

En América Central

Dominan las montañas. Por la prolongación de la *Sierra Madre* al N y de *los Andes* al S, todos los países presentan diversas cadenas montañosas **de escasa elevación**. Su principal característica es la **actividad volcánica**. Los volcanes más altos son el *Tajumulco* (4.220 m) y el *Tacana* (4.000 m) en el límite con México (ambos extinguidos).

En las islas del Caribe, sus montañas pertenecen a una cadena que nace en *Cuba*.

El archipiélago de las Antillas, con una longitud de 3.000 km, es de **relieve montañoso**. Muchas islas son de *origen volcánico*, y algunos picos todavía muestran la actividad de su suelo. Algunas, como Cuba, están rodeadas de *arrecifes* que hacen muy peligrosa la navegación.

En Cuba y Jamaica, algunas montañas alcanzan los 3.500 m. Los ríos, en general, son de curso rápido y corto.

El *Gran Cañón*, ubicado en el estado de Arizona, EE. UU., se formó durante 10 millones de años por la erosión del río Colorado. Alcanza vaciados de 1.500 m de altura y 11 km de ancho. Fue descubierto en 1540 cuando era el hábitat natural de numerosas tribus indígenas.

Las costas

Las costas americanas son más irregulares en América del Norte que en América del Sur, así como también lo son las del Atlántico, comparadas con las del Pacífico.

Las costas de América del Norte presentan, hacia el E, un contorno irregular, con numerosas islas, como Groenlandia, Tierra de Baffin, Tierra del Príncipe Alberto, isla Victoria, Tierra de Bering e isla Melville, entre otras, separadas del área continental por diversos canales, estrechos y pasos.

La actividad volcánica de las grandes cadenas montañosas que recorren América en toda su extensión, determinan movimientos sísmicos, algunos de considerable importancia.

En Río de Janeiro, Brasil, impactan los cordones montañosos orientales del *Macizo de Brasilia*, que forma un frente abrupto a lo largo de la magnífica costa atlántica.

La Cordillera de los Andes, formada, en algunos tramos, por una sucesión de grandes macizos, constituye uno de los sistema montañosos más grandes e importantes del mundo.

Entre las cadenas montañosas que recorren América del Sur, se pueden observar grandes extensiones llanas, ocupadas por cuencas fluviales como la del Amazonas, donde discurre el río que lleva su nombre y que es el más largo del territorio sudamericano y el más caudaloso del mundo.

En América del Sur

El O está recorrido de N a S por la magnífica y elevada **Cordillera de los Andes**, y hacia el E por relieves suavizados (restos de un antiguo *plegamiento*). Entre ambas cadenas montañosas, hay **amplias llanuras** ocupadas por **grandes cuencas fluviales**: la del *Orinoco*, la del *Amazonas* y la *del Plata*. También se extiende la amplia mesera de **Mato Grosso** y la de la **Patagonia argentina**.

La **Cordillera de los Andes** no tiene el mismo ancho en toda su longitud y se subdivide en tres cordilleras en **Colombia** y en **Perú**, pero no forma más que una cadena entre **Argentina** y **Chile**. Muchas de sus cumbres alcanzan los 6.000 metros.

Entre las cadenas montañosas, se extienden algunas *punas* o *altiplanicies* que ocupan, a veces, grandes extensiones, como la **Puna de Atacama**.

Las montañas caen a pico del lado del Pacífico, pero descienden con moderación hacia las llanuras del O.

En su parte final, en el S, pierde de altura, y el relieve se vuelve redondeado. Las manifestaciones volcánicas continúan, sobre todo en la vertiente del Pacífico.

Tanto en el N como en el S, hay áreas *glaciales*. Al sur de los 40° de latitud sur, los glaciares son extensos y forman especies de altiplanos.

Sus llanuras

Como la Cordillera corre paralela y muy cerca del Pacífico, sobre ese lado se encuentran **llanuras pequeñas**. Sobre la costa caribeña, se abren la llanura del valle inferior del río Magdalena y las tierras bajas invadidas por el lago Maracaibo.

La formación de las **grandes llanuras** está relacionada con las grandes cuencas:

- la vasta llanura recorrida por el río Orinoco;

- la inmensa llanura del río Amazonas;

- las llanuras del Chaco y la pampa, relacionadas con el sistema del Plata.

La Cordillera de los Andes

Este enorme sistema montañoso atraviesa en forma longitudinal (con dirección N-S) el área occidental de **América del Sur**, a lo largo de unos 8.900 kilómetros, desde *Venezuela y Colombia* hasta la *Isla de los Estados*, en el extremo oriental de *Tierra del Fuego (Argentina)*.

Posee una **altura media muy elevada, altas cumbres con nieves eternas** y una **formación compacta**, con **pasos escasos y difíciles**; aunque en general se presenta **en dos encadenamientos o más** (como ocurre en *Colombia, Ecuador y Perú*), con estrechamientos o *nudos* de tanto en tanto.

Ha sido originada por la **orogenia terciaria** (por lo que geológicamente se la relaciona con *los Alpes* y *el Himalaya*). Resulta **propensa a fenómenos sísmicos y volcánicos**. Atesora notables **recursos mineros** (oro, diamantes, plata, cobre, estaño).

Entre sus picos más elevados, se encuentran el *Aconcagua* (6.959 m), *Ojos del Salado* (6.879 m), *Tupungato* (6.635 m), *Pissis* (6.882 m), *Mercedario* (6.770 m), *Huascarán* (6.768 m), *Coropuna* (6.377 m), *Sajama* (6.542 m), *Illampú* (6.421 m), *Chimborazo* (6.267 m), *Bonete Grande* (5.943 m).

LA RED HIDROGRÁFICA

— En América del Norte —

Existen dos cuencas importantes: la de *San Lorenzo* y la del *Mississippi-Missouri*.

Los ríos pertenecen a **tres pendientes**: la del **océano Glaciar Ártico**, la del **Atlántico** y la del **Pacífico**.

Los ríos de la pendiente del Ártico son bastante extensos y permanecen helados gran parte del año; los principales son el *MacKenzie*, *Churchill* y *Nelson*.

La pendiente del Atlántico está constituida por los ríos más importantes, entre ellos el *San Lorenzo* (cuenca que recibe los enormes depósitos de los *Grandes Lagos*), el *Mississippi-Missouri*, el *Hudson*, *Potomac* y el *Grande* o *Bravo*.

La pendiente del Pacífico posee ríos cortos y muy caudalosos, que se aprovechan especialmente para energía hidroeléctrica; se destacan el *Yucón*, *Fraser*, *Columbia*, *Sacramento* o *Colorado* y *Balsas*.

El río Mississippi-Missouri

El coloso de América del Norte, una de las mayores cuencas del mundo es un típico río de llanura, lento, serpenteante y meandroso, que drena de N a S toda la llanura central de Estados Unidos —país para el que tiene una significación económica tan importante como el Nilo para Egipto—, es una valiosa vía navegable y sus afluentes son aprovechados para riego y energía hidroeléctrica.

El río Wisconsin ha excavado en miles de años un canal de 11 km de ancho y 30 m de fondo en la piedra arenisca de su lecho. Recorre cuatro distritos en los que la erosión fluvial ha formado excavaciones reconocidas con distintos nombres, según la figura que han determinado.

En América abundan los grandes ríos, muchos de ellos navegables, que constituyen valiosas vías de comunicación y transporte.

— En América Central —

Como en todo el continente, los cordones montañosos determinan **dos vertientes**: la del Atlántico y la del Pacífico. En este último desembocan numerosos ríos de curso corto.

En cambio, los que desembocan en el Atlántico abren valles a través de mesetas, en un recorrido más extenso.

Se destacan los ríos *Motagua* (en Guatemala), *Patuca* (en Honduras), *Grande* (en Nicaragua) y **San Juan** *(en Costa Rica)*. *También hay algunos lagos notables, como el* **Nicaragua***, que, además de tener islas, se comunica con el* **Managua** *por el río* **Tipitapa***.*

Los Grandes Lagos

Son una *gran cuenca lacustre* que cubre una superficie de 250.000 km². La integran los lagos *Superior* (el más extenso del mundo), *Hurón, Michigan, Erie* y *Ontario*, que se destacan de un conjunto de miles, cuyas diferencias de nivel dan lugar a saltos y cataratas (como las del *Niágara*).

Todos ellos se hallan conectados entre sí y con los ríos *San Lorenzo, Mississippi-Missouri* y *Hudson*, a través de esclusas y canales, facilitando la comunicación entre las áreas más pujantes de Canadá y Estados Unidos.

El Orinoco

Nace en la sierra de Parima (Venezuela) y, luego de recorrer unos 2.400 km, desemboca en el Atlántico, formando un amplio delta. Tiene más de 400 afluentes. Los principales son: **Guaviare, Meta, Apuré, Caura** y **Caroní**.
Su cuenca cubre una superficie de casi 1 millón de kilómetros cuadrados.

El Amazonas

Es el más importante del mundo, tanto por su caudal como por la anchura, profundidad y amplitud de su sistema navegable (sólo es superado por el *Nilo* en su extensión). Corre en el sentido de los paralelos y recibe el aporte de más de 1.100 afluentes de los dos hemisferios, lo que le asegura un régimen estable. Más de 200 de estos afluentes son importantes ríos, como el *Huallaga, Ucayali, Madeira, Yurúa Purús, Negro* y otros. Nace en los Andes peruanos con el nombre de **Marañón** y cubre una cuenca de 7 millones de km², para desembocar en el Atlántico formando un delta con islas tan grandes como la de *Marajó*.

El Río de la Plata

Es considerado un estuario, por la penetración en él de aguas marinas.

En América del Sur

En su mayoría, los ríos son extensos y caudalosos, originados en los Andes y en los macizos de Guayania y Brasilia. Pertenecen a **tres pendientes**: *la del Mar Caribe, la del Atlántico y la del Pacífico.*

A la **pendiente del Mar Caribe** pertenecen los ríos *Atrato* (límite entre América Central y del Sur), *Magdalena* y su afluente, el *Cauca*, entre otros.

A la **pendiente del Atlántico** pertenecen los ríos más importantes de toda América: el *Orinoco*, el *Amazonas* y el *sistema del Plata*; otros menos destacados son el *San Francisco* (en Brasil), y los de la provincia de Buenos Aires y de la Patagonia (en Argentina). Casi todos estos ríos recorren amplias llanuras y son útiles para la navegación.

A la **pendiente del Pacífico** pertenece un abundante número de ríos, pero cortos, de cuencas poco amplias y que no forman sistemas fluviales. En general, caen al mar en forma de cascadas y no son navegables. Los más famosos son el *Esmeralda* (en Ecuador), el *Maipo* y el *Bío-Bío* (en Chile).

La cuenca del Plata

Está integrada por dos ríos principales: el *Paraná* y el *Uruguay*, y sus afluentes, los que forman el *Río de la Plata*, que es el *colector final* de todo el sistema y el que le da nombre.

El río *Paraná* nace de la unión de los ríos *Paranaíba* y *Grande* (en Brasil).

Tiene 4.500 km de extensión, recibe como principal afluente a otro gran río, el *Paraguay* (de 2.600 km), y desemboca en un amplísimo **delta** que abarca 14.000 km², en el **Río de la Plata**.

A lo largo de su curso se construyeron las **importantes represas de *Itaipú*** (que comprende los países de *Paraguay* y *Brasil*) y **Yacyretá** (que comprende *Paraguay* y *Argentina*).

Además, constituye una valiosa vía de comunicación y transporte entre destacados puertos.

El río *Uruguay* nace en la sierra Geral (*Brasil*), tiene una extensión de 1.600 km y en su curso se construyó la *represa Salto Grande* (entre *Uruguay* y *Argentina*).

EL PAISAJE NATURAL

América del Norte y sus grandes contrastes climáticos

Predominan los climas **fríos** y **templados**, desde el polar hacia el N, hasta el tropical hacia el S:

- **Ártico o nival**, en el N de Alaska y Canadá.
- **Frío de altura**, en el O, por las altas montañas.
- **Templado continental**, con gran amplitud de la temperatura, en la llanura central.
- **Húmedo**, en el litoral atlántico y Apalaches (*frío* hasta el *Cabo Hatteras*, por influencia de la corriente del Labrador, y *templado* hacia el S, hasta *Florida*).
- **Desértico**, en el SO de Estados Unidos y NO de México.
- **Tropical**, en las llanuras del litoral mexicano.

Su flora y su fauna

La variedad climática da lugar a diversas formaciones, que se distribuyen de N a S de la siguiente manera.

• Tundra

En el N, con escasas variedades vegetales, musgos, líquenes, pobres arbustos y una fauna típica representada por *oso polar, reno, zorro* (plateado y azul), *armiño*.

• Bosque boreal

También llamado **de coníferas**, en gran parte de *Canadá* y *Alaska*, con *coníferas* de notable valor económico y una fauna propia: *lobo, zorro, marta, alce*, etc.

El lobo es el ejemplar característico de la fauna de los bosques de coníferas.

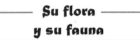

Las cascadas de Multnomah son las segundas en altura de Estados Unidos y se encuentran en el estado de Oregón.

Nuestro continente presenta una amplia variedad climática que influye en la distribución de la flora y la fauna, y ofrece una asombrosa biodiversidad.

• Bosque templado-frío

En toda la costa pacífica hasta el N de *California*, de gran exuberancia y rico en *abetos, sequoias* y otras *coníferas*. Su fauna incluye *castor, oso gris, bisonte* (casi extinguido), *alce*.

• Bosque templado

En la costa atlántica y Apalaches, con *roble, castaño, plátano, nogal, haya, pino* y *ciprés*; y una fauna variada: *zorro, bisonte, castor*, diversas *águilas* y *colibríes*.

• Estepa

Al pie de las Rocallosas y gran parte de México, con *pastos duros* y *pobres arbustos*; hay *coyote, zorro gris, lobo rojo* y *águila americana*, entre otros.

• Bosque tropical

Al S de la península de Florida y costa del golfo de México, de exuberante vegetación y una fauna rica y variada, donde abundan las *aves* exóticas, como *papagayo* y *quetzal*.

• Desierto

En la zona de la Gran Cuenca, SO de EE. UU. y NO de México, con vegetación xerófila (*cacto, agave* y *yuca*) y donde abundan *serpientes* y *batracios*.

En América Central, se encuentra una amplia cantidad de islas, cuyos climas, esencialmente tropicales, son el hábitat natural de innumerables especies exóticas que habitan tanto en sus selvas, como en las áreas costeras.

En América Central influye la altura

Aunque se encuentra en la *región tropical*, el **clima varía según la altitud**. A mayor altura, menores temperaturas. Así, las áreas altas de *Guatemala, Honduras y Costa Rica* son frías, y en las zonas más bajas la temperatura aumenta y es agradable.

En las costas, en especial en la atlántica, la temperatura es elevada y los pantanos y lagunas determinan un clima *denso, húmedo* y *cálido*. Las mejores condiciones climáticas para la vida se dan a una altura media (en el altiplano, por ejemplo), que es donde se asientan los núcleos urbanos.

Las Antillas se encuentran en la **zona *tórrida***, ya que los rayos caen casi perpendicularmente; sin embargo, las brisas marinas refrescan el ambiente.

Con respecto a su flora, predominan los **bosques tropicales** y las **sabanas** o *florestas subtropicales* (encontramos *palmera real, agave, henequén, caoba, cedro, guayacán, maguey, vainilla, piña,* entre otros).

La fauna es similar a la de la subregión guayano-brasileña (con *monos pequeños, pecaríes, hurones, aguatíes, conejos de india, reptiles, caimanes* y diversas *aves* de singular colorido y belleza).

Su flora y su fauna

En América Central, hay **diferentes niveles vegetales y faunísticos**, según la altura.

• Bosque tropical

Denso y exuberante, con *cedro, nogal, guayacán, sándalo, especies medicinales y tintóreas,* como el *bálsamo, añil, abacá* y diversas *epífitas,* entre otras.

• Sabanas, bosques y pastizales

Típicas de las regiones de clima templado.

• Montes de coníferas y maguey

En áreas frías.

• Formaciones xerófilas

Cuanto mayor es la altura, más densas son éstas.

La fauna es variada; en áreas costeras se destacan *marsupiales, monos, grandes felinos, conejos, tapires, ofidios, caimanes, numerosos insectos y exóticas aves* como el *quetzal*.

En la meseta hay *pumas, pecaríes* y una amplia variedad de *serpientes*.

En las zonas altas, *águilas, buitres, halcones* y *batracios*.

En América del Sur, variedad climática

Como es tan extensa —hacia el N y hacia el S—, **tiene todos los climas**, *desde el cálido al glacial.*

• La zona cálida

Abarca desde *Panamá* hasta el límite N de la *República Argentina.*

• La zona esteparia

Amplias regiones de *Colombia, Venezuela* y el N de *Brasil* son esteparias, a causa de los vientos secos y de la temperatura elevada.

• La zona húmeda y calurosa

Es la región que abarca la cuenca del Amazonas.

• La zona árida o semiárida

Comprende las áreas cordilleranas y la Patagonia argentina, en general, y varía con la altura (a mayor altitud, menores temperaturas).

Mientras que en el litoral sur de Brasil es **cálido**, en la cuenca del Plata predomina el clima **templado**.

Su flora y su fauna

En Sudamérica se desarrollan:

• Selva ecuatorial y bosque tropical

En áreas cálidas y templadas con abundantes lluvias (como las *cuencas del Orinoco y del Amazonas*). Son de vegetación exuberante, con muchos *árboles altos, lianas, enredaderas, musgos y líquenes*; diversas *aves, reptiles, monos* e *insectos.*

• Parque, sabana y área de dominio chaqueño

Al N y S de las anteriores (en zonas cálidas, con menos lluvias). Poseen *árboles* y *arbustos* generalmente *espinosos*, agrupados formando islotes, y *pastos duros*; dominan los animales de hábitos *arborícolas.*

• Bosque caducifolio y bosque frío

En áreas de clima templado, el primero, con árboles que en invierno pierden (o caducan) sus hojas (de ahí el nombre).
En las zonas frías, el bosque es de *coníferas*, con *coihue, ñire, alerce, raulí, lenga, pehuén*, etcétera.
Abundan los organismos *fitófagos* (que se alimentan de sustancias vegetales); y hay *mara, hurón, zorro*, entre otros.

• Pradera

Típica del clima templado, con lluvias abundantes (como en el área pampeana argentina y gran parte de Uruguay), donde abundan las *hierbas hidrófilas* y los animales corredores, con buena vista, olfato y oído.

• Desierto y semidesierto (estepa y monte)

Son característicos de una gran faja andina (la *Puna*), sierras pampeanas y meseta patagónica argentina, áreas con marcadas diferencias diarias de temperatura y lluvias mínimas.
La vegetación es *xerófila* y los animales tienen hábitos *cavernícolas.*

La zona cálida por excelencia y de lluvias más abundantes (donde se desarrolla la *selva*) es por donde pasa la *línea del ecuador,* y a medida que nos alejamos de ésta (hacia el N o hacia el S) disminuyen gradualmente las lluvias y la temperatura, lo que influye en la flora y la fauna.

La zona de praderas es apta para el cultivo.

Por lo general, las zonas húmedas y calurosas del continente presentan esteros, lagunas y pantanos con una abundante fauna. Área desértica de Sudamérica.

Los grupos humanos de América

Cuando los españoles llegaron a América, se encontraron con diversos grupos aborígenes.

Descendiente africano, habitante de América como consecuencia de las múltiples inmigraciones ocurridas.

Los europeos que emigraron a América trajeron consigo sus costumbres, conformando así una nueva realidad.

Un crisol de razas

Mucho antes de que los europeos llegaran a América, ésta ya estaba poblada por diferentes grupos indígenas, con formas de organización social y culturas diversas. Pero, hacia fines del siglo XV, españoles y portugueses realizaron travesías a través de los océanos y "descubrieron" nuevas tierras. Comenzó entonces una fuerte corriente inmigratoria, fundamentalmente en América, que ofrecía mayores condiciones para el establecimiento de nuevas ciudades. Detrás de ellos siguieron los anglosajones, franceses y holandeses. El lado más terrible de la conquista fue el genocidio llevado a cabo contra las poblaciones indígenas.

Las primeras inmigraciones

Como la población indígena descendió tanto después de la llegada de los conquistadores y se necesitaba mano de obra, hubo dos grupos muy importantes de inmigrantes. Uno lo constituyó la *"inmigración forzada"* de **africanos**, **chinos** y, ya en el siglo XIX, los **inmigrantes de la India**, traídos como **esclavos**. El segundo grupo estaba formado por **obreros y campesinos** ingleses, irlandeses y alemanes.

Los **negros** trabajaron en las plantaciones de café, azúcar y tabaco de las islas del Caribe, las llanuras de Brasil, la costa de Perú y el sur de EE. UU. Primero eran arrancados de su tierra y transportados encadenados en las bodegas de los barcos. Una vez que pisaban tierra, eran exhibidos como mercadería y vendidos a los dueños de las haciendas. Allí vivían en barracas sucias y mal ventiladas, y sometidos a todo tipo de castigos.

La gran inmigración del siglo XIX

En la segunda mitad del siglo XIX, comenzaron a llegar a América, especialmente a Brasil, Argentina y Uruguay, un gran número de *inmigrantes europeos*. Llegaban de España e Italia en busca de mejores condiciones de vida o porque escapaban de la situación política de sus países de origen, como Polonia, Francia, Portugal y Rusia. Venían para trabajar la tierra pero en general se vieron forzados a quedarse en las ciudades, aumentando así el número de comerciantes, tenderos y pequeños industriales. Algunas excepciones fueron las comunidades agrícolas alemanas del sur de Brasil y las colonias hebreas del litoral argentino.

Durante el siglo XX

Las dos guerras mundiales trajeron nuevas oleadas de inmigrantes europeos. Campesinos de Italia y España se vieron forzados a emigrar. Pero también hubo aportes de otros grupos humanos a la creciente población americana. En EE. UU. desembarcaron unos 14.600.000 inmigrantes italianos, judíos y eslavos. Miles de asiáticos fueron tentados por la posibilidad de conseguir trabajo en suelo americano.

La incipiente inmigración de chinos, que había comenzado a mediados del siglo XIX, se intensificó. También se incrementó la llegada de habitantes de países árabes.

LAS DOS AMÉRICAS

— Antes de la conquista —

Cuando nuestro continente no se llamaba América, es decir, cuando aún no había sido descubierto y conquistado por los europeos, estaba habitado por numerosísimos pueblos indígenas.

En general, éstos eran muy diferentes entre sí, y sólo conocían la existencia de las tribus que vivían cerca de ellos. En aquellos momentos, sólo existía un vasto territorio habitado por pueblos indígenas.

Llegan los conquistadores

Dos potencias europeas, **España** y **Portugal**, se lanzaron a la conquista de esas tierras.

Detrás de ellas vinieron otras: Inglaterra, Francia y Holanda. De esa manera, hacia fines del siglo XVIII, existían, por lo menos, colonias de cinco países europeos en nuestro continente.

Estas naciones europeas les dieron a los territorios conquistados sus costumbres, sus religiones y sus idiomas.

AMÉRICA

latina

anglosajona

Antiguas colonias de

España

Inglaterra

Portugal

Holanda

Francia

La visión de la América latina y de la anglosajona tiene en cuenta la acción del hombre como principal agente modificador del espacio geográfico.

— Las diferencias —

Las naciones americanas conservaron muchos elementos que les habían impuesto los conquistadores.

Y muy pronto se diferenciaron, según el país europeo que las había colonizado.

Por un lado se encuentran las naciones que fueron colonizadas por países anglosajones (las colonias inglesas y holandesas), y por el otro, las que fueron colonias de países latinos (las colonias españolas, portuguesas y francesas).

De esta manera, por su pasado colonial, se distinguen dos Américas: la **América latina** y la **América anglosajona**.

LATINOAMÉRICA Y EL CARIBE

Comprende los territorios que se extienden desde el sur del río Bravo (en América del Norte) hasta Tierra del Fuego (en América del Sur).

Nuestra América

En Latinoamérica y el Caribe, podemos encontrar países con realidades muy diversas; territorios con grandes variedades geofísicas; pueblos con diferencias étnicas y culturales, organizados políticamente como Estados independientes, Estados libres asociados o colonias, cuyas lenguas provienen del latín —como el español, el portugués y el francés—, y también pueblos de habla inglesa que comparten muchas semejanzas con el resto de América Central y América del Sur. Así es nuestra América.

Historia compartida

Los países que la forman comparten regiones geográficas caracterizadas por la diversidad de sus climas, relieves, vegetación y fauna. Pero, sobre todo, comparten una historia que se inicia, primero, con la conquista y colonización española y portuguesa, y luego, con las luchas contra todo dominio extranjero. Sus habitantes tienen que enfrentar hoy casi idénticos problemas: el endeudamiento externo y la caída de los precios de sus productos. Como consecuencia de esto, la falta de sanidad y educación. Pero, como su suelo es inmensamente rico y ofrece tantas posibilidades para el desarrollo de la vida humana, es posible que esta situación cambie por decisión de los pueblos.

¿Sólo economía?

La convulsionada situación en América Central impulsó a un grupo de países, entre los que se cuenta la Argentina, a formar el llamado *Grupo de Apoyo Contadora* (una comisión constituida por Venezuela, México, Colombia y Panamá), que tiene por objetivo impedir la intromisión de los Estados que no son latinoamericanos en problemas específicos del área y, fundamentalmente, evitar la guerra entre hermanos.
El 3 de julio de 1978 se firmó el *Pacto Amazónico* integrado por Bolivia, Brasil, Colombia, Ecuador, Guayana, Perú, Surinam y Venezuela. Su objetivo es frenar las tentativas de "internacionalización" de la cuenca del Amazonas.

América es un extenso territorio que alberga pueblos con diferencias étnicas y culturales, y profundos contrastes en su conformación social, política y económica.

Acuerdos económicos

Para poder hacer frente a la competencia en que EE. UU. y Europa ponen a los productos latinoamericanos con sus medidas proteccionistas, se firmaron diferentes acuerdos comerciales. El 18 de febrero de 1962 se firmó el tratado de Montevideo, que inauguró la *Asociación Latinoamericana del Libre Comercio*. Los países que fundaron esta asociación fueron Argentina, Brasil, Colombia, Chile, Ecuador, México, Paraguay, Perú y Uruguay; más tarde se adhirieron Bolivia y Venezuela. En 1980 se sustituyó por la *ALADI* (Asociación Latinoamericana de Integración). Los países caribeños constituyeron *CARICOM* (Comunidad y Mercado Común del Caribe). Los países centroamericanos, como Costa Rica, Guatemala, Honduras, Nicaragua y El Salvador, conformaron, en 1960, el *Mercado Común de América Central*.
Todos éstos son intentos para conformar un *Mercado Común Latinoamericano*, similar a la Unión Europea, para intercambiar libremente y sin barreras aduaneras productos tecnológicos y alimenticios. En años recientes ha habido otros bloques regionales, como el *Grupo Andino* y el *Mercosur*.

Población y urbanización

Constitución de la población

Los indios, negros, europeos y asiáticos no conforman, en su gran mayoría, grupos totalmente diferenciados, ya que a través del tiempo se han mezclado, formando la numerosa población mestiza de América latina. De la fusión de los blancos con los indígenas, que se dio desde los primeros momentos de la conquista, surgieron los mestizos, llamados *cholos* en los territorios andinos, y *mamelucos* y *caboclos* en Brasil.

En México, los mestizos conforman la mayoría de la población, y están en permanente aumento en Ecuador, Perú, Colombia y Bolivia. Los mulatos, que resultan de la unión de negros y blancos, constituyen la mitad de la población en algunas islas antillanas y en el Brasil.

Distribución de la población

A partir de la llegada de los españoles, comenzaron a fundarse ciudades-puertos por donde salían las materias primas hacia Europa (recordemos que los indígenas vivían en ciudades interiores porque comerciaban entre ellos).

Es por eso que la distribución de la población latinoamericana es esencialmente costera. Pero, además, hay que destacar el predominio de la población urbana en contraste con los grandes espacios, que poseen una bajísima densidad de población. Por ejemplo, la Patagonia argentina, los llanos colombianos y la selva amazónica.

Proceso de urbanización de Latinoamérica

La urbanización en Latinoamérica se desarrolló en tres grandes períodos.

• Período amerindio

Se manifiesta a través de las **grandes culturas precolombinas**, como las de los **mayas**, **aztecas** e **incas**, que crearon deslumbrantes ciudades como Palenque, Uxmal, Chichén Itzá, Copán, Tenochtitlan, Machu Picchu y Cuzco.

• Período de la conquista

Se inicia con la llegada de los **conquistadores españoles** que primeramente se asentaron en las **islas del Caribe**, luego ocuparon las **ciudades amerindias** y después fundaron **nuevas ciudades**, en especial en territorios ricos en minerales (como Potosí) y en áreas costeras (donde instalaron *ciudades-puerto*).

• Período de la inmigración

Se desarrolla con el arribo de numerosos contingentes de **inmigrantes europeos**, en especial a partir de 1870 y 1880, cuando se construyeron nuevas carreteras, se instalaron las vías férreas y se fundaron las restantes ciudades latinoamericanas. Se incrementa tras la Primera y la Segunda Guerra Mundial.

Las ciudades latinoamericanas

Nuestras ciudades poseen características propias. Éstas son las principales.

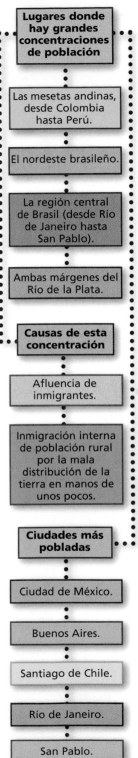

Lugares donde hay grandes concentraciones de población

Las mesetas andinas, desde Colombia hasta Perú.

El nordeste brasileño.

La región central de Brasil (desde Río de Janeiro hasta San Pablo).

Ambas márgenes del Río de la Plata.

Causas de esta concentración

Afluencia de inmigrantes.

Inmigración interna de población rural por la mala distribución de la tierra en manos de unos pocos.

Ciudades más pobladas

Ciudad de México.

Buenos Aires.

Santiago de Chile.

Río de Janeiro.

San Pablo.

Grandes metrópolis que contrastan notablemente con el nivel de vida de la población de los trabajadores informales y de los campesinos.

• **El trazado en damero** (semejante al del tablero de ajedrez), de herencia colonial.
• **La presencia de una plaza central**, alrededor de la cual se asientan los principales edificios públicos.
• Predominan las ciudades **emplazadas en zonas costeras**, tanto en áreas montañosas como llanas.
• **Edificación continua**, con insuficientes espacios verdes.
• **La primacía de una ciudad**, que suele ser la capital del país (*metrópoli*) y es donde se concentra la mayor parte de la población (*metropolización*); con excepción de Colombia y Brasil.
• **El crecimiento de las ciudades es espontáneo** y poco organizado, con una explosión más rápida; reciben migraciones de poblaciones rurales.
• **El comercio callejero**, a través de numerosos vendedores ambulantes, incrementado por la falta de empleos urbanos y el crecimiento del desempleo.

• **El asentamiento de barrios de viviendas precarias** (como las "villas miseria" de Argentina o las "favelas" de Brasil) en los alrededores de las principales ciudades.

Aumento de la población urbana

En 1990, el 72 % de la población urbana latinoamericana eligió las ciudades como lugar de residencia y, según estimaciones de las Naciones Unidas, este predominio de la población urbana irá en aumento: se estima que hacia el año 2025 será del 84 %.
Esta proyección agudiza aún más el ya grave problema de los grandes espacios vacíos latinoamericanos (que son prácticamente espacios vírgenes) y crea la necesidad de desarrollar medidas para que la distribución de la población sea más equilibrada.

¿Cómo viven las sociedades latinoamericanas en la actualidad?

Población urbana	Población suburbana		Campesinos	Levantadores de cosecha
Son empleados artesanos, industriales, comerciantes, propietarios de haciendas y prestadores de servicios. Estos últimos actualmente constituyen el sector activo de mayor crecimiento. Tienen distintos niveles de vida, según el poder adquisitivo de cada grupo. En general, tienen cubiertas sus necesidades educativas y de salud. Los grupos dirigentes son los que viven mejor.	**Trabajadores informales** Habitan en la periferia de las ciudades. Viven en casas precarias. Son obreros desocupados o trabajan por cuenta propia. Carecen de servicios sanitarios, agua potable y cloacas.	**Trabajadores de la industria** Están protegidos por leyes laborales. Tienen beneficios sanitarios y sociales.	Viven en áreas agrícolas marginales. Trabajan tierras pobres. Están lejos de los centros de consumo. Carecen de asistencia médica y escuelas. No tienen posibilidad de obtener créditos bancarios para comprar maquinarias agrícolas.	Forman parte de la migración "golondrina": se trasladan para trabajos temporarios. Se ocupan en el momento de la cosecha y quedan sin trabajo durante varios meses del año. Deben recurrir, entonces, a otros trabajos ocasionales. No tienen protección social.

LAS ACTIVIDADES ECONÓMICAS

Muchos recursos

A pesar de que América latina posee importantes recursos económicos, aún no están desarrollados ampliamente. En este sentido, el esfuerzo de muchas de las naciones que conforman este *subcontinente*, para industrializarse y avanzar técnicamente, es digno de destacar, particularmente en las últimas décadas. En cuanto a las relaciones comerciales de Latinoamérica con el exterior, todavía predomina, la exportación de materias primas y la importación de productos elaborados. El comercio interior se encuentra en vías de desarrollo, y en este aspecto cabe resaltar la conformación de varios mercados regionales.

Agricultura y ganadería

El desarrollo agrícola es desparejo y muestra grandes contrastes.
Hay países que poseen una agricultura de subsistencia (sólo satisface las demandas internas); incluso, en algunos predomina un solo cultivo (monocultivo), como la caña de azúcar en el Caribe. Otros países más tecnificados consiguen buenas producciones y pueden exportar; entre ellos, Argentina, México, Brasil, Chile y, en menor medida, Colombia, Perú y Venezuela, entre otros.
Predomina la cría de bovinos, tanto para aprovechamiento cárnico como lechero. En estos aspectos se destaca la región pampeana argentina. En zonas cálidas –como la llanura chaqueña, los llanos venezolanos y la zona S y SE de Brasil–, se crían cruzas con cebú, a fin de lograr animales más resistentes. En áreas semidesérticas, predo-

La explotación forestal

Selvas y bosques tropicales

En especial en la selva amazónica (de Brasil, principal productor; Colombia, Venezuela, Perú y Ecuador) y en las sierras de México y América Central. Áreas ricas en caoba, cedro, quebracho y pino Paraná.

Bosques de coníferas

Se destacan los de Chile, cuya explotación se destina a la producción de papel.

Monte

Áreas destinadas a la obtención de leña, en especial el NE de Brasil, centro de México y zonas áridas de Argentina.

Minería

Hierro y estaño, en Brasil.

Cobre, en Chile y en menor medida en Perú.

Oro, en Nicaragua.

Plata, en Honduras.

Latinoamérica posee una extraordinaria riqueza natural, aunque sus recursos y la capacidad técnica para exportarlos no se distribuyen en forma homogénea.

mina la cría de ovinos y caprinos. Los porcinos, en especial en Brasil, México y Argentina.

Pesca

Las especies más capturadas son: anchoítas, lenguado, arenque, salmón y bacalao.
Los países de mayor producción son México, Chile y Perú.

Desarrollo industrial

El desarrollo industrial de América latina es relativamente reciente y muestra cierta lentitud, sobre todo por la escasa disponibilidad de capitales y la falta de una adecuada infraestructura para la comunicación y el transporte. Sólo algunos países presentan actualmente buen desarrollo industrial, como México, Brasil, Argentina y, en menor escala, Chile. El resto, en general, sólo aporta principalmente materias primarias y debe importar productos industrializados de países más desarrollados.
Esto perjudica la economía de los países de escaso desarrollo y aumenta las diferencias socioeconómicas, ya que las materias primas (así como la mano de obra) constituyen recursos, en general, cada día más desvalorizados en el mundo actual. Para achicar esas diferencias, los países cercanos se unen creando "mercados regionales", que facilitan el libre comercio de mercadería.

AMÉRICA ANGLOSAJONA

Ocupa el norte de América, abarca Canadá y Estados Unidos, incluyendo Alaska. Ambos países están asociados con la América desarrollada, rica y poderosa.

Dos potencias

Canadá y Estados Unidos son países altamente industrializados, con un elevado porcentaje de urbanización, a la vanguardia en los emprendimientos tecnológicos de punta, con una población que goza en general de una alta calidad de vida; han atraído, y lo siguen haciendo, a personas procedentes de los más dispares rincones del planeta. Esos rasgos comunes no ocultan, sin embargo, las significativas diferencias existentes entre los dos países, y su muy distinta gravitación en el contexto mundial.

Composición étnica

En ella **predomina el grupo blanco sajón, de origen inglés** (*anglosajón*). Los **grupos aborígenes** (*amerindios*) que poblaban esas tierras fueron disminuyendo considerablemente con el avance de la colonización europea hacia el oeste. La **población mestiza es muy poco numerosa**, debido al escaso acercamiento de las familias de colonos con los indígenas.

La **población negra** es hoy la minoría étnica más numerosa. Se originó con la llegada de inmigrantes forzados, traídos del África como esclavos, quienes recuperaron la libertad tras la Guerra de Secesión (1861-1865), pero continuaron sufriendo violentos episodios discriminatorios.

Distribución de la población

Los habitantes de América anglosajona no se distribuyen en forma homogénea sobre el territorio. La existencia de áreas de mayor o menor densidad de población se explica por razones físicas, históricas y culturales.

El área de mayor densidad abarca la costa atlántica de Canadá, el NE de EE. UU. y la región de los Grandes Lagos.

La relativa proximidad a Europa y la presencia de recursos naturales jugaron un papel muy importante, al atraer a los primeros colonizadores del siglo XVII, seguidos, más tarde, por inmigrantes de todas las nacionalidades.

La costa de EE. UU. sobre el Pacífico ocupa el segundo lugar en cuanto a densidad de población. Escasamente poblada hasta el siglo XIX, la fiebre del oro revirtió la situación en un primer momento, y luego el clima benigno y los fértiles valles favorecieron el asentamiento de nuevos pobladores y el crecimiento urbano. Actualmente está considerada el área más dinámica de EE. UU.

Las zonas ubicadas en altas latitudes presentan una situación muy diferente, ya que existen en ellas grandes áreas prácticamente despobladas.

Los territorios del NO, en Canadá, sólo alcanzan una densidad de 0,1 hab/km^2, y Alaska, 0,3 hab/km^2.

¿Población envejecida?

Estados Unidos y, en menor medida, Canadá sufrieron en un siglo un vertiginoso aumento en el número de habitantes.

Esta expansión no se explica sólo por el crecimiento natural de la población, sino por la fuerte inmigración recibida durante los siglos XIX y XX. En EE. UU., el surgimiento de sentimientos hostiles e intolerantes hacia los extranjeros limitó el ingreso de éstos desde 1920. El freno a la inmigración transformó el crecimiento natural en el responsable del crecimiento demográfico.

Las mejores condiciones de vida y los progresos en la salud disminuyeron la tasa de mortalidad. Al reducirse también la natalidad, el crecimiento de ambas naciones es muy lento (1 % anual). La disminución de jóvenes y el aumento de personas de edad avanzada ocasionaron un envejecimiento de la población.

La América desarrollada

En EE. UU. y Canadá, la industrialización y el desarrollo tecnológico estuvieron ligados a una mejor calidad de vida. En el área laboral, semanas de trabajo más breves, seguro de desempleo, vacaciones pagas más largas y jubilación temprana.

Sin embargo, no todos los sectores de la población pueden aprovechar lo que brinda la sociedad de consumo a la que pertenecen.

Aunque parezca contradictorio con el desarrollo alcanzado, también existen pobres, cuyo nivel de ingresos está muy por debajo de la media. En general, pertenecen a minorías étnicas: son inmigrantes recientes, desempleados o habitantes de áreas poco desarrolladas.

El sur estadounidense es pobre, si se lo compara con el resto del país. El ingreso per cápita registra allí valores más bajos. Esta pobreza se manifiesta en los campos algodoneros del valle del Mississippi.

Las industrias

En EE. UU., la actividad industrial es, sin duda, el eje de la economía del país. Dentro de ella juegan un rol importante las *empresas multinacionales*, que han generado un fenómeno sin precedentes a escala mundial. Estos monstruos empresariales se caracterizan por disponer de grandes inversiones de capital, alta concentración de mano de obra, elevados índices de mecanización con empleo de robots y gran desarrollo de la informática.

A menudo estas empresas están ligadas con la banca y vinculadas al sector terciario. Los sectores más destacados corresponden a la industria de punta: electrónica, robótica, informática, atómica, aeroespacial.

Entre las tradicionales: la industria química, del plástico, siderúrgica y metalúrgica.

Canadá también es un país industrializado pero, a diferencia de EE. UU., la mayor parte de las industrias no son de capitales canadienses, sino filiales de grandes empresas extranjeras.

Agricultura y tecnología

Al finalizar la Segunda Guerra Mundial, la agricultura de los EE. UU. ya se destacaba por la cantidad de hectáreas cultivadas. Pero se tomaron medidas para proteger y mejorar la calidad de suelos, diversificar producciones y mecanizar las tareas agrícolas; así lograron una agricultura de alta productividad. Esta mecanización supuso una disminución de la población agrícola. Para todo esto, es imprescindible el desarrollo de la tecnología.

Recursos mineros y energéticos en EE. UU.

La gran superficie del país permite disponer de una amplia variedad de minerales, así como también aprovechar los distintos recursos energéticos. El gran consumo de energía sigue basándose en combustibles fósiles (carbón, gas y petróleo), de allí la importancia que tiene su ex-

tracción. EE. UU. dispone de un tercio de las reservas mundiales de carbón. También es un importante consumidor y productor de gas natural para uso doméstico y comercial. El desarrollo de la energía nuclear se vio favorecido por la abundancia de minerales radiactivos y por las importantes sumas de dinero dedicadas a la investigación.

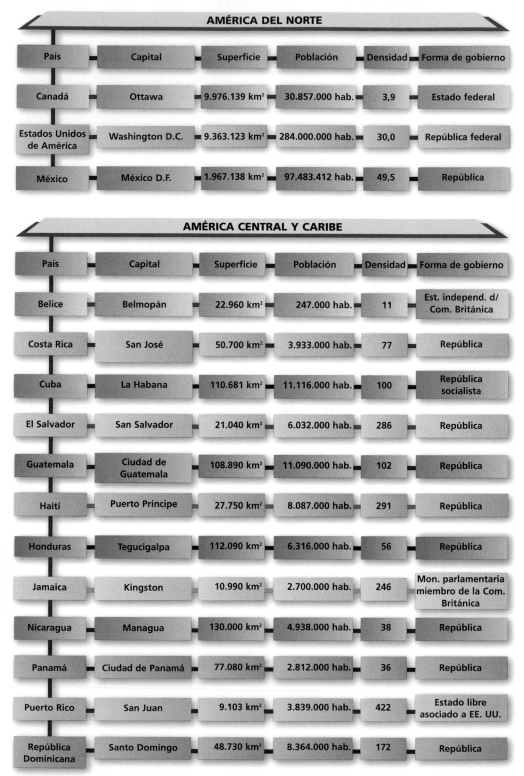

AMÉRICA DEL NORTE

País	Capital	Superficie	Población	Densidad	Forma de gobierno
Canadá	Ottawa	9.976.139 km²	30.857.000 hab.	3,9	Estado federal
Estados Unidos de América	Washington D.C.	9.363.123 km²	284.000.000 hab.	30,0	República federal
México	México D.F.	1.967.138 km²	97.483.412 hab.	49,5	República

AMÉRICA CENTRAL Y CARIBE

País	Capital	Superficie	Población	Densidad	Forma de gobierno
Belice	Belmopán	22.960 km²	247.000 hab.	11	Est. independ. d/ Com. Británica
Costa Rica	San José	50.700 km²	3.933.000 hab.	77	República
Cuba	La Habana	110.681 km²	11.116.000 hab.	100	República socialista
El Salvador	San Salvador	21.040 km²	6.032.000 hab.	286	República
Guatemala	Ciudad de Guatemala	108.890 km²	11.090.000 hab.	102	República
Haití	Puerto Príncipe	27.750 km²	8.087.000 hab.	291	República
Honduras	Tegucigalpa	112.090 km²	6.316.000 hab.	56	República
Jamaica	Kingston	10.990 km²	2.700.000 hab.	246	Mon. parlamentaria miembro de la Com. Británica
Nicaragua	Managua	130.000 km²	4.938.000 hab.	38	República
Panamá	Ciudad de Panamá	77.080 km²	2.812.000 hab.	36	República
Puerto Rico	San Juan	9.103 km²	3.839.000 hab.	422	Estado libre asociado a EE. UU.
República Dominicana	Santo Domingo	48.730 km²	8.364.000 hab.	172	República

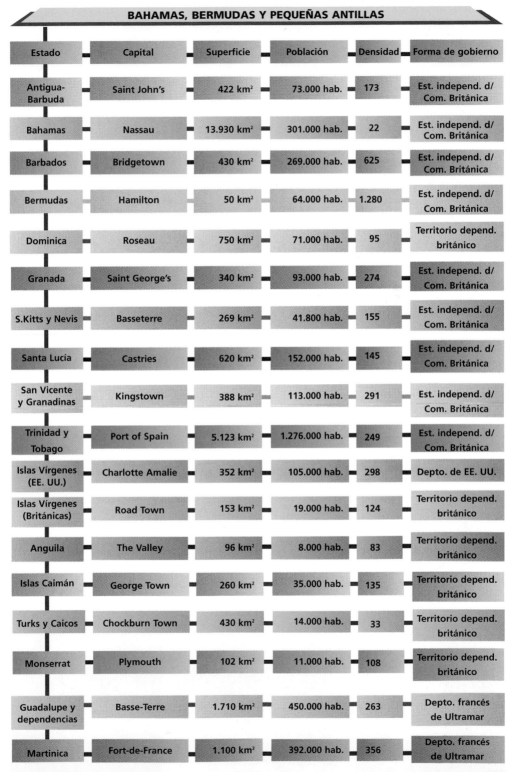

BAHAMAS, BERMUDAS Y PEQUEÑAS ANTILLAS

Estado	Capital	Superficie	Población	Densidad	Forma de gobierno
Antigua-Barbuda	Saint John's	422 km²	73.000 hab.	173	Est. independ. d/ Com. Británica
Bahamas	Nassau	13.930 km²	301.000 hab.	22	Est. independ. d/ Com. Británica
Barbados	Bridgetown	430 km²	269.000 hab.	625	Est. independ. d/ Com. Británica
Bermudas	Hamilton	50 km²	64.000 hab.	1.280	Est. independ. d/ Com. Británica
Dominica	Roseau	750 km²	71.000 hab.	95	Territorio depend. británico
Granada	Saint George's	340 km²	93.000 hab.	274	Est. independ. d/ Com. Británica
S.Kitts y Nevis	Basseterre	269 km²	41.800 hab.	155	Est. independ. d/ Com. Británica
Santa Lucía	Castries	620 km²	152.000 hab.	145	Est. independ. d/ Com. Británica
San Vicente y Granadinas	Kingstown	388 km²	113.000 hab.	291	Est. independ. d/ Com. Británica
Trinidad y Tobago	Port of Spain	5.123 km²	1.276.000 hab.	249	Est. independ. d/ Com. Británica
Islas Vírgenes (EE. UU.)	Charlotte Amalie	352 km²	105.000 hab.	298	Depto. de EE. UU.
Islas Vírgenes (Británicas)	Road Town	153 km²	19.000 hab.	124	Territorio depend. británico
Anguila	The Valley	96 km²	8.000 hab.	83	Territorio depend. británico
Islas Caimán	George Town	260 km²	35.000 hab.	135	Territorio depend. británico
Turks y Caicos	Chockburn Town	430 km²	14.000 hab.	33	Territorio depend. británico
Monserrat	Plymouth	102 km²	11.000 hab.	108	Territorio depend. británico
Guadalupe y dependencias	Basse-Terre	1.710 km²	450.000 hab.	263	Depto. francés de Ultramar
Martinica	Fort-de-France	1.100 km²	392.000 hab.	356	Depto. francés de Ultramar

AMÉRICA DEL SUR

País	Capital	Superficie	Población	Densidad	Forma de gobierno
Argentina	Buenos Aires	3.761.274 km²	36.260.130 hab.	10	República federal
Bolivia	La Paz (adminis.) y Sucre (judicial)	1.142.581 km²	7.957.000 hab.	7	República
Brasil	Brasilia	8.511.996 km²	159.691.000 hab.	19	República federal
Chile	Santiago	756.026 km²	15.050.341 hab.	20	República
Colombia	Santafé de Bogotá	1.141.748 km²	40.214.730 hab.	35	República
Ecuador	Quito	256.370 km²	12.156.608 hab.	44	República
Guayana Francesa	Cayena	91.000 km²	157.000 hab.	2	Gob. local desig. por Francia
Guyana	Georgetown	214.969 km²	773.000 hab.	4	República
Paraguay	Asunción	406.752 km²	5.089.000 hab.	12	República
Perú	Lima	1.285.216 km²	27.947.000 hab.	19	República
Surinam	Paramaribo	163.270 km²	415.000 hab.	2	República parlamentaria
Uruguay	Montevideo	176.215 km²	3.185.000 hab.	19	República unitaria
Venezuela	Caracas	912.050 km²	23.916.810 hab.	26	República

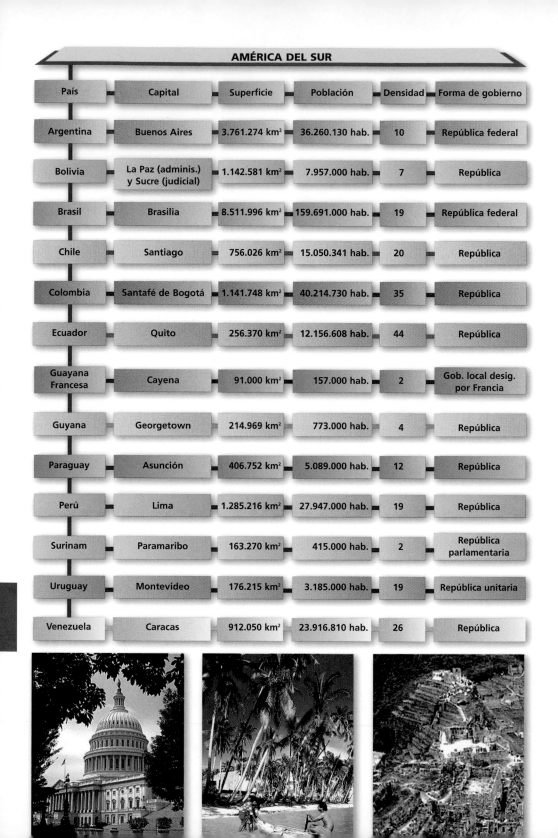

EUROPA, EL VIEJO MUNDO

Posición

Está ubicado en el **hemisferio norte** o **boreal**, atravesado por la línea del **Círculo Polar Ártico**. Su extremo sur dista 13° del **trópico de Cáncer**, de ahí que todos sus puntos tengan longitud Norte.
Está cruzado por el **meridiano de Greenwich** y su mayor superficie posee longitud oriental.

Límites

Al norte baña sus costas el *océano Glaciar Ártico*.
Al oeste, el *océano Atlántico* que, al igual que el océano Glaciar Ártico, presenta mares dependientes.
Al sur, se encuentra el *mar Mediterráneo*, comunicado con el océano Atlántico por el estrecho de Gibraltar, que separa a Europa del norte de África; luego, el *mar de Mármara*, comunicado con el Mediterráneo por el estrecho de Dardanelos y con el mar Negro por el estrecho de Bósforo; por último, las montañas de los Cáucasos.
El límite este está determinado por los *montes Urales*, el *río Ural* y la orilla noroccidental del *mar Caspio*, en la Comunidad de Estados Independientes (ex-Unión Soviética).

Superficie

La superficie emergida de Europa se ha calculado en 10,5 millones de km², lo que representa el 7 % del total de las tierras emergidas. Salvo Oceanía (que no está constituida por una masa continua de tierras emergidas), Europa es el continente más pequeño. Pero su influencia económica y cultural trasciende sus límites.

Europa, el origen de su nombre

Los mitos ejercieron gran influencia en el *"mundo clásico"* (incluso Grecia y Roma antiguas).
Uno de ellos, perteneciente a los griegos, estuvo referido a *Europa*, hermosa doncella de la que se enamoró *Zeus*, el más importante de los dioses griegos.
El término ***Europa*** lo comenzó a utilizar *Herodoto* (s. V a. C.) para identificar la masa continental que hoy designamos con tal denominación.

Las costas del mar Mediterráneo forman el límite sur del continente y ofrecen una profusa variedad geográfica.

Su aspecto histórico, cultural y económico le da una identidad propia que lo distingue de los demás continentes.

Puntos extremos

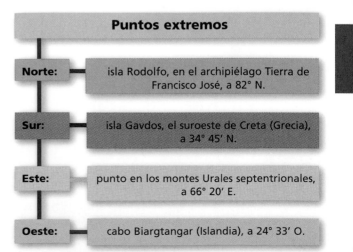

Norte:	isla Rodolfo, en el archipiélago Tierra de Francisco José, a 82° N.
Sur:	isla Gavdos, el suroeste de Creta (Grecia), a 34° 45' N.
Este:	punto en los montes Urales septentrionales, a 66° 20' E.
Oeste:	cabo Biargtangar (Islandia), a 24° 33' O.

Los "pólderes"

Mediante obras de ingeniería, los holandeses han logrado recuperar terrenos pantanosos, o ganárselos al mar, como el antiguo *golfo del Zuiderzee,* y convertirlos en zonas cultivables.

Con la construcción de diques, que impiden la invasión del mar y, al mismo tiempo, por bombeo, desagotan las zonas inundadas. A esos terrenos se los llama "pólderes".

Costas del océano Glaciar Ártico

Se extiende desde la península de Jucar, en el mar de Kara, hasta el cabo Norte, en el oeste, sobre la península escandinava. Tiene dirección predominante E-O; son costas bajas que se desarrollan en gran parte al norte del Círculo Polar Ártico y permanecen rodeadas de hielo gran parte del año.

Las costas de Noruega son altas por la presencia de *fiordos.* Los ríos que vuelcan sus aguas al océano lo hacen en forma de estuarios.

Costas del océano Atlántico

Se extienden desde el cabo Norte hasta la punta marroquí, sobre el *estrecho de Gibraltar.* Es una costa muy recortada que da origen a la formación de numerosas penínsulas y mares dependientes. Sobre la plataforma continental se levantan **archipiélagos** como los *Lofoten,* en el mar de Noruega; *Shetland* y *Orcadas* en el mar del Norte; *Hébridas* y el *archipiélago Británico* sobre el Atlántico.

Entre las **penínsulas** se destacan las de *Jutlandia,* entre los mares Norte y Báltico; la de *Bretaña,* en Francia, y la *Ibérica,* en España y Portugal.

Hay una gran variedad de costas, como **fiordos** en Noruega, **firth** en Escocia (Reino Unido), **rías** en Galicia (España), **estuarios** en la desembocadura de los ríos, **acantilados** en el Reino Unido, **delta** en la desembocadura del río *Rin.*

Costas del mar Mediterráneo

Presentan tres grandes **penínsulas**: *Ibérica, Itálica* y *Balcánica.* Tienen gran cantidad de **islas,** como *Córcega, Cerdeña, Mallorca, Creta, Rodas,* etc.

Presentan, además, gran variedad de tipos de costas: **deltas** en la desembocadura de los ríos, **lidos** en el golfo de Venecia (Italia), **albuferas** en España, Francia e Italia, **dálmatas** en Yugoslavia.

Costas del mar Negro

En la región norte, presenta gran **desarrollo de la plataforma.** El principal accidente geográfico es la *península de Crimea.* El estrecho de Kerch comunica el mar Negro con el de Azov.

En el mar Negro se encuentra la desembocadura del río Danubio, que forma un delta.

Costas del mar Caspio

Son la *prolongación hacia el mar de la depresión caspiana.* Son **costas bajas,** cuyo accidente principal es el *delta del río Volga.*

En el litoral centro-oeste, hay **costas altas** por la proximidad de los montes *Cáucasos.*

Su relieve

Europa presenta la menor altura continental (apenas 300 metros sobre el nivel del mar), debido no sólo a la extensión de sus llanuras, sino a la poca elevación de sus montañas.

Las llanuras ocupan el 65 % del territorio y se extienden desde los *montes Pirineos* a los *Urales*; también, sobre el litoral marítimo y entre las cadenas montañosas.

Las montañas no forman un único encadenamiento. Las que se formaron durante la era Cenozoica son las más jóvenes y elevadas. Están representadas por el *sistema Penibético, Pirineo, Alpes, Balcanes* y *Cáucasos*.

En el centro del continente, desde Irlanda hasta los Urales, están las montañas más antiguas, que pertenecen al plegamiento varíscico o hercínico, con grandes yacimientos de carbón. Entre las principales montañas, se destacan la *Cadena Penina* (Inglaterra), el *Macizo Central Francés* y *los Vosgos* (Francia), el *Macizo Esquistoso Renano, la Selva Negra* y *Hard* (Alemania), el *Cuadrilátero de Bohemia* (República Checa), los *Urales* y las alturas del *Volga* (ex Unión Soviética), y las *Sierras de Guadarrama y Toledo* (España). Hay montañas anteriores, originadas en el plegamiento caledónico, que se desarrollan en la península escandinava, Irlanda y Escocia.

Asimismo, hay en Europa terrenos precámbricos, como el *Escudo Báltico* en la península escandinava.

En el continente no existen desiertos. Hay algunas mesetas, entre ellas las de la **península ibérica**, y dos depresiones de importancia: la mayor se localiza a orillas del mar Caspio (entre Europa y Asia) y otra sobre el mar del Norte, en los Países Bajos.

La Cordillera Alpina

Es la más importante de Europa.

Se extiende por 1.200 km desde el río Ródano (Francia) hasta la llanura húngara y aparece formando parte de Italia, Francia, Suiza, Alemania y Austria. Según las regiones, tiene un ancho de entre 120 y 300 km. Su mayor altura es el *Monte Blanco*, de 4.810 metros.

Los Alpes son una sucesión de macizos separados por valles, donde hay gran concentración urbana.

Las cumbres alpinas están cubiertas de nieves perpetuas y ventisqueros, lo que, unido a la presencia de lagos y riqueza forestal, hace de esa región una de las zonas turísticas más admiradas y visitadas.

Distintos elementos geográficos, de naturaleza diversa convergen en Europa. Relieves montañosos, colinas, sectores de la zona herciniana y anchas franjas de llanuras por donde discurren los cursos de agua.

Hidrografía de Europa

La red fluvial europea ha sido y es determinante para sus habitantes, pues fue empleada para modificar el ambiente en que viven.

Ríos más extensos

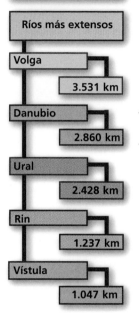

Volga — 3.531 km

Danubio — 2.860 km

Ural — 2.428 km

Rin — 1.237 km

Vístula — 1.047 km

Los ríos de Europa son un elemento importante de atracción para el turismo internacional. Sin embargo, en los últimos tiempos, muchos de ellos han sido muy afectados por la contaminación ambiental.

Ríos europeos

Los ríos tienen un papel importante en Europa, ya que en sus desembocaduras se instalaron puertos y, en el interior del continente, la construcción de canales facilita la distribución de mercaderías con menor costo de fletes.

En los cursos superiores, cuando se desarrollan en la zona montañosa, se construyeron complejos hidroeléctricos.

Cuencas exorreicas y endorreicas

Las exorreicas se dividen en pendientes:

- en el océano Glaciar Ártico;
- en el mar Báltico;
- en el mar del Norte;
- en el océano Atlántico;
- en el mar Mediterráneo y mares dependientes.

A las endorreicas corresponden los ríos que desembocan en el mar Caspio.

Pendiente por pendiente

Los ríos que desembocan en el océano Glaciar Ártico son ríos cortos, con dirección S-N, y recorren la llanura ártica. Por atravesar una zona de clima frío, durante los largos inviernos permanecen helados. Los principales ríos son: *Petchora, Duina, del Norte, Onega, Tuloma.*

Los ríos que desembocan en el mar Báltico descienden de los montes escandinavos y no son navegables.

Los más importantes son: *Tornea, Lulea, Umlea, Pitea, Dal.*

Los ríos que desembocan en el mar del Norte se utilizan para la navegación y están unidos por canales.

Entre los que más se destacan, se pueden citar: *Rin, Elba, Mosa, Escalda, Támesis.*

Los ríos que desembocan en el océano Atlántico se destacan por su longitud, como el *Loira* y el *Tajo.*

Los ríos que desembocan en el mar Mediterráneo y sus mares dependientes son cortos, porque el relieve es montañoso; son de gran pendiente e innavegables.

Los ríos que recorren las llanuras, como el *Ródano, Po, Danubio*, están alimentados por numerosos afluentes que bajan de los Alpes.

Los ríos que desembocan en el mar Caspio pertenecen a la cuenca del río *Volga*, que es el más extenso de Europa, y el río *Ural*, en el que se apoya el límite entre Europa y Asia.

EL CLIMA Y LA VIDA

Frío nival

Las temperaturas apenas superan los 0 °C; tiene inviernos largos y fríos. Las lluvias disminuyen de O a E y se registran fuertes vientos. El bioma que predomina es la *tundra*.

La ausencia de árboles se debe a que el suelo está permanentemente helado en profundidad. Predominan musgos y líquenes y, en el reino animal, zorros, lobos, osos, renos y liebres.

Frío continental

La temperatura media es de 2 °C pero hay una gran amplitud térmica anual; las precipitaciones son insuficientes. El *bosque de coníferas*, también conocido como *"taiga"*, está compuesto por pinos, abetos, abedules, álamos y alerces. Entre los animales se destacan los cérvidos, como alces, caribúes y renos.

En las costas de Noruega, la temperatura media es de 5 °C. Las lluvias son abundantes. El bioma es el *bosque de coníferas*.

Templado oceánico

Se desarrolla en el litoral atlántico europeo, con una temperatura media anual de 10 °C, con veranos templados e inviernos suaves. Las precipitaciones son de suficientes a abundantes. Se desarrolla el *bosque caducifolio* donde predominan robles, hayas, castaños y tilos; hay también aves y mamíferos.

Templado de transición

Se desarrolla en el centro de Europa. Esta variedad tiene menor influencia del mar y disminuyen las lluvias. El bioma es el *bosque caducifolio* con praderas y estepas.

Las primaveras breves y los inviernos prolongados caracterizan el frío nival y el frío continental europeos.

El clima cálido mediterráneo corresponde sólo a una parte reducida de las tierras que baña este mar.

En Europa predomina el clima templado. A diferencia de Asia o África, no existen los desiertos en el continente.

Templado continental

Se localiza en el E de Europa. La temperatura media es de 10 °C, pero tiene gran amplitud térmica, con veranos calurosos e inviernos fríos. Las lluvias son escasas. El bioma es la *estepa*, o sea, pastos duros de tipo *xerófilos*.

Cálido mediterráneo

Tiene veranos cálidos y secos e inviernos templados y lluviosos. Predomina el bioma del *matorral*. Los vegetales se adaptan a la falta de lluvias en verano; hay hierbas aromáticas y alcornoque. Entre los animales se destacan ciervos, conejos, lirones y aves rapaces.

Frío de alta montaña

Se localiza en las zonas montañosas: Alpes, Pirineos, Apeninos, Cárpatos, Cáucasos, Urales y Alpes Escandinavos.

Se caracteriza porque la temperatura disminuye con la altura; esto significa que, cuanto más altas son las montañas, es más intenso el frío y hay una gran diferencia de temperatura entre el valle y la cima. El bioma es la *flora de alta montaña*, donde la vegetación se adapta a las diversas temperaturas y es escalonada: al pie de las montañas se desarrolla el *bosque caducifolio*; a los 1.000 m de altura hay *bosques de coníferas*; a los 2.000 m, *praderas alpinas* con gramíneas que crecen en verano y, en las cumbres, *nieves eternas*.

LA POBLACIÓN

Es un fiel reflejo de la expansión económica y cultural del continente. Sus organismos internacionales siguen haciendo de Europa el continente más desarrollado.

Distribución de la población

Es relativamente homogénea; **no existen áreas despobladas**, sólo zonas de escasa densidad al norte del Círculo Polar Ártico.
La zona de mayor densidad de población es el litoral atlántico europeo, *que coincide con la localización industrial.*
El crecimiento de la población europea es lento, ya que **la tasas de natalidad y mortalidad son bajas**, debido a que tienen una elevada esperanza de vida y una mortalidad infantil baja como consecuencia del saneamiento de viviendas, la lucha contra las enfermedades infecciosas y las epidemias, y los programas de medicina preventiva.

Grupos étnicos

Existen diversos grupos étnicos debido a su larga historia y a la gran cantidad de pueblos que se han asentado en sus tierras. Predominan los blancos, entre los que se destacan: *nórdico, esteeuropeo, mediterráneo* y *alpino.*
Las migraciones produjeron un cambio importante ya que, debido a la caída del sistema comunista y la desintegración de la Unión Soviética, recibe gran cantidad de emigrantes europeos del Este. También existe un número importante de refugiados como consecuencia de conflictos bélicos y religiosos.

Lenguas indoeuropeas que se hablan en Europa

germánicas
- alemán
- inglés
- noruego
- sueco
- danés
- islandés
- holandés

románicas
- francés
- español
- italiano
- portugués
- rumano
- gallego
- catalán
- rético

celtas
- irlandés
- escocés
- galés

helénicas
- griego

eslavas
- búlgaro
- esloveno
- checo
- ruso
- polaco
- serbocroata
- ucraniano

Otras lenguas
- maltés
- finés
- húngaro
- lapón
- estoniano
- turco
- vasco o euskera

Lenguas y religiones

En Europa se hablan, en su mayoría, las que pertenecen al tronco **indoeuropeo**.
Prevalece la **religión** cristiana, siendo mayormente **católicos** los países meridionales, **protestantes** el Reino Unido, países de Europa central y nórdicos, y **ortodoxos**, Grecia y la mayoría de los países del Este.

Organizaciones internacionales

Surgen por la necesidad de resolver problemas comunes o para cooperar entre los Estados. Tienen objetivos políticos, económicos o de defensa.
• **Organización del Tratado del Atlántico Norte** (**OTAN**): organización de defensa, regional, creada el 4 de abril de 1949. Países miembros: Francia, Reino Unido, Bélgica, Dinamarca, Países Bajos, Islandia, Italia, Luxemburgo, Noruega, España, Portugal, Alemania, Grecia, Turquía, EE. UU. y Canadá.
• **Comunidad Británica** (**Commonwealth**): nace en 1950 a partir de la disolución del imperio británico y está integrada por el Reino Unido y casi todas sus ex-colonias. Su objetivo es el desarrollo económico del Sur y Sudeste Asiático. No es una federación de Estados. Opera a través de reuniones informales con los jefes de Estado y se toman resoluciones por consenso. La reina Isabel II es aceptada por todos los países miembros como símbolo y máxima autoridad, aunque carece de poder real.
• **Grupo de los Siete** (**G-7**): se fundó en 1975 para la cooperación comercial, económica y financiera entre Alemania, Francia, Italia, Reino Unido, Canadá, EE. UU. y Japón.

La Unión Europea

Después de la Segunda Guerra Mundial, Europa dejó de ser el centro del mundo, porque otros países comenzaban a ser más importantes.

En consecuencia, algunos países europeos decidieron reaccionar, uniendo sus economías. Así, lograron fortalecer la paz y la prosperidad para **Europa.**

Antecedentes

En el año 1951, en París, se formó la **Comunidad Europea del Carbón y el Acero (CECA)**, con el propósito de comercializar carbón, hierro y acero. Los países firmantes fueron Bélgica, Francia, Italia, Luxemburgo, Países Bajos y la República Federal de Alemania. Posteriormente, esos mismos países constituyeron, el 25 de marzo de 1957, en Roma, la **Comunidad Económica Europea (CEE)** y **Euratom (Comunidad Europea de la Energía Atómica)**, que declararon la libre circulación de mercaderías, de capital, de servicios y de trabajadores.

Evolución de la Unión Europea

A través de los años, se fueron incorporando más países. Actualmente la **Unión Europea** está integrada por dieciséis países que son los siguientes: Alemania, Austria, Bélgica, Dinamarca, España, Finlandia, Francia, Grecia, Irlanda, Italia, Luxemburgo, Noruega, Países Bajos, Portugal, Reino Unido y Suecia. Existen grandes diferencias entre estos países, aunque de todos modos han avanzado como potencias económicas gracias a la aplicación de técnicas complejas.

En primer lugar, se autoabastecieron; luego, consiguieron excedentes, con lo cual se transformaron en **la segunda potencia mundial en productos agrícolas.**

Como su proceso de industrialización ha crecido abruptamente, necesitan materias primas, que a veces obtienen de los países miembros, pero otras necesitan comercializar con países que no pertenecen a la Unión Europea.

El Tratado de Maastricht

Firmado entre el 9 y el 10 de diciembre de 1991, en la ciudad de Maastricht (Holanda), este tratado es la base de la Unión Europea y establece pautas para la unidad política, monetaria y económica. Se comenzó a aplicar en noviembre de 1993. Sus puntos principales son:

- adopción de una moneda única (euro) y un sólo banco central;
- los habitantes de los países integrantes de la Unión Europea son ciudadanos europeos con los mismos derechos civiles;
- se acordará una política exterior y de seguridad común;
- equiparación de los desniveles de los distintos países para que todos logren el mismo desarrollo económico y social;
- ampliación de los derechos del Parlamento Europeo;
- colaboración para los asuntos de defensa y judiciales, para los de asilo e inmigración;
- creación de una policía común con el nombre de Europol.

Países que integran la Unión Europea

Noruega
Países Bajos
Bélgica
Irlanda
Reino Unido
Portugal
España
Francia
Italia
Grecia
Austria
Luxemburgo
Alemania
Dinamarca
Finlandia
Suecia

Sedes comunitarias

- Bruselas
- Luxemburgo
- Estrasburgo

Países que se incorporaron en 2004

Rep. Checa
Eslovaquia
Hungría
Eslovenia
Chipre
Malta
Lituania
Polonia
Estonia
Letonia

La Unión Europea es el principal proveedor de África, Oceanía y de algunos países de Asia.

Su producción minera y de manufacturas representa más del 23 % de las producciones mundiales. Entre sus integrantes, cuenta con Francia como líder en tecnología, Londres como uno de los tres centros financieros más importantes del mundo y Alemania como un gran exportador a nivel mundial. Sus casi 600 millones de habitantes tienen un buen nivel de vida, lo que les permite el acceso a la educación y a la cultura.

Eurozona

Conjunto de países que utilizan el **euro** como moneda única. Está integrado por los países miembros de la UE; *Andorra, Mónaco, San Marino, y Vaticano* que decidieron usarla; y *Montenegro y Kosovo* aunque éstos no han suscripto arreglos legales con la Unión Europea.

Organización política de la Unión Europea

El **Consejo Europeo** está integrado por los jefes de Estado y de Gobierno de los países de la Unión, junto con sus ministros de Asuntos Exteriores, más el presidente y un miembro de la Comisión Europea.

CONSEJO DE MINISTROS
Formado por un miembro de gobierno de cada país.

COMISIÓN EUROPEA
Compuesta por los comisarios europeos (nombrados por sus respectivos gobiernos).

PARLAMENTO EUROPEO
Constituido por 567 diputados, organizados por grupos políticos.

TRIBUNAL DE JUSTICIA
Conformado por un juez de cada Estado, más otro rotativo elegido por los países grandes.

Función:
ejercer el Poder Legislativo.

Función:
auténtico órgano de gobierno, elabora propuestas de política comunitaria y propone soluciones para los problemas que surjan. Similar al Poder Ejecutivo.

Función:
controlar a la Comisión Europea y participar en la elaboración de normas y leyes.

Función:
tiene poderes independientes. Hace cumplir los tratados y las leyes comunitarias.

Órganos de apoyo y consulta

Ejemplos:
• Tribunal de Cuentas.
• Banco Europeo de Inversiones.
• Comité Económico y Social.
• Comité de las Regiones.

El euro

A partir del 1 de enero de 2002, el **euro**, la nueva moneda común a la Unión Europea, sustituyó las monedas nacionales de los países miembros de la Unión Monetaria Europea.

Ha estado funcionando como moneda oficial –excepto para las operaciones de pago en efectivo– desde el 1 de enero de 1999. Hay siete billetes y ocho monedas diferentes. Los billetes tienen el mismo diseño en todos los Estados miembros de la UEM. El reverso de las nuevas monedas es común para los doce países y el anverso es específico de cada uno e incluye elementos que reflejan la identidad nacional de cada Estado miembro. Todos los billetes y monedas en euros son de curso legal en cualquiera de los doce países.

Países que integran la Unión Europea

Bélgica: Bruselas, capital europea.

Irlanda
Reino Unido
Dinamarca
Países Bajos
Alemania
Luxemburgo
Francia
Austria
Noruega
Suecia
Finlandia
Italia
Portugal
España
Grecia

Las actividades económicas

Los sistemas agrarios

Se practica una **agricultura intensiva**, **mecanizada**, utilizando técnicas avanzadas y fertilizantes. El sistema puede ser **de campo abierto** o **de campo cerrado**.

Sistema agrario del Mediterráneo

La explotación agraria es compleja por el clima subtropical, con veranos secos y la alternancia de montañas y valles. Se practica la **agricultura extensiva**, con práctica de secano y **barbecho**, e **intensiva** en los valles donde es posible hacer riego artificial. También se practica el **policultivo**: **cultivo simultáneo de varias plantas** en un mismo campo. Se aplica en la zona central de Italia. Los principales cultivos son: trigo, maíz, arroz, avena, cebada y centeno. Se destacan, además, algodón, lino, soja, olivo, vid, tabaco, papa y cítricos.

Desarrollo de la agricultura

Obedece a varias causas.

• Extensión de tierras aptas

Las llanuras cubiertas por aluviones que las hacen muy fértiles.

• Condiciones climáticas

Favorables, debido al amplio dominio de clima templado.

• Alta densidad de población

Origina un amplio mercado consumidor con necesidad de alimentos, lo que impulsó el desarrollo de nuevas técnicas en tierras no cultivadas.

• Adelantos técnicos

Empleo de fertilizantes, sistemas de riego, mecanización y sistemas de cultivo.

• Herencia histórica

Campos de cultivo pertenecientes a familias y que fueron legados de padres a hijos durante siglos.

La ganadería

Se practica la **ganadería intensiva y extensiva**.
La intensiva se desarrolla en **climas templados y fríos oceánicos**; se extiende desde Normandía hasta los países nórdicos. Ha alcanzado un alto grado de perfeccionamiento, por la cruza y mejoramiento de razas, alimentación balanceada, etc. Los animales se crían en determinadas épocas del año en establos, debido al clima frío. Las principales razas de ganado bovino son *Durham, Hereford, Aberdeen Angus,* productoras de carne, y *Yérsey, Normanda, Flamenco, Holando,* de leche. Las razas ovinas son *Lincoln, Corriedale* y *Romney Marsh*.
La ganadería extensiva se practica en la región del Mediterráneo. Los animales soportan sequías prolongadas y se alimentan de pastos duros.
Se destaca en la zona alpina la **trashumancia**: los animales son llevados a la montaña en el seco y ardiente verano, y regresan al valle en el invierno.
Predominan el **ganado ovino** y el **caprino** en la península Balcánica, sobre todo en Grecia.
El ganado porcino es muy numeroso, ya que su carne es muy consumida.

Sistema de campo abierto

No tiene cerco ni árboles. Son tiras alargadas en dos direcciones principales. Se realizan el policultivo de cereales y la ganadería. Se practica en la cuenca de París, Londres y la llanura del Danubio.

Sistema de campo cerrado

Limitado por **setos vivos**, con árboles de formas irregulares. Su suelo es pobre y la presencia de árboles dificulta el empleo de maquinarias. Se realiza la rotación de cultivos. Se practica en Galicia, el Macizo Central Francés, Bretaña, Normandía, Bélgica, Países Bajos y la llanura alemana.

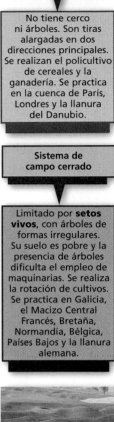

La pesca tiene mucha importancia para los países europeos, sobre todo para los ubicados al noreste del océano Atlántico.

Europa en general posee grandes recursos mineros que permiten ubicar al continente como uno de los principales productores en el mundo. Los llamados países del Este, Suecia, Francia y el Reino Unido producen hierro. En tanto, el cobre se extrae de las minas de los países del Este, Polonia y la zona que corresponde a la ex-Yugoslavia, así como el plomo y el cinc, actividad a la que se suman Suecia y Bulgaria.

Plataforma submarina para la extracción de petróleo de los yacimientos marinos.

¿Qué pasa en los mares?

Los mares que rodean a Europa, especialmente los dependientes del océano Atlántico, proporcionan una importante riqueza ictícola. En la zona del Atlántico noreste, la pesca representa el 18 % de la producción mundial, y entre el Mediterráneo y el Mar Negro, el 2,5 %.

El mar del Norte, dependiente del océano Atlántico, presenta un gran desarrollo de la plataforma continental de escasa profundidad, donde se encuentra el "**banco de bacalao**", célebre por la abundante pesca.

Otra causa de esa riqueza es el encuentro de dos corrientes oceánicas: una cálida proveniente del golfo de México y otra fría del océano Glaciar Ártico. En este mar se pescan: **bacalao, arenque, caballa, merluza, atún**.

En el mar Cantábrico y las rías gallegas, en las costas atlánticas de España, se pescan **mariscos y sardinas**. El puerto de Vigo (España) presenta una actividad destacada.

En el mar Mediterráneo, si bien no presenta una plataforma desarrollada, se pescan **atún, pez espada, anchoa** y **sardina**. La pesca fluvial es importante en los ríos de los países del este por la riqueza de **esturiones**, que producen **caviar**.

El desarrollo de la minería

La explotación minera en Europa ha tenido gran incremento desde antigua data, debido a la abundancia de **carbón y de hierro, base del desarrollo de la industria del acero**.

La abundancia de estos dos minerales está relacionada con el plegamiento varíscico en Europa central y atlántica, en donde están los principales yacimientos.

Entre los productores más importantes de **hierro**, se encuentran Suecia, Alemania, Francia, Gran Bretaña y España, que representan el 40 % de la producción mundial.

Entre otros minerales, el **cobre** abunda en España, Italia, Alemania y Suecia; en cuanto al **mercurio**, entre España, Italia y Yugoslavia concentran el 50 % de la producción mundial.

Fuentes de energía

• El carbón

La gran cuenca carbonífera se extiende desde Gran Bretaña, Alemania (Ruhr), Bélgica, Francia, República Checa (Bohemia) hasta el sur de Polonia (Silesia). Su localización coincide con la gran zona industrial.

También hay carbón en las cuencas del Donets, en Ucrania y en los montes Urales.

• El petróleo

Es un recurso escaso. Se explotan yacimientos en Bakú y los que se encuentran entre el Volga Medio y los Urales. En el mar del Norte, se explota el petróleo en los alrededores de Murmansh, Noruega, Reino Unido y Países Bajos, en cuencas ubicadas en la plataforma submarina.

Industria y transporte

El progreso de las industrias europeas

La industria europea, desde hace mucho tiempo, y aun cuando han surgido grandes potencias en otros continentes, continúa a la cabeza del progreso del mundo. Varias circunstancias favorecieron ese desarrollo.

La "Revolución Industrial", iniciada por Gran Bretaña en el siglo XVIII, se difundió primero a Bélgica, Francia, Alemania y, posteriormente, a Italia.

Hacia principios del siglo XX, Europa fue aventajada por EE.UU., la URSS y otros países. Produjo muchos cambios, como la *utilización de maquinaria, el empleo de energía, la organización del trabajo, la localización de industrias.*

El carbón y el hierro fueron, en los primeros tiempos, elementos de la industria del acero.

Otras consecuencias

- La posibilidad de disponer de materias primas provenientes de sus colonias en América, Asia y África. Sin embargo, cuando éstas se independizaron, se vieron en la necesidad de adquirirlas.
- La transformación de los medios de transporte, lo que permite acarrear mayor volumen en menor tiempo, acortando distancias.

Diversidad industrial

Si bien la industria europea comprende casi la totalidad de los sectores, es altamente competitiva en algunos, como el textil, el de la construcción, el siderometalúrgico, el automovilístico, el naval y el químico. También adquirieron gran prestigio la industria aeroespacial, la microelectrónica y las telecomunicaciones, dentro de las industrias de alta tecnología.

Los países nórdicos encabezan los mercados mundiales con las industrias madereras y papeleras.

A pesar de ser industrias prestigiosas, sus precios no son tan competitivos y deben enfrentar el mercado del Sudeste asiático. Por esta razón, muchas de las empresas europeas trasladan las plantas de producción a Asia, donde la mano de obra es muy barata; pero la tecnología desarrollada sigue siendo europea.

Industria sin chimeneas

El turismo, calificado como *la industria sin chimeneas*, está muy desarrollado en Europa, tanto en lo concerniente al turismo interno como al que proviene del exterior.

En el turismo interno, se destaca el desplazamiento de los habitantes del Norte hacia países del Mediterráneo como España, Italia y Grecia, para gozar del sol en el invierno y de las playas en el verano.

Se pueden citar como lugares de atracción: la Costa Azul, con las ciudades de Niza y Cannes, en Francia, la Costa del Sol en España, y la Riviera italiana.

El comercio

Entre las dos guerras mundiales y el proceso de descolonización, Europa sufrió un ocaso político y económico.

Para salir de él, debió buscar nuevos mercados y reactivar su economía.

Localización de grandes áreas industriales

- Zona central de Gran Bretaña.
- Área franco-belga.
- Área del Ruhr-Westfalia (Alemania).
- Silesia y Sajonia (Alemania).
- Llanura de Lombardía (Italia).
- Región de Moscú.
- Región de Donbass (Ucrania).
- Región central de Suecia.
- Fuera de estas zonas, existen también áreas industrializadas en España, Suiza, Dinamarca, Noruega.

Dentro de la diversidad que alcanza la industria europea, cabe destacar el importante crecimiento de los sectores automotriz y siderometalúrgico.

Creó entonces la Comunidad Económica Europea y el Consejo de Asistencia Económica Mutua. Estos organismos internacionales le permitieron reactivar el comercio interno, pues actualmente han liberado, casi totalmente, las barreras aduaneras internas. También ha firmado convenios comerciales de intercambio con países latinoamericanos y del norte de África, para ampliar sus mercados.

Los ferrocarriles

Europa posee la mayor red ferroviaria del mundo, con 393.800 km², es decir, una cuarta parte de la red mundial. En Europa hay grandes nudos ferroviarios como los de París, Milán y Francfort.

Se han introducido en los últimos años modificaciones tales como la electrificación de la mayor parte de los servicios, lo que determinó un aumento de la velocidad y permitió unir

grandes distancias, como el *"Expreso Transeuropeo"*, que comunica las ciudades de Europa occidental con Europa central, y los trenes de alta velocidad como el TGV, que desarrollan 360 km por hora.

La unión de los países al norte y sur de los Alpes por medio de ferrocarriles es posible gracias a la presencia de los túneles de Frejus, Simplón, Brennero, etc.

Carreteras europeas

El transporte por carretera es el más utilizado por los países de Europa occidental.

Las autopistas europeas, iniciadas primero en Alemania, permiten desarrollar grandes velocidades. Cada país cuenta con una *red de autopistas interconectadas* que facilitan el desarrollo del turismo.

Navegación fluvial

El río Rin es el río más humanizado de Europa, debido a la construcción de una serie de canales; se vincula con la cuenca del Po, del Ródano, del Sena, del Danubio.

El río Volga, mediante una serie de canales, conecta San Petersburgo (ex-Leningrado), sobre el mar Báltico, con Arcángel, en el océano Glaciar Ártico, y con Astracán, en el mar Caspio.

El transporte marítimo

El transporte marítimo de cargas se vio favorecido por el uso de embarcaciones, que permiten transportar mayor volumen de carga, a la vez que desarrollan mayores velocidades.

Rotterdam (Países Bajos), en la desembocadura del río Rin y sobre el mar del Norte, es el primer puerto del mundo.

Lo sigue *Marsella* (Francia) en la desembocadura del río Ródano en el mar Mediterráneo.

Europa presenta importantes atractivos turísticos y un gran desarrollo del comercio, sobre todo interno, que se vio favorecido y se agilizó mucho con la creación de la Unión Europea (UE).

Todo el territorio europeo cuenta con una moderna infraestructura vial, que comunica entre sí las capitales del viejo continente. El transporte subterráneo es otra de las alternativas de movilidad con que se cuenta.

Los puertos de los Países Bajos desarrollan el mayor volumen de tráfico marítimo del todo el continente europeo.

NOMBRE	CAPITAL	SUPERFICIE	POBLACIÓN	DENSIDAD hab/km²	GOBIERNO
ALBANIA	Tirana	28.748 km²	3.119.000 hab.	109	República federal
ALEMANIA	Berlín	357.050 km²	82.178.000 hab.	230	República
ANDORRA	Andorra la Vella	468 km²	72.000 hab.	154	Co-principado
ARMENIA	Ereván	29.800 km²	3.536.000 hab.	119	República
AUSTRIA	Viena	83.850 km²	8.177.000 hab.	97	República federal
AZERBAIJÁN	Baku	86.600 km²	7.697.000 hab.	89	República
BÉLGICA	Bruselas	30.500 km²	10.300.000 hab.	338	Mon. Const. Parlam.
BIELORRUSIA	Minsk	207.600 km²	10.315.000 hab.	50	República
BOSNIA-HERZEG.	Sarajevo	51.129 km²	3.675.000 hab.	72	República Const.
BULGARIA	Sofía	110.912 km²	8.336.000 hab.	75	República
CROACIA	Zagreb	56.538 km²	4.481.000 hab.	79	República Const.
DINAMARCA	Copenhague	43.070 km²	5.400.000 hab.	125	Monarquía Const.
ESLOVAQUIA[1]	Bratislava	49.016 km²	5.382.000 hab.	110	República
ESLOVENIA	Ljubljana	20.251 km²	1.993.000 hab.	98	República Const.
ESPAÑA	Madrid	504.782 km²	39.628.000 hab.	78	Monarquía Const.
ESTONIA	Tallinn	45.100 km²	1.429.000 hab.	32	República
FINLANDIA	Helsinski	337.010 km²	5.200.000 hab.	15	República
FRANCIA	París	547.026 km²	59.200.000 hab.	108	República

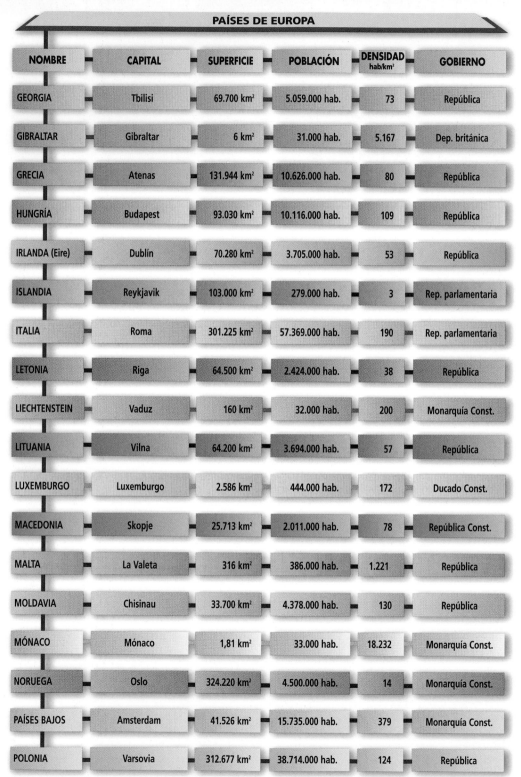

PAÍSES DE EUROPA

NOMBRE	CAPITAL	SUPERFICIE	POBLACIÓN	DENSIDAD hab/km²	GOBIERNO
GEORGIA	Tbilisi	69.700 km²	5.059.000 hab.	73	República
GIBRALTAR	Gibraltar	6 km²	31.000 hab.	5.167	Dep. británica
GRECIA	Atenas	131.944 km²	10.626.000 hab.	80	República
HUNGRÍA	Budapest	93.030 km²	10.116.000 hab.	109	República
IRLANDA (Eire)	Dublín	70.280 km²	3.705.000 hab.	53	República
ISLANDIA	Reykjavik	103.000 km²	279.000 hab.	3	Rep. parlamentaria
ITALIA	Roma	301.225 km²	57.369.000 hab.	190	Rep. parlamentaria
LETONIA	Riga	64.500 km²	2.424.000 hab.	38	República
LIECHTENSTEIN	Vaduz	160 km²	32.000 hab.	200	Monarquía Const.
LITUANIA	Vilna	64.200 km²	3.694.000 hab.	57	República
LUXEMBURGO	Luxemburgo	2.586 km²	444.000 hab.	172	Ducado Const.
MACEDONIA	Skopje	25.713 km²	2.011.000 hab.	78	República Const.
MALTA	La Valeta	316 km²	386.000 hab.	1.221	República
MOLDAVIA	Chisinau	33.700 km²	4.378.000 hab.	130	República
MÓNACO	Mónaco	1,81 km²	33.000 hab.	18.232	Monarquía Const.
NORUEGA	Oslo	324.220 km²	4.500.000 hab.	14	Monarquía Const.
PAÍSES BAJOS	Amsterdam	41.526 km²	15.735.000 hab.	379	Monarquía Const.
POLONIA	Varsovia	312.677 km²	38.714.000 hab.	124	República

PAÍSES DE EUROPA

NOMBRE	CAPITAL	SUPERFICIE	POBLACIÓN	DENSIDAD hab/km²	GOBIERNO
PORTUGAL	Lisboa	92.080 km²	9.869.000 hab.	107	República
R. de Serbia y Montenegro[2]	Belgrado	102.173 km²	10.637.000 hab.	104	Rep. federativa
REINO UNIDO	Londres	244.046 km²	59.900.000 hab.	245	Monarquía Const.
REP. CHECA[1]	Praga	78.864 km²	10.282.000 hab.	130	República
RUMANIA	Bucarest	237.500 km²	22.474.000 hab.	95	República
RUSIA[3]	Moscú	17.075.400 km²	147.434.000 hab.	9	República
SAN MARINO	San Marino	61 km²	26.000 hab.	426	República
SUECIA	Estocolmo	449.960 km²	8.892.000 hab.	20	Monarquía Const.
SUIZA	Berna	41.288 km²	7.344.000 hab.	178	República federal
TURQUÍA[4]	Ankara	780.576 km²	64.546.000 hab.	83	República
UCRANIA	Kiev	603.700 km²	50.861.000 hab.	84	República
VATICANO	—	0,44 km²	860 hab.	1.955	Estado pontificio

1. La antigua Checoslovaquia se separó en 1993 y se conformaron entonces la República Checa y Eslovaquia.
2. Serbia posee una superficie de 88.361 km² y 9.991.300 hab., y Montenegro, posee 13.812 km² de superficie y 645.700 hab. No obstante, todos los datos referidos a esta República son provisorios.
3. Rusia es el país más extenso del mundo y, a su vez, es eminentemente continental.
4. Turquía está constituida por Tracia Oriental (europea) y la península de Anatolia y Armenia turca (asiáticas). Separada por el estrecho de Dardanelos, el mar de Mármara y el estrecho de Bósforo, forma una especie de "puente" entre Asia y Europa.

ASIA, CONTINENTE DE CONTRASTES

Se localiza casi en su totalidad en el hemisferio Norte; sólo una pequeña porción de su territorio (Indonesia) se extiende al sur del ecuador.

Superficie

Ocupa 44.000.000 de km², es decir, el 30 % de las tierras emergidas.

Límites

Limita al N con el océano *Glaciar Ártico* y los mares dependientes: *Barents*, *Kara*, *Laptev*, *Siberia oriental* y *Chukotsk*; al S, con el *océano Índico*, el *mar de Andamán*, el *golfo de Bengala* y el *mar Arábigo*; al E, con el *océano Pacífico* y sus mares: *Bering*, *Ojotsk*, *Japón*, *Amarillo*, *de la China septentrional y meridional*, *Joló*, *Célebes*, *Ceram*, *Banda*, *Java*, *Flores* y *Arafura*; y al O, con los *montes Urales*, el *río Ural*, el *mar Caspio*, el *mar Mediterráneo* y el *mar Rojo*. Está unida a Europa en el O, íntimamente relacionada con África en el SO, y se comunica en el SE, mediante Indonesia, con Oceanía. Un brazo de mar, de 90 km (estrecho de Bering), la separa de América del Norte.

Asia, el origen de su nombre

Procede del término asirio *Acu*, que significa "oriente" o "salida del sol", en oposición a *Erep*, que quiere decir "occidente" o "puesta del sol". Al comienzo, esa designación correspondió a las regiones próximas al Mediterráneo (Asia Menor). Con el tiempo, el término se extendió a todo el continente.

Costas del océano Glaciar Ártico

Están formadas por los mares de *Barents*, *Kara*, *Laptev*, *Siberia oriental* y *Chukotsk*. Tienen una orientación general de O a E; se desarrollan al N del Círculo Polar Ártico. Fueron activamente erosionadas por los hielos; los ríos que aportan aluviones y agua dulce suelen desembocar en delta.

Costas del océano Pacífico

Están formadas por los mares de *Bering*, *Ojotsk*, *Japón*, *Amarillo*, *China septentrional y meridional*, *Joló*, *Célebes*, *Ceram*, *Molucas*, *Bali*, *Banda*, *Java*, *de las Flores o de Sonda*, *Arafura*, *Savu*. El carácter elevado del relieve costero determina la existencia de una reducida plataforma continental que adquiere, en cambio, desarrollo frente a relieves menos escarpados. Existen fosas oceánicas en el sector oriental de los archipiélagos *Kuriles*, *Japón*, *Ryukyu* y *Filipinas*. Tienen numerosas penínsulas, golfos y bahías. El sector de Insulinda, Indonesia y Malasia es el más vasto de los archipiélagos de Asia, situado en el SE del continente. Las diez mil islas que lo constituyen ocupan una superficie aproximada de 2.000.000 km² y se dividen en:
• **Grandes islas de Sonda** (Borneo, Célebes, Sumatra y Java).
• **Pequeñas islas de Sonda**.
• **Islas Molucas**.
• **Islas Filipinas**.

Costas del océano Índico

Están formadas por los mares de *Andamán*, *Bengala*, *Arábigo* y *Rojo*. El relieve escarpado determina una reducida plataforma continental. Ofrece tres grandes penínsulas: **Indochina**, **India** y **Arábiga**. Existen costas bajas en las llanuras y en las proximidades de la desembocadura de los ríos. Fueron afectadas por dislocaciones tectónicas.

Costas del mar Mediterráneo

Están formadas por los mares *Negro*, *Mármara* y *Egeo*. La plataforma continental es reducida, con islas frente a Asia Menor.

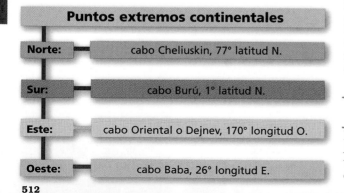

Puntos extremos continentales

Norte:	cabo Cheliuskin, 77° latitud N.
Sur:	cabo Burú, 1° latitud N.
Este:	cabo Oriental o Dejnev, 170° longitud O.
Oeste:	cabo Baba, 26° longitud E.

Su relieve

Asia, desde el punto de vista geomorfológico, forma con Europa una unidad inseparable. Pueden distinguirse las siguientes grandes unidades geomorfológicas.

• El **NO asiático**, conjunto de **llanuras y altiplanicies rodeadas de montañas**, en el que se engloba el Turkestán occidental, extendido desde el **mar Caspio al monte Tien Shan** y desde las **altiplanicies del Irán y el monte Hindu-Kush** hasta las alturas del **Kazajstán**: se trata de un antiguo fondo marino desecado y en gran parte cubierto de potentes depósitos eólicos y fluviales. Es una región árida y endorreica.

• **Llanuras de Siberia**, delimitadas al O por los montes Urales y al E por el río Yeniséi, recorrida por el **río Obi-Irtish**.

• **Altiplanicie central de Siberia**, entre el **río Yeniséi** y el **Lena**, delimitada al S y al E por una serie de cordilleras y al N por una extensa llanura que la separa de la **península de Tamir**.

El Asia central

Comprende los grandes sistemas montañosos y sus depresiones intermedias. Los principales relieves son: la **estepa de los Kirghises**, los **montes Altái**, el **monte Himalaya**, el **monte Transhimalaya**, el **monte Karakorum**, las **meseta de Mongolia**, las **mesetas del Tíbet** y la **llanura Caspiana**.

El Asia oriental

La unidad regional está dada por su estructura tectónica. Es un área de fracturas afectada por diferentes movimientos. Se presenta como escalones desde el centro hacia el océano Pacífico, donde se encuentra el rechazo de estas fallas que forman la pared de las fosas oceánicas.

La península de Arabia y el Deccán

Plataformas arcaicas de morfología tabular descienden hacia el N y desaparecen bajo una gruesa capa de sedimentos. La península del Deccán está soldada al continente por medio de las llanuras aluviales de los **ríos Indo y Ganges-Brahmaputra**.

Las montañas más altas de la Tierra

La cordillera del Himalaya se ubica al norte de la península India, en el interior del continente asiático. Hacia el N, un valle longitudinal la separa de la cordillera de Karakorum y Transhimalaya. Hacia el S desciende a tierras bajas, a la fértil llanura indogangética. El término **Himalaya** proviene del sánscrito, antigua lengua de los brahmanes, y significa "residencia de las nieves". La cordillera del Himalaya tiene características de relieves jóvenes. Impresiona la altura de sus cumbres; hay más de diez picos por encima de los 8.000 m y alrededor de cien superan los 7.000 m. Entre ellos se destacan el **monte Everest** (8.848 m), **la mayor altura de la tierra**, y los picos **Kanchenjunga** (8.578 m), **Lhotsel** (8.548 m) y **Dhaulagiri** (8.172 m). Estos picos presentan laderas abruptas y peligrosos desfiladeros que caen en profundos valles.

Hidrografía de Asia

Sus ríos

Los ríos asiáticos se disponen en **forma radial**, partiendo de un gran centro dispersor de aguas, constituido por montañas ubicadas en el centro del continente.

Un rasgo característico de la hidrografía de Asia es la presencia de **ríos gemelos**, que constituyen cursos de agua que muestran cierto paralelismo en sus trayectorias y en sus regímenes.

Tal es el caso de los ríos **Hoang-ho** y **Yangtsé**, **Éufrates** y **Tigris** entre otros. Casi un 30 % del continente asiático no vierten sus aguas al mar (zonas endorreicas) o bien carecen de hidrografía superficial (zonas arreicas).

Las **zonas exorreicas** se reparten entre las vertientes del océano Glaciar Ártico (27 %), del océano Pacífico (23 %), del océano Índico (18 %) y del mar Mediterráneo (2 %).

Al Ártico vierten sus aguas los grandes ríos de Siberia que discurren de S a N: **Obi**, **Yeniséi**, **Lena**, **Kolima**. Tienen regímenes nivales; como el deshielo se produce en ellos en el curso

alto primero, se originan grandes inundaciones en las llanuras.

En el océano Pacífico desembocan los ríos **Amur**, **Hoangho** y **Yangtsé** entre los principales. Las variaciones estacionales de caudal de estos ríos se relacionan tanto con las precipitaciones, como con la alimentación nival.

Tanto los ríos de la pendiente del Pacífico (Indochina) como los de la pendiente índica tienen en común la **influencia monzónica**, con importantes crecidas provocadas por el monzón de verano.

Los ríos de la pendiente mediterránea, a causa de las cumbres montañosas cercanas al mar y del régimen pluviométrico, son de breve recorrido, gran irregularidad, escaso caudal y difícilmente navegables.

Las vastas áreas áridas de Asia central presentan **cuencas arreicas** y endorreicas, como la **meseta de Irán**, recorrida por el **río Hilmend** y los **ríos Amu Dariá** y **Sir Dariá**, que desaguan en el **lago Aral**.

El clima

— La continentalidad —

La oscilación media anual de las temperaturas varía, en Asia central, entre 30 °C y 60 °C; en Siberia oriental se encuentra el llamado **"polo de frío"**, con **mínimas absolutas** de -70 °C y **medias** de enero de -50 °C. **Las máximas absolutas se registran en los desiertos, con temperaturas que superan los 48 °C**. La continentalidad origina masas de aire estables que forman en invierno potentes **anticiclones** que rechazan las influencias de las masas de aire oceánico. Estos últimos corresponden a los *monzones marinos* que afectan toda el Asia del SE entre India y China; soplan entre junio y setiembre, ocasionando abundantes precipitaciones.

Por el contrario, el monzón invernal es generalmente seco. Catastróficos **tifones estivales** afectan Filipinas, China y Japón meridional. El 30 % de la superficie total continental corresponde al Asia estaparia y desértica, con precipitaciones menores a los 250 mm, localizadas en gran parte del N, centro y SO. A ella se contrapone una región (meridional y oriental), cubierta por una exuberante vegetación debido a que recibe más de 1.000 mm anuales de precipitaciones.

— Variedad de climas —

Asia posee una importante diversidad climática; tiene **clima glaciar**, con temperaturas siempre inferiores a los 10 °C, propio del Ártico. Se presenta **la tundra**, donde la vida vegetal se reduce extraordinariamente.

En Siberia domina el clima **continental frío**, con largos inviernos, veranos cortos y lluvias escasas; es la zona de **los bosques de coníferas (taiga)**, salpicados por **turberas** y **pastizales**.

• El clima estepario

Se distingue en una franja que va desde Mongolia hasta las orillas septentrionales del mar Negro, la altiplanicie de Anatolia y Armenia, Mesopotamia y Arabia occidental, con una flora reducida a pocas especies arbustivas y espinosas.

Arabia, el interior de Irán, Siria y el Thar pertenecen a la categoría de desiertos cálidos; Gobi, Takia Nakan y Tíbet, a la de los fríos.

La franja de Asia Menor se encuentra bajo la influencia del **clima subtropical mediterráneo**, donde los inviernos son suaves y lluviosos y los veranos, cálidos y secos. Es el reino del matorral, del olivo y los frutales.

El SE asiático se halla afectado por la influencia de los **vientos monzones**, que provocan inviernos secos y fríos, y veranos cálidos y muy húmedos, con continuos aguaceros.

• El clima ecuatorial

Queda limitado al extremo sur del continente.

Los **biomas** corresponden al **bosque tropical** y la **selva ecuatorial**, respectivamente.

Entre las especies vegetales más valiosas, se encuentra el árbol del teck, el sándalo y varias especies de palmeras y bambúes.

La fauna adquiere gran desarrollo: animales trepadores como monos, serpientes y algunos felinos, aves de vivos colores y una extraordinaria variedad de insectos.

Las dos características más salientes del clima de Asia son: la abundancia de precipitaciones, entre junio y setiembre, ocasionadas por los vientos monzones, y la continentalidad, que determina una gran amplitud térmica.

LA POBLACIÓN

Representa el 60 % de la población mundial, hecho que ocasiona serios problemas, ya que los habitantes, en su mayoría, no cuentan con los servicios básicos.

Una población irregularmente distribuida

Asia es el continente **más poblado**, pero con **densidades muy desparejas**. Existen espacios prácticamente vacíos, como el que está entre el desierto de Gobi y la península de Sinaí, con una densidad de población de 1 hab/km², y otros densamente ocupados, como el Asia monzónica, el golfo Pérsico y el extremo Oriente (en Hong Kong, la densidad de población es de aproximadamente 5.000 hab./km²). Estos contrastes dependen de varios factores, como los culturales y los religiosos, y las condiciones climáticas, físicas y económicas de cada región. Por eso, las zonas montañosas del interior y las altas mesetas son las más despobladas, y toda la zona litoral del Pacífico y del Índico, junto con los valles y deltas de los ríos principales, son las más densamente pobladas.

Un continente joven

En Asia **predomina la población joven** como consecuencia de la alta tasa de natalidad, aun cuando países como China y Japón han implementado planes de control de la natalidad. La tasa de mortalidad también es elevada, ya que muchas regiones presentan condiciones sanitarias y de alimentación muy escasas y un clima adverso.

Razas de Asia

Amarilla o mongoloide

Norte y este de la cordillera del Himalaya.

Subgrupos

chinos
birmanos
japoneses
vietnamitas
mongoles
tibetanos

Blanca o caucasoide

Norte de India y regiones occidentales.

Subgrupos

árabes
afganos
anatolios
armenios
turcos
iranios
hebreos

Negroide o melanoide

Sri Lanka
Filipinas
Malasia.

Subgrupos

veddas
milanesios

Pareja japonesa ataviada con sus atuendos típicos.

Aun así, después de África, Asia occidental, con un 2,2 %, y Asia centromeridional, con un 1,9 %, son las regiones que tienen las tasas más altas de crecimiento poblacional.

Entre el campo y la ciudad

Asia es el continente donde hay un **mayor porcentaje de población rural**.
Sin embargo, el crecimiento de las ciudades en el siglo XX ha registrado fenómenos excepcionales, como ocurrió en *Tokio, Calcuta, y Nueva Delhi*: se ha producido un vaciamiento progresivo e incontenible de ciudades menores y **el nacimiento de nuevos focos de urbanización**. De las veinte mayores áreas metropolitanas del mundo, ocho están ubicadas en Asia: Tokio, Shangai, Hong Kong, Calcuta, Bombay, Seúl, Pekín, Yakarta.

Las religiones

Las religiones más practicadas son el **budismo**, difundido en todo Oriente; el **brahamanismo**, que tiene su principal expresión en la India, y el **islamismo**, que se extiende por Asia meridional y sudoccidental. El **cristianismo** y el **judaísmo** se practican en las regiones más próximas al Mediterráneo.

Las razas

Con respecto a las razas, es posible hacer una distinción regional. Existen tres grandes grupos: el **amarillo o mongoloide**, el **blanco o caucasoide** y el **negroide o melanoide** (el menos numeroso).

Diversidad de lenguas

A la gran diversidad de razas le corresponde la misma complejidad lingüística.

Las migraciones

En Asia, las migraciones son una constante desde el comienzo de su historia. Las **migraciones internas** se producen para colonizar nuevas áreas y, desde la década de 1960, la población trabajadora ha migrado hacia los países productores de petróleo.

A partir del surgimiento de las potencias asiáticas, que necesitan gran cantidad de mano de obra, el flujo de trabajadores se dirigió hacia esa región, especialmente al Japón.

Filipinas es uno de los países de Asia que exporta mayor cantidad de mano de obra. Esto se debe a que su economía se encuentra gravemente deteriorada y el ingreso por habitante es de apenas 630 dólares por año.

Las **migraciones externas** se realizan hacia países de América y de África.

El **Estado de Israel** vio incrementada su población en cerca de 1 millón y medio de habitantes a partir de la segunda mitad del siglo XX, debido a la importante concurrencia de judíos de todo el mundo. En Asia también existen **refugiados**.

El caso de los camboyanos en particular es el más trascendental: en el año 1992, alrededor de 370.000 refugiados camboyanos estaban recibiendo ayuda de las Naciones Unidas (ONU). Casi medio millón de refugiados viven en Tailandia.

La población y el desempleo

Según un informe de la OIT (Organización Internacional del Trabajo, organismo de las Naciones Unidas), **10 millones de trabajadores de todo el mundo perdieron su empleo como consecuencia de la crisis financiera** internacional desatada **en los países del Sudeste asiático** en el año 1997. En la mayoría de estos países, como consecuencia de la caída en la producción, se produjeron despidos masivos. En los países asiáticos y de Europa central y oriental, el aumento del desempleo es una constante.

La magnitud del continente asiático es asombrosa. En él, blancos, amarillos y negros han aportado su tradición, sus costumbres y su filosofía de la vida para construir naciones tan distintas como Japón, Israel y la India.

Lenguas asiáticas	
Camitosemita	Árabe y hebreo actuales.
Uraloaltaico	Variedades de lenguas turcas, mongol, manchú, tungús.
Chinotibetano	Tibetano, birmano y variedades de lenguas chinas.
Indoiranio	Hindi, bengalí, nepalés, persa, afgano, kurdo.
Malayopolinesio	Malayo, indonesio, tagalo, hawaiano, tahitiano.
Dravídico	Malavar, tamil.
Japonés	De la compleja combinación que a lo largo de la historia se ha dado entre las riquezas naturales y la mano del hombre, han surgido distintas actividades económicas; entre ellas, las de tradición ancestral, como los tejidos de lana y seda, y el comecio tradicional practicado por los nómadas que durante siglos han recorrido la región.
Coreano	

Actividades económicas y recursos

Todo terreno sirve

La agricultura tiene su desarrollo más significativo en **Asia monzónica**. En esa región, que se extiende desde el río Indo al río Amur y donde vive la mayor parte de la población asiática, *se aprovecha todo terreno disponible*, hasta el borde mismo de los caminos, ríos y ciudades.

En general, los campesinos han construido peldaño tras peldaño hasta las cimas. Luego fueron labrándolos en una verdadera labor de jardinería, desarrollando así los *cultivos en terrazas*.

Se recurre a toda clase de abonos y fertilizantes. Se cultivan simultáneamente muchos productos; algunos agotan los suelos. Todo se hace prácticamente a mano, porque **en Asia existe la mano de obra más barata del mundo**. Las maquinarias son sólo complemento y se emplean en forma mínima, por el parcelamiento, el escaso capital y los desniveles del terreno.

Excepto en Tailandia y Myanmar (ex-Birmania), Asia monzónica practica la **agricultura de manutención**, ya que lo que se cultiva se consume íntegramente.

El arroz es el más importante de los cultivos del continente asiático. Constituye la base alimentaria de pueblos enteros pero, mientras las cosechas del valle inferior del río Indo no pasan de discretas (lo mismo podría decirse del norte de China), en Indonesia y sur de China la producción es excepcional a causa de las condiciones bioclimáticas.

Otros cultivos son: trigo, maíz, mijo, soja, algodón, cebada, té, maní, yute y tabaco.

El yak, el camello y el reno

El hombre ha logrado domesticar el yak, especie de buey parecido al bisonte cuyo hábitat es el Tíbet. Tiene un pelaje espeso; como animal de tiro, reemplaza al caballo, y a los bovinos desde el momento que suministra leche y carne. Vive muy bien en la nieve y el frío, y tiene una marcha ágil a pesar de su aspecto pesado. Otro animal es el camello. Los árabes lo consideran un valioso tesoro, ya que se utiliza para trabajo, carga, y también, su leche, carne y lana. En el norte de Asia, el reno también ha sido domesticado y se utiliza para transporte en trineo, así como se aprovechan su leche, su carne, su piel y sus cuernos.

Riqueza ganadera

Asia se caracteriza por una gran riqueza ganadera.

India es el primer país en número de cabezas de ganado bovino y caprino. China ocupa un lugar de privilegio con respecto al ganado porcino y asnal.

La ex-URSS es la 2.ª productora mundial de lanares y porcinos, y 3.° de bovinos y equinos.

Existen tres grandes regiones ganaderas: Asia monzónica, las estepas de la ex-Unión Soviética y la zona desértica desde el Mediterráneo hasta Mongolia.

La región más importante es Asia monzónica, pero la agricultura prevalece por sobre la ganadería. Ésta se ha convertido en una auxiliar de las labores agrícolas; de este modo, los animales son utilizados como complemento.

Otro factor que influye negativamente en el desarrollo de la ganadería es que algunos pueblos excluyen la carne de su dieta por cuestiones religiosas, y así millones de animales no son utilizados por el hombre para su alimentación.

Minería

Asia es rica en minerales. Entre ellos se destacan: hierro, tungsteno, estaño, antimonio, hulla y petróleo.

Es precisamente el petróleo el combustible que ha revolucionado la economía de no pocos países asiáticos. Se da, especialmente en las naciones del Cercano Oriente y del Golfo Pérsico, en una abundancia excepcional.

Los principales países productores de petróleo son: la ex-URSS, Arabia Saudita, Irán, Kuwait, Irak, Emiratos Árabes, Indonesia, China, Qatar y Omán.

Los países de Asia que poseen las mayores producciones minerales de hierro son la ex-URSS, China, India, Turquía, Filipinas, Malasia, Japón, Corea del Norte e Irán.

Los países de Asia que poseen las mayores producciones de carbón son la ex-URSS, China, India, Corea del Norte, Corea del Sur, Turquía, Vietnam, Pakistán e Irán.

Caza y pesca

La caza y la pesca de manutención son las que practican algunos pueblos primitivos para satisfacer exclusivamente sus propias necesidades.

Estas agrupaciones humanas ocupan en Asia regiones extremadamente frías o extremadamente cálidas.

La caza y la pesca comercial son mucho más importantes. La región de la ex-URSS es rica en animales de pieles finas: zorros, martas, armiños, nutrias. La caza es intensa y la explotación se completa con criaderos destinados a satisfacer la gran demanda.

La pesca de mar la realizan los pueblos que poseen litoral marítimo.

Las regiones intensamente explotadas se hallan en el océano Pacífico, comprendidas entre Kamchatka y el sur de China. **Japón es el país en el mundo que extrae mayor cantidad de peces.**

Se pescan arenque, merluza, anguila, atún, anchoa, caballa y besugo.

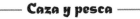

Barca de pesca cerca de Shangai, importantísima ciudad comercial, industrial y portuaria de China.

Tanques y refinería de petróleo en Kuwait, península arábiga.

El pescado es uno de los principales productos comestibles entre los pueblos de la costa del Sudeste asiático.
Otro de los recursos con que cuentan es la manufactura de imágenes en hierro y estaño, la cerámica y la extracción de piedras preciosas, sobre todo en Sri Lanka.

Industrias asiáticas

Los organismos internacionales

La expansión económica de los países del Este y Sudeste asiático se ve favorecida por la creación de la **APEC** (**Asociación de Cooperación Económica de Asia y del Pacífico**), que formó un **inmenso mercado común**. Algunos de sus países miembros son *Japón, EE. UU., China, Canadá, Tailandia, Taiwán, Singapur, Hong Kong, Brunei, Malasia, Indonesia, Filipinas, Australia, Nueva Zelanda*, entre otros. Estos países forman un **"bloque comercial"** cuyo elemento de unión es el **Océano Pacífico**, el que se estima será **la gran vía de expansión del comercio mundial del siglo XXI**.

La **Liga Árabe** fue fundada en el año 1945 con el propósito de cooperar comercial y económicamente, y promover la comunicación entre sus países miembros.

Los países que integran la Liga Árabe son: *Arabia Saudita, Argelia, Bahrein, Djibuti, Egipto, Emiratos Árabes Unidos, Irak, Jordania, Kuwait, Líbano, Libia, Omán, Qatar, Siria, Somalia, Sudán, Túnez, Yemen* y la *OLP*.

-Industrias modernas vs.- industrias domésticas

Al considerar la industria del continente asiático, es preciso contemplar dos aspectos fundamentales: la industria moderna y la industria doméstica. La industria moderna se halla representada por Japón, la ex URSS, India y China.

La industria doméstica se basa en la industria artesanal: tejidos de seda y lana, lacados, tapicería, trabajos en madera, alfarería, que tienen larga data en el continente.

—Industria competitiva—

Antes, las grandes áreas industrializadas se localizaban en EE. UU., la ex-Unión Soviética, países de la Unión Europea y Japón.

Hoy, los **países del Sudeste asiático**, como Corea del Sur, Filipinas, Singapur, Tailandia, Hong Kong, Malasia, entre otros, son los grandes polos de desarrollo industrial, debido a diferentes factores:

- gran cantidad de mano de obra poco calificada y barata;
- tecnología simple;
- pocos conflictos gremiales;
- ventajas financieras y fiscales.

Todos estos elementos permiten crear un producto de bajo costo que puede competir, con amplias ventajas, en el mercado internacional.

— El "milagro japonés" —

Japón, al finalizar la Segunda Guerra Mundial, quedó destruido, especialmente en sus áreas urbanas e industriales. Sin embargo, en pocos años, pasó de ser un país deudor a ser un país acreedor, y se convirtió en unas de las potencias económicas más importantes del mundo. Múltiples factores permitieron este gran cambio:

- el apoyo de EE. UU. después de la Segunda Guerra Mundial, con el suministro de alimentos, abastecimiento y protección militar;
- la apertura del mercado estadounidense a sus productos;
- una muy profunda renovación

Singapur es un ejemplo de las ciudades que han crecido y se han desarrollado debido a su pujante revolución industrial.

tecnológica realizada por el Estado, que brindó créditos con bajos costos a empresas privadas;

• otorgamiento de subsidios a productos elaborados;

• grandes inversiones en la industria pesada (automotriz, comunicaciones, biotecnología);

• protección de la industria nacional, al imponer elevados impuestos a los productos importados.

Actualmente, en Japón, la perdurabilidad en el mercado, el crecimiento y, por último, la rentabilidad son los logros que se propone toda empresa.

Los "tigres asiáticos"

En los últimos años, muchos **países del Sudeste asiático**, como **Corea del Sur**, **Taiwán**, **Singapur**, **Malasia**, **Filipinas**, **Tailandia** y **Hong Kong** (recientemente devuelto a China), han aumentado considerablemente su economía, como resultado de inversiones extranjeras, especialmente de EE. UU. y Japón.

Estos dos últimos países se beneficiaron porque encontraron una población que no protesta por sus condiciones de trabajo (disciplina social) y una mano de obra barata.

Los **productos** que se obtienen en los países asiáticos son principalmente los **electrónicos**, destinados a la exportación. Este desarrollo tiene lugar a expensas de cuestionadas condiciones de trabajo, ya que más de cincuenta millones de operarios del Sudeste asiático tienen un ingreso de un dólar por diez horas de trabajo diario y carecen de seguros sociales.

Otras regiones industriales

• **La región industrial de los Urales**: se desarrolló como consecuencia de las riquezas de **hierro**, **carbón**, **cobre**, **bauxita**, **petróleo** y **maderas**. De este modo, surgieron ciudades como **Magnitogorsk**, **Cheliabinsk**, **Ufa**, **Sverdlavsk** y **Orsk**.

• **La región industrial del Kusnezk**: se halla situada en el curso superior del río Obi. Esta zona posee inagotables **yacimientos de carbón**; los principales centros son: **Novosibirsk** y **Semipalatinsk**.

• **La región del lago Baikal**: se ha creado al amparo de la **presa de Bratsk**, situada en el curso del río Ankara, desagüe del lago Baikal.

Las industrias china e hindú

La industria china descansa sobre los importantes yacimientos de **carbón** y de **hierro**, de la región de **Manchuria**, y las **tejedurías** en **Shangai**. También produce **acero** en grandes cantidades, **cemento**, **cobre**, **locomotoras**, **vagones**, **herramientas**, **hilados**, **tejido**, **papel**, etc.

En la India elaboran su propio acero y todo tipo de aleaciones en hornos eléctricos. Es importante, también, la industria textil artesanal.

El comercio y las comunicaciones

Con el surgimiento de importantes industrias, Asia se vio en la necesidad de reformar los puertos, realizar tendidos de nuevas redes ferroviarias y reacondicionar los ríos navegables. Pero, a pesar de ello, las comunicaciones son bastante complejas debido a las características naturales del continente.

Es muy importante para el comercio internacional realizar mejoras en las comunicaciones.

El **modelo japonés** domina el escenario de la economía global, porque cuenta con dinamismo financiero, eficiencia industrial y alta tecnología. Es el más competitivo y productivo.

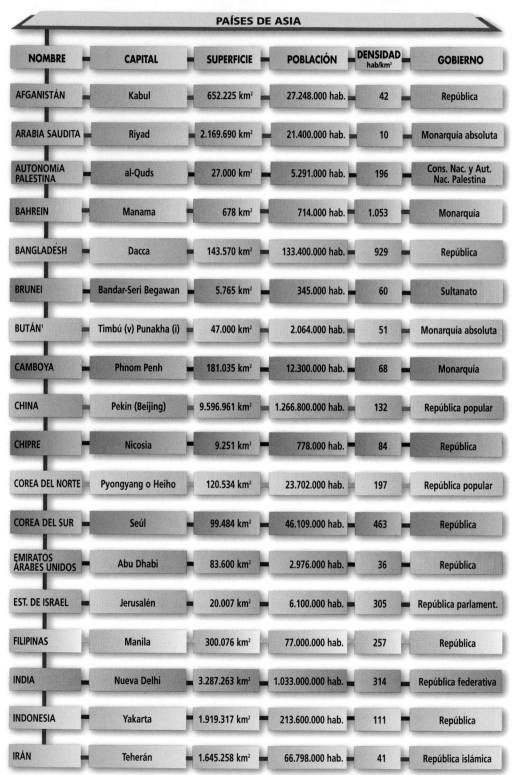

PAÍSES DE ASIA

NOMBRE	CAPITAL	SUPERFICIE	POBLACIÓN	DENSIDAD hab/km²	GOBIERNO
AFGANISTÁN	Kabul	652.225 km²	27.248.000 hab.	42	República
ARABIA SAUDITA	Riyad	2.169.690 km²	21.400.000 hab.	10	Monarquía absoluta
AUTONOMÍA PALESTINA	al-Quds	27.000 km²	5.291.000 hab.	196	Cons. Nac. y Aut. Nac. Palestina
BAHREIN	Manama	678 km²	714.000 hab.	1.053	Monarquía
BANGLADESH	Dacca	143.570 km²	133.400.000 hab.	929	República
BRUNEI	Bandar-Seri Begawan	5.765 km²	345.000 hab.	60	Sultanato
BUTÁN¹	Timbú (v) Punakha (i)	47.000 km²	2.064.000 hab.	51	Monarquía absoluta
CAMBOYA	Phnom Penh	181.035 km²	12.300.000 hab.	68	Monarquía
CHINA	Pekín (Beijing)	9.596.961 km²	1.266.800.000 hab.	132	República popular
CHIPRE	Nicosia	9.251 km²	778.000 hab.	84	República
COREA DEL NORTE	Pyongyang o Heiho	120.534 km²	23.702.000 hab.	197	República popular
COREA DEL SUR	Seúl	99.484 km²	46.109.000 hab.	463	República
EMIRATOS ÁRABES UNIDOS	Abu Dhabi	83.600 km²	2.976.000 hab.	36	República
EST. DE ISRAEL	Jerusalén	20.007 km²	6.100.000 hab.	305	República parlament.
FILIPINAS	Manila	300.076 km²	77.000.000 hab.	257	República
INDIA	Nueva Delhi	3.287.263 km²	1.033.000.000 hab.	314	República federativa
INDONESIA	Yakarta	1.919.317 km²	213.600.000 hab.	111	República
IRÁN	Teherán	1.645.258 km²	66.798.000 hab.	41	República islámica

PAÍSES DE ASIA

NOMBRE	CAPITAL	SUPERFICIE	POBLACIÓN	DENSIDAD hab/km²	GOBIERNO
IRAK	Bagdad	434.924 km²	22.450.000 hab.	52	República
JAPÓN	Tokio	372.824 km²	126.505.000 hab.	339	Monarquía Const.
JORDANIA	Amman	88.946 km²	6.482.000 hab.	73	Monarquía Const.
KAZAJSTÁN	Astana	2.717.300 km²	16.319.000 hab.	6	República
KIRGUISTÁN	Bishkek (ex-Frunze)	198.500 km²	4.669.000 hab.	24	República
KUWAIT	Kuwait	17.818 km²	1.897.000 hab.	106	Monarquía Const.
LAOS	Vientiane	236.800 km²	5.400.000 hab.	23	República
LÍBANO	Beirut	10.400 km²	4.400.000 hab.	423	República presidencial.
MACAO²	Macao	16 km²	448.000 hab.	28.000	República
MALASIA	Kuala Lumpur	329.733 km²	23.800.000 hab.	72	Monarquía
MALDIVAS	Male	298 km²	278.000 hab.	933	República
MONGOLIA	Ulan Bator	1.566.500 km²	2.621.000 hab.	2	República popular
MYANMAR³	Rangún	676.577 km²	48.300.000 hab.	71	República popular
NEPAL	Katmandú	147.181 km²	22.847.000 hab.	155	Monarquía
OMÁN	Mascate	212.457 km²	2.460.000 hab.	12	Monarquía absoluta
PAKISTÁN	Islamabad	796.095 km²	152.331.000 hab.	191	República
PEN. DEL SINAÍ	(Parte israelí)	58.824 km²	200.000 hab.	3	Adm. fiduciaria Egipto
QATAR	Doha	11.437 km²	598.000 hab.	52	Monarquía absoluta

hacer sombra de nuevo

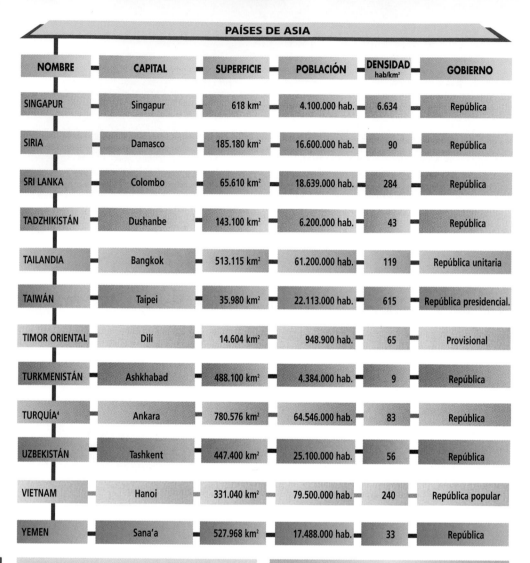

PAÍSES DE ASIA

NOMBRE	CAPITAL	SUPERFICIE	POBLACIÓN	DENSIDAD hab/km²	GOBIERNO
SINGAPUR	Singapur	618 km²	4.100.000 hab.	6.634	República
SIRIA	Damasco	185.180 km²	16.600.000 hab.	90	República
SRI LANKA	Colombo	65.610 km²	18.639.000 hab.	284	República
TADZHIKISTÁN	Dushanbe	143.100 km²	6.200.000 hab.	43	República
TAILANDIA	Bangkok	513.115 km²	61.200.000 hab.	119	República unitaria
TAIWÁN	Taipei	35.980 km²	22.113.000 hab.	615	República presidencial.
TIMOR ORIENTAL	Dilí	14.604 km²	948.900 hab.	65	Provisional
TURKMENISTÁN	Ashkhabad	488.100 km²	4.384.000 hab.	9	República
TURQUÍA⁴	Ankara	780.576 km²	64.546.000 hab.	83	República
UZBEKISTÁN	Tashkent	447.400 km²	25.100.000 hab.	56	República
VIETNAM	Hanoi	331.040 km²	79.500.000 hab.	240	República popular
YEMEN	Sana'a	527.968 km²	17.488.000 hab.	33	República

1. Bután posee dos capitales: Timbú (capital de verano) y Punakha (capital de invierno).
2. Por el acuerdo firmado en 1987 entre China y Portugal, Macao pasó a soberanía china en el año 1999.
3. Myanmar es la actual denominación del territorio de Birmania.
4. Turquía está constituido por Tracia Oriental (europea) y la península de Anatolia y Armenia turca (asiáticas). Separada por el estrecho de Dardanelos, el mar de Mármara y el estrecho de Bósforo, forma una especie de "puente" entre Asia y Europa.

En 1842, China y Gran Bretaña firmaron el tratado de Nanjing por el cual la primera cedía la isla de **Hong Kong** a los británicos. En 1863 se anexó al territorio la ciudad de Kowloon. Treinta y cinco años más tarde, en 1898, se incorporaron los Nuevos Territorios, arrendados por un período de 99 años. En 1984, ambas naciones firmaron un nuevo acuerdo mediante el cual se estableció el año 1997 como la fecha de devolución a China de la soberanía de Hong Kong. En junio de 1997, tras 155 años de ocupación, el Reino Unido devolvió Hong Kong a China.

Los países del sur oriental

Se pueden dividir en dos partes: la peninsular, que constituye un apéndice del continente asiático, y la insular, formada por un vasto complejo de islas sobre los océanos Índico y Pacífico. El área peninsular comprende los países de Myanmar, Tailandia, Laos, Camboya, Vietnam, Malasia y Singapur. El área insular está formada por 13.677 islas, de las cuales las mayores, como Sumatra, Borneo, Java, Célebes, constituyen Indonesia, Filipinas y Brunei. Esta zona, antiguamente, era conocida como Indochina.

ÁFRICA, CONTINENTE CÁLIDO

Superficie

La superficie de África es de unos 30.000.000 de km², es decir, es el tercero de los continentes en extensión, después de Asia y América. Ocupa el 20 % de las tierras emergidas.

De esa superficie le corresponden 29.380.000 km² a la parte continental y 620.000 km² a la parte insular.

La línea del ecuador atraviesa África prácticamente en el sector medio, originando hacia el Norte y el Sur una distribución armoniosa del clima —de calor constante— y de la vegetación. Es atravesado por el trópico de Cáncer al Norte y el de Capricornio al Sur.

Límites

Limita al N con el **_mar Mediterráneo_**, que separa el continente africano de Europa (14 km en el _estrecho de Gibraltar_ y 130 km en el _estrecho de Sicilia_).

Al E, con el **_océano Índico_** y su mar dependiente, el _mar Rojo_. Al O, con el **_océano Atlántico_**, y al S, con la confluencia de los **_océanos Atlántico_** e **_Índico_** (la separación entre ambos está determinada por el meridiano de 20° longitud E).

África, el origen de su nombre

La denominación **África** surge del griego antiguo _afrigos_, nombre dado a la actual Libia y que significa **_"sin frío"_**.

Es un sólido bloque continental atravesado por la línea del ecuador y el meridiano de Greenwich, lo cual la hace el área más cálida del planeta.

Las costas africanas

África ofrece un escaso desarrollo de plataforma continental. Ello se debe a su contorno montañoso, en oposición al escaso porcentaje de llanuras. Los océanos Atlántico e Índico bañan las costas del continente africano. El océano Atlántico lo hace en el norte, con el mar Mediterráneo, y en el oeste, en tanto que el Índico lo hace en el este.

El mar Mediterráneo

Presenta escaso desarrollo de plataforma, no tiene fosas marinas y posee una orientación E-O. El sector oriental es llano, pantanoso y arenoso, y el sector occidental es escarpado, con bahías y cabos; corresponde a la región de los Atlas.

El océano Atlántico

Se extiende desde el estrecho de Gibraltar, en el N, hasta el Cabo de las Agujas, en el sur, en una extensión de 11.200 km; posee orientación general N-S. El desierto del Sáhara llega hasta el borde del mar y forma barreras y bajos arenosos que dificultan la navegación. En el golfo de Guinea, hay densa vegetación, lo que hace de esta una zona malsana y poco habitable.

Baña las islas Madeira, Canarias, Cabo Verde, Fernando Poo, Príncipe y Annobón.

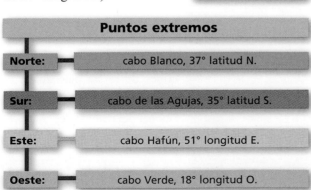

Puntos extremos	
Norte:	cabo Blanco, 37° latitud N.
Sur:	cabo de las Agujas, 35° latitud S.
Este:	cabo Hafún, 51° longitud E.
Oeste:	cabo Verde, 18° longitud O.

El océano Índico

Denominado en la antigüedad Mar de las Indias, se extiende entre la península del Sinaí, en el norte, hasta el Cabo de las Agujas, en el sur, con una extensión de 14.900 km. Posee orientación general N-S. Su costa, lisa y uniforme, sin accidentes importantes, fue afectada por dislocaciones tectónicas. Baña las islas Socotora, Zanzíbar, Comores, Seychelles, Almirante, Madagascar y Mascareñas.

Su relieve

Es un continente compacto, escasamente acompañado por islas o archipiélagos, debido a que su mayor parte, incluida la isla de Madagascar, es un fragmento del continente Gondwana, que ha mantenido su integridad estructural a través de los tiempos geológicos. Su considerable altura media, 750 m sobre el nivel del mar, no se explica por la presencia de elevados macizos montañosos, sino por el **marcado predominio de mesetas**. Éstas se hallan formadas por potentes mantos sedimentarios, sobre otros de las eras paleozoica y mesozoica, depositados sobre un basamento cristalino de edad precámbrica que a menudo aflora sobre vastas superficies.

El relieve montañoso

Se presenta, en general, dispuesto en los bordes del continente, entre las mesetas y la costa. Las únicas zonas de plegamiento son los **montes Atlas**, en el NO, y las montañas de Sudáfrica; además es importante la extensa zona de tierras altas del E, afectada por grandes fallas, con la presencia de lagos y las cumbres más elevadas del continente: el Kilimanjaro (5.895 m) y el Kenia (5.201 m).

La región del Atlas

Los pliegues forman un sistema relacionado con la zona euroasiática de los relieves alpinos, surgidos durante la era cenozoica. En particular, se vinculan con los relieves de Europa meridional, sobre todo con la *cordillera Penibética* y con *los Apeninos*, con los cuales se conectan a través de los estrechos de Gibraltar y Túnez, respectivamente. El sistema del Atlas se prolonga en unos 2.500 km a lo largo del litoral mediterráneo y del océano Atlántico, y alcanza su mayor altura en la sección occidental o marroquí en el *monte Tubkal* (4.200 m). El Atlas está afectado por actividad volcánica y sísmica, manifestaciones poco frecuentes en el resto del continente.

Las montañas de Sudáfrica

Son más antiguas y corresponden al plegamiento varíscico de fines de la era paleozoica, el cual creó los pliegues del Cabo, circunscriptos al borde meridional del continente.

El África baja

Comprende **las regiones** de **Sáhara**, **Sudán** y **Congo**.

Hidrografía de África

Está formada por un conjunto de mesetas de 300 a 400 m de altura. Tiene también algunos macizos aislados, en su mayoría volcánicos como los de Ahaggar (Sáhara central), Tibesti (Sáhara oriental) y Yébel Marra (Sudán occidental), todos ellos superiores a 3.000 m. El macizo volcánico de Camerún, en el golfo de Guinea, alcanza los 4.000 m.

La región del Sáhara

Está formada por un sucesión de mesetas desérticas. En ellas se observa la erosión por diferentes agentes como el viento y las oscilaciones térmicas diurnas. Entre los diversos aspectos morfológicos, es posible observar: superficies rocosas (*hammada*), pedregosas (*serir*) y arenosas (*erg*).

Las llanuras son escasas y litorales. Las mayores son las de la costa atlántica, desde Mauritania hasta Nigeria, y la de la costa del Índico, en Mozambique.

En África son frecuentes las depresiones, algunas de ellas de carácter absoluto, es decir, situadas por debajo del nivel del mar.

La pesca, recurso de muchos de los pobladores africanos, es artesanal en gran parte de los ríos de relieve escalonado que se encuentran en el territorio.

Atardecer en el río Nilo, el más largo del mundo.

Las características del relieve y sus condiciones climáticas sirven para explicar los rasgos generales de su **hidrografía**.

En general, son **ríos de largo recorrido y considerable caudal**, que se deslizan con frecuencia por hondos valles labrados por ellos atravesando las mesetas.

África posee el río más largo del mundo, el Nilo, con 6.670 km, y el segundo río por su caudal, el *Congo*, con 70.000 m³/seg. Son ríos de penetración insuficiente por las dificultades que oponen sus desembocaduras para la entrada de barcos y, sobre todo, por los frecuentes **rápidos, saltos y hasta cataratas** que forman al atravesar los rebordes montañosos del continente.

Son navegables por trechos, pues descienden de las zonas interiores a la costa a través de sucesivos escalones o gradas.

Además, las elevaciones marginales del continente obligan a esos ríos a describir grandes rodeos antes de alcanzar su salida al océano.

Los grandes lagos de África

En el continente africano, se encuentran también algunos de los mayores lagos del mundo. Se trata de los *grandes lagos tectónicos de África oriental*, establecidos en las fosas del E y del centro del continente, sobre todo en las últimas, que acogen las aguas del **lago Tanganica (el más profundo del mundo**, con más de 1.400 m, después del Baikal) y del **Malawi**. Fuera del África oriental, existen dos vastas superficies lacustres poco profundas, los *lagos Chad y Ngami*, sometidos a intensa evaporación.

Clima, flora y fauna

El continente sin frío

En el continente africano, la distribución de los climas presenta una regularidad casi esquemática, lo cual es consecuencias de la misma estructura, de la acentuada monotonía del relieve y de las escasas articulaciones. **África es el continente tropical por excelencia**.

Clima tropical con variaciones

El 82 % de su superficie queda comprendida dentro de la zona intertropical; del 18 % restante, el 12 % corresponde a la zona templada N, y el 6 % a la zona templada S. También es en gran parte árido, aunque comprende una franja ecuatorial muy pluviosa y otras zonas con precipitaciones abundantes.

Clima ecuatorial

Aparece en la cuenca del Congo y a lo largo de gran parte de la costa de Guinea. Se trata de un clima sin estaciones, constantemente cálido, húmedo y lluvioso, que permite un extraordinario desarrollo de la vida vegetal representada por la **selva pluvial**. Dicha formación está constituida por **variadísimas especies de plantas siempre verdes**, de alturas diversas y habitada por simios, aves, reptiles e insectos.

Clima subecuatorial

Al N y al S de la franja ecuatorial se extienden sendas zonas de **clima subecuatorial, que se diferencia del anterior por tener menos precipitaciones**, con la presencia de períodos escasamente lluviosos. Aquí la **selva es menos densa**, salvo en los ríos, y se va transformando gradualmente en la sabana, formación mixta de hierbas caducas muy altas y de árboles no siempre verdes.

Entre los animales se encuentran los **grandes herbívoros** (elefantes, rinocerontes, búfalos, antílopes, cebras y jirafas) y **carnívoros** (leones, leopardos, hienas, chacales), así como **simios, aves, reptiles e insectos**. Gran parte del África oriental se encuentra afectada por la gran altitud, que determina temperaturas menos elevadas.

Clima desértico

África está formada por una tercera parte de zonas desérticas, como Namib, Kalahari y Sáhara. Este último no siempre fue un desierto. Es posible afirmarlo gracias a los hallazgos de restos de organismos que vivieron en ambientes húmedos. Actualmente, la total carencia de lluvias durante largos períodos de tiempo, las oscilaciones térmicas diurnas (incluso de hasta 50 ºC) hacen de la mayor parte del Sáhara un ambiente sumamente hostil.

El **bioma del desierto** está representado por una **estepa, con vegetales que sufren adaptaciones**, como los troncos de pequeño tamaño, para resistir la furia de los vientos que dominan aquellas extensiones, y las hojas reducidas a espinas, con el objeto de evitar la pérdida de agua. La **fauna desértica** está constituida por **pocas especies y escasos ejemplares**.

LA POBLACIÓN

— El origen del hombre —

Los restos prehumanos más antiguos que se conocen hasta la actualidad en la Tierra, han sido hallados en África, con una antigüedad de 2 millones y medio de años.

Las manifestaciones de la actividad de las primitivas poblaciones africanas son instrumentos de piedra, trabajados con diversas técnicas, que se encontraron sobre todo en el **área mediterránea y en el Sáhara**. Desde allí, migraron hacia Europa, Asia y Australia. Por el estrecho de Bering, ubicado entre Asia y Alaska (en América del Norte), poblaron el continente americano.

Estos hombres tuvieron que adaptarse a los diferentes medios naturales a los que llegaban y, de esta forma, se fueron conformando los rasgos característicos de los tres grandes grupos raciales de la actualidad: el negroide, el amarillo o mongoloide, y el blanco o caucasoide.

— La población africana —

África es un continente poco poblado: la densidad media es de aprox. 18 hab/km² y representa la más baja del mundo (excluyendo Oceanía). No obstante, junto a zonas de reducida densidad, o incluso muy despobladas, existen otras con población bastante densa.

Las zonas escasamente pobladas concuerdan con un medio natural adverso, pues el 35 % del territorio es desértico, escasean el agua y la vegetación; por ejemplo, el desierto del Sáhara, la costa sudoeste y las montañas orientales.

La población se concentra en regiones como el valle del Nilo,

África es el continente que posee las mayores tasas de natalidad y mortalidad del mundo. Razón por la cual, el crecimiento de la población es muy lento.

Es un continente poco poblado. Las zonas de menor población coinciden con el medio natural desfavorable para los asentamientos humanos.

las costas mediterráneas en el noroeste y el litoral del Golfo de Guinea, en el sur, donde las precipitaciones son regulares. Las ciudades crecieron con la administración colonial.

África tiene las tasas más altas de natalidad y de mortalidad del mundo.

Países como Ruanda, Malawi y Somalia presentan las tasas de natalidad más altas del mundo, como así también casi todos los países de África oriental.

Entre los países con más alta tasa de mortalidad, se encuentran Sierra Leona, Uganda, Congo y Namibia.

El hombre emigró desde África, tomando distintos caminos, para poblar Europa, Asia y Australia.
América se pobló cuando el hombre cruzó el estrecho de Bering (entre Asia y Alaska).

— El poblamiento de los continentes —

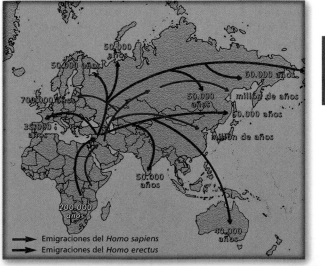

Emigraciones del *Homo sapiens*
Emigraciones del *Homo erectus*

529

Crecimiento de la población africana (en millones de habitantes)

Año	Millones	%
1950	222	8,8 %
1970	362	9,8 %
1990	642	12,1 %
2000	867	13,8 %
2025	1.597	18,8 %

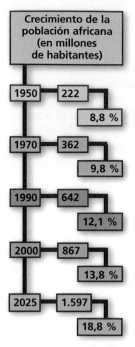

Grupos étnicos

El poblamiento indígena africano es resultante de dos componentes raciales: **el europeoide**, presente en la parte septentrional del continente, y **el negroide**, al sur del Sáhara. Al primero pertenecen los **egipcios**, **árabes** y **tuaregs** (nómadas que viven en el desierto del Sáhara).

En el grupo negro se encuentran **sudaneses**, **zulúes**, **bantúes** (el más numeroso de los grupos), **pigmeos**, **bosquimanos** y **hotentotes**.

Las continuas migraciones han formado grupos mestizos, como el de los **boers** en la República Sudafricana.

Idiomas y dialectos

La población de África tiene gran diversidad de idiomas, unos propios y otros implantados por los colonizadores. Entre lenguas y dialectos, cuenta con unas mil quinientas formas de expresión oral.

Religión

Con respecto a la religión, **la población blanca profesa el islamismo**, mientras que los **grupos negros practican religiones animistas**.

Las migraciones en África

Las tendencias para migrar en África son distintas en cada región. Por ejemplo, la población del norte de África emigra hacia Europa, mientras que la población de África central se dirige preferencialmente a la República Sudafricana. Los movimientos migratorios estacionales se observan en África occidental.

Grupos étnicos de África

- **De raza blanca**
  - Al norte del Sáhara.
  - **Caucasoides**
    - bereberes camitas (egipcios, nubios y somalíes), cusitas etíopes
  - **Semitas**
    - árabes
- **De raza negra**
  - Al sur del Sáhara.
  - **Pigmeos**
    - mbuti, towa, binga
  - **Khoi-san**
    - bosquimanos, hotentotes
  - **Sudaneses**
    - bantúes
- **De raza mongoloide**
  - Isla de Madagascar.
  - **Malgache** (pueblo autóctono).
- **De origen europeo**
  - Zona mediterránea, Zimbabwe y República Sudafricana.
  - colonizadores

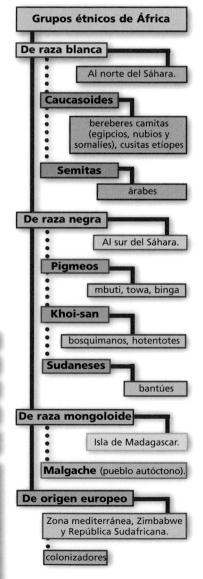

Lenguas y dialectos africanos

Zona norte	Árabe (lengua oficial).
África negra	Bantú y dialectos nigerocongoleños.
R. Sudafricana	Afrikaans.
Algunos países	Son oficiales: inglés, francés, portugués, swahili (dialecto bantú).

Las actividades económicas

Características

Un examen de las actividades económicas en África revela que **predominan todavía netamente las del sector primario** (agricultura, ganadería, minería), mientras que carece del sector secundario (industrial), salvo algunas excepciones.

Respecto del sector terciario, (servicios, comercio, etc.) se encuentra en una fase de escaso desarrollo.

Prevalece la monoproducción. Falta mano de obra capacitada para el trabajo en las industrias, y el mercado interno tiene escaso poder adquisitivo.

Su agricultura

La agricultura es la actividad económica que ocupa a la mayor parte de la población africana.

Se distinguen dos formas principales: **la agricultura de subsistencia** y la **agricultura de plantación**, organizada por empresas multinacionales que cultivan productos destinados a la exportación.

Los cultivos que se realizan en ellas están de acuerdo con las condiciones que ofrece cada región. Por ejemplo, Egipto y Sudán son grandes productores de algodón.

Ganadería y recursos naturales

La ganadería es predominantemente pastoril y nómada, por lo que constituye una economía de subsistencia. Las zonas en donde se explota son las de Senegal y Níger.

La pesca no está muy desarrollada, debido a la falta de infraestructura.

Sólo algunos países como República Sudafricana y Nigeria realizan esta actividad.

El futuro de la economía africana parece depender de la riqueza del subsuelo. Se distinguen los **países exportadores de petróleo** (Argelia, Libia, Nigeria, Angola, Egipto, Gabón), que han iniciado procesos de industrialización.

Argelia es el principal productor de **gas natural** del continente.

También se extrae **carbón**: la República Sudafricana es el mayor competidor por cantidad y precios.

En cuanto a la minería, África produce minerales estratégicos como **titanio**, **manganeso**, **cobre**, **cinc**, **hierro**, **bauxita**, **plomo** y **estaño**. Esta actividad se desarrolla en la meseta de Katanga.

El principal productor mundial de **oro** y **cromo** es la República Sudafricana. También se extraen de sus suelos **diamantes**, **uranio** y **níquel**.

La **energía hidroeléctrica** que se obtiene de ríos y lagos de África representa casi la mitad de la que se produce en el mundo, principalmente en la República Sudafricana, Egipto y Zambia, junto con las cuencas del Nilo y el Zaire.

Los cultivos según la región

Sabana → maíz, mijo, algodón, cacahuete y tabaco.

Zonas de clima mediterráneo → frutales, legumbres, cereales, vid y olivo.

Zonas tropicales → café, té, caña de azúcar, cacao, plátano.

Sáhara → cereales y frutas (en los oasis).

Vista panorámica de la ciudad de El Cairo.

Solamente la República Sudafricana posee una importante expansión industrial representada por industrias textiles, alimentarias y siderúrgicas.

Las comunicaciones impiden la industrialización de África, pues son bastante escasas: excepto por la navegación aérea (que se ha incrementado en los últimos años), la red de carreteras y la de vías férreas no son muy extensas.

La represa de Asuán

La construcción de la **represa de Asuán, sobre el río Nilo**, originó el lago Nasser. Este lago iba a cubrir con sus aguas los dos templos de **Abu Simbel** (que hizo construir el faraón Ramsés II) excavados en un cerro hace aproximadamente 3.200 años. Para salvarlos, el gobierno egipcio pidió ayuda a través de la Unesco. Entre los proyectos presentados por 48 países, fue elegido el de Suecia, que propuso cortar ambos templos en bloques, para trasladarlos y reconstruirlos sobre el cerro en el que habían sido excavados. Este trabajo se llevó a cabo en cinco años y respetó los parámetros de su emplazamiento original.

Industrias de lento desarrollo

La industria se desarrolla lentamente. Algunos centros industriales se crearon a partir del aprovechamiento del potencial hidroeléctrico, como las centrales de Akossombo, en el río Volta, Kariba (río Zambeze), y una de las mayores del mundo, Asuán, en el río Nilo. Las principales industrias africanas son las destilerías de petróleo y las refinerías de minerales.

Mercado de frutas y verduras, en Libia.

Destilería de petróleo, en la costa mediterránea de África.

PAÍSES DE ÁFRICA

NOMBRE	CAPITAL	SUPERFICIE	POBLACIÓN	DENSIDAD hab/km²	GOBIERNO
ANGOLA	Luanda	1.246.700 km²	13.500.000 hab.	11	República popular
ARGELIA	Argel	2.381.741 km²	30.900.000 hab.	13	República presidencial
BENIN	Porto Novo	112.622 km²	5.781.000 hab.	51	República
BOTSWANA	Gaborone	600.372 km²	1.600.000 hab.	3	República*
BURKINA FASO	Uagadugu	274.200 km²	11.305.000 hab.	41	República
BURUNDI	Bujumbura	27.834 km²	6.900.000 hab.	247	República presidencial
CAMERÚN	Yaounde	475.442 km²	15.200.000 hab.	32	República unitaria
CHAD	N 'Djamena	1.284.000 km²	7.900.000 hab.	6	República presidencial
CONGO	Brazzaville	342.000 km²	2.785.000 hab.	8	República
COSTA DE MARFIL	Yamoussoukro	322.462 km²	14.526.000 hab.	45	República presidencial
DJIBOUTI	Djibouti	23.300 km²	629.000 hab.	27	República unitaria
EGIPTO	El Cairo	1.001.000 km²	65.987.000 hab.	66	República
ERITREA	Asmara	121.144 km²	3.719.000 hab.	31	República
ETIOPÍA	Addis-Abeba	1.097.900 km²	61.095.000 hab.	56	República popular
GABÓN	Libreville	267.670 km²	1.197.000 hab.	4	República presidencial
GAMBIA	Banjul	11.300 km²	1.341.000 hab.	119	República*
GHANA	Accra	238.540 km²	19.700.000 hab.	82	República*
GUINEA	Conakry	245.860 km²	8.359.000 hab.	34	República

PAÍSES DE ÁFRICA

NOMBRE	CAPITAL	SUPERFICIE	POBLACIÓN	DENSIDAD hab/km²	GOBIERNO
GUINEA BISSAU	Bissau	36.120 km²	1.226.000 hab.	34	República
GUINEA ECUATORIAL	Malabo	28.450 km²	367.000 hab.	13	República presidencial
ISLAS CABO VERDE	Praia	4.030 km²	454.000 hab.	112	República
ISLAS COMORES	Moroni	2.170 km²	676.000 hab.	311	República federal
ISLAS SEYCHELLES	Victoria	455 km²	82.000 hab.	180	República*
KENIA	Nairobi	582.640 km²	29.549.000 hab.	51	República*
LESOTHO	Maseru	30.355 km²	2.108.000 hab.	69	Monarquía*
LIBERIA	Monrovia	111.370 km²	3.216.000 hab.	29	República
LIBIA	Trípoli	1.759.540 km²	5.471.000 hab.	3	República
MADAGASCAR	Antananarivo o Tananarive	587.040 km²	15.497.000 hab.	26	República presidencial
MALAWI	Lilongwe	118.480 km²	10.640.000 hab.	90	República*
MALÍ	Bamako	1.240.000 km²	12.623.000 hab.	10	República unitaria
MARRUECOS	Rabat	450.000 km²	30.645.000 hab.	68	Monarquía
MAURICIO	Port Louis	2.045 km²	1.198.000 hab.	586	Monarquía
MAURITANIA	Nuakchot	1.030.700 km²	2.900.000 hab.	3	República presidencial
MOZAMBIQUE	Maputo	738.080 km²	19.286.000 hab.	26	República
NAMIBIA	Windhoek	824.790 km²	1.800.000 hab.	2	República
NÍGER	Niamey	1.267.000 km²	10.078.000 hab.	8	República presidencial

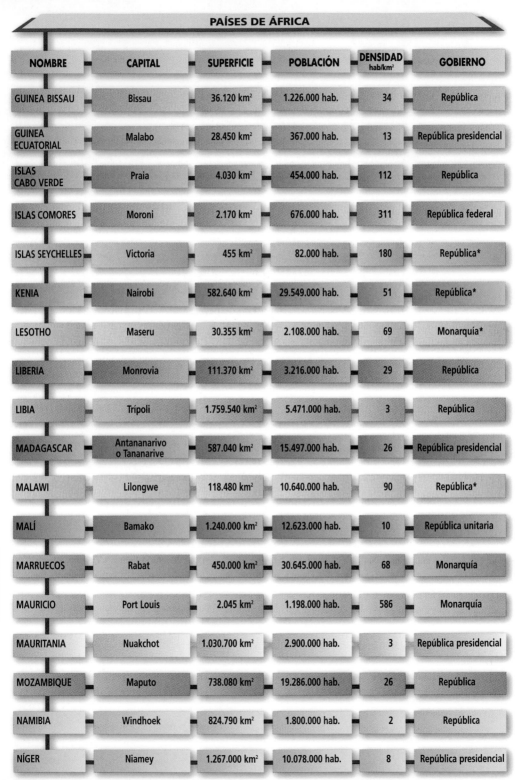

PAÍSES DE ÁFRICA

NOMBRE	CAPITAL	SUPERFICIE	POBLACIÓN	DENSIDAD hab/km²	GOBIERNO
NIGERIA	Abuja	923.768 km²	129.900.000 hab.	141	República federal*
REPÚBLICA CENTROAFRICANA	Bangui	622.980 km²	3.350.000 hab.	5	República
REP. DEMOC. DEL CONGO (ex-ZAIRE)	Kinshasa	2.345.409 km²	50.335.000 hab.	21	República
REPÚBLICA SUDAFRICANA	Pretoria	1.221.037 km²	43.200.000 hab.	35	República
RUANDA	Kigali	26.340 km²	7.325.000 hab.	278	República presidencial
SÁHARA OCC.	El Aaiun	266.000 km²	262.000 hab.	1	República
SANTO TOMÉ Y PRÍNCIPE	Santo Tomé	960 km²	157.000 hab.	164	República
SENEGAL	Dakar	196.200 km²	9.800.000 hab.	50	República presidencial
SIERRA LEONA	Freetown	71.740 km²	5.100.000 hab.	71	República*
SOMALIA	Mogadiscio	637.660 km²	9.672.000 hab.	56	República
SUDÁN	Jartum	2.505.810 km²	28.883.000 hab.	11	República
SWAZILANDIA (NGWARE)	Mbabane	17.360 km²	1.068.000 hab.	61	Monarquía*
TANZANIA	Dodoma	945.090 km²	32.102.000 hab.	34	República
TUNICIA	Túnez	163.610 km²	9.705.102 hab.	59	República unitaria
TOGO	Lomé	56.000 km²	4.512.000 hab.	80	República presidencial
UGANDA	Kampala	236.040 km²	21.143.000 hab.	90	República*
ZAMBIA	Lusaka	752.610 km²	9.976.000 hab.	12	República
ZIMBABWE	Harare	390.580 km²	11.529.000 hab.	29	República*

* Miembro de la Commonwealth.

OCEANÍA, EL QUINTO CONTINENTE

Continente insular que ocupa la menor superficie del planeta y cuya ubicación abarca ambos hemisferios.

Ubicación geográfica

Este **"quinto continente"**, como se lo ha designado, está ubicado en los hemisferios septentrional y meridional, ya que lo atraviesan el ecuador y ambos trópicos. Se extiende desde los 32° 46' latitud Norte, a los 55° 15' latitud Sur. Si bien, de acuerdo con sus longitudes, 105° Oeste sobre el océano Pacífico a 113° Este sobre el océano Índico, se extiende en los dos hemisferios, tiene mayor desarrollo en el oriental. Comprende una superficie de **8.944.709 km²**. Exceptuando la Antártida, es el de menor población, con **31.225.717 habitantes**. La densidad de población es de 3 hab/km².

Divisiones de Oceanía

Australia, **Nueva Zelanda**, **Nueva Guinea** y **una serie de archipiélagos menores ubicados en los océanos Pacífico e Índico** forman este continente insular.

Vista del Valle Escondido, cercano a la población de Kununurra y al sistema de irrigación del río Ord, en el extremo norte de Australia occidental.

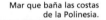
Mar que baña las costas de la Polinesia.

Su estructura

Oceanía, especialmente *Australia y las islas mayores* que la rodean, pertenecieron al continente de *Gondwana*, conjuntamente con América del Sur, África, India y Antártida.

El resto de las islas, distribuidas en los océanos Pacífico e Índico, son de origen volcánico, pertenecientes muchas de ellas al *Círculo de Fuego del Pacífico* o elevadas sobre las dorsales oceánicas.

Ejemplos de estas islas son las *Hawai*, con los volcanes *Mauna Loa* y *Hilavea*, actualmente activos. Otras islas son de origen coralino, como las *Gilbert*, *Marshall*.

Su relieve e hidrografía

Las islas de origen volcánico presentan altas montañas de aproximadamente 4.000 m de altura, con picos cubiertos de nieve, volcanes apagados o en actividad.

Las de origen coralino presentan escaso relieve y lagunas interiores.

En Australia pueden diferenciarse tres regiones.

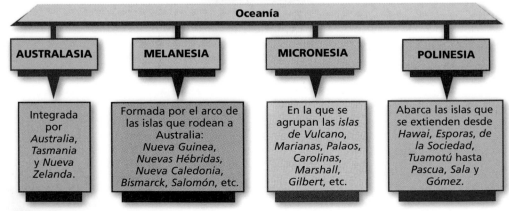

Oceanía

AUSTRALASIA	MELANESIA	MICRONESIA	POLINESIA
Integrada por *Australia, Tasmania y Nueva Zelanda*.	Formada por el arco de las islas que rodean a Australia: *Nueva Guinea, Nuevas Hébridas, Nueva Caledonia, Bismarck, Salomón*, etc.	En la que se agrupan las *islas de Vulcano, Marianas, Palaos, Carolinas, Marshall, Gilbert*, etc.	Abarca las islas que se extienden desde *Hawai, Esporas, de la Sociedad, Tuamotú* hasta *Pascua, Sala y Gómez*.

- **Meseta al oeste**.
- **Vastas llanuras centrales o depresión central**, que, en algunos lugares de la zona lacustre, registran una altitud de hasta 12 m por debajo del nivel del mar;
- **Tierras altas al este**.

Las islas continentales (Nueva Zelanda, Tasmania, Nueva Caledonia, etc.) se encuentran en la plataforma continental y son el resultado del hundimiento de extensos litorales o de extremidades peninsulares cuyos istmos han sido erosionados por el mar.

El sistema hidrográfico, en Australia, se halla dominado por el río Murray (2.739 km en conjunto). Su cuenca es de 1.035.000 km². En la Melanesia (archipiélago al NO de Australia), los ríos son cortos pero de importante caudal.

Clima y biomas

Ubicada entre dos trópicos y atravesada por el ecuador, Oceanía presenta **climas cálidos** con sus variedades **ecuatorial**, **tropical**, **subtropical**, existiendo también el clima templado y **desértico**, como en Australia.

Las islas ubicadas en la zona ecuatorial presentan escasa amplitud térmica; en las otras ejercen gran influencia los vientos alisios, que moderan las amplitudes térmicas.

En general, las precipitaciones en todas las islas, a excepción de Australia, son superiores a los 1.000 mm anuales, pudiendo durar hasta 6 meses la estación lluviosa, como en Nuevas Hébridas, o 3 meses, como en Hawai.

Además, presentan diferencias en su distribución en las islas a causa del relieve, siendo excesivas a barlovento (dirección de donde proviene el viento), superiores a los 2.500 mm, e inferiores a 1.800 mm a sotavento (dirección contraria al viento).

En razón de las características climáticas del continente, se desarrollan bosques, palmares y estepas, con la fauna particular de la región australiana: *canguros, ornitorrincos, osos hormigueros, koalas, aves de vistosos colores* y *monos*.

Oceanía es el continente donde el agua conforma el elemento que une y separa a sus lejanas y variadas tierras, entre las que se encuentran un infinito número de islas y atolones.

PARA DESTACAR		
País con mayor esperanza de vida	Australia	77 años
País con menor esperanza de vida	Kiribati	56 años
País con mayor ingreso per cápita	Australia	U$S 17.500
País con menor ingreso per cápita	Kiribati	U$S 710
País con mayor producción de energía	Australia	228.454 TM[1]
País con mayor consumo de energía	Australia	154.189 TM[1]
Ciudad más antigua	Sydney	fundada en 1788
Puente más largo	Sydney Harbour	503 m
Túnel ferroviario más largo	Kaimal (NZ)	8,84 km
Represa más alta	Talbingo	162 m

(1) Miles de toneladas métricas equivalentes a carbón.

Población y actividades económicas

Australia es el segundo productor mundial de ganado ovino, que cría en forma extensiva, alimentándolo con pastos naturales.

Vista del puerto de Sydney, el más importante de Australia.
La industria siderúrgica y la naval son las que técnicamente han crecido en forma sostenida en los últimos años, promoviendo así la expansión de todo el sector industrial.

Poblamiento de Australia

Puede decirse que el poblamiento europeo de Australia comenzó en 1788, cuando los ingleses establecieron la primera colonia penal en las proximidades de la actual ciudad de Sydney, por el levantamiento de los presidios hasta entonces existentes en América del Norte. Durante los ochenta años en que rigió este sistema, fueron deportadas 160.000 personas a la isla.

Otra corriente poblacional, si bien efímera, se produjo a partir de 1851 con el descubrimiento de yacimientos de oro, rápidamente agotados.

La población indígena fue diezmada por enfermedades introducidas por los europeos, y hoy sobreviven pocos nativos, en condiciones de marginalidad. En 1876, se extinguió la población aborigen de Tasmania.

La escasa población siempre ha sido un límite del crecimiento económico al no desarrollarse el mercado interno. La exigua población se debe no sólo a la baja natalidad sino también a las restricciones impuestas al ingreso de inmigrantes no ingleses. Por las condiciones ambientales, el poblamiento es costero, y el interior sólo es ocupado por sobrevivientes de pueblos aborígenes de escaso desarrollo cultural y tecnológico.

Los medios de transporte

Están distribuidos irregularmente; el movimiento interior se ha solucionado en parte por los transportes aéreos y las telecomunicaciones.

La agricultura

Se explotan los cocoteros, de donde se obtiene el alimento; con sus hojas se realizan viviendas o artículos de cestería. Se cultivan, además, tubérculos, como la batata y el ñame.

Actualmente introducidas por los americanos y europeos, se destacan las plantaciones. En efecto, las plantaciones de cocoteros, caña de azúcar, ananá, etc., exigen gran cantidad de mano de obra, que allí existe o bien que proviene del sudeste de Asia.

A su vez, sus productos se venden al exterior directamente o en forma industrializada.

La ganadería

Es muy rudimentaria; se crían bovinos, ovinos y porcinos.

Australia se destaca por la cría de ovinos en forma extensiva, donde se alimentan de pastos naturales.

Es el **segundo productor mundial**.

Se crían preferentemente las razas bovinas, productoras de carne.

La pesca

A la riqueza ictícola de sus mares se agrega la de esponjas, ostras perlíferas, corales y crustáceos.

Para su extracción, se emplean métodos y prácticas muy primitivos.

La minería

Australia posee ricos yacimientos minerales ubicados en zonas de difícil acceso.

Los principales yacimientos son los de **oro**, **plata**, **plomo**, **cobre**, **uranio**, **zinc** y **piedras preciosas**.

El carbón y el petróleo son escasos y deben importarse.

Nueva Zelanda posee **yacimientos minerales de oro**, **plata**, **hierro**, **bentonita**, **tungsteno** y **carbón**.

La industria

En Australia, el desarrollo industrial tuvo lugar después de la Segunda Guerra Mundial, y en la actualidad ha alcanzado un nivel tal que le permite satisfacer las necesidades internas y aun exportar productos elaborados.

Se destacan la industria **siderúrgica**, cuyos centros más importantes son *Newcastle*, *Port Kembla* y *Wundowie*; la de **construcciones navales**, cuyos principales astilleros se localizan en *Sidney*, *Melbourne* y *Brisbane*; las **refinerías de petróleo**, que se encuentran en *Geelong*, *Altona* y *Kurnel-Botany Bay*.

Entre las **industrias alimenticias** se destacan las de conservas de pescado, carne, hortalizas, frutas, cervezas, pasas de uvas.

Entre las **industrias textiles** se trabajan la lana, la seda y el algodón.

Los mares de este continente no sólo cuentan con una gran variedad ictícola, también ofrecen a sus pobladores una extraordinaria variedad de esponjas, ostras, corales y crustáceos.

Usos del suelo

Tierras arables
489.070 km²

Tierras de cultivos permanentes
1.940 km²

Tierras de pastos permanentes
4.524.800 km²

Tierras de bosques y maderas
1.168.000 km²

Otras tierras
1.702.190 km²

Recursos del subsuelo

Australia
hulla, petróleo, plomo, oro, gas natural, zinc, uranio, níquel, cromo, bauxita, plata, estaño, hierro, tungsteno, minerales no metálicos

Papúa-Nueva Guinea, Nueva Zelanda, Nueva Caledonia
oro, plomo, cinc, uranio, níquel, cromo

Nauru
fosfatos

Vanuatu
cobre

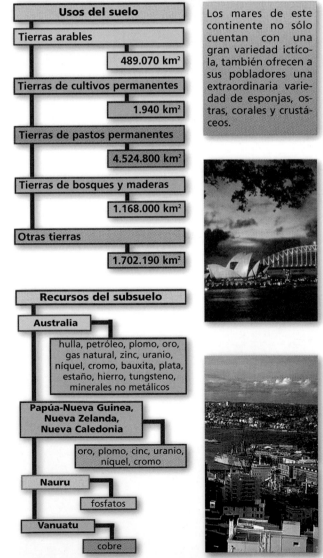

OCEANÍA, SUS ESTADOS INDEPENDIENTES

NOMBRE	CAPITAL	SUPERFICIE	POBLACIÓN	DENSIDAD hab/km²	GOBIERNO
AUSTRALIA	Canberra	7.682.300 km²	18.520.000 hab.	2	República
FIDJI	Suva	18.274 km²	796.000 hab.	44	República
KIRIBATI	Bairiki	728 km²	81.000 hab.	111	República
MARSHALL	Uliga	180 km²	60.000 hab.	333	República
MICRONESIA	Kolonia	700 km²	114.000 hab.	163	Estado federal
NAURU	Yaren	24 km²	11.000 hab.	458	República
NUEVA ZELANDA	Wellington	268.676 km²	3.796.000 hab.	13	República
PALAU	Koror	490 km²	19.000 hab.	39	República
PAPÚA-NUEVA GUINEA	Port Moresby	461.691 km²	4.600.000 hab.	10	República
SALOMÓN	Honiara	28.446 km²	417.000 hab.	15	República
SAMOA	Apia	2.842 km²	174.000 hab.	61	República
TONGA	Nuku'Alofa	699 km²	98.000 hab.	140	República
TUVALU	Funafuti	158 km²	11.000 hab.	70	República
VANUATU	Port-Vila	12.189 km²	182.000 hab.	15	República
TOTAL	—	8.477.397 km²	28.879.000 hab.	3	—

OCEANÍA, SUS DEPENDENCIAS

NOMBRE	CAPITAL	SUPERFICIE	POBLACIÓN	DENSIDAD hab/km²
NORFOLK	Kingston	35 km²	2.367 hab.	68
MACQUARIE	—	120 km²	—	—
CHRISTMAS	Flying Fish Cove	135 km²	2.000 hab.	15
O. AUSTRALIANA	—	290 km²	4.367 hab.	15
COOK Y DEP.	Avarúa	236 km²	20.000 hab.	85
NIVE	Alofi	259 km²	2.500 hab.	10
TOKELAU	—	10 km²	1.700 hab.	170
O. NEOZELANDESA	—	505 km²	24.200 hab.	48
PITCAIRN Y DEP.	Adamstown	37 km²	60 hab.	2
O. BRITÁNICA	—	37 km²	60 hab.	2
N. CALEDONIA	Numea	19.080 km²	210.000 hab.	11
WALLIS Y FUTUNA	Mata Utu	265 km²	14.000 hab.	53
POLINESIA FR.	Papeete	4.000 km²	217.000 hab.	54
CLIPPERTON	—	2 km²	—	—
O. FRANCESA	—	23.347 km²	441.000 hab.	19
GUAM	Agaña	541 km²	133.000 hab.	246
HAWAI	Honolulu	16.759 km²	1.108.000 hab.	66
MIDWAY	—	5 km²	2.000 hab.	400
SAMOA NORT.	Pago Pago	200 km²	60.000 hab.	300
WAKE-OT. ISLAS	—	20 km²	1.600 hab.	80
MARIANAS SEPT.	Saipan	404 km²	60.000 hab.	149
CANAS O. NORTEAMERICANAS	—	17.929 km²	1.364.600 hab.	76
IRIAN OCC.	Yayapura	421.981 km²	1.641.000 hab.	4
O. INDONESIA	—	421.981 km²	1.641.000 hab.	4
I. PASCUA Y DEP.	Hanga Roa	180 km²	2.000 hab.	11
O. CHILENA	—	180 km²	2.000 hab.	11
TOT. DEP.	—	464.269 km²	3.477.227 hab.	7
TOTAL OCEANÍA	—	8.941.666 km²	32.356.227 hab.	4

En Oceanía subsisten numerosos territorios (islas y archipiélagos) que dependen de otros, ubicados a veces en un continente distinto. Desde un punto de vista político, estas situaciones de dependencia son variadas según los casos ("territorio no incorporado", "Estado libre asociado", "territorio en administración fiduciaria", "territorio de ultramar", entre otros).

EL POLO NORTE Y EL POLO SUR

La monotonía del paisaje, tanto ártico como antártico, dificulta la vida en estas regiones donde el hielo es el marco infinito.

Extensión y límites del polo Norte

En la región polar ártica se encuentra el 10 % del agua dulce del planeta.

El Ártico es un conjunto de tierras situadas al norte de Asia, Europa y América.

El océano Glaciar Ártico se comunica con el océano Atlántico a través del estrecho de Davis y el canal de Dinamarca; con el océano Pacífico lo enlaza el estrecho de Bering.

Las tierras polares árticas comprenden sectores del océano Ártico siempre cubiertos por hielo, que ofrecen un modesto desarrollo de la flora marina debido a la falta de luz.

La población de la región ártica

Los lapones constituyen el pueblo originario y actualmente se encuentran en vías de extinción; así como los esquimales en Groenlandia, a pesar de las medidas de protección de los gobiernos de Canadá y Dinamarca.

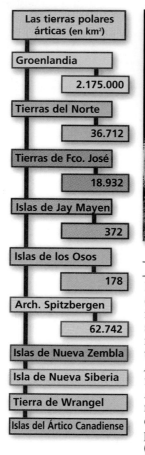

Las tierras polares árticas (en km²)
Groenlandia
2.175.000
Tierras del Norte
36.712
Tierras de Fco. José
18.932
Islas de Jay Mayen
372
Islas de los Osos
178
Arch. Spitzbergen
62.742
Islas de Nueva Zembla
Isla de Nueva Siberia
Tierra de Wrangel
Islas del Ártico Canadiense

La región ártica es en gran parte un mar cubierto de hielos permanentes. El norteamericano Peary fue el primero en llegar al polo Norte, en 1909. Cincuenta años después, algunos submarinos norteamericanos llegaron allí pasando debajo de los hielos.

La Antártida

Es el continente que ocupa el extremo del planeta. Sus tierras, hielos permanentes e islas se extienden hasta aproximadamente los 60° de latitud S, límite establecido por el *Tratado Antártico* al fijar su área de influencia. La superficie de la Antártida es de aproximadamente 14.000.000 km²; incluye el manto de hielo, las barreras periféricas y los oasis interiores (rocas aflorantes).

La existencia de la Antártida se relaciona con la placa antártica, que alcanzó su localización actual durante la era Cenozoica.

El relieve antártico

El sector oriental está conformado por un antiguo escudo de

la edad precámbrica. Su aspecto es el de una meseta cuya altura alcanza los 3.000 m. Se destaca la *cadena montañosa trasantártica* que presenta signos de vulcanismo activo (volcán Erebus). *La Antártida occidental* es una zona de plegamientos jóvenes, continuación de los encadenamientos terciarios que recorren América del Sur, vinculada a ésta por medio de una guirnalda insular (las Antillas australes). El océano Antártico rodea el continente y posee características físicas y biológicas diferentes de las del resto de las masas oceánicas: baja temperatura, baja salinidad, flora y fauna propias. Su límite N es la llamada *convergencia antártica*, representada por una línea sinuosa que une los puntos en que las frías masas de agua polar desaparecen debajo de otra más cálida procedente del N. El hielo antártico se presenta de tres formas diferentes: *el manto de hielo, las barreras de hielo y la banquisa.*

El manto de hielo es una enorme masa dinámica de hielo que está apoyada en el basamento geológico, con un espesor promedio de 2.400 metros.

Las barreras de hielo son prolongaciones permanentes del manto. Se apoyan en las aguas oceánicas, y en conjunto se estima que poseen una superficie de 1.500.000 kilómetros cuadrados.

La banquisa es la capa superior de las aguas oceánicas, que aumenta las condiciones de continentalidad climática.

Un clima helado

El tipo climático correspondiente es el **frío polar**, que se caracteriza por temperaturas extremadamente bajas y un particular régimen de vientos. Las **precipitaciones** se producen en forma sólida, salvo en la península antártica, donde ocasionalmente llueve.

Una zona de bajas presiones rodea en forma de anillos al continente; en el interior se origina un centro de alta presión que emite vientos muy fríos, llamados *"blizzards"*, que descienden hacia las costas.

El bioma antártico

En la Antártida es posible diferenciar **dos biomas**: el **terrestre** y el **marino**.

En el bioma terrestre la vegetación está reducida a algunos *líquenes*, *musgos* y *algas* que se desarrollan sólo en rocas cercanas a nidos de aves, ya que los excrementos de éstas proveen los minerales necesarios para que la vegetación sobreviva en ese medio.

El **bioma marino** es excepcionalmente rico en número de individuos, aunque son pocas las especies que lo integran. Entre las aves se destacan los *albatros*, *petreles*, *cormoranes* y *pingüinos*, que se alimentan de peces, calamares y restos de otros animales.

La monotonía del paisaje antártico sólo se quiebra con la presencia del hombre. Éste, para desplazarse entre los mares de hielo, se vale de poderosas embarcaciones: los rompehielos.

Las bajas termperaturas, el viento y las ventiscas continuas caracterizan el glacial clima que domina al continente antártico.

ZONAS DE PERTENENCIA EN EL TERRITORIO ANTÁRTICO		
TERRITORIO	**MERIDIANOS**	**PARALELO**
ARGENTINO	74° O – 25° O	60° S
BRITÁNICO	80° O – 20° O	60° S
NORUEGO	20° O – 45° E	60° S
AUSTRALIANO	45° E – 136° E	60° S
FRANCÉS	136° E – 142° E	60° S
NEOZELANDÉS	150° O – 160° E	60° S
ESTADOUNIDENSE	150° O – 90° O	60° S
CHILENO	90° O – 53° O	60° S

Los *pingüinos* viven en las colonias que se forman en verano en sus costas.

Entre los mamíferos se encuentran las *focas*, los *leopardos* y los *leones marinos* Cabe destacar, también, la presencia de *cetáceos*.

BASES INTERNACIONALES EN LA ANTÁRTIDA

Alemania	George Von Neumayer.
Argentina	Belgrano II, Esperanza, Marambio, Orcadas, San Martín.
Australia	Casey, Davis y Mawson.
Brasil	Comandante Ferraz.
Corea del Sur	King Sejong.
Chile	Arturo Prat, Bernardo O'Higgins y Rodolfo Marsh.
China	Gran Muralla.
España	Juan Carlos I.
Estados Unidos	Amundsen-Scott (polo Sur), McMurdo, Pamer y Siple.
Ecuador	R. de Ecuador.
Francia	Dumont d'Urville.
India	Dakshin Gangotri.
Japón	Mizuho y Showa.
Nueva Zelanda	Scott.
Perú	Machu Picchu.
Polonia	Arctowski.
ex-URSS	Bellingshausen, Leningrádskaia, Mirny, Molodiojnaia, Novolazáruskaia, Russkaia, Vostok.
Reino Unido	Faraday, Halley, Rothera y Signy.
Sudáfrica	Sane.
Uruguay	Artigas.

Países como Bélgica, Finlandia, Italia y Suecia tienen estaciones no permanentes.

El Tratado Antártico

Durante siglos, la "terra Australis" ha servido de imán para exploradores de muchos países. Su objetivo ha sido principalmente personal y a veces económico. La Antártida permaneció como tierra de nadie durante mucho tiempo, pero desde principios de este siglo se dieron a conocer reclamos territoriales por parte de varios países: Reino Unido, Nueva Zelanda, Francia, Noruega, Australia, Chile y Argentina. Entre tanto, los hombres de ciencia del mundo entero han considerado la Antártida como laboratorio científico en el que se pueden examinar elementos geofísicos del planeta. Estas actividades dieron origen a la declaración del año Geofísico Internacional, en 1957-1958. Resultado político de estas investigaciones fue la firma del Tratado Antártico, en Washington, el 1 de diciembre de 1959, suscrito inicialmente por doce países.

En su artículo primero establece que en la Antártida sólo se llevarán a cabo actividades pacíficas, lo que supone la creación de la primera zona desmilitarizada del planeta. En este sentido, el artículo quinto veta cualquier práctica nuclear.

A través del segundo artículo se enuncia que queda abierto el ingreso a todo Estado que tenga interés en participar en las actividades científicas. El tratado respeta los reclamos de soberanía y defiende el derecho, de los demás países miembros a no reconocer dichos reclamos, prohibiendo además nuevas reivindicaciones.

En la actualidad, cualquier nación puede adherir al Tratado como miembro no consultivo y participar de las reuniones sin derecho al voto. Para convertirse en miembro de pleno derecho debe demostrar que ha realizado investigaciones científicas o instalar una base permanente. En Wellington, Nueva Zelanda, se acordó la explotación comercial y minera de las costas circundantes bajo un estrecho control, pero esta decisión fue declarada nula en octubre de 1991, a través de una firma de un Protocolo al Tratado Antártico.

Historia Universal

El surgimiento de las sociedades y su desarrollo, a partir de testimonios y huellas materiales.

GRANDES PERÍODOS HISTÓRICOS

Para comprender el pasado de la humanidad, los historiadores han efectuado una división didáctica de éste.

La Prehistoria

En las escuelas históricas tradicionales, se dice que forman parte de la Prehistoria todos aquellos pueblos que no dominen o desconozcan la escritura. Las teorías actuales dicen que forman la Prehistoria todos los pueblos que no han logrado una organización política, económica y social estratificada.

La Protohistoria

Es el período de transición entre la Prehistoria y la Historia. Implica un cierto desarrollo político, económico y social. Aunque no se llegue al dominio de la escritura, tal como la conocemos hoy, aparecen los primeros sistemas. No se puede decir cuándo exactamente un pueblo deja este estadio y se transforma en histórico.

La Historia

Desde un enfoque tradicional, pertenecen a este período todos los pueblos que dominen la escritura.

En un enfoque actual, se incluye a todo pueblo que tenga una estructura política, administrativa, económica y social estratificada, constituyendo un Estado. Es decir, una determinada población, organizada en un determinado territorio que domina y explota.

Las primeras culturas organizadas así son las de la llamada **medialuna de las tierras fértiles** o culturas mesopotámicas.

La Historia, al igual que la Prehistoria, se divide en *edades*. De esta forma podemos ver cuáles fueron los sucesos más importantes de cada período.

Excavaciones arqueológicas en Kasi (India), la antiquísima ciudad que dio origen a la ciudad santa de Benarés, a orillas del Ganges.

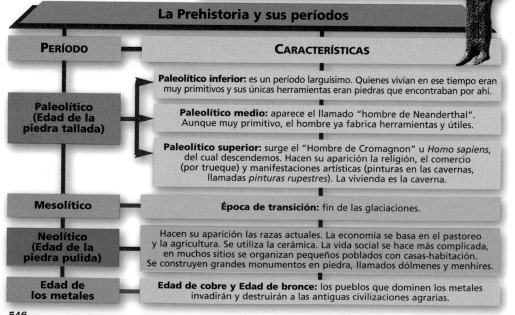

La Prehistoria y sus períodos

PERÍODO	CARACTERÍSTICAS
Paleolítico (Edad de la piedra tallada)	**Paleolítico inferior:** es un período larguísimo. Quienes vivían en ese tiempo eran muy primitivos y sus únicas herramientas eran piedras que encontraban por ahí.
	Paleolítico medio: aparece el llamado "hombre de Neanderthal". Aunque muy primitivo, el hombre ya fabrica herramientas y útiles.
	Paleolítico superior: surge el "Hombre de Cromagnon" u *Homo sapiens*, del cual descendemos. Hacen su aparición la religión, el comercio (por trueque) y manifestaciones artísticas (pinturas en las cavernas, llamadas *pinturas rupestres*). La vivienda es la caverna.
Mesolítico	**Época de transición:** fin de las glaciaciones.
Neolítico (Edad de la piedra pulida)	Hacen su aparición las razas actuales. La economía se basa en el pastoreo y la agricultura. Se utiliza la cerámica. La vida social se hace más complicada, en muchos sitios se organizan pequeños poblados con casas-habitación. Se construyen grandes monumentos en piedra, llamados dólmenes y menhires.
Edad de los metales	**Edad de cobre y Edad de bronce:** los pueblos que dominen los metales invadirán y destruirán a las antiguas civilizaciones agrarias.

Las cuatro edades de la historia

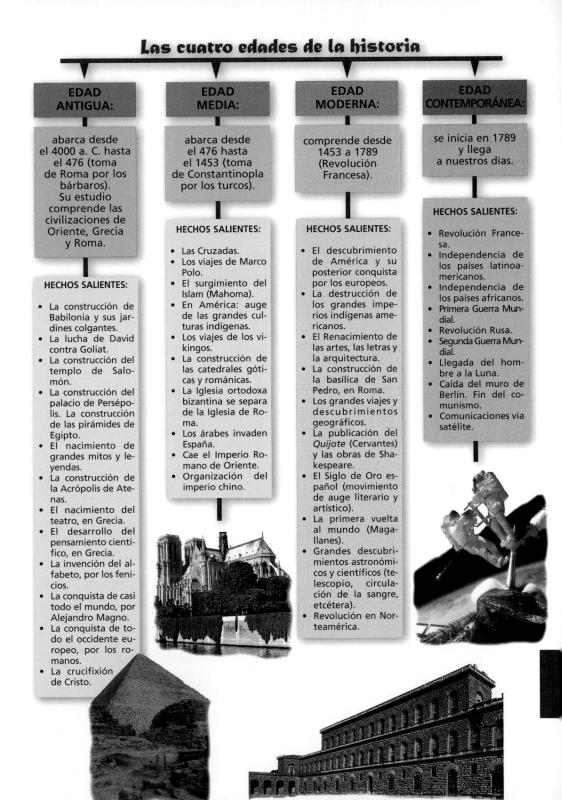

EDAD ANTIGUA:

abarca desde el 4000 a. C. hasta el 476 (toma de Roma por los bárbaros). Su estudio comprende las civilizaciones de Oriente, Grecia y Roma.

HECHOS SALIENTES:

- La construcción de Babilonia y sus jardines colgantes.
- La lucha de David contra Goliat.
- La construcción del templo de Salomón.
- La construcción del palacio de Persépolis. La construcción de las pirámides de Egipto.
- El nacimiento de grandes mitos y leyendas.
- La construcción de la Acrópolis de Atenas.
- El nacimiento del teatro, en Grecia.
- El desarrollo del pensamiento científico, en Grecia.
- La invención del alfabeto, por los fenicios.
- La conquista de casi todo el mundo, por Alejandro Magno.
- La conquista de todo el occidente europeo, por los romanos.
- La crucifixión de Cristo.

EDAD MEDIA:

abarca desde el 476 hasta el 1453 (toma de Constantinopla por los turcos).

HECHOS SALIENTES:

- Las Cruzadas.
- Los viajes de Marco Polo.
- El surgimiento del Islam (Mahoma).
- En América: auge de las grandes culturas indígenas.
- Los viajes de los vikingos.
- La construcción de las catedrales góticas y románicas.
- La Iglesia ortodoxa bizantina se separa de la Iglesia de Roma.
- Los árabes invaden España.
- Cae el Imperio Romano de Oriente.
- Organización del imperio chino.

EDAD MODERNA:

comprende desde 1453 a 1789 (Revolución Francesa).

HECHOS SALIENTES:

- El descubrimiento de América y su posterior conquista por los europeos.
- La destrucción de los grandes imperios indígenas americanos.
- El Renacimiento de las artes, las letras y la arquitectura.
- La construcción de la basílica de San Pedro, en Roma.
- Los grandes viajes y descubrimientos geográficos.
- La publicación del *Quijote* (Cervantes) y las obras de Shakespeare.
- El Siglo de Oro español (movimiento de auge literario y artístico).
- La primera vuelta al mundo (Magallanes).
- Grandes descubrimientos astronómicos y científicos (telescopio, circulación de la sangre, etcétera).
- Revolución en Norteamérica.

EDAD CONTEMPORÁNEA:

se inicia en 1789 y llega a nuestros días.

HECHOS SALIENTES:

- Revolución Francesa.
- Independencia de los países latinoamericanos.
- Independencia de los países africanos.
- Primera Guerra Mundial.
- Revolución Rusa.
- Segunda Guerra Mundial.
- Llegada del hombre a la Luna.
- Caída del muro de Berlín. Fin del comunismo.
- Comunicaciones vía satélite.

COLABORADORES DE LA HISTORIA

La tarea del historiador

La Historia es la ciencia social que se encarga de reconstruir el pasado de la humanidad. Esa tarea la realiza el historiador, valiéndose de la documentación y de las huellas que dejan las sociedades del pasado, que son las fuentes históricas. Para analizar esos testimonios, con el historiador colaboran antropólogos, paleontólogos, geógrafos, lingüistas y geólogos.

El tiempo en la historia

La historia necesita situar los hechos en el tiempo. Gracias a la cronología, se ubican los sucesos en el tiempo. Para esto, necesitamos un ca-

Detectives del pasado

Para poder reconstruir el pasado prehistórico, los historiadores recurren a cualquier vestigio o testimonio dejado por estos pueblos, especialmente instrumentos, herramientas, armas o bien las famosas pinturas rupestres. El investigador actual trabaja en estrecha vinculación con los arqueólogos, que son quienes reconocen e investigan todos los testimonios humanos del pasado.

También es asistido por la paleobiología, que estudia, a través de restos de semillas (o de alimentos que se encuentran fosilizados en las piezas dentales), qué tipo de alimentación se consumía. La cibernética colabora eficazmente con los historiadores. Por ejemplo, se ha logrado reconstruir —mediante computadoras— los rasgos, el tamaño y hasta la voz de una joven italiana muerta durante la erupción del Vesubio, en el siglo I.

Los japoneses lograron, en 1992, reconstruir exactamente el rostro de un fenicio muerto en el año 1000 a. C. Un hallazgo sensacional —en los Alpes austríacos— lo constituyó, en 1991, el cuerpo petrificado de un joven cazador del paleolítico superior, que conservaba intactas una bolsita con semillas para su alimentación, armas y zapatos completos; lo cual obligó a cambiar muchas teorías científicas. Y esto es importante: la historia es una ciencia y, como tal, perfectible. ¿Qué quiere decir esto? Que lo que hoy es admitido como verdad, mañana —con pruebas— puede ser desmentido.

lendario. Cada civilización elabora uno, de acuerdo con los sucesos que considere más importantes, o un acontecimiento que sirva de punto de referencia para ordenar los demás acontecimientos. Por ejemplo: la historia comienza con la aparición de la escritura. Sin embargo, para la civilización occidental, el nacimiento de Cristo es la fecha desde la que se empieza a datar. De esta manera, en la historia vamos a encontrar fechas antes de Cristo (a. C.) y después de Cristo (d. C.). El calendario musulmán tiene su punto de partida en la huida del profeta Mahoma de la ciudad de La Meca a la de Medina. Dicho acontecimiento ocurre en el año 622 d. C. Lo mismo con el calendario judío, que comienza a contar el tiempo 3.760 años antes del nacimiento de Cristo, fecha en que, según la tradición judía, fue creado el mundo.

Fuentes de la historia

Escritas

- Relatos de cronistas y viajeros
- Memorias
- Obras literarias
- Leyes y tratados
- Periódicos de la época

No escritas

- Monumentos
- Monedas
- Escudos
- Fotografías
- Pinturas
- Edificios
- Música
- Objetos antiguos

¿DÓNDE SURGE EL HOMBRE?

Pero... ¿quiénes eran los homínidos?

Durante mucho tiempo, habitaron la Tierra los **primates**, *mamíferos plantígrados pentadáctilos* (tienen cinco dedos en las manos y en los pies), que poseen un cerebro desarrollado.
Los primates evolucionaron en distintas ramas; de éstas se desprenden los grandes simios y los homínidos. De estos últimos, después de un largo período de evolución, surgió el hombre actual.

¿Qué es la hominización?

Este proceso se inició en África, hace casi cuatro millones de años.
Debido a los cambios climáticos que se produjeron en la región, los homínidos se vieron obligados a abandonar su hábitat natural, la *copa de los árboles*, para establecerse primero en el suelo de los bosques, y después en la sabana. Este cambio de medio los llevó a adoptar la **posición erguida** y **la marcha bípeda** (caminar en dos pies).
Ya con las manos libres, pudieron tomar palos y huesos para defenderse y también recoger sus alimentos. Posteriormente, conocieron el fuego; pudieron así cocinar sus alimentos y ya no necesitaron tener dientes tan filosos y agresivos: su dentadura fue perdiendo peso. Entonces, la mandíbula comenzó a retroceder y el cráneo tuvo espacio para desarrollarse. Esto favoreció el aumento del tamaño del cerebro.

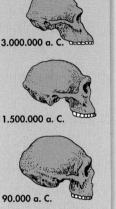

3.000.000 a. C.

1.500.000 a. C.

90.000 a. C.

35.000 a. C.

Las huellas más antiguas de la presencia humana se encuentran en el *continente africano*, en la zona del *lago Victoria* y *Tanzania*. De allí, los hombres se dispersaron por *Asia* y *Europa*.

Teoría de Darwin

Hacia mediados del siglo XIX, el naturalista británico *Charles Darwin*, a partir de estudios realizados en América del Sur y las islas del Pacífico, enunció su *teoría de la evolución*. El eje de la misma está dado por el concepto de *selección natural*, es decir, la supervivencia de los mejor adaptados al medio.

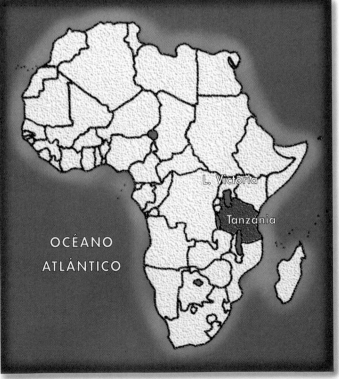

L. Victoria

Tanzania

OCÉANO ATLÁNTICO

LA PREHISTORIA

Hace millones de años, nuestro paneta tenía un aspecto muy diferente del actual. En ese mundo lleno de riesgos y dificultades, una especie parecida a la de los monos comenzaba a humanizarse.

En el comienzo de la Prehistoria

La Prehistoria comienza hace aproximadamente cuatro millones de años a. C. En aquella época vivieron los primeros homínidos, una especie similar a los hombres, y también hicieron su aparición nuestros antepasados más cercanos.

El hombre, un animal muy particular

Nuestro planeta está poblado por una gran cantidad de especies animales. La humana fue la última gran especie que surgió. A diferencia de las demás, el *hombre* (llamaremos así, con este nombre, a toda la especie humana) creó industrias y economías que posibilitaron el aumento del número de individuos.

Los seres prehistóricos aprendieron a fabricar y usar armas, se organizaron y modificaron el medio que los rodeaba.

La Edad de los Metales se completa con la Edad de Hierro, pero ésta no corresponde a la Prehistoria, sino a la Historia.

División de la Prehistoria según antropólogos e historiadores

PALEOLÍTICO

Paleolítico inferior

Paleolítico medio

Paleolítico superior

MESOLÍTICO

NEOLÍTICO

EDAD DE LOS METALES

Edad de Cobre

Edad de Bronce

Las "herramientas" de los animales

Todas las especies animales tienen su cuerpo adaptado para subsistir en los ambientes en los que viven. Podemos decir esto con otras palabras. El carnero llamado montaraz es apto para sobrevivir en el clima frío de la montaña, por su grueso abrigo de pelo y lana. El hombre puede adaptarse al mismo ambiente montañoso fabricándose abrigos de piel o lana. Con sus patas y su hocico, las liebres pueden excavar madrigueras, procurándose así abrigo contra el frío y refugio contra sus enemigos. Con picos, palas y otros medios mecánicos, el hombre puede construir refugios semejantes, y aun mejores. Los leones tienen garras y dientes, los cuales les aseguran la comida que necesitan. El hombre hace flechas, lanzas y armas de fuego para matar animales con los que se alimenta. Para el hombre, los vestidos, herramientas y armas cumplen la función de las pieles, garras y colmillos.

Flechas y mazas para sobrevivir

Como ya vimos, el hombre fabrica su propio "equipo de supervivencia". Además, debe aprender a usarlo. Un pájaro se encuentra, desde que nace, equipado con plumas, alas, pico y uñas. Tiene que aprender su uso: cómo conservar limpias sus plumas, por ejemplo. Pero esto es muy sencillo y no requerirá mucho tiempo. Muy pronto, el pájaro sabrá utilizar todo su "equipo de supervivencia".

Puntas de flecha bifaces pertenecientes al Paleolítico inferior.

En contraposición a esto, el niño llega al mundo sin esos pertrechos, y éstos no le crecerán. Hasta la herramienta más simple (por ejemplo, una rama de árbol que sirve para alcanzar las frutas más altas de una planta) es el resultado de una larga experiencia.

Casi hombres, los homínidos

Los primeros hombres eran muy diferentes de los actuales. Probablemente parecían monos, con frentes salientes, grandes mandíbulas, poderosos colmillos para desgarrar los alimentos, brazos muy largos y todo el cuerpo cubierto de abundante pelambre.

Los científicos que se encargan de estudiar a los animales (los *zoólogos*) clasifican a estos hombres primitivos como *homínidos* (que quiere decir "criaturas parecidas a los hombres"), o simplemente *"hombres"* (así, entre comillas).

Hace muchos años

La Tierra, hasta adquirir el aspecto que ahora podemos observar, pasó por diferentes etapas de formación, denominadas **Eras Geológicas**. Durante la penúltima de esas etapas, llamada *Pleistoceno* (que culminó hace unos 10.000 años), sucedieron grandes cambios climáticos: los hielos invadieron, desde los polos, la mayor parte de la superficie terrestre por lo

Manifestaciones artísticas y tecnología

Desde el punto de vista artístico, el hombre del Paleolítico superior realiza pinturas rupestres, cuya temática se basa, fundamentalmente, en la imagen de los animales: mamuts, renos, tigres, caballos, cabras, bisontes, etc. Estas representaciones no tenían el sentido de arte tal como lo entendemos hoy. Estaban hechas con **fines mágicos**, una forma de obtener suerte en la caza. Para representarse a sí mismo, dejaba impresas las huellas de sus manos, tal como lo hacen hoy los niños del jardín de infantes. Fabricaba los colores obteniéndolos de la pulverización de piedras y también de algunas semillas. Las esculturas tenían fundamentalmente como tema a las mujeres. Su objeto era asegurar la fecundidad y la supervivencia del grupo.

En cuanto a la tecnología, el hombre de Cromagnon inventó el botón para sostener la ropa, la aguja de coser, el calzado, elementos para proteger las armas, remos, pinceles. Hacia finales del Paleolítico, algunos grupos del actual centro de Europa vivían en casas con varias habitaciones.

menos cuatro veces, y luego —ante el gran aumento de la temperatura— se derritieron. Durante estos cambios climáticos tan bruscos, apareció el *"hombre"*, hace aproximadamente 500.000 años.

El Paleolítico

Al principio, nuestros antepasados la pasaron muy mal; eran, con seguridad, muy pocos, y estaban reunidos en pequeñas bandas.

Cuando llegaba el invierno, tenían muchísimo frío, y la comida era escasa. Se hallaban, además, indefensos frente a las fieras. Cuando comenzaron a fabricar y utilizar herramientas sencillas (pequeñas hachas y raspadores de piedra), su situación mejoró. Esos hombres se tapaban con pieles de animales que cazaban, y se refugiaban en cuevas. Mientras otros animales murieron, el hombre se las ingenió para sobrevivir y evolucionar. Las primeras hachas de piedra que fabricó eran apenas unas piedras quebradas (para darles filo), atadas con tiras de cuero a un palo. Otro gran avance se produjo cuando aprendió a hacer *fuego*, que le sirvió para calentarse, alumbrarse, cocer los alimentos y ahuyentar a las fieras. Asimismo, hablaba cada vez mejor y vivía en grupos cada vez mayores (al ser muchos, podían cazar animales cada vez más grandes).

Venus de Willendorf (2550 a. C.), realizada en piedra caliza, una muestra del arte de la Edad de Piedra. La desproporción que evidencia esta figura femenina tiene estrecha relación con los ritos de la fertilidad.

Toda esta primera parte de la historia de la humanidad la denominamos *Paleolítico*.

La palabra *paleolítico* proviene del griego y quiere decir "piedra antigua" (*paleos*, antiguo, y *litos*, piedra). Duró muchísimos miles de años, nada menos que desde 2200000 años a. C. hasta 10000 años a. C.

El poder de los hielos

El Paleolítico está dividido en tres etapas. Durante éstas se sucedieron cuatro grandes glaciaciones, esto es, momentos en los cuales la superficie de la Tierra estuvo completamente cubierta por los hielos. Fue durante el Paleolítico cuando hicieron su aparición nuestros antepasados.

Veamos qué pasó en cada uno de los tres períodos.

> Los homínidos fueron una especie similar a la humana que pobló la Tierra aproximadamente cuatro millones de años antes de Cristo. Su aspecto se asemejaba al de los monos.

Lascas de cuarcita.

El Paleolítico y sus etapas

Paleolítico inferior: se extendió desde el 2200000 a. C. hasta el 200000 a. C. Se hallaron los restos del llamado **Homo sapiens arcaico**, absolutamente diferente de otros antepasados más cercanos del hombre actual. Entre los hallazgos, se encontraron sencillas herramientas de piedra, talladas muy burdamente. Por eso, al Paleolítico también se lo llama **Edad de la piedra tallada**. Se encontraron, además, lanzas de madera. Cabe destacar que en esta etapa hubo tres grandes glaciaciones que duraron miles de años.

Paleolítico medio: abarca desde el 200000 a. C. hasta el 35000 a. C. Durante esta etapa hace su aparición el primer hombre "moderno", el **Hombre de Neanderthal** (aproximadamente en el 20000 a. C.). Este lejano "pariente", por cierto, tenía diferencias muy notables con el hombre actual, a saber: una caja craneana muy voluminosa, frente escasa y mandíbulas similares a las de los monos. Caminaba bastante encorvado y, fundamentalmente, se dedicaba a cazar y a recolectar frutos. Estos hombres tenían rituales funerarios y enterraban a sus muertos. En este período comenzó la cuarta glaciación, que se extendió hasta finales de la etapa siguiente.

Paleolítico superior: ocupa desde el 35000 a. C. al 10000 a. C. Finalmente, aparece nuestro antepasado más directo, el **Hombre de Cromagnon**.

Entre los restos más significativos de las culturas prehistóricas figuran, sin duda, las pinturas rupestres. La de esta página pertenece a la cueva de Lascaux, ubicada en Europa.

El hombre actual no difiere casi en nada de éste: tanto el cráneo como el resto del cuerpo y la posición enteramente vertical no han variado hasta nuestros días. En esta etapa, se producen las primeras grandes manifestaciones de arte: las pinturas en las cavernas (pinturas rupestres). También tienen lugar inventos importantísimos y paulatinos cambios en las viviendas.

El Mesolítico

Este período prehistórico se extendió desde el 10000 al 8000 a. C. Un acontecimiento fundamental modificó las costumbres: **el fin de las glaciaciones**.

Ésta es una época de transición. La subsistencia está aún ligada a los productos naturales de la tierra, a la caza y a la pesca. Se inicia la domesticación del cerdo y existen ya rebaños de ovejas y cabras.

El Neolítico y la "revolución agraria"

El Neolítico se extiende desde el 8000 a. C. hasta el 3500 a. C. Por entonces, el hombre ya era un experto cazador y recolector de frutos silvestres. Para poder pescar, construía anzuelos de hueso y navegaba en piraguas. La habilidad y creatividad de los hombres, junto con el mejoramiento del clima, les permitieron vivir cada vez más confortablemente. Dejaron de vivir en cavernas y comenzaron a hacerlo en casas que tenían patio, techo a dos aguas, pozo para el agua, corredores con barandas y sistemas de calefacción. El hombre nómada se hace **sedentario**. Aprendió a pulir las piedras (ya sus herramientas tenían filo y punta), dejó de perseguir a los animales y comenzó a criarlos en corrales: se había transformado en **pastor**.

Asimismo, aprendió a **cultivar la tierra**, marcando así el **comienzo de la agricultura**.

En el Medio Oriente (Mesopotamia) se inventan la **escritura** y la **rueda**. En Europa, se construyen templos de piedra denominados **megalitos**, así como también **dólmenes** y **menhires**. Los primeros son construcciones compuestas por un gran bloque de piedra plana, sostenido por otros dos laterales: algo así como una enorme mesa de piedra. Los **menhires**, en cambio, son grandes piedras verticales.

Muela de cereales de la Edad de Bronce.

La Edad de los Metales

Cuando el hombre prehistórico dominó el cultivo y la domesticación de animales, había logrado avanzar notablemente hacia el control del medio que

Los "hombres" más "famosos"

Los antepasados más antiguos del hombre pertenecen al llamado género "Australopithecus" (denominación que se origina en el África austral o Sudáfrica, donde se encontraron sus restos). Nuestros parientes más directos pertenecen al género "Homo": el *Homo habilis*, el *Homo erectus* (llamado así porque adopta la posición vertical al caminar) y el *Homo sapiens*.

A partir del Paleolítico medio, el hombre pudo abatir animales gigantescos como el mamut, gracias a las armas que fabricaba.

Los grupos originarios de Asia, que arribaron a América a través del Estrecho de Bering, tenían ya conocimientos del fuego y empleaban utensilios muy primitivos. Con el correr del tiempo, sus hábitos nómadas se transformaron en un *nomadismo cíclico*, para después adoptar nuevas formas de vida sedentaria.

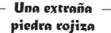

lo rodeaba. Sin embargo, aún no estaba dicha la última palabra (ni siquiera hoy lo está). El paso siguiente fue el dominio de los metales.

Una extraña piedra rojiza

En algunos lugares del planeta, como en el noroeste de África y en el sudoeste de Asia, unos 3.500 años antes del nacimiento de Cristo, los hombres encontraron unas piedras rojizas que eran más aptas para trabajar que las amarillentas (pedernales) que habían utilizado hasta entonces. Nacía así la llamada *Edad de los Metales*, porque esa extraña piedra no era otra cosa que *cobre*.

Nace la metalurgia

Al principio, el cobre se trabajó como si fuera una piedra más. Luego, los hombres descubrieron —quizá por casualidad— que esta piedra, si se calentaba a mucha temperatura, se transformaba en líquido (*se fundía*). Este líquido, al enfriarse, se hacía más duro y resistente, pero también podía trabajarse más fácilmente, podía doblarse y dársele más filo si se lo raspaba con una piedra. El descubrimiento del proceso de fundición no es otra cosa que el comienzo de la *metalurgia*.

Un nuevo descubrimiento: el bronce

El *cobre* fue un gran adelanto. Sin embargo, la industria metalúrgica avanzó a grandes pasos con otro descubrimiento: el *bronce*.

Mil años tardaron algunos pueblos —desde el comienzo de la utilización del cobre— en producir *bronce*. ¿De qué se trataba? De alear dos metales por medio de la fundición, para obtener otro más resistente. Los dos metales aleados fueron el *cobre* y el *estaño*; el resultado, el *bronce*. El hombre ingresaba ya en la *Edad del Bronce* y dejaba atrás la del cobre.

Por último, el hierro

El hombre de la *Edad del Hierro* había dejado atrás a sus antepasados: esos hombres que habían descubierto que la piedra podía ayudarlos a vivir. Habían pasado más de 2.000 años. Después del descubrimiento del *bronce*, el hombre comenzó

a usar el *hierro*. Este hecho se produjo durante los **tiempos históricos**, hacia el 1500 a. C. aproximadamente.

La prehistoria en América

El poblamiento de América se produjo hace aproximadamente 40.000 ó 30.000 años. Los primeros habitantes no fueron autóctonos (no surgieron en el continente); llegaron desde Asia durante la última glaciación, cuando el frío intenso hizo bajar el nivel de las aguas de todo el planeta, dejando al descubierto grandes extensiones de tierra.

De esta forma, el **Estrecho de Bering** fue un puente que unió *Siberia* (en el noreste de Asia) y *Alaska* (en el noroeste de América).

Por él ingresaron varios **grupos de cazadores-recolectores**. En los primeros tiempos, las bandas de cazadores nómadas fueron ocupando *Alaska* y *Canadá*; luego avanzaron lentamente hacia el sur del continente.

Las costas del sur, sobre el Océano Pacífico, también recibieron oleadas de hombres, aunque no fueron masivas.

El hombre prehistórico y el amanecer de la historia de América

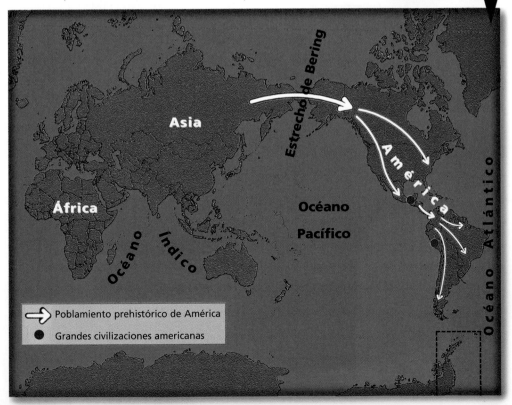

Asia

África

Océano Índico

Océano Pacífico

Estrecho de Bering

América

Océano Atlántico

⇨ Poblamiento prehistórico de América

● Grandes civilizaciones americanas

LA EDAD ANTIGUA

La Edad Antigua se extiende desde la aparición de la escritura (3500 a. C.) hasta la caída de Roma en poder de los bárbaros (476 d. C.).

─La escritura es el cambio─

Cuando el hombre prehistórico comenzó a cultivar, pensó que había llegado a la cúspide del desarrollo. Sin embargo, no era así. Con el progreso del cultivo, con la construcción de canales de riego, los hombres se fueron reuniendo en poblados cada vez más grandes. Aumentaban la población y las cosechas. La sociedad se fue haciendo cada vez más compleja: ya cada campesino no cultivaba para sí y su familia, sino para toda la comunidad. La **escritura** fue la forma en que se empezó a **contabilizar** la cantidad de granos.

── Primeros Estados agrícolas

Hace unos siete mil años, alrededor de los valles de los ríos Nilo (en África), y Tigris, Éufrates, Indo y Ganges (en Asia), se asentaron sociedades que aprovecharon esos cursos de agua, las lluvias y los sedimentos fértiles depositados por los ríos, para la agricultura.

En un paso posterior, construyeron sistemas de riego y de contención de inundaciones. Como consecuencia, aumentaron las cosechas y pudieron almacenar el excedente e intercambiarlo por otros productos. Las aldeas se transformaron en ciudades que tuvieron gobierno propio. En ellas se levantaron monumentos y murallas. Fue surgiendo entonces la división social del trabajo y una sociedad más compleja: los *agricultores*, los *obreros constructores*, los *funcionarios* que administraban lo producido, los *artesanos*, los *sacerdotes* y los *gobernantes*.

De este modo, entre el 4000 y el 3500 a. C. surgieron los primeros Estados en cuatro regiones del mundo: *Egipto* (en África), y la *Mesopotamia*, *Palestina* y los *valles del Indo y del Ganges* (en Asia). La necesidad de asentar lo producido hizo que comenzaran a utilizar un sistema de anotación. Nació entonces la escritura, de suma importancia para la afirmación de estas sociedades.

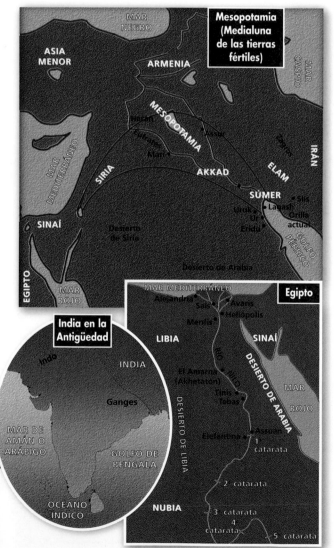

Mesopotamia (Medialuna de las tierras fértiles)

India en la Antigüedad

Egipto

LAS CULTURAS MESOPOTÁMICAS

En el extremo occidental de Asia, se agrupó un conjunto de naciones conocido con el nombre de civilizaciones del Cercano Oriente, que en la época de los griegos fue denominado *Mesopotamia*.

Una zona codiciada

A partir del V milenio antes de Cristo, se desarrollaron en la Mesopotamia asiática un conjunto de culturas que corroboran que la civilización humana, entendida en un sentido actual del término, comenzó en ese lugar.

Los historiadores griegos denominaron a la zona *Mesopotamia*, que quiere decir "entre ríos", en este caso, el Tigris y el Éufrates, que en aquella época, con sus crecidas anuales y mediante sistemas de regadío, fertilizaban tan extraordinario lugar.

El intendente Ebih-II, escultura sumeria proveniente de las excavaciones de Mari. Se encuentra en el Museo del Louvre.

Al sur, Babilonia

Babilonia, ubicada en el sur de la región, era una llanura cálida, húmeda, exuberante. La tierra, arcillosa y fértil, producía cada año abundantes cosechas de cereales. Las legumbres crecían a la sombra de las palmeras. Muchas aves y peces vivían en los pantanos. Próximas a las llanuras, rondaban las bestias salvajes: leones, leopardos, jabalíes.

Al norte, Asiria

Asiria, ubicada en el norte de la región, era una llanura alta y accidentada, áspera y muy difícil.

Aunque más pobre, tenía algunas materias primas que faltaban en Babilonia: bosques con maderas para la construcción, minerales y piedras.

MESOPOTAMIA

En el sur: Baja

BABILONIA

País de Akkad (norte)

País de Súmer (sur)

Tierras arcillosas y fértiles. Abundantes cosechas.

En el norte: Alta

ASIRIA

Llanura accidentada, rica en bosques, minerales y piedras prciosas.

El centro del mundo

La Mesopotamia fue, durante mucho tiempo, el centro del mundo antiguo (el que se desarrolló alrededor del mar Mediterráneo), el único paso importante entre el golfo Pérsico y el Mediterráneo. Las ricas llanuras del Tigris y del Éufrates siempre estuvieron expuestas a las invasiones de los nómadas del desierto y al ataque brutal de los montañeses. La historia de la Mesopotamia es una sucesión de guerras, de invasiones y de dominaciones que no duraron mucho tiempo.

De los elamitas a los sumerios

Los **elamitas**, provenientes del centro de Asia, ocuparon el área mesopotámica.

Hacia el 4000 a. C., los elamitas fueron absorbidos por los **sumerios**, pueblo originario del **Cáucaso**, en las riberas del **mar Caspio**.

Tras una larga peregrinación, los sumerios se establecieron en el sur mesopotámico y dieron a la región el nombre de **Súmer**.

Estaban gobernados por un rey-sacerdote. Administrativamente, se organizaron en una

Bajorrelieves hititas
en Yazilikaya,
Anatolia (Turquía).

federación de ciudades-Estado (cada ciudad funcionaba como un país independiente), que habitualmente guerreaban entre sí. Entre ellas se destacan **Ur**, **Uruk** y **Lagash**.

En materia tecnológica, el pueblo sumerio fue realmente adelantado: construyó canales y diques para regular el riego; introdujo la agricultura en la región; creó el sistema de numeración sexagesimal.

Además, dividió el día en horas, minutos y segundos; inventó los signos del zodíaco y la escritura, llamada **cuneiforme**, precursora del actual alfabeto.

Bajo el gobierno de **Ur-Namu**, los sumerios crearon el primer código legal del mundo (2100 a. C.).

El poderío semita: acadios y amorreos

Hacia 2300 a. C., **acadios** y **amorreos**, pueblos de origen **semita**, invadieron la región mesopotámica y derrotaron a los sumerios. Los acadios se establecieron en **Akkad** o **Agadé**. Su monarca, **Sargón**, dominó rápidamente a los sumerios.

Los amorreos, por su parte, fundaron **Babilonia**, a orillas del Éufrates, como capital de sus dominios. El más famoso de sus reyes fue **Hammurabi**, quien logró unificar todo el país de Súmer. A él se debe el célebre **Código de Hammurabi**, el segundo cuerpo legal en todo el mundo (siglo XVIII a. C.).

LA MESOPOTAMIA ASIÁTICA

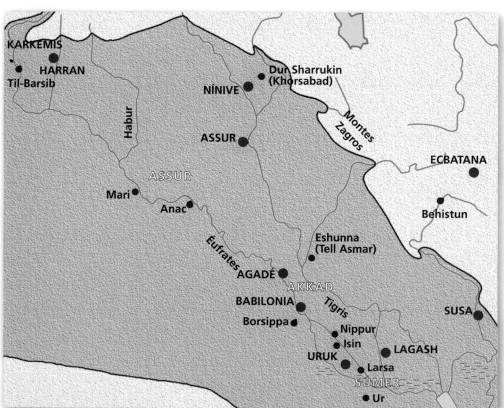

La época de las invasiones

Hacia el siglo XVII a. C., tras la muerte de Hammurabi, un grupo de tribus guerreras originarias del Cáucaso terminó con el poderío semita en la Mesopotamia.

Los **hititas** fueron el primer grupo invasor. Éstos hallaron un imperio desordenado y en medio de disputas entre los poderes locales y la autoridad central. Estos hechos permitieron a los hititas atacar la capital imperial y dominar el país rápidamente.

Más tarde, arribaron a la región los **mitanios**, que se instalaron en el sector norte y se fusionaron con los pueblos semitas.

En último término llegaron los brutales **kasitas**, que dominaron el país durante seiscientos años. Este pueblo se impuso a los otros por tres factores fundamentales:

• las armas que empleaban eran de hierro, poderosísimas frente al bronce usado por los semitas;

• incorporaron al campo de batalla el carro de guerra tirado por caballos;

• reemplazaron el buey por el caballo en las tareas agrícolas.

Los asirios, nuevo poder semita

Dispuestos a sofocar los desórdenes que por entonces se producían en Babilonia, en manos de los kasitas, y decididos a intervenir activamente en el gobierno del país, los **asirios** (mezcla de *semitas*, *mitanios* y *kurdos*) no sólo se sublevaron sino que en poco tiempo se adueñaron del país. ¿Sus secretos? Una eficaz organización militar que incluía poderosos carros de guerra, sofisticadas máquinas para sitiar ciudades y una brutalidad sin límites.

El mayor período de gloria del imperio asirio se desarrolló durante el siglo VIII a. C., con la fundación por parte de **Tiglatpileser III** de una nueva dinastía de reyes, y el traslado de la capital a **Nínive**, a orillas del Tigris. El poder del imperio asirio estaba firmemente asentado en la fuerza de un ejército profesional muy bien adiestrado.

Los sucesores de Tiglatpileser, **Sargón II**, **Asurbanipal** (**Sardanápalo**, para los griegos) y **Salmasar**, se esforzaron por extender sus dominios. Llegaron a ocupar desde el golfo Pérsico al mar Caspio y del Mediterráneo a Irán. El de los asirios fue probablemente el más centralista y severo de los sistemas de gobierno hasta entonces conocidos en la Mesopotamia.

Fue precisamente esta característica la que motivó su caída a manos de los **caldeos** y los **medos**.

El Código de Hammurabi

El *Código de Hammurabi* está grabado en escritura *cuneiforme* sobre un pilar de piedra de casi 2,40 m de altura. Consta de 3.600 líneas y el relieve esculpido en la parte superior representa a Hammurabi, a la izquierda, recibiendo los símbolos de justicia de manos del *Dios-Sol de Babilonia*.

Las leyes de Hammurabi constituyen el código completo más antiguo que se conserva. Aunque la mayoría de ellas se basan en el principio de *"ojo por ojo y diente por diente"*, representaron un genuino intento por establecer un sistema de justicia que todos podían reconocer y comprender.

El pilar, que data del siglo XVIII a. C., fue descubierto en 1901 en *Susa, Persia*, a donde fue conducido por los elamitas como trofeo de guerra en el siglo XII a. C. Actualmente, se encuentra en el *Museo del Louvre, París*.

Gobierno y religión en la Mesopotamia asiática

Los monarcas eran reyes-sacerdotes y ejercían el poder de manera absoluta.

Los magistrados eran la autoridad más importante para los sumerios. Para los caldeos, eran los sacerdotes; y, para los asirios, los militares.

Eran politeístas. Entre sus dioses, se contaban el Sol, la Luna, las estrellas y numerosos "genios" o monstruos.

Fueron los creadores de la astrología: adivinaban el futuro de las personas mediante el movimiento de los astros.

Estela de Hammurabi, monumento capital de la primera dinastía babilónica. Está realizada en basalto y se remonta al siglo XVIII a. C.

Estandarte
de Ur (detalle).

"Huellas de pájaros en la arena mojada"

La forma más común de escritura en el mundo antiguo era la *cuneiforme* (en forma de cuña). Pese a que era el sistema de escritura empleado por los *sumerios, hititas, babilonios, asirios* y *persas*, había caído en desuso en el período clásico grecorromano. Redescubierto en la época moderna, fue descifrado en el siglo XIX.

Alguien ha descripto la escritura cuneiforme como *"huellas de pájaros en la arena mojada"*. Estos signos se inscribían con un estilo en forma de cuña que probablemente era de metal, o con un trozo de junco que terminaba en una forma cuadrada y se usaba sobre tablillas de arcilla húmeda. Una vez que las tablillas habían recogido la escritura, se cocían para solidificar las inscripciones.

— Los caldeos — y la nueva Babilonia

Hacia el año 604 a. C., el rey caldeo **Nabucodonosor II** consiguió crear un nuevo imperio babilónico.

La dinastía así fundada se prolongaría hasta el fin de la existencia de Babilonia.

Bajo su gobierno, **Babilonia** fue embellecida como pocas ciudades de la Antigüedad.

Hacia el año 566 a. C., Nabucodonosor había derrotado a los egipcios en **Carchemish**, aplastado a **Siria** y **Palestina**, sometido a las ciudades costeras del Mediterráneo oriental y estaba a punto de invadir Egipto.

A la muerte del monarca, el reino retornó a las viejas disputas de poder.

La séptima maravilla del mundo antiguo

Bajo el reinado de Nabucodonosor II, la ciudad de Babilonia (*"puerta de Dios"*) fue reconstruida por completo.

En el ángulo del palacio real, Nabucodonosor hizo construir una obra que fue reconocida como la séptima maravilla del mundo antiguo: *los jardines colgantes*. Sobre terrazas sostenidas por arcos, se erigieron espléndidos parques regados por medio de un sistema especial. Lamentablemente, se conservan muy pocos restos de tan fabulosa ciudad.

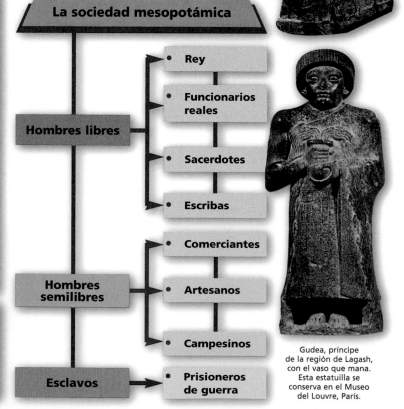

La sociedad mesopotámica

Hombres libres
- Rey
- Funcionarios reales
- Sacerdotes
- Escribas

Hombres semilibres
- Comerciantes
- Artesanos
- Campesinos

Esclavos
- Prisioneros de guerra

Gudea, príncipe de la región de Lagash, con el vaso que mana. Esta estatuilla se conserva en el Museo del Louvre, París.

EL ANTIGUO EGIPTO

El Antiguo Egipto fue una fabulosa civilización que nació, creció y se desarrolló hace más de 4.000 años a orillas del Nilo, un río casi mágico.

El milagro del río Nilo

Al noroeste de África, muy cerca de Asia, creció en la Antigüedad (hace unos 4.000 años) una gran civilización que conocemos en la actualidad como el *Antiguo Egipto*. Sometido a un clima cálido, seco y luminoso, Egipto hubiera sido un desierto si el río *Nilo* no le proporcionara a la vez agua y tierra fértil.

¿Cómo es esto posible? Porque este río (el más largo del mundo: 6.200 kilómetros), cada año, se desborda.

A mediados de julio, las aguas, que crecen con lentitud, invaden el valle del río y depositan sobre el suelo una tierra rica y negra (el *limo*), proveniente de las mesetas de Abisinia (ubicadas muy al sur).

A fines de setiembre, las aguas alcanzan su más alto nivel, y en diciembre entran de nuevo en el lecho del río. La región debe su fertilidad a esta creciente, cuya explicación desconocían los antiguos egipcios, que consideraban al Nilo como "el río sagrado".

El *Antiguo Egipto* se desarrollaba en la angosta llanura que el milagroso Nilo inunda y fertiliza.

Su superficie era de unos 30.000 kilómetros cuadrados, con una longitud de unos 1.000 kilómetros (los que existen entre la desembocadura del Nilo en el mar Mediterráneo y la primera catarata).

El territorio podía dividirse en dos regiones: el *Alto Egipto*, valle largo y estrecho de 950 kilómetros de largo, con un ancho que varía entre 5 y 25 kilómetros, encerrado entre los rebordes de las mesetas desérticas de Libia (al oeste), y de Arabia (al este); y el *Bajo Egipto*, surcado por los innumerables brazos del río que, al desembocar en el mar Mediterráneo, forma un delta de 200 kilómetros de lado. Entre ambas regiones, el único medio de comunicación era la navegación por el río Nilo.

Pueblo de grandes agricultores

La antigua población de Egipto eran gentes de baja estatura y piel oscura. Las mujeres circulaban libremente por las ciudades y aldeas, y disfrutaban de igual trato que los hombres. La vida de todos los egipcios giraba alrededor del río Nilo: éste aseguraba las grandes cosechas de cebada y de trigo, y también brindaba la materia prima (barro) para la construcción de la mayoría de las viviendas. Si el desborde anual de las aguas del Nilo había sido grande, las cosechas eran excelentes (entre tres o cuatro por año); si el desborde de las aguas había sido pequeño, las cosechas eran pobres y gran parte de la población sufría hambre.

La mayoría del pueblo estaba dedicada a la agricultura. Vivían en pequeñas aldeas en todos los lugares que por su altura ofrecían suficiente protección contra la corriente del río. Paredes y casas eran construidas con ladrillos cocidos, hechos de barro y paja, porque las habitaciones de los campesinos egipcios no se construían para que duraran mucho tiempo. A diferencia de los campesinos, los ricos habitaban en ciudades bordeadas de murallas de piedra.

Imagen de Ramsés II, ubicada en el templo de Luxor. Domina la escena la pirámide de Kefrén.

La invasión de los hicsos

Durante el Segundo Período Intermedio (1786 a. C.-1580 a. C.), Egipto fue invadido por los hicsos. Éstos eran un conjunto heterogéneo de pueblos entre los que predominaban los semitas. Se instalaron en la zona del delta, empujados por la Primera Invasión Indoeuropea. Luego, se organizaron en un Estado y asimilaron la cultura egipcia. Se instalaron en la zona norte y fundaron Avaris. Más tarde, se lanzaron a la conquista del Bajo Egipto, en 1730 a. C., la que lograron con facilidad, pues poseían el carro de guerra y el caballo. En 1670 a. C. lograron conquistar Menfis y sometieron al vasallaje a los reyes de la XIII Dinastía. El Alto Egipto no fue sometido, pero debía pagar tributos al monarca de los hicsos. Los reyes de Tebas comienzan la guerra de liberación, con la XVII Dinastía. Para ello, los egipcios organizaron un ejército profesional. En 1580 a. C. se concreta la expulsión de los invasores y comienza la guerra de conquista. El faraón Ahmosis funda la XVIII Dinastía y completa la expulsión de los hicsos con la toma de Avaris. Es el inicio del Imperio Nuevo.

El río Nilo, base del desarrollo de la civilización egipcia.

Estaban rodeados de bellísimos jardines, piezas adornadas con pinturas, muebles de raras y perfumadas maderas, realzados con detalles de piedras preciosas.

Estado teocrático y absolutista

Los egipcios creían que su faraón era un dios (Horus: el halcón).

Por ello se dice que Egipto fue un **Estado teocrático**, lo que significa un "Estado gobernado por un dios".

El trono se heredaba de padres a hijos, con lo cual se fueron formando dinastías.

El faraón tenía un **poder absoluto**, sin límites. Él era el Estado: dictaba las leyes, las hacía cumplir y juzgaba a quienes no las acataban. Su autoridad era respetada y temida en todo Egipto, que fue el primer Estado unificado de la historia.

También hubo períodos en los que el poder real se vio debilitado (períodos de descentralización o intermedios), pero siempre fueron breves.

Los períodos más prolongados fueron aquellos en los que el poder real se hallaba centrali-

zado. Fue durante estos períodos cuando se concretaron las grandes obras públicas, se impulsó el comercio, se canalizaron las aguas del río Nilo y hasta se llegaron a conquistar territorios vecinos.

Sociedad egipcia

Por sobre toda la sociedad egipcia se ubicaba el **faraón** o **rey**. Junto a éste, casi disfrutando de la misma categoría, se hallaban la **familia real** y los **miembros de la corte**: los **gobernantes** del imperio.

Por debajo de este estrato superior se ubicaba la **nobleza**. No todos los nobles tenían la misma jerarquía. Los más poderosos eran **los que poseían grandes propiedades** y los **guerreros**, que se ocupaban de los asuntos relacionados con la guerra y las conquistas. A continuación de esta clase social se encontraban los **sacerdotes** que controlaban la religión y el culto. Por debajo de éstos se ubicaban los **funcionarios** encargados de mantener el orden en las ciudades y ayudar al faraón a administrar el imperio. Todos estos funcionarios eran gente pudiente que sabía contar, leer y escribir, por lo que recibían el nombre de **escribas**.

Por debajo, podemos encontrar a la mayor parte de la sociedad: los **campesinos**. Su vida era muy dura: durante el día trabajaban en la tierra bajo el ardiente sol de la región y luego participaban junto a su familia de alguna comida muy frugal a la sombra de sus precarias viviendas. Estas comidas estaban conformadas por alguna galleta de cebada o trigo, cebolla, ajo, pescado, muy raramente carne, todo bien rociado con cerveza. En las ciudades y aldeas encontramos a otro sector social: los **artesanos**.

Éstos podían ser albañiles, talladores de piedras, fabricantes de herramientas y algunos llegaban, además, a dedicarse al comercio.

Para completar la estructura de la sociedad del Antiguo Egipto, tenemos que nombrar a los *esclavos*. Éstos eran los prisioneros de las guerras de conquista y se dedicaban a los trabajos más duros: picapedreros en las canteras del desierto o mano de obra en la construcción de las grandes obras arquitectónicas.

La economía egipcia

Dependía básicamente de la **actividad agrícola**. La mayoría de los egipcios trabajaban todo el día en el campo, en los graneros reales o en el mantenimiento de los canales de riego. Los cultivos más importantes eran la cebada, el trigo, la vid, el lino y el papiro.

Para obtener estos productos agrícolas, planificaban el trabajo de acuerdo con el ciclo del Nilo.

Otras actividades completaban la economía egipcia: se criaban vacas, cabras, ovejas y algunas aves, como patos y palomas. Se elaboraban **artesanías** o enseres domésticos y se intercambiaban productos; por ejemplo, si un campesino necesitaba tela de lino, podía obtenerla cambiando sus granos o un animal. Este sistema en el que se intercambiaban productos y no se utiliza moneda se denomina **trueque**.

El comercio

El comercio en gran escala era un **monopolio real**; es decir, el único que negociaba con otras regiones era el faraón.

Se comerciaba **cedro** con Fenicia, **marfil** con Nubia, **cobre y estaño** con los oasis del desierto de Libia. Para ello se organizaban **grandes expediciones terrestres y marítimas**. El hecho de que el Nilo fuera navegable favoreció el transporte interno de la mercadería. Había embarcaciones de todo tipo navegando por el Nilo. La gente lo cruzaba en balsas; los grandes barcos iban hacia el norte, llevados por la corriente, o hacia el sur, impulsados por los vientos y el esfuerzo de los remeros. Otra empresa exclusiva del faraón era la **minería**, que le aseguraba importantes recursos a largo plazo. Por ello, el trabajo en los yacimientos era organizado y supervisado por los funcionarios reales.

PIRÁMIDE SOCIAL

- Antiguo Egipto
- Faraón
- Nobles propietarios
- Sacerdotes
- Escribas
- Comerciantes y artesanos
- Campesinos
- Esclavos

ALTO Y BAJO EGIPTO

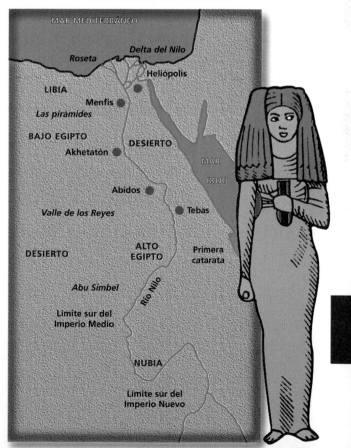

MAR MEDITERRÁNEO

Roseta
Delta del Nilo
Heliópolis
LIBIA
Menfis
Las pirámides
BAJO EGIPTO
Akhetatón
DESIERTO
MAR ROJO
Abidos
Valle de los Reyes
Tebas
DESIERTO
ALTO EGIPTO
Primera catarata
Abu Simbel
Río Nilo
Límite sur del Imperio Medio
NUBIA
Límite sur del Imperio Nuevo

Una vida pensando en la muerte

Los egipcios dedicaron una gran parte de sus riquezas al culto de los dioses, del faraón reinante y de los reyes muertos. Este pueblo, que se alojaba en míseras casas de ladrillos cocidos, edificaba, para sus dioses y los muertos, monumentos gigantescos y perdurables.

¿Por qué? Porque por medio de estas ofrendas esperaban desde una gran cosecha hasta un bienestar más grande en otra existencia, después de la muerte (los egipcios creían en una existencia eterna luego del pasaje por la vida, si se comportaban bien en ésta).

Adoraban a numerosos dioses (por ello su religión era *politeísta*). Los concebían como seres superiores a los que atribuían sentimientos generosos y necesidades humanas. Pensaban que las divinidades estaban presentes en las estatuas que las representaban y, a veces, en algunos animales sagrados, como el buey. El faraón era considerado como un dios viviente y un hijo del máximo dios (el dios *Sol*, denominado *Ra*).

Osiris, dios egipcio de la vegetación y de la muerte.

Imagen del halcón sagrado del templo de Edfu, Asuán.

Cuando el rey moría, se transformaba en un nuevo dios dentro de todo el conjunto de dioses egipcios. Por eso, cada soberano, desde el inicio de su reinado, comenzaba a preparar la tumba en la cual sería sepultado. ¿Por qué? Porque una de las mayores preocupaciones de los egipcios era proveerse de una morada para después de la muerte.

Las tumbas reales y las de los nobles más ricos e importantes tomaron, según las épocas, diferentes aspectos: podían ser *mastabas*, *pirámides* o *hipogeos*.

Las *mastabas* eran las tumbas reales más antiguas y modestas. Consistían en una cavidad rodeada por una pared de ladrillos o de piedras, con una capilla para las ofrendas.

Las *pirámides* son las tumbas reales más conocidas. Eran enormes construcciones de piedra, de las cuales han quedado alrededor de 65; pero las más grandiosas son las que se hallan en la zona del valle de Gizeh y fueron hechas construir por **Keops**, **Kefrén** y **Micerino**, faraones que vivieron unos 2.500 años a. C.

Los *hipogeos* eran tumbas subterráneas, cavadas en la roca de las montañas cercanas al valle del Nilo. Son las sepulturas más modernas que se han hallado y estaban disimuladas en la montaña para evitar el robo de las riquezas que se guardaban en ellas (en los hipogeos se hallaron fabulosas fortunas).

Tanto en las mastabas como en las pirámides y los hipogeos, los cuerpos de los muertos se encontraban *momificados*, es decir, conservados gracias a una técnica muy compleja y ejecutada por quienes sabían hacerlo. Lamentablemente, gran parte de las momias egipcias fueron destruidas por la acción de los saqueadores de tumbas, que buscaban las riquezas de los sarcófagos.

La religión

La religión egipcia era politeísta. Los dioses estaban representados con forma de hombres o de un hombre con cabeza de animal.

Los dioses más importantes eran *Ra*, el Sol (más tarde *Amón-Ra*), y *Osiris*, el dios de la vegetación y de los muertos.

Los sacerdotes egipcios concebían el origen de la vida de la siguiente manera: *Ra se creó a sí mismo levantándose del océano, entonces inmóvil, oscuro y frío.* Después de que Ra creó el resto de los dioses, reinó sobre la Tierra. Entre los dioses creados por Ra se encuentran los cuatro creadores de toda la vida: *Shu* (el aire), *Tefnut* (el vacío), *Geb* (la tierra) y *Nut* (el cielo).

Según la misma concepción religiosa, de la unión entre la tierra y el cielo nacieron el resto de los dioses: *Osiris* (dios de la vegetación y de la muerte), *Isis* (esposa del anterior y diosa de la tierra fértil), *Horus* (hijo de Osiris e Isis, representado con una cabeza de halcón), *Seth* (dios del desierto y de la esterilidad, hermano de Osiris) y *Nefthis* (dios del mal y de la muerte, también hermano de Osiris).

Ra recorría el universo en una barca de oro y todos los dioses estaban sometidos a él. El faraón se proclamaba hijo de Ra. Asimismo, el dios Ra era venerado fundamentalmente por las clases altas del reino, mientras que la mayoría del pueblo le rendía grandes sacrificios a Osiris, pues veían en él un símbolo del Nilo y de la vegetación que cada año renacía. El fervor popular estaba sustentado en el denominado mito de Osiris.

Interior de la galería de una tumba.

Un faraón monoteísta

El faraón **Akhenatón** impuso el monoteísmo, reformó reglas artísticas y construyó una ciudad extraordinaria con amplias avenidas y puentes, que se llamó *Tel-el Amarna*. Los sacerdotes no dejaron que estas ideas prosperaran y por eso *Tutankamón*, su hijo, fue obligado a continuar con las ideas anteriores.

El legado literario y los jeroglíficos

Los egipcios escribieron maravillosos poemas de amor, consejos para los gobernantes, himnos religiosos y también verdaderas **historias de aventuras**. Todas estas obras están escritas en **jeroglíficos**, un sistema de escritura basado en ideogramas. Más adelante, se agruparon las consonantes aisladas, sin incluir las vocales. En segundo término, para producir los textos religiosos, se utilizó eficazmente la escritura **hierática**.

Luego, para efectuar textos corrientes, fue creada la escritura **demótica**.

Osiris, presunto primer rey de Egipto, era el hijo mayor de Nut, la diosa del cielo, y de Geb, el dios de la tierra.

Reina Nefertiti.

En el territorio egipcio fueron construidas **noventa y cinco** pirámides de todo tipo, grandes y pequeñas, en ángulo recto y romboidales. La dominante en todas ellas es la **monumentalidad**.

CULTURAS DEL LEJANO ORIENTE

China e India son las grandes civilizaciones del llamado Lejano Oriente. En estos inmensos países se desarrollaron, antes de la era cristiana, extraordinarias civilizaciones.

Las primeras dinastías chinas

Hacia el siglo XIX a. C., surgió la legendaria dinastía **Hsia**, a la que sucedió en el siglo XVI a. C. la dinastía **Shang**, que extendió su reinado hasta el siglo XI a. C.

El soberano ejercía funciones sacerdotales. Se desarrolló un importante trabajo del bronce y se construyeron notables ciudades amuralladas, con un templo en el exterior del recinto.

Comenzó la escritura **ideográfica** y los únicos que podían descifrarla eran los **sacerdotes**, encargados de interpretar los **oráculos** o mensajes de los dioses.

La religión estaba basada en el *tao*, que quiere decir "**el camino**", un principio que guía el Universo.

Junto al *tao* se veneraban el "**cielo sublime**", las fuerzas de la naturaleza y el espíritu de los antepasados.

Épocas violentas

A partir de la dinastía **Chou**, que abarcó desde el s. XI hasta el VII a. C., el poder de los nobles feudales fue en aumento.

En un comienzo, establecieron alianzas militares para defenderse de las invasiones nómadas.

Confucio y Lao-Tsé, maestros de moral

Kung Tsé, conocido como Confucio, vivió en China en el s. VI a. C. No fue un profeta, sino un maestro. ¿Qué enseñaba? Moral y ética. Difundió una ética basada en el altruismo, la tolerancia y la armonía social. Pregonó el cumplimiento del deber y, fundamentalmente, el respeto entre los hombres.

Lao-Tsé, contemporáneo de Confucio, basaba su doctrina mística en el *tao*, el origen de lo que existe y la verdad. Afirmaba que la sociedad humana tiene que estar gobernada por sabios. Rechazaba las guerras y predicaba el amor universal.

En una época de violencia, éstos fueron significativos ejemplos.

Basaban su poder no tanto en la calidad de las armas, sino en la **cantidad** de soldados que componían sus ejércitos. Los campesinos estaban obligados a servir bajo las armas y eran agobiados por pesados impuestos.

Entre los siglos V y III a. C., se desarrolló la época llamada "**de los reinos guerreros**". Allí, el común denominador era la violencia. También en este período, las ciudades comenzaron a adquirir gran importancia como centros administrativos.

León en la "Ciudad Prohibida", un ejemplo del arte chino.

Civilizaciones del Lejano Oriente
Localización

A los soberanos de **Ch'in**, el estado más occidental de China, se los llamó **Hyang Ti**, esto es, **emperador**. Este pueblo comenzó una agresiva política **expansionista**, merced a la utilización del caballo, que habían adoptado de Occidente.

— Los poderosos Ch'in — y sus obras colosales

Esta dinastía formó un Estado unitario y centralizado.
El país se dividió en provincias y comandancias. Fueron simplificadas las pesas y medidas. Se reformaron totalmente el sistema monetario y la escritura, que eliminó las diferencias regionales y facilitó el comercio. Se construyó la **Gran Muralla**, colosal fortificación que fue utilizada para defenderse de los ataques nómadas de los pueblos del norte y para el traslado de personas y armamentos. Además, se transportaban caravanas que desde las ciudades chinas partían hacia el golfo Pérsico, y de ahí al Mediterráneo oriental para acceder a los mercados europeos.
También se desarrollaron importantes obras hidráulicas.

— India y — las ciudades en damero

Hacia el 2500 a. C., se construyeron ciudades que, según su importancia, estaban gobernadas por reyes, llamados **rajás**; o grandes reyes, a quienes se denominaba **maharajás**.
Los edificios estaban construidos con ladrillos; las ciudades, por su parte, estaban ordenadas en forma de tableros de ajedrez. Contaban con eficaces sistemas cloacales y eran vigiladas por altas fortificaciones.
La agricultura estaba altamente desarrollada; contaban con perfectos canales de riego.
Tenían un activo comercio fluvial. El trabajo con metales fue excelentemente desarrollado, con excepción del hierro, al que desconocían. Su dios principal era **Shiva**, representado como un hombre sentado en la clásica postura yoga y rodeado de diversos animales.
La escritura de esta primera civilización india aún no ha sido descifrada, y los investigadores han hallado curiosas y extrañas vinculaciones con la cultura **sumeria**.

Cinco clases sociales en la India

brahmanes o sacerdotes

chatrias o guerrerros

vaishias o campesinos

sudras o siervos (incluía también a los mestizos)

parias, o sea, los que no tenían casta (eran despreciados y considerados menos aún que objetos o animales)

La religión en la India

Los principios religiosos estaban contenidos en **libros sagrados** denominados **Vedas**, voz que quiere decir "**saber sagrado**".
Estas obras religiosas son las más antiguas en la historia de la humanidad. Además, las primeras escrituras en una lengua indoeuropea (sánscrito).
El **Rig-Veda**, que consta de 1.028 himnos, data del año 1000 a. C. Son posteriores el **Sama-Veda**, el **Yayur-Veda** y el **Atharva-Veda**.
Los hindúes creían en una fuerza universal de tipo impersonal a la que llamaban **Rita**, que quiere decir "**la Verdad**".
También veneraban a **Varuna**, la divinidad de los juramentos, y a **Mitra**, la divinidad de los contratos.
Existía, además, una deidad de la guerra llamada **Indra**, y dioses relacionados con los fenómenos naturales: **Ushas**, la aurora, **Agni**, el fuego, y **Surya**, el Sol.
La doctrina afirma la realidad de la **reencarnación**.

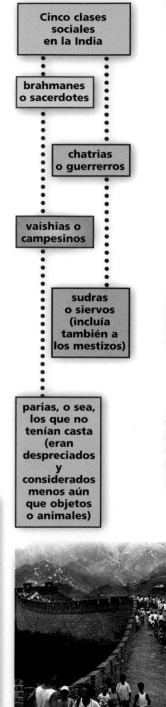

La Gran Muralla se extiende a lo largo de la frontera norte y noroeste de China, y constituye una de las grandes maravillas del mundo.

Las invasiones arias

Los arios, un pueblo que conocía el carro de guerra tirado por caballos, y utilizaba coraza, casco y armas de hierro, se impusieron rápidamente a los hindúes.

Fueron extendiéndose paulatinamente en el territorio del Ganges, ocupando el país entre los siglos XVI y VII a. C. Instauraron el régimen de castas y un nuevo ordenamiento religioso.

Fue a finales del siglo VI a. C. cuando irrumpió la figura de **Buda**, llamado a tener un inmenso predicamento universal.

El gran imperio de Asoka

Entre los siglos VI y IV a. C., la India sufrió las invasiones de los persas de **Ciro** y **Darío**, y también la de los griegos de **Alejandro Magno**.

Los hindúes lograron convencer a los generales de Alejandro de que abandonasen el territorio mediante la entrega de 200 elefantes. La consecuencia fue la gran influencia que la cultura griega ejerció durante mucho tiempo en el país.

En el siglo IV a. C., el soberano **Chandragupta** extendió los dominios territoriales; pero fue su nieto **Asoka** el que fundó el primer Imperio Indio. En este período, el arte alcanzó notables manifestaciones en templos y esculturas.

En un comienzo, los ejércitos de Asoka se caracterizaron por su extrema violencia. Sin embargo, impresionado por la matanza realizada al conquistar la ciudad de Kalinga, que arrojó el saldo de 100.000 muertos y 150.000 deportados, Asoka decidió convertirse al budismo.

A la muerte de Asoka, el reino quedó dividido en pequeños estados.

Relieve ubicado en las grutas de los budistas, en Ellora (India).

La última gran dinastía india fue la de los **Guptas**, que gobernó casi todo el país entre los siglos IV y VI d. C.

El arte en China e India

Tanto en China como en la India se desarrollaron importantes corrientes artísticas.

En el caso chino, la obra más importante es la Gran Muralla, **magnífica construcción, que refleja el esplendor artístico chino**.

La residencia del emperador, en la ciudad de Beijing o Pekín, deslumbra por su sutil arquitectura.

En materia de escultura, se destacan los motivos de dragones, animales fantásticos, y la producción de jarrones cerámicos con motivos de la naturaleza.

En la India, las grandes ciudades de la época de Asoka, tales como la ciudad Roja, causan asombro.

Se destacan, asimismo, las extraordinarias pinturas rupestres de Ajanta y los templos ornamentados con gran cantidad de esculturas que revelan historias de los *Vedas*.

Buda, "el Iluminado", y Mahavira o "Alma Grande"

Gautama Buda, llamado *el Iluminado*, era un chatria que predicó la liberación mediante sucesivas reencarnaciones. Esto podía lograrse mediante el autoperfeccionamiento, el cual conduce al *nirvana*. Buda llevó una vida de sacrificios, predicando la doctrina de la *bondad* por todo el país. A su muerte, sus ideas llevaron a la concreción de la religión denominada **budismo**, que hoy cuenta con millones de adeptos.

Otro gran predicador fue, hacia el siglo V a. C., *Vardhamana*, a quien llamaban *Mahavira*, que quiere decir *"alma grande"*.

La *liberación*, según Mahavira, podía alcanzarse mediante la automortificación y el ayuno hasta la muerte.

Se basaba en el principio de *ahimsa*, que propone no hacer daño a criatura alguna.

También se practicaba el *himsa*, esto es, la negación de la violencia: ***"Condena a la gente que grita o golpea para lograr que sus ideas sean escuchadas"***.

LOS MEDOS Y LOS PERSAS

Irán, país dividido

Irán (que quiere decir *país de los arios*) se extiende a lo largo de una altiplanicie situada entre las zonas de influencia de las culturas mesopotámica e india. El clima es muy severo, sumamente frío en invierno y extremadamente cálido en el verano. Más de las dos terceras partes de la región son áridas. Hacia el 1500 a. C., invadieron la región dos oleadas de tribus indoeuropeas. En la segunda, llegaron los **medos** y los **persas**, atraídos por la abundancia de cereales y ricas pasturas para el ganado, que crecían en la zona fértil. Los medos se establecieron en **Media**, una región próxima al lago **Urmia**, y los persas en **Persia** (llamada en esa época *Parsua*). Desde el primer momento, los medos impusieron su vasallaje a los persas.

El imperio medo

Hacia el siglo VIII a. C., **Daiakku** se constituye en primer soberano medo. Rápidamente, comenzó a expandir los límites de sus dominios, pero fue atacado por los asirios, que lo tomaron prisionero. En el siglo V a. C., un descendiente de **Daiakku**, llamado **Ciaxares**, fundó el imperio medo. En primer lugar, se alió con los babilonios para derrotar a sus tradicionales enemigos, los asirios. En poco tiempo extendió las fronteras hasta la actual Turquía y el mar Negro. Sin embargo, cien años después, un vasallo persa, **Ciro II**, se rebeló contra los opresores y fundó un nuevo imperio.

La educación de los jóvenes

El historiador griego Herodoto narra que los jóvenes, hasta los veinte años, aprendían principalmente a montar a caballo, tirar con el arco y a decir siempre la verdad.
Los hijos de los nobles recibían, además, una esmerada educación, basada sobre todo en la enseñanza de las ciencias, la literatura y la historia.

Panel de ladrillos esmaltados, procedentes del palacio de Darío, en Susa.

En el siglo XVI a. C., se produjeron en Irán una serie de invasiones de pueblos indoeuropeos. Entre éstos se encontraban los medos y los persas, que ambicionaban zonas fértiles para sus ganados.

El imperio persa

En el siglo IV a. C., Ciro II conquistó toda la región, y llegó hasta la India.
En el año 529 a. C., Ciro halló la muerte en una de las campañas, en las fronteras orientales. Le sucedió en el cargo su hijo, **Cambises**, hombre de grandes ambiciones, que lo llevaron a concebir la conquista de Egipto (año 525 a. C.). Cambises halló la muerte en forma repentina, justo antes de entrar en batalla. Su sucesor, **Darío I**, primo lejano de Cambises, no sólo restableció el orden, sino que dio aún mayor extensión a su poder. Allí donde estallaba una rebelión, Darío la aplastaba, utilizando en ciertas ocasiones métodos brutales. Tras la victoria militar, el nuevo rey reorganizó el gobierno de su vasto imperio para garantizar la paz, empresa en la que tuvo éxito, hasta el punto de que la estabilidad y la concordia durarían más de veinte años.

El gobierno de los sátrapas

Administrativamente, el imperio persa estaba dividido en veinte **satrapías** o provincias. Estaban gobernadas por un **sátrapa**, al que se consideraba *"los ojos y los oídos del rey"* y respondía directamente al emperador. Los sátrapas tenían como misión cobrar impuestos, mantener a los ejércitos permanentemente acantonados en la región y movilizar a la población para la construcción de obras públicas. Para establecer una fluida comunicación con las satrapías, los persas construyeron una excelente red de carreteras, en las que utilizaban el sistema de postas. Los persas fueron

grandes ingenieros: abrieron un canal entre el Nilo y el mar Rojo para facilitar el transporte marítimo entre Persia y Egipto.

El sistema monetario persa poseía un valor llamado **dárico**.

El control del mundo

Los persas querían dominar todo el mundo conocido. Para lograr sus propósitos, formaron un ejército poderoso que los hizo famosos. Habían ideado una táctica basada en la utilización de un arma invencible: los arqueros a caballo. Entre sus tropas empleaban mayoritaria-

mente a los pueblos aliados, que cumplían la función de *"fuerza de choque"*. El núcleo del ejército estaba constituido por persas. Eran fuerzas especiales de asalto y destrucción, sometidas a rígidos entrenamientos. Se los llamaba **"los diez mil inmortales"**.

Arte y religión

En materia artística, los persas se destacaron por la construcción de palacios, como el de **Persépolis**. Esta residencia real tenía salas con cien columnas hechas con oro y madera. En las paredes, había pinturas que representaban escenas militares. Además, se destacaron en la orfebrería.

La religión persa se basaba en la existencia de dos dioses, el del bien y el del mal. Éstos estaban empeñados en una lucha eterna. El dios del bien se llamaba **Ormuz**. Con él se relacionaba todo lo bueno: la vida, la salud, la limpieza, el trabajo, el saber, la valentía. El dios del mal era **Arimán**, también llamado "el Destructor". Tenía una apariencia horrenda y se lo asimilaba a todas las cosas malas: la muerte, las tinieblas del infierno, los eclipses, las enfermedades, la suciedad, la pereza, la falta de amor, el desgano en el estudio, la ignorancia, la mentira, el acusar a otros sin motivo y la cobardía. El hombre no tenía que ser indiferente a esa lucha entre los dioses, sino que debía dedicarse a satisfacer al bueno de Ormuz. Si así lo hacía durante toda la vida, en el momento de morir era recompensado con una maravillosa existencia en el Paraíso.

Ruinas del Palacio de Jerjes en Persépolis.

LOS FENICIOS Y LOS HEBREOS

En las costas del Mediterráneo

Los fenicios tuvieron su origen en la **estrecha franja costera del Mediterráneo oriental**, que se levanta hacia el norte, desde el Monte Carmelo.

Semitas como sus vecinos, los hebreos, los vínculos entre ambos pueblos fueron siempre muy estrechos.

Rodeados por el poderoso Egipto al sur y por los sucesivos grandes poderes que gobernaron Siria al norte, los fenicios no surgieron como pueblo con características propias hasta alrededor del 1500 a. C.

Ya en los inicios de su historia, la lucha por la existencia los había impulsado hacia el mar, donde hallaron su auténtico destino.

Un pueblo de osados navegantes

Los fenicios fueron **los mejores navegantes del mundo antiguo**. Alentados por un espíritu aventurero, se convirtieron en auténticos exploradores navales, para quienes el horizonte era su único guía. Navegaron con éxito a lo largo del Mediterráneo, desde épocas muy remotas, y fueron conocidos por su **habilidad para el comercio**.

Ciudades-Estado

La **organización política** fenicia era la de **ciudades-Estado** (ciudades independientes **gobernadas por un rey local**). Entre ellas se destacaban **Tiro**, **Sidón**, **Berithus**, **Biblo**, **Ugarit**. Las accidentadas costas del Mediterráneo no permitían la expansión de las poblaciones fenicias a lo largo de grandes extensiones de terreno.

Jerusalén

La ciudad de **Jerusalén**, conquistada por el rey David, fue el centro religioso del dogma hebreo y, en la actualidad, se ha constituido en ciudad sagrada para tres religiones de carácter monoteísta y universal: el **judaísmo**, el **cristianismo** y el **islamismo**.

Los fenicios fueron los mejores comerciantes y marinos de la Antigüedad. Navegaron por todo el Mediterráneo.

Hace más de 3.000 años, el sudoeste asiático fue el territorio más poblado y de mayor desarrollo económico de su época. Los protagonistas de ese período histórico fueron los fenicios y los hebreos.

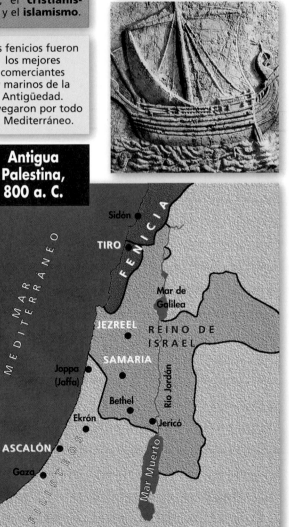

Antigua Palestina, 800 a. C.

MAR MEDITERRÁNEO

FENICIA

Sidón

TIRO

Mar de Galilea

JEZREEL

REINO DE ISRAEL

SAMARIA

Joppa (Jaffa)

Río Jordán

Bethel

Ekrón

Jericó

ASCALÓN

FILISTEOS

Gaza

Mar Muerto

Por ello, este pueblo desarrolló un instintivo sentimiento de independencia, que lo llevó a fundar colonias en las costas mediterráneas, con las cuales comerciaba. Las más importantes fueron: **Cartago** (en el norte de África), **Palermo** (en Sicilia), **Málaga**, **Cádiz** y **Cartagena** (en España).

De Tiro a Cartago

En los inicios, el gran **puerto de Tiro** fue el **centro de la política fenicia**. Debido a sucesivos desastres sufridos a manos de imperios guerreros, **los fenicios trasladaron el poder a la gran colonia de Cartago**. Como Cartago al-

canzó gran poder y riqueza en la zona este del Mediterráneo, Roma se encargó deliberadamente de su destrucción.

Las guerras púnicas

El destino de Roma estaba determinado: sería en poco tiempo la primera potencia del Mediterráneo occidental. Para conseguirlo, en un primer momento, instrumentó la firma de tratados que le permitieran ganar tiempo hasta que su poderío pudiera competir directamente con el de los fenicios. Las **guerras púnicas** fueron la etapa decisiva de este enfrentamiento, en el que Roma no sólo derrotó Cartago, sino que destruyó la nación fenicia como tal. Las guerras púnicas se extendieron entre los años 264 y 146 a. C. y tuvieron tres fases distintas. El escenario de la primera fue Sicilia, por entonces dominio fenicio. Roma, por su parte, controlaba todo el territorio de Italia continental. El hecho de que Sicilia se hallara en manos del enemigo provocaba inseguridad en los romanos. Por ello, trataron de intervenir en las cuestiones de la isla hasta desembocar en lo inevitable: la guerra. Tras una lucha sangrienta, los romanos vencieron, haciendo de Sicilia la primera provincia de su territorio.

Cambio de frente

Tras la victoria en Sicilia, el escenario del combate se trasladó a la península ibérica, donde el primer general cartaginés, **Amílcar Barca**, organizaba un imperio para los fenicios. Al inicio de esta segunda etapa de lucha, Roma y Cartago dividieron el territorio de la península, tomando como referencia la línea del río Ebro. Quedaban así conformados ambos frentes: los cartagineses al sur y los romanos al norte. **Aníbal**, hijo de Amílcar, provocó a Roma para que se desencadenara la segunda guerra púnica. Valientemente, atravesó los Alpes, llegó a la península itálica y venció en sucesivos combates a los romanos. Finalmente, falto de refuerzos, se vio obligado a regresar a Cartago.

Allí, el general romano **Escipión el Africano** lo derrotó en la célebre batalla de **Zama** (201 a. C.). No satisfechos con la victoria, años más tarde, los romanos, tras un prolongado y violento sitio, arrasaron Cartago, sin dejar rastro alguno de la ciudad que acunara al pueblo que mejor conoció el mar en la Antigüedad.

Un pueblo de antiquísimas tradiciones

En el segundo milenio antes del nacimiento de Jesucristo, se estableció, en la región conocida

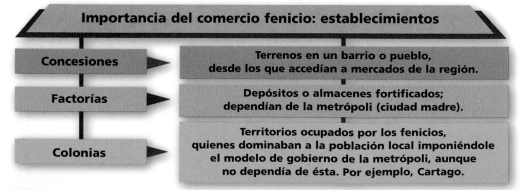

Importancia del comercio fenicio: establecimientos

Concesiones	Terrenos en un barrio o pueblo, desde los que accedían a mercados de la región.
Factorías	Depósitos o almacenes fortificados; dependían de la metrópoli (ciudad madre).
Colonias	Territorios ocupados por los fenicios, quienes dominaban a la población local imponiéndole el modelo de gobierno de la metrópoli, aunque no dependía de ésta. Por ejemplo, Cartago.

con el nombre de **Palestina**, un grupo de tribus nómadas que provenían del este. Eran los **hebreos** o **judíos**, pueblo que, luego de muchísimas persecuciones, retornó a ese territorio durante el **siglo XX** y conformó el **Estado de Israel**. La historia del pueblo hebreo es reconstruida fundamentalmente a partir del análisis del **Antiguo Testamento**.

La religión hebrea

No es posible estudiar la historia del pueblo hebreo sin hacer referencia a la **Biblia** (en griego: *libro*), redactada entre los siglos IX y II a. C.

En ella, los hebreos volcaron narraciones tradicionales y mezclaron los hechos históricos con los religiosos. Este pueblo se diferencia de los demás pueblos de la antigüedad por su **creencia monoteísta**. La **Biblia** es el compendio de la cultura de los hebreos. Comprende los *libros del Antiguo Testamento*: el testimonio o la prueba de la alianza de los hebreos con **Yahvé** (Dios), más un complemento llamado **Talmud**, escrito por algunos rabinos hacia el siglo II de la era cristiana. El Antiguo Testamento es, además de una *crónica*, un *libro religioso* que da una concepción del mundo a partir de la creación.

Abraham, primer patriarca hebreo

Según el Antiguo Testamento, el primer patriarca del pueblo judío fue **Abraham**, quien dirigió la emigración de su pueblo desde la Mesopotamia asiática hacia la tierra palestina. A partir de ese momento, los judíos trazan su árbol genealógico y fundamentan su derecho a la posesión de la Tierra Santa.

La historia de José narra el viaje a Egipto, aunque no se tengan testimonios históricos fehacientes de su estadía en el país del Nilo. Sólo se puede decir que, a partir de representaciones gráficas egipcias que muestran hombres fabricando ladrillos, se desprende que muchos de los esclavos de los faraones eran de origen semita.

Uno de los hitos en la historia judía es, sin duda, la huida de la esclavitud en Egipto, pues el pueblo hebreo llegó allí como una tribu de pastores nómadas y se retiró como un pueblo unido y organizado.

La Tierra Prometida

Al iniciarse la decadencia del imperio egipcio, los judíos rondaron por aquellos dominios durante cuarenta años, fortaleciéndose y preparándose para la toma definitiva de la Tierra Prometida (Palestina).

Durante este período, el caudillo hebreo **Moisés** dictó leyes para la organización de su pueblo. Sin embargo, la muerte lo sorprendió antes del asalto final. **Josué**, discípulo de Moisés, fue el encargado de conquistar el territorio y repartir las tierras entre las distintas familias. Sin embargo, no había un gobierno unificado, y cada región se regía por leyes propias. Surgió, de esta forma, la necesidad de tener un monarca que unificara a la nación hebrea.

Comienza, así, la larga historia de los reyes de Israel, con **Saúl**, **Jonatás** y **David**. En este último, los judíos encontraron un jefe cuyo valor y cultura lo convirtieron en un rey perfecto.

El rey Salomón

Salomón fue el más ambicioso y mejor político de los reyes hebreos. Por primera y única vez, Israel fue, bajo su reinado, un poder en el sudoeste asiático. Salomón firmó alianzas con los fenicios y los egipcios. Construyó un gran templo y fomentó el comercio. Sin embargo, con su muerte, el Estado volvió a fraccionarse.

Israel y Judá

Las diez tribus asentadas al norte del territorio se autodenominaron **Israel** y designaron como capital a **Samaria**; en tanto que las dos tribus del sur eligieron el nombre de **Judá** y se gobernaban desde **Jerusalén**. Esta división perduró hasta el fin de ambos Estados.

Un pueblo condenado a dispersarse

Los hebreos fueron conquistados por los asirios, los caldeos, los persas, los griegos y los romanos, y se dispersaron por todo el mundo (donde aún una gran cantidad de personas profesan la religión judía). El **Estado nacional judío** no se reconstituyó sino hasta **1948**.

LA ANTIGUA GRECIA

En el amanecer del mundo, cuando nacían las primeras civilizaciones, existió un pueblo extraordinario que dejó como herencia a la humanidad un fabuloso tesoro de arte, belleza y verdad.

Un mundo llamado Grecia

El mundo griego antiguo desarrolló una cultura que aún hoy nos asombra debido a su esplendor. El territorio en el que se extendió comprendía las tierras que circundaban el mar **Egeo**, abarcando el sur de la península de los **Balcanes** (Grecia europea propiamente dicha), las **islas egeas** y la costa **occidental del sudoeste asiático**.

En esta geografía —compuesta de mar, tierra y montañas, un clima cálido y seco, y con recursos naturales limitados— floreció la civilización griega.

¿Quiénes eran los griegos?

Los territorios anteriormente nombrados no estaban habitados en la Antigüedad por un pueblo único, sino por un grupo de pueblos que fueron ocupándolo a lo largo de casi dos mil años.

Por ello, denominamos **griegos** a todos aquellos pueblos que fueron llegando desde el 3000 a. C. a los terrenos circundantes al mar **Egeo**. Todos esos pueblos pertenecían al grupo de los **indoeuropeos**. Los rastros culturales más antiguos que encontramos pertenecen a

La guerra de Troya en el relato de Homero

Luego de conquistar *Creta*, los **micénicos** decidieron extender sus dominios más allá de *Grecia continental e insular*. El objetivo era la conquista del Mediterráneo oriental y de la ruta que comunicaba con el mar Negro, que proveía a los pueblos de metal y trigo.

De esta forma, los micénicos conquistaron y destruyeron la ciudad de *Troya*, ubicada en las costas del Asia Menor. Esta guerra tuvo lugar alrededor del año 1200 a. C. y llegó a nosotros gracias al relato de **Homero**, que a través de **dos poemas épicos** relata los sucesos más sobresalientes de la guerra: *la Ilíada* y *la Odisea*.

Diana cazadora, escultura en mármol, copia de un original del artista griego Leocares. Museo del Louvre.

la llamada **civilización cretense**, que se desarrolló en la **isla de Creta**, unos dos mil años antes del nacimiento de Cristo. Durante ese mismo segundo milenio antes de Cristo, comenzaron a arribar a la región tres pueblos que procedían del norte: los **aqueos**, los **jonios** y los **eolios**.

Estos tres pueblos —que reciben el nombre general de **aqueos**— ocuparon casi toda Grecia. Fue una lenta invasión que duró unos seis siglos y creó la cultura **cretomicénica**, que se impuso en todas las regiones de Grecia y en las islas del mar Egeo. Sin embargo, este dominio no sería permanente, pues arribarían otros pueblos que también podemos denominar griegos.

La llegada de los dorios

A partir del 1200 a. C., comenzó a llegar otro pueblo proveniente del centro de Europa: los **dorios**. Éstos causaron graves daños a la cultura cretomicénica, pues eran guerreros brutales que con sus armas de hierro (mucho más duras y resistentes que las de bronce) conquistaron toda la Grecia europea, obligando a los aqueos a emigrar a las costas asiáticas de la península de Anatolia (la actual Turquía), donde establecieron diversas colonias que recibieron los aportes y conocimientos de las antiguas civilizaciones asiáticas y norafricanas (egipcios y mesopotámicos).

Las polis griegas

Como se puede imaginar, las invasiones de los diversos pueblos llegados del norte provocaron un largo período de guerras y devastaciones. Este proceso se caracterizó porque el territorio apareció políticamente dividido en una multitud de ciudades independientes, llamadas **polis**. Al principio, la tierra y los ganados constituían la única riqueza. El poder, tanto político como económico, pertenecía a los grandes propietarios. Por debajo de estos propietarios existía el llamado **pueblo**, que eran todos los ciudadanos libres, y, por último, en lo más bajo de la escala social, estaban los **esclavos**, es decir, los prisioneros de guerra, que se encargaban de todas las tareas que requerían un gran esfuerzo.

La colonización del Mediterráneo occidental

Hacia el siglo VIII a. C., se produjo una crisis muy importante debido al aumento de la población y a los escasos recursos. Frente a la presión interna, las polis impulsaron la colonización de nuevas tierras. Ésta se realizó sobre las costas del *Mediterráneo occidental* hasta *el estrecho de Gibraltar*.

Las grandes ciudades: Esparta y Atenas

Con el paso del tiempo, dos de estas polis llegaron a alcanzar un gran esplendor, irradiando su influencia por el resto del mundo griego. Se trata de las ciudades de **Esparta** y **Atenas**. **Esparta** fue una ciudad dórica, establecida en el rico valle del río Eurotas, al sur del Peloponeso (la península más austral de la región de los Balcanes). Para mantener su dominación, los espartanos, descendientes de conquistadores dorios, emprendieron, en la primera mitad del siglo VI a. C., la tarea de detener la evolución de la ciudad y aislarla del mundo exterior.

Esparta tenía el aspecto de un campamento establecido en territorio ocupado: los espartanos formaban un ejército mantenido por el trabajo de los vencidos (**ilotas** y **periecos**), sometidos a la autoridad de un pequeño número de dirigentes (**éforos** y **gerontes**).

CONSECUENCIAS DE LA COLONIZACIÓN

Aumento del intercambio comercial.

Debido a esto, se estimuló el desarrollo de un nuevo sector social: los comerciantes. Éstos acumularon riquezas, lo que les permitió exigir mayor participación.

Se fomentó la difusión de la cultura griega hasta el estrecho de Gibraltar.

Colonias griegas hacia el 550 a. C.

Massalia
CORCEGA
Zazinto
ITALIA
MAR ADRIATICO
Eppidamno
MAR NEGRO
CERDENA
LIDIA
Mileto
NORTE DE ÁFRICA
JONIA
CHIPRE
MAR MEDITERRANEO
CRETA

▪ Zonas de asentamientos griegos.

En síntesis, el gobierno era **aristocrático**.

Por su parte, **Atenas** nació de la reunión de muchas pequeñas aldeas que se habían establecido en el **Ática** (la región norte de los Balcanes, sobre la costa egea). Hasta el fin del siglo VI a. C., su historia se parecía a la de la mayor parte de las ciudades: los habitantes vivían de la agricultura y de la cría del ganado. La **nobleza** retenía el poder.

A partir de fines de dicho siglo, se produjo un avance de los **plebeyos**, que terminaron con el poder de la nobleza y establecieron, de esta forma, un régimen **democrático**. Pese a ello, Atenas siguió manteniendo la esclavitud, pues los esclavos eran los que realizaban el trabajo pesado.

En resumen, hacia comienzos del siglo V a. C., encontramos el mundo griego dominado por dos grandes ciudades (Esparta y Atenas) y conformado asimismo por un sinnúmero de pequeñas ciudades, tanto en la península balcánica como en la de Anatolia.

Una religión muy especial

Los griegos adoraban a numerosos dioses (eran **politeístas**), a los que atribuían una apariencia humana (**antropomorfismo**).

El conjunto de mitos o relatos en que se narran sus hazañas y proezas constituye la **mitología**.

Los dioses habitaban el **monte Olimpo** y formaban una especie de familia bajo la autoridad de **Zeus**, dios supremo del Olimpo. Otros dioses importantes fueron **Poseidón**, que reinaba sobre el mar; **Ares**, dios de la guerra; **Démeter**, que representaba la fertilidad de la tierra; **Atenea**, diosa de la

Atenas se transforma

Para frenar las tensiones sociales y dar respuesta a los reclamos de mayor participación, el legislador **Dracón** (624 a. C.) codificó el derecho. De esta forma se intentó poner fin a los abusos de la clase superior. **Solón**, uno de los Siete Sabios de Grecia, mediando en los conflictos sociales que aún continuaban, dividió a los atenienses en cuatro clases, de acuerdo con la fortuna; además, abolió la esclavitud por deudas. **Clístenes**, un político ateniense, estableció la *igualdad de derechos* para todos los ciudadanos y fundó la **democracia**.

Palas Atenea.

inteligencia, y **Apolo**, dios de la luz. Estos dioses eran inmortales, más poderosos que los hombres, pero poseían defectos y pasiones humanas. Los **ritos** en la religión griega consistían sobre todo en **ofrendas**, **libaciones** y **sacrificios**.

Para realizar estos ritos existían los grandes santuarios, que pertenecían al conjunto del pueblo griego. Los principales eran el santuario de Apolo, en **Delfos**, y el de Zeus, en **Olimpia**.

Las guerras médicas

A partir del siglo V a. C., el conjunto del pueblo griego debió enfrentarse a un pueblo del sudoeste asiático que estaba en

Las artes, las ciencias y la filosofía

La cultura griega alcanzó un gran esplendor en todos los campos de las artes.

Los griegos colocaban a la **música** sobre todas las demás artes. La asociaban estrechamente a la **poesía** y a la **danza**. Otro de los grandes géneros artísticos que desarrollaron los griegos fue la **tragedia**, madre del **teatro**. Asimismo, son considerados como los padres de las **ciencias** y la **filosofía**.

El mundo griego fue tierra de grandes **matemáticos**, como **Tales de Mileto** y **Pitágoras de Samos**; geógrafos, como **Hecateo de Mileto**; e historiadores como **Herodoto** y **Tucídides**.

También la **arquitectura** y la **escultura** tuvieron un gran desarrollo.

Son famosos los templos, columnas y esculturas griegas.

Uno de los grandes legados griegos fue la **filosofía**. Diversos filósofos griegos elaboraron teorías sobre la formación del universo y los orígenes del hombre. Los más trascendentes son, quizá, **Heráclito, Parménides, Sócrates, Platón** y **Aristóteles**.

plena expansión: los **persas**. Éstos habían conquistado las colonias griegas del Asia Menor. En el siglo V, una de esas colonias se sublevó y pidió ayuda a los atenienses, quienes fueron en su socorro. Como represalia a tan osada actitud, **Darío**, rey de los persas, decidió aplastar a Grecia. Se iniciaron de esta forma las **guerras médicas** (llamadas así por los medos, considerados como los primitivos fundadores del poderío persa). Esta contienda duró 46 años y se desarrolló en tres etapas. Para contrarrestar al invasor persa, los atenienses, junto con otras ciudades griegas, organizaron la **Liga Délica**.

Los persas, decididos a exterminar a los griegos, organizaron una expedición de 200 buques, miles de tropas mercenarias y una fuerza especial compuesta por 24.000 hombres. No obstante su superioridad, fueron derrotados por los griegos en la **batalla de Salamina**.

Como consecuencia de esta derrota, los persas desistieron de sus propósitos de invasión y los griegos gozaron de un largo período de paz.

El siglo de Pericles

Los siglos V y IV a. C. fueron de real esplendor para Grecia. Tras la victoria definitiva sobre los persas, el gobierno de Pericles llevó a la ciudad de Atenas a la gloria.

Pericles había nacido en el seno de una pudiente familia ateniense. Sus primeros triunfos tuvieron un carácter político. Favoreció la participación de los ciudadanos en el gobierno y aceptó la amenaza que implicaba la rivalidad de Esparta.

Pericles decidió invertir el dinero que antes era enviado como tributo a los griegos en la construcción de grandes templos y monumentos.

Sobre la **Acrópolis**, una colina que domina la ciudad de Atenas, Pericles hizo construir una serie de templos de mármol policromado. Entre éstos se destaca el **Partenón**, dedicado a la diosa **Atenea Partenos**, patrona de la ciudad. En el interior había una estatua de marfil y oro, obra del escultor y arquitecto **Fidias**.

El fomento que Pericles dio a las artes y a las letras hizo que la posteridad reconociera al siglo V como el "siglo de Pericles".

La guerra del Peloponeso

La independencia de los Estados griegos había sido siempre algo muy delicado, y no faltaba cierta inquina frente al éxito de Atenas. Los que así sentían se aliaron con Esparta, haciendo que la tensión entre las dos ciudades fuera en aumento. Atenas, que veía la aproximación de la guerra, aceleró el proceso al provocar a Corinto, que terminó por unirse a Esparta.

Se inició así la guerra en el año 431 a. C. Tras una primera etapa de lucha, se lograron seis años de tregua. Pero, lamentablemente, los atenienses, impulsados por **Alcibíades**, volvieron a provocar a los espartanos al iniciar una expedición a **Siracusa**. Atenas fue derrotada y debió trasladarse al puerto de **El Pireo**, para recomponer fuerzas.

Finalmente, Esparta conquistó la capital enemiga.

Ambas ciudades habían quedado extenuadas por la larga lucha.

Alejandro Magno

El agotamiento de Atenas y de Esparta en la guerra civil les quitó a ambas la posibilidad de seguir siendo las ciudades líderes de los pueblos griegos.

El teatro entre los griegos

En el año 534 a. C., Pisístrato, que tanto había hecho por Atenas, reorganizó el **festival de Dioniso** (*dios del vino*). Este festival comenzó a presentar obras teatrales en público y dio así un espacio para las tragedias de **Esquilo**, **Sófocles** y **Eurípides**, como también para las comedias de **Aristófanes** y **Menandro**, que todavía se representan en la actualidad.

Todas estas obras se han convertido en piezas maestras del repertorio clásico universal.

Por su táctica guerrera y su superioridad naval, los griegos lograron vencer al poderoso ejército persa del rey Darío, en la batalla de Salamina. Abajo, Zeus, dios del Olimpo.

Arriba, yelmo,
espada y coraza.
Abajo, guerrero griego.

Cabeza de Alejandro
Magno, realizada
por el escultor Lisipo.

Por un corto período, **Tebas** adquirió la supremacía, basada en un nuevo tipo de organización militar: la **falange**. Siendo joven, **Filipo de Macedonia** (pueblo del norte de Grecia) formó parte de los ejércitos tebanos. De ellos aprendió la nueva táctica y, al volver a su país, organizó un sólido ejército profesional que unificó toda Grecia por la fuerza. En este clima tan propicio, Filipo educó a su hijo **Alejandro**.

Las conquistas de Alejandro

A la edad de 18 años, el príncipe de los macedonios lideraba el ala izquierda de la caballería en la decisiva batalla de **Queronea** (338 a. C.) que reforzó la unificación de Grecia. Dos años más tarde, su padre, Filipo, fue asesinado, y Alejandro quedó a la cabeza de toda Grecia. Tras esto emprendió la conquista del **imperio persa**. Rápidamente logró sojuzgar a sus enemigos. En poco tiempo llegó hasta la **India**, después de haber conquistado casi todo el **Oriente** y **Egipto**.

En este país fundó, en la desembocadura del río Nilo, la ciudad de **Alejandría**, a la que dotó de una biblioteca de más de 200.000 textos. Sin embargo, la muerte lo sorprendió a los 33 años.

A mediados del siglo II a. C., su gran imperio comenzó a derrumbarse. No obstante ello, la lengua y la cultura griegas se extendieron por todo el mundo.

En el año 30 a. C., Alejandría, el mayor puerto del mundo, cayó ante el Imperio Romano.

Vista del Partenón, símbolo de la magnificencia de la arquitectura griega. Su serena belleza aún flota majestuosa sobre la Acrópolis.

Festividades griegas

En la Antigua Grecia, se celebraban cuatro grandes festivales: olímpicos, píticos, ístmicos y nemeos. El festival olímpico, en honor del dios Zeus, se celebraba a mitad del verano, cada cuatro años. Los períodos de cuatro años entre unos juegos y otros eran conocidos como olimpiadas y se utilizaban para fechar acontecimientos históricos. Los Juegos Olímpicos eran la parte más importante del festival. Existe un registro de las victorias desde el año 776 a. C. El número de pruebas de los juegos fue aumentando con los años, e incluían carreras, boxeo, carreras de carros y el pentatlón, una competición compuesta por cinco pruebas: velocidad, salto de longitud, lanzamiento de jabalina, lanzamiento de disco y lucha. El estadio de Olimpia tenía forma de herradura alargada y podía acoger a 40.000 personas. Durante la celebración de los juegos, se proclamaba una tregua entre los distintos Estados griegos y se interrumpían todas las luchas para que participantes de toda la península pudieran asistir a las pruebas. En los juegos de Olimpia, estaba excluida la participación de las mujeres.

Las fiestas duraban cinco días y se iniciaban con ceremonias de bienvenida. Vencer en una prueba convertía al protagonista en un héroe popular y en un ciudadano privilegiado.

LA ANTIGUA ROMA

Una pequeña aldea

En el siglo VIII a. C., la región del Lacio, en el centro de la península itálica, estaba habitada por un pueblo llamado **latinos**. Un grupo de pobladores latinos provenientes de la ciudad de Albalonga fundaron una pequeña aldea que llamaron **Roma** (que puede significar "límite" o "marca"), para ser utilizada como una defensa contra el avance de los **etruscos**, otro pueblo que había llegado al Lacio.

La pequeña aldea se estableció en una colina cercana al río Tíber, de nombre **Monte Palatino**, rodeada por otras seis colinas (**Aventina**, **Celina**, **Esquilina**, **Viminal**, **Quirinal** y **del Capitolio**).

Con el tiempo, las siete colinas quedarían dentro del perímetro de Roma.

Los habitantes de Roma no tardaron en **fusionarse** con los **sabinos**, que residían en las colinas cercanas, y con los **etruscos**, que quizás conquistaron toda la zona.

A la derecha, vista de las ruinas del imponente Coliseo romano. Abajo, gladiadores romanos en plena lucha.

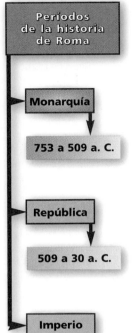

Periodos de la historia de Roma

Monarquía

753 a 509 a. C.

República

509 a 30 a. C.

Imperio

30 a. C. a 476 d. C.

Roma, la pequeña aldea fundada sobre siete colinas, creció hasta convertirse en un gran imperio y organizó con el derecho romano el mundo conocido hasta entonces, dejando huellas que perduran hasta nuestros días.

De los tres grupos mencionados, **latinos**, **sabinos** y **etruscos**, surgió el pueblo **romano**.

La Roma monárquica

En los primeros doscientos cincuenta años de la historia romana se sucedieron, según la leyenda, siete reyes: **Rómulo**, **Numa Pompilio**, **Tulio Hostilio**, **Anco Marcio**, **Tarquino el Antiguo**, **Servio Tulio** y **Tarquino el Soberbio**.

Posiblemente, éstos son los reyes que sobresalieron en ese primer período de la historia romana, pero no los únicos.

Si realizamos un simple cálculo matemático, concluiremos en que cada rey debió gobernar un poco más de treinta y cinco años, algo totalmente imposible para la época antigua, si tenemos en cuenta que el promedio de vida de las personas era mucho menor que el actual.

El orden político

Las máximas autoridades monárquicas que gobernaban la ciudad eran: el **rey** (jefe político y militar), el **senado** (cuerpo consultivo formado por jefes de familia) y los **comicios curiados** (formados por todos los pobladores considerados ciudadanos). El rey era elegido por el senado, su cargo era vitalicio.

La organización social

En esa Roma primitiva, una simple aldea, existían **tres clases sociales** bien diferenciadas: los **patricios**, propietarios de los *fundos* (fincas rústicas); los **plebeyos**, que se dedicaban al comercio y a la agricultura; y los **esclavos**, que eran prisioneros de guerra o campesinos endeudados.

Sólo los patricios tenían derechos políticos (eran **ciudadanos**) y ocupaban todos los cargos. Los plebeyos eran hombres libres sin derechos políticos, mientras que los esclavos ni siquiera podían trasladarse de un lugar a otro y pertenecían a un amo. El modo de **subsistencia** era la agricultura, mientras que la principal actividad que desarrollaron fue la guerra de conquista.

Al finalizar el período de la monarquía, los romanos habían conquistado casi todo el *Lacio*.

La leyenda de Rómulo y Remo

Roma tiene un origen mítico. A medida que la aldea romana se iba transformando en la ciudad más poderosa del Lacio, región sobre la que se asentaba, necesitaba mostrar a los demás pueblos un origen superior. Por este motivo, Tito Livio escribió en el siglo I a. C. *Ab urbe condita* ("Desde la fundación de la ciudad"), una historia de Roma en varios tomos, en donde aparece la leyenda de la fundación y la del origen de los pueblos que se establecieron en Roma. Lo que sigue es una sinopsis de la leyenda.

Eneas, un príncipe troyano, llegó al Lacio luego de la guerra de Troya. Uno de sus descendientes fundó la ciudad de *Alba*.

Algunos siglos más tarde, uno de los reyes de esa ciudad, *Numitor*, fue destronado por su hermano *Amulio*.

Para garantizar su seguridad, el usurpador ordenó matar a todos los hijos varones de su hermano y, para impedir que su única sobrina, *Rea Silvia*, tuviera descendencia, la obligó a hacerse sacerdotisa (virgen vestal).

Sin embargo, *Rea Silvia* tuvo dos hijos gemelos, **Rómulo** y **Remo**, con *Marte, dios de la guerra*.

El rey ordenó que los gemelos fueran arrojados al *Tíber*, pero la canasta en la que habían sido dejados quedó varada en la orilla, en la zona del *monte Palatino*.

Una loba sedienta los descubrió y los amamantó. Allí los encontró un pastor, que los llevó a su choza, donde él y su mujer los criaron como hijos propios.

Cuando fueron mayores, conocieron su verdadera identidad, repusieron a su abuelo en el trono de Alba, y Numitor les concedió como recompensa fundar una ciudad nueva (*Roma*) en la zona donde habían sido encontrados por el pastor.

A *Rómulo* le tocó trazar los límites de la ciudad y ordenó que nadie los traspasara. *Remo* no obedeció a su hermano y éste lo asesinó.

Según la leyenda, los primeros habitantes de Roma fueron hombres. Para conseguir mujeres, Rómulo invitó a una fiesta a sus vecinos *sabinos*, que fueron con sus esposas e hijas. Al final de la fiesta, los romanos raptaron a las sabinas. Los sabinos se prepararon para la guerra; sin embargo, las sabinas mediaron para evitarla.

Finalmente, romanos y sabinos decidieron unirse.

De la monarquía a la república

Desde los inicios de la ciudad, los romanos demostraron tener un **gran respeto por las leyes**. Los tres últimos reyes fueron de origen etrusco. La caída de la monarquía no fue otra cosa que el rechazo de los patricios ante el avance etrusco y en contra de las reformas que había establecido Servio Tulio. Este monarca había dividido a la sociedad de acuerdo con su riqueza. Esto dejaba abierta la posibilidad de que, en un futuro, los plebeyos ricos pudieran acceder a cargos políticos. En el año 509 a. C. los patricios contuvieron el avance (momentáneamente) de estas reformas, remplazando la monarquía por una **república aristocrática**.

La república fue gobernada por los **magistrados**, el **senado** y los **comicios**.

La lucha por la igualdad

La gran expansión romana se organizó sobre la base del ejército, formado por oficiales patricios y soldados plebeyos. Tras dos siglos de lucha, el senado debió reconocer la **igualdad política**, **religiosa** y **social**.

Las conquistas fueron:
• leyes escritas;
• creación del cargo de tribunos de la plebe;
• ingreso de los plebeyos a colegios sacerdotales;
• incorporación de los plebeyos al senado y consulado (uno);
• casamiento entre plebeyos y patricios.

Una conquista fundamental: Grecia

En la segunda mitad del siglo II a. C., los romanos emprendieron una conquista fundamental para su futuro y el de toda la humanidad: la conquista militar de Grecia.

Esta conquista resultó militarmente muy sencilla; pero, sobre todo, fue muy importante por los aportes culturales y científicos que los griegos llevaron a Roma, para después irradiarlos a todo el Imperio.

El fin de la república

El caos en que se encontraba la república alrededor del año 30 a. C. fue el momento propicio para que un grupo de militares que mandaban las **legiones** se hicieran del poder y comenzaran a luchar entre ellos.

De esta lucha salió triunfante Augusto, quien convirtió la república en un imperio, pues asumió el título de emperador (que significa "tiene el poder").

Magistrados que desempeñaban sus cargos en la República

Cónsules: en número de dos, ejercían el poder político y militar, y presidían el senado. Duraban un año en el cargo.

Dictador: remplazaba a los cónsules en caso de peligro extremo. Podía ejercer el cargo hasta que terminara el peligro, pero no debía excederse en sus funciones más de seis meses.

Censores: eran los encargados de confeccionar la lista de ciudadanos y de controlar la conducta de los funcionarios.

Pretores: tenían funciones policiales.

Tribunos de la plebe: representaban a los plebeyos y defendían a los pobres contra las arbitrariedades de los patricios. Por medio del **veto**, podían impedir el cumplimiento de una resolución que afectara a la plebe.

Vista de los foros imperiales, en Roma.

Representación de la muerte de Julio César.

Casco de gladiador (luchador del circo romano que peleaba hasta perder la vida).

Augusto (Museo Nacional de Arte Romano, Mérida, España).

Busto de Julio César, estadista y general romano. Fue uno de los grandes genios militares de todos los tiempos.

El Imperio Romano

A partir de ese momento, el Senado, que había sido la institución más importante de la república, perdió autoridad, la cual pasó al emperador. Roma ya no era una pequeña aldea que se encontraba en el Monte Palatino, sino un inmenso territorio que abarcaba todas las tierras alrededor del mar Mediterráneo y todas las tierras europeas hasta los ríos Rin y Danubio.

El Imperio duró más de cuatro siglos. Las guerras de conquista y las luchas civiles continuaron y terminaron por debilitarlo.

En el siglo V d. C., Roma se desmembró ante el avance de los pueblos **bárbaros** del norte del Rin y el Danubio.

Julio César

En el primer siglo a. C., actuó en la vida política de Roma un general que tendría gran significación: **Julio César**.

De origen patricio, fue el ídolo de los plebeyos que continuaban la lucha por la igualdad. Hábil militar y político, fue el que sentó las bases para la formación del Imperio, al acumular en su persona diversas magistraturas al mismo tiempo.

Su prestigio creció rápidamente en Roma, porque encabezó diversas campañas de conquista de territorios: las Galias (actual Francia) y el sur de Germania (Alemania).

Sin embargo, no pudo cumplir con su ambicioso proyecto político, pues antes fue asesinado por un grupo de patricios. Pero lo que había comenzado Julio César lo pudo cumplir su sobrino, **Octavio**: el 30 a. C. venció a sus enemigos y se hizo emperador con el nombre de **Augusto** (todos los emperadores que lo sucedieron llevaron este nombre como título).

El gobierno imperial

Cuando **Octavio** tuvo acceso al gobierno de *Roma* (30 a. C.) —luego de derrotar a **Marco Antonio**—, debió poner fin a las luchas dentro del territorio romano. Distribuyó parcelas de tierra a los veteranos de guerra, repartió trigo gratis entre la plebe urbana, mejoró los servicios municipales y los espectáculos.

De esta manera, logró desviar la atención de los ciudadanos y pudo **concentrar el poder**. Creó un **ejército personal** (*guardia pretoriana*); también puso bajo su administración algunas provincias romanas y se reservó el **mando supremo** sobre los ejércitos, además de nombrarse *sumo pontífice*.

La vida durante el Imperio

En el *campo*: aumentó la gran propiedad (*latifundio*) y con ella también el trabajo de los esclavos. En cada **latifundio** se encontraban una o varias villas, dependientes de éste; cada una tendía a producir lo que necesitaba para su abastecimiento.

En la *ciudad*: el centro (tanto político como comercial) de la vida romana era el *foro*. La **vida artesanal** se intensificó en los *suburbios*.

Durante la expansión de Roma, muchos habitantes perdieron sus cosechas y tierras por estar luchando; por ese motivo, **las ciudades aumentaron su población**. Muchos campesinos se trasladaron a la ciudad (*emigración rural*) buscando trabajo y alimento. También la ciudad proporcionaba distracción: *el circo romano* alcanzó gran esplendor con sus *combates de gladiadores y fieras*, *carreras de carros* y *ejecuciones públicas*.

La religión romana

En sus orígenes, los romanos adoraban a una serie de fuerzas naturales, misteriosas y espíritus protectores. A medida que recibieron la influencia de otros pueblos, sus dioses tomaron caracteres definidos. El aporte más importante fue el griego, ya que los romanos latinizaron a los dioses de aquel pueblo.

El carácter del culto

Existían dos tipos de manifestaciones del culto, una **privada** y otra **pública**.

El **culto público** estaba relacionado con la ciudad y su ejercicio correspondía, en un principio, a los *patricios*; luego pudieron participar de éste los *plebeyos*. El culto consistía en *ofrendas*, *rezos*, *procesiones* y *sacrificios*; también practicaban la *adivinación*: leían el futuro en las entrañas de los animales y en el vuelo de las aves, y a partir de esa lectura tomaban sus decisiones.

La religión tenía un carácter práctico que se vinculaba con la obtención de mejoras. Las relaciones de los creyentes con los dioses tenían carácter de un intercambio: el creyente buscaba obtener el mayor provecho de las ofrendas. Si esto no sucedía, podía recurrir a otro dios.

El **culto privado** era el que se celebraba en la casa, en honor de los antepasados. Lo dirigía el padre, que también se encargaba de mantener el fuego sagrado.

El cristianismo

Durante el reinado de *Augusto* (Octavio), surgió en la *provincia romana de Judea* un movimiento religioso: el **cristianismo**.

A diferencia de otras religiones, proponía un **mensaje universal** para todos los hombres.

Los puntos fundamentales de su doctrina fueron:

• **la existencia de un solo Dios**;
• **el amor e igualdad entre los hombres**;
• **la esperanza de salvación**, por lo que la vida terrena era un paso a la vida eterna.

Vista de los foros de Roma. Desde aquí, y durante mil años, se rigieron los destinos de todo el mundo civilizado.

Arco de Tito.

Acueducto romano, testimonio de la magnificencia arquitectónica del Imperio.

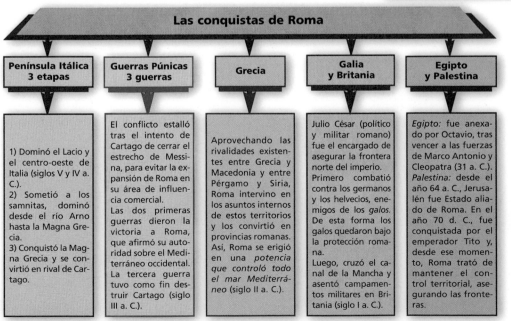

Las conquistas de Roma

Península Itálica 3 etapas	Guerras Púnicas 3 guerras	Grecia	Galia y Britania	Egipto y Palestina
1) Dominó el Lacio y el centro-oeste de Italia (siglos V y IV a. C.). 2) Sometió a los samnitas, dominó desde el río Arno hasta la Magna Grecia. 3) Conquistó la Magna Grecia y se convirtió en rival de Cartago.	El conflicto estalló tras el intento de Cartago de cerrar el estrecho de Messina, para evitar la expansión de Roma en su área de influencia comercial. Las dos primeras guerras dieron la victoria a Roma, que afirmó su autoridad sobre el Mediterráneo occidental. La tercera guerra tuvo como fin destruir Cartago (siglo III a. C.).	Aprovechando las rivalidades existentes entre Grecia y Macedonia y entre Pérgamo y Siria, Roma intervino en los asuntos internos de estos territorios y los convirtió en provincias romanas. Así, Roma se erigió en una *potencia que controló todo el mar Mediterráneo* (siglo II a. C.).	Julio César (político y militar romano) fue el encargado de asegurar la frontera norte del imperio. Primero combatió contra los germanos y los helvecios, enemigos de los *galos*. De esta forma los galos quedaron bajo la protección romana. Luego, cruzó el canal de la Mancha y asentó campamentos militares en Britania (siglo I a. C.).	*Egipto*: fue anexado por Octavio, tras vencer a las fuerzas de Marco Antonio y Cleopatra (31 a. C.). *Palestina*: desde el año 64 a. C., Jerusalén fue Estado aliado de Roma. En el año 70 d. C., fue conquistada por el emperador Tito y, desde ese momento, Roma trató de mantener el control territorial, asegurando las fronteras.

El mensaje cristiano, que promovía la **igualdad** entre los hombres, constituyó una amenaza para los romanos, que tenían una *sociedad que aceptaba la esclavitud*. También constituía una amenaza el **monoteísmo**; por eso los cristianos fueron **perseguidos** desde el gobierno de Nerón.

Recién en el año **313 d. C.**, *Constantino,* emperador romano, mediante el *Edicto de Milán*, decretó la **libertad de culto**. A partir de ese momento, los cristianos dejaron de ser perseguidos y pudieron practicar libremente sus creencias.

El fin de la unidad

A partir del siglo III d. C., se hizo evidente la **decadencia del poder imperial**. Dentro del imperio comenzaron a aparecer síntomas de decadencia: el emperador se transformó en un *déspota* y **el ejército cobró cada vez más importancia por sobre el senado**. A pesar de las tentativas de restauración del orden imperial, la crisis se agudizó hacia fines del siglo IV; los pueblos que se encontraban en las fronteras ejercían cada vez más presión.

En el 476 d. C., Roma fue conquistada por los **bárbaros**, quienes rompieron las fronteras y tomaron la parte occidental del Imperio. A pesar de ello, la cultura romana sobrevivió durante muchos siglos más en la zona oriental del Imperio.

Herencia de Roma

El gran legado romano a la humanidad ha sido **la ciencia del derecho**, que desarrollaron a un grado extraordinario, a tal punto que es **fundamento del derecho moderno**. A su vez, el genio organizativo, base de la construcción de su Imperio, creó modelos de instituciones tan sólidas que sobrevivieron a la caída de Roma. Grandes ingenieros llevaron la civilización romana hasta los confines del mundo conocido, a través de **caminos** y **puentes** cuidadosamente dise-ñados, de los cuales quedan aún restos en Europa. Los monumentos de Roma, la belleza y el esplendor de su ciudad son admirados hasta hoy. Una vez conquistada Grecia, asimilaron lo mejor del genio griego y lo difundieron por todo el Imperio.

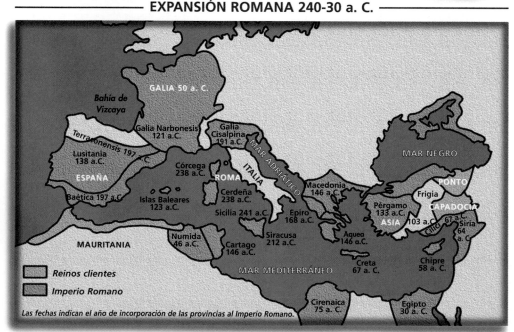

EXPANSIÓN ROMANA 240-30 a. C.

GALIA 50 a. C.

Bahía de Vizcaya

Galia Narbonesis 121 a.C.

Galia Cisalpina 191 a.C.

Terraconensis 197

Lusitania 138 a.C.

MAR ADRIÁTICO

ITALIA

MAR NEGRO

Córcega 238 a.C.

ROMA

ESPAÑA

Baética 197 a.C.

Islas Baleares 123 a.C.

Cerdeña 238 a.C.

Macedonia 146 a.C.

PONTO

Frigia

Sicilia 241 a.C.

Epiro 168 a.C.

Pérgamo 133 a.C.

CAPADOCIA

ASIA

103 a.C.

67 a.C.

Siria 64 a.C.

MAURITANIA

Numida 46 a.C.

Siracusa 212 a.C.

Aquea 146 a.C.

Cartago 146 a.C.

Creta 67 a. C.

Chipre 58 a. C.

MAR MEDITERRÁNEO

Cirenaica 75 a. C.

Egipto 30 a. C.

Reinos clientes

Imperio Romano

Las fechas indican el año de incorporación de las provincias al Imperio Romano.

LA EDAD MEDIA

Las invasiones bárbaras

Quinientos años antes de la destrucción de Roma, una gran cantidad de pueblos nómadas se fueron asentando en las fronteras del Imperio Romano. Los **pueblos germánicos** —blancos, rubios, de ojos azules, muy fuertes, que amaban los deportes violentos y la guerra— habían comenzado sus desplazamientos hacia las áreas fronterizas.

Estas migraciones estuvieron determinadas por los cambios climáticos y la escasez de alimentos. En el siglo IV se les concedió el privilegio de permanecer en las fronteras, en calidad de **federados**. Recibían anualmente una cantidad de dinero con la condición de defender las fronteras ante otras tribus bárbaras. Sin embargo, la presión hacia el interior del imperio continuó, debido al arrollador empuje de los **hunos**, un pueblo asiático que lo arrasaba todo a su paso.

Sectorización del mosaico de San Vital (Rávena, Italia) que muestra el rostro del emperador Justiniano.

Crux Vaticana, siglo VI, que perteneció al sobrino de Justiniano.

La caída del Imperio Romano de Occidente en poder de los bárbaros, en el año 476, marca el inicio de la Edad Media, período que se extiende hasta la caída de Constantinopla en el año 1453.

Roma destruida

Los **visigodos**, otro pueblo bárbaro de origen eslavo, que había sido también admitido en calidad de federado, se sublevaron debido a que el dinero y el abastecimiento prometidos por los romanos no llegaron para la fecha establecida. En el 410 **saquearon e incendiaron Roma**. Este hecho conmovió a todo el orbe romano, ya que la ciudad no había sido atacada en ochocientos años.

Finalmente, los **vándalos**, un poderoso pueblo bárbaro originario de África, invadieron Italia con una gigantesca flota de más de 100 naves. En el 445 conquistaron Roma, a la que saquearon durante 14 días, tras lo

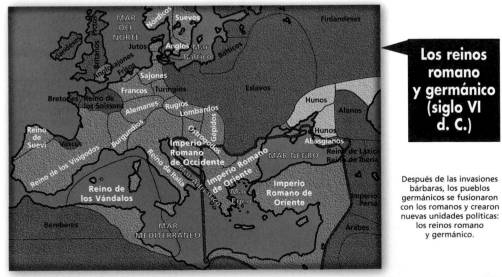

Los reinos romano y germánico (siglo VI d. C.)

Después de las invasiones bárbaras, los pueblos germánicos se fusionaron con los romanos y crearon nuevas unidades políticas: los reinos romano y germánico.

Mahoma invoca la lluvia.
Museo de Arte Islámico,
Estambul.

La coronación
de Carlomagno,
en San Pedro, Roma, la
noche de navidad del 800.
La obra de Carlomagno
coincide con el nacimiento
de la "república christiana"
(sic) que marca la ruptura
de un equilibrio estatal
de tipo bizantino.

Templo de Taj-Mahal,
joya del arte islámico,
en Agra (Uttar Pradesh).

cual regresaron a África. En el 476, la ciudad cayó definitivamente en manos bárbaras. Una enorme cantidad de monumentos, obras de arte y bibliotecas destruidas y quemadas fue el doloroso saldo. Sin embargo, los bárbaros se convirtieron al cristianismo, favoreciendo la difusión de las nuevas doctrinas. También fundaron, en cada país, reinos que se convirtieron en antecesores de las futuras naciones europeas.

El Imperio Bizantino

Tras la caída del Imperio Romano de Occidente, el **Imperio Bizantino**, la parte oriental del antiguo Imperio unificado, se convirtió en el principal centro de poder en el mundo mediterráneo, posición que retuvo hasta la aparición del poder musulmán.

La acción de Constantino

Constantino fue electo por sus tropas para ocupar el trono del Imperio Bizantino. Su política imperial se centró en la unidad por encima de todo. Adoptó el cristianismo como religión oficial del Imperio, sellando así la unión de Iglesia y Estado, clave de gran parte de la historia europea posterior. Constantino hizo de la antigua ciudad de Bizancio la nueva capital, y emprendió entonces una vasta operación de rapiña de todas las obras de arte del antiguo Imperio Romano de Occidente, al tiempo que mandó construir edificios públicos y privados. Hacia el 330, la nueva ciudad se alzaba como símbolo de la Roma de Oriente. Desde entonces, se aplica el nombre de Imperio Bizantino a la parte oriental de la creación romana.

Justiniano y Teodora

Mientras los visigodos asolaban el oeste, los ostrogodos no dejaban de preocupar al oriente, hasta el reinado de **Justiniano** (527-565). Este gran emperador se casó con **Teodora**, una joven actriz de origen humilde, que demostró ser una de las mayores figuras femeninas de la historia. Justiniano firmó la paz con Persia y envió a su gran general, **Belisario**, contra los enemigos del Imperio. Éste derrotó a los vándalos en el norte de África y, tras una larga lucha, expulsó a los godos de Italia. Pese a sus conquistas, Justiniano es recordado por tres grandes obras que legó a la posteridad: la soberbia **iglesia de Santa Sofía** construida en Constantinopla (Bizancio), los **mosaicos de Rávena** (Italia) y la recopilación sistematizada de todas las leyes romanas (**código bizantino**). Justiniano y Teodora lograron reconstruir, al menos temporariamente, la unidad del Imperio.

La caída del Imperio Bizantino

Tras la muerte de Justiniano, el Imperio tuvo que enfrentar nuevos enemigos externos y mayores conflictos internos, los que superaron las capacidades de sus sucesores.

La desaparición de Constantinopla ocurrió en 1453, cuando **Mohamed II** (1451-1481), sultán del Imperio Otomano, la atacó y derrotó a las tropas de **Constantino XI** *Paleólogo* (1448-1453). Los invasores turcos cambiaron el nombre de Constantinopla por el de **Estambul** e hicieron de ella su capital.

Mahoma y el protagonismo árabe

Hacia el siglo VII, los **árabes**, un pueblo de origen **semita**, adquirieron el protagonismo histórico. Esto se debió a la acción de

Mahoma, un pastor y camellero que en el año 600 comenzó a predicar, en una ciudad llamada **La Meca**, una nueva religión.

En ella se proclamaba la existencia de un dios único, **Alá**, que se comunicaba con los hombres por medio de enviados divinos, **los profetas**. Mahoma era el último profeta y el más importante. Las doctrinas de Mahoma están contenidas en el **Corán**, el libro sagrado de los árabes.

Muchos compatriotas no lo supieron interpretar y decidieron matarlo. Para salvarse, huyó de La Meca el 15 de julio del año 622. Esta fecha marca el comienzo de la **Égira**, o fuga, e **indica el inicio del cálculo del tiempo para los musulmanes**.

Mahoma pudo refugiarse en la ciudad de **Medina**, y desde allí proclamó la **guerra santa** contra los que no creían en sus ideas. Obtuvo la victoria en el año 630. A partir de ese momento, sus doctrinas se difundieron rápidamente.

– La expansión del Islam –

Con el deseo de difundir las ideas del Islam, a la vez que extenderse militarmente, los árabes emprendieron una considerable campaña de expansión. Por el este, llegaron a **Persia** y **Turquestán**. Por el oeste, ocuparon **Siria**, **Palestina**, el **norte de África** y **Egipto**.

En el continente europeo, invadieron **España** y el **sur de Francia**.

Los discípulos de Mahoma tomaron el nombre de **califas** (que quiere decir "sucesores"). Los territorios fueron divididos en tres **califatos**:

• el de **Asia**, con capital en **Bagdad**;
• el de **África**, con capital en **El Cairo**;
• el de **Europa**, con capital en **Córdoba**.

Esta gran expansión

fue llevada a cabo por la **dinastía de los omeyas**. Sin embargo, en Europa fue detenida por los **francos**, en la **batalla de Poitiers**. Esto marcó el fin de la penetración musulmana en Occidente.

En España, la resistencia comenzó con el rey asturiano **Don Pelayo**. Pero la lucha por reconquistar la península habría de insumir ochocientos años.

– Cultura árabe –

Los árabes tuvieron un alto nivel científico, arquitectónico y literario. La agricultura fue perfeccionada con sistemas de riego altamente elaborados. La metalurgia, la industria textil, la ebanistería alcanzaron dimensiones artísticas relevantes. Fueron expertos constructores de barcos, muy veloces y fiables, que les permitieron llegar a la India, Indonesia y Micronesia, donde obtenían especias, oro y maderas preciosas para hacer perfumes.

De la China obtuvieron los conocimientos para fabricar pa-

pel, construir brújulas y producir pólvora de calidad excelente.

A nivel científico, desarrollaron enormes conocimientos astronómicos y matemáticos: a ellos se les debe la invención del cero. En química, obtuvieron importantes compuestos.

Fundaron en Córdoba (España) la primera escuela de medicina de Europa. La historia encuentra en el médico **Ahmad ab-razi** uno de sus mayores exponentes. Crearon muy bellas poesías y también renovaron ese género.

En arquitectura fueron eximios creadores. Claros exponentes lo constituyen la **Mezquita de Córdoba** y la **Alhambra de Granada**. Emplearon columnas delgadas, altas torres, arcos en herradura y cúpulas doradas.

Se destacaron también en la distribución de los jardines y en la creación de sistemas de refrigeración hidráulicos. Jamás realizaron esculturas o pinturas; reprodujeron, en cambio, versos del Corán con su bella caligrafía.

– El Imperio Carolingio –

Los francos fueron uno de los pueblos bárbaros que dieron origen a un nuevo reino, después de la caída del Imperio Romano de Occidente.

El área geográfica que ocupaban se ubicaba al oeste de Alemania y en el norte de Francia.

El poder lo tenía un funcionario llamado **mayordomo del palacio** que, con el correr del tiempo, asumió virtualmente la categoría de rey.

– Pipino el Breve –

El cargo de mayordomo era transmitido de padres a hijos.

Uno de ellos, **Pipino**, apodado **el Breve** (por su corta estatura), decidió derrocar al por entonces monarca del Imperio. Con el apoyo del Papa, Pipino el Breve se coronó rey. Cuando falleció, lo sucedió su hijo Carlos, a quien más tarde llamaron **Carlomagno** (magno: "grande").

Los dominios de Carlomagno

Este monarca decidió restaurar la idea del Imperio Romano. Sus dominios abarcaban la **zona española de los Pirineos** (Rusillón y el área barcelonesa), **Bélgica, Holanda, Alemania, Suiza, parte de Hungría**, las **zonas norte y central de Italia** y **Austria**.

El esplendor de la corte carolingia

La **corte carolingia** se destacó por su esplendor y por la presencia de eruditos, sabios y famosos pintores de miniaturas sagradas en los libros religiosos.

En el **aspecto educativo**, merece destacarse la orden por la que se establecía que en cada convento debía haber una escuela para instruir a los niños de la región. Se les enseñaba latín, lectura, historia y canto sacro.

Administrativamente, el Imperio Carolingio estaba dividido en provincias gobernadas por **condes**.

Las áreas fronterizas se denominaban **marcas**, y sus gobernantes, **marqueses**. Los **cancilleres** (sacerdotes cultos) se encargaban de los asuntos civiles y eclesiásticos.

El fin de un vasto imperio

A la muerte de Carlomagno, heredó el trono su hijo **Ludovico Pío**. Sin embargo, sus otros hijos peleaban encarnizadamente por los extensos territorios. Como consecuencia de

Catedral de estilo gótico.

Rostro del Cristo, románico de San Clemente de Tahull, en el Museo de Arte de Cataluña, Barcelona, España.

Fresco del Dante, obra de Andrea del Castagno, ubicada en la Galería de los Uffizi, Florencia, Italia.

esas peleas, el gran Imperio Carolingio quedó dividido en tres reinos:

- Reino central o **Lotaringia** (desde el mar del Norte hasta el Mosela, **Francia**).
- Reino oriental (**Alemania**).
- Reino occidental (parte de **Francia**).

Los normandos y el feudalismo

Entre los siglos VIII y X, un nuevo pueblo bárbaro, los **normandos** o **vikingos**, asolaron Europa.

En sus veloces naves, se internaban por los ríos sembrando el terror en los pueblos. Llegaron a Inglaterra a las órdenes de **Guillermo I el Conquistador** y la sojuzgaron. Los débiles reyes, herederos del fragmentado Imperio Carolingio, eran impotentes para defender a sus pueblos.

Los antiguos funcionarios de la corte carolingia (duques, condes y marqueses) tomaron el nombre genérico de "**señores**". Vivían en poderosos **castillos**, protegidos por **fosos**. Los **campesinos**, aterrados ante las invasiones normandas, acudían a los castillos y solicitaban protección al señor.

Éste se comprometía a defenderlos, a cambio de que trabajaran para él, reconociéndose como sus siervos. Esta relación recibe el nombre de **vasallaje**.

Los señores eran poderosísimos: tenían derechos de vida y muerte sobre sus vasallos, les cobraban enormes impuestos, los obligaban a trabajar gratuitamente sus tierras, les hacían moler el trigo y efectuar la limpieza del castillo.

Si el señor vendía sus propiedades o **feudos**, los siervos eran vendidos con ellos. Se los consideraba igual que animales.

Este triste sistema recibió el nombre de **feudalismo**.

Cultura e Iglesia

Dos órdenes religiosas, los **dominicos** y los **franciscanos**, dieron un gran apoyo a la educación. Se fundaron las **universidades**. En ellas, la enseñanza se impartía en latín, y consistía en el aprendizaje de gramática, astronomía, literatura, dialéctica, música, aritmética y geometría.

En **literatura**, surgió un nuevo género: los **cantares de gesta**, que narran historias de caballeros o hechos guerreros.

En materia artística, **las iglesias** fueron prioritarias. En la primera etapa de la Edad Media encontramos el **arte románico**, caracterizado por templos de gruesas columnas y pinturas al fresco con motivos religiosos. Hacia el siglo XII, el **estilo gótico** revolucionó la arquitectura con sus altas iglesias iluminadas por la luz que pasa a través de los vitrales.

La construcción más típica del gótico es la **catedral**. Está caracterizada por el *arco ojival*, que simboliza las manos en oración, y las grandes portadas con *rosetones,* círculos de importantes dimensiones cubiertos por vidrios de colores intensos, con **representaciones sagradas** (*vidrieras o vitrales*).

La Iglesia tenía un inmenso poder, ya que dominaba los aspectos educativo y político. En esta época, de profunda fe, los papas fueron la máxima autoridad, respetados por reyes y emperadores.

El origen de las naciones europeas

El comercio, incrementado después de las Cruzadas, dio lugar a una nueva clase social: los **burgueses** (los que vivían en el *burgo* o ciudad, a diferencia de los campesinos). Estos comer-

LAS CRUZADAS Y SUS CONSECUENCIAS

A comienzos del siglo XI, **los turcos** ocuparon Palestina y la ciudad de Jerusalén, donde se hallaba el **Santo Sepulcro**. Con el objetivo de reconquistarlo, se organizaron ocho expediciones llamadas **Cruzadas**. Sólo la primera expedición tuvo éxito.

Los cruzados fueron desalojados de Jerusalén en poco tiempo por los turcos musulmanes, que no sólo lograron contener a los cruzados en sus nuevas incursiones, sino que en 1453 **tomaron Constantinopla** (también llamada **Bizancio**), capital del Imperio Romano de Oriente o **Imperio Bizantino**. Este hecho marcó el fin de la Edad Media.

Las **consecuencias** de las Cruzadas fueron:

- **reactivación del comercio en el Mediterráneo**
- **introducción en Europa de productos orientales**
- **aumento de poder de la Iglesia**
- **fundación de las órdenes de caballería**

ciantes buscaron el apoyo de los reyes, a quienes ayudaron económicamente. De esa manera, los reyes comenzaron a retomar el poder que había quedado en manos de los señores feudales. Bajo la autoridad real, los antiguos feudos comenzaron a incorporarse al dominio de los monarcas. Fueron constituyéndose así los nuevos Estados. Otro factor de unificación fueron las guerras contra los invasores extranjeros. España es un caso típico. Para hacer frente a la lucha contra los árabes, **Isabel**, **reina de Castilla**, y **Fernando**, **rey de Aragón**, se casaron y así unificaron el reino. La **toma de Granada**, el último bastión árabe, significó la consolidación española bajo una misma corona.

Portugal, por su parte, hizo frente a moros y castellanos.

Los franceses pelearon para expulsar a los ingleses en la **Guerra de los Cien Años**. Una figura notable en esta lucha fue **Juana de Arco**.

Italia y Alemania permanecieron fragmentadas en Estados independientes hasta el siglo XIX. Finalmente, la consolidación de las **lenguas nacionales**, expresada a través de la literatura (por ejemplo, en la *Divina Comedia* y el *Cantar de Mio Cid*), significó el fin del latín como lengua universal.

Miniatura que muestra el levantamiento del sitio de Orleáns (Guerra de los Cien Años), ubicada en la Biblioteca Nacional de París.

LA EDAD MODERNA

La Edad Moderna se caracterizó por los grandes inventos; el afianzamiento de la burguesía; el desarrollo del individualismo; los movimientos culturales; la crisis religiosa; la conquista y colonización de América, y el absolutismo monárquico.

Tomás Moro.

En Inglaterra, **Tomás Moro**, que escribió la famosa *Utopía*; en España, **Antonio de Nebrija**, quien publicó la primera gramática castellana, y el valenciano **Juan Luis Vives**, precursor de la psicología moderna.

El Renacimiento

Durante el período renacentista, los artistas y los hombres cultos (los humanistas) buscaron sus modelos de inspiración en las ruinas y esculturas de las antiguas **Grecia** y **Roma** (de ahí el nombre de *Renacimiento*). Reapareció el desnudo y se destacaron la belleza y la alegría de vivir. En el aspecto político, el Renacimiento se diferenció también de la organización medieval. El Estado adquirió cada vez más importancia; la Iglesia quedó relegada en la decisiones gubernamentales.

Nicolás Maquiavelo fue el iniciador del pensamiento político moderno. Escribió un libro, *El Príncipe*, en el que propuso un Estado poderoso, gobernado por un príncipe inflexible, que no hiciera caso de la Iglesia y que admitiera las críticas.

El Humanismo

El Humanismo fue un movimiento cultural nacido en el siglo XV. Propuso humanizar el conocimiento basándose en el razonamiento personal. La invención de la imprenta favoreció estas ideas, al posibilitar la difusión del libro. Los **precursores** del Humanismo fueron tres escritores italianos del siglo XIV: **Dante**, que escribió la *Divina Comedia*; **Petrarca**, poeta; y **Bocaccio**, narrador. Ellos destacaron la importancia de escribir en el idioma nacional, en este caso, el italiano.

Los humanistas se dedicaron a la lectura, la meditación y las investigaciones. Revalorizaron el estudio del griego y del latín como lenguas para la cultura, defendiendo, no obstante, la utilización de los idiomas nacionales. También se estudiaron lenguajes antiquísimos, como el caldeo y el hebreo.

Valorizaron el **raciocinio** y el **pensamiento crítico**. Esto los diferenciaba de los hombres del medioevo, que no se atrevían a discutir lo que habían escrito los filósofos y escritores antiguos.

Los humanistas descubrieron numerosos **errores de información**; por ejemplo, aquellas teorías que afirmaban que la Tierra era plana o que el Sol giraba alrededor de ésta. Decidieron entonces comprobar por sí mismos los conocimientos, antes de repetirlos sin sentido.

Los humanistas más destacados fueron: el holandés **Erasmo de Rotterdam**, autor de *Elogio de la locura*.

La Piedad, de Miguel Ángel, obra cumbre de todas las épocas.

Momentos de lujo y corrupción

Simultáneamente con el *avance cultural*, comenzó, en algunos sectores, un **desmedido afán de riqueza** y una **pérdida de importantes valores espirituales**. El **pueblo**, gracias a la **imprenta**, leía una gran cantidad de **libros edificantes**, que hablaban de la necesidad de una vida virtuosa. Esto, obviamente, no lo

veían en sus gobernantes y, a veces, tampoco en los dignatarios religiosos.

Por ese tiempo, algunos sacerdotes recorrían los caminos europeos proponiendo una vida que estuviera más de acuerdo con las enseñanzas de *Cristo*, que figuraban en los *Evangelios*.

Los papas y otros funcionarios religiosos participaban de esta **decadencia**. En muchos países, como en **Francia** y **Alemania**, los nobles habían acaparado los cargos más influyentes. **La nobleza compraba cargos eclesiásticos**. De esta manera, retenía para sí el dinero que se recaudaba en las misas y en colectas. Vivían en sus palacios, alejados de los templos.

La Reforma

La situación se hizo intolerable. La causa fue, sin duda, la venta de indulgencias. ¿Qué significaba esto? Por aquel tiempo (1514) había comenzado la construcción de la iglesia más importante para la cristiandad: *San Pedro*, en Roma. Obviamente, era una obra súper millonaria.

¿Cómo conseguir fondos para construirla? El papa León X tuvo una idea "brillante". Era obligatorio que todo buen católico fuera una vez en la vida a

La ciencia cambió el mundo

Los descubrimientos científicos cambiaron las formas de pensar.

Por ejemplo, el polaco **Copérnico** (1473-1543) demostró que la Tierra giraba alrededor de su eje y que los planetas giraban alrededor del Sol (teoría heliocéntrica).

Perseguido por sus ideas, sólo se le dio credibilidad cuando el alemán **Kepler** (1571-1630) inventó el telescopio y pudo comprobarse que la teoría del heliocentrismo era cierta.

Galileo Galilei (1564-1642), italiano, defendió las ideas de Copérnico. Decía que nada podía afirmarse como verdadero si no estaba demostrado antes.

Por medio de cálculos comprobó que la Tierra giraba alrededor del Sol y que también lo hacía sobre su eje. Estos pensamientos fueron rechazados por la Iglesia y lo obligaron a retractarse.

El Renacimiento en Italia

El Renacimiento tuvo origen en Italia. Los artistas precursores fueron: **Giotto** (s. XIV), quien comenzó a apartarse de los tradicionales modelos medievales, usando gente del pueblo como modelos y cambiando la tradicional forma de pintar de la Edad Media; **Piero della Francesca** (s. XV), que desarrolló la **perspectiva**; **Botticelli** (s. XVI), autor, entre otras obras, del *Nacimiento de Venus*. Como genuinos representantes de este período citamos a: **Rafael**, célebre pintor de temas religiosos; **Leonardo da Vinci**, un genio universal, autor de *La Gioconda* y notable inventor (entre otras cosas ideó un helicóptero y un avión); **Miguel Ángel Buonarrotti**, que pintó el techo de la Capilla Sixtina (*El Juicio Final*), y como arquitecto diseñó los planos de la **Basílica de San Pedro** y construyó su cúpula; además, a él pertenecen extraordinarias esculturas, como la *Piedad*, el *Moisés* y el *David*.

Fachada de la Basílica de San Pedro, obra del artista renacentista Carlo Maderno.

Roma, en peregrinación, para confesar y comulgar ante el Papa... Así obtendría el perdón por sus pecados.

Ahora bien, el viaje era muy peligroso debido a las grandes distancias, por un lado, y por el otro, a lo largo del camino se parapetaban asaltantes y bandoleros. ¿En qué consistió la idea del Papa? Como el viaje era tan caro y peligroso, los fieles debían enviar a Roma el importe del viaje, calculando ida, vuelta y gastos de estadía. Una vez comprobada la recepción del dinero, se les enviaba, por escrito, el automático perdón de los pecados o "indulgencia". Los bancos también extendían esos certificados. En **Alemania**, un sacerdote, cansado de estos abusos, escribió las 95 tesis, que criticaban abiertamente esta medida, y las clavó en la puerta de su parroquia. El clérigo se llamaba **Martín Lutero** (1483-1548). El Papa lo declaró hereje. La respuesta de Lutero fue negar la autoridad y la infalibilidad papal. El Papa respondió excomulgándolo (le quitó el sacramento de la comunión). A la ruptura de Lutero con la Iglesia de Roma, que trajo aparejada la creación de una nueva Iglesia, se la denomina **Reforma**.

El Siglo de Oro en España

El siglo XVI es llamado, en España, **el Siglo de Oro**, ya que en ese lapso se reunieron los más destacados artistas.

La expansión de la imprenta y la fundación de nuevas universidades contribuyeron a difundir el Renacimiento.

El castellano alcanzó niveles de perfección con el *Quijote*, de Miguel de Cervantes Saavedra.

Los conocimientos técnicos

Las especias cambiaron los hábitos alimentarios de los europeos. El contacto con las culturas asiáticas determinó que el papel, la brújula, la pólvora (de origen chino) fueran aplicadas muy pronto a las nuevas tecnologías en materia de transporte oceánico.

La brújula, el sextante y el astrolabio hicieron posible la navegación a tierras lejanas.

El telescopio permitió conocer la exacta ubicación de los planetas. El microscopio posibilitó adentrarse en el mundo infinitamente pequeño.

Gutenberg perfeccionó la imprenta de tipos móviles. Esto, sumado al conocimiento de las técnicas de fabricación de papel (inventado en China), ocasionó un cambio revolucionario en la difusión del saber.

Consecuencias de la Reforma

La Iglesia Católica reaccionó con energía. Produjo la **Contrarreforma**, que buscaba corregir todos los defectos mencionados. Además, comenzó una campaña de propaganda y conversión de infieles.

San Ignacio de Loyola, creador de la orden de los jesuitas, fue la figura más importante de este movimiento.

Artísticamente, surge un nuevo estilo: el **barroco**, caracterizado por sus efectos ilusionísticos y teatrales, que fueron aprovechados para la captación de los fieles. Un ejemplo lo constituye la **Iglesia de la Compañía de Jesús**, en Roma.

El estilo barroco se difundió con rapidez en la recién conquistada América; sin embargo, se le agregaron elementos típicos del paisaje, o la fauna y la flora de cada lugar.

En Argentina, las **Misiones Jesuíticas** o la **Catedral de Córdoba** pueden citarse como ejemplos.

La intolerancia produjo las **Guerras de Religión**, entre las que se destaca la *Guerra de los Treinta Años* (1618-1648).

El oro y la plata extraídos de América sirvieron a España para el financiamiento de estas guerras, que —por otra parte— significaron el ocaso de España como gran potencia y marcaron el surgimiento de Inglaterra como la nación más poderosa del mundo.

El dominio de los monarcas que ganaron nuevos territorios fue en aumento, lo que los llevó a ejercer un poder total, denominado **absolutismo**.

Miguel de Cervantes Saavedra.

GRANDES CULTURAS AMERICANAS

Cuando Cristóbal Colón llegó a América, en 1492, ésta no estaba deshabitada. Numerosos pueblos, con dioses y costumbres propias, vivían en ella desde hacía muchos siglos.

Los mayas, una cultura milenaria

La **cultura maya**, considerada como la más compleja de todas las de la América **precolombina**, ocupó los actuales estados mexicanos de Chiapas, Tabasco y Yucatán, casi todo el territorio de Guatemala, y el norte de Honduras y El Salvador.

Los mayas se destacaron, sobre todo, porque, además de contar con avanzados conocimientos sobre astronomía y aritmética, conocían el número cero, que les permitían predecir eclipses, movimientos de los astros y períodos de lluvia. Fueron los únicos que desarrollaron un sistema completo de escritura. En la actualidad, se conservan muchos textos mayas, pero, desgraciadamente, aún no han podido ser descifrados en su totalidad.

La agricultura, base económica maya

El cultivo de la tierra era la principal ocupación del pueblo. Para ello, era necesario hacer claros en la selva mediante la tala de árboles.

Una vez sembrado el terreno, lo protegían de los animales con una cerca de troncos; luego cantaban y emitían silbidos, pues creían ahuyentar así a los malos espíritus y atraer a los genios favorables. Dedicaron especial cuidado al cultivo del **maíz**, su principal alimento, al que seguían en importancia el **poroto** y el **cacao**. Este último era utilizado para fabricar el **chocolatl** (chocolate), bebida que fue aceptada rápidamente por los europeos.

Los restos de las ciudades mayas más importantes se han descubierto, a lo largo del siglo XX, ocultos por la selva de Yucatán. Algunas de ellas son **Palenque**, **Uxmal**, **Chichén Itzá**, **Quiriguá** y **Copán**.

Uno de los tres templos emplazados en la ciudad de Palenque, famosa por el hallazgo de la tumba del rey Pacal el Grande.

Ciudades independientes

La organización política de **los mayas** estaba basada en la existencia de ciudades-Estado, independientes entre sí, que sólo en algunas ocasiones podían constituir una confederación.

Las ciudades mayas se edificaban alrededor de una gran plaza, donde se construía el templo. Éste era un monumento **apiramidado** con pisos escalonados. En la parte superior había una cámara reducida, que se utilizaba como observatorio astronómico. En esta plaza se reunían los habitantes del poblado, dirigidos por un jefe o sacerdote, para cumplir con ciertas ceremonias.

Organización social

Con respecto a la sociedad maya, estaba dividida en distintos sectores: en el vértice de la pirámide social se encontraban la **nobleza** y los **sacerdotes**; por debajo de éstos, los **campesinos** y los **artesanos**; y en la base de la pirámide se hallaban los **esclavos**, que eran prisioneros de guerra.

Las industrias textil y metalúrgica

Los mayas desarrollaron una importante industria textil, alfarera y **metalúrgica**.

Fabricaban las telas con algodón. En los tejidos trataban de

reproducir la figura de los dioses que adoraban.

Además, utilizaron el oro, la plata, el cobre y el bronce en la fabricación de sus armas, herramientas y objetos religiosos.

Arriba, templo de los Guerreros, ubicado en Chichén-Itzá, México. A la derecha, imagen del Chacmool.

La religión maya

Los mayas fueron **politeístas**. Creían en un dios supremo, llamado **Tohil**, y en otras **deidades** secundarias, representantes del bien y del mal, quienes estaban en constante lucha para favorecer o perjudicar a los mortales.

Los aztecas

En la fértil meseta central de México, otra cultura se desarrolló a partir del 1250 de nuestra era: la de los **aztecas**.

Ellos creían que la región que habitaban era una "tierra prometida" a sus antepasados, a la que habían sido conducidos por el dios **Huitzilopochtli**, pájaro colibrí que se había metamorfoseado en el astro Sol. La **metamorfosis** de **Huitzilopochtli** era el origen de todas las ceremonias religiosas de la nación azteca.

El cultivo de la tierra

Los aztecas también conocían el cultivo del maíz. No araban la tierra: para sembrar, realizaban un orificio en el suelo con un palo puntiagudo, el palo cavador. Éste reemplazaba al arado, pues cumplía con la función de remo-

EL EJE DEL DESARROLLO URBANO

El lugar más importante de las ciudades aztecas era el centro religioso. Éste consistía en un recinto amurallado en cuyo centro se levantaba el Templo Mayor, que era una pirámide escalonada.

ver la tierra y oxigenarla.

Otro de los grandes cultivos de este pueblo fue el **algodón**.

Prodigiosos ingenieros

Los pueblos aztecas que se establecieron alrededor del lago Texcoco (donde se hallaba la capital de los aztecas, *Tenochtitlan*) realizaron, para cultivar, un verdadero prodigio de

ingeniería. Fabricaron, sobre el lago, jardines flotantes llamados *chinampas*, verdaderas islas artificiales formadas por lodo amontonado y fijado con hierbas y arbustos.

Estas chinampas eran extremadamente fértiles, y sembrando en ellas era posible obtener grandes cosechas.

El gran mercado

El comercio era la otra gran actividad de los aztecas.

Existían mercados, como el de Tlatelolco, donde era posible encontrar los más exóticos productos. Para desarrollar esta actividad, practicaban el *trueque*, aunque existía un producto que puede ser considerado como una especie de moneda: las semillas de cacao.

Confederación de pueblos

Los aztecas formaban parte de una confederación de pueblos de distintos orígenes, en la cual ocupaban un lugar hegemónico. Este imperio confederado tenía dos jefes: uno en lo civil y judicial, llamado **Chihuaco-hualtl**, y otro con funciones militares y religiosas, el **Tlacateculli**. Este último ejercía a su vez el gobierno imperial; los dos cargos eran electivos y *vitalicios*. La capital del imperio era la hermosa ciudad de **Tenochtitlan**, construida alrededor del 1325 de nuestra era, sobre una isla artificial, en el lago Texcoco.

El calpulli

La base de la sociedad azteca estaba dada por el **calpulli**; éste era el nombre que se le daba a la concentración de un grupo de familias que poseía en forma común una porción de tierra. La organización de cada

calpulli reproducía en pequeño la estructura del imperio: cada uno de ellos tenía un jefe civil y otro militar y religioso. Si bien la sociedad azteca tenía un carácter igualitario, existía una cierta forma de **esclavitud**. Pertenecían a esta clase los prisioneros de guerra, los expulsados del calpulli por mala conducta y aquellos que por dos años no cultivaban la tierra. Esta forma de esclavitud tenía la particularidad de no ser hereditaria.

Los dioses aztecas

Como todos los pueblos americanos, los aztecas eran *politeístas* e incorporaban a su religión los dioses de los pueblos conquistados. Adoraban a un dios supremo, **Teotl**, creador y señor del universo. Existían también otros dioses principales, como el ya nombrado **Huitzilopochtli** (dios de la guerra), **Quetzalcóatl** ("serpiente alada", dios del aire) y **Tezcatlipoca** ("el alma del mundo").
Para honrar a sus dioses, practicaban sacrificios humanos. Los sacrificados podían ser valerosos prisioneros de guerra o jóvenes especialmente elegidos.

Manifestaciones artísticas

La arquitectura constituyó la manifestación más destacada de su arte. Los templos (también llamados **teocallis**) son ejemplos de perfección en el uso de la piedra.

Los incas

Casi al mismo tiempo en que los aztecas se establecían en la meseta central de México, en los territorios de América del Sur (desde Colombia hasta el norte de Chile y el noroeste argentino) se consolidaba un vasto imperio:

el de los **incas**. Era un pueblo que llegó a los Andes centrales peruanos desde un lugar aún no claramente establecido. Gracias a su gran poderío militar, conquistaron a los muy desarrollados pueblos que allí habitaban.
Los **incas** se decían descendientes del Sol. Según una leyenda, **Viracocha**, el creador, hizo salir al mundo, por una cueva, a cuatro hermanos

Vista de la gran Plaza Central, en el sector este de Machu Picchu.

y cuatro hermanas. **Manco Cápac**, uno de aquéllos, mató a sus tres hermanos y, llevándose a sus hermanas, se asentó en las cercanías de Cuzco, en un terreno que juzgó fértil.
Los sucesores de Manco Cápac fundarían, con el tiempo, el imperio inca. Basaron su organización económica en el cultivo de la tierra. Además de maíz, cultivaron otro vegetal fundamental para su alimentación: la **papa**.
Cuando los españoles llegaron y conquistaron el Perú, la papa fue uno de los más preciados botines pues, gracias a sus grandes virtudes, fue uno de los alimentos que posibilitaron que Europa superara sus crisis de hambre.
El equilibrio existente entre la sociedad del imperio incaico y la naturaleza fue extraordinario. Para poder cultivar construían, en las laderas de las montañas, **andenes de cultivo** (especie de escaleras cavadas en los cerros), con un complejo sistema de canales de riego.
Aún hoy se pueden ver estas terrazas artificiales en la región de los Andes centrales del Perú, en el Altiplano boliviano y en todo el noroeste argentino.

Un Estado poderoso

Con el nombre de **inca** se designa tanto a los integrantes del pueblo como al emperador.
Su estructura política se basaba en el poder absoluto del **Inca** o emperador, descendiente directo del Sol. Todo pertenecía al Estado, el cual se encargaba de que

El esplendor de tres civilizaciones

Las ruinas del fabuloso Machu Picchu (que se hallaron en la segunda mitad del s. XX), en la Cordillera de los Andes, muestra la grandeza de la cultura precolombina de los incas.
El pueblo azteca también tenía grandes realizaciones culturales, como el templo y la pirámide del Sol, de los que aún hoy se conservan restos.
Pero, de todas las civilizaciones precolombinas, las obras mejor conservadas son las de la civilización maya (¡quizás porque la selva las preservó de la ambición de los hombres!), como en el caso de la pirámide de Tikal.

los bienes se explotasen en común. A cambio, los gobernantes protegían al pueblo del hambre, los malos tratos y de cualquier amenaza exterior. Sin embargo, el pueblo no tenía ningún poder de decisión ni podía intervenir en los asuntos de Estado.

Los mismos rebaños de llamas y alpacas (únicos animales domesticados que conocían) pertenecían al emperador. Recogida la lana en grandes almacenes, propiedad igualmente del Inca, se repartía después entre la gente para que pudiesen tejer sus vestiduras.

El núcleo social lo formaba el **ayllu**, agrupación semejante al calpulli azteca. Asimismo, el ayllu era la unidad de producción económica. En el imperio inca era muy acentuada la diferenciación social.

Como cúspide de la escala social, se hallaba la nobleza, cuyo máximo exponente era el Inca con su familia. Por debajo de esta clase dominante, se hallaban el pueblo y, como base, los esclavos. A diferencia de la estructura azteca, cada una de las situaciones sociales era inamovible y hereditaria.

También eran **politeístas**: adoraban a un dios supremo (*Viracocha*) y a numerosas **deidades** inferiores.

La lengua oficial del imperio era el **quechua** (que aún hoy se habla en vastas zonas sudamericanas).

La arquitectura de los incas se destacaba por la grandeza y majestuosidad de sus templos (grandes habitaciones decoradas en plata y oro) y palacios. En el Cuzco (capital del imperio, significa "ombligo del mundo"), se levantaba uno de los más famosos templos, el de **Coricancha**.

Otras culturas americanas

Las culturas azteca, maya e inca fueron las tres grandes civilizaciones que poblaban nuestro continente mucho antes de la llegada de los españoles. Pero no eran las únicas que habitaban en América. Otras, de menor esplendor, se repartían desde el Caribe a Tierra del Fuego.

Cuando Colón desembarcó en **Guanahaní** (hoy, San Salvador), encontró a los **arahuacos**, uno de los grandes grupos aborígenes que habitaban la zona caribeña. En esta zona también vivían los **taínos**, emparentados con los arahuacos, los **lucayos** y los **caribes**, pueblo extremadamente belicoso. En la porción continental se hallaban los **chorotegas**, **borucas**, **huétares** y **cunas**.

Antiguas etnias de América		
Etnia	**Distribución**	**Grupos indígenas**
Huárpida	Sectores de piedemonte del oeste sudamericano.	Huarpes de Cuyo.
Láguida	Actual territorio brasileño.	Cáingang o cainguá, grupo del que se desprendió la familia tupí-guaraní.
Fuéguida	Sur de Chile hasta Tierra del Fuego.	Yámanas, alacalufes.
Patagónida	Patagonia argentina, desde el río Chubut hasta el estrecho de Magallanes; ocupó también la zona cordillerana, desde donde se dispersó, posteriormente, hasta el centro del actual Brasil.	Selknam, chóniks, tehuelches, puelches, pampas, corondas, chanáes, timbúes, charrúas, sanavirones, chiriguanos y matacos.
Andina (surge del intercambio entre malayo-polinésicos y huárpidos)	Desde el sur de Colombia hasta el norte de la provincia argentina de San Juan.	Araucanos, capayanes, cacnos o diaguito-calchaquíes, lule-vilelas, omaguacas, apatamas e incas.
Centrálida (se desprende de la andina)	Se extiende por Colombia hasta el sur y sudeste mexicano.	Chibchas, mayas y aztecas.

DESCUBRIMIENTOS GEOGRÁFICOS

Los turcos cierran el camino

La expansión turca produjo, en 1453, una catástrofe para la economía y la moral de Occidente. En lo económico, significó la clausura del Mediterráneo como vía comercial que, ante todo, privó a los europeos de las tan necesarias especias, cuyas plantaciones estaban localizadas en Asia. En efecto, sin ellas, las comidas no tenían sabor y, además, resurgían los gustos desagradables. Otras mercancías, como las sedas y los perfumes de Oriente, también quedaban vedadas.

En lo moral, representaba la caída del Imperio Bizantino (o Imperio Romano de Oriente), el último bastión del cristianismo en Asia. Por lo tanto, era imperioso **buscar caminos alternativos**.

Portugal comienza la carrera

Intentando dar una solución a esta grave crisis, los portugueses se aventuraron hacia la costa occidental de África, estimulados por el infante Enrique el Navegante, quien fundó la primera escuela naval del mundo. En 1419, los portugueses llegaron al archipiélago de Madeira; en 1482, Diego Cao arribó a la desembocadura del río Congo (África). En 1487, Bartolomé Díaz dobló el Cabo de Buena Esperanza. Vasco da Gama, en 1498, arribó a las Indias por el este.

Las teorías de Cristóbal Colón

El navegante genovés Cristóbal Colón sostenía que era más fácil

La toma de Constantinopla por los turcos, en 1453, significó la interrupción del tráfico comercial Occidente-Oriente. Dos grandes potencias marítimas –España y Portugal– comenzaron a rivalizar para lograr un camino alternativo, ya que el tradicional del Mediterráneo estaba bloqueado por los turcos.

Durante los siglos XV y XVI, paralelamente a las mejoras que se hacían en las embarcaciones y a los viajes de reconocimiento que se efectuaban, se perfeccionaron los instrumentos náuticos y se progresaba a grandes pasos en materia de cartografía. La **brújula**, el **portulano**, las **cartas astronómicas**, el **cuadrante**, el **astrolabio**, las **tablas de diferencia** y los **derroteros** fueron de gran apoyo para los viajeros.

llegar hasta Oriente saliendo hacia Occidente, por lo que llegó hasta la corte de España a solicitar apoyo para su empresa.

Después de muchas idas y vueltas, los Reyes Católicos firmaron el 14 de abril de 1492 las Capitulaciones de Santa Fe, por las cuales se le concedían a Colón los títulos vitalicios de virrey, almirante y gobernador. Además, se le daba el 10 % de las riquezas que hallara. Los reyes, que acababan de librar la batalla decisiva contra los moros (que habían ocupado España por 800 años), estaban necesitados de mucho dinero y Colón se lo había prometido.

Primer viaje

El 3 de agosto de 1492, las dos carabelas, Pinta y Niña, y la nao Santa María con Colón al mando, se ponían a la mar desde el puerto de Palos (Huelva, España). Después de dos meses de navegación y desánimo, y de sofocar un intento de motín que terminó sin problemas, la madrugada del 12 de octubre de 1492, el marinero Rodrigo de Triana avistó tierra. La flota había llegado a la isla Guanahaní, a la que Colón bautizó con el nombre de San Salvador y que formaba parte del actual archipiélago de las Bahamas. Luego de recorrerlo, llegó a Haití (La Española), en donde se levantó el primer fuerte español en territorio americano. Finalmente, la expedición regresó llevando algunos indios, aves exóticas y un poco de oro.

En España, Colón fue muy bien recibido por los reyes, quienes le encomendaron un segundo viaje.

Los otros viajes

Gracias al éxito de la primera expedición, se organizó una se-

gunda. Más de 1.500 hombres y 17 embarcaciones recorrieron las Antillas, Puerto Rico y Jamaica. Para obtener más riquezas, Colón obligó a los indígenas a pagar tributos. En 1496, regresó a España.

El almirante genovés Cristóbal Colón, quien hizo posible el descubrimiento de un nuevo mundo.

Detalle del cuadro *La Virgen de los Reyes Católicos*, que muestra al rey Fernando de Aragón (arriba) y a la reina Isabel de Castilla, orando (abajo).

En la tercera expedición llegó, sin saberlo, por primera vez al continente. Debido a levantamientos en la fortaleza fundada en La Española, los monarcas enviaron a Francisco de Bobadilla, quien ordenó la prisión de Colón y su regreso a España. Nicolás de Ovando fue nombrado gobernador, con amplios poderes legales. Otros expedicionarios recorrieron entonces las costas de América Central y el norte de América del Sur.

A partir de ese momento, la Corona desconoció lo firmado en las Capitulaciones de Santa Fe, y Colón perdió la exclusividad de los descubrimientos. Pese a todo, el Gran Almirante regresó una vez más a América. En este cuarto y último viaje, recorrió la región de Panamá. Enfermo y desencantado, murió en España, en 1506.

España, una potencia imperial

Los primeros descubrimientos fueron seguidos por numerosas expediciones.

No sólo españoles y portugueses, sino también ingleses y franceses enviaron expediciones a los nuevos territorios. Pero fue fundamentalmente España la nación más favorecida, ya que los territorios ocupados por este país abarcaron millones de kilómetros cuadrados.

Esta extensión territorial hizo de España una gran potencia imperial.

Los viajes menores

Entre 1505 y 1508 tuvieron lugar las **Juntas de Toro** (España), en las que intervino Américo Vespucio. En ellas se estudió la posibilidad de encontrar **un paso que comunicara el continente americano con las Indias Orientales**.

Muchos hombres de humilde condición, cargados de sueños y esperanzas, se veían atraídos por la propuesta de atravesar el océano Atlántico. Ninguno de los integrantes de las huestes tenía un sueldo, pero, según el papel que desempeñara, sabía que parte de las riquezas que se encontraran le corresponderían.

Vespucio fue nombrado **Piloto Mayor del Reino**.

Los llamados **viajes menores** (1503-1513) tuvieron el objeto de hallar un paso interoceánico. Estaban financiados por la Corona o por bancos particulares. Los lugares recorridos fueron: *Brasil, las grandes Antillas, Trinidad, Venezuela, Colombia, Panamá* y las *bocas del Orinoco*. Entre otros, los exploradores que hicieron ese recorrido fueron: **Alonso de Ojeda Pinzón, Juan de la Cosa** –además famoso cartógrafo–, **Alonso Niño** y **Américo Vespucio**.

— El paso interoceánico —

En 1513, **Vasco Núñez de Balboa** concretó una extraordinaria hazaña. Acompañado por un reducido grupo de expedicionarios e indios amigos, atravesó –a pie– el **istmo de Panamá**. Fueron días terribles, atormentados por el calor, los insectos y el temor de ser sorprendidos por una emboscada en plena manigua (selva). Finalmente lograron arribar al **océano Pacífico**. La teoría se había comprobado; quedaba solamente hallar el paso que pudiera ser surcado por los navíos.

En 1515, **Juan Díaz de Solís** buscó –surcando el Río de la Plata– una comunicación interoceánica. Los ataques de los indios charrúas, que dieron muerte a Solís, provocaron el regreso de la expedición.

El área norteamericana comenzó a ser explorada en 1499 por **Juan Caboto**, quien buscaba –por encargo de los ingleses– un paso para las indias. En 1524, **Juan Verrazzano** (al servicio de Francia) llegó a las costas de Nueva Inglaterra. **Cartier** exploró el Canadá en 1534.

Los españoles enviaron expediciones a la misma área: **Yucatán** (1508), **Florida** (1512) y las **bocas del Misisipí**. Entre los expedicionarios, citamos a **Domingo de Soto, Pedro de Alvarado, Juan Vázquez Coronado, Ayllon, Grijalba,**

CONSECUENCIAS DE LOS DESCUBRIMIENTOS GEOGRÁFICOS

- Se comprobó que las rutas comerciales del Atlántico eran más importantes que las del Mediterráneo.

- Se concentró en Europa una enorme cantidad de oro y plata, provenientes del saqueo a que era sometido el continente americano.

- Se produjo un gran movimiento migratorio de Europa a América.

- Se restauró la esclavitud. Como consecuencia de la masacre cometida con los indígenas americanos, se abrió el comercio de esclavos negros, oriundos de África.

- Se conocieron en Europa alimentos vegetales como la papa, que cambiaron los hábitos alimentarios de los europeos.

- Se ampliaron los conocimientos, sobre todo de geografía y ciencias naturales.

hasta llegar a las Islas de las Especias. **Magallanes** murió en la **isla Mactan** (Filipinas). **Juan Sebastián Elcano** prosiguió el viaje y llegó a España en 1522. Se había dado, por primera vez, la vuelta al mundo. Quedaba demostrada la esfericidad de la Tierra.

Las escuelas de cartografía, ubicadas en las principales ciudades europeas (Génova, Mallorca, Venecia, Lisboa), elaboraron importantes **cartas de navegación**, basándose en los anteriores conocimientos de la Edad Media, pero incorporándoles los nuevos registros que se tenían de las exploraciones recientes. Así, aparecieron muchas que agregaban las costas e islas atlánticas.

Embarcaciones con mayor seguridad

Entre los ss. XV y XVI, la construcción de barcos experimentó un notable avance al complementarse los conocimientos legados por los romanos, los árabes y los vikingos. Así, se incorporaron a las naves **la vela cuadrada**, **un tercer mástil**, y se **perfeccionó el timón**. Todo contribuyó a mejorar la maniobrabilidad y otorgar mayor velocidad.

Las embarcaciones típicas en las que se combinaron estos tres elementos son la **carabela** y la **carraca**.

Estas barcas hicieron posible la navegabilidad en aguas del Atlántico.

Ponce de León. En 1519, el piloto portugués **Hernando de Magallanes** recibió el encargo de hallar el tan ansiado paso.

El objetivo se logró al encontrar el llamado **Estrecho de Todos los Santos** (más tarde, Estrecho de Magallanes). La expedición logró así llegar al océano Pacífico. Continuaron la navegación

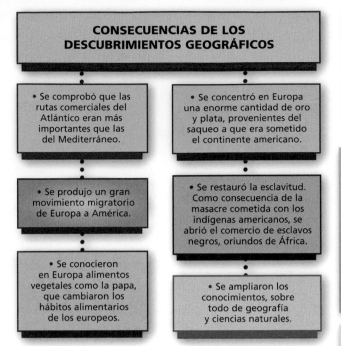

Uno de los requisitos que debían cumplir los expedicionarios era la firma de un contrato con el rey, que constaba de varios capítulos y en el que se establecían los derechos y deberes de ambas partes. Este tipo de contrato se llamaba Capitulación.

LOS DOMINIOS ESPAÑOLES

Todo comenzó en el siglo XVI

Cuando el 23 de marzo de 1516 un joven de sólo 16 años de edad, llamado **Carlos**, fue proclamado rey de España, comenzaba a formarse uno de los imperios más extensos de la historia. Carlos –a partir de entonces, **Carlos V de España**– era nieto de famosos: sus abuelos maternos eran **Isabel y Fernando, los Reyes Católicos**, quienes habían ayudado a Cristóbal Colón en su empresa; y su abuelo paterno, **Maximiliano**, emperador del **Sacro Imperio Romano Germánico** (Alemania y Austria).

España, pionera en la conquista europea del Nuevo Mundo, llegó en el s. XVI a su máxima expansión y poderío en el mundo de entonces. En menos de cien años, extendió sus dominios por territorios lejanos y diversos. Los reyes Carlos V y Felipe II fueron los responsables de tan magnífica empresa.

Retrato del rey Carlos V, realizado por el artista plástico Tiziano Vecellio.

Muy pronto, los dominios se extendieron

En estos años, los dominios de Carlos se ampliaron:
• 1519: emperador del Sacro Imperio.
• 1521: Hernán Cortés conquistó México.
• 1534: Francisco Pizarro conquistó Perú.
• 1535: conquista de Túnez (África).
• 1541: conquista de Argelia (África).
El inmenso imperio abarcaba: **España, las colonias americanas, el Sacro Imperio Romano Germánico** (Alemania y Austria), **los Países Bajos** (Bélgica y Holanda) y **las colonias africanas** (Túnez y Argelia).

—De tal palo, tal astilla —

Sin embargo, aún no estaba todo dicho. En 1556, Carlos renunció al trono y fue reemplazado por su hijo, **Felipe II**. Éste no pudo evitar la pérdida de parte del impe-

Arriba, Felipe II, soberano español, protagonista del triunfo en la batalla de Lepanto. Abajo, escena de la batalla de Lepanto.

rio: el Sacro Imperio Romano Germánico quedó en poder de su hermanastro, **Fernando**. Pero nuevas posesiones se agregaron a la ya extensa lista:

• 1554: Milán, Nápoles y Sicilia, en Italia.
• 1566: conquista de las Filipinas (Asia).
• 1580: conquista de Portugal y de las colonias asiáticas y africanas portuguesas.

El imperio donde nunca se ponía el sol

Con estas nuevas tierras, el imperio español abarcaba el mundo entero: desde las Indias occidentales (América) hasta las Indias orientales (Asia), vale decir, de un confín al otro de la Tierra. En los dominios españoles nunca se ponía el sol: cuando en Madrid era de noche, en las Filipinas brillaba el sol.

La cuestión del Mediterráneo

Durante el s. XVI, un problema afligía a España: el avance de los **turcos** sobre la Europa que bordea el mar Mediterráneo: En 1571, este avance fue detenido: la armada española, reforzada por los venecianos, triunfó en la batalla de **Lepanto**. Este triunfo permitió a Felipe II organizar sus territorios fuera de Europa.

LA CONQUISTA DE AMÉRICA

Cuando Cristóbal Colón arribó a América, tanto los expedicionarios como los aborígenes se sorprendieron. Se trataba de dos mundos totalmente distintos. El encuentro entre estos dos mundos, tan diferentes, cambió completamente la situación de ambos continentes y el curso de la historia de la humanidad.

Dos realidades diferentes

Entre finales del siglo XV y principios del siglo XVI (cuando se produjo el descubrimiento de América), Europa apenas estaba abandonando el largo período medieval, caracteriza-

Francisco Pizarro y Diego de Almagro, por medio de intrigas y crueldades, se apoderaron del vasto Imperio Incaico.

LAS CARTAS DE LA MERCED

Básicamente, la colonización del territorio americano consistió en el definitivo asentamiento de los pobladores en un lugar determinado. Los colonizadores (o pobladores) firmaban con el rey un documento, llamado **carta de merced**, que los autorizaba a reclutar hombres, fundar ciudades, someter y colonizar las regiones que hallasen.

do por una economía basada en el campo, controlada por grandes señores que dominaban a la mayor parte de la población.

Por aquel entonces, América estaba habitada por una innumerable cantidad de pueblos con diversas organizaciones económicas y sociales, y con escasos contactos entre sí. En este territorio florecían grandes civilizaciones, como la azteca y la maya, en México y América Central; y la inca, en América del Sur.

En Europa se llevaba a cabo una gran guerra entre el Occidente cristiano y el Oriente musulmán.

Conquistadores en busca de gloria y riquezas

Detrás del gran navegante genovés, llegaron rápidamente al Nuevo Mundo una infinidad de hidalgos castellanos buscando gloria y riquezas. En poco más de cincuenta años, los numerosos conquistadores tuvieron bajo su dominio casi todos los territorios americanos.

Colonización de América

En 1521, **Hernán Cortés**, valiéndose de intrigas y traiciones, conquistó el enorme imperio azteca. En 1533, **Francisco Pizarro** y **Diego de Almagro** se apoderaron del vasto imperio incaico. En 1540, **Pedro Valdivia** inició la conquista de Chile, pero fue muerto por el bravo cacique **Caupolicán**, en 1553.

En cuanto al **Río de la Plata**, tras el fallido asentamiento de **Mendoza**, en 1536, **Garay** fundó oficialmente la ciudad de Buenos Aires, en 1580. Algunos años antes (1537), **Irala** había fundado **Asunción**.

Hacia 1550, prácticamente no existía lugar de este continente donde los europeos no hubiesen apoyado su planta en afán de conquista, con la consiguiente gloria y riqueza que ésta traía. Muy pronto, millones de americanos se hallaron dominados por unos cuantos miles de europeos.

Todo había cambiado para los aborígenes, pero también la realidad se había transformado para los conquistadores europeos. Los historiadores consideran que el período de la conquista finalizó en 1560.

Los cambios que América produjo en Europa

Muchos elementos aportó América a Europa, pero fundamentalmente dos transformaron la sociedad europea: el **oro** y la **plata**. Esto no significa que los europeos desconocieran estos metales, pero lo que produjo un cambio importantísimo fue la gran cantidad de esos metales enviada desde América al Viejo Mundo.

Hasta ese momento, todo el oro que se utilizaba en Europa como elemento de intercambio comercial provenía de las minas africanas del Senegal. Pero las pocas cantidades y las dificultades para obtenerlo (llegaba a Europa a través de caravanas de camellos) hacían imposible o muy lento el desarrollo de la economía europea.

Los metales preciosos llegaban a España, y de allí se distribuían por el resto del continente, a cambio de los productos manufacturados que necesitaban tanto el reino peninsular como sus colonias.

Todos estos metales preciosos posibilitaron el desarrollo de la economía europea hasta límites desconocidos en ese momento.

La civilización azteca poseía sólidos conocimientos de agricultura, astronomía, etc. Todo ese mundo desapareció, sin embargo, cuando se produjo el choque con la cultura europea.

Plaza de las Tres Culturas, en Tlatelolco, Ciudad de México.

LA PÉRDIDA DE LA IDENTIDAD AMERICANA

La llegada de los europeos impuso cambios y pérdidas de las tradiciones y culturas indígenas, en especial las vinculadas con las religiones. Los europeos impusieron el catolicismo por la fuerza, destruyendo las ancestrales religiones de los americanos.

Los conquistadores también produjeron muchas muertes en la población indígena, debido a que traían consigo virus, como el de la gripe, inexistentes en este continente. La falta de anticuerpos contra esta enfermedad en sus organismos hacía que los nativos muriesen en grandes cantidades y en corto tiempo.

De todas maneras, es precisamente la conquista y la colonización de América la que ha conformado el crisol de razas que nos caracteriza e identifica.

Vista del Palacio del Escorial, residencia del monarca español Felipe II. Allí se tomaban las decisiones sobre los dominios coloniales en América.

Más aportes para el cambio

¿Qué otros productos revolucionaron la vida europea? Fundamentalmente, los **alimentos**. Gran cantidad de vegetales comestibles, originarios del Nuevo Mundo, fueron llevados a Europa, lo que hizo posible evitar las frecuentes hambrunas que los pueblos de Europa habían sufrido hasta entonces.

La **papa**, el **maíz**, la **mandioca**, el **tomate**, vegetales de origen americano de alto valor nutritivo, fueron rápidamente trasladados a Europa. Otros productos vegetales, como el **cacao** o el **tabaco**, tardaron más en introducirse en el Viejo Continente, pero con el tiempo darían cuantiosas ganancias a quienes se dedicaron a su explotación.

América se transforma

Las culturas americanas también sufrieron grandes cambios. Por una parte, la necesidad de riquezas que tenía Europa provocó grandes variaciones en la forma de vida de los indígenas: hasta el momento de la conquista, los aborígenes consideraban los metales preciosos elementos religiosos y decorativos. Como los europeos los precisaban para su intercambio comercial, obligaron a los nativos a extraerlos en grandes cantidades, cada vez mayores. En consecuencia, gran parte de la población americana murió debido al régimen inhumano impuesto en las minas. Por otro lado, los conquistadores trajeron consigo muchos cultivos que en estas tierras encontraron un suelo fecundo para su desarrollo y que, con el paso del tiempo, se convertirían en la base de muchas de las economías de los países americanos.

La **caña de azúcar**, el **café**, el **trigo**, el **arroz** son especies vegetales importadas por los europeos, lo mismo que el **olivo** y la **vid**. Pero la principal transformación que produjo este encuentro fue el **surgimiento de una nueva sociedad**, producto de elementos europeos y americanos. Sociedad que tardó muchos siglos en conformarse.

La organización del territorio conquistado

A pocos años de producido el descubrimiento, los españoles comenzaron a organizar las nuevas tierras conquistadas.

El gobierno colonial español en América iba a sufrir varios cambios a lo largo de los tres siglos que duró la colonia. Al principio (América era desconocida y totalmente nueva para los europeos), se pretendió gobernar el nuevo continente como si fuera una prolongación de España: la máxima autoridad era el **rey**, a quien lo asesoraba el **Consejo de Castilla** (formado por los hombres más ilustres de la Península). Luego, como esto no dio buenos resultados, se creó una institución que se encargaría de todos los asuntos coloniales americanos: el **Consejo de Indias**.

El Consejo de Indias

Estaba formado por nobles designados directamente por el rey, al que debía asesorar en todas las cuestiones americanas. Este Consejo sería, después del rey de España, la máxima autoridad americana, pese a que tenía su sede en España. Entonces, América era gobernada desde España, sin que los funcionarios, que residían en Europa, conocieran jamás el Nuevo Mundo.

El virreinato

Para gobernar un territorio tan extenso, fue necesario dividirlo.

Así, a partir de la segunda mitad del siglo XVI, se crearon **dos grandes virreinatos** en el suelo americano: el de **México**, al norte, y el del **Perú**, al sur.

El virreinato era la división político-administrativa de las colonias americanas de España. Estaba gobernado por un **virrey**, que era el delegado del rey en América. En los lugares fronterizos se creó otro tipo de organización colonial: la **capitanía general**, gobernada por un **capitán general**. Sus funciones eran, sobre todo, militares. A pesar de esto, el territorio seguía siendo enorme, por lo cual se crearon dos nuevos virreinatos a partir de la segunda mitad del siglo XVIII. Del virreinato del Perú se separaron los virreinatos de **Nueva Granada** (en el norte de América del Sur) y del **Río de la Plata** (en el sur del mismo subcontinente).

Otras instituciones coloniales

Existían otras instituciones coloniales establecidas en América.

• El Cabildo

Toda ciudad importante tenía uno, pues era el encargado de **gobernar la ciudad**. Los miembros del Cabildo eran los **alcaldes y los corregidores**, quienes eran elegidos por un selecto y determinado grupo de habitantes de la ciudad. La autoridad del Cabildo llegaba hasta los campos que rodeaban a la ciudad.

• El Consulado

El Real Consulado **controlaba el comercio en las colonias**. Se encargaba de otorgar las licencias y permisos de comercio entre España y América, de revisar los barcos que llegaban y par-

tían, y de cobrar los impuestos comerciales. Sus miembros eran nombrados por el Consejo de Indias, y una de las tareas más importantes que tenía era la de **impedir el contrabando**, una de las actividades favoritas de los americanos. Esto se debía a que, como sólo se podía comerciar con España **(monopolio comercial)**, muchos productos faltaban y entonces eran traídos por barcos contrabandistas.

• Real Audiencia

Una de las instituciones más importantes de la colonia, estaba formada por los **oidores** (nombrados por las autoridades españolas), que eran los encargados de **administrar la justicia en América**. Para ello, interpretaban las leyes que dictaba el Consejo de Indias en España. Si no se estaba de acuerdo con las resoluciones de la Audiencia, se podía apelar sólo al Consejo de Indias y al rey, porque el virrey era el presidente de la Audiencia.

En teoría, estas instituciones debían gobernar América con justicia, pero, en la práctica, fueron muchísimas las irregularidades que cometieron, en gran parte debido a la lejanía de España.

La familia de Felipe V.
Obra que se halla en el Museo del Prado.
Su autor, Louis Michel Van Loo,
retrató a la familia real en 1743.

América: reino de derecho, colonia de hecho

La administración española en América se basó en la **ficción jurídica de los dos reinos**, el de los **españoles** y el de los **indios**.

Desde las perspectivas social y política, en el descubrimiento mismo, los indígenas fueron dominados por los recién llegados, debiéndoles servir y brindar riquezas; dicho sometimiento fue perfeccionándose con el transcurrir de los siglos, con la implementación del complejo aparato político-administrativo. Virreyes, capitanes generales, gobernadores y audiencias no sólo cumplían funciones de gobierno sino que fueron los instrumentos de sometimiento y enajenación de las riquezas del suelo. Lo que en un principio fue el enfrentamiento entre el blanco y el indígena pasó posteriormente, una vez dominados y diezmados éstos, a ser la discriminación entre el español peninsular –cabeza de la pirámide colonial– y los blancos nacidos en América –los criollos–. El relegamiento de éstos es evidente al observar las cifras sobre el lugar de nacimiento de los altos funcionarios en Indias, o sea, el trato discriminatorio entre los súbditos de un supuesto reino y el otro, entre la metrópoli y las colonias.

Entonces, el supuesto jurídico sobre la existencia del reino de América se destruyó por la incontenible fuerza de los hechos: la **dominación colonial y su respectivo andamiaje**.

EL ABSOLUTISMO MONÁRQUICO

Durante el siglo XVII, las monarquías absolutas tuvieron su máximo exponente en el Estado francés, principalmente en la figura de Luis XIV, que quiso imponer la supremacía de Francia en Europa.

Luis XIV, "el rey Sol", llamado así porque solía vestirse y pintarse el rostro de color dorado. Fue el creador de las cinco posiciones de la danza clásica, que aún hoy se siguen utilizando.

La teoría absolutista

Durante el siglo XVII adquiere significado la teoría absolutista, que justifica la afirmación del poder real. Esto se debe a la crisis económica y religiosa, y a los disturbios sociales que se arrastraban desde el siglo anterior. Los monarcas sustentaban su teoría en el **"derecho divino"** que les otorgaba el poder de gobernar **"por gracia de Dios"**. Esto los hacía responsables únicamente ante Él y no ante su pueblo. Aunque en los Estados europeos se manifestó esta tendencia de diferente manera, debemos señalar que **el Estado francés es el mayor exponente del absolutismo durante el siglo XVII**.

Mientras la monarquía española lucha por recuperar su preponderancia, perdida por el alejamiento momentáneo de los monarcas del gobierno, que dejan en manos de los *"favoritos"* o validos (secretarios privados de los reyes), Inglaterra lo hace para terminar con la idea absolutista de la dinastía escocesa que la gobierna y, así, imponer la autoridad del Parlamento. Por su parte, América se debate entre el avance de los reinos europeos y el abandono de España, absorbida por sus asuntos europeos y envuelta en una guerra de religión que pone fin a su predominio sobre Europa.

Los Austrias menores en España

Si bien el siglo XVI fue de esplendor para España, el siguiente no tuvo las mismas características. Los descendientes de Carlos V y Felipe II recibieron el calificativo de "Austrias menores", ya que no contaban con la misma habilidad para mantener sus dominios y la administración del reino como lo habían hecho sus antecesores.

Entregaron el manejo del gobierno a favoritos o validos. América redujo el aporte de metálico y, por otra parte, se resintió el comercio entre la metrópoli y sus colonias.

Detalle de *La Inmaculada Concepción*, pintura de Bartolomé Murillo.

La crisis en España

La situación interna se reflejó en la política exterior. **España perdió poco a poco su papel de primera potencia europea**, mientras ascendía Francia y surgían nuevas potencias.

A pesar de los problemas, **se destacó culturalmente** en las **letras** y en el **arte**, por lo cual esta época recibió la denominación de **"Siglo de Oro español"**.

Felipe III delegó el manejo de los asuntos de Estado al duque de Lerma y luego al duque de Uceda.

En esta época, se buscó la paz

Detalle de *Las Meninas*, de Diego Velázquez. Esta obra es representativa del "Siglo de Oro español". Su creador fue uno de los artistas más destacados de la pintura de la época.

exterior y se pretendió consolidar la paz del reino con la expulsión de los moriscos (españoles de ascendencia musulmana).

Este hecho debilitó la economía, ya que ese grupo social se dedicaba al comercio y la agricultura.

Felipe IV permitió que continuara el sistema de favoritos. El encargado de llevar adelante el gobierno de España fue el conde-duque de Olivares. El gobierno pretendió restaurar su hegemonía exterior con una política internacional agresiva que arrojó resultados negativos.

España intervino en la Guerra de los Treinta Años, e inició una guerra con Holanda, con quien había firmado una tregua en 1609. Portugal, que había sido anexada durante el reinado de Felipe II, también se sublevó y logró su independencia, al igual que Holanda.

Carlos II no pudo, durante su gobierno, contener la **expansión de sus dos potencias rivales**, **Francia e Inglaterra**, y debió reconocer la independencia de Portugal.

A su muerte, España enfrentó una guerra de sucesión, ya que Carlos II no había dejado herederos por carecer de descendencia.

La crisis en América

A partir de la década de 1610 a 1620, empezó a disminuir la producción minera colonial y se redujo la llegada de metal precioso a la metrópoli. El predominio naval holandés debilitó las comunicaciones con las colonias, lo que permitió el desarrollo de la piratería y el contrabando. También, **el Estado español redujo su capacidad de control**.

De esta manera, no pudo defender sus fronteras ni regular el comercio. Las debilidades de la corona española fueron aprovechadas por los **holandeses**, **ingleses** y **franceses**, que ocuparon territorios, extendieron su colonización y ampliaron sus mercados en América.

Los Borbones en Francia

Durante el siglo XVI, tras la muerte de Enrique II, se inicia una guerra civil que durará treinta años. En esta guerra se mezclan las luchas por la sucesión al trono y también las de origen religioso entre protestantes y católicos.

Dentro de los posibles sucesores se encontraba Enrique de Borbón, quien no dudó en convertirse al cristianismo (era protestante) para obtener el apoyo español y acceder a la corona francesa.

Pocos meses después de su conversión, París lo recibió como su soberano y fue coronado en 1594 como Enrique IV.

Para poner fin al conflicto entablado con los protestantes, el rey promulgó en 1598, el Edicto de Nantes, que establecía que el catolicismo sería a partir de allí la religión oficial. No obstante, permitía las prácticas protestantes en toda Francia, excepto en París y sus alrededores, y habilitaba a los protestantes a ocupar cargos públicos.

Luis XIII y el cardenal Richelieu

A la muerte de **Enrique IV**, lo sucedió su hijo **Luis XIII**, que por ser menor de edad contó con el apoyo de un *regente*, el **cardenal Richelieu**, quien implementó una serie de reformas que afirmaron la **autoridad real**.

Las reformas

Se dividió a Francia en **intendencias**.

Los intendentes dependían directamente del rey y desplazaban a los nobles de los asuntos de Estado.

Se redujo también la autoridad de los *protestantes* y se les quitaron los privilegios que les había otorgado el *Edicto de Nantes*.

Con respecto a la política exterior, el objetivo era lograr la *hegemonía* francesa en Europa, destruyendo el poder español y extendiendo las fronteras naturales de Francia: los Pirineos y el Rin.

Éste fue el motivo por el cual Francia participó en la **Guerra de los Treinta Años**.

Mercantilismo: sistema económico popular que entre los siglos XV y XVIII, **promovió el comercio exterior** (en particular de las exportaciones) **con la intervención del Estado**.

Treinta años de guerra

El conflicto comenzó como una **Guerra de Religión**, en la que los protestantes alemanes se oponían al emperador católico y se convirtió en una **guerra internacional** que involucró a las principales potencias europeas.

El Tratado de Westfalia puso fin a la guerra, **extendió la frontera francesa** hacia el Rin, en el sur, y dio comienzo a la **hegemonía francesa**.

Luis XIV y el cardenal Mazarino

Al igual que había ocurrido con su padre, **Luis XIV** accedió al trono cuando aún era menor de edad, y también él contó con el apoyo de un regente.

El regente de Luis XIV fue el **cardenal Mazarino**, que continuó la política que había caracterizado a Richelieu.

Cuando **Luis XIV** accedió al gobierno, era el **monarca más poderoso de Europa**.

Durante la primera etapa de su reinado, organizó y mejoró la administración y la economía del reino. Fomentó la producción de manufactura y aplicó el **mercantilismo** como política económica. Ésta consistía en **vender muchos productos a otros reinos y comprar poco**.

De esta manera, **se acumulaba gran cantidad de metales preciosos**.

El Estado que poseía mayor cantidad era el más rico y, por lo tanto, el más poderoso.

A partir de 1672, el gobierno de Luis XIV se orientó a la expansión territorial, pero no logró imponerse en Europa.

La revolución parlamentaria en Inglaterra

Durante el siglo XVII, Inglaterra se vio envuelta en constantes crisis. A pesar de éstas, al terminar el siglo estaba fortalecida en dos aspectos esenciales: la economía y la política. A la muerte de Isabel Tudor, una dinastía escocesa ocupó el trono e intentó imponer el absolutismo monárquico.

Oliverio Cromwell concentró en él todos los poderes, bajo el título de "Lord Protector", con lo cual el régimen republicano se transformó en una dictadura. Disolvió el Parlamento y comenzó a actuar como un verdadero rey sin corona.

María Antonieta, archiduquesa de Austria (1755-1793), esposa de Luis XVI, con tres de sus hijos. Murió en la guillotina, durante la época del Terror, posterior a la Revolución Francesa. (Retrato pintado por Mme. E. Vigee-Lebrun.)

Jacobo I

Siguiendo la política imperante en Europa, **trató de imponer el absolutismo**. Se enfrentó con el Parlamento y reforzó la Iglesia anglicana, perjudicando a católicos y puritanos. Las persecuciones contra los puritanos hicieron que muchos de ellos emigraran a América del Norte. **Carlos I** continuó la política de su padre. Se enfrentó a los parlamentarios, que en 1628 exigieron garantías contra los arrestos arbitrarios.

En 1642, se desató la guerra civil. Los defensores de los derechos parlamentarios vencieron al rey y, **en 1648, abolieron la monarquía y establecieron un régimen republicano**.

Oliverio Cromwell

Con la instauración de la República, el Estado apoyó la expansión económica, fortaleció el crecimiento de la burguesía con medidas económicas que protegieron el desarrollo de la navegación, y promovió la industria doméstica. Con la muerte de Cromwell, los partidarios de la monarquía restablecieron a los Estuardo en el poder. Tanto Carlos II como Jacobo II se enfrentaron constantemente al Parlamento. Esto produjo una nueva revolución en 1688, que recibió el nombre de *Gloriosa*. Jacobo II huyó del reino y finalmente triunfó la monarquía parlamentaria.

La Declaración de Derechos (1689) derivó de la *gloriosa* revolución y garantizó la participación del Parlamento en el gobierno inglés.
Destacamos algunos artículos, a modo de ejemplo:
"1.° El pretendido poder de la autoridad real de suspender las leyes o la ejecución de las leyes sin el consentimiento del Parlamento es ilegal.
5.° Los súbditos tienen derecho a presentar sus peticiones ante el rey y [...] las detenciones y persecuciones por causa de estas peticiones son ilegales."

El fin del absolutismo

Durante el siglo XVIII, se produjeron muchos cambios que afectaron distintos aspectos de la sociedad de la época. Es el siglo de la **razón**, que abre nuevos caminos y permite desarrollar un pensamiento crítico. Las verdades vigentes hasta ese momento fueron puestas en discusión; la autoridad real comenzó a ser cuestionada; toda creencia o idea debía pasar por el juicio de la razón. Un grupo de pensadores —llamados ilustrados o iluministas— prepararon el terreno ideológico que favoreció la aparición de nuevas formas políticas, cuya culminación fue la Revolución Francesa. Las **nuevas ideas** en el campo de la filosofía y de la política fueron acompañadas por otras, igualmente novedosas, en el campo de la economía.

La **fisiocracia** y el **liberalismo** fueron dos de las corrientes más importantes que procuraron dar respuestas al desarrollo económico y a los medios por los cuales una nación podía enriquecerse.

LA REVOLUCIÓN INDUSTRIAL

El siglo XVIII se caracteriza, en el aspecto económico, por el gran desarrollo de la industria y del comercio inglés. La utilización de la máquina de vapor en la industria textil y en el transporte aumentó la producción y la circulación de bienes a niveles desconocidos. Así nació la llamada Revolución Industrial.

El motor de vapor de Newcomen se utilizó en las minas de carbón durante la primera mitad del siglo XVIII.

aparecieron las fábricas, que se instalaron en las ciudades. En ellas, la nueva economía modificó los comportamientos y la vida cotidiana de la población. Hubo nuevas formas de organización y más objetos de consumo. Aumentó la riqueza de algunos sectores y la disponibilidad de dinero (*capital*). La burguesía —clase formada por los patrones— disponía de las fábricas y de los bancos.

Se puede decir que la **Revolución Industrial** determinó una **expansión del *capitalismo*** como nunca antes.

Los productos hechos a mano

Hasta avanzado el siglo XVIII, la mayor parte de los productos o mercaderías se hacían todavía a mano, con herramientas sencillas. El proceso de fabricación, lento y muy caro, estaba en manos de artesanos que trabajaban solos o con muy pocos empleados (los aprendices).

La máquina de vapor

En 1769, un inglés llamado **James Watt** patentó una máquina verdaderamente revolucionaria: la **máquina de vapor**. Pero fue el inglés **Thomas Newcomen** quien ideó, en 1712, una máquina que puede considerarse precursora de la de Watt. Watt, en realidad, perfeccionó el mecanismo y lo patentó.

La máquina de vapor de Watt proporcionó a la industria una nueva y poco costosa fuente de energía, necesaria para mover grandes maquinarias. Aplicada al funcionamiento de los telares, hizo posible aumentar en muy poco tiempo la producción de telas: **lo que antes se** realizaba manualmente pasó a hacerse por medios mecánicos, con lo cual se ganó en rapidez.

El gran cambio

El aumento cada vez mayor de la producción hizo que a Inglaterra se la llamara "el taller del mundo". Florecieron la industria y el comercio. Surgieron nuevas técnicas de procesamiento de materias primas. Se aceleraron los avances técnicos en los transportes y las comunicaciones, como la creación de la locomotora. Por lo tanto, los productos circularon con más velocidad en su traslado desde los centros de fabricación hasta los lugares de consumo. **Desapareció el sistema artesanal y**

¿Por qué en Inglaterra?

Hubo varios factores que hicieron posible el desarrollo industrial de ese país antes que el de cualquier otro.

Algunos de esos factores fueron:

• **el gran poder político alcanzado por los comerciantes**. Este sector llegó a tener en el Parlamento tanto poder político como el rey;

• **el aumento de la producción agrícola**, lo que posibilitó que hubiera suficientes alimentos para toda la población: la del campo y la de las ciudades;

• **el dominio que ejercía Inglaterra sobre los mares, con su gran flota mercante**. Gracias a esto, podía colocar fácilmente las mercaderías en otras naciones.

La industria, base de un nuevo imperio

El dominio que ejercía Inglaterra sobre los mares y la fabricación masiva de productos hizo que se enriqueciera mucho más que todas las naciones de Europa.

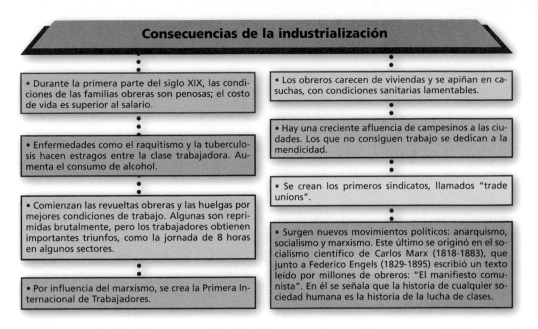

Consecuencias de la industrialización

- Durante la primera parte del siglo XIX, las condiciones de las familias obreras son penosas; el costo de vida es superior al salario.

- Enfermedades como el raquitismo y la tuberculosis hacen estragos entre la clase trabajadora. Aumenta el consumo de alcohol.

- Comienzan las revueltas obreras y las huelgas por mejores condiciones de trabajo. Algunas son reprimidas brutalmente, pero los trabajadores obtienen importantes triunfos, como la jornada de 8 horas en algunos sectores.

- Por influencia del marxismo, se crea la Primera Internacional de Trabajadores.

- Los obreros carecen de viviendas y se apiñan en casuchas, con condiciones sanitarias lamentables.

- Hay una creciente afluencia de campesinos a las ciudades. Los que no consiguen trabajo se dedican a la mendicidad.

- Se crean los primeros sindicatos, llamados "trade unions".

- Surgen nuevos movimientos políticos: anarquismo, socialismo y marxismo. Este último se originó en el socialismo científico de Carlos Marx (1818-1883), que junto a Federico Engels (1829-1895) escribió un texto leído por millones de obreros: "El manifiesto comunista". En él se señala que la historia de cualquier sociedad humana es la historia de la lucha de clases.

Desde fines del siglo XVIII, intentó conquistar nuevos territorios donde ubicar mercaderías. Este proceso de conquistas coloniales por parte de Inglaterra tuvo su apogeo en el siglo XIX.

La expansión de la industrialización

La industrialización inglesa se extendió a Europa, Estados Unidos, Australia y Canadá, y posteriormente a los países que más tarde integrarían la Unión Soviética y a Sudamérica.

El segundo país en iniciar la revolución industrial fue Francia. Este proceso se favoreció por la Revolución Francesa, que liberó mano de obra, y por las inversiones inglesas, que llevaron las primeras máquinas.

Nuevas clases

Las antiguas clases sociales desaparecieron para dar paso a una nueva diferenciación entre **patrones** y **obreros**. Estos últimos contribuyeron a acrecentar el capital de los patrones.

Las familias campesinas tenían lo mínimo para su sustento. Al emigrar a las ciudades, se transformaron en trabajadores potenciales, lo que fue aprovechado para pagarles magros salarios.

La aplicación en el ferrocarril

A principios del siglo XIX, se construyó en Inglaterra la primera locomotora movida por vapor. Pero no tenía todavía la fuerza necesaria para arrastrar vagones.

Fue también un inglés, **George Stephenson**, quien logró construir una locomotora capaz de proporcionar una fuerza de tracción que podía hacerlo.

Esto sucedió en 1814, y su invento se utilizó sólo para transportar minerales desde las minas de Killingsworth. No fue sino hasta 1825 que se usó la locomotora de vapor sobre rieles para transportar pasajeros. Con el tiempo, los ferrocarriles se transformaron en uno de los medios más utilizados como transporte terrestre.

Frescos indios que celebran la lucha cotra los invasores ingleses, a fines del s. XVIII. La Revolución Industrial abre una nueva etapa del colonialismo.

EL TRIUNFO NORTEAMERICANO

La Independencia de los Estados Unidos de Norteamérica es un acontecimiento trascendental para el mundo, pues será fuente de inspiración de la Revolución Francesa (1789) y disparador de los movimientos revolucionarios en el resto de América.

Grabado anónimo que representa a las mujeres de Edenton (en Carolina del Norte) jurando no beber más té hasta lograr la independencia.

La Independencia norteamericana

La Independencia de los Estados Unidos de Norteamérica, en 1776, es uno de los grandes hitos en la historia del mundo. Iba a ser el modelo en el que se inspirarían los revolucionarios franceses de 1789, y constituiría, además, un antecedente invalorable para los movimientos revolucionarios en el resto de América.

Amigos para humillar

La vida de los colonos británicos de Norteamérica estaba llena de dificultades, ya que sus esperanzas de mayor autonomía se veían obstaculizadas por un grupo de parlamentarios, amigos del rey Jorge III (1760-1820). Este grupo, llamado los *King's Friends* ("amigos del rey") promovió una serie de medidas que humillaba a los colonos:
1) Prohibición de colonizar el oeste de los Montes Apalaches y restricciones para el comercio interno.
2) Prohibición de abrir fábricas.
3) Fuertes impuestos para pagarles a los ingleses las deudas que éstos habían contraído en su

Estados Unidos de América estableció el primer sistema de gobierno republicano en América, y **desarrolló la industrialización casi simultáneamente con los países europeos más industrializados**. Estos logros impusieron desde entonces diferencias entre el desarrollo político y económico de los EE. UU. y el de los países latinoamericanos.

Thomas Jefferson, autor de la Declaración de la Independencia (1743-1826).

reciente guerra con Francia. Estas limitaciones aumentaban la tensión entre los colonos y Londres. Pero hubo una gota que desbordó el vaso de la paciencia.

El motín del té

En 1765, el Parlamento británico aprobó la Ley de la Estampilla, que gravaba con impuestos a los periódicos y libros que ingresaran a las colonias. Además, crearon en 1773 un impuesto nuevo sobre la importación del té. La respuesta a esta decisión arbitraria fue dada en el puerto de Boston. Un grupo de colonos, disfrazados de indios, arrojaron al mar el cargamento de té que traían tres buques ingleses. Inglaterra respondió con duras medidas. Los patriotas consideraron que había llegado el momento de independizarse.

Del Congreso de Filadelfia a la Independencia

En 1774, se reunieron en Filadelfia los representantes de trece estados y produjeron la *Declaración de Derechos*, exigiendo a los británicos la derogación de las odiosas medidas. Los ingleses no estuvieron de acuerdo y estalló la Guerra de la Independencia (1775-1783). **El 4 de julio de 1776 fue proclamada la Independencia.** La lucha culminó con el triunfo norteamericano. Los ingleses reconocieron la independencia de los Estados Unidos, al firmar la Paz de Versalles, en el año 1783.

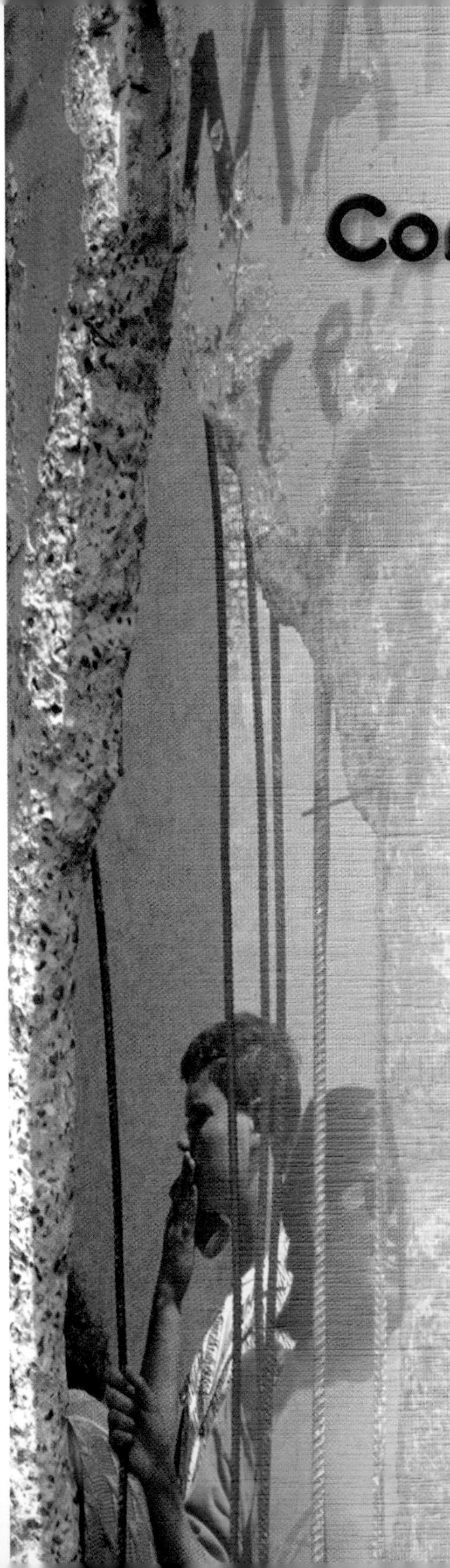

Mundo Contemporáneo

Los grandes procesos sociales, políticos y económicos desde la Revolución Francesa a nuestros días.

LA REVOLUCIÓN FRANCESA

Hacia 1789, el pueblo francés se rebeló contra el rey y·la nobleza gobernantes. Esta rebelión no fue un simple grito contra la injusticia, sino una revolución que significó todo un cambio en la vida de muchos seres humanos.

Una vista de los jardines del palacio de Versalles.

Francia antes de 1789

Se denomina **Antiguo Régimen** al conjunto de costumbres e instituciones existentes en Francia y en toda Europa hasta fines del s. XVIII, es decir, hasta el advenimiento de la **Revolución Francesa**.

El poder de la monarquía

En Francia, hacia 1789, la organización política era **monárquica**.

El rey decía que su poder derivaba de Dios, a quien únicamente debía dar cuenta de sus actos: declaraba la guerra y hacía la paz; comandaba los ejércitos; determinaba los gastos y fijaba los impuestos; nombraba y destituía a los funcionarios, y dirigía la administración entera. Los funcionarios más importantes eran los **ministros** o **consejeros**, que residían junto al rey en la ciudad de **Versalles** (muy cerca de París), centro del gobierno y verdadera capital de Francia en los tiempos del Antiguo Régimen.

Luis XV, rey de Francia, durante cuyo reinado floreció la "Ilustración".

La Ilustración –movimiento reformista filosófico, nacido en Francia– exaltó notables principios, como el **libre pensamiento**, la **igualdad** entre los seres humanos y el **conocimiento científico**. Estas ideas, que ejercieron profundas influencias sociales y políticas en Francia, también repercutieron, tiempo después, en las colonias españolas en América.

Una sociedad de estructura medieval

La sociedad francesa del Antiguo Régimen conservaba la estructura medieval.

En ella se distinguían tres órdenes, estados o clases: el **clero**, la **nobleza** y el **tercer estado**.

Las dos primeras clases eran las privilegiadas: administraban importantes propiedades, percibían de los campesinos los antiguos impuestos feudales y no pagaban impuestos. Los nobles tenían todos los cargos directivos del ejército, la marina y la administración del Estado.

En el **tercer estado** o **estado llano**, se distinguían: la burguesía, estrato superior del estado llano, y los obreros y campesinos, que constituían el estrato inferior.

La **burguesía** se componía de comerciantes, profesionales, intelectuales, algunos magistrados menores. El estado llano había adquirido riqueza, cultura, poder; esperaba la igualdad de derechos y la carrera abierta a los talentos. Una elite, la burguesía, buscaba en Francia reemplazar a otra elite: la nobleza.

Causas de la Revolución

Existieron diversas causas que provocaron el estallido de la Revolución. Las más importantes fueron: las arbitrariedades y abusos del Antiguo Régimen; la acción de los filósofos enciclopedistas (quienes difundieron durante todo el siglo XVIII ideas de reformas); la debilidad del monarca Luis XVI (quien asumió en 1774), y la aguda crisis financiera por la que atravesaba el país.

Esta crisis financiera provocó que Luis XVI intentara organizar una serie de reformas. Para ello, nombró a ministros partidarios de las mismas. Pero estos consejeros fracasaron, porque los partidarios del Antiguo Régimen pretendían mantener sus privilegios.

El pensamiento político

Los principales representantes de la Ilustración fueron los siguientes:

• **Montesquieu (1689-1755)**. Sus ideas contribuyeron a dar origen al "Estado de derecho". El Estado debía basarse en la división de poderes, para evitar la concentración del poder en una sola persona y asegurar el imperio de la libertad. Algunas de sus principales obras son *El Espíritu de las leyes, Cartas Persas, Historia de la grandeza y decadencia de los romanos*.

• **Voltaire (1694-1778)**. Centró sus críticas en las costumbres de la época y predicó la necesidad de la tolerancia religiosa. Sus obras más importantes son *Ensayo sobre las costumbres* y *Cartas filosóficas sobre los ingleses*.

• **Rousseau (1712-1778)**. Enunció, por primera vez, la **teoría de la soberanía popular**: el fundamento de **la auto-** ridad estatal se basa en un convenio implícito entre gobernantes y gobernados. Sus ideas contribuyeron a la formación del pensamiento que maduraría en la Revolución. Sus obras más importantes son *El contrato social* y *Emilio*.

En este período también tuvo mucha importancia el desarrollo de las ciencias. En los salones donde se reunían la burguesía y la nobleza, se discutían temas de actualidad y muchas veces se debatían con fervor las **ideas políticas** de la época.

Para contrarrestar el avance de las nuevas ideas, los monarcas buscaron armonizar el fortalecimiento de su poder con el desarrollo equilibrado de la sociedad. En respuesta a esta búsqueda, muchos filósofos se instalaron en las cortes de estos reyes, que manifestaban el deseo de efectuar reformas basadas en las ideas de la **Ilustración**. Para los déspotas ilustrados, el rey, que ejercía el poder, era el primer servidor del Estado. Su función principal era proporcionar la felicidad a sus súbditos, pero sin que éstos participaran en los asuntos del gobierno. La frase que sintetiza esta idea es: **"Todo para el pueblo, pero sin el pueblo"**.

El pensamiento económico

En lo económico, las nuevas ideas se basaban en dos doctrinas reformistas: la fisiocracia y el liberalismo.

• **La fisiocracia** surgió en Francia. El fundador de esta doctrina económica fue *Francisco de Quesnay* (1694-1774), para quien la **agricultura** era la única actividad que generaba un excedente por encima del aporte de semilla y del trabajo del agricultor. Afirmaba la existencia de un orden natural, que se lograba dejando que todos actuasen libremente. Se oponía a la intervención estatal en materia económica.

• **El liberalismo** es una doctrina económica cuyos fundamentos se encuentran en las teorías de *Adam Smith*, filósofo y economista

Asalto y toma de la Bastilla por el pueblo exaltado, el 14 de julio de 1789.

Maximilien de Robespierre (1758-1794), llamado "el Incorruptible", era un abogado de Arras, diputado de la Convención Constituyente de 1789. Fanático de las ideas de Rousseau, era honrado y puritano. Frío, minucioso y calculador, dominó la Asamblea, instauró el terror y envió a la guillotina a sus opositores, los girondinos y partidarios de Danton. Víctima del sistema que había instaurado, fue condenado a la guillotina el 28 de julio de 1794.

María Antonieta, reina de Francia (1755-1793). Era hija de la emperatriz de Austria, María Teresa.

escocés, cuya obra más importante es *Investigación acerca de la naturaleza y la causa de la riqueza de las naciones*. Para este pensador, el **origen del valor** se encuentra en el **trabajo**. El hombre, buscando su bienestar y su propio beneficio, promueve la satisfacción de las necesidades ajenas. También, al igual que los fisiócratas, los liberales **se oponen a la intervención del Estado** y afirman que la única intervención posible es aquella que facilita el **mantenimiento de la libertad individual**.

La convocatoria a los Estados Generales

Para intentar solucionar la crisis, el rey convocó a los **Estados Generales**. Esto era una especie de parlamento dividido en tres niveles: un nivel representaba al clero, otro a la nobleza y el tercero al estado llano.
Cada uno de estos niveles emitía un voto, por lo cual la minoría (el clero y la nobleza) dominaba a la mayoría (el tercer estado o estado llano). La convocatoria a los Estados Generales dependía exclusivamente de la voluntad del rey. Cuando en mayo de 1789 se reunieron los Estados Generales, el tercer estado propuso la reunión en Asamblea, así cada diputado tendría un voto, lo que fue rechazado por los otros dos estados.

La toma de la Bastilla

En junio de 1789, el tercer estado decidió reunirse en Asamblea Nacional. Luego, se intimó a los diputados a desocupar el recinto, y el diputado **Mirabeau** contestó: "Id y decid a vuestro rey que estamos aquí por la voluntad del pueblo y que sólo saldremos por la fuerza de las bayonetas". Por primera vez, el rey era tratado no como protector sino como adversario. Ante esta situación, el rey cedió y ordenó a los nobles y al clero que se unieran a la Asamblea. Pero, al declararse ésta como constituyente (es decir, con el poder de decretar leyes, abolir impuestos...), el rey decidió disolverla. El pueblo de París se amotinó y tomó la tristemente célebre prisión de la **Bastilla**, el **14 de julio de 1789**. Ante esta reacción, el rey decidió aceptar las condiciones de la Asamblea Nacional Constituyente.

Historia de la Francia revolucionaria

La **Revolución Francesa** es un proceso que se inició en 1789 y finalizó, según algunos investigadores, en 1799 o, según otros, en 1815, con la caída de Napoleón Bonaparte.
Como todo proceso histórico, lo podemos dividir en una serie de momentos o etapas:
• **La pérdida de autoridad del rey** (mayo de 1789-septiembre de 1791). Luis XVI, hasta entonces con poder absoluto, debió subordinarse a las decisiones de los Estados Generales primero y, luego, a la Asamblea Nacional Constituyente.
• **La monarquía constitucional** (septiembre de 1791-agosto de 1792). La Asamblea Nacional culminó su labor con la sanción de la Constitución de 1791. Por ella, se establecía una monarquía constitucional, con división de poderes.
• **El surgimiento de la República** (septiembre de 1792-diciembre de 1804). La primera República francesa puede, asimismo, dividirse en varias subetapas:
* La **Convención Nacional** (septiembre de 1792-octubre de 1795). Se declaró finalizada la monarquía y se instaló la República, dirigida por una Convención Nacional, formada

por diputados elegidos por el pueblo.

* El **Directorio** (octubre de 1795-noviembre de 1799). La Convención Nacional se disolvió y dejó la dirección de la República en manos de un Directorio de cinco miembros y un poder legislativo formado por dos cámaras.

* El **Consulado** (noviembre de 1799-diciembre de 1804). El poder recayó en tres miembros que, teóricamente, gobernarían por diez años.

• **El Imperio** (diciembre de 1804-junio de 1814). El poder pasó a manos de **Napoleón Bonaparte**, a quien algunos historiadores consideran como continuador y parte del proceso revolucionario, en tanto otros sostienen que el proceso revolucionario finalizó con el Consulado o con el inicio de la etapa imperial.

Sin embargo, gran parte de los logros revolucionarios se afianzaron durante el Imperio (la legislación, el desarrollo económico) y se difundieron a los territorios conquistados por Bonaparte.

Europa contra la Revolución

No sólo en Francia existía un **sistema absolutista**, sino **en toda Europa, a excepción de Inglaterra**. Por ello, los sucesos de Francia pusieron en guardia a todos los gobernantes europeos. Desde un primer momento, las diversas monarquías europeas organizaron sus ejércitos para volver a imponer el Antiguo Régimen en la Francia revolucionaria.

Inglaterra tomó sus precauciones

Pese a que Inglaterra era la única nación donde el poder del rey no era absoluto, ésta también intervino en las guerras contra el poder revolucionario francés: *los ingleses temían que Francia se convirtiera en un Estado demasiado poderoso, capaz de competir con ellos por el control de los mares del mundo.*

Una sucesión de guerras

Durante todo el proceso revolucionario, se sucedieron diversas guerras.

• **La guerra contra Austria en 1791**. Francia le declaró la guerra a esta potencia porque fomentaba el retorno al poder de

La Declaración de Derechos de 1789

El 26 de agosto de 1789, en la Francia revolucionaria, la Asamblea Nacional Constituyente aprobó la *Declaración de Derechos del Hombre y del Ciudadano*. En ella se afirma la *igualdad de los hombres* ante la ley y se reconocen como *derechos naturales* la *propiedad*, la *seguridad*, la *libertad* y la *resistencia a la opresión*.

De Córcega al Consulado

Nacido en Córcega, Napoleón Bonaparte estudió en Francia, en la escuela militar de Brienne. Asistió al estallido de la revolución de 1789.

Sus resonantes triunfos militares en defensa de las ideas revolucionarias lo llevaron a ser electo Primer Cónsul, mediante plebiscito. En este cargo realizó una importante serie de reformas. Administrativamente, reestructuró toda la organización burocrática, el sistema judicial y la policía. En lo educativo, reorganizó totalmente la enseñanza.

En economía y derecho, creó cámaras de comercio, controló la inflación, estimuló la creación de grandes obras públicas, los sistemas de riego y la infraestructura hospitalaria, contribuyendo con ello al desarrollo económico.

La creación del Código Civil o **Código Napoleónico** garantizó la libertad individual y la igualdad ante la ley. Estableció, además, el matrimonio civil y el divorcio. También creó el Código de Comercio. En el orden social, invitó a la nobleza desterrada a regresar al país, y la alta burguesía obtuvo importantes cargos políticos. El pueblo pudo ver que a lo largo del Consulado, que duró seis años, desaparecieron la inseguridad social y el caos administrativo.

los nobles franceses emigrados en su territorio. Esta lucha finalizó en 1792 con el triunfo francés.

• **La guerra durante la Convención**. Diversos enfrentamientos contra potencias europeas, que finalizaron con el triunfo francés, asegurado por los tratados de **Basilea** y **La Haya** de 1795. Durante esta guerra, los ejércitos revolucionarios se enfrentaron a la llamada **primera coalición**, formada por **Inglaterra**, **Prusia**, **España**, **Portugal**, **Holanda**, **Austria**, **Cerdeña** y **Nápoles**.

• **La guerra durante el Directorio y el Consulado**. A partir de este momento (1795), los franceses asumieron una actitud ofensiva. Se realizaron las **campañas a Italia y Egip-**to. Se enfrentaron con la **segunda coalición**, formada por casi todas las mismas potencias de la primera.

• **Las guerras durante el Imperio**. **Napoleón Bonaparte** pretendió la conquista de Europa: Italia, la península Ibérica, Prusia, Austria y Rusia. Las potencias europeas, **Inglaterra**, **Prusia**, **Austria** y **Rusia**, organizaron **siete coaliciones**. Napoleón triunfó contra cinco de ellas.

El bloqueo

Los ingleses decretaron, en 1806, el **bloqueo continental** a Francia. ¿Qué significaba esto? Francia quedaba aislada del mundo, ya que los buques ingleses patrullaban las aguas impidiendo a los buques mercantes franceses buscar otros puertos.

Además, los países que comerciaran con Francia por vía marítima o terrestre automáticamente quedaban en situación de ser invadidos por Inglaterra y sus aliados, tal como ocurrió con **Portugal**, parte de **Italia**, **Holanda** y el norte de **Alemania**.

Repercusiones en América

El bloqueo fue la medida más dura tomada contra Francia, ya que obligó a Napoleón a invadir España. Contra las fuerzas francesas luchó San Martín, por aquel entonces miembro del ejército español. Los franceses permanecieron en ese país entre 1808 y 1813, y dejaron a las colonias de América un importante espacio para preparar las guerras de independencia contra España. La situación en la península Ibérica no fue fácil para los franceses. Ante la inoperancia del monarca, el pueblo español fue el verdadero artífice de la guerra contra la opresión napoleónica. El 2 de mayo de 1808, los madrileños se alzaron en armas contra los invasores, iniciando la lucha independentista.

La **batalla de Bailén**, en la que intervino San Martín, significó una grave derrota para Francia, y el propio Napoleón debió ir en persona a recapturar Madrid, para poder reponer a su hermano, **José Bonaparte**, en el trono.

A comienzos del año 1810, casi

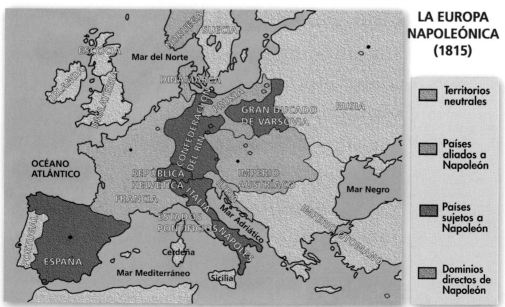

LA EUROPA NAPOLEÓNICA (1815)

- Territorios neutrales
- Países aliados a Napoleón
- Países sujetos a Napoleón
- Dominios directos de Napoleón

toda España estaba en manos francesas. En 1812, las Cortes de Cádiz aprobaron una Constitución liberal, que fue dejada sin efecto al retornar Fernando VII al poder. En 1813, las tropas ibéricas expulsaron definitivamente a los franceses de España.

La campaña de Rusia

En junio de 1812, Napoleón inició la campaña a Rusia, al mando de un ejército de seiscientos mil hombres y ciento ochenta mil caballos.

Los rusos evitaron enfrentamientos directos con los franceses e iniciaron una táctica de "tierra arrasada", que dejaba al enemigo sin alimentos. Napoleón logró tomar Moscú, la capital, pero el frío y las privaciones le hicieron emprender el regreso.

En la retirada, fueron hostigados mediante acciones de guerrillas por parte de los rusos. Las pérdidas humanas fueron elevadísimas para los franceses. Al retornar a Francia, del poderoso ejército quedaban apenas mil hombres, sesenta caballos y nueve cañones.

La catástrofe de Rusia alentó en otros países la resistencia al Imperio napoleónico.

El imperio se derrumba

Aprovechando la situación, Gran Bretaña, Prusia y Austria iniciaron una coalición contra Napoleón. En un esfuerzo desesperado, éste logró reclutar un nuevo ejército, pero fue derrotado en **Leipzig**, en la llamada **"batalla de las naciones"**.

Las consecuencias de esta catástrofe fueron el derrumbamiento del Imperio napoleónico y un reordenamiento del mapa europeo.

Napoleón fue tomado prisionero y desterrado a la isla de Elba. Sin embargo, logró huir y, ante la alegría popular, formó un nuevo ejército. A pesar de algunas victorias iniciales, fue derrotado en **Waterloo** (1815), y enviado, esta vez, a la **isla de Santa Elena**, donde murió en 1821.

Consecuencias de la revolución

El proceso que comenzó en 1789 en Francia cambió la historia de la humanidad, no sólo la vida de los franceses.

Para comenzar, estableció un nuevo concepto de **Estado**: la soberanía residía en el pueblo, de quien emanaba toda la autoridad y, en consecuencia, los gobernantes recibían su mandato del pueblo.

Otra consecuencia importante, surgida de la revolución, fue la revalorización de la ley y, sobre todo, la **igualdad de todos frente a la ley**. Anteriormente, las leyes eran distintas para cada clase social, y en su decreto sólo intervenía el rey.

La tercera consecuencia fundamental fue la **organización del Estado sobre la base de la separación de poderes**. Ya no residían los poderes ejecutivo, legislativo y judicial en una sola persona (el soberano), sino en distintas organizaciones especialmente designadas para ello. Este principio de separación de poderes rige en la actualidad en todos los Estados modernos.

Asimismo, **el proceso revolucionario planteó una nueva concepción del ser humano: todos los hombres poseen derechos, y la función del Estado es garantizar tales derechos**.

Estos derechos son pertenecientes a la calidad humana; **imprescriptibles**, es decir, no pueden perderse por efecto del tiempo; e **inalienables**, o sea, no se puede renunciar a ellos.

Sobre la base de estos principios se construyó, a lo largo de todo el proceso revolucionario, un código legislativo que, en su esencia, aún perdura en la actualidad.

Los principios revolucionarios franceses, que pueden resumirse en **libertad**, **igualdad** y **fraternidad**, influyeron decisivamente en las revoluciones de independencia de América latina.

La mayoría de los revolucionarios americanos de principios del siglo XIX eran adeptos a los planteos de los franceses.

CONSECUENCIAS DE LA ACCIÓN NAPOLEÓNICA

EN EUROPA

Difusión de las ideas modernas.

Despertar del sentimiento nacionalista en los pueblos oprimidos.

Surgimiento de nuevos Estados.

Abolición de los últimos resabios feudales.

Introducción del derecho moderno.

EN AMÉRICA

Comienzo de las luchas independentistas.

AMÉRICA BUSCA SU LIBERTAD

La opresión y las arbitrariedades de los países dominantes llevaron a las colonias a sentir el deseo de independizarse, de gobernarse por sí mismas y dejar de estar ligadas a naciones muy lejanas que sólo se apoderaban de sus riquezas.

Cuando Napoleón invadió España, ocupaba el trono Carlos IV. Su hijo, Fernando de Asturias, conspiró contra él, quien abdicó. El príncipe asumió el cargo con el nombre de Fernando VII. (En la ilustración, Carlos IV y su familia, retratados por el pintor español Goya.)

Los precursores

La independencia de los Estados Unidos y la consecuente Revolución Francesa, que había cortado de raíz todas las vinculaciones con la monarquía, repercutieron fuertemente en América del Sur, que se hallaba bajo el dominio español.

El venezolano **Francisco de Miranda** realizó activas conspiraciones contra España. No dudó en pedir ayuda a soberanos de países remotos, como **Catalina de Rusia**.

En Londres, presentó un proyecto de invasión a Venezuela, pero fue rechazado por los británicos. Fue sorprendido por los españoles, que lo condujeron a la prisión de Cádiz, donde murió.

Antonio Nariño, por su parte, desempeñó una activa campaña en pos de la liberación de la actual Colombia.

Un continente en llamas

1810 fue el año clave para las colonias españolas de América. Una serie de estallidos revolucionarios se sucedieron a lo largo de América del Sur y en México.

Antonio Nariño (1765-1823), patriota y militar colombiano. Fue llamado Precursor de la Independencia. Tradujo y publicó la Declaración de los Derechos Humanos. Sufrió prisión y exilio por sus ideales de independencia.

Caracas, Bogotá, Quito, Buenos Aires, Santiago de Chile, México fueron capitales de la revolución hispanoamericana. Todos esos estallidos tuvieron algunas características similares y otras que los diferenciaban.

Los grupos **criollos** (los hijos de los españoles nacidos en América) fueron los que impulsaron tales proyectos. Las pretensiones eran las mismas: romper con el yugo impuesto por el colonialismo español. Y la técnica utilizada también fue similar: **destituir a las autoridades coloniales e instalar en su reemplazo Juntas de Gobierno provisorias**.

Además, existieron dos hechos comunes a toda la América dominada. El primero, la existencia en todas las capitales coloniales de grupos patriotas que desde tiempo atrás conspiraban, influenciados por la revolución norteamericana, la francesa y las ideas liberales.

El otro hecho fue el derrumbe del Estado español ante la invasión de los franceses, a partir de 1808.

Venezuela

El 19 de abril de 1810, un grupo de criollos, encabezados

por **Simón Bolívar**, destituye al capitán general y establece una Junta Patriótica de Gobierno. Ésta gobierna en nombre del rey Fernando VII, pero los españoles desconfían de Bolívar. En efecto, tenían razón: el 5 de julio de 1811, Venezuela se declara **independiente**. Sin embargo, una expedición enviada desde España arrasó la revolución en julio de 1812.

Ecuador

El 19 de agosto de 1809, los criollos de Quito formaron una Junta de Gobierno, tras destituir a **Ruiz de Castilla**. Las tropas realistas, que llegaron del Perú, reprimieron el levantamiento y volvieron a colocar a Ruiz de Castilla en el gobierno. Sin embargo, los indómitos quiteños volvieron a insistir en octubre de 1810, pero este nuevo intento revolucionario sólo duraría hasta noviembre de 1812.

Colombia

En julio de 1810, Bogotá era la ciudad más importante de Colombia. Los realistas y el virrey Amar y Borbón se inquietan frente a la convulsionada situación. Un cabildo abierto destituye al virrey y nombra una Junta de Gobierno. La alegría no dura mucho, ya que una guerra civil entre los partidarios de un régimen centralista y los defensores del federalismo debilitó el movimiento revolucionario y permitió la reacción de los españoles y la reinstalación de éstos en el gobierno.

Chile

El 18 de septiembre de 1810, un cabildo abierto destituye al capitán general de Chile y establece una Junta de Gobierno. Nace la llamada Patria Vieja chilena.

Sobrevivió sólo hasta el 1 de octubre de 1814, cuando los patriotas chilenos fueron aplastados en Rancagua. Otro sueño hecho trizas, por el momento.

La Buenos Aires del 25 de mayo

La vieja ciudad de Buenos Aires nombra una Junta que reemplaza al virrey. El movimiento de mayo de 1810 pensaba avanzar sobre el interior del país porque, a diferencia de las demás ciudades de América, el movimiento revolucionario dominaba la situación.

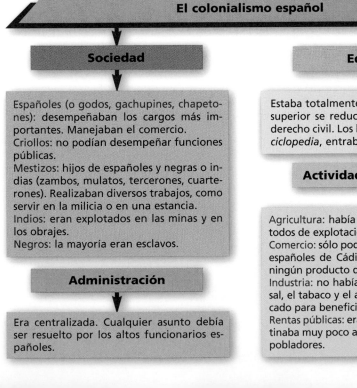

El colonialismo español

Sociedad

Españoles (o godos, gachupines, chapetones): desempeñaban los cargos más importantes. Manejaban el comercio.
Criollos: no podían desempeñar funciones públicas.
Mestizos: hijos de españoles y negras o indias (zambos, mulatos, tercerones, cuarterones). Realizaban diversos trabajos, como servir en la milicia o en una estancia.
Indios: eran explotados en las minas y en los obrajes.
Negros: la mayoría eran esclavos.

Administración

Era centralizada. Cualquier asunto debía ser resuelto por los altos funcionarios españoles.

Educación

Estaba totalmente descuidada. La enseñanza superior se reducía al estudio de teología y derecho civil. Los libros franceses, como la *Enciclopedia*, entraban clandestinamente.

Actividades económicas

Agricultura: había grandes latifundios; los métodos de explotación eran primitivos.
Comercio: sólo podía efectuarse con los puertos españoles de Cádiz y Sevilla. No podía entrar ningún producto que no fuera de la Península.
Industria: no había estímulos. Los precios de la sal, el tabaco y el aguardiente se habían estancado para beneficiar a los pobladores.
Rentas públicas: eran enviadas a España. Se destinaba muy poco a obras que beneficiaran a los pobladores.

LUCHAS INDEPENDENTISTAS

Hacia 1815, se restauran las monarquías en Europa, y España espera recuperar sus colonias. Comienzan entonces las luchas por la independencia en toda Latinoamérica.

Soldado español.

había reinstalado su poder a través de la utilización de la fuerza.

Los **sectores criollos** muy pronto comenzaron a tener **dificultades entre ellos**, como ocurrió en Buenos Aires entre morenistas (radicalizados) y saavedristas (moderados). Este enfrentamiento se repitió en todas las demás capitales. Tal lucha, entre radicalizados y moderados, posibilitó la reacción de los partidarios del rey, quien, entre 1811 y 1814, recuperó el control de la situación en casi todo el continente, a excepción de gran parte del actual territorio argentino.

Problemas en las juntas

En 1815, sólo uno de los gobiernos juntistas, el del Río de la Plata, aún subsistía. En el resto del continente, España

Los realistas recuperan el poder

A partir de la acción ejercida por los ejércitos que permanecían fieles al rey, los realistas lograron recuperar el poder.

Desde España (donde la lucha contra Napoleón era lo más importante), sólo se envió un ejército, en 1814, que actuó eficazmente en Venezuela y Colombia.

El resto del continente fue reconquistado gracias a la acción de los ejércitos enviados desde el Perú, único lugar de la América del Sur española que se mantuvo fiel en todo momento a la causa del rey.

Los ejércitos realistas aprovecharon la debilidad de los gobiernos revolucionarios, divididos por las luchas internas.

LAS CAMPAÑAS POR LA INDEPENDENCIA LATINOAMERICANA

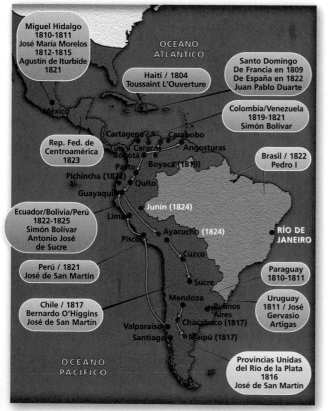

Miguel Hidalgo 1810-1811
José María Morelos 1812-1815
Agustín de Iturbide 1821

OCÉANO ATLÁNTICO

Haití / 1804
Toussaint L'Ouverture

Santo Domingo
De Francia en 1809
De España en 1822
Juan Pablo Duarte

México

Colombia/Venezuela
1819-1821
Simón Bolívar

Rep. Fed. de Centroamérica 1823

Cartagena
Caracas
Bogotá
Pasto
Pichincha (1822)
Boyacá (1819)
Carabobo
Angosturas
Quito
Guayaquil

Brasil / 1822
Pedro I

Ecuador/Bolivia/Perú
1822-1825
Simón Bolívar
Antonio José de Sucre

Lima
Pisco
Junín (1824)
Ayacucho (1824)
Cuzco

RÍO DE JANEIRO

Perú / 1821
José de San Martín

Sucre

Paraguay
1810-1811

Chile / 1817
Bernardo O'Higgins
José de San Martín

Mendoza
Valparaíso
Santiago
Chacabuco (1817)
Maipú (1817)
Buenos Aires

Uruguay
1811 / José Gervasio Artigas

OCÉANO PACÍFICO

Provincias Unidas del Río de la Plata 1816
José de San Martín

Perú apoya a España

En todas partes habían surgido gobiernos revolucionarios,

menos en el Perú. En este territorio existieron determinadas razones para que esto no ocurriera. Primero, por la muy **hábil tarea** desarrollada por el **virrey José Fernando de Abascal**, quien logró atraer hacia la causa del rey a los criollos peruanos.

En segundo lugar, porque en las dos últimas décadas del siglo XVIII se había desarrollado en el Perú una gran **guerra entre los indígenas (acaudillados por Túpac Amaru) y los blancos (tanto españoles como criollos)**. El recuerdo de esta guerra fue fundamental para que los criollos apoyaran la causa del rey: temían perder sus ventajas económicas y sociales.

LOS PRECURSORES

Liberarse a pesar de la represión

Los movimientos revolucionarios fueron brutalmente reprimidos, tanto en Caracas como en Bogotá, Quito, Santiago de Chile, el Alto Perú y México. Sin embargo, tanta sangre y tanta represión no alcanzaron para calmar los ánimos: pese a las derrotas iniciales, muy pronto recomenzaron la lucha por la independencia.

La primera independencia venezolana

Cuando se produce el primer movimiento revolucionario en la Capitanía General de Venezuela, la población se aproximaba al millón de habitantes. Los blancos alcanzaban un 20 %, y de estos sólo un 1,3 % eran nacidos en España. El resto eran mestizos y negros.

Entre los blancos había grandes contradicciones, ya que una minoría poseía la tierra y disponía

Representación de los Precursores de la Independencia Venezolana, en la Avenida de los Próceres, Caracas (Venezuela). En la imagen también se representa el sufrimiento de los negros e indios bajo la dominación española.

San Martín y O'Higgins durante la victoriosa batalla de Chacabuco.

de esclavos, como los grandes terratenientes del cacao: era la aristocracia criolla. Ocupaban cargos en las instituciones de la colonia, siempre que el dominio hispánico se los permitiera. Eran los más propensos a que nada cambiara, ya que la independencia podía acarrear el surgimiento de nuevas clases sociales y esto los podía perjudicar. Los blancos pobres, llamados también blancos de la orilla, eran los asalariados, los artesanos, los pequeños comerciantes. Estaban más cerca de los mestizos o pardos. Esto creaba grandes tensiones sociales.

Después de que Na-

poleón invadiera España y obligara a abdicar al rey Fernando VII, la minoría criolla debía tomar posiciones políticas. Un grupo presenta una petición para establecer una junta independiente. Este intento no pudo ser sofocado y se establece en Venezuela la Junta Conservadora de los Derechos de Fernando VII. En el seno de la Junta aparece una diferencia: los que quieren una autonomía dentro de la monarquía española (conservadores) y los

que quieren la ruptura con España (radicales).

Las primeras medidas de gobierno son la libertad de comercio y la abolición de los derechos de exportación.

El sector radical estaba dirigido por Bolívar, al que se unió Francisco de Miranda, que estaba exiliado.

El 4 de julio de 1811, se realiza

San Martín, al servicio de la revolución americana (1778-1850)

Nació en un pueblito del Virreinato del Río de la Plata, **Yapeyú**, pero se educó militarmente en España. Allí intervino en combates del ejército español contra las fuerzas de Napoleón. Sin embargo, desde muy joven se afilió a las *sociedades secretas* que trabajaban por la independencia de las colonias españolas. Se puede decir que su vida toma un nuevo rumbo cuando vuelve al **Río de la Plata** para ponerse al servicio del **gobierno revolucionario de Buenos Aires**.

Su primera tarea es crear un nuevo regimiento, el de Granaderos a Caballo, con el que obtiene un triunfo sobre los españoles en San Lorenzo. Pero San Martín sabía que el poder español debía ser derrotado en **Perú**, donde era poderoso y se convertía en una amenaza para la incipiente revolución. Esto lo llevó a planear una acción militar audaz: cruzar las alturas de la cordillera de los Andes, derrotar a los realistas en Chile —donde la revolución había sido sofocada— y luego invadir Perú desde el mar.

Para ello, se instaló en Cuyo (una localidad de la actual provincia de Mendoza, en Argentina, cercana a la cordillera). Además de organizar el campamento militar y preparar un nuevo ejército, presionó políticamente al Congreso reunido en Tucumán para que declarara la independencia de España de las Provincias Unidas del Río de la Plata.

Para su expedición a Chile contó con los generales **Las Heras** (1780-1866), **Soler** (1783-1849) y **O'Higgins** (1778-1842). Este último había emigrado de Chile, después del desastre de **Rancagua**.

Previamente, San Martín desarrolló lo que se conoce como la *"guerra de zapa"*, una operación con falsos espías para que los españoles no supieran por dónde iban a avanzar las tropas.

El **triunfo de Chacabuco**, cerro cercano a Santiago (la capital de Chile) donde se produjo el combate principal (12 de febrero de 1817), abrió una nueva perspectiva para la victoria de la revolución americana.

El general español Osorio inició una ofensiva, que les produjo una derrota a los patriotas en Cancha Rayada (19 de marzo de 1818). San Martín logró reunir su ejército en Maipú y, el 5 de abril de 1818, derrotar completamente a los españoles.

un congreso, en el que Bolívar fija su posición: "La Junta Patriótica respeta, como debe, al Congreso de la Nación; pero el Congreso debe oír a la Junta Patriótica, centro de las luces y de todos los intereses revolucionarios. Pongamos sin temor la piedra fundamental de la libertad sudamericana. Vacilar es perdernos". El 5 de julio, el Congreso declaraba la independencia y nacía la primera República venezolana, que tendría una duración de un año, hasta que la acción libertadora de Bolívar la volviera a restituir.

- Por el norte y por el sur -

A partir de 1815, los patriotas reiniciaron su lucha. Se organizaron **dos importantes ejércitos: el del norte, dirigido por el venezolano Simón Bolívar, y el del sur, conducido por José de San Martín**. Ambos libertadores americanos sabían que ninguna independencia sería segura si no derrotaban a los poderosos ejércitos que se encontraban en el Virreinato del Perú. Y, paso a paso, se encaminaron hacia ese territorio con un solo objetivo: vencer el poder realista en Sudamérica.

- A través de los Andes -

San Martín preparó un pequeño y muy bien entrenado ejército en la región de Cuyo e inició su marcha hacia el Perú. **Luego de cruzar los Andes, venció a las fuerzas realistas de Chile y consolidó la independencia de este país, en 1818.** ¿Cómo llegar hasta el Perú? Por el único camino posible, por mar.

Bernardo O'Higgins. Participó en las guerras por la independencia de su país, Chile. También fue Director Supremo e impulsó la organización democrática. Es considerado "padre de la patria" por los chilenos.

- Una armada argentino-chilena

Para poder combatir contra los realistas peruanos, se armó una gran flota argentino-chilena. Fue una de las primeras experiencias de colaboración entre naciones hermanas en América latina. Luego de un elaborado plan de ataque, **San Martín logró entrar en la capital peruana, Lima, en 1821, y declarar la independencia del Perú**. Sin embargo, los realistas seguían siendo poderosos en el interior del país.

¿Un castigo divino?

Cuando, en abril de 1810, una Junta Provisional de Gobierno depuso a las autoridades coloniales de Caracas, Venezuela, dos hombres comenzaron rápidamente a actuar para lograr grandes transformaciones: Simón Bolívar y Francisco de Miranda. Estas transformaciones llegaron a tal punto que, el 14 de julio de 1811, Venezuela se declaró independiente y sancionó una Constitución similar a la de los Estados Unidos. Sin embargo, un hecho fortuito contribuyó —entre otras muchas razones— a que esta primera revolución venezolana fuera derrotada: el Jueves Santo de 1812, un terremoto sacudió a la ciudad de Caracas. De inmediato, muchos sectores de la población interpretaron el sismo como un castigo divino para todos aquellos que habían cambiado el orden establecido.

Simón Bolívar había preparado un poderoso ejército en el norte de América del Sur, en Venezuela. Luego de vencer a los ejércitos realistas venezolanos y de consolidar la independencia de su país, se dirigió hacia la vecina Colombia (en ese momento, Virreinato de Nueva Granada). Después de violentas batallas, también logró vencer a los ejércitos realistas colombianos. Hacia 1820, dos países más eran independientes: Venezuela y Colombia, que fueron reunidos por Bolívar en un solo país, bajo el nombre de Gran Colombia.

El próximo objetivo: Quito

Después de sus grandes victorias en Venezuela y Colombia, Bolívar decidió marchar hacia Quito y Guayaquil, en la actual República del Ecuador. Para colaborar con la liberación de esta última ciudad, **San Martín** también envió tropas desde Lima, que servirían de apoyo. En 1822, sólo el interior del Perú y la actual Bolivia seguían siendo fieles al rey de España, Fernando VII, quien desde 1814 había retornado de su prisión en Francia y aún no había podido reconquistar sus posesiones americanas.

La entrevista de Guayaquil

Bolívar le escribió a San Martín proponiéndole una entrevista en **Guayaquil**, Ecuador, para decidir sobre el futuro de la lucha revolucionaria americana. La entrevista duró escasamente una hora.

En el curso de la misma, el general argentino tomó conocimiento de que existían planes para anexar el Perú a Colombia. San Martín no quiso sacrificar la pureza de las campañas libertadoras a egoísmos personales. Por ese motivo anunció a Bolívar su deseo irrenunciable de abandonar la campaña libertadora del Perú. Acto seguido, regresó a Chile. Allí permaneció un tiempo hasta que falleció su esposa, Remedios. Abrumado por el dolor y por la tristeza que le causaban los conflictos civiles en su país, decidió exiliarse en Europa.

Bolívar termina la campaña

Simón Bolívar decidió, entonces, continuar por su cuenta la campaña de liberación del Perú. Estaba preocupado, ya que, según las noticias, el Alto Perú estaba a punto de caer en manos españolas. Con gran generosidad, encargó a su lugarteniente, **Sucre**, la culminación de la campaña.

La última batalla por la libertad de América se dio el 9 de diciembre de 1824 en los llanos de **Ayacucho**, que en quechua quiere decir **"el lugar de los muertos"**.

Con maniobras sensacionales y una destacadísima participación de las tropas argentinas, Sucre derrotó al ejército español. Los patriotas lograron atrapar al virrey en persona, y a casi todos los generales y oficiales.

La tristeza de Bolívar

Después de la batalla de Ayacucho, América estaba finalmente

Bolívar, artífice de la Independencia (1783-1830)

Simón Bolívar, un joven culto perteneciente a una importante familia caraqueña, participó desde muy joven en las actividades antiespañolas.

A pesar de las dificultades, formó un ejército de campesinos y aventureros extranjeros. Con el apoyo de **Camilo Torres** y **Antonio Nariño**, Bolívar inició la llamada segunda revolución.

Así, en agosto de 1813, entró triunfante en Caracas, y el 14 de octubre el Ayuntamiento caraqueño le confirió el título de **Libertador**.

Los españoles, en 1815, volvieron a recapturar la capital. Bolívar debió huir. Sin desalentarse, formó un nuevo ejército y, al año siguiente, inició su tercera revolución.

El triunfo de Boyacá, el 10 de octubre de 1819, le permitió entrar a Bogotá. Junto con su teniente Sucre (1785-1830), obtuvo la victoria de Pichincha (24 de mayo de 1822).

Para terminar con los españoles, que habían vuelto a tomar fuerza en Perú, Bolívar se puso al frente de la campaña y los derrotó en Junín (3 de junio de 1824).

Retrato de Simón Bolívar.

libre de elegir su destino. Bolívar meditó muchísimo sobre el porvenir político de América latina.

En primer lugar, había pensado en la *Gran Colombia*, un poderoso Estado que incluiría a las actuales repúblicas de Colombia, Venezuela y Ecuador. Más tarde tuvo la idea de constituir en un mismo Estado a Perú, Chile y la actual Bolivia. Las provincias del estuario del Río de la Plata formarían una tercera región.

De esta manera, conjuntamente con Brasil, América latina quedaría dividida en cuatro grandes y poderosas naciones.

Lamentablemente, los sueños de Bolívar quedaron deshechos. Las luchas internas amargaron los últimos años de su vida.

Bolívar murió en 1830. El último golpe que recibió fue la noticia de que su fiel amigo Sucre había caído fusilado por las balas de sus propios compatriotas.

Las últimas palabras de Bolívar fueron: *"Siento que he arado en el mar".* Con ellas, hacía alusión a la gran dificultad de los países latinoamericanos para unirse en un destino común.

México: un caso muy especial

En **México**, los movimientos revolucionarios comenzaron en 1808, cuando un grupo de oficiales destituyó al virrey, que fue enviado a España.

En 1810, el cura **Miguel Hidalgo** (1753-1811) lanzó el **Grito de Dolores,** con el cual inició una gran insurrección.

Al mando de campesinos, mestizos e indígenas, se enfrentó al poder de los realistas y fue rápidamente vencido. Las banderas de Hidalgo fueron

retomadas por otro sacerdote, el cura **José María Morelos** (1765-1815), quien fue fusilado. Este hecho logró acabar la rebelión. Durante varios años, luego de la derrota de Morelos, el poder colonial español se mantuvo inconmovible.

Pero… ¿cómo se llegó a la independencia? A partir del acuerdo que, en 1821, establecieron sectores del ejército realista y los patriotas, se rompieron las relaciones con la Corona española, y México se declaró independiente, bajo el lema de "Independencia, Unión y Religión". Finalmente, tras las sangrientas represiones que se habían producido en la década anterior, los mismos dirigentes decidieron declarar la Independencia de México. La primera forma de gobierno (que duró casi un año) fue la de Imperio, y el primer emperador fue el ex virrey mexicano, **Agustín de Iturbide. En 1824, se constituyó la República.**

¿Qué pasaba en los otros países de América?

En **América Central**, la situación revolucionaria comenzó a darse en 1823.

En ese año, fue declarada la independencia de las **Provincias Unidas del Centro de América** (Guatemala, El Salvador, Nicaragua, Honduras y Costa Rica).

Brasil, a diferencia del resto de los países americanos, no tuvo luchas violentas. En este país –con motivo de la invasión napoleónica–, se había refugiado el rey de Portugal, **Juan VI**. Corría el año 1816.

En 1822, el rey Juan decidió regresar a Portugal. Su hijo Pedro lo reemplazó en el trono. Sin embargo, desde Portugal fue exigida la presencia de **Pedro** y se lo conminó a volver. Fue entonces cuando éste dio el llamado **Grito Independentista de Ipiranga**, y se negó a regresar, para aceptar ser Emperador de Brasil.

En 1825, Juan VI reconoció la independencia del Brasil. El mismo año, el general Sucre consiguió la **independencia del Alto Perú, que pasó a llamarse Bolivia**. De esta manera, ese país quedó completamente separado de las Provincias Unidas del Río de la Plata, a quienes pertenecía.

En 1828, el **Uruguay** proclamó su independencia, después que su líder, **Artigas**, hiciera todo lo posible para formar una República Federal con Argentina.

La respuesta del Congreso de Tucumán a las gestiones artiguistas fue enviar instrucciones secretas a los portugueses de Brasil para que invadieran el territorio uruguayo.

Uruguay quedó incorporada a Brasil con el nombre de Provincia Cisplatina. Esta situación llegó a su fin con la sublevación de los **Treinta y Tres Orientales,** que consiguieron, tras dura lucha, la independencia del país.

Cambios posteriores a la Independencia

Las guerras de la Independencia concluyen hacia 1825. El régimen colonial se ha roto y debe ser reemplazado por formas políticas, sociales y económicas nuevas. Las sociedades americanas que surgen tienen algunas características comunes.

La coexistencia de dos organizaciones militares

Los militares que se formaron para derrotar a los ejércitos realistas integraron un nuevo sector de la sociedad. Cada nuevo Estado tuvo un ejército profesional con oficiales y soldados.
En los países cuyos ejércitos habían tenido que combatir fuera de sus territorios nacionales, se habían formado milicias, generalmente de campaña, para mantener el orden interno. Esos milicianos fueron utilizados por caudillos regionales para imponer sus políticas.

Desequilibrio económico

La guerra de la Independencia había producido muchos gastos. Los nuevos gobiernos tuvieron que buscar nuevos recursos económicos y financieros, y establecer las bases de un nuevo régimen productivo. Se pidieron créditos a potencias extranjeras, lo que dio origen a un creciente endeudamiento externo (deuda externa), que terminó por cercenar el desarrollo de los países nacientes.

Los cambios de fortuna

Los antiguos comerciantes, que se beneficiaban con el monopolio, se vieron relegados. Algunos debieron emigrar de sus países. Surgieron nuevos sectores criollos que basaron su dominio en el comercio exterior y la explotación de los sectores primarios de la economía (ganadería, por ej.).

Debilitamiento de la esclavitud

La guerra obligó a liberar a muchos esclavos para que pudieran servir como soldados. De a poco, los gobiernos dan libertad de vientre (los niños que nacían eran libres) y ponen trabas al comercio de seres humanos. Por eso, si bien hacia mediados de siglo prácticamente en todas las naciones latinoamericanas el sistema esclavista había quedado abolido, ya había perdido vigencia mucho antes.

Mayor influencia del poder rural

Durante la época colonial y en los comienzos del período independiente, el control económico y político lo ejercían las clases urbanas. Pero la lucha por la emancipación armó a grandes masas de campesinos, que luego sirvieron para que los grandes propietarios de tierras tuvieran más poder.

LATINOAMÉRICA SE ORGANIZA

— Buscando el camino —

Al no existir ya, en 1825, la Guerra de la Independencia (que unía a la sociedad contra un enemigo común), las naciones latinoamericanas se encontraron ante urgentes necesidades: recomponer las instituciones, ya que las colonias no existían; solucionar el problema que representaban las intenciones del poder militar de compartir la conducción de la sociedad civil; crear un nuevo sistema comercial, pues los antiguos comerciantes españoles habían sido perseguidos durante quince años. De las ruinas de la sociedad colonial, surgiría una nueva organización.

El Congreso de las Naciones Americanas

Varios fueron los americanos que, antes, durante y después de la Guerra de la Independencia, plantearon la necesidad de que las colonias americanas se unieran en una sola y gran Nación. El argentino *José de San Martín*, los chilenos *Juan Egaña* y *Bernardo O'Higgins*, el venezolano *Simón Bolívar* y muchos más preferían llamarse *americanos* en vez de usar el nombre de la región en que habían nacido. Sólo Bolívar pudo plasmar esta unión en los hechos, al crear la *Gran Colombia* (Venezuela, Colombia y Ecuador), y convocar al **Congreso de las Naciones Americanas**, que se reuniría en *Panamá*, en 1826.

El general Simón Bolívar, héroe de la independencia latinoamericana, junto a su lugarteniente.

Ilustración de una de las tantas escenas de lucha que tuvieron lugar en América latina, en busca de una identidad definitiva.

Ya para 1825, la mayoría de los países latinoamericanos eran independientes. A partir de entonces, las naciones de este continente comenzaron un largo camino hacia la organización definitiva.

— El fracaso de Panamá —

Al Congreso de Panamá concurrieron muy pocas naciones americanas: la Gran Colombia (que estaba presidida por el mismo Bolívar) y el resto de las naciones bolivarianas (Perú y Bolivia).

Del resto de los países, muy pocas noticias. Chile y Argentina sólo mandaron delegados para observar el Congreso. Los demás países ni siquiera aparecieron por Panamá. Para colmo de males, al poco tiempo, la **Gran Colombia se dividió en los tres Estados actuales: Venezuela, Colombia y Ecuador**.

El ejército de las Tres Garantías entra a la capital mexicana (1821).

Los problemas comunes

Desaparecidos de la escena los grandes luchadores por la independencia americana (San Martín, Bolívar, O'Higgins,

Monumento a los héroes patrios chilenos, ubicado en la ciudad de Santiago de Chile.

Coronación de Pedro I como emperador de Brasil, en diciembre de 1822, según el artista plástico De Bres.

Artigas), cada uno de los Estados comenzó a recorrer su camino en forma independiente. Los pocos intentos de integración que existieron en esos años fracasaron rotundamente. Por ejemplo, la *Confederación Peruano-Boliviana* o las *Provincias Unidas de Centroamérica*. Sin embargo, las naciones americanas tenían muchos elementos en común.

Republicano y representativo

Durante más de tres siglos, América había sido gobernada por virreyes, capitanes generales y gobernadores. La justicia era administrada por la Real Audiencia; el comercio, por el Consulado; mientras que las ciudades eran organizadas por los Cabildos.
Al finalizar la Guerra de la Independencia, ninguna de estas instituciones existía. Los nuevos Estados independientes debieron estructurar nuevas instituciones. Casi todos adoptaron el **sistema republicano y representativo**. Pero con esta determinación no estaba todo resuelto.

¿Federal o centralista?

Éste fue un gran problema. La mayoría de los dirigentes coincidían con las formas republicanas, pero... **existían dos opciones**. Y pronto se formaron dos bandos en todas las nuevas naciones. El que apoyaba el sistema

Escena típica en Brasil: esclavos negros van a celebrar la ceremonia religiosa del bautismo. Recién en la segunda mitad del siglo XIX se eliminó la esclavitud en América.

federal, o sea, los que querían que las provincias tuvieran autonomía y eligieran a sus propias autoridades; y el partidario del sistema *centralista o unitario*, es decir, aquellos que querían un gobierno central y no las autonomías provinciales.
Ésta fue una de las causas por la cual, en la mayoría de las nuevas repúblicas, se desataron largas y violentas guerras civiles.

Sociedades con muchos soldados

La prolongada guerra de la Independencia hizo necesaria la formación de muchos ejércitos y, por lo tanto, el reclutamiento de muchos soldados. Cuando la guerra finalizó, las nuevas sociedades se encontraron con una gran cantidad de personas que no tenían ocupación. Estos ejércitos desocupados fueron utilizados en varias ocasiones por ambiciosos oficiales que pretendieron (y lograron muchas veces) compartir el poder con los gobiernos civiles. Pero, como ya dijimos, la desocupación de los ejércitos duró muy poco, porque luego fueron utilizados en las luchas civiles.

El comercio libre

El antiguo sistema colonial de comercio imponía muchas trabas a esta actividad.
Con la independencia, esto cambió. **Se abrieron las puertas para comerciar con todo el mundo**. Pero la única que estaba en condiciones de comerciar con las nuevas naciones era la dueña y reina de los mares: **Gran Bretaña**, quien muy pronto **se vio favorecida por los nuevos mercados** que se le abrían para ubicar sus productos.

Los nuevos ricos

La guerra por la independencia hizo que muchas cosas variaran. Por ejemplo, tantas armas y ejércitos debían ser financiados de alguna forma. Las víctimas predilectas de los gobiernos revolucionarios eran los peninsulares ricos. Por eso, éstos, muy pronto, empobrecieron.

En la nueva sociedad, la riqueza había pasado a otras manos: en el Río de la Plata, a las de los comerciantes criollos y a las de los ganaderos; en Bolivia, Perú y Colombia, a las de los nuevos propietarios de minas y grandes sembrados.

La situación de los indígenas

Casi ninguno participó en la lucha por la independencia. Ésta había sido casi exclusiva "propiedad" de los criollos.

Con la conformación de las nuevas repúblicas, la situación de los indígenas casi no varió: en Bolivia y Perú, por ejemplo, la minería seguía siendo la principal riqueza, y los que trabajaban en ellas seguían siendo indígenas.

La esclavitud

La esclavitud negra fue utilizada intensamente en las colonias americanas.

Con la nueva situación, el sistema de esclavitud comenzó a declinar. En parte, porque las ideas de libertad e independencia eran contrarias a la esclavitud y, además, porque la esclavitud ya no dejaba tantas ganancias como antes: los esclavos eran caros y había que alimentarlos y vestirlos. Era más barato un peón que cobrara un sueldo. **Pero casi ningún Estado americano eliminó la esclavitud hasta la segunda mitad del siglo XIX.**

Por ejemplo, la Argentina lo hizo en 1853; Perú, en 1860, y casi todos los países por esa época.

Sin embargo, en todas las sociedades americanas, entre 1825 y 1850, existía una gran cantidad de negros libres, que habían conseguido esa libertad tras haber luchado en la guerra de la Independencia.

Una larga lucha

De esta manera, cada nación latinoamericana inició la marcha para lograr su organización. Los problemas eran comunes a todas ellas, en mayor o menor grado.

Los siglos de dominación colonial hicieron que el camino hacia la definitiva organización de los Estados fuese muy difícil.

Brasil y Paraguay: dos independencias diferentes

Brasil, la antigua colonia portuguesa en América del Sur, obtuvo su independencia cuando **Pedro I**, hijo del rey de Portugal, Juan VI, dio el **Grito Independentista de Ipiranga**, separando al Brasil de Portugal. No fue sino hasta **1825** que las autoridades portuguesas reconocieron su independencia.

Paraguay, por su parte, fue el primer país sudamericano en declararse independiente de España, en **1811**. Debido a diferencias mantenidas con el gobierno de Buenos Aires, Paraguay rompió relaciones con él y el **12 de octubre de 1813** se proclamó **República**. Para ejercer el gobierno, fueron designados cónsules el **teniente coronel Fulgencio Yegros** y el **Dr. Gaspar Rodríguez de Francia**. Este último, poco a poco, fue imponiéndose en la toma de decisiones hasta lograr que lo nombrasen **Dictador Supremo de la República**.

La norma de gobierno del Dr. Rodríguez de Francia fue no mantener vinculaciones con ninguna facción política de otro país y no intervenir en ninguna guerra civil ajena. Esta política de aislamiento logró preservar a la nación de la contraofensiva española y de la anarquía en que se debatían los demás pueblos del Río de la Plata.

El pueblo brasileño aclama al emperador Pedro I.

LA GUERRA DE SECESIÓN

Esta guerra estalla entre los estados del Norte, que deseaban abolir la esclavitud, y los del Sur, que querían mantenerla.

Las causas

La política económica de los Estados Unidos, a mediados del siglo XIX, presentaba características particulares. Los estados del Norte habían alcanzado un desarrollo industrial acelerado. El Sur se encontraba bajo un sistema económico diferente: la explotación de las grandes propiedades (plantaciones) que producían materias primas, como algodón, tabaco y azúcar. Esta sistema utilizaba mano de obra esclava, lo cual contradecía los principios de la Declaración de 1776, que proclamaba la igualdad y la libertad de todos los estadounidenses.

1860: el comienzo

En 1860, el republicano **Abraham Lincoln** llegó a la presidencia. **Una de las propuestas de su campaña era abolir la esclavitud.** En ese mismo año, varios estados sudistas (Carolina del Sur,

¿Qué quiere decir secesión?

Decimos que un Estado se secesiona cuando una porción del territorio de ese Estado obedece a otro gobierno que no es el central.

Florida, Texas, Louisiana, Alabama y Mississippi, entre otros) se secesionaron de los *Estados Unidos de América* ("La Unión") y **formaron los Estados Confederados de América, bajo la presidencia de Jeferson Davis**. Comenzó, entonces, una **guerra civil** que se extendió hasta 1865.

El desarrollo de la guerra

Varias dificultades encontraron los estados del Sur durante esta guerra:

- Los estados del Norte contaban con mayor cantidad de habitantes.
- Los estados del Norte podían producir su propio armamento, mientras que los del Sur debían importarlo.
- El Norte poseía una gran fuerza naval.

Pese a esto, fue **el Sur el que dio comienzo al conflicto**, cuando bombardeó *Fort Sumter* (que representaba a los *abolicionistas*).

El **ejército del Norte** estaba comandado por el general **Ulysses S. Grant**, mientras que **el del Sur** estaba bajo las órdenes del general **Robert E. Lee**.

En 1862, ambos bandos obtuvieron victorias parciales, pero en los años siguientes el poder militar de la Unión hizo caer a Richmond, en 1865.

El general Lee capituló en Appomatox (el 9 de abril de 1865).

Lincoln murió asesinado por un sudista, cinco días más tarde.

Finalizada la guerra, se introdujo una enmienda en la constitución, que abolía la esclavitud.

Los estados sudistas quedaron integrados a la Unión.

Si bien la abolición de la esclavitud fue inmediata, la población negra no encontró una rápida asimilación en la sociedad norteamericana, especialmente en el sur, donde siguió sufriendo los mayores atropellos hasta muy avanzado el siglo XX.

En este grabado de la época aparece el general Lee (al centro, sentado) firmando su capitulación ante el general Grant (sentado a la izquierda).

Los abolicionistas eran los estados del Norte, que defendían **la abolición de la esclavitud**.

LAS REVOLUCIONES EUROPEAS

Los reyes de la dinastía borbónica intentaron restablecer el sistema absolutista. En este marco, la burguesía francesa protagonizó, entre 1830 y 1848, un nuevo período revolucionario que se expandió a varios países europeos.

Los movimientos revolucionarios

Los levantamientos se produjeron en dos etapas. La primera, a comienzos de 1830. La segunda, hacia 1848.
Las **ideas revolucionarias** tenían como principio, **en algunos países, instalar monarquías constitucionales; en otros se buscaba la instauración de un sistema republicano, que tuviera sufragio universal.**
Los primeros movimientos revolucionarios trajeron también la independencia a algunas naciones.
Tal es el caso de Bélgica, que se separó de los Países Bajos.

1830: la Revolución en Francia

El pueblo y la burguesía de Francia se unieron para desalojar del poder a los Borbones (Carlos X), y se estableció una **monarquía con poderes limitados por el Parlamento**. La burguesía comenzó a participar en el poder político. El voto siguió siendo el privilegio de unos pocos. **Luis Felipe de Orleans**, también conocido como el "rey burgués", ocupó el trono.

Europa, en 1848

A comienzos de 1848, en Francia estalla una revolución, con la cual la monarquía de Luis Felipe fue reemplazada por una **República con sufragio universal**. Este acontecimiento fue el detonante para que gran parte de Europa se viera conmocionada por **movimientos revolucionarios que exigían mayor participación política, igualdad social y reconocimiento de la identidad nacional**.
Hacia 1850, la mayoría de los movimientos habían sido aplastados.

Inglaterra y la reforma electoral

En 1832, el Parlamento inglés modificó el régimen electoral, ante la demanda de mayor participación.

Esta reforma otorgaba representación política a los distritos industriales y ampliaba la participación política de la burguesía y de los sectores medios.
Los sectores obreros manifestaron su descontento y, en 1833, redactaron un documento que recibió el nombre de **Carta del Pueblo**, en el cual se exigían el sufragio universal y secreto para los varones adultos, el pago de una dieta a los parlamentarios y la abolición de los requisitos de propiedad para ser integrante del Parlamento. Este movimiento, llamado **cartismo**, no logró imponer sus demandas.

Nuevamente el imperio en Francia

Luego de la Revolución del 48, y la instauración de un régimen republicano, las elecciones dieron a **Luis Napoleón Bonaparte** el control político de Francia.
Sobrino de Napoleón, llegó al gobierno de la mano de los conservadores, asustados por el rumbo que había tomado la revolución.
No tenía convicciones republicanas. Luego de tres años, dio un golpe de Estado y fue coronado emperador, con el nombre de **Napoleón III**.

Desde el momento en que fue coronado emperador, su objetivo fue **extender sus dominios**, por lo que intervino en una **guerra contra Prusia**.

En 1871, fue hecho prisionero. Los franceses capitularon y se estableció nuevamente una república.

En oposición a las autoridades de la República, estalló en París el **movimiento de los comuneros**, que proclamó el gobierno de la Comuna. Participaron en éste socialistas y republicanos. Pero los comuneros fueron derrotados por los republicanos, quienes instauraron la **Tercera República**.

Alemania e Italia: el sentimiento nacional

Desde 1815, tanto Alemania como Italia van a conducir sus destinos en busca de la unificación.

Ciudad de Casbah, en Argel (antigua posesión francesa).

• Alemania

La **Confederación Germánica** reemplazó, en 1815, al **Sacro Imperio Romano-Germánico**. Los estados más importantes eran **Austria** y **Prusia**.

En 1834, se creó el **Zollverein** (unión aduanera de los estados del Norte), que tenía como miembro principal a Prusia.

En 1861, **Guillermo I** heredó la corona de Prusia y mantuvo en el poder a **Otto Von Bismarck**, que representaba al reino en la confederación.

En 1864, Austria y Prusia se aliaron para obtener la posesión de tres ducados dinamarqueses, cuya población era alemana. La rivalidad entre ambos Estados se hizo rápidamente evidente.

Prusia comenzó una campaña de desprestigio contra Austria, que pronto la enfrentó en una guerra (1866). La superioridad prusiana culminó con la unificación alemana en torno a Prusia, con lo cual Austria vio reducido su territorio. Una nueva guerra, la franco-prusiana, terminó con el imperio napoleónico en Francia y con la coronación de Guillermo I en el trono alemán.

• Italia

Era un mosaico de naciones dependientes de distintos Estados europeos.

En 1848, Milán se levanta contra Austria. El ejército piamontés (región del Norte de Italia) socorre a los milaneses. Rápidamente se unieron el Piamonte, Lombardía y Venecia.

Los conflictos entre Austria y Prusia, y entre Francia y Prusia, hicieron posible la unificación italiana, en 1870.

El imperio ruso

Alejandro II (1855-1881) inició un proceso de modernización del Estado. Terminó con el viejo sistema feudal y liberó a los siervos. Murió asesinado en un atentado.

Lo sucede su hijo, **Alejandro III**, quien adoptó una política de represión a causa de los atentados. Reforzó la censura e impuso la lengua rusa a todo el imperio. **Nicolás II** (1894-1917) continuó con la misma política. La inestabilidad social produjo primero una revolución en 1905, que le impuso al **Zar** compartir el gobierno con una asamblea, la Duma. Sin embargo, Nicolás II no respetó la asamblea y fue derrocado en 1917 por una revolución socialista.

Turquía y los Balcanes

La península Balcánica fue ocupada en el siglo XVI por el imperio turco otomano.

Durante el siglo XIX, los turcos no pudieron evitar la disgregación del imperio. En 1830, Grecia logró su independencia y en 1861 se conformó Rumania. Los intereses de Rusia en la zona eran muy grandes, ya que buscaba una salida al mar Mediterráneo. Entre 1877 y 1878, rusos y turcos se enfrentaron en una guerra, que culminó con el reconocimiento de la independencia de Serbia y Montenegro del Estado de Turquía, además de la aceptación del nuevo Estado rumano y la autonomía de Bulgaria. Armenia pasó a manos de Rusia, Gran Bretaña obtuvo Chipre, y Austria el derecho a administrar Bosnia y Herzegovina.

Las **guerras balcánicas** de 1912-1913 (entre Bulgaria, Serbia, Montenegro y Grecia, contra Turquía) redujeron el imperio turco a una pequeña zona cercana a Estambul. Con ello, la región se tornó una zona conflictiva, ya que las grandes potencias (como Alemania y Francia) se aliaron en defensa de los nuevos Estados, que a su vez peleaban entre sí.

El imperialismo

Hacia **mediados del siglo XIX**, como pudimos ver, **se afirmó el sentimiento nacionalista**. Junto con la unificación e independencia de los Estados, en el último tercio del siglo se produjo una expansión económica y demográfica que impulsó la búsqueda de nuevos mercados y materias primas.

Los nuevos imperios coloniales

• Gran Bretaña

A finales del siglo XIX, era el gran imperio colonial europeo. Poseía territorios en la zona del Mediterráneo, en el Caribe, en la India, Canadá, Oceanía, en la ruta China (Singapur y Hong Kong).

A comienzos del siglo XX, debido en parte a los conflictos surgidos en Europa y la amplitud de sus posesiones, adoptó una política más moderna para

Fuerte de los Reyes Magos, en Natal (Brasil), cuando era posesión portuguesa.

gobernar sus colonias. Este privilegio de gozar de una autonomía casi total se le concedió a Canadá, Australia, Nueva Zelanda y Sudáfrica.

• Francia

Luego de las campañas coloniales realizadas en el continente africano en las últimas décadas del siglo XIX, alcanzó su máxima expansión: obtuvo colonias en Oceanía, Siria, Líbano, India, Indochina, Guyana, en África occidental y África ecuatorial.

• Otras potencias coloniales

Las restantes potencias europeas centraron su atención en la zona balcánica y en sus propios problemas. **Italia** se incorporó tardíamente a la expansión. Colonizó Somalía, Eritrea, Islas del Dodecaneso, Libia.

Rusia anexó el Turquestán y a fines del siglo completó el dominio de Siberia.

Japón, durante la *era Meiji* (período en el cual este Estado se modernizó), centró su objetivo en Taiwán.

Declaró la guerra a China y Rusia, con lo cual consiguió anexar Corea, Taiwán, Manchurria y parte de la isla de Sajalín. **EE. UU.** compró Alaska a Rusia; en América Central, se enfrentó a España, que aún conservaba posesiones en ese territorio, y logró la independencia de Cuba.

Ciudad de Georgetown, Guyana, que aún hoy es colonia inglesa.

LA PAZ ARMADA

Se denomina así al período que se inicia con la finalización de la guerra franco-prusiana y abarca los últimos treinta años del siglo XIX.

La situación política

En esa época, Europa acentúa su carrera armamentista y se convierte en un volcán que podía estallar en cualquier momento.

Las rivalidades entre Alemania y Francia fueron en aumento. Ambas naciones pretendían el territorio de Alsacia y Lorena, pues en él se encontraban importantes yacimientos de hierro, material indispensable para el desarrollo industrial. Por este motivo, toda la política europea tenía como objetivo proteger a Alemania de cualquier amenaza francesa. Como la tensión fue creciendo, se firmaron **alianzas internacionales** que formaron **dos bloques**: la **Triple Alianza** y la **Triple Entente**.

También debemos recordar la expansión imperialista de los estados europeos sobre Asia y África, que consistía en la ocupación de territorios.

El asesinato del archiduque Francisco Fernando, en Sarajevo, fue el incidente que activó las alianzas y provocó la Primera Guerra Mundial.

RIVALIDADES INTERIMPERIALISTAS

Francia — Alemania

ALIANZAS Y PACTOS DEFENSIVOS

TRIPLE ENTENTE (1919)

TRIPLE ALIANZA (1882)

Asesinato de Sarajevo

Francia Gran Bretaña Rusia

Alemania Italia Austria-Hungría

Activa el sistema de alianzas

ALIADOS

EUROPA DIVIDIDA EN DOS BLOQUES

IMPERIOS CENTRALES

PRIMERA GUERRA MUNDIAL

Otto von Bismarck.

Bismarck, "el artífice de la unificación"

Otto von Bismarck fue el político alemán que puso en marcha los mecanismos que, además de posibilitar la unificación, hicieron de Alemania una potencia de fin de siglo. Impuso el servicio militar obligatorio, lo cual aumentó el poder del ejército alemán. Concedió mejoras a los obreros e incrementó la capacidad armamentista de su país. Fue el encargado de organizar el sistema de alianzas para defender a Alemania en un posible enfrentamiento con Francia.

La sociedad europea de fines del siglo XIX

En las últimas décadas del siglo XIX y en los primeros años del siglo XX, la burguesía europea gozó de los beneficios de la expansión económica, debido a lo cual elaboró una concepción triunfalista de la vida. La expansión capitalista y la constitución de empresas por acciones generaron excedentes monetarios que fomentaron distintas actividades culturales y dieron un especial impulso a la educación, la difusión de novedades científicas, las publicaciones de divulgación, el auge de conferencias, etc. Crecieron las reuniones sociales en lugares públicos como restaurantes y cafés elegantes. Hubo un mayor consumo de la moda, gusto por los viajes, y se hizo habitual la contratación de personal de servicio: cocineros, jardineros, institutrices. El espíritu optimista generó en las ciudades europeas un clima alegre y festivo. Por esto, el período recibió el nombre de *Belle Époque*.

París fue el máximo exponente de este estilo de vida.

El taylorismo

Paralelamente al auge económico de la burguesía, los dueños de las fábricas buscaban reducir los costos de producción. Las empresas competían por controlar mercados y, como dijimos, reducir costos.

El ingeniero norteamericano **F. W. Taylor llevó adelante un estudio de las tareas fabriles. El objetivo fue eliminar los movimientos inútiles y establecer**, por medio de cronómetros, **el tiempo necesario para realizar un trabajo específico.** La aplicación de este sistema **provocó una baja en los costos de producción**, y esto significó **una reducción de los salarios**. Para que este sistema funcionara correctamente, era necesario que los trabajadores estuvieran supervisados en sus tareas. Así se conformó un grupo de trabajadores que ascendieron de categoría y eran encargados de supervisar, organizar y dirigir el trabajo fabril.

Hacia la democracia liberal

Entre 1850 y 1914, se inició el **camino de la democratización**. En principio, esto significó un problema, porque con este sistema intervendría la mayor parte de la población en cuestiones de gobierno.

Los grupos sociales con poder económico y político pensaban que los sectores de menores recursos no estaban capacitados para dirigir los asuntos públicos.

En los Estados Unidos y en Europa, durante la segunda mitad del siglo XIX, la democracia liberal se fue consolidando. Sin embargo, **los gobiernos impulsaban el establecimiento de constituciones liberales** con asambleas elegidas por sufragio, **mientras que, por otro lado, limitaban el derecho a votar** y a ser elegidos a la mayor parte de los ciudadanos varones, y excluían absolutamente de esta posibilidad a las mujeres.

Los partidos políticos

La realidad política mostraba que no iba a ser posible gobernar sin el consenso de la mayoría de la población. Cada vez con más fuerza, se escuchaban los reclamos de la pequeña burguesía y de los obreros, a través de huelgas y movilizaciones. Surgieron, entonces, **movimientos y partidos de masas**, integrados por *alianzas heterogéneas* entre burgueses, grupos de obreros y clase media.

LA CIENCIA Y LA TÉCNICA

Entre fines del siglo XIX y comienzos del XX, se produjeron, a nivel mundial, importantes adelantos científicos y técnicos, en cierta medida como consecuencia directa de la Revolución Industrial.

La Torre Eiffel, construida en hierro por el ingeniero Gustav Eiffel para la Exposición Universal que se desarrolló en París, en 1889. Tiene 305 m de altura y marcó la época del modernismo.

Los adelantos científicos

Hacia fines del siglo XIX, Europa vio descender muy velozmente los índices de mortalidad. En primer lugar, **decreció la tasa de mortalidad infantil** y, en segundo término, **aumentó la expectativa de vida**. Cuando **Koch descubrió el bacilo de la tuberculosis**, eliminó la mayor causa de mortalidad del siglo XIX. El **descubrimiento del suero antidiftérico**, realizado por *Von Behring*, posibilitó la paulatina erradicación de un mal que ocasionaba miles de víctimas anuales. La **anestesia local**, perfeccionada por *Ludwig Schlelch*, hizo posible, también, un mejoramiento en las operaciones quirúrgicas. El hombre, por primera vez, podía adentrarse en los secretos del ser humano. Esto se logra con el **descubrimiento de los rayos X**, por *Roetgen*. La **transmisión inalámbrica a distancia** posibilitó la apertura de una nueva época para las comunicaciones mundiales. Finalmente, la construcción de la *Torre Eiffel*, en *París*, plasmó el **dominio del hombre sobre los materiales nuevos, como el hierro**, para la construcción.

Los hermanos Lumière inventaron el primer proyector en 1895, que luego se desarrollaría para la industria del cine.

Grabado del siglo XIX que muestra un dirigible. Los alemanes utilizaron este tipo de aeronave, a la que llamaron Zeppelin, para bombardear ciudades y centros industriales durante la Primera Guerra Mundial.

La aparición del cine

Los *hermanos Lumière*, en 1895, construyeron la **primera cámara de cine**, que funcionaba también como proyector. Las proyecciones se realizaban en cafés y la primera se organizó en el *Gran Café* del *Boulevard de los Capuchinos*. El cortometraje se llamaba *Trabajadores saliendo de la fábrica*. Este cortometraje es considerado la *primera película de la historia*

Al principio, las películas no tenían sonido. Luego, con el tiempo, se fueron incorporando el **sonido** y el **color**.

La época de los dirigibles

Un oficial del ejército alemán, *Ferdinand von Zeppelin*, se interesó por el **vuelo de los globos** y se dedicó a diseñar y construir **dirigibles**. En 1910, uno de sus dirigibles, luego de varias pruebas, realizó el **primer servicio comercial aéreo para pasajeros**. Se utilizaron también durante la *Primera Guerra Mundial*, pero se comprobó que eran **vulnerables** al fuego antiaéreo. Después de la Primera Guerra Mundial, se emplearon en **vuelos comerciales**, pero por problemas de seguridad, en 1937, luego de un terrible accidente, **dejaron de fabricarse**.

CRONOLOGÍA SOBRE ALGUNOS DESCUBRIMIENTOS

	1890	
	1889	Comunicación inalámbrica - Hertz
Neumático - Dunlop	1888	
	1887	Ondas magnéticas - Hertz
	1886	
	1885	Automóvil - Daimler-Benz - Tubo sin soldadura - Mannesmann
Motor de gasolina - Daimler / Máquina de componer - Margenthaler	1884	
	1883	Ametralladora - Maxim
Bacilo de la tuberculosis - Koch	1882	
	1881	Pólvora sin humo - Nobel
	1880	
Dirigible - Zeppelin - Física cuántica - Planck	1900	
	1899	Lenin publica *El desarrollo del capitalismo en Rusia*
El radio - Curie	1898	
	1897	Motor Diésel - Diésel / Tubo de rayos catódicos - Braun / Descubrimiento del electrón - Thomson
Transmisión del primer radiotelegrama - Marconi	1896	
	1895	Rayos X - Roetgen / Cinematógrafo - Lumière / Freud inicia el psicoanálisis
	1891	
	1910	
	1909	Caucho sintético - Hoffmann
	1908	
	1907	Hormigón colado - Edison
	1906	
	1905	Teoría de la relatividad - Einstein
Cromosomas - Boveri	1904	
	1903	Radiactividad - Rutherford
Isótopos - Rutherford y Soddy	1902	
	1901	Aeroplano - Wright
Teletipo	1920	
	1919	Fisión del átomo de nitrógeno - Rutherford
	1918	
	1917	Einstein publica la Teoría de la Relatividad General
	1914	
	1913	Modelo de átomo - Bohr / Calmette y Guérin ponen a punto la vacuna BCG, contra la tuberculosis
Tanque - Burstyn	1911	

Guglielmo Marconi.

Planeador de los hermanos Wright.

LA PRIMERA GUERRA MUNDIAL

Una complicada política de alianzas, un exagerado nacionalismo, una desesperada carrera armamentista fueron algunos de los factores que llevaron al estallido de la Primera Guerra Mundial.

Con este triplano Fokker DR-1, el alemán Manfred von Richthofen (el "Barón Rojo") consiguió numerosas victorias aéreas.

Causas de la guerra

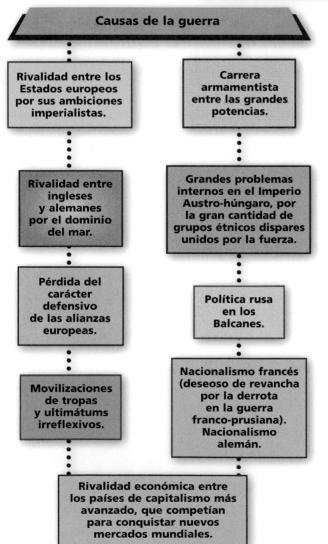

- Rivalidad entre los Estados europeos por sus ambiciones imperialistas.
- Rivalidad entre ingleses y alemanes por el dominio del mar.
- Pérdida del carácter defensivo de las alianzas europeas.
- Movilizaciones de tropas y ultimátums irreflexivos.
- Carrera armamentista entre las grandes potencias.
- Grandes problemas internos en el Imperio Austro-húngaro, por la gran cantidad de grupos étnicos dispares unidos por la fuerza.
- Política rusa en los Balcanes.
- Nacionalismo francés (deseoso de revancha por la derrota en la guerra franco-prusiana). Nacionalismo alemán.
- Rivalidad económica entre los países de capitalismo más avanzado, que competían para conquistar nuevos mercados mundiales.

Los factores desencadenantes y los protagonistas

Cuatro fueron los factores que precipitaron el conflicto:
- La desconfianza mutua.
- La creencia —sobre todo de Alemania— de que era imposible evitar la guerra.
- La creencia de políticos y militares de que los ejércitos poderosos impedirían un conflicto muy largo. **Se pensaba que la guerra duraría** —como máximo— **una semana.** (Y duró **cuatro años.**)
- Ninguna nación quería cambiar sus ideas en nombre de la paz.

Seis fueron las naciones comprometidas inicialmente en el conflicto, aunque por la política de alianzas la guerra se hizo mundial.

Austria-Hungría: un poderoso imperio que se aferraba a la idea imperial sobre todas las naciones que dominaba, desconociendo las diferencias entre ellas que, como un mosaico de distintos colores, conformaban sus dominios.

Serbia: trataba de realizar a toda costa la idea de un Estado nacional, expandiéndose ilimitadamente en los Balcanes.

Rusia: se encontraba ante una alternativa de hierro: hacer la guerra en el exterior o evitar la revolución en el interior.

Inglaterra: por un lado, deseaba la paz, pero también se inclinaba por la guerra al temer una expansión rusa en el Oriente Medio.

Francia: deseaba la revancha sobre Alemania.

Alemania: deseaba derrotar a Francia, y a la vez favorecer a su aliado, el Imperio Austrohúngaro.

— Asesinato en Sarajevo —

El 28 de julio de 1914, el archiduque **Francisco Fernando** y su esposa, herederos al trono de Austria-Hungía, fueron asesina-

Soldados atrincherados, en 1917.

Las alianzas

La Primera Guerra fue mundial porque los países tenían alianzas que internacionalizaron el conflicto. ¿Cuáles eran? Por un lado: Austria-Hungría, aliada con Alemania; ésta, a su vez, aliada con Turquía y Bulgaria. Por el otro lado: Inglaterra, aliada con Francia, Estados Unidos, Italia, Japón, Serbia, Rusia, Rumania y Grecia.

dos en **Sarajevo** por un joven estudiante bosnio. **Austria-Hungría** responsabilizó a **Serbia** del magnicidio y declaró la guerra. Esta acción puso en marcha el complejo sistema de las alianzas, y en menos de un mes estaban guerreando los dos bloques principales: por un lado, los **aliados** (**Inglaterra**, **Francia**, **Rusia**, **Japón**, **Rumania**), y por el otro, **Austria-Hungría**, **Alemania**, **Turquía**, **Bulgaria**. Más adelante, se incorporaron los **Estados Unidos**, **Grecia** e **Italia** a favor de los aliados. Los **alemanes** obtuvieron en un comienzo **fulminantes victorias**. Sin embargo, muy pronto los ejércitos se detuvieron y comenzó el aspecto más característico de este conflicto: **la guerra de trincheras**.

— Los frentes de la guerra —

La guerra se desarrolló en **dos frentes principales**: el **occidental** (1914-1918)

y el **oriental** (Europa del Este, 1914-1918), y en los llamados **frentes secundarios** (Turquía, Armenia, Mesopotamia, N de Italia, Balcanes y África). La primera parte de la guerra fue denominada **guerra de movimientos**, dado que los ejércitos alemanes se movían con gran rapidez, pero en Francia se encontraron con enormes campos atrincherados. Se inició así la **guerra de trincheras**.

Ambos bandos, para desalojar de sus posiciones a los enemigos, iniciaron la **guerra química** (empleo de gases). Las batallas se hicieron prolongadísimas; por ejemplo, la de **Verdún** duró más de 6 meses. El número de víctimas fue muy elevado. En la batalla de **Somme**, en **un solo día** hubo **57.000** bajas.

La guerra también se desarrolló en el agua, teniendo como escenarios al mar del **Norte** y al **Báltico,** y los océanos **Pacífico** y **Atlántico** (en este último, se destaca la crucial batalla de las **Malvinas**). Los grandes buques de guerra y los de carga se enfrentaron a un arma temible: el **submarino**.

Otras innovaciones fueron la **guerra aérea** y el empleo de **tanques**, usados por primera vez a partir de 1916.

— El final de la guerra —

Tanto en Austria-Hungría como en Rusia (donde estalló la revolución que acabó con el zarismo), se produjeron graves situaciones sociales. En Alemania, los grupos socialistas presionaban para la finalización de la lucha.

Países independizados

Territorios perdidos por Alemania, Austria y Rusia

Anexiones

MAR DEL NORTE

Finlandia

Noruega

Suecia

Dinamarca

Estonia

Letonia

MAR BÁLTICO

URSS

Reino Unido de Gran Bretaña e Irlanda Indep. 1921

Schleswis septentrional

Lituania

Dantzig

Brest-Litvsk

Holanda

Polonia

Bélgica

Luxemburgo

Lorena

Alsacia

Checoslovaquia

Besarabia

OCÉANO ATLÁNTICO

Suiza

Trentino

Hungría

Trieste

Rumania

MAR NEGRO

Francia

Fiume

Yugoslavia

Bulgaria

Portugal

España

Italia

Albania

Grecia

Turquía

ÁFRICA

MAR MEDITERRÁNEO

—Datos y cifras—

- Muertos: 7.970.000.
- Heridos: 19.536.000.
- Para bombardear **París,** los alemanes construyeron un cañón llamado **Gran Berta**, que hacía blanco a más de 50 km. Era tan pesado que había que transportarlo por ferrocarril.
- El as de la aviación alemana era el barón Manfred von Richthofen, quien se hacía llamar el **"Barón Rojo"** debido al color de su Fokker trialar. Murió en combate aéreo a los 26 años. Había obtenido más de 80 victorias.
- 27 fueron las naciones vencedoras en el conflicto.
- Al iniciarse el conflicto, había **17 monarquías** y **3 repúblicas**; al concluir, **13 repúblicas** y **13 monarquías**.

Con la caída de la Unión Soviética, en 1991, los antiguos territorios balcánicos entraron en conflicto nuevamente. En 1992, Sarajevo, donde se inició la Primera Guerra, fue prácticamente destruida por los serbios, que siguieron con sus **antiguas reivindicaciones**.

El presidente **Wilson**, de Estados Unidos (que había entrado en la guerra en 1917), propuso un plan de paz, que fue aceptado por todos los beligerantes en 1918. El 28 de junio de 1919, **la paz definitiva** fue firmada en **Versalles**.

Las consecuencias más importantes fueron:

- La desaparición de los imperios austro-húngaro, alemán y ruso.
- Pérdida del liderazgo europeo en el mundo, ahora reemplazado por *Estados Unidos* y la reciente *Unión Soviética*.

El 25 de octubre de 1917, en medio del cansancio producido por una guerra entre potencias imperiales, se produce la Revolución Rusa. Uno de sus dirigentes y teórico fue Vladimir Ilich Ulianov, conocido como Lenin (1870-1924). La revolución derrota al gobierno de Kerensky (1881-1970) con las consignas "Paz, pan y tierra", y el poder es tomado por los soviets, asambleas integradas por obreros y soldados.

Las ideas políticas

La primera mitad del siglo XX

Cuando finalizó la Primera Guerra Mundial, Europa se había transformado. A partir de la firma de los tratados de paz, se crearon nuevos Estados, pero, en el caso de los dos principales (*Yugoslavia y Checoslovaquia*), no se respetaron las nacionalidades internas. Para prevenir cualquier conflicto futuro, también se creó un organismo supranacional llamado *Sociedad de las Naciones*. Ésta surgió de un proyecto presentado por el presidente de los Estados Unidos, Woodrow Wilson. A pesar de todos estos intentos por alcanzar la paz, Europa vivió una década con grandes cambios políticos y crisis económicas.

El socialismo

En 1914, el **socialismo** era una fuerza, ya que **representaba a la mayoría de los obreros**, quienes habían alcanzado importantes logros en el aspecto sindical y político. Su objetivo era la **transformación revolu-**cionaria de la sociedad capitalista. El programa de los partidos políticos socialistas buscaba **reivindicaciones, una mayor participación política (ampliación de la democracia) y mejoras laborales (jornada laboral de ocho horas).**

Surge el comunismo

El manifiesto comunista había hecho su aparición en 1848. Sus autores fueron **Karl Marx y Friedrich Engels**. En él se expresaron las **críticas al sistema político económico del siglo XIX, el capitalismo, y se impulsó a la lucha de clases**. Luego, Marx hace un análisis más profundo del sistema capitalista y lo plasma en su libro *El Capital*. La Revolución de octubre de 1917, en Rusia, implanta un Estado comunista que va a **abolir la propiedad privada e impondrá la voluntad estatal por sobre la voluntad individual**.

El fascismo

Este sistema proclama el **dere-**cho de los "mejores" a gobernar. También propicia la **supremacía del Estado**, manejado por las corporaciones.
A diferencia del comunismo, el **fascismo respeta y promueve la propiedad individual e impulsa el sistema capitalista**.

El nazismo

La palabra *nazi* es una contracción del nombre del *Partido Obrero Nacional-Socialista Alemán*. **Esta doctrina política**, impulsada por **Adolf Hitler** en Alemania, **similar al fascismo, promueve la idealización y predominio del Estado capitalista**, además de la **fusión indisoluble del partido único con el Estado y el gobierno**, que constituyen la base de la ideología.

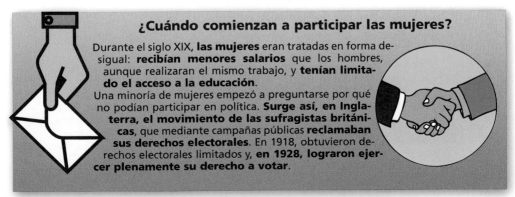

¿Cuándo comienzan a participar las mujeres?

Durante el siglo XIX, **las mujeres** eran tratadas en forma desigual: **recibían menores salarios** que los hombres, aunque realizaran el mismo trabajo, y **tenían limitado el acceso a la educación**.
Una minoría de mujeres empezó a preguntarse por qué no podían participar en política. **Surge así, en Inglaterra, el movimiento de las sufragistas británicas**, que mediante campañas públicas **reclamaban sus derechos electorales**. En 1918, obtuvieron derechos electorales limitados y, **en 1928, lograron ejercer plenamente su derecho a votar**.

La revolución comunista

La Rusia zarista

A pesar de los intentos realizados por los zares en el siglo XIX, no lograron modernizar la economía ni la sociedad, ni acabar con la servidumbre de los campesinos. Luego del asesinato de Alejandro II, la política autoritaria que habían desarrollado comenzó a ser cuestionada. En 1905, el zar Nicolás II debió sofocar un levantamiento que produjo huelgas y rebeliones militares, y finalizó cuando el zar accedió a gobernar con la ayuda de la Duma (el parlamento). La intervención de Rusia en la Primera Guerra Mundial trajo como resultado un mayor estancamiento económico. En 1917, Rusia pone fin a su participación en la Primera Guerra y firma el Tratado de Brest-Litovsk. Al finalizar la guerra, se multiplicaron las huelgas y movilizaciones.

La caída del Zar

En febrero de 1917, la monarquía se derrumbó. El Zar debió abdicar y el **poder quedó en manos de la Duma**.

Al mismo tiempo, comenzaron a formarse los **soviets** (grupos integrados por obreros, campesinos y soldados). El gobierno provisional, que estaba en manos del general **Kerenski**, no logró ejercer el poder efectivo, y los soviets iban ganando adeptos. También ganaba terreno el **Partido Obrero Social-Demócrata**, que a su vez estaba **dividido en dos sectores**: los **bolcheviques** (grupo más intransigente) y los **mencheviques** (partidarios de un régimen moderado). Este partido se inspiraba en las teorías de **Karl Marx**.

El ascenso de los bolcheviques

En octubre, **los bolcheviques, liderados por** *Vladimir Ilich Ulianov*, llamado **Lenin, to**maron el poder. Inmediatamente, **se abolió la propiedad privada, y el Estado se hizo cargo de la industria, la banca y el comercio**.

En 1918, grupos antibolcheviques llevaron adelante una guerra civil contra el gobierno bolchevique, pero fueron derrotados.

En 1922, se organizó finalmente la **Unión de Repúblicas Socialistas Soviéticas** (URSS), que tenía una constitución basada en la dictadura del proletariado (transición a la fase comunista).

Stalin en el poder

Luego de la muerte de Lenin, se inició una lucha por el poder entre **José Stalin** y **León Trotsky**.

Cada uno tenía una visión diferente de la revolución. **Stalin quería consolidar la revolución en la Unión de las Repúblicas Socialistas Soviéticas**, mientras que **Trotsky quería exportar la revolución a otros países y lograr una gran revolución mundial.**

Stalin se impuso sobre Trotsky y éste fue expulsado de la Unión Soviética. Se exilió en México, donde murió asesinado.

En 1925, Stalin elaboró un plan de colectivización de tierras y de industrialización planificada.

A fines de la década de 1930, la URSS se había convertido en una potencia económica, y el régimen impuesto por Stalin era cada vez más duro.

Las persecuciones a los enemigos políticos condujeron a muchos de ellos a campos de concentración.

Estados Unidos después de la Primera Guerra

La expansión económica

La guerra tuvo un **efecto favorable en la economía de los Estados Unidos**. A esto se le sumaba que:

• **su producción** a comienzos de siglo **mantenía un crecimiento constante**;

• durante la guerra **fueron los primeros productores de armas** para los aliados;

• la guerra no se desarrolló en su propio territorio. Esto significó que no debieron dedicarse a la "reconstrucción", como los europeos;

• la suba de precios benefició a los productores de materias primas;

• los Estados Unidos concedieron préstamos a los países europeos y se convirtieron en los mayores acreedores del mundo;

• por último, las economías europeas estaban debilitadas.

Durante la década de 1920, la política económica era liberal: el Estado no intervenía en la economía. La industria, impulsada por el sistema taylorista, permitía producir gran cantidad de bienes. Esta prosperidad provocó una **gran especulación financiera. La producción continuaba creciendo, pero habían disminuido las ventas.** Es entonces cuando **los empresarios empiezan a tener dificultades para vender sus productos.** La crisis se desató porque los especuladores comenzaron a vender las acciones de las industrias, al enterarse de las dificultades económicas de éstas. **En octubre de 1929, la bolsa cayó,** y con ella, los sueños de muchos inversionistas.

El New Deal

Para contrarrestar los efectos de la crisis, el nuevo presidente, **Franklin Delano Roosevelt**, diseñó una **nueva política económica**, denominada **New Deal**. Ésta consistía en una **fuerte inversión estatal en** tres áreas: **el empleo, las obras públicas y la asistencia social**. A pesar de no haber alcanzado los resultados esperados, logró reducir los efectos de la crisis.

EFECTOS DE LA CRISIS

ECONÓMICOS

Descendieron la producción industrial y las importaciones; las inversiones desaparecieron y se detuvo la construcción. Todos los sectores productivos se vieron afectados y la depresión económica se expandió por todo el mundo.

SOCIALES

Creció el número de desocupados.

POLÍTICOS

Muchos gobiernos perdieron poder y prestigio. Debieron tomar medidas para mantenerse en el poder. En el caso de los Estados Unidos, el partido político opositor (los demócratas) llegó al poder y tomó medidas para terminar con la crisis.

WORLD'S HIGHEST STANDARD OF LIVING

There's no way like the American Way

Mientras el gobierno hacía propaganda oficial, resaltando las ventajas de la próspera forma de vida americana ("The American Way of Life"), estos trabajadores desocupados hacen cola para obtener alimentos en una entidad de caridad, afectados por la crisis financiera de 1929.

Las consecuencias de la Primera Guerra en Europa

El fascismo en Italia

Al finalizar la guerra, en 1922, el rey de Italia, **Víctor Manuel III**, nombró primer ministro a **Benito Mussolini**. La presión que había ejercido este último se pone de manifiesto con la marcha de los *fasci de combattimento* sobre Roma. Entre 1919 y 1922, una serie de huelgas y campañas de agitación alarmaron a los sectores industriales y terratenientes. Éstos veían con desconfianza el incremento de miembros en los partidos socialista y comunista, y apoyaron el ascenso de Mussolini, temerosos de la guerra civil, la revolución social y el bolchevismo. Entre 1922 y 1925, Mussolini condujo a Italia hacia un **régimen fascista**, con un **Estado dictatorial** y un **partido único**.

Mussolini y Hitler visitando las instalaciones del complejo siderúrgico Krupp, que proveía a Alemania para la guerra.

El Estado corporativo italiano

Mussolini, también llamado *il Duce*, perseguía un **ideal corporativo** para afirmar su modelo. Según éste, el trabajo conjunto de obreros y patrones terminaría con la oposición entre capitalistas y trabajadores, controlados por un **Consejo Nacional de Corporaciones** y un **Ministerio de Corporaciones**.

El **sistema corporativo** sirvió para controlar a los obreros, ya que eran representados por los **sindicatos fascistas**. También se firmaron **acuerdos con la Iglesia**, con el objeto de conseguir el apoyo católico para el régimen fascista (*Pactos de Letrán*). Hasta 1930, el gobierno siguió una **política liberal**.

La crisis trajo como consecuencia la intervención del Estado en la economía. Se establecieron políticas proteccionistas y se otorgaron créditos para la industria.

En 1937, **Mussolini firmó con Hitler una alianza que condujo a Italia a la Segunda Guerra Mundial**. En 1944, luego de haber escapado de la cárcel, Mussolini fue arrestado y ejecutado.

Frente Popular francés

La crisis económica llegó a Francia más tarde que a otros países: a partir de 1931, se produjeron quiebras de bancos, cayeron las exportaciones, se redujo la jornada laboral y aumentó el desempleo. La **inestabilidad política** se combinaba con ataques al Parlamento, fomentados por grupos de tendencia fascista. Luego de los enfrentamientos que tuvieron lugar en 1934, los grupos políticos de izquierda se unieron y formaron el **Frente Popular**.

En 1936 triunfó el Frente, pero **los problemas económicos continuaron**, y éste se alejó del gobierno en 1937.

España y la Segunda República

España estaba gobernada por una **monarquía**. En 1923, el general **José Antonio Primo de Rivera** encabezó un **golpe de Estado** que puso **fin a la monarquía constitucional**. En 1930 cayó **Primo de Rivera**, y el rey **Alfonso XIII** abdicó. Se estableció entonces la **Segunda República** y se dictó una **Constitución**.

La llegada de Franco al poder

Durante los **primeros años de la República**, el **gobierno** español estuvo **en manos de los grupos de izquierda. En 1933**, ganó las elecciones la **Confederación Española de Derechas Autónomas**. Los **grupos de izquierda** comenzaron a organizar rebeliones en distintos puntos del país. En 1935 se gestó una **coalición** que agrupó a socialistas, comunistas, nacionalistas y republicanos. Esta coalición se denominó **Frente Popular**. En las elecciones de **1936**, **triunfó** por escaso margen el **Frente Popular**. Por lo tanto, debían **formar un gobierno de colaboración con la derecha**. Esto se sumó a la mala situación económica por la que atravesaba España. La crisis se agudizó, y el asesinato de un líder de la extrema derecha, **José Calvo Sotelo**, dio comienzo a la guerra civil.

Hitler en el gobierno alemán

A partir de 1925, luego de ser detenido por intentar derrocar al gobierno, **Adolf Hitler** comienza a organizar un partido político: el **Partido Nacional-Socialista Alemán**. En 1932, aumentó su participación en el Parlamento y se convirtió en el segundo partido de Alemania. La

Alfonso XIII reinó en España hasta que se proclamó la Segunda República Española, en el año 1931.

Francisco Franco tomó el poder en 1936 con un golpe de Estado y estableció un régimen autoritario hasta su muerte, en 1975.

crisis económica también había llegado a este país. Los conflictos crecían y en 1933 Hitler fue nombrado canciller de Alemania. La **ideología nazi** se basaba en el **nacionalismo a ultranza**; eran **anticomunistas y racistas**. Postulaban la creación de una comunidad nacional, espiritual y racialmente homogénea, que estaría integrada por todos los alemanes dispersos en otras naciones (**pangermanismo**). Este proyecto excluía a los judíos y a los grupos de izquierda. En 1933, declaró ilegales a todos los partidos políticos con excepción del suyo. Abolió los derechos individuales y, a la muerte del presidente **Hindenburg**, reunió los cargos de presidente y canciller. Asumió la conducción de las fuerzas armadas y creó un cuerpo especial, la **SS**, que tenía como función perseguir a los enemigos políticos y custodiar a los oficiales nazis de alto rango. Esta fuerza podía asesinar sin rendir cuentas a la ley.

La Guerra Civil española

Varios fueron los **conflictos** que dieron lugar al enfrentamiento entre compatriotas:
• **Los problemas políticos**.
• **El conflicto agrario**: las tierras estaban en manos de unos pocos, por lo que los campesinos debían trabajar como jornaleros.
• **Los problemas religiosos**: grupos anticlericales habían quemado iglesias y esto deterioró las relaciones con el gobierno.
El 17 de julio de 1936, se produjo un levantamiento contra la República, al mando del general **Francisco Franco**. La guerra continuó hasta 1939. **Los rebeldes fueron apoyados por Alemania e Italia. La República contó con el apoyo de Rusia,** aunque no envió tropas, y grupos compuestos por voluntarios de distintos países, denominados **Brigadas Internacionales**. Una vez que **Franco tomó el poder, estableció un régimen autoritario** que colaboró con el **Eje** (es decir, con Alemania, Italia y Japón) durante la Segunda Guerra Mundial. El Estado español intervino en los asuntos económicos para contrarrestar la crisis. En el plano internacional, España quedó aislada luego de la Segunda Guerra Mundial. En la década de 1950, se dio impulso al desarrollo industrial, fomentado desde Estados Unidos. Desde 1965, la oposición comenzó a organizarse. En 1975, murió Franco y comenzó un período de transición que finalizó con la instauración de una monarquía constitucional.

LA SEGUNDA GUERRA MUNDIAL

El gobierno nacional-socialista de Alemania, liderado por el canciller Adolfo Hitler, pretextando la necesidad de "espacio vital" para el crecimiento de su país, invade Polonia. Por esta razón, Francia e Inglaterra le declaran la guerra, desencadenando uno de los grandes horrores del siglo XX: la Segunda Guerra Mundial.

— El inicio de la guerra —

El 1 de setiembre de 1939, se inició la guerra, que finalizó recién en 1945.

Los ejércitos alemanes emplearon una táctica desconocida hasta entonces: la *blitzkrieg* o *"guerra relámpago"*, que consistía en la utilización de medios blindados (tanques) y bombarderos en picada.

Estos aviones, los famosos Stukas, arrojaban sus bombas y ametrallaban a la población civil, al tiempo que hacían sonar una sirena, lo que provocaba el lógico pánico.

En 1940, se firmó el Pacto Tripartito entre las potencias del "Eje de acero" (Italia, Alemania y Japón).

En 1942, van a adherir Hungría, Rumania, Checoslovaquia, Dinamarca, Finlandia, China nacionalista, Bulgaria y Croacia.

Francia e Inglaterra, en un primer momento, enfrentan la agresión. Más tarde, se unirán a Australia, Canadá, Brasil, Estados Unidos, India, Nueva Zelanda, Argel y otras tropas coloniales.

Este sector será conocido como el de los "Aliados".

La ideología nazi sostenía que todo aquello que no fuera alemán –aliados, satélites, pueblos conquistados– debía ser reducido a una situación inferior, la de habitantes del imperio colonial europeo del gran Reich alemán.

Concentración nazi en Nüremberg con motivo de la celebración del Día del Partido (1936).

— Los distintos frentes —

La guerra se desarrolló en varios frentes.

• África del Norte (1940-1942).

En junio de 1940, Italia declaró la guerra a Francia e Inglaterra. Al atacar los objetivos británicos en el África del Norte, **los italianos** se ven en tales **aprietos** que debe intervenir Alemania, con el **África Korps**, un cuerpo de ejército especial para la guerra en el desierto. Los **británicos**, tras durísima lucha –y aprovechando su **control aéreo** y naval sobre el Mediterráneo, que impidió a los alemanes reaprovisionarse–, derrotaron a los ejércitos de Hitler.

• Los Balcanes (1940-1941).

Ante las derrotas italianas en el área, los alemanes tuvieron que intervenir con operativos de tropas **aerotransportadas**. Muy pronto, se hicieron dueños de la situación aniquilando a las tropas británicas, que debieron abandonar la región.

• Oriente Medio (1941).

Los ingleses derrotan en Irak a los partidarios de las potencias del Eje y aseguran el **control del Canal de Suez**.

• Frente oriental (1940-1943).

Se desarrolló en la **Unión Soviética**. Hitler traicionó el pacto de no agresión e **invadió** la URSS el 18 de diciembre de 1940. Fue uno de los **frentes más atroces**, debido a las **enormes pérdidas humanas** (estimadas en 14 millones de soldados muertos entre los **rusos**, sin contar las pérdidas civiles). Ciudades enteras fueron **demolidas** por los bombardeos

(Stalingrado, por ej.), y decenas de miles de alemanes e italianos **murieron de frío**.

• **Frente occidental** (1939-1945).

Sólo el 6 de junio de 1944 (**el célebre Día D**, del **desembarco aliado en Normandía**), los alemanes tuvieron algunas dificultades. A pesar de **violentas contraofensivas** de los ejércitos del III Reich, como en las **Ardenas**, los **aliados** entraron en **Berlín**, la capital de Alemania (1945).

• **Frente del Pacífico** (1941-1945).

Correspondió casi exclusivamente a **Estados Unidos**. Tras una lucha durísima, isla por isla, los norteamericanos decidieron arrojar **dos bombas atómicas sobre Hiroshima** y **Nagasaki**, poblaciones civiles indefensas

Las causas de la Segunda Guerra Mundial

El gobierno nacional-socialista alemán, impulsado por las presiones de quienes lo sostenían económicamente, emprendió una política de reivindicaciones territoriales, aduciendo la necesidad de "espacio vital" para la expansión de sus industrias.

Por otra parte, las potencias occidentales, en su deseo de aislar a Rusia, que encarnaba el peligro de expansión del comunismo, apoyaban complacientemente a los alemanes. Una serie de acuerdos diplomáticos y exigencias territoriales preparó el conflicto.

• 21 de marzo de 1939: absurdas exigencias territoriales de Hitler a Polonia. Este país las rechaza. Inglaterra y Francia se comprometen a ayudar a Polonia ante cualquier agresión.
• 22 de mayo de 1939: pacto de alianza entre Alemania e Italia.
• 27 de agosto de 1939: pacto de no agresión germano-soviético. (Hitler, que estaba preparado para iniciar la guerra, se "cuida las espaldas" para evitar que los rusos intervengan en las primeras etapas de la guerra.)

LA SITUACIÓN DEL CONTINENTE EUROPEO DURANTE LA SEGUNDA GUERRA MUNDIAL

Límites de Alemania 1937
Límites de Alemania, sept. 1939
Límites noviembre 1942
Países neutrales
Territorio alemán ocupado
Territorio italiano ocupado
Asociados al eje
Aliados

Adolfo Hitler

Benito Mussolini

José Stalin

Charles De Gaulle

Winston Churchill

en territorio japonés (agosto de 1945). De esta manera, concluyó la guerra. Los **británicos**, por su parte, combatieron contra los **japoneses** en Birmania.

• **Guerra naval** (océanos Atlántico y Pacífico, y mar Mediterráneo).

Inicialmente, los alemanes fueron los dueños del Atlántico, con innovaciones técnicas: los **acorazados de bolsillo** (miniacorazados con una potencia de fuego superior a la de sus rivales). Al ser hundidos, los ingleses y norteamericanos dominaron el mar, pero siempre estuvieron acosados por los temibles **submarinos** alemanes.

• **Guerra aérea.**

Los alemanes estuvieron casi siempre en **desventaja** frente a los aliados.
No obstante, en las etapas iniciales del conflicto, la **Luftwaffe** (Fuerza Aérea de Alemania) bombardeó sistemáticamente ciudades británicas para imponer el terror. Los alemanes también usaron, por primera vez en la historia, **misiles** de largo alcance. Por su parte, los aliados bom-

bardearon hasta reducir a escombros las ciudades alemanas de Hamburgo y otras, y arrojaron **bombas incendiarias** sobre ciudades como **Dresden**, habitadas en su mayoría por **niños, ancianos** y **mutilados de guerra**.

Consecuencias de la guerra

Europa perdió su hegemonía mundial.

El mundo quedó dividido en dos bloques: occidental (liderado por Estados Unidos) y oriental (liderado por la URSS).

Para salvaguardar la paz, se creó la ONU.

Comenzó el "equilibrio del terror". Se incrementó el arsenal mortífero.

Se inició la "guerra fría" (conflictos o fricciones diplomáticas entre países que respondían a intereses de la URSS o EE. UU.).

La bomba atómica lanzada el 6 de agosto de 1945 sobre el Japón, espantosa imagen de destrucción y muerte. El resultado: 32.000 personas muertas por kilómetro cuadrado; 200.000 muertos en total.

LA GUERRA FRÍA

— Las nuevas relaciones — internacionales

Con el fin de evitar nuevos enfrentamientos bélicos, en 1945 se creó la **Organización de las Naciones Unidas** (ONU), cuyo objetivo sería **mantener la paz**, **defender los derechos humanos**, fomentar la **colaboración entre países** y defender también la **libre determinación de los pueblos**.

Hoy en día, las Naciones Unidas cumplen una función importantísima, prestando **ayuda humanitaria** a los países que la necesitan y tratando de **mediar en conflictos internacionales**. La Organización ha crecido: inicialmente eran cincuenta los países que la conformaban; hoy casi todos los países se encuentran representados.

A mediados del siglo XX, la economía también sufrió cambios. Se crearon el **Fondo Monetario Internacional** y el **Banco Mundial**. Estos organismos tenían como objetivo el fomento del desenvolvimiento equilibrado del comercio internacional, el desarrollo de los recursos productivos y la coordinación de los préstamos e inversiones.

Mahatma Gandhi, líder de la religión hindú, comenzó una campaña de agitación contra el gobierno británico, pero en forma totalmente pacífica, pues su método era el de la "no violencia".

En esta foto vemos (de izquierda a derecha) a Churchill, Roosevelt y Stalin, durante una reunión en Yalta (península de Crimea). Allí acordaron la nueva distribución de los territorios liberados de la dominación alemana.

El fin de la Segunda Guerra Mundial marcó un nuevo reordenamiento mundial y significó el fin de la hegemonía europea. A partir de ese momento, las potencias vencedoras, Estados Unidos y la Unión Soviética, dominaron la escena política.

— Los cambios — en la política

Luego de la guerra, surgieron dos enemigos que habían participado en ella como aliados: la Unión Soviética y los Estados Unidos. Los dos países habían fortalecido sus posiciones, y los soviéticos extendieron su influencia sobre Europa oriental. Para contener el avance del dominio soviético, Estados Unidos formuló la **Doctrina Truman**, que justificaba la intervención norteamericana en el exterior ante cualquier avance soviético.

En 1949, Estados Unidos impulsó la creación de la **Organización del Tratado del Atlántico Norte** (OTAN), que agrupaba a la mayoría de los países capitalistas de esa región. Ésta era una alianza defensiva que comprometía a sus miembros a prestarse ayuda en caso de agresión de terceros.

En contraposición a esto, los soviéticos crearon el **Pacto de Varsovia** (1955), que agrupaba a los países comunistas y los protegía militarmente.

Las potencias también desarrollaron proyectos económicos destinados a promover el progreso de los países más afectados por la guerra.

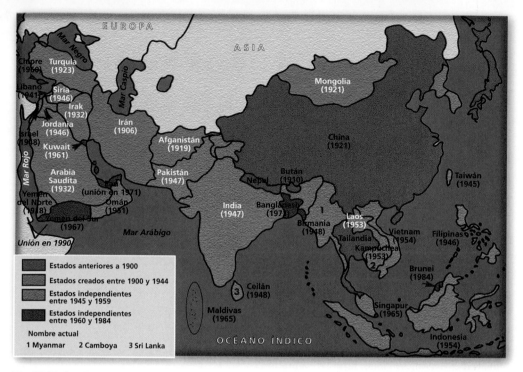

Estados anteriores a 1900

Estados creados entre 1900 y 1944

Estados independientes entre 1945 y 1959

Estados independientes entre 1960 y 1984

Nombre actual
1 Myanmar   2 Camboya   3 Sri Lanka

En 1947, los Estados Unidos lanzaron el **Plan Marshall**, destinado a ayudar principalmente a Alemania, Francia, Inglaterra e Italia.

Los soviéticos instauraron el **Consejo de Asistencia Económica Mutua**, que promovía la industrialización y el intercambio comercial entre los países socialistas.

Tanto los soviéticos como los norteamericanos buscaban el predominio mundial. **Comenzó** entonces **una carrera armamentista en cada uno de los bloques, el occidental (o capitalista) y el oriental (o comunista).**

En Europa oriental se instalaron gobiernos comunistas en Polonia, Checoslovaquia, Hungría, Bulgaria, Albania, Yugoslavia y Alemania Oriental, estrechamente ligados a la Unión Soviética.

— El comunismo en Asia —

En 1911, se instaló en **China** una República, cuyo poder se vio fragmentado hasta 1928, año en que quedó en manos de un general nacionalista, **Chang Kai-shek**. El partido comunista chino, liderado por **Mao Tse-tung**, se enfrentó con el gobierno nacionalista, y esto condujo a la guerra civil. La Segunda Guerra Mundial frenó el enfrentamiento, ya que los chinos debieron combatir a los japoneses, que habían ocupado su territorio.

Luego de la guerra, en 1949, los comunistas vencieron a los nacionalistas e impusieron un régimen comunista en China.

Mao Tse-tung, el líder comunista, adaptó la teoría marxista y la organizó en el llamado *Libro rojo*. Si bien al principio China contó con el apoyo de la Unión Soviética, la relación de estos países se fue deteriorando y, en 1969, se produjeron incidentes fronterizos que culminaron con la concentración de tropas a ambos lados de la frontera.

En 1971, la República Popular China fue admitida en la ONU, y la visita del presidente norteamericano Richard Nixon a Pekín contribuyó a eliminar trabas que, a manera de bloqueo, cerraban las puertas al comercio y al turismo entre los Estados Unidos y China.

— La guerra de Corea —

En **1950 se enfrentaron tropas norteamericanas y de la ONU, que habían acudido a ayudar a Corea del Sur, contra las fuerzas de Corea del Norte, apoyadas por la República Popular China.**

Por motivos fronterizos, Corea

del Norte invadió Corea del Sur, **sin** contar con **el consentimiento de la Unión Soviética**. Las Naciones Unidas imponen sanciones militares a Corea del Norte, conquistan su capital y llegan al río Yalu, punto límite determinado por China para no intervenir en el conflicto. De esta manera, China entra en el conflicto y reconquista rápidamente la capital de Corea del Norte. En junio de 1951, la Unión Soviética propone que se inicien conversaciones para dar comienzo al cese del fuego. Recién **en 1953 se logró llegar a un acuerdo de paz**.

La descolonización de Asia y África

El nuevo orden mundial imponía nuevas reglas. Tanto EE. UU. como la URSS se oponían al sistema colonial vigente en Asia y África; por otra parte, los estados europeos, luego de la guerra, no contaban con los recursos monetarios ni militares para mantener sus imperios coloniales. **El proceso de descolonización, que se había iniciado antes de la Segunda Guerra Mundial, se aceleró al finalizar ésta**. Las elites autóctonas llevaron adelante la tarea de liberar a las colonias de sus metrópolis.

La India: un caso particular

Dos grupos intentaron la independencia de la India: uno, integrado por musulmanes (Liga Musulmana), aspiraba a la constitución de un Estado que estuviera separado del **otro grupo, que profesaba la religión hindú**. Este último estaba liderado **por Mahatma Gandhi** y, desde la Primera Guerra Mundial, comenzó a desarrollar una campaña de agitación contra el gobierno británico. Era partidario de una acción no violenta, que consistía en huelgas de hambre, no pago de impuestos y boicot a los productos ingleses. Por estos medios, Gandhi estaba convencido de que lograría terminar con el dominio inglés.

La finalización de la Segunda Guerra agudizó los reclamos y aceleró la independencia. En Gran Bretaña, muchos sectores reclamaban al gobierno por la enorme carga económica y militar que significaba el mantenimiento de las colonias.

A **fines de 1948, Gran Bretaña concedió la independencia a la India**, por resultarle imposible mantener la unidad territorial, debido a la rivalidad entre hindúes y musulmanes. **Se crearon** dos repúblicas separadas: **India** (con una **mayoría hindú**) y **Pakistán** (con una **mayoría musulmana**).

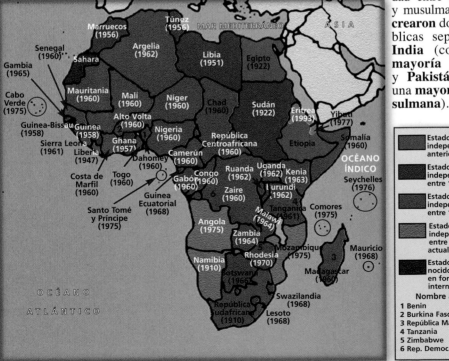

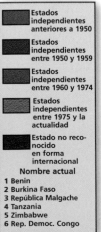

| Estados independientes anteriores a 1950 |
| Estados independientes entre 1950 y 1959 |
| Estados independientes entre 1960 y 1974 |
| Estados independientes entre 1975 y la actualidad |
| Estado no reconocido en forma internacional |

Nombre actual
1 Benin
2 Burkina Faso
3 República Malgache
4 Tanzania
5 Zimbabwe
6 Rep. Democ. Congo

AMÉRICA LATINA EN EL SIGLO XX

América latina comienza el siglo XX con grandes expectativas de progreso por la llegada de capitales extranjeros, pero no permanece ajena a los conflictos mundiales.

Argentina

Después de varios años de abstención, la **Unión Cívica Radical** —partido político que tiene sus orígenes en el siglo XIX (1891)— logra llegar al poder luego de que el anterior presidente **Roque Sáenz Peña**, impusiera el **voto universal secreto y obligatorio**.
Los *radicales* comienzan entonces a postular sus candidatos a las elecciones, y **en 1916 gana** las mismas **Hipólito Yrigoyen**, candidato de la UCR.
Durante su gobierno, Argentina mantuvo su **posición neutral frente a la Primera Guerra Mundial**.
Se **nacionalizó la producción de petróleo** y se produjo un conflicto estudiantil que finalizó con la **reforma universitaria**, que luego se extendió a Latinoamérica.
Su sucesor fue **Marcelo Torcuato de Alvear**, que gobernó

Hipólito Yrigoyen, quien fue presidente en dos ocasiones.

entre 1922 y 1928. El partido se dividió en dos facciones: la personalista, que apoyaba las ideas de Yrigoyen, y la antipersonalista, que quería alejar a Yrigoyen de la próxima presidencia. El gobierno radical acercó a la clase media a la participación política y les dio posibilidad de ascender socialmente. Durante el **segundo gobierno de Yrigoyen** (1928-1930), se produjo la **crisis económica de 1929**. Esto fue aprovechado por grupos descontentos, que apoyaron el **golpe de Estado de 1930**, realizado por el general **José Félix Uriburu**.
La década que se inició con el golpe del 30 impuso una serie de gobiernos autoritarios. El radicalismo, como partido político, estaba proscripto.
Durante la Segunda Guerra Mundial, el país optó por la neutralidad, aunque, presionado por los Estados Unidos, declaró la guerra al Eje **en 1945**. Ese mismo año, se creó un **nuevo partido político, el laborista, que tenía como conductor al coronel Juan Domingo Perón**. Éste,

Roque Sáenz Peña, creador de la ley del voto universal, secreto y obligatorio.

como encargado de la Secretaría de Trabajo y Previsión, reordenó la actividad sindical y consiguió mejoras para los sectores obreros, que le dieron su apoyo.
En **1946, Perón ganó las elecciones**. Su primer gobierno se vio favorecido por la buena coyuntura económica, resultado de la guerra. Instauró un régimen de corte nacionalista y populista, y **reformó la Constitución en 1949, para poder ser reelecto**.
En **1952** se inició **su segundo gobierno**, que careció de los beneficios económicos del primero. En **1955**, ya producida la muerte de **Eva Duarte**, su esposa y sostén de su programa de gobierno, **fue derrocado por** una revolución, iniciada por el general **Augusto Lonardi**. Perón se exilió en Paraguay, luego pasó a otros países de Latinoamérica y finalmente se estableció en España, en compañía de su tercera esposa, **María Estela Martínez**, conocida como *Isabel*.
La década de 1950 culminó con

la llegada al gobierno de **Arturo Frondizi** (1958-1962). Éste había pactado con Perón que, durante su gobierno, iba a terminar con la proscripción del partido justicialista (denominación política del movimiento peronista).

--------- **Bolivia** ---------

Cuando finalizó la guerra del Chaco entre Paraguay y **Bolivia** (1932-1935), este último país había perdido parte de su territorio, pero **obtuvo la salida al mar a través de un corredor al río Paraguay**. En 1936, luego de agitaciones en La Paz y en las cuencas mineras, una revolución puso fin a la participación de los partidos tradicionales.

Se sucedieron una serie de gobiernos militares. En 1940, se vuelve a la normalidad: el Gral. **Enrique Peñaranda Castillo** es proclamado presidente constitucional. En 1942, una matanza de mineros conmovió a la población. Esto provocó la caída del general Peñaranda, en 1943. En 1944, el coronel **Gualberto Villarroel López** asumió la presi-

dencia. Fue violentamente derrocado porque las grandes empresas mineras no aceptaron su política social.

En 1952, llegó al gobierno el líder del **Movimiento Nacional Revolucionario** (MNR), **Víctor Paz Estenssoro**. La nacionalización de las minas y la reforma agraria fueron sus logros, que resultaron costosos, ya que se debió pagar una fuerte indemnización por las minas nacionalizadas. Pese a las dificultades económicas, Paz Estenssoro logró dejar un sucesor: en 1956 asumió la presidencia **Hernán Siles Suazo**, que buscó acortar las distancias entre los grupos opositores. En 1960, Paz Estenssoro regresó al gobierno.

--------- **Brasil** ---------

La crisis del 29 también terminó con su prosperidad económica, tras la caída del precio del café y del caucho, bases de la economía brasileña.

En 1930, los estados del sur no aceptaron el resultado de las elecciones y proclamaron ven-

Getulio Vargas.

cedor a **Getulio Vargas**, que anuló la constitución. Su gobierno estuvo destinado a promover el ascenso de las clases bajas, de ahí que se lo defina como **populista**. En 1937 prohibió la participación de partidos políticos y proclamó el *Estado Novo*. Apoyó a los aliados durante la Segunda Guerra. En 1945 fue depuesto.

Al frente del partido

Juan Domingo Perón en una aparición durante su tercera presidencia, en 1973. A su lado se encuentra su esposa, María Estela, quien lo sucedió como presidente, luego de su muerte, el 1 de julio de 1974.

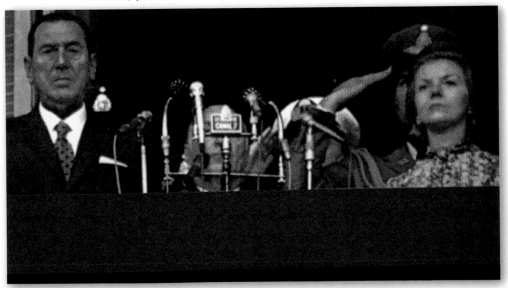

laborista, Vargas vuelve a ocupar la presidencia en 1950. Durante su gobierno debió soportar la oposición, que se había hecho fuerte en el Parlamento. La inflación iba en aumento, al igual que las campañas de prensa en su contra. Esta situación lo llevó al suicidio en 1954.

En 1955 se hace cargo del gobierno **Juscelino Kubitschek**, que trasladó la capital a Brasilia buscando la unificación real de Brasil y de su economía.

En 1961 ocupó la presidencia **Janio Quadros**.

Colombia

En 1930, la división de los conservadores permitió que llegara a la presidencia el candidato del partido liberal, **Enrique Olaya Herrera**. Entre 1934 y 1938, gobernó **Alfonso López**, que separó a la Iglesia del Estado y reformó la educación. Impuso como sucesor al moderado **Eduardo Santos**. La izquierda iba tomando fuerza de la mano de Jorge Eliécer Gaitán. En 1942 asumió nuevamente Alfonso López. En 1946, el partido liberal, que se encontraba dividido, pierde las elecciones. El asesinato de Gaitán (1948) provocó graves disturbios, y el presidente (conservador) **Mariano Ospina Pérez** debió buscar la unidad nacional junto con el partido liberal. En 1950 asumió **Laureano Gómez**, que en 1953 fue derrocado por el militar **Gustavo Rojas Pinilla**. Éste dejó el poder en 1957. Se inició entonces una etapa democrática en la que hubo alternancia en el gobierno entre los partidos liberal y conservador. La violencia fue una constante durante este período.

Chile

Dos coaliciones dominaban la política chilena en el siglo XX: la **Unión Liberal** y la **Alianza Liberal-Conservadora**. En 1920 asumió la presidencia **Arturo Alessandri**. Durante su gobierno, el movimiento obrero creció, y se organizó el partido comunista. Encontró una fuerte resistencia en el Parlamento y en 1924 debió dejar el gobierno a una junta militar, que se inclinaba hacia la Alianza Conservadora. Por esa causa fue derrocada por otra facción militar, que le devolvió el poder a Alessandri e impulsó una reforma constitucional.

La constitución de 1925 separó a la Iglesia del Estado y estableció la función social de la propiedad, la protección del trabajador y de la salud popular. Luego de la renuncia de Alessandri, asumió la presidencia **Emiliano Figueroa Larraín**, que a su vez renunció en 1927. Inmediatamente fue elegido el coronel **Carlos Ibáñez del Campo** (único candidato). Su gobierno se caracterizó por un gran desarrollo de las obras públicas, favorecido por la coyuntura económica que le permitía acceder a créditos internacionales.

La depresión económica de 1929 provocó la baja de los precios del salitre y del cobre, y causó el alejamiento de Ibáñez del gobierno.

Luego de la caída de Ibáñez, varios grupos luchaban por el poder hasta que, en 1932, Alessandri volvió a ocupar la presidencia. En 1938 ganó las elecciones el *Frente Popular*, y **Pedro Aguirre Cerda** asumió la presidencia hasta su fallecimiento, en 1941.

Su sucesor, **Juan Antonio Ríos**, obtuvo apoyo económico de EE. UU. para seguir fomentando la industria, aunque no pudo contener la inflación. En 1946 lo sucedió **Gabriel Gonzalez Videla**, apoyado por una coalición radical-comunista. En 1947 sus antiguos aliados (los comunistas) comenzaron a ser perseguidos y pasaron a la ilegalidad. **Pablo Neruda** debió abandonar Chile.

En 1952 volvió al gobierno el general Ibáñez, que había prometido sacar a Chile de la crisis, nacionalizando la minería y la industria del cobre, pero durante su gobierno no alcanzó ninguno de sus objetivos.

En 1958, Jorge Alessandri, candidato de la derecha, ganó las elecciones.

Costa Rica

A lo largo del siglo XX, este país ha mantenido la más sólida tradición democrática. Dos partidos políticos tienen importancia: el **Partido de Liberación Nacional** (social-demócrata) y el **Partido de la Unificación Nacional** (social-cristiano).

En **1948**, tuvo lugar una **breve guerra civil**, desencadenada porque el presidente **Teodoro Picado Michalski** se negó a reconocer la victoria de su adversario, el electo presidente **Otilio Ulate Blanco**. Lo sucedió, en 1953, **José Figueres Ferrer**, quien promovió una legislación laboral.

Cuba

Comenzó su vida política independiente a fines del siglo XIX.

Estados Unidos dio su apoyo a la independencia de Cuba.

La constitución de 1900 tomó como base el sufragio universal e incluyó garantías para las minorías. La *enmienda Platt* otorgó a los Estados Unidos derecho a intervenir en Cuba para asegurar la vida, la propiedad y la libertad individual. En 1906, Cuba se encontraba bajo la administración militar.

En 1908, ganó las elecciones el partido liberal, que en 1912 dejó el gobierno al conservador **Mario García Menocal**, quien logró la reelección en 1916. La segunda presidencia contó con el auge azucarero, debido al alza de los precios, después de la Primera Guerra.

En 1920, la crisis de los precios azucareros repercutió en la vida de los cubanos. **Alfredo Zayas Alfonso**, el presidente siguiente, debió hacer frente a la crisis. En 1924 fue electo presidente el general **Gerardo Machado Morales**, que promovió importantes obras públicas, como la construcción de la carretera central. En 1928, Machado logró postergar las elecciones hasta 1930, pero en 1933 fue derrocado por una revolución militar. Durante esta década se afirmó la figura de **Fulgencio Batista**, que fue presidente entre 1940 y 1944.

En 1944, el **Partido Revolucionario Auténtico** llevó al poder a **Ramón Grau San Martín**, que le cedió el gobierno a un candidato de su mismo partido, **Carlos Prío Socarrás**. En 1952, Batista fue nuevamente presidente de Cuba, con un gobierno de características dictatoriales, y se mantuvo en el poder hasta 1958. En 1953, **Fidel Castro** organizó un asalto al cuartel de Moncada, que fracasó. Fue procesado y enviado a prisión. En 1955, se exilió en México, donde fundó el *Movimiento 26 de julio*. Regresó a Cuba en 1956 y, desde la provincia de Oriente, se dirigió a Sierra Maestra con un grupo de guerrilleros, entre los que se encontraba el argentino *Ernesto "Che" Guevara*. Los EE. UU. habían retirado su apoyo a Batista y proclamado un embargo de armas. A fines de 1958, el presidente huyó y dejó el poder en manos de una junta. Ésta, a su vez, traspasó el mando a los revolucionarios. En 1959, **Fidel Castro** entró en La Habana, donde a partir de 1961 implantó un **sistema comunista**.

Ernesto "Che" Guevara.

Ecuador

Después de la estabilidad alcanzada desde principios de siglo, en la década del 20 comenzó un período de crisis económica y política que desembocó en la guerra con Perú, en 1941. Desde 1944 se sucedieron golpes militares y elecciones democráticas. Ese año, **José María Velasco Ibarra** llegó al poder por medio de un movimiento revolucionario. Entre 1944 y 1960, Velasco Ibarra logró cuatro mandatos presidenciales. En 1961, nuevamente fue derrocado.

Fidel Castro, presidente de Cuba desde 1959, año en que derrocó a Batista con una revolución. Convirtió a Cuba en una república popular marxista.

El Salvador

Progresó económicamente hasta la década del 30. En 1931, subió al poder el general **Maximiliano Hernández Martínez**, que gobernó hasta 1944. El continuo enfrentamiento entre la oligarquía y el campesinado desembocó en una guerra en la década del 70, que se prolongó por veinte años.

Guatemala

En la primera mitad del siglo XX, predominaron en este país los gobiernos liberales. A mediados de siglo, llegó al gobierno **Jacobo Arbenz Guzmán**, que intentó planificar el cultivo y repartir tierras. Fue acusado de comunista, y los Estados Unidos enviaron un ejército para que colaborara con el derrocamiento de Arbenz Guzmán. En

Emiliano Zapata, líder del levantamiento de los campesinos del sur de México.

1954, colocaron en el gobierno al coronel **Carlos Castillo Armas**, que puso fin a la reforma agraria y gobernó hasta 1957, año en el que murió asesinado.

Honduras

Desde comienzos del siglo XX, Honduras se caracterizó por la **inestabilidad política** y los **enfrentamientos fronterizos con Nicaragua y El Salvador**. El general **Tiburcio Carías Andino** tomó el poder en 1933 y lo mantuvo hasta 1949. En 1969 se produjo un **conflicto bélico** que enfrentó a Honduras y El Salvador.

México

Inició el siglo bajo el **gobierno dictatorial** de **Porfirio Díaz** (1884-1911). Durante su mandato cobró nuevo impulso la producción minera, a la que se sumó la producción de petróleo.

El régimen de Porfirio Díaz fomentó el **centralismo** y la **unidad del país**. La libertad de expresión fue recortada, y los grupos obreros, combatidos. Hacia 1906, se sucedieron una serie de **huelgas** que fueron reprimidas.

Francisco Madero se levantó contra el gobierno de Díaz en 1910, luego de que este último ganara las elecciones por octava vez. Los grupos rurales apoyaron al principio a Madero, que venció a Díaz. Los sectores rurales se enfrentaron entonces a Madero. **Emiliano Zapata**, en el sur, y **Pascual Orozco**, en el norte, lideraban los levantamientos campesinos. En un principio, Madero logró contenerlos, pero poco pudo hacer cuando a estas revueltas se sumó una parte del ejército porfirista, liderado por **Victoriano Huerta**, que ordenó el asesinato de Madero y se proclamó presidente.

Varios jefes revolucionarios comenzaron a conspirar contra Huerta y se unieron a **Venustiano Carranza**, gobernador maderista de Coahuila. Tras varios meses de guerra, Huerta debió ceder el poder a Carranza en julio de 1914.

Pero los reclamos de los campesinos no obtuvieron respuesta, por lo que nuevamente se produjeron revueltas. **Pancho Villa** se unió a Zapata, conquistó la capital y obligó a Carranza a retirarse a Veracruz.

En una rápida campaña militar, las tropas de Carranza derrotaron a Pancho Villa y de esa manera pudo regresar a la presidencia. Restableció el orden y venció a Zapata.

Lázaro Cárdenas del Río, uno de los más grandes estadistas mexicanos. En esta foto aparece acompañado por su esposa.

Promulgó la **Constitución de 1917**, en la que se establecían mejoras sociales (por el artículo 27 se nacionalizaba la riqueza minera, y por el 123 imponía al Estado la protección de los trabajadores y reconocía la personalidad moral de los sindicatos). En 1920 fue electo presidente **Álvaro Obregón** (1920-1924). Duante su gobierno se estableció el código de trabajo, que determinaba salarios mínimos, delimitaba la jornada laboral y garantizaba el derecho a huelga.

Plutarco Elías Calles (1924-1928) fundó, en 1929, el Partido Nacional Revolucionario, que más tarde se llamaría **Partido Revolucionario Institucional** (PRI). **Lázaro Cárdenas del Río** (1934-1940) continuó con el reparto de tierras para tratar de abolir el latifundismo y fomentar la propiedad comunal. Nacionalizó varias compañías de ferrocarriles e impulsó la sanidad pública. Lo sucedieron **Manuel Ávila Camacho** (1940-1946) y **Miguel Alemán Valdés** (1946-1952), que tuvieron una orientación derechista.

El PRI dominaría la escena política, lo que le permitió una continuidad gubernativa.

Adolfo Ruiz Cortines (1952-1958) tomó una posición de apoyo a las reformas agrarias y sociales.

Doroteo Arango, "Pancho Villa", alió su poderoso ejército revolucionario al de Emiliano Zapata y juntos tomaron la capital de México.

Augusto César Sandino se opuso a la intervención de Estados Unidos en Nicaragua.

Nicaragua

Durante las primeras décadas del siglo, fueron frecuentes los enfrentamientos entre liberales y conservadores.

Hacia 1930, los EE. UU., tratando de apaciguar los enfrentamientos entre estos grupos, colaboraron con la creación de la Guardia Nacional.

En 1934, **Anastasio Somoza García**, jefe de la Guardia Nacional (apoyado por el sector conservador), convocó a una reunión al jefe del partido liberal, **Augusto César Sandino** (quien se oponía a la intervención norteamericana). En esa reunión, Sandino fue asesinado.

Somoza fue elegido presidente en 1936 y gobernó hasta 1956, año en el que fue asesinado. A su vez, el partido conservador continuó en el poder, ya que los hijos de Somoza, Luis y Anastasio, siguieron en el gobierno.

En 1960, los opositores se unieron en el **Frente Sandinista de Liberación Nacional** (FSLN), que combatió al gobierno hasta 1979, año en que fue derrocado Anastasio Somoza Debayle.

Panamá

Hasta 1903 (año de su independencia), formaba parte de Colombia. En ese año, con la

El Canal de Panamá se inauguró el 15 de agosto de 1914. Comunica los océanos Atlántico y Pacífico. Tiene un largo de 81 km y consta de tres compuertas: de Gatún, Pedro Miguel y Miraflores (foto de esta última).

firma del tratado de Hay-Banau-Varilla, los norteamericanos compraron la empresa francesa que en ese momento se encargaba de construir un paso interoceánico. Ese canal finalmente se terminó de construir en 1914. La vida política de este país se vio marcada por las tensiones que motivaba la explotación del canal (que abre el paso entre el Atlántico y el Pacífico), en manos de los Estados Unidos. En 1968, por medio de un golpe de Estado, el coronel **Omar Torrijos** llegó al poder.

En 1936, luego de la guerra Paraguayo-Boliviana, el coronel **Rafael Franco**

General Alfredo Stroessner, presidente de la República del Paraguay entre 1954 y 1989.

impuso un gobierno militar que expulsó al presidente Eusebio Ayala y disolvió el partido liberal. Reformó el derecho laboral y la sanidad. En 1939 llegó al gobierno el mariscal **José Félix Estigarribia**. Luego de su muerte, en 1940, lo sucedió el general **Higinio Morinigo**, que estableció una dictadura hasta 1948. En ese año, las elecciones llevaron a la presidencia al partido colorado, que fue derrocado en 1954 por el general **Alfredo Stroessner**.

— **Perú** —

Durante las primeras décadas del siglo XX, hubo un importante desarrollo económico, acompañado por gobiernos civiles. En 1919 se instaló en el poder el general **Augusto Leguía**, que gobernó hasta 1930. Leguía se transformó en el líder de la *Patria Nueva*. Debió enfrentar el surgimiento de un nuevo partido político, la *Alianza Popular Revolucionaria Americana* (APRA), liderado por **Víctor Haya de la Torre**. El general **Luis Miguel Sánchez Cerro** derrocó a Leguía y comenzó a perseguir al aprismo.

Entre 1933 y 1939 gobernó **Oscar Benavidez**, que elaboró un nuevo derecho laboral y realizó obras de saneamiento y comunicación.

En 1939, los apristas apoyaron al candidato **Manuel Prado Ugarteche** (1939-1945), que declaró la guerra al Eje durante la Segunda Guerra Mundial y formó parte del bloque aliado.

Manuel Odría gobernó entre 1948 y 1956. Entre 1963 y 1968, **Fernando Belaúnde Terry** se hizo cargo de la presidencia. Dio gran impulso a las obras públicas y a la educación.

Víctor Raúl Haya de la Torre.

— **República Dominicana** —

En 1916, tropas estadounidenses intervinieron en la isla. El Dr. **Francisco Henríquez y Carvajal** ocupó el gobierno hasta 1922. En ese mismo año, se hizo cargo del gobierno una administración militar. En 1934 llegó al gobierno el general **Rafael Leónidas Trujillo**, que gobernó hasta 1961, año en que fue asesinado. Durante el mandato de Trujillo, el país organizó su economía en torno a la llegada de capitales extranjeros.

A comienzos de la década del 60, la República Dominicana comenzó a buscar el camino hacia la democracia.

— **Uruguay** —

Dos partidos políticos lideraban la vida política de la República Oriental del Uruguay: el *Colorado* y el *Blanco*. En 1903, **José Batlle y Ordóñez** llegó a la presidencia. Reformó la legislación y dio impulso a las obras públicas. Luego de la muerte de Batlle, el Uruguay logró mantenerse como un país que había alcanzado madurez política y democrática, hasta la década del 60, época en que la crisis económica dio lugar a alteraciones del orden por acciones armadas del grupo guerrillero *"Tupamaros"*.

Hacia 1909 se destacó la figura de **Juan Vicente Gómez** que, tras un pronunciamiento militar, gobernó con intervalos hasta 1935, fecha en que falleció.

Durante la época de Gómez, se incrementó en Venezuela la extracción de petróleo, lo cual trajo prosperidad a todo el país. Se desarrolló la red caminera y se produjo un gran crecimiento urbano.

Los generales **Eleazar López Contreras** e **Isaías Medina Angarita**, luego de la muerte de Gómez, continuaron dando forma a la expansión de Venezuela. Construyeron escuelas, carreteras, servicios sanitarios en las ciudades, barrios obreros. Subvencionaron los productos de la agricultura local, lo que hizo posible la competencia. En la década del 40, **Rómulo Betancourt** y **Rómulo Gallegos** (ambos del partido Acción Democrática) fueron elegidos presidentes.

Entre 1952 y 1958, gobernó el general **Marcos Pérez Jiménez**, que persiguió a los opositores políticos, declaró ilegales a los partidos políticos y continuó con el período de expansión económica.

Tras la caída del general Pérez Jiménez, el partido Acción Democrática, liderado por Rómulo Betancourt, nacionalizó gran parte de la producción de petró-

Después de su labor política desde el gobierno, José Batlle y Ordóñez volvió a su tarea de periodista.

leo e inició la reforma agraria.

Después de las elecciones de 1969, ocupó el gobierno **Rafael Caldera**, político de larga trayectoria, fundador del partido COPEI (Comité de Organización Política Independiente).

Arriba, Rafael Caldera.
A la izquierda,
"Monumento a los
Precursores de la
Independencia"
en Caracas, capital
de Venezuela.

LA BIPOLARIDAD

Durante la "guerra fría", que se extendió hasta la década de 1990, la paz mundial fue puesta en peligro en reiteradas ocasiones, a causa de varios conflictos en los que la tensión iba en aumento.

— Su influencia mundial —

Ya mencionamos, anteriormente, las características de las relaciones internacionales luego de la Segunda Guerra Mundial.

A partir de la década de 1960, las tensiones se agudizan y varios conflictos parecen poner en peligro la paz mundial.

También se produce, en el ámbito económico, una época de prosperidad y crecimiento relativamente estable.

América latina se ve sacudida por la instauración de un régimen comunista en Cuba, y por el avance de los grupos guerrilleros en distintos puntos de su geografía. La consecuencia, en algunos casos, fue la instauración de regímenes militares, que buscan detener el avance de los grupos guerrilleros.

En 1969, el hombre llega a la Luna y realiza así una hazaña que parecía imposible.

En la década de 1970, el alza de los precios del petróleo desestabilizó la economía y produjo un estancamiento económico. Esto también llevó a los países no productores de petróleo a buscar otras fuentes de energía para sobrellevar la crisis.

A fines de la década de 1980, comienzan a tener fisuras los gobiernos comunistas. En 1989 cae el muro de Berlín. El mapa europeo se transforma...

Durante la última década del siglo XX, podríamos decir que finalizó la bipolaridad entre Estados comunistas y Estados capitalistas. A comienzos de 1990, una guerra, la del Golfo, enfrentó a Estados Unidos con Irak. La amenaza nuclear ya no estaría en manos de los Estados comunistas como en épocas anteriores: la "guerra santa" contra los Estados Unidos había sido declarada por Saddam Hussein, líder iraquí. La globalización económica y la aparición de los megamercados regionales son la puerta que comunica con el siglo XXI.

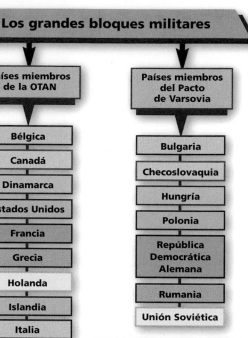

Los grandes bloques militares

Países miembros de la OTAN

- Bélgica
- Canadá
- Dinamarca
- Estados Unidos
- Francia
- Grecia
- Holanda
- Islandia
- Italia
- Luxemburgo
- Noruega
- Portugal
- Reino Unido
- República Federal Alemana
- Turquía

Países miembros del Pacto de Varsovia

- Bulgaria
- Checoslovaquia
- Hungría
- Polonia
- República Democrática Alemana
- Rumania
- Unión Soviética

Amnistía Internacional

En el año 1962, a causa de los graves conflictos políticos y sociales que ocurrían en todo el mundo, el inglés **Peter Benenson** y el irlandés **Sean MacBride** fundaron **Amnistía Internacional**. Esta organización no gubernamental –sin conexiones políticas, religiosas o sociales– **tenía como objetivo atender la situación de los presos políticos de todo el mundo y velar por su seguridad**. Pretendía llegar a toda la sociedad y, mediante el apoyo de la opinión pública, dar a conocer la situación de muchos hombres y mujeres encarcelados injustamente y lograr su liberación. Actualmente, esta organización continúa trabajando con gran éxito.

LA GUERRA DE VIETNAM

Las causas

Luego de la rendición de Japón en 1945, la guerrilla ocupó Hanoi y provocó la abdicación del emperador Bao-Dai.

En setiembre, la guerrilla proclamó independiente a la **República Democrática de Vietnam** (Vietnam del Norte). Francia reconoció la independencia, pero no logró un acuerdo político y económico con el Vietminh, por lo que se inició la guerra en 1946.

El emperador depuesto, Bao-Dai, con el apoyo de Francia, instauró el **Reino de Vietnam (Vietnam del Sur)** con capital en Saigón (1949). Estados Unidos reconoció la nueva capital (Saigón) en forma oficial en 1950. En 1954, Francia y Vietnam del Norte firmaron una tregua; se llegó finalmente a un acuerdo. Se dividía temporalmente el país, tomando el paralelo 17 como línea de separación. Se fijó, además, una fecha (1956) para la reunificación del país.

El acuerdo de 1954, conocido con el nombre de la ciudad donde se realizó (Ginebra), no fue aceptado por Estados Unidos ni por Vietnam del Sur.

Estados Unidos decidió ayudar a Vietnam del Sur una vez que Francia se hubo retirado de Saigón.

En 1955 se celebró un referéndum y se proclamó la República de Vietnam. A pesar de esto, los Estados Unidos continuaron apoyando a los survietnamitas.

El presidente electo, **Ngô Dinh Diêm**, se negó a celebrar las elecciones para la reunificación.

El gobierno comunista de Hanoi mantuvo su posición de unificar el territorio, bajo su hegemonía.

Hacia 1957, la Comisión Internacional de Control denunció violaciones al armisticio de Ginebra, cometidas tanto por Vietnam del Norte como por Vietnam del Sur.

Simpatizantes comunistas comenzaron a desplazarse hacia el sur, formaron el Vietcong (Vietnam Rojo) y empezaron a sabotear instalaciones militares que habían asentado los Estados Unidos para adiestrar a los survietnamitas.

> Este conflicto, que estalló en 1959 y se extendió hasta 1975, fue una consecuencia del fin de la guerra de Indochina, que enfrentó a Francia con el grupo comunista Liga por la Independencia de Vietnam, en el proceso de descolonización de Asia.

El inicio del enfrentamiento

En 1960, luego de la intensificación de los ataques del Vietcong, Vietnam del Norte manifestó su intención de liberar al Sur de la hegemonía estadounidense.

Para demostrar su independencia del gobierno de Hanoi, **el Vietcong organizó su propio partido político,** denominado **Frente Nacional de Liberación.**

El desarrollo de la guerra

En 1961, Estados Unidos firmó un tratado de amistad y cooperación con Vietnam del Sur y, en diciembre de ese mismo año,

Gran cantidad de civiles fueron obligados a abandonar sus tierras durante la guerra de Vietnam. Aquí los vemos subiendo a camiones y automóviles.

llegaron a Saigón tropas estadounidenses. En noviembre de 1963, un golpe de Estado derrocó al régimen de Diêm, que fue ejecutado junto a su asesor político.

Luego, en los dieciocho meses que siguieron a la caída de Diêm, la inestabilidad política fue constante. En 1965 se organizó un Consejo Director General (al frente del cual se encontraban los generales Neguyên Van Thieu y Neguyên Cao Ky) que restauró el orden político.

En 1967, Neguyên Van Thieu fue elegido presidente de la República de Vietnam del Sur. Mientras tanto, la guerra carecía de un frente bélico definido y se caracterizaba por los ataques relámpago. Por otra parte, la URSS y China enviaban ayuda a Vietnam del Norte a través de la ruta de Ho Chi Minh.

En 1964, lanchas torpederas norvietnamitas atacaron a dos destructores estadounidenses en el golfo de Tonkín.

En febrero de 1965, aviones norteamericanos bombardearon regularmente Vietnam del Norte. Entre 1965 y 1966, hubo varios intentos de paz.

En octubre de 1966, representantes de Estados Unidos, Australia, Nueva Zelanda, Tailandia, Corea del Sur y Filipinas (que habían enviado tropas a Vietnam del Sur) se reunieron en Manila y se comprometieron a retirar sus tropas en un plazo de seis meses, si Vietnam del Norte cesaba su ofensiva.

Pero la oferta fue rechazada por Vietnam del Norte. La guerra continuó y esto fue conflictivo, porque en los Estados Unidos se generó un sentimiento contrario a seguir adelante con la guerra.

La ofensiva de Vietnam del Norte

Durante 1967 y 1968, el Norte desencadenó la ofensiva del Têt, una serie de ataques contra objetivos urbanos.

A pesar del devastador efecto psicológico, la campaña fracasó y las tropas del Vietcong fueron desalojadas de las posesiones que habían ocupado. En 1969, el gobierno de Estados Unidos anunció la paralización de los bombardeos sobre Vietnam del Norte. En mayo se iniciaron conversaciones de paz en París, entre Estados Unidos, Vietnam del Norte, Vietnam del Sur y el Frente Nacional de Liberación del Vietcong. Estas negociaciones tuvieron resultado negativo.

La guerra se extiende a Camboya

En 1969, Richard Nixon, presidente de los Estados Unidos, anunció la retirada de 25.000 soldados para agosto de ese año. Desde Vietnam del Norte, se insistía en la retirada de todas las tropas para firmar la paz.

A principios de 1970, tropas estadounidenses entraron en Camboya luego de un golpe de Estado. En julio del mismo año, se reanudaron los ataques aéreos sobre Vietnam del Norte.

En 1971, los survietnamitas combatían también en Laos y Camboya. Ese año, también hubo una propuesta de paz por parte del Vietcong, en la que exigía la dimisión del presidente Thieu y que Estados Unidos retirara su apoyo a los survietnamitas.

En 1972, las conversaciones de paz se interrumpieron.

La ofensiva de Quang Tri

Vietnam del Norte comenzó una gran ofensiva en el Sur. La ciudad de Quang Tri, luego de estar ocupada durante cuatro meses por norvietnamitas, fue reconquistada por los survietnamitas.

Tácticas nuevas

La guerra de Vietnam cambió la forma de combate convencional, debido al uso de helicópteros, la amplitud del combate guerrillero y porque fue esencialmente una guerra de pueblo, ya que los miembros del Vietcong no eran fácilmente distinguibles de la población general. El amplio uso que hizo Estados Unidos del **napalm** (bombas incendiarias) mutiló y mató a miles de civiles, y el uso de desfoliantes para eliminar la cobertura vegetal devastó el medio ambiente.

En 1972 se emprendieron conversaciones secretas en París, que se retomaron en 1973. **El acuerdo de paz llegó finalmente en 1973**. Éste disponía el cese de las hostilidades por completo, la evacuación de todas las tropas estadounidenses y de potencias extranjeras de Vietnam del Sur, intercambio de prisioneros de guerra en un lapso de 60 días y la creación de una Comisión Internacional de Control (compuesta por representantes de Canadá, Hungría, Indonesia y Polonia) con el objeto de controlar y supervisar el cumplimiento del tratado de paz.

A lo largo del año 1974, hubo choques armados. La ayuda militar estadounidense fue cortada, lo que debilitó la posición survietnamita. Finalmente, Saigón fue ocupada y debió rendirse incondicionalmente al Gobierno Revolucionario Provisional. **Vietnam proclamó su unificación en 1976, con el nombre de República Democrática Popular de Vietnam.**

Consecuencias de la guerra

Se estima que murieron más de 2 millones de vietnamitas. Y quedó una población de 12 millones de personas refugiadas. La guerra fue repudiada por muchos estadounidenses, que generaron movimientos pacifistas. La opinión pública internacional terminó cuestionando la intervención norteamericana en el conflicto.

El conflicto árabe-israelí

Inmigrantes en Palestina

Durante muchos años, el pueblo judío careció de un territorio donde asentarse. A fines del siglo XIX, se produjeron las primeras oleadas de inmigrantes judíos que querían colonizar Palestina. Hacia fines de la Primera Guerra Mundial, Gran Bretaña tomó el control de la región. Para esa misma época, entabló conversaciones con representantes árabes y se comprometió a apoyar la constitución de Estados árabes independientes. Por estos medios, los ingleses buscaban que los árabes se rebelaran contra el dominio turco. Al mismo tiempo, Gran Bretaña respaldó la pretensión de los judíos de crear en Palestina el Estado de Israel e intentó controlar la situación restringiendo la inmigración judía al territorio palestino. Desde principios del siglo XX, inmigrantes judíos habían establecido en la zona granjas agrícolas colectivas, los kibutz.

La creación del Estado de Israel

En 1947, luego de la finalización de la guerra, la ONU apro-

bó un proyecto que disponía el retiro británico de Palestina y el establecimiento de dos Estados y una zona internacional en Jerusalén. Los Estados árabes rechazaron el acuerdo, que contaba con la aprobación de la URSS y de los Estados Unidos. El 14 de mayo de 1948, cuando se producía la retirada británica, **David Ben Gurión** (primer ministro israelí) **declaró el establecimiento del Estado de Israel**. Inmediatamente, fuerzas egipcias, sirias, transjordanas, libanesas e iraquíes invadieron la región. Israel controló y conquistó más del 75 % de Palestina.

Esta superficie superaba ampliamente los territorios adjudicados por la ONU. Los territorios de Gaza y Cisjordania fueron controlados por Egipto y Jordania, y Jerusalén quedó ocupada por Jordania.

Guerra del Canal de Suez

A pesar de que las hostilidades terminaron en 1949, el estado formal de guerra se mantuvo, debido a que los países árabes no estaban decididos a reconocer el Estado de Israel. En éstos, poco a poco, se establecieron gobiernos cada vez más hostiles a Israel.

En Egipto gobernaba **Gamal Abdel Nasser** (1954-1970), que propició el combate contra Israel por parte de grupos guerrilleros, que solían utilizar la península del Sinaí (Egipto)

David Ben Gurión.

como base de sus ataques.

Francia y Gran Bretaña decidieron apoyar la intervención de Israel, con la excusa de poner fin a la guerrilla.

En 1956, Israel invadió Egipto. Este último se convirtió en aliado de la URSS, a la vez que EE. UU. reforzó su alianza con Israel. Medio Oriente se convirtió en otro escenario de la "guerra fría".

La Guerra de los Seis Días

Gamal Abdel Nasser se mantuvo en el poder y se convirtió en el **líder de la lucha contra Israel**. En 1967, solicitó a las Naciones Unidas el retiro de los cascos azules, "fuerzas de paz" que habían sido enviadas al Sinaí para evitar el enfrentamiento entre Israel y Egipto.

El general Yitzhak Rabin (a la derecha), quien fuera Primer Ministro de Israel, murió asesinado el 4 de noviembre de 1995.

En 1967 se agudizó la tensión entre Egipto e Israel, cuando, al retirarse los cascos azules, los egipcios movilizaron una gran cantidad de fuerzas al Sinaí y a su vez impusieron un bloqueo a la navegación israelí en el golfo de Akaba. Por otra parte, Irak impuso soldados en la frontera con Jordania. Jordania y Siria firmaron acuerdos militares con Egipto. El 5 de junio de 1967, el ejército israelí lanzó un ataque relámpago sobre Egipto y a su vez dispuso efectivos en la frontera con Siria y Jordania. Durante los seis días que duró la guerra, Israel ocupó los siguientes territorios: la península del Sinaí, la franja de Gaza, Cisjordania, las alturas del Golán sirias y el sector este de Jerusalén.

La ONU propuso el intercambio de paz por tierra, como la única solución justa al conflicto árabe-israelí. A partir de ese momento, la cuestión palestina se agravaría, ya que los árabes palestinos deberían vivir bajo el control de sus enemigos.

Una de las primeras medidas tomadas por Israel sobre Jerusalén fue que **cada religión gobernara su propio barrio**.

La creación de la OLP

En 1964, la Liga Árabe decidió crear la **Organización para la Liberación Palestina (OLP)**. En ese momento, surgieron dos facciones o grupos. Por un lado estaba *al-Fatha*, liderada por *Yasser Arafat*, cuyo objetivo era orientar su lucha contra israel con total independencia política de los Estados Árabes. **Los Estados más pequeños adoptaron una posición nasserista** (en favor de la política de Nasser).

En 1965 estos grupos pasaron a accionar contra Israel, atacando con sus guerrillas objetivos tanto civiles como militares.

En 1969, *al-Fatha* tomó el control de la OLP y Yasser Arafat se convirtió en su líder.

La guerra de 1973

Nasser fue sucedido por **Anwar el-Sadat**. En 1973, Egipto atacó por sorpresa a los israelíes, a la vez que Siria avanzó sobre el Golán. Ese día, los israelíes celebraban el Yom Kipur (día del perdón). Por ese motivo, el ataque fue más sorpresivo y la reacción israelí más lenta. Los Estados Unidos ayudaron a una rápida contraofensiva israelí.

Acuerdos de Camp David

El proceso de paz comenzó a vislumbrarse en 1978, cuando el presidente de los Estados Unidos, James Carter, invitó al primer ministro israelí, Menachem Begin, y a el-Sadat.

Los acuerdos firmados por los tres líderes fijaban un período de autonomía transitoria para Gaza y Cisjordania, y establecían la devolución del Sinaí a Egipto y el restablecimiento de las relaciones diplomáticas entre ambos países.

Buscando la paz

En 1988, la OLP proclamó la existencia del Estado Palestino y reconoció la del Estado de Israel.

En 1993, Shimon Peres, representante de Israel, y Yasser Arafat, líder palestino, firmaron en Washington un nuevo acuerdo de paz.

En la actualidad, la acción de las organizaciones terroristas palestinas y la llegada al gobierno israelí de grupos nacionalistas intransigentes enturbian las perspectivas de paz en Medio Oriente.

Yasser Arafat, líder de la OLP a partir de 1969, fue Premio Nobel de la Paz en 1994. Falleció en 2004.

LA INTIFADA

Esta campaña palestina de manifestaciones, huelgas, disturbios y violencia, dirigida contra el gobiernos de Israel en Gaza y Cisjordania (territorios ocupados por Israel tras la Guerra de los Seis Días), se inició a finales de 1987. Se distinguió de anteriores levantamientos contra la ocupación israelí por la participación de la población, en especial de los jóvenes palestinos, que se enfrentaron decididamente a las fuerzas de seguridad y civiles israelíes.

El crecimiento económico

Acuerdos capitalistas

Luego de la Segunda Guerra Mundial, una nueva ola de progreso comenzó a proyectarse en la economía mundial. Los Estados Unidos iniciaron un proceso de crecimiento con un objetivo claro: evitar cualquier crisis económica posible. Esto significaba no volver a sufrir las crisis de entreguerras. Como vimos anteriormente, esto llevó a los Estados Unidos a tomar dos decisiones importantes: los acuerdos de Bretton Woods, que establecieron las reglas de funcionamiento del sistema capitalista, y el Plan Marshall (1948), que posibilitaba ayuda a los países de Europa occidental más afectados por la guerra.

La preocupación por la amenaza soviética en Oriente hizo que también se extendiera la ayuda a Japón.

Una nueva economía

La economía mundial creció, en parte, gracias a estas políticas emprendidas por Estados Unidos, como, por ejemplo, el "Plan Marshall", que proveyó

George Marshall, creador del plan económico que lleva su nombre y que posibilitó la reconstrucción de la Europa de posguerra. Fue Premio Nobel de la Paz en 1953.

de fondos a países castigados por la Segunda Guerra Mundial. Entre 1948 y 1972, este crecimiento fue acelerado y a la vez estable, sin grandes crisis ni depresiones. Crecieron la capacidad de consumo de la población y, a su vez, el comercio internacional.

En este período, quien **poseía mayor poder económico era Estados Unidos**, que realizaba **grandes inversiones en investigación y desarrollo de tecnología**, en **armamentos** y en tecnología destinada a la conquista del espacio.

Estas últimas, principalmente, motivadas por la "guerra fría".

Expansión y organización de la empresa

La producción creció gracias a tres factores:
• las **fuentes de energía** (petróleo y materias primas) se cotizaron a bajos precios;
• se produjeron importantes **desarrollos tecnológicos**, cuyo objetivo era modernizar la producción industrial y agropecuaria;
• se generalizó la **producción en cadena**.

A partir de la década del 50, comenzaron a instalarse fábricas directamente en los países donde se vendían los productos. Estas empresas recibieron el nombre de "multinacionales".

La estructura de las empresas se fue modificando. Se impuso la organización por áreas: ventas, producción, finanzas, contabilidad, administración de personal, dirigidas por equipos de administradores profesionales.

Los grandes dueños, que antes dirigían ellos mismos las empresas, dejaron paso a estos equipos. En las empresas creció en mayor proporción el sector administrativo, debido a los progresos tecnológicos.

Fin de la época próspera

El *conflicto en Medio Oriente* tuvo su definición en el campo militar a favor de

---

¿Qué es la Guerra Fría?

Se llama Guerra Fría al período que comprende de la finalización de la Segunda Guerra Mundial a la caída de los regímenes comunistas. Durante estas décadas, se desarrolló una carrera armamentista entre los países capitalistas, como Estados Unidos, y los países comunistas, como la Unión Soviética.

El mundo se hallaba convulsionado ante la posibilidad de que cualquiera de estos dos bloques hiciera uso efectivo de su poderoso armamento. También la economía mundial se vio afectada por la presión de ambos bloques.

Israel y los **Estados Unidos**, aliado del primero.

En el terreno económico, la **reacción de los países árabes** no se hizo esperar. Estos países **productores de petróleo**, nucleados en la OPEP (*Organización de Países Exportadores de Petróleo*), **aumentaron el precio del barril de petróleo** y embargaron este producto a los países que apoyaban a Israel.

Las consecuencias de esta acción fueron:

• **estancamiento** del crecimiento económico **en los países que utilizaban esta materia prima**;

• **aumento generalizado de los precios**;
• **inflación y desempleo**;
• **búsqueda de nuevas fuentes de energía**.

El ascenso de Japón

En la década de 1970, fue notorio el **ascenso económico de Japón**. A pesar de la derrota que sufrió en la Segunda Guerra Mundial, varios factores favorecieron su desarrollo:

• disponía de **abundante mano de obra**;

• contaba con el **apoyo de los Estados Unidos**, que necesitaba un aliado en el Lejano Oriente para contener el avance del comunismo.

Japón **orientó las inversiones** hacia los sectores que se consideraban estratégicos (alimentos, fertilizantes, carbón, acero). El **apoyo del Estado** y la **eficiencia de las empresas** llevaron a la **industria japonesa** a un lugar de **liderazgo en los mercados** mundiales. El **bajo costo de sus productos** en la década del 90 terminó generando una **fuerte competencia con los Estados Unidos**.

La crisis en las potencias

Durante 1970, las dos grandes poten-

cias, EE. UU. y la URSS, intentaron una *política de distensión* para **limitar la carrera armamentista y controlar sus propios problemas internos**.

En cuanto a los Estados Unidos, debía ocuparse del caso Watergate, que llevó al presidente Nixon a renunciar, y de la oposición del pueblo a la guerra de Vietnam.

En la Unión Soviética, la economía comenzaba a mostrar fisuras, mientras que el gasto militar crecía.

Los cambios en Europa

En 1968, el **gobierno checoslovaco** inició una política de liberalización interna y de mayor autonomía frente a la Unión Soviética. Este movimiento se conoció como la **"Primavera de Praga"**.

En **Polonia**, la resistencia al régimen se centró en el **sindicato Solidaridad**, liderado por **Lech Walesa** y la Iglesia católica.

Una serie de huelgas mostraron la oposición del pueblo polaco al aumento de precios.

El sindicato fue declarado ilegal y Walesa encarcelado. En 1983, Walesa recibió el Premio Nobel de la Paz.

El hombre llega a la Luna

Durante la década de 1960, se intensificaron los intentos por llegar a la Luna, el satélite natural de la Tierra. El objetivo era tener un mayor conocimiento de la composición del suelo y observar la cara no visible desde la Tierra.

El **20 de julio de 1969** se produjo el **primer alunizaje**: los **astronautas estadounidenses pisaron por primera vez la Luna**, adelantándose y venciendo a la Unión Soviética en la carrera espacial desatada a fines de la década de 1950.

Las transformaciones sociales

Transformación demográfica

En 1950, la población mundial era aproximadamente de 2.500.000.000 habitantes. Veinticinco años más tarde, había crecido un 60 % más, especialmente en Asia, África y América del Sur.

Este crecimiento se debió a la mayor cantidad de alimentos disponibles en el mercado y a las mejoras sanitarias. Los adelantos en el campo de la medicina permitieron la erradicación o detención del avance de enfermedades que, durante mucho tiempo, habían sido mortales, como el descubrimiento de la vacuna contra la poliomielitis por Jonas Salk o la detención del avance de la tuberculosis y la malaria, gracias a vacunas y antibióticos.

Otra de las principales transformaciones demográficas de este período fue el crecimiento de las poblaciones urbanas.

Esto se debió, en parte, a las mejoras en la producción de los suelos y la calidad de las semillas, al uso de fertilizantes y maquinarias que permitieron el aumento de la producción;

pero al mismo tiempo disminuyó la cantidad de trabajadores en las áreas agropecuarias. También el crecimiento de la producción industrial hizo que muchas personas abandonaran el campo para trasladarse a la ciudad.

Este caso se dio también en los países subdesarrollados. El fenómeno de disminución de la población rural se caracterizó por su gran alcance y por la velocidad con que se produjo.

Las sociedades de consumo

El crecimiento de la economía estuvo acompañado por cambios en los hábitos de consumo, tanto a nivel individual como familiar.

La transformación consistió en una disminución del porcentaje del ingreso familiar destinado a la alimentación y el aumento proporcional del gasto en otros bienes y servicios. Este fenómeno se dio principalmente en los Estados Unidos, ya que era el país en donde se daba una expansión permanente e indefinida de los deseos de consumo.

Uno de los medios para difundir y provocar estos deseos fue la publicidad. Hacia fines de la década de 1960, este modelo de sociedad comenzó a ser criticado. A esta crítica a la amenaza provocada por el consumo, se le sumaron en la década de 1970 las preocupaciones por el medio ambiente y el agotamiento de los recursos naturales no renovables.

La expansión de la producción y el consumo acelerado de recursos energéticos no renovables pusieron en evidencia que seguir guiando a la sociedad a un sistema consumista era un error y, además, algo insostenible a lo largo del tiempo.

Multitudinario festival de música de Woodstock, que se realizó en Memphis (EE. UU.) durante tres días, en agosto de 1969.

El "Estado de bienestar"

Al finalizar la guerra, los Estados consideraron que había llegado el momento de proveer a los ciudadanos de beneficios o de mecanismos de protección frente a la vejez, las enfermedades, los accidentes y el desempleo.

El "Estado de bienestar" suponía una importante redistribución de los ingresos. Se aplicó especialmente en los países del norte de Europa. La población que tenía menos recursos económicos recibía una compensación sostenida por los grupos con mayores recursos, debido a que los programas de seguridad social eran sustentados por esos grupos.

Igualdad de derechos

Hacia 1950, se desarrolló en los Estados Unidos el **movimiento por los derechos civiles**, que comenzó a luchar por la **igualdad de derechos entre negros y blancos**, y que luego se trasladó a **otros grupos** que sufrían desigualdades, como, por ejemplo, las mujeres. El conflicto que dio origen al movimiento comenzó cuando *Rosa Parks*, una costurera negra, se negó a darle el asiento a un pasajero blanco en un ómnibus de la empresa *Montgomery* del estado de *Alabama*. La acción de Rosa Parks violaba una disposición municipal que

establecía que *los negros no podían sentarse en la misma fila de asientos que los blancos y que, si un blanco requería un asiento, todos los negros de la fila debían otorgárselo.*

Rosa Parks fue detenida y esto provocó el inicio de un boicot a la empresa como medida de protesta ante el encarcelamiento. El líder del movimiento por los derechos civiles de los negros fue **Martin Luther King**, quien, mediante la **protesta pacifista**, logró en 1964 la sanción de la **Ley de los Derechos Civiles** y la **Ley de Derechos del Voto** (1965). Recibió el Premio Nobel de la Paz en 1964. Aunque fue asesinado en 1968, su lucha sirvió para lograr la **igualdad** que durante mucho tiempo les había sido negada a los negros en los Estados Unidos.

Los derechos del consumidor

En la misma época, el abogado norte-

Martín Luther King fue un pastor protestante que luchó en forma pacífica por los derechos de la raza negra. Recibió el Premio Nobel de la Paz en 1964 y murió asesinado el 4 de abril de 1968 en Memphis (EE. UU.).

americano *Ralph Nader* inició una **campaña en defensa de los consumidores**, denunciando los defectos de seguridad de los automóviles. Esto hizo que se tomaran medidas de seguridad cada vez mayores en la producción de automóviles.

Cambios en la cultura

El acceso de un sector de la población a una educación universitaria generó un nuevo tipo de protesta: los jóvenes adquirieron un protagonismo inusual, y surgieron a partir de ellos nuevas expresiones de protesta, principalmente dirigidas contra la sociedad de consumo o la guerra. A la vez, surgían **nuevas formas de expresión**: *la psicodelia, el rock, el hippismo, el pacifismo*. Un símbolo de esta gama de movimientos fue el *recital de Woodstock*, realizado en 1969, en los Estados Unidos.

La situación de la mujer

En la década de 1960, la mujer tiene la posibilidad de profesionalizarse y puede así acceder a puestos de trabajo que solamente desempeñaban los hombres. Comienzan, entonces, a aparecer los primeros **movimientos feministas**, que alcanzaron mayor importancia en la década de 1970. Estos movimientos exigían la **igualdad** entre los sexos.

La década de 1960 se inicia con un cambio fundamental para la historia de América latina: la instauración de un régimen comunista en Cuba, que pone en alerta a todo el continente.

Argentina

Durante los años 60, se procuró mantener el sistema democrático, a pesar de la proscripción del peronismo. En 1966, la Revolución Argentina puso al general **Juan C. Onganía** al frente del gobierno, por medio de un golpe de Estado. Su mandato se extendió hasta 1970.

En 1969, una rebelión obrera y estudiantil, conocida como "el cordobazo", desestabilizó el régimen militar, y Onganía terminó cediendo el gobierno a otros generales. Lo siguieron **Roberto Levingston** y **Alejandro Lanusse**, 1970-1971 y 1971-1973, respectivamente. En 1973, finalizada la proscripción del peronismo, ganó las elecciones el FREJULI (Frente Justicialista de Liberación), con **Héctor J. Cámpora** como presidente de la Nación. Unos meses más tarde, el Poder Ejecutivo convocó a elecciones, en las que triunfó la fórmula **Perón-Perón** (Juan Domingo Perón y su esposa, María Estela Martínez de Perón). Él gobernó entre 1973 y 1974, hasta su fallecimiento, ocurrido el 1 de julio de este año.

Luego de su muerte, se hizo cargo del gobierno María Estela Martínez de Perón, viuda del general, que no consiguió controlar la situación económica y política.

En 1976, se produjo un golpe

La Guerra de Malvinas

En 1833, las Islas Malvinas fueron tomadas por la Corona inglesa. A partir de esa fecha, la República Argentina realizó constantes reclamos para recuperar la soberanía sobre las islas. La situación política y económica durante la última dictadura militar en Argentina (1976-1983) llevó a las Fuerzas Armadas del país a tomar por la fuerza las islas, el 2 de abril de 1982, tal vez para ganar popularidad y así perpetuarse en el poder. América latina apoyó la iniciativa del gobierno militar. La guerra duró poco más de dos meses, ya que el poderío militar del Reino Unido era muy superior y obligó al ejército argentino a rendirse incondicionalmente el 14 de junio de 1982, viendo frustradas sus aspiraciones de recuperar el territorio usurpado.

de Estado encabezado por una junta militar, en la que se hallaban representadas las tres fuerzas. Al frente de la misma estaba el teniente general Jorge Rafael Videla. Durante este período, los partidos políticos y los sindicatos fueron proscriptos; se produjeron miles de secuestros, desapariciones y muertes.

En el terreno económico, la deuda externa y la inflación crecieron en forma acelerada.

En 1983, luego de la derrota de Malvinas, triunfó la Unión Cívica Radical, cuyo candidato, el **Dr. Raúl Alfonsín**, debió luchar para bajar la inflación y detener el crecimiento de la deuda externa. En 1989 llegó al gobierno **Carlos Menem**, quien, a través de la reforma de la Constitución, accedió a un nuevo mandato en 1995. En octubre de 1999, fue elegido presidente **Fernando De la Rúa**, quien era candidato de la **Alianza**, una coalición de partidos. Debido a la grave situación social y económica, De la Rúa se vio obligado a renunciar el 20 de diciembre de 2001. Luego del interinato del **Dr. Eduardo Duhalde,** asumió Nestor Kirchner como presidente de la nación.

Bolivia

En la década del 60, también un golpe de Estado llevó al poder al general Barrientos. Después de su muerte, en 1969, se sucedieron numerosos golpes de Estado, hasta 1982. En esa fecha, llegó al gobierno **Hernán Siles Suazo**, que debió enfrentar una grave crisis económica. En 1985, se consolidó la democracia con la vuelta al gobierno de **Víctor Paz Estenssoro**, que logró reducir la inflación gracias al ajuste del gasto público. Lo siguieron en el gobierno **Paz Za-**

Manifestaciones en la ciudad de La Paz.

mora (1989-1993) y **Sánchez de Lozada**, que accedió al gobierno en 1993. En 1997, **Hugo Banzer** asumió la presidencia, a la cual debió renunciar por encontrarse gravemente enfermo. Lo reemplazó el **Ing. Jorge Quiroga Ramírez** hasta agosto de 2002, cuando asumió nuevamente **Gonzalo Sánchez de Lozada**. En octubre de 2003 asumió **Carlos Mesa** la presidencia, pero debió abandonarla en junio de 2005. Una grave crisis social llevó al gobierno a **Eduardo Rodríguez Veltzé**.

Brasil

Las décadas de 1960 y de 1970 dieron paso a gobiernos militares. A mediados de la década de 1980, se restableció la democracia. En 1985, llegó al gobierno **José Sarney**. En 1992, el presidente **Fernando Collor de Melo** fue juzgado por corrupción y reemplazado por el vicepresidente, **Itamar Franco**. En 1994, asumió el gobierno **Fernando Cardoso**, que inició la recuperación del país.
En octubre de 2002, el líder del Partido de los Trabajadores (PT), **José Ignacio "Lula" da Silva**, ganó las elecciones presidenciales en segunda vuelta.

Chile

En 1973, el general **Pinochet** derrocó al gobierno de **Allende**, dando fin a la tradición democrática que había caracterizado a Chile. Tras casi dos décadas en el poder, Pinochet cedió el gobierno a **Patricio Aylwin**, presi-

dente electo a través del libre sufragio.
En 1994, accedió **Eduardo Frei Ruiz Tagle**, electo democráticamente.
En 1998, el país se conmocionó por la decisión del juez español Baltasar Garzón, de juzgar al general Pinochet por violaciones a los derechos humanos. Actualmente continúa la democracia con la presidencia de **Ricardo Lagos**.

Colombia

La democracia colombiana debió superar varias dificultades, entre ellas, la guerrilla y el problema del narcotráfico, cuyas operaciones y su agrupación en "cárteles" de distintas ciudades (Cali y Medellín) marcaron la vida social, la economía y la política del país en las últimas décadas. Esto incluyó al propio presidente **Ernesto Samper**, que fue acusado de recibir dinero del narcotráfico para financiar su campaña electoral, aunque posteriormente fue exculpado. En 1998 se convocó a elecciones. En ellas resultó electo para ejercer la primera magistratura el conservador **Andrés Pastrana**.
En las elecciones presidenciales de 2002, triunfó **Álvaro Uribe Vélez**.

Álvaro Uribe Vélez.

Siempre siguiendo su tradición democrática, cabe destacar las presidencias de **José Figueres** (tres mandatos entre 1948 y 1974); **Óscar Arias** (1986-1990); **José María Figueres Olsen**, hijo del primero, elegido en 1994; **Miguel Rodríguez Echevarrías**, electo en 1998.
En mayo de 2002, asumió como presidente el **Dr. Abel Pacheco de la Espriella**.

Cuba

Desde 1962, Cuba buscó la protección de la Unión Soviética. Esto le provocó un enfrentamiento con los Estados Unidos, ya que el gobierno cubano permitió la instalación de misiles nucleares soviéticos.
Los Estados Unidos, como respuesta, bloquearon militarmente la isla. El bloqueo se levantó cuando los soviéticos se comprometieron a retirar los misiles. A continuación, los **Estados Unidos iniciaron un bloqueo económico, que continúa en la actualidad**. En los últimos años el gobierno de Castro ha intentado ampliar su legitimidad. A pesar de no contar ya con el apoyo del bloque soviético, luego de la caída del régimen comunista, **Fidel Castro** continúa en el gobierno.

Ecuador

Durante la década del 60, **Velasco Ibarra** es elegido nuevamente presidente. El ejército influyó en la vida política durante las siguientes décadas. En los últimos años se han sucedido en el Poder Ejecutivo **Rodrigo Borja** (1988-1992), **Sixto Durán** (1992-1996) y **Abdalá Bucaram** (1996), que fue destituido a poco de asumir la primera magistratura. Ocupó el cargo en forma interina **Fabián Alarcón** (presidente del Congreso). En las elecciones de 1998, resultó triunfante **Jamil Mahuad**. En enero de 2000, **Gustavo Novoa Bejarano** asumió la primera magistratura.

En noviembre de 2002, **Lucio Gutiérrez Borbúa** ganó las elecciones presidenciales en segunda vuelta. Sin embargo, en abril de 2005, su mandato fue interrumpido por una grave crisis social que devino en la asunción de **Alfredo Palacio** como presidente.

El Salvador

Durante la década de 1970, comenzó un enfrentamiento civil, que finalizó en 1992, cuando se firmó la paz entre el gobierno y la guerrilla. En el año 1994, **Armando Calderón Sol** ocupó la primera magistratura.

En 1999 llegó a la presidencia **Francisco Flores**, y en 2004 fue sucedido por **Elías Antonio Saca**.

Guatemala

Hacia 1957 se produjo un golpe de Estado que marcó el inicio de un período de presidencias militares que finalizaron en 1985, año en el que un presidente civil, **Marco Vinicio Cerezo**, accedió al gobierno. Lo sucedieron **Jorge Serrano Elías** (1991-1993), **Ramiro de León Carpio** (1993-1996) y **Álvaro Arzú Irigoyen** (1996-1999). En 1999 fue elegido presidente **Alfonso Portillo**, del Frente Republicano Guatemalteco, quien fue sucedido en enero de 2004 por **Oscar Berger**.

Oscar Berger.

Honduras

Durante la década de 1980 se restablecieron los gobiernos democráticos a partir de la presidencia de **Roberto Suazo Córdova** (1981-1985). Con el gobierno de **José Azcona** (1985-1989), el país se estabilizó políticamente. El **Lic. Ricardo Maduro** ganó las últimas elecciones para presidente, en 2001.

Ricardo Maduro.

México

El PRI mantuvo su continuidad en el gobierno durante las décadas que siguieron a su creación. De 1980 a 1990, el país gozó de una gran expansión económica, que le posibilitó asociarse con EE. UU. y Canadá. En las elecciones de 1994, triunfó **Ernesto Zedillo**, quien debió enfrentar dos graves problemas: la aparición de un **foco guerrillero** en la zona sur del país que, inspirado en Emiliano Zapata, recibió el nombre de **Ejército Zapatista de Liberación Nacional** (EZLN), y la crisis económica conocida en varios países como el "efecto tequila". En diciembre de 2000, asumió **Vicente Fox**. Se rompió así la hegemonía que ejerció el PRI durante décadas.

Nicaragua

En la década de 1960, los opositores al régimen somocista se reunieron en torno del **Frente Sandinista de Liberación Nacional**, que derrocó al gobierno de Somoza en 1979. Durante sus duros años de gobierno el Frente debió afrontar duras presiones. En 1990, asumió la presidencia **Violeta Chamorro**, que inició un período de reconciliación nacional. A comienzos de 1998, **Arnoldo Alemán** fue electo para ejercer la primera magistratura.

El Ing. **Enrique Bolaños Geyer** triunfó en las elecciones realizadas en 2001.

Enrique
Bolaños Geyer.

Panamá

Durante el gobierno del coronel **Omar Torrijos**, los Estados Unidos renegociaron el tratado por el control del canal de Panamá. En 1990, los Estados Unidos intervinieron para deponer a **Manuel Noriega**. Se convocó a elecciones y resultó electo **Guillermo Endara**; y, en 1994, **Ernesto Pérez Balladares**. En setiembre de 1999, **Mireya Elisa** asumió la presidencia hasta septiembre de 2004, cuando fue sucedida por **Martín Torrijos**.

Martín Torrijos.

Paraguay

En 1989, **Alfredo Stroessner** fue derrocado por el general **A. Rodríguez**, quien convocó a elecciones libres y fue elegido presidente de la República. .En 1992 entró en vigor una nueva constitución. En las elecciones de 1993 venció **J.C.Wasmosy** y gobernó el país hasta 1998, año en que fue sucedido por **González Macchi**. En abril de 2003, **Nicanor Duarte Frutos** fue elegido presidente

Perú

En 1968, **Fernando Belaúnde Terry** es depuesto por un golpe militar. Se constituyó una junta militar encabezada por **Velasco Alvarado**, que fue nombrado presidente. En agosto de 1975, es derrocado por otro golpe militar y se nombra presidente al Gral. **Morales Bermúdez**. En 1980, el país retornó al sis-

Alejandro Toledo.

tema democrático, y ese mismo año ganó las elecciones **Belaúnde Terry**. Durante su gobierno creció la deuda externa y aumentó la violencia de la **guerrilla** de tendencia maoísta, **Sendero Luminoso**. En 1985, llegó al gobierno **Alan García**, líder del APRA, quien al terminar su mandato fue acusado de corrupción y procesado. En la década del 90, llegó al gobierno **Alberto Fujimori**, que en 1992 disolvió el Congreso y dictó una nueva constitución. En 1995, Fujimori fue reelegido y, en controvertidas elecciones, volvió a ganar para un tercer mandato, en mayo de 2000, pero se fue a Japón, asumiendo V. Paniagua. En las elecciones de 2001, resultó electo presidente, en segunda vuelta, **Alejandro Toledo**.

República Dominicana

Durante la década de 1960, el país optó por una salida democrática. Se destacó la figura de **Joaquín Balaguer**, presidente a lo largo de cinco períodos.
En 1996, llegó al gobierno **Leonel Fernández**.
En el 2000, ganó el socialdemócrata **Rafael Hipólito Mejía**, y en agosto de 2004 fue sucedido por **Leonel Fernández.**

Uruguay

En 1976, se produjo un golpe de Estado que llevó a los militares al poder.
En 1984, el país retornó a la vida democrática y fue elegido presidente **Julio María Sanguinetti**.
En 1989, el Partido Nacional (Blanco) ganó las elecciones y su candidato, **Luis Alberto Lacalle**, se hizo cargo del gobierno. En 1992, convocó a un referéndum para ver si la ciudadanía es-

taba de acuerdo con la política de privatizaciones. En 1994, fue reelecto presidente **Julio María Sanguinetti**, que promovió la reforma constitucional de 1996. En 1999, fue elegido **Jorge Batlle**, por *ballotage*. Su mandato concluyó en 2005, año en el que fue sucedido por el líder del Frente Amplio, **Tabaré Vázquez**.

Venezuela

Los dos partidos políticos más importantes, la Acción Democrática (AD) y el Comité de Organización Política Independiente (COPEI), se alternaron en el gobierno durante las décadas de 1970 y 1980. A fines de la década de 1980, se produjo una crisis económica. El presidente **Carlos A. Pérez** fue destituido en 1993. Asumió interinamente el cargo **Ramón Velázquez** (1993-1994).
En 1994, triunfó en las elecciones **Rafael Caldera Rodríguez**. Lo sucedió **Hugo Rafael Chávez Frías**, quien fue reafirmado en el referéndum revocatorio de 2004.

Hugo Rafael Chávez Frías.

LA CAÍDA DEL MURO DE BERLÍN

La caída del muro que separaba a las dos Alemanias simbolizó el fin de la bipolaridad.

La perestroika

En 1985, **Mijaíl Gorbachov** fue nombrado **secretario del Partido Comunista de la Unión Soviética**. Este nombramiento marcó el triunfo de una facción dentro del partido reformista, que **impulsaba la renovación del régimen**.

Ésta apuntaba a dos aspectos de la vida soviética. Por un lado, la liberación de la actividad política; por otro, aumentar la competitividad y la productividad de la economía.

Para que las reformas tuvieran éxito, se debía reducir la producción de armamentos. Esto significaba **promover una política de desarme nuclear**. En 1987, luego de varios acercamientos, las dos potencias mundiales, EE. UU. y la URSS, firmaron un tratado que permitió una sustancial reducción de los arsenales nucleares.

Las reformas de Gorbachov brindaron la oportunidad a muchas de las naciones que componían la URSS de manifestarse para establecer Estados nacionales separados. Las manifestaciones separatistas alcanzaron un alto grado de violencia y comenzaron en Lituania, Letonia y Estonia, para continuar en Kazajstán, Azerbaiyán, Armenia y Georgia. Gorbachov propuso, para terminar con el conflicto, otorgar mayor autonomía a las repúblicas federadas, manteniendo la unidad del Estado soviético. A fines de 1990, cinco de esas repúblicas se habían declarado independientes.

El muro de Berlín

En 1961, el gobierno de Alemania Oriental construyó, en la ciudad de Berlín, un alto muro, erizado de alambres de púa. A partir de ese entonces quedaron separados el sector oriental, o soviético, del occidental, que estaba –desde el final de la Segunda Guerra Mundial– bajo la tutela de EE. UU., Francia e Inglaterra. El muro se transformó en el símbolo de la intolerancia ideológica. Miles de personas murieron al intentar atravesarlo. En octubre de 1989, la visita del entonces presidente de la URSS, Gorbachov, originó gran cantidad de manifestaciones en las cuales los alemanes pedían la reunificación del país.

El 9 de noviembre de 1989, cayó el muro de Berlín, derribado con picas por

Festejo popular el día de la caída del muro (9 de noviembre de 1989).

miles de alemanes orientales y occidentales. En julio de 1990, se produjo la unificación económica, y en octubre, la unificación política de las dos Alemanias en un solo país.

La transformación de Europa oriental

Durante 1989, los regímenes comunistas de Polonia, Hungría, Checoslovaquia, Alemania Oriental, Bulgaria y Rumania cayeron y fueron reemplazados por gobiernos elegidos democráticamente.

Los sucesos de 1989 revelaron la debilidad de los sostenes locales de los regímenes comunistas de Europa oriental sin el apoyo de la Unión Soviética y pusieron en evidencia la fuerza de los nacionalismos. Tal es el caso de Yugoslavia, que se fragmentó en varios Estados en medio de una cruenta guerra.

En agosto de 1991, los sectores conservadores de la URSS intentaron llevar adelante un golpe de Estado, que fracasó tras la intervención de Boris Yeltsin. Este último quería la destrucción del sistema soviético, no su reforma. En 1991, también se acordó la disolución de la Unión Soviética y en su lugar se creó la Comunidad de Estados Independientes (CEI).

En 1993, Checoslovaquia se dividió en dos Estados, en forma pacífica: la República Checa y Eslovaquia.

676

TERCERA REVOLUCIÓN INDUSTRIAL

Cambios veloces

Como sabemos, hubo una **primera Revolución Industrial**, en el **siglo XVIII,** que impuso el maquinismo sobre las tareas manuales y difundió la industria textil. **Inglaterra** fue la principal favorecida, dado que esta revolución técnica se originó en ese país.

La **segunda Revolución Industrial** difundió la actividad industrial por una gran cantidad de países y se extendió **desde el siglo XIX a mediados del XX**. **Estados Unidos** fue la estrella indiscutida en esta etapa.

La **tercera Revolución Industrial** es la más rápida. Si las otras tardaron un siglo en desarrollarse y perfeccionarse, ésta **cambia cada diez años**. Ahora, **Estados Unidos** perdió su liderazgo absoluto; lo comparte con países de **Europa y con Japón**. Otro país que avanza rápidamente en la industrialización es **China**.

Los bloques contra la globalización

La industrialización, a la par que integra al mundo, hace avanzar las desigualdades internacionales.

Esto quiere decir que hay países muy, muy ricos (como Alemania), y naciones de África o América que viven en la más absoluta miseria.

Otro aspecto importante del fin de siglo es la llamada **globalización económica**, donde se integran las asociaciones de países, por ejemplo el MERCOSUR, el NAFTA, el PACTO ANDINO, la Unión Europea (UE), entre otros.

A finales del siglo XX, el único sistema económico existente en el mundo –salvo en Cuba y Albania– es el capitalismo. Hay nuevamente **dos polos: uno de riqueza y otro de pobreza**. En los países del Norte, se vive –promedio– con 20.000 dólares por año; en algunos del Sur, con menos de 200 dólares anuales. Mayoritariamente, los países que componen el sur se hallan en América latina, África y Asia. Los países del Norte son grandes exportadores de tecnología y productos químicos muy elaborados; los

del Sur sólo exportan sus materias primas, que deben vender a precios bajísimos. Lamentablemente, en muchos países pobres hay grupos muy ricos que no hacen ningún esfuerzo para que la situación cambie.

Si bien las guerras tradicionales ya no tienen lugar, existen ahora conflictos religiosos o interétnicos (de razas distintas) que suelen ser extremadamente brutales, tales como las matanzas de hutus en el África.

El **periodismo**, en general, desempeña ahora un **papel fundamental**. Gracias a la televisación directa o inmediata de los conflictos, las sociedades internacionales presionan a los gobiernos para que las peleas se detengan o, al menos, pueda socorrerse a las víctimas.

> El mundo de hoy está regido por una nueva industrialización: actualmente, la informática, la robótica, la biotecnología y las telecomunicaciones son los nuevos factores de desarrollo.

TEORÍA DE LA GLOBALIZACIÓN

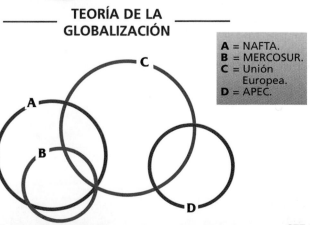

A = NAFTA.
B = MERCOSUR.
C = Unión Europea.
D = APEC.

GLOBALIZACIÓN Y CONFLICTOS BÉLICOS

Los violentos conflictos bélicos, la tecnología, el posmodernismo y la globalización son algunos de los rasgos característicos del fin del siglo XX y el comienzo del siglo XXI.

Economía, política y sociedad

El fin de la guerra fría cambió el orden internacional. Nuevos conflictos se desataron durante la década de 1990 en Europa, Asia y África. En el orden económico, el predominio de los Estados Unidos se ve desafiado por países como Japón y Alemania. Se produjo la reestructuración espacial de la economía mundial, y la región del Pacífico asiático se convirtió en el principal núcleo de crecimiento económico del mundo, aunque en la actualidad se encuentre en un período de crisis. El terrorismo internacional se ha convertido en uno de los principales enemigos de los Estados Unidos, ya que, en el terreno militar, la posición de este país sigue siendo hegemónica.

Los efectos de la tecnología sobre el medio ambiente y la globalización, especialmente de los medios de comunicación, tienen una influencia muy importante en la sociedad.

Naciones bajo fuego

La mayoría de los conflictos bélicos de la década de 1990 tienen su origen en las **diferencias étnicas y religiosas** de las poblaciones que comparten un pequeño territorio. Los intereses de los **grupos de poder económico** también son un factor importante en el tema. **El fundamentalismo religioso**, el **terrorismo** y la **intolerancia** son rasgos característicos de todos los conflictos.

Para tratar de entender un tema tan complicado, hemos dividido los conflictos por zonas geográficas, tratando sólo los más importantes.

Conflictos en Asia

• India y Pakistán

Luego de independizarse de Gran Bretaña en 1947, en estos países han surgido problemas territoriales por la zona de

Soldados estounidenses a su regreso de la Guerra del Golfo, desfilando por las calles de Nueva York.

Cachemira. Dicho territorio se halla dividido en dos. El 63 % le corresponde a la India, y su población, mayoritariamente musulmana, reclama su incorporación a Pakistán. A este país pertenece la otra región, denominada *Azad Kashmir* (Cachemira Libre). El conflicto ha conducido a una carrera nuclear, que puso a ambos países al borde de la guerra.

• Afganistán

La guerra civil mantiene a este Estado **multiétnico** en constante peligro. Luego del retiro de las tropas rusas en 1989, se inició una contienda civil que llegó a su máximo nivel con la aparición del grupo **talibán**, guerrilleros extremistas islámicos, que luchan contra la occidentalización. Han sometido a la población –especialmente a las mujeres– a la **ley islámica** o *sharía*, que pretende restaurar el orden a través de ejecuciones, supresión total de derechos, prohibiciones, etc.

Con la intervención de Estados Unidos (a causa de los atentados sufridos en su territorio), el grupo llamado Alianza del Norte, formado por afganos, logró derrocar el gobierno de los talibanes. A pesar de todo, la situación continúa siendo inestable.

• Oriente Medio

A partir de la creación del **Estado de Israel** por la **ONU** en 1948 –que dividió a Palestina en dos Estados, uno árabe y otro israelí–, se suscitaron enfrentamientos intermitentes por el control de los territorios. Además, las diferencias religiosas acentúan aún más los conflictos. En 1969 surge la **OLP** (Organización para la Liberación de Palestina), que intenta construir un Estado palestino independiente y laico. El accio-

nar de grupos terroristas –como **Yihad, Hezbollah y Hamas**– impide la paz, firmada en diversos acuerdos por el primer ministro israelí –asesinado– Rabin y el líder de la OLP, Yasser Arafat. Los conflictos –producidos por los territorios de **Cisjordania** y la **Franja de Gaza**– aún no han podido resolverse.

• Guerra del Golfo

A comienzos de la última década del siglo XX, comenzó a consolidarse un **movimiento antioccidental en el Medio Oriente**. El integrismo islámico, los reclamos palestinos y las ambiciones del líder iraquí Saddam Hussein se perfilaron

como nuevos conflictos para Occidente.

A mediados de 1990, Saddam Husein decretó la abolición de la monarquía kuwaití y anexó el emirato a Irak. Al mismo tiempo, invocaba a la "guerra santa" contra los Estados Unidos. En agosto del mismo año, la Comunidad Económica Europea decretó el embargo económico a Irak, y la ONU decretó el bloqueo por tierra y por aire.

Estados Unidos contra los talibanes

El 11 de septiembre de 2001, un atentado terrorista conmovió al mundo entero: dos aviones de pasajeros se estrellaron, con una diferencia de 18 minutos, contra las Torres Gemelas del World Trade Center de la ciudad de Nueva York, Estados Unidos. Una hora después, un tercer avión se estrellaba contra el edificio del Pentágono en Washington, sede del Ministerio de Defensa norteamericano. Un cuarto avión cayó cerca de Pittsburgh y se presume que éste también tenía un blanco definido. Los cuatro aviones habían sido secuestrados por terroristas. Casi al mismo tiempo, ambas torres se derrumbaban, atrapando entre sus escombros y una inmensa nube de polvo a miles de personas, entre las cuales se han hallado heridos y algunos sobrevivientes.

A pesar de que ningún grupo terrorista se atribuyó el atentado, el presidente de los Estados Unidos, George W. Bush, afirma que fue el grupo talibán liderado por Osama Bin Laden, por lo cual, días después, inició un ataque armado por aire y tierra contra Afganistán, país en donde los talibanes tienen su centro de operaciones.

Los norteamericanos desplegaron su fuerza militar en defensa de los derechos políticos del gobierno de Kuwait, y tratando de evitar la hegemonía de un Estado árabe en la región. El conflicto bélico se resolvió entre enero y febrero de 1991. Participaron en él Estados Unidos y sus países aliados de las Naciones Unidas. El objetivo era recuperar la soberanía de Kuwait y poner fin al régimen de Saddam Hussein. Este último objetivo no se cumplió, aunque se logró imponer cierto equilibrio en la zona.

Guerra en la ex-Yugoslavia

Luego de la caída del comunismo en Rusia, se produjeron conflictos en muchos de los países que habían sido dominados. Los más importantes se desarrollaron en el territorio de la ex-Yugoslavia, donde se desató una sangrienta guerra civil.

• Croacia, Eslovenia, Macedonia y Bosnia-Herzegovina

Se declararon independientes en 1991. Belgrado denegó el pedido y se produjeron enfrentamientos armados. En 1992, la Comunidad Europea reconoció la independencia de Eslovenia y Croacia. En Bosnia-Herzegovina, la guerra se extendió a partir de la invasión de su capital, Sarajevo. Ese mismo año se declaró la República Federal de Yugoslavia con Serbia y Montenegro. En cuatro años de guerra civil, se sucedieron tres guerras, en Eslovenia, en Croacia y en Bosnia, que fueron aumentando en violencia. Aún hoy existen conflictos.

• Kosovo

Zona del sur de Serbia, es testigo de uno de los más sangrientos episodios bélicos. La guerra tiene carácter étnico, pues el 90 % de la población es de origen albanés. Las diferencias, además de étnicas, son históricas, políticas y religiosas. El gobierno de Belgrado, ante el intento independentista de los kosovares, impuso una política implacable, presionando a la población con duras medidas. Los abusos y los asesinatos están a la orden del día, provocando una situación sumamente delicada.

- Guerra en Irak -

Entre marzo y abril de 2003, tropas estadounidenses y británicas invadieron Irak, con el argumento de que allí se hallaban armas de destrucción masiva. Con una amplia superioridad de armamento y tecnología militar, derrotaron rápidamente al ejército iraquí y derrocaron al régimen de Saddam Hussein. La acción militar atacó numerosos objetivos civiles y provocó muchos muertos en la población iraquí. Antes y durante la guerra, se realizaron grandes manifestaciones de rechazo en todas las ciudades importantes del mundo.
La ocupación fue rechazada por la mayoría del pueblo iraquí que, de diversos modos, ha expresado su deseo de que haya "un gobierno sin Saddam ni EE. UU.". Hasta ahora, ningún sector político importante se mostró dispuesto a colaborar con el jefe de la ocupación.

El gran desarrollo de los medios de comunicación elimina las fronteras geográficas.

La tecnología y la globalización

El avance de la tecnología, si bien ha resultado benéfico en relación con el progreso económico y las mejoras sanitarias, también produce graves efectos sobre el medio ambiente. El siglo se cierra con este dilema: lo positivo o negativo del progreso. A esto se suman el crecimiento de la desocupación, la incertidumbre sobre el futuro, las desigualdades, la pobreza y el aumento de la violencia. Pero el progreso también produjo el fenómeno llamado globalización. En medio de tantos conflictos por intolerancia, la integración del espacio y los individuos a través de la tecnología elimina las fronteras geográficas y fomenta la comunicación. Tal vez sea ése el lado positivo del fin del siglo XX.